Nous dédions cet ouvrage au biologiste Dr. rer. nat. Ulrich Baensch, fondateur de l'aquariophilie moderne et inventeur de la première alimentation naturelle pour poissons d'ornement de fabrication industrielle.

Dr. Rüdiger Riehl
Hans A. Baensch

Photos de couverture:

Titre:	*Paracheirodon axelrodi* Burkhard Kahl	
Dos:	*Serrasalmus notatus* Aaron Norman	*Barbus filamentosus,* juvenil Burkhard Kahl
	Melanochromis joanjohnsonae Aaron Norman	*Melanochromis joanjohnsonae* Aaron Norman
photo page 3:	*Corydoras sterbai* Ruud Wildekamp	

Traduction française: Jean SCHNUGG
avec la participation de Gilbert MATZ, Yves SELL, Jean MARTZ

AQUARIEN ATLAS
a été conçu et publié par MERGUS Verlag
Hans A. Baensch, Postfach 86, 49302 Melle, Allemagne
Email: mergus@t-online.de Internet: http://www.mergus.com

Pour la quatorzième édition française
ISBN 3-88244-049-X

Typographie et couverture:	Braun Design, 33824 Werther, Allemagne
Traduction française:	Jean SCHNUGG
Lithos:	MERGUS Lithoart, Taiwan
	Büscher repro, 33613 Bielefeld, Allemagne
Impression:	MERGUS PRESS, Singapore
Rédaction:	Dr. Rüdiger Riehl
Editeur:	Hans A. Baensch

Imprimé en Singapore

Dr. Rüdiger Riehl
Hans A. Baensch

ATLAS DE L'AQUARIUM

Volume 1

Verlag GmbH für Natur- und Heimtierkunde
Hans A. Baensch • Melle • Germany

Table des matières

Voici les raisons pour lesquelles nous avons osé ajouter un livre de plus à la centaine de magnifiques ouvrages sur l'aquariophilie, parfois en plusieurs tomes:
L'aquariophile est désorienté par les nombreux livres sur l'aquariophilie proposés sur le marché.
Mais il manque encore un ouvrage moderne, fonctionnel, en un volume. Un ouvrage qui traite tous les sujets importants suffisamment détaillés en restant dans les limites manque également.
Notre livre fournit de l'information concentrée accompagnée de photos de 600 espèces de poissons et de 100 plantes aquatiques. Il n'est cependant pas un dictionnaire sur les poissons et les plantes, mais fournit des conseils pratiques pour la maintenance, les soins, la reproduction et la cohabitation des poissons et des plantes.
Nous pensons que plante et poisson doivent être réunis pour des raisons biologiques et optiques. Les aquariums plantés sont sains pour les poissons et reposants pour l'œil de l'observateur. En outre, ils nécessitent davantage de connaissances de la part de l'aquariophile que des bacs stériles décorés de plantes en matière plastique. Les poissons sont souvent trop peu connus. Chaque débutant pense, et beaucoup le pensent encore, que poisson égal poisson, que la maintenance d'un Discus est aussi facile que celle d'un Poisson rouge!
C'est là que ce livre veut aider. Il voudrait aider le débutant, mais également le chevronné. Il est conçu pour tous ceux qui voudraient en savoir davantage que ce qu'ils trouvent dans les petites brochures pour débutants et qui ne voudraient pas brasser de gros volumes.
On peut dire que 95% du savoir nécessaire pour la pratique de l'aquariophilie ont été économiquement et rationnellement casés dans ce livre. Il comble la lacune entre les brochures à thèmes spécifiques et les gros ouvrages dont de toute manière seulement environ 5 à 10% des amateurs ont à la fois un réel besoin et les moyens financiers pour les acquérir.
En comparant avec la littérature existante, vous découvrirez quelques modifications, notamment en ce qui concerne les noms des poissons. Cela peut être dû d'une part à ce que nous avons revisé toutes les données de la littérature scientifique et que d'autre part nous avons tenu compte des plus récents produits de l'industrie aquariophile, en prenant comme base nos expériences personnelles, sans vouloir mettre en évidence l'une ou l'autre tendance.
La technique moderne et la compréhension pour la chimie et la biologie ont simplifié l'aquariophilie, mais sans expérimentation personnelle, avec ses bons et ses mauvais résultats, elle devient fade comme tout hobby porté à la perfection.

Dr. Rüdiger Riehl Hans A. Baensch

Avertissement

Pour davantage de fidélité dans la traduction du texte initial, il a été convenu que dans cette édition française la dureté de l'eau serait exprimée en degrés allemands comme dans l'édition originale, afin d'éviter toute confusion dans l'emploi des qualificatifs. En effet, le terme «eau douce» ou «eau dure» est à interpréter différemment lorsqu'il est utilisé par un auteur allemand. Par exemple pour ce dernier, une eau titrant 20 degrés allemands est dure, alors que sa correspondance en unités françaises est de 35,8 degrés français, ce qui signifie chez nous: eau très dure, sinon très très dure!
Le lecteur rencontrera donc les signes dGH = deutsche Gesamth‹rte = dureté totale; KH = Karbonat H‹rte = dureté carbonatée ou dKH = deutsche Karbonat H‹rte. Ces signes sont d'ailleurs assez familiers aux aquariophiles, car ils les trouvent sur différentes trousses proposées habituellement par le commerce spécialisé. Pour les amateurs employant des réactifs dont l'échelle colorimétrique renseigne en degrés français, nous rappelons que 1° allemand correspond à env. 1,79° français. Il faut retenir que la dureté totale est exprimée en unités différentes selon les pays, c. à d.:
le degré français correspond à 10 mg/l de carbonate de calcium (soit 4 mg de calcium),
le degré allemand correspond à 10 mg/l de chaux vive.
Pour traiter de ce sujet, et de quelques autres souvent arides, les mots les plus clairs et les plus simples ont été utilisés dans tous les cas où cela était possible. Mais souvent les termes scientifiques au sens précis sont les seuls qui soient justes et auxquels on ne peut pas substituer des mots du vocabulaire habituel. Pour le cas particulier de l'eau et de la chimie de l'aquarium, un glossaire figure à la fin du chapitre (p. 38).

Jean Schnugg

Vivre avec des poissons

En Allemagne, où l'aquariophilie est particulièrement bien développée, on compte presque 1 Million d'aquariums avec environ 36 Millions de poissons. En Suisse, on dénombre à peu près 60000 aquariums, et en Autriche, quelques trente cinq mille. Chaque année on constate également que 10 à 20% d'amateurs abandonnent leur hobby et rangent leurs bacs avec les objets encombrants, soit à la cave, soit au grenier. Dans la plupart des cas, les motifs d'abandon cités, sont:

- les plantes dégénèrent
- le mélange des différentes variétés de poissons occasionne des pertes continuelles, qui sont démoralisantes.

Le véritable ami des bêtes est toujours peiné par la disparition de son protégé. Pourquoi l'aquariophile ne le serait-il pas autant? Mais, si la peine ressentie est assez profonde pour développer la volonté d'en rechercher les causes dans ses propres erreurs, et encourager l'amateur à se familiariser avec l'aquariophilie, alors, et seulement alors, la partie sera gagnée.
Il ne suffit pas d'acheter un bac, des accessoires et des poissons, il faut aussi acquérir les connaissances nécessaires pour maintenir dans le temps la bonne santé des poissons. Tenues dans de bonnes conditions, certaines espèces de poissons peuvent vivre de cinq à dix ans, d'autres, plus résistants, peuvent aller au-delà. Un poisson n'est pas à même de prélever son besoin en oxygène dans l'air comme le font les hamsters, les perruches ou nous-mêmes. Le poisson prélève son besoin en oxygène que nous lui offrons: cet oxygène peut être dissout en quantité suffisante dans de l'eau propre, filftrée et périodiquement renouvelée; ou alors, être presque inexistant dans une eau trouble et polluée. Un poisson vit en nageant et en respirant dans le milieu qu'il pollue lui-même par ses propres sécrétions. Dans la nature l'équilibre s'établit de lui-même, dans l'aquarium cela n'est pas possible sans l'intervention de l'aquariophile.

Dans tout logis, on peut trouver un emplacement pour un aquarium

Ne pas avoir de place pour un aquarium est un faux argument. Celui qui prétend cela a d'autres raisons pour ne pas avoir d'aquarium. Un emplacement est toujours disponible; dans le cas extrême, même une fenêtre exposée plein sud peut convenir si on prend les précautions nécessaires, soit en protégeant la face arrière contre les rayons solaires ainsi que le fond contre la chaleur du radiateur. (avec des plaques de polystyrène expansé). La lumière solaire ne pourra même pas pénétrer par le dessus du bac car la rampe d'éclairage protègera cette face. Il est évident que cet emplacement n'est pas idéal, mais si

le bac dérange ailleurs, cela peut être envisagé. Même si on relève des températures de 40° à cet endroit, l'eau d'un bac correctement protégé, ne dépassera pas 30°, température que la plupart des poissons peuvent supporter.
Un aquarium doit apporter une note gaie dans un logis, pour cela il faut qui'l soit une image vivante et naturelle.
Son implantation dans le living, par exemple, ne doit pas déranger. D'une part, le bac doit être visible du coin repos et de préférence dans l'angle de vue du fauteuil préféré de l'aquariophile, d'autre part, il faut à tout prix éviter que l'aquarium devienne un point de mire agressif, que écrase l'environnement. En résumé, l'aquarium doit s'adapter aux meubles et au style de la pièce où il est installé.

Où et comment peut-on installer un Aquarium

1. En tant que séparation de pièce
   a. Meuble aquarium
   b. Bac sur support
   c. Implanté dans une cloison de séparation
   d. Bac sur support maçonné
   e. En épis
   f. Implanté à même le sol
2. Aquarium en surélévation
   a. Estrade en bois revêtue de moquette
   b. Adossé au mur sur support en bois ou pierre, éventuellement revêtu de moquette
   c. Support en fer forgé
   d. Sur un coffre ou bahut rustique
   e. Sur un support de style moderne (genre support en alu éloxé pour téléviseur)
3. Fixé au mur comme un tableau
   a. Sur consoles
   b. Noyé dans un mur
   c. Mitoyen dans un mur
   d. Adossé au mur dans un meuble

Ces exemples ne constituent que des idées. La fantaisie ne connaissant pas de frontière, tout autre implantation peut être envisagée. Le chapitre suivant décrit comment implanter un aquarium en tenant compte de toutes les motivations possibles. Dans ce chapitre nous traiterons en particulier l'implantation sous l'aspect de l'architecture intérieure, et, nous vous donnerons quelques trucs pour intégrer un bac dans un logement décoré en style moderne, rustique ou antique. Un changement périodique d'une partie d'eau (ce qui correspond au nettoyage périodique d'une cage d'un autre animal familier), une connaissance simple de la nourriture ainsi que le choix judicieux des variétés de poissons qui s'accomodent, constituent les trois petits secrets de l'aquariophilie. 50% des échecs sont dûs à l'ignorance de ces trois rêgles fondamentales. L'amateur qui est assez curieux pour vouloir acquérier également quelques connaissances sur les plantes d'aquarium, ainsi que quelques connaissances élémentaires sur la chimie de l'eau, (seulement retenir 2 ou 3 valeurs) est pratiquement un aquariophile parfait. Les noms scientifiques ne doivent pas forcément inonder votre mémoire, car l'ouvrage que vous lisez actuellement, vous facilitera la tâche, en vous renseignant sur les détails particuliers à une variété de poissons ou à tour autre problème qui peut se présenter.

Quelques exemples d'implantation

Les photos des pages suivantes permettront de révéler quelques unes des nombreuses possibilités d'implantation d'un aquarium dans une demeure. De préférence, l'aquarium trouve sa meilleure place dans le séjour et pour cette raison, la plupart des photos sont prises de telles installations. Toutefois, il est fort possible d'implanter un bac dans une entrée, sous un escalier, entre 2 pièces, dans un bureau, ou à la limite même dans une chambre à coucher. L'implantation d'aquariums dans des halls d'entrée de lieux publics, dans des salles d'attente ou dans des restaurants n'est pas traitée dans cet ouvrage.

Un aquarium sans armoire de support! C'est plus vivant, vous avez plus de place et plus de liberté de mouvement. Mais n'oubliez pas que ce type d'installation nécessite beaucoup de soin. Les consoles de support doivent être fixées dans la cloison et il faut prévoir des angles de port sur la longueur du bassin, tous les 50-60 cm.
Les filtres extérieurs ont été ici installés dans une boîte séparée, située sur le côte de l'aquarium - c'est la une solution vraiment adaptée et élégante pur l'organisation de l'habitat.

L'aquarium collé avec de la silicone noire repose sur une armoire de support. Il offre assez de place pour les installations techniques comme le bloc de filtrage avec sa pompe centrifuge, le chauffage et les instruments de nettoyage (attention: conserver la nourriture pour poissons à l'écart!). On peut très facilement monter les bobines chauffantes des tubes fluorescents sous l'aquarium afin de réduire le poids de la lampe de couverture et "réchauffer les pieds" des plantes. Les tuyaux de filtrage sont placés derrière l'aquarium, à moins que l'aquarium n'ait un sol percé permettant d'installer les entrées et les écoulements des filtres en gagnant de la place. Il va de soi que l'on doit installer des colliers de serrage et des robinets d'arrêt pour faciliter le nettoyage des filtres.

L'aquarium complet épuipé de colonnes de support s'intègre sans problème à l'habitat moderne et ne nécessite (presque) pas d'entretien. Un look qui captive le regard, et pas seulement celui des spécialistes de l'aquarium. Les pompes et les installations de filtrage sont situées dans la colonne de support et le fond du bassin a été percé. Avec ce type de matériel, l'entretien se limite à l'alimentation des poissons et au nettoyage des installations de filtrage. Des silures (comme les espèces *Ancistrus*) qui se nourrissent d'algues se chargent du nettoyage des vitres.

Avoir un aquarium dans le meuble de la salle de séjour est l'une des solutions les plus appréciées pour se masser l'esprit avec ce "téléviseur vivant". Cependant, on ne devrait pas confier son aquarium à n'importe quel fabricant de meubles. Le bon menuisier devrait, si nécessaire, ajouter quelques supports supplémentaires qui atteignent le sol. Un bassin de deux mètres (comme représenté ici) pèse envirn 1/2 tonne!
Les spéecialistes des aquriums ou votre vendeur d'animaux ne devraient pas avoir de difficulté à monter un éclairage dans la partie supérieure du meuble et un système de filtrage dans la partie inférieure.

Cet aquarium est presque un paludarium. On a accordé ici plus d'importance aux plantes qu'aux poissons pour créer le paysage ambiant. C'est une solution bien sympathique pous les spécialistes en botanique. On peut placer dans ce terrarium aquatique des poissons d'eau saumâtre ("triailleurs", argus), dans la mesure où les racines des plantes ne sont pas en contact avec l'eau.
Au-dessus de l'aquarium, les plantes qui aiment l'humidité se trouvent vraiment à l'aise, comme les fougères, certaines bromélies (tillandsies), les orchidées etc.
Si on place des poissons d'eau douce dans l'aquarium, des raicines de philodendrons peuvent aussi entrer en contact avec l'eau sans que cela pose problème. Elles se développent rapidement et forment de bonnes cachettes pour les alevins. Attention: les racines de philodendrons ne doivent pas être pliées car elles dégagent une sève toxique pour certains poissons.

Ce bac de 1,40 m est encastré dans un mur entre 2 pièces, seule la face côté séjour est visible. Les travaux d'entretien s'effectuent dans l'autre pièce, l'accès au bac se faisant par un couvercle. Là encore, il est souhaitable:

- de prévoir 30 à 40 cm de hauteur libre au dessus du bac
- de prévoir assez de place sous le bac pour l'emplacement d'un filtre à grand volume.

Pour un tel bac, il est judicieux de réaliser un support en béton armé. Pour compléter le décor environnant, ont été utilisées des reproductions de la collection MERGUS (Série Sciences Naturelles). L'éditeur de l'Atlas de l'Aquarium est à même de vous procurer les prospectus si vous êtes intéressés.

Lors de l'étude de cette partie de logement, le propriétaire prévoyait l'implantation d'un aquarium en un mur de séparation entre la cheminée et le jardin d'hiver. L'ouverture du mur côté pièce correspond uniquement à la surface frontale du bac. La découpe est nettement plus grande de l'autre côte du mur, comme on peut le constater sur la photo page 19.
Comme ce bac, mesruant 130 x 60 x 50 cm de haut, est à classer parmi les super aquariums, el a été prévu 4 projecteurs dans le volume au-dessus du bac. Les ampoules sont facilement remplaçables. L'élément situé au dessus des projecteurs est surtout prévu pour évacuer la chaleur produite par ceux-ci.
Le bac repose sur des cornières scellées dans le mur, cachées par un meuble avec des portes coulissantes. La partie gauche du meuble contient les accessoires. Le filtre extérieur trouve sa place du côté droit, où se situent également, une alimentation d'eau courante, une alimentation d'eau de pluie ainsi qu'un départ vers la canalisation. Trois prises de courant viennent s'ajouter à l'installation, trois autres prises sont fixées dans le volume vide au dessus du bac.

Un aquarium vraiment adapté aux perches multicolores, avec ses sèches et ses *Anubias*africains. Ce bassin peut être pris pour un aquarium d'eau de mer en raison de ses poissons au charme coloré, mais il est plus simple à nettoyer. On peut associer sans problème des cihlides bleus, jaunes et oranges dans la mesure où les espèces sont différentes. Si les poissons sont de la même espèce, des croisements (mélanges) indésirables pouraient s'effectuer. Mais on peut très bien mélanger tout une troupe de mâles bleus avec des femelles jaunes - ou vice-versa. On ne devrait pas avoir de problèmes avec les cichlides africains.

Le choix du bon Aquarium

Dans la plupart des cas, le 1er aquarium est acquis selon les critères décroissants suivants:

1. Volume – Budget
2. Place disponible – Où le mettre?
3. Choix du type de bac
4. Besoins des poissons

En principe, c'est le 4ème critère qui devrait être prédominant, quoique l'on puisse également choisir la future population en fonction des dimensions du bac.

1. **Le volume** est proportionnel à la place disponible et évidemment au budget. Un aquarium tout simple de 60 cm de longueur, avec les accessoires utiles, revient environ à 600 F. Le prix d'un bac de 1,20 m s'élève de suite à environ 3000 F. Pour une implantation harmonieuse, les dimensions du bac sont très importantes. Une pièce de 20 m^2 autorise un bac de 1,20 m. Une superficie de 10 m^2 ou moins s'harmonisera bien avec un bac de 80 cm. Les grandes pièces (au-delà de 20 m^2) offrent des solutions plus intéressantes, comme la séparation de la pièce en 2 parties. En plaçant l'aquarium en épis, celui-ci sera donc visible des deux faces.
Le décor de tels bacs est plus difficilement réalisable que celui d'un aquarium de même dimension adossé à un mur. Cette difficulté est due au fait qu'il faut décorer principalement l'axe longitudinal du bac. Le type «deux faces» devrait avoir une profondeur plus grande que le type 1 face, la profondeur minimale doit être de 50 cm. Si une certaine variété de poissons ou groupe de poissons est particulièrement retenue, il faut orienter le choix du bac en fonction des besoins des poissons. Au chapitre «POISSONS» vous trouverez les dimensions correspondant à chaque type de poisson. Un grand aquarium s'entretient plus facilement qu'un petit, pour la bonne raison que la périodicité d'intervention est plus étalée pour un grand bac. Il est toujours utile de suivre les conseils d'un professionnel vendeur. Il est à même de concilier au mieux grandeur du bac et budget. Si le rêve se réalise, il est recommandable de débuter avec un aquarium d'au moins 70 cm de long (environ 80 l en volume).

2. **L'emplacement disponible** dans le logement ou dans la maison est très subjectif. Quelques exemples dans le chapitre précédent illustraient fort bien la chose. Pour tout un chacun il existe une solution satisfaisante.

Dans le cas où vous souhaitez utiliser un meuble existant comme support, préférentiellement à un support plus adéquat, il est absolument indispensable de vérifier que ce meuble en question présente une solidité suffisante pour le futur bac. Un bac rempli d'eau est très lourd.
A titre d'exemple: un aquarium d'une longueur de 1 m rempli avec environ 140 l d'eau, plus le poids du gravier et du décor, approche aisément 200 kg en poids total. Une table branlante ne supportera en aucun cas ce poids, un support mal conçu ne résistera guère mieux. Si vous choisissez un système à console, retenez que l'intervalle entre les supports doit répondre à certaines normes (entre 80 et 100 cm selon fabricant). N'oubliez pas de relever exactement les mesures avant l'achat du bac, car il est très vexant de constater lors de la mise en place, que l'aquarium est trop long de 1 cm!
L'adaptation des bacs à l'aménagement de la demeure est beaucoup simplifiée depuis l'apparition des bacs modernes en verre, assemblés à la colle silicone. Les nombreuses possibilités offertes par de larges gammes de meubles spécifiques pour aquarium, résolvent la plupart des problèmes. Le choix du style n'est pas limité. Les exemples déjà cités peuvent éventuellement servir de référence et guider dans le choix.
Avant d'implanter l'aquarium, il est souhaitable de vérifier les 5 points suivants.

a) Un emplacement pas trop ensoleillé, car on risque une élévation très importante de la témperature de l'eau en été. A cela s'ajoute le risque de voir proliférer les algues. L'aquarium peut être correctement éclairé avec les techniques actuelles.
b) Eviter un emplacement au dessus d'une source de chaleur, un adossement à un radiateur ou trop près d'un poêle radiant.
c) Disposer d'un écoulement directement relié à la canalisation. A défaut, si l'on dispose, à moins de 15 m, d'un receveur de douche ou d'une cuvette de WC, on peut réaliser les changements d'eau à l'aide d'un tuyau souple. Cela présente un avantage certain. La corvée d'eau avec un seau est lassante, les changements d'eau s'espaceront de trop et cela au détriment des poissons ou des plantes.
d) Des prises de courant en nombre suffisant devraient être installées derrière ou tout à côté du bac. Les montages avec des T sont dangereux à tout point de vue.
e) Attention aux Persans de grande valeur. Lors de l'entretien on ne peut éviter des éclaboussures accidentelles, ces gouttes d'eau ne détérioreraient pas le tapis, mais risqueraient de vous attirer de graves ennuis.

f) Votre contrat d'assurance multirisque vous couvre-t-il, vous et vos voisins, contre les dégâts des eaux,? Rupture de tuyaux souples, débordement du bac, vitre brisée.
g) Il faut détruire une idée reçue. **Ne relier en aucun cas** les bacs à armature métallique au **neutre,** car des électrocutions sont quasi impossibles. Une mise à la terre par contre rendrait un accident fort possible.
h) Pour l'installation d'un bac d'une longueur de 1,40 m et plus, il faut aussi vérifier la rupture à la charge de la dalle porteuse. D'autre part, il faut éviter que les pieds d'un support d'aquarium ne reposent en porte à faux entre 2 poutres porteuses (maisons anciennes). La position des poutres peut être repérée soit par le cloutage apparent, soit par la technique de la résonnance. Les revêtements de sol en matières synthétiques se marquent facilement sous une charge. Pour éviter cet inconvénient, on peut intercaler des soucoupes.

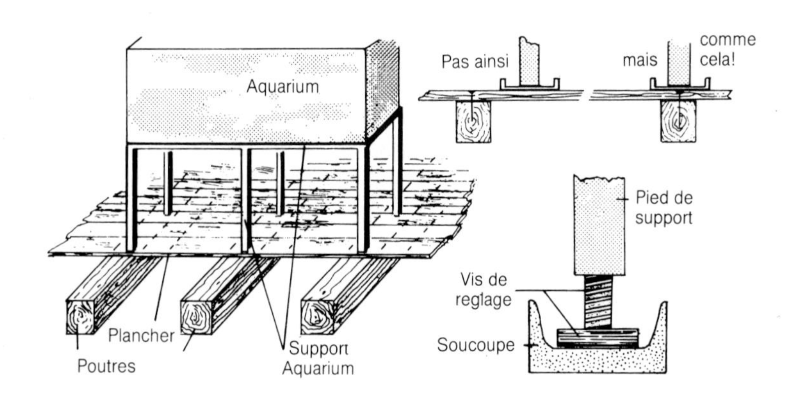

Si l'emplacement d'un aquarium en face d'une fenêtre ne peut être évité, la fenêtre miroitera dans la vitre du bac. On peut éviter cet inconvénient par une construction adéquate du bac qui ne gênera pas la vision. Un montage avec un angle de 10 à 15° de la vitre frontale renverra les reflexions vers le bas et non plus dans les yeux du spectateur.

3. **Choix du bac**

Les types suivants de bacs sont disponibles dans le commerce.

a) Aquarium en verre collé
b) Aquarium en verre collé, renforcé par une armature en matière plastique.
c) Bac en plexiglas
d) Bac à armature en alu éloxé
e) Bac à armature métallique isolée avec mastic synthétique
f) Bac à armature chromée
g) Bac en éternit avec glace frontale
h) Bac en verre coulé
i) Meuble aquarium

Nous vous recommandons les types a), b) ou i). Pour l'éclairage, bacs d'essais ou de quarantaine, le type h). Pour le jardin d'hiver ou le bac à poissons d'eau froide le type g). Les bacs intégrés dans un meuble sont plus souvent du type a), d) ou g).
Avantages et inconvénients de chaque type:
On peut construire soi-même ou faire construire un bac. Les fabricants de colle silicone donnent d'utiles conseils pour la réalisation des bacs en verre collé. Mais il faut être habile manuellement pour obtenir un résultat final. Il existe deux sortes de colle, celle polymérisant à l'acide acétique, celle polymérisant à l'amoniaque. N'utiliser que la colle à l'acide acétique (odeur de vinaigre) et encore après avoir vérifié si le mode d'emploi spécifie qu'elle convient pour le collage d'aquarium.

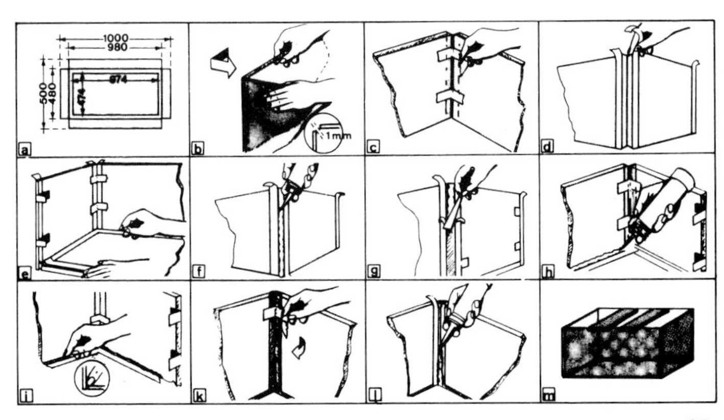

Type de bac	Avantages	Inconvénients
a) Bac verre collé	Aspect moderne, adaptable partout	Lourd, écaillement aux angles
	N'acheter que des bacs garantis par le fabricant!	
b) Bac verre collé renforcé partiellement avec armature en matière synthétique	Bac idéal si le renfort est de bonne qualité et le verre adhère correctement	Des bacs bon marché se disloquent rapidement. Veillez à la garantie du constructeur. N'acheter que des bacs de marque
c) Bac en Plexiglas (base acrylique)	Très léger, convient parfaitement comme 2è bac pour soins à poissons malades. Des formes arrondies sont réalisables	Le plexiglas se raye facilement lors de l'entretien (grains de sable). La forme galbée déforme l'image, ce qui peut à la limite produire des effets curieux
d) Bac à armature alu éloxé, isolée avec mastic synthétique	Vitres facilement remplaçables. Couvercle avec système d'éclairage disponible	Les bacs ayant des fuites ne peuvent être réparés que difficilement
e) Bac à armature métallique, isolée avec mastic synthétique	Coûteux	La rouille apparait après quelques années malgré le mastic synthétique. Ne peut être utilisé en eau de mer
f) Bac à armature chromée	La plupart des bacs dont l'armature est soudée par points sont chers et ont bel aspect à l'état neuf. Aux USA c'est le bac dominant néanmoins concurencé par le type a)	Le chromage se ternit rapidement. La rouille s'incruste. Seulement valable pour aquariophilie d'eau douce
g) Bac en éternit (amiante-ciment)	Plus robuste que le verre. Convient bien pour mini étang pour poissons rouges tenus au jardin d'hiver. Des bacs spéciaux avec fontaine s'adaptent bien au décor d'une vitrine avec plantes vertes	Lourd et difficilement manipulable. Doit être protégé avec un revêtement isolant (2 composants) pour éviter la dissolution des composés d'alcalins de l'éternit
h) Bac en verre coulé	Pratique. Convient pour la reproduction vivipare, l'élevage des combattants. Coûteux à l'achat	Au-delà de 35 cm – tendance à l'éclatement – très fragile au moindre choc

4. Besoins des poissons

Les poissons sont indifférents à l'aspect extérieur de l'aquarium. Par contre le bac doit être spacieux, offrir un volume d'évolution suffisant, et être en rapport avec la taille de la variété des poissons.

Les **Siluridés** et les **Labyrinthidés** demandent en règle générale des bacs plats et volumineux à grande surface d'eau.

Les **Salmonidés, Danios** et en règle générale les espèces grégaires nécessitent des bacs longs, qui permettent une évolution naturelle. En outre, ces bacs peuvent très bien être profonds.

Les **Scalaires** se développent le mieux dans des bacs hauts. Toutes les autres espèces ou groupes se contenteront des bacs mis à leur disposition, mais il est toujours souhaitable de veiller à une longueur minimale. A la description de chaque poisson pourrait éventuellement figurer le volume minimal, mais comme en Europe les bacs sont commercialisés d'après leurs longueurs, il est plus judicieux d'indiquer celle ci de préférence au volume minimal. Les bacs profonds (larges) ont deux grands avantages. Proportionnelle à la grande profondeur, la surface disponible au sol permet une meilleure plantation et la surface d'eau permet un meilleur échange gazeux. Ce sont là deux facteurs positifs pour le bien-être des poissons.

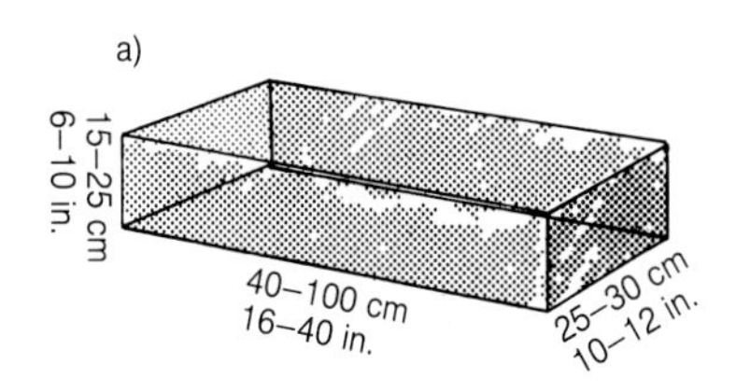

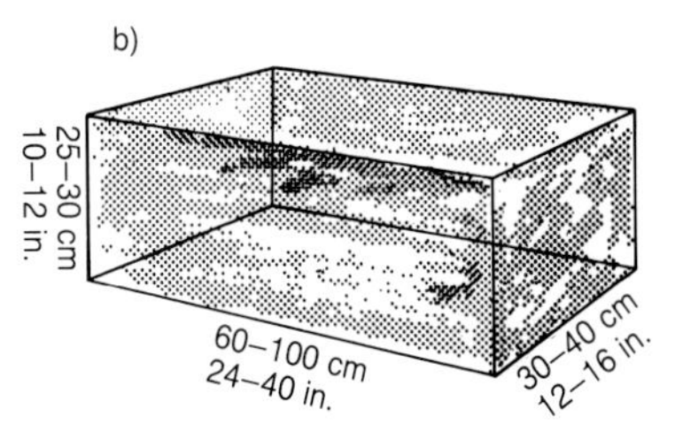

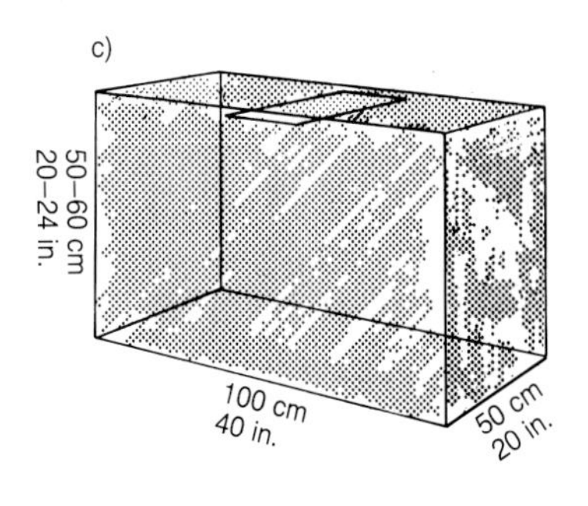

a) Bac pour Anabantidés

b) Bac pour Characidae

c) Bac pour Scalaires

Le sol

En tant qu'amateur de plantes, il faut accorder une certaine importance au sol. La qualité de celui-ci influe sur la croissance ou la dégénérescence des plantes. La nature du sol n'influe pas énormément sur la vie des poissons. La matière utilisée doit être de ton sombre et ne pas être constituée de particules à arêtes vives. Quelques variétés de poissons aiment fouiller les fonds sablonneux pour y détecter nourriture et déchets d'origine animale ou végétale. Le sol ne doit pas contenir de substances métalliques ou calcaires. On peut facilement reconnaitre un sol calcaire en versant quelques gouttes d'acide chlorhydrique ou de détartrant ménager, sur un prélèvement. S'il se produit une effervescence, on peut conclure qu'il y a présence de calcaire. Le calcaire n'est pas dangereux par lui-même, mais en se dissolvant, il rend l'eau de l'aquarium plus dure, ce que n'apprécient pas la grande majorité des poissons, et surtout ce que les plantes ne supportent pas. La quartzite, que l'on peut acheter dans les magasins spécialisés est le plus couramment employée. Néanmoins, il faut signaler que cette quartzite, souvent traitée par brûlage, peut être facilement nettoyée, mais ne contient plus d'éléments fertilisants.

Sols appropriés

Sable grossier, environ 2 mm ∅
Gravillon fin, environ 3 à 5 mm ∅ (Quartzite, photo en haut)
Lave concassée
Basalt concassé (photo du milieu)
Sable de rivière

Sols à rejeter

Marbre concassé (calcaire)
Terre arable
Pierre ponce (+ léger que l'eau)
Dolomie (calcaire)
Sable corallien (calcaire)
Sable marin (sel + calcaire)
Fragments coquillages marins (sel + calcaire)

Le nettoyage au sable

Pour les petits bacs jusqu'à 60 cm de long, le lavage peut être effectué avec une passoire ménagère dans laquelle on verse 2 bols de gravillon ou de sable et qu'on lave minutieusement sous l'eau courante. Pour des volumes plus importants de gravillons, il vaut mieux opérer à l'extérieur de la maison en utilisant un seau ou un tamis et laver à l'aide d'un tuyau d'arrosage. La méthode du seau est la plus usitée car on ne dispose pas toujours d'un tamis. On remplit le seau à moitié avec du sable. On enfonce le tuyau à travers la masse jusqu'à toucher le fond du seau. Après ouverture du robinet, on remue le sable avec le tuyau jusqu'à ce que l'eau débordante soit limpide. Il est évident qu'un bon lavage du gravier ou sable évite une eau trouble lors du remplissage du bac. Si on ne dispose ni de tuyau d'arrosage, ni d'un lieu propice à l'extérieur et qu'il faille entreprendre cette opération dans la salle de bain, il faut faire très attention pour ne pas boucher le siphon. Le gravier se met moins en vortex que le sable lors du lavage dans un seau et convient de ce fait mieux pour entreprendre le nettoyage à l'intérieur d'un appartement. Par contre, le gravier lavé ne contenant pratiquement plus de substances nutritives pour les plantes (contrairement au sable lavé), il faut absolument l'amender pour obtenir une végétation optimale dans l'aquarium. Pour fertiliser le sol, il existe plusieurs possibilités:

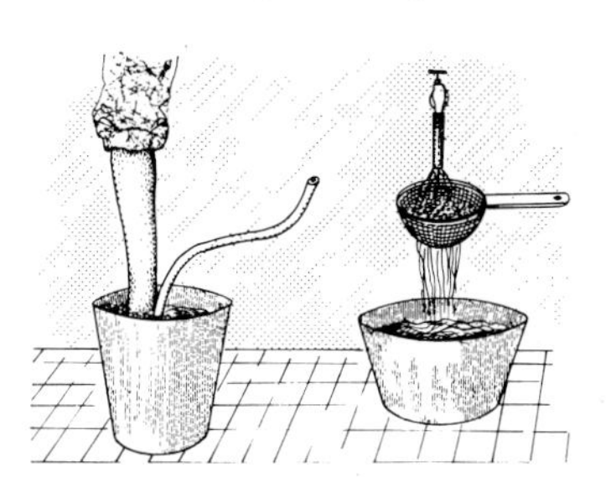

1. Une première couche de 1 à 2 cm de sable non lavé est mise au fond du bac, puis on couvre le tout de 4 à 6 cm de gravier lavé. Cette méthode présente un inconvénient: la première couche se colmate au bout de 1 à 2 ans et il faut refaire complètement le sol du bac après ce court laps de temps.
2. On mélange du gravier lavé (∅ 3 à 5 mm) avec un fertilisant pour sol (produit de commerce) et on commence par une première couche de 3 cm de haut. En deuxième couche, sur une hauteur de 5 cm, on utilise du gravier lavé de la même granulométrie que pour la première couche. Cette méthode a pour inconvénient de ne pouvoir être utilisée pour un bac déjà installé. Par contre elle présente tellement d'avantages qu'on devrait se donner la peine d'une réfection complète.

3. On peut acheter des substrats fertilisés dans le commerce. (Ex. Hobby des Ets Dohse). On mélange ces substrats avec du gravier lavé pour constituer le sol d'aquarium. Cette méthode est sans doute la plus simple pour une nouvelle installation.
4. Pour enrichir le sol des bacs déjà installés, l'unique méthode possible consiste à introduire le fertilisant dans le sol existant. Ceci peut se réaliser avec des boulettes d'argile de la grosseur d'une bille qu'on enfonce dans le sol à des intervalles de 5 à 10 cm. Comment se procurer ces boulettes?
   a) On peut acheter des préparatifs dans le commerce (plusieurs marques disponibles).
   b) Les toutes vieilles bâtisses en milieu rural étaient souvent enduites de mortier d'argile. Des petits morceaux de ce mortier constituent un bon fertilisant. Néanmoins, il faut prendre la précaution de vérifier si ce mortier ne contient pas de chaux, en versant quelques gouttes d'acide chlorhydrique sur un prélèvement. S'il se produit une effervescence, il vaut mieux ne pas employer ce mortier, car il contient des substances calcaires.
   c) On confectionne les boulettes avec de l'argile gras en provenance d'une terre de jardin ou d'une carrière d'argile. Il suffit de sécher pendant une heure ces boulettes dans le four à 200° C.

Réaliser le sol d'aquarium est une opération importante à laquelle il faut consacrer temps et attention nécessaires. La récompense sera une végétation luxuriante.

Mise en place du sol:

En versant les constituants simplement sur le fond du bac par couches successives comme précédemment décrit, on obtient une surface plane sans grand effet décoratif. En réalisant un plan incliné de l'avant vers la vitre arrière du bac, où se trouveront les plantes à grand développement, on permet aux racines de celles-ci de disposer d'un volume de sol convenable. Mais très rapidement les poissons égaliseront de nouveau cette pente. Pour une implantation étagée durable il faut recourir à des astuces. Pour ce faire, il est judicieux d'utiliser des pierres longues et plates, du bois fossilisé, des racines bien imprégnées ou des modules spéciaux en matière plastique.

Sol étagé réalisé avec du verre ou des pierres plates.

Notions sur la chimie de l'eau d'aquarium

Dans les dernières années l'«Aquachimie» a pris un essor important. L'aquariophile dispose de plus en plus de moyens d'interventions, grands et petits, qui laissent espérer un aquarium sain et parfait. De plus en plus de facteurs sont traités et doivent être contrôlés, et ceci de manière impérative. Les fâcheuses conséquences résultant de cela: des amateurs anxieux pour lesquels l'«Aquachimie» devient un cauchemar permanent. Il est indispensable de posséder quelques connaissances élémentaires en la matière, si l'on souhaite entretenir correctement un aquarium, mais il faut aussi dire clairement que l'importance donnée à la chimie de l'eau d'aquarium est très largement exagérée. Objectivement, il suffit de respecter quelques règles simples de l'aquariophilie, et la chimie s'y rapportant, pour s'en sortir fort correctement.
«L'Aquachimie» relève davantage de la logique que de la grande science. Ces notions élémentaires d'aquachimie que devrait posséder chaque aquariophile concernent: la dureté de l'eau, l'équilibre *carbonates* ↔ *gaz carbonique* (système carbonaté), le pH, le cycle de l'azote. Ces divers points seront traités dans ce chapitre. Un index alphabétique des principaux termes, des explications s'y rapportant ainsi que des indications permettant de résoudre rapidement les problèmes d'eau d'aquarium, sont récapitulés en fin de chapitre. Cela permet au lecteur de s'informer de façon précise sur les points les plus importants.

La dureté totale (en degrés allemands dGH)

Chaque eau, soit de source ou de rivière a plus ou moins solubilisé des composés de calcium ou de magnésium. Les principaux de ces composés sont: l'hydrogénocarbonate de calcium [$Ca(HCO_3)_2$] et le sulfate de calcium ($CaSO_4$). Une eau très chargée en composés de calcium est dite «dure», une eau peu chargée ou exempte est dite «douce». Ces valeurs sont exprimées en degrés de dureté totale. Un degré allemand (dGH) correspond à une charge de 10 mg/l d'oxyde de calcium ou (et) de magnésium. La dureté provoquée par l'hydrogénocarbonate disparait si on porte l'eau à ébullition (précipitation). On la dénomme dureté carbonatée, ou encore dureté temporaire. Cette forme de dureté ainsi que le système carbonate sera traitée dans un prochain chapitre. La dureté permanente est due principalement à la présence de sulfates de calcium ou de magnésium. L'addition de la dureté carbonatée et permanente donne la dureté totale, ce qui peut être exprimé par l'équation suivante:

dGH = dKH + PH (sulfate)
dGH = dureté totale en degrés allemands
dKH = dureté carbonatée en degrés allemands
PH = dureté permanente

Les réactifs à usage aquariophile disponibles dans le commerce ne permettent pas de vérifier cette équation car lors du titrage de la dureté totale, on détermine la présence des Cations Ca^{2+} et Mg^{2+}; lors du titrage de la dureté carbonatée on détermine la présence d'anions HCO_3^-. Il peut en effet arriver que la dureté carbonatée soit plus élevée que la dureté totale. Cela provient du fait qu'outre les cations calcium et magnésium on soit en présence d'autres cations comme l'ion sodium, l'ion potassium, etc ... Quoique n'étant pas à l'origine d'une formation quelconque de dureté, ces sels présents en même temps que les ions des hydrogénocarbonates élèveront la quantité totale de l'hydrogénocarbonate de l'eau.
Le tableau suivant aide à la compréhension et traduit ces hypothèses dans le titrage de la dureté totale en carbonate.

	Cations	Anions	dGH		dKH
dGH > dKH	Ca^{2+}	HCO_3^-	2	:	1
	Mg^{2+}	SO_4^{2-}	20°	:	10°
dGH = dKH	Ca^{2+}	SO_4^{2-}	1	:	1
	Na^+	HCO_3^-	15°	:	15°
dGH < dKH	Ca^{2+}	HCO_3^-	1	:	2
	Na^+	HCO_3^-	10°	:	20°

(Selon brochure Tetra: Titrer correctement)

En finale, on peut conclure que la dureté totale a une incidence directe sur la fonction cellulaire des poissons, plantes et micro-organismes. La valeur optimale de la dureté totale se situe dans la fourchette de 3 à 10° dGH, excepté pour les Cichlidés des lacs Tanganyika et Malawi qui demandent une eau plus dure.

Etages de dureté
0– 4° dGH = très douce
4– 8° dGH = douce
8–12° dGH = moyennement dure
12–18° dGH = assez dure
18–30° dGH = dure
> 30° dGH = très dure

Le dioxyde de carbone dissous dans l'eau, facteur écologique pour les plantes

Le dioxyde de carbone (CO_2) se dissout facilement dans l'eau. Lors de cette dissolution, il se forme une petite quantité d'acide carbonique (H_2CO_3). Les sels de l'acide carbonique, soit les bicarbonates et les carbonates, représentent la majeure partie des électrolytes. Ainsi, le dioxyde de carbone (gaz carbonique) et sa possible absorption par les plantes aquatiques est-il un facteur important faisant en même temps régulateur du «système carbonate». Voir par la suite le chapitre: fertilisation par CO_2, page 72.

Le «système carbonate» et la dureté carbonatée

La solubilité du gaz carbonique dans l'eau est 50 fois plus élevée que celle de l'oxygène. Par contre sa vitesse de diffusion est 10000 fois plus faible que dans l'air. Dans l'eau, environ 0,2% du gaz carbonique dissous se transforme en acide carbonique (H_2CO_3). En diffusant (ajout) du CO_2 dans l'eau, on augmente donc la quantité d'acide carbonique: le pH de l'eau diminue. En chassant du CO_2 hors de l'eau, par aération, le pH augmente proportionnellement au déficit. L'acide carbonique se dissocie partiellement selon les 2 phases successives:
1ère phase: $H_2CO_3 \rightarrow (H^+ + HCO_3^-)$
2ème phase: $\rightarrow (H^+ + CO_3^{2-})$
Pour la compréhension de l'aquachimie on peut se limiter à la connaissance des composés calcium qui sont l'hydrogénocarbonate plus communément appelé bicarbonate de calcium et le carbonate de calcium (sels de l'acide carbonique). Le bicarbonate de calcium se dissout très facilement dans l'eau et provoque la dureté carbonatée (dureté temporaire) de l'eau. Cette dureté disparait en faisant bouillir de l'eau. Le carbonate de calcium est pratiquement insoluble dans l'eau. Il se produit une précipitation (calcaire déposé dans les bouilloires par ex.). Le bicarbonate n'est soluble dans l'eau de l'aquarium qu'à la condition qu'une quantité complémentaire de gaz carbonique soit également dissoute dans l'eau. Cette quantité de CO_2 se nomme CO_2 d'équilibre. Si cette quantité diminue la partie de bicarbonate de calcium correspondante se transforme en carbonate de calcium et précipite. Exprimé en formule:

$$Ca\,(HCO_3)_2 \underset{\text{Surplus en } CO_2}{\overset{\text{Déficit en } CO_2}{\rightleftarrows}} CaCO_3 + CO_2 + H_2O$$

En condition d'équilibre parfait, il existe une relation entre gaz carbonique dissous, valeur du pH et quantité de bicarbonate. Ainsi on peut dire que les différentes liaisons possibles du dioxyde de carbone

(CO_2 + H_2CO_3, HCO_3^-, CO_3^{2-}) entrainent des caractéristiques différentes de l'eau, en fonction du pH.

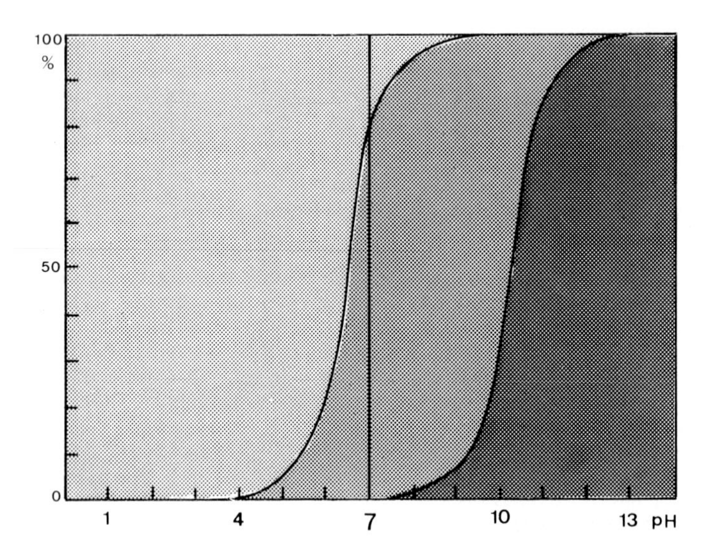

Relation entre la combinaison du CO_2 et le pH à 0° C. En clair CO_2 + H_2CO_3, au milieu HCO_3^-, en foncé CO_3^{2-}. Avec un pH au delà de 8, il n'y a pratiquement plus de CO_2 libre (d'après GESSNER).

1. En eau acide (pH < 6) tout le CO_2 est présent sous forme dissoute, la quantité de carbonate est insignifiante (Ex. pauvre en calcium par suite de filtration sur tourbe).
2. En eau neutre ou très faiblement alcaline (pH 7–8), tout le CO_2 est associé aux bicarbonates (Ex. Eau normale d'aquarium).
3. En eau très alcaline (pH > 10) le CO_2 est associé aux carbonates. Le CO_2 sous sa forme dissoute et libre n'existe pratiquement plus au delà d'un pH de 9 (Ex. Eau sodée dans laquelle ne peuvent vivre que quelques Cichlidés).

Le système carbonaté dans la chimie de l'eau est une combinaison entre un acide faible (acide carbonique) et les sels correspondants; cette combinaison forme un tampon dans le sens chimique du mot. Les tampons ont la propriété de neutraliser de faibles ajouts, soit de solutions acides, soit de solutions alcalines, sans modification notable de la valeur du pH. En ajoutant un acide à un tampon, les ions H^+ seront liés par les bicarbonates. En réaction, il se formera de l'acide

carbonique, qui se dissociera en grande partie en dioxyde de carbone et en eau. Le restant de dioxyde de carbone ne se dissociera que très lentement, de ce fait la concentration en Ions H^+ n'augmentera que très faiblement. Le pH restera pratiquement constant. En ajoutant une base à un tampon, ce sont les Ions OH^- qui seront liés immédiatement par le CO_2. Des bicarbonates se formeront. Le déficit en dioxyde de carbone n'entamera que très faiblement le taux d'acide carbonique (= concentration ions H^+). Le pH ne s'élèvera que très faiblemement. L'eau d'un aquarium est tamponnée de façon optimale à la valeur neutre du pH (7). L'effet tampon sera inefficace en ajoutant un acide à une solution déjà acide, car si le pH est inférieur à 6, il n'y a plus de calcium sous forme bicarbonatée. Le tampon sera également inefficace en ajoutant une base à solution alcaline, car au delà d'un pH de 9 il n'y a plus de CO_2 libre dans l'eau. L'effet tampon dépend directement de la concentration des composés de calcium dans l'eau. Une eau dure a un effet tampon plus élevé qu'une eau douce. Plus la quantité de bicarbonate dissous dans l'eau sera élevée, plus d'ions H^+ pourront être liés. Cette propriété particulière du bicarbonate se dénomme pouvoir absorbant d'acide.
Comme expliqué ci-dessus, le système bicarbonate est un équilibre étroit entre la dureté carbonatée et le pH. A dureté carbonatée élevée correspond une valeur pH élevée, cette dureté élevée stabilisera d'autant plus le pH (effet tampon). La dureté carbonatée souhaitable pour la plupart des eaux d'aquarium devrait se situer dans la fourchette de 2 à 8° dKH.

Le pH (Degré d'acidité ou d'alcalinité)

La valeur du pH indique le degré d'acidité ou d'alcalinité d'une eau. Le point neutre correspond à l'équilibre base-acide de l'eau, c-à-d. que cette eau neutre contient autant d'ions hydrogène (H^+) que d'ions hydroxyde (OH^-). Les ions hydrogène acidifient l'eau, les ions hydroxyde la rendent alcaline. Une valeur de 7 indique le point neutre, une valeur supérieure à 7 indique une eau alcaline, une valeur inférieure à 7 indique une eau acide. Dans ce dernier cas on est en présence d'une forte concentration d'ions hydrogène. Retenons que plus la valeur du pH est faible, plus l'eau est acide, contrairement, plus l'eau est alcaline, plus la valeur du pH sera élevée. La variation de concentration en ions H^+ et OH^- peut se mesurer en grammes. Un pH de 7 indique que l'eau mesurée contient un dix millionième

$\frac{1}{10000000}$ ou 10^{-7} grammes d'ions H^+.

Un pH de 3, un millième (10^{-3}) de gramme; un pH de 10, un dix milliardième (10^{-10}) de gramme. Comme les expressions logarithmiques négatives ne sont pas bien pratiques, on n'emploie que les exposants positifs échelonnés de 1 à 14.

pH	1	2	3	4	5	6	7	8	9	10	11	12	13	14
Conc. ions H^+ par g/l	10^{-1}	10^{-2}	10^{-3}	10^{-4}	10^{-5}	10^{-6}	10^{-7}	10^{-8}	10^{-9}	10^{-10}	10^{-11}	10^{-12}	10^{-13}	10^{-14}

10^{-1} = 1/10 g ions H^+ par litre d'eau, etc.

La relation entre 2 points se suivant dans l'échelle du pH est une progression géométrique de raison 10, c-à-d. entre pH 6 et 7, soit 1 point, le déséquilibre acide-base ou inverse sera 10 fois plus grand. Entre pH 6 et 8, soit 2 points, le déséquilibre sera 100 fois plus grand. Entre 5 et 8 1000 fois plus grand. Etc. ...

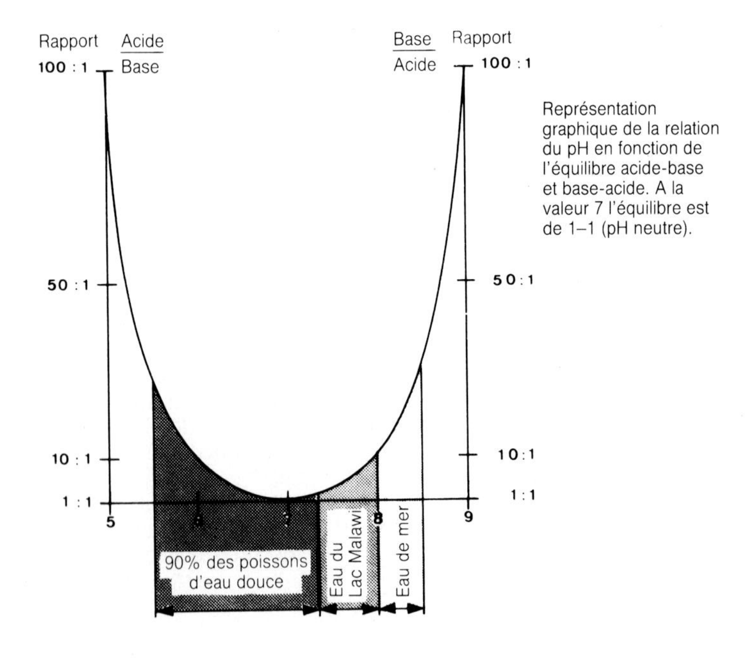

Représentation graphique de la relation du pH en fonction de l'équilibre acide-base et base-acide. A la valeur 7 l'équilibre est de 1–1 (pH neutre).

Dans le chapitre «Système bicarbonate» nous avons vu que le pH était en relation étroite avec l'anion hydrogénocarbonate et plus spécialement avec l'effet tampon du système bicarbonate. Un contrôle régulier du pH devient donc indispensable. La faune et la flore de l'aquarium (poissons, plantes, microorganismes) réagissent de façon sensible à un déséquilibre du pH. D'importantes variations consécutives à un dérangement du système bicarbonate, peuvent amener des symptômes de maladie des poissons (voir chapitres maladies, maladies cutanées dues à un excès d'acidité ou d'alcalinité).

Le cycle de l'Azote (nitrification)

L'azote entre dans la constitution des albumines ou protéines, substances fondamentales de la cellule vivante. Les plantes aquatiques l'assimilent sous la forme d'ammonium ou de nitrate. Sous cette forme, l'azote n'existe qu'en faible concentration dans les eaux naturelles, et peut être considéré comme facteur secondaire pour la vie des plantes. Il en est tout autrement dans l'eau d'aquarium, car dans ce milieu réduit, où vivent dans des conditions artificielles, poissons et plantes, l'azote organique produit par les excrétions de ces poissons, des restes de nourriture pourrissante et des débris végétaux, s'accumule sous forme de différents composés chimiques possibles. Les organismes vivant dans l'aquarium sont plus ou moins sensibles à la présence concentrée des composés de l'azote. L'aquariophile doit donc veiller à maintenir la quantité des dérivés azotes dangereux au niveau le plus bas. La nitrification des substances azotées s'effectue en différentes phases et toujours en présence de l'oxygène (oxydation). Il en résulte plusieurs composés successifs. Le déroulement de la nitrification s'opère de la manière suivante:
Azote organique simple → ammoniac ou ammonium → nitrite → nitrate.

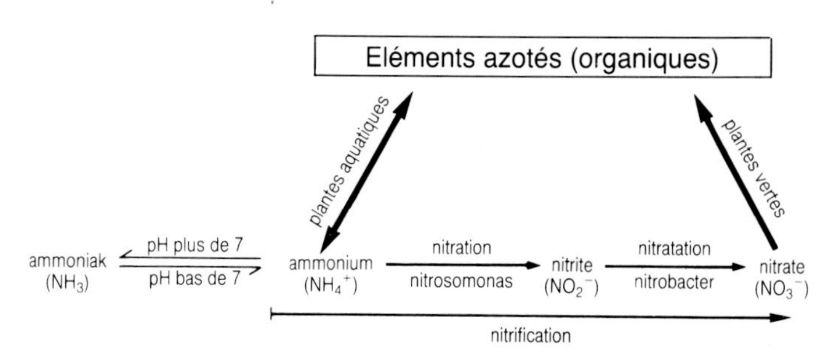

L'ammonisation constitue la première phase de transformation des éléments organiques simples azotés, les composés en résultant: l'ammoniac (toxique), et l'ammonium (non toxique). La formation de l'un ou de l'autre est fonction du pH de l'eau. A pH 7 et au delà (alcalin) il se forme principalement de l'ammoniac, à pH inférieur à 7 (acide), il se forme principalement de l'ammonium. Même en eau très légèrement acide il peut déjà arriver une intoxication due à l'ammoniac. Là encore on démontre la nécessité d'un contrôle régulier du pH. De tous les composés de l'azote, c'est indéniablement l'ammoniac le plus toxique. La concentration maximale encore supportable par le vairon, se situe à 0,6 mg/l. L'ammonium par contre, constitue un bon élément fertilisant pour les plantes d'aquarium. La 2è phase du cycle azote est la nitrosation d'où résultent en premier les nitrites. Sous l'action des bactéries (nitrosomonas), en milieu aérobie (oxydation), l'ammoniac et l'ammonium sont transformés en nitrates. Les nitrites sont également toxiques et très dangereux pour les poissons. Le guppy (*Poecilia reticulata*) est incommodé à partir d'une concentration de 1 mg/l. Pour beaucoup d'autres poissons, le seuil de toxicité se situe nettement plus bas.
La troisième et dernière phase du cycle azoté est la nitratation, soit la transformation des nitrites en nitrates par action bactérienne en phase aérobie (oxydation). Les bactéries spécifiques réalisant cette transformation sont les nitrobacters. Les nitrates sont très peu toxiques. Leur présence ne devient dangereuse qu'à des concentrations élevées. En réalité, on n'a jamais observé des cas précis d'intoxication des poissons par les nitrates. Néanmoins, il faut signaler qu'une concentration au-delà de 150 g/l peut devenir gênante pour les poissons car il se présente alors un risque de réduction qui inverserait le cycle (Nitrate, Nitrite, Ammoniac).
La nitrification ne peut se dérouler qu'en présence d'oxigène. Si la quantité d'oxigène dissoute dans l'eau se révèle faible, la transformation n'en sera que plus lente, le passage d'une combination à l'autre ne se fera que progressivement et en fonction de l'oxygène disponible, avec accumulation de composés intermédiaires dangereux, comme l'ammoniac et les nitrites. Il peut même arriver, comme déjà signalé plus haut, un processus inverse. En l'absence d'oxygène, les bactéries anaérobies redécomposeront le nitrate en ces 2 mêmes éléments très toxiques. Ce phénomène inverse peut même se dérouler dans le corps des poissons. Les nitrites se fixent aux globules rouges du sang entravant ainsi la fixation de l'oxygène et le transport de celui-ci dans la circulation sanguine.

Lors de l'installation d'un aquarium, la population de bactéries assurant la nitrification (*Nitrosomonas, Nitrobacter*) est pratiquement inexistante. Il faut d'abord que ces bactéries se multiplient. La charge d'un ancien filtre ou le sol d'anciens aquariums regorgent de ces bactéries. Il suffit donc de vacciner un bac nouveau avec ces matériaux pour avoir un bon départ. Après quelques semaines, la population sera suffisante pour que les différentes phases de la nitrification puissent se dérouler correctement. Il faut évidemment veiller à ce que cette population de bactéries reste constante, malgré les causes de déséquilibre possibles. Chaque changement d'eau ou le renouvellement de la charge filtrante diminuent la population de bactéries et amènent une variation de l'équilibre établi. Pour éviter ce dérangement néfaste, il faut éviter de réaliser les 2 opérations en même temps. Pour plus de précaution, un intervalle de 1 semaine entre changement d'eau et renouvellement du filtre devrait être respecté. La 1ère opération doit toujours précéder la deuxième.

Solutions utiles pour problèmes d'eau

Pour diminuer la dureté de l'eau:

1. Mélanger l'eau de conduite avec de l'eau distillée ou de l'eau de pluie propre et non polluée.
2. Déminéralisation de l'eau avec des appareils de déminéralisation (échangeurs d'ions, voir Lexique).
3. Filtration sur tourbe.

Pour élever la dureté de l'eau:

1. Ajout précautionneux de sulfate de calcium ou de magnésium.
2. Mélange avec eau plus dure.
3. Filtration sur gravier de marbre ou ajout de sable corallien au sol.

Diminuer la valeur du pH (rendre plus acide):

1. Filtration sur tourbe.
2. Fertilisation avec gaz carbonique à l'aide d'un diffuseur de CO_2.
3. Changement partiel ou total de l'eau.

Augmenter la valeur du pH (augmenter l'alcalinité):

1. Ajout de bases faibles comme le bicarbonate de sodium ($NaHCO_3$) ou carbonate de sodium (Na_2CO_3).
2. Aération énergique de l'eau pour chasser le gaz carbonique.
3. Changement partiel ou total de l'eau.

Diminution de la concentration de nitrite ou nitrate:

1. Changement partiel et régulier de l'eau. Périodicité en fonction du genre de poissons.
2. Filtration biogénique avec filtres bactériens.
3. Augmentation de la population de bactéries de nitrification présentes en quantité dans les vieilles charges filtrantes.
4. Nettoyage régulier du préfiltre et du filtre.

5. Adapter la quantité et la qualité de nourritures spécifiques aux espèces de poissons.
6. Plantation dense avec des plantes saines.
7. Siphonner régulièrement le sol de l'aquarium (restes de nourriture, déchets organiques).

Lexique de termes et expressions du chapitre «Aquachimie»

Acide
Elément ou substance qui, en solution dans l'eau, a la propriété de produire des ions hydrogène (H^+). Un acide fait virer au rouge la teinture bleue du tournesol.

Ammoniac
Gaz incolore, toxique, à l'odeur caractéristique très piquante et lacrymogène. Formule chimique NH_3. Très soluble dans l'eau. 1 volume d'eau dissout 700 volumes d'ammoniac.

Ammonium
N'existe que sous forme cationique NH_4^+ ou sous forme de sel. A des propriétés semblables à certains métaux alcalins comme le sodium et le potassium. L'ammonium n'est pas toxique.

Anions
Ions possédant une charge électrique négative (Ex. CO_3^{2-}, HCO_3^-, SO_4^{2-}). Dans l'électrolyse, les anions migrent vers l'anode (+).

Atome
Particule d'un élément chimique qui forme la plus petite quantité pouvant se combiner.

Base (Alcali)
Elément ou substance qui, en solution dans l'eau, a la propriété de produire des ions hydroxydes (OH^-). Bleuit le tournesol rouge.

Carbonates
Sels de l'acide carbonique (H_2CO_3). Plus communément appelés carbonates neutres ou carbonates secondaires. Dans ces composés les 2 atomes hydrogène de l'acide carbonique sont remplacés par des atomes de métal.

Cations
Ions portant une charge électrique positive (Ex. Na^+, Ca^{2+}, Mg^{2+}). Dans l'électrolyse les cations migrent vers la cathode (–).

Denitrification
Cycle inverse à la nitrification c-à-d. réduction des nitrates en nitrites et en oxydes nitriques (NO, N_2O) assuré par des bactéries anaérobies (sans présence d'oxygène).

Dureté carbonatée (° dKH)
Dureté de l'eau dûe à la présence d'hydrogénocarbonates. Le titrage s'effectue par mesure des anions HCO_3.

Dureté totale (dGH = degrés allemands)
Provoquée par l'ensemble des sels calcium et magnesium. Le titrage s'effectue par la mesure des cations Ca^{2+} Mg^{2+}

Eau
Liquide transparent, incolore et inodore. Se cristallise à température inférieure à 0° Celsius (glace). Bout à 100° C pour former de la vapeur d'eau. L'eau est formée de 2 atomes d'hydrogène et 1 atome d'oxygène H_2O.

Eau saumâtre
Mélange d'eau douce et d'eau de mer. On dit qu'une eau est saumâtre lorsqu'elle contient de 2 à 25‰ de sel.

Eau de mer
Eau salée à une concentration supérieure à 30‰. Sel principal: chlorure de sodium NaCL (sel de cuisine). La concentration de sel varie et est différente d'une mer à l'autre. Mer du Mord 35‰, Atlantique 36‰, Pacifique 35‰, Méditerranée 37,5‰, Mer Rouge 40‰.

Echangeuses d'ions (Résines)
Résines synthétiques utilisées pour retenir certains ions contenus dans une solution (dans notre cas, eau) et les remplacer par d'autres, de nature différente mais de même charge électrique. Les phénoplastes sont des résines échangeuses de cations, qu'elles remplacent par des ions hydrogène H^+. Les aminoplastes sont des résines échangeuses d'anions qu'elles remplacent par des ions hydroxydes OH^-. Ces résines chargées dans des colonnes sont utilisées pour déminéraliser l'eau. On fait passer l'eau minéralisée successivement à travers un échangeur de cations puis d'anions. A la sortie du 2ème échangeur l'eau ne contient plus de sels, ni d'acides. Cette eau, après aération peut être utilisée pour rendre plus douce une eau dure (de conduite). Ces résines se saturent des éléments retenus. Elles peuvent être régénérées à l'aide d'une solution d'acide chlorhydrique pour résines cationiques et à l'aide d'une solution de soude pour les résines anioniques.

Electrolytes
Composés comme les bases, acides, sels, qui, mis en solution dans l'eau s'y dissocient en particules électrisées appelées Ions.

Electron
Corpuscule très petit chargé d'électricité négative. L'un des éléments constitutifs des atomes.

Hydrogènocarbonates
Sels de l'acide carbonique. Appelés plus communément carbonates primaires, carbonates ou bicarbonates acides. Dans ces composés, seul 1 atome d'hydrogène de l'acide carbonique est remplacé par un atome de métal.

Ions
Un atome ou groupe d'atomes qui a perdu ou gagné un ou plusieurs électrons.

Nitratation
2ème étape de la nitrification. Les nitrites sont transformés par des bactéries (nitrobacters) en nitrates en phase aérobie (en présence d'oxygène).

Nitrates
Sels de l'acide nitrique (HNO_3). Les nitrates sont nettement moins toxiques pour les poissons, plantes, que les nitrites. Ne présentent un danger qu'à partir d'une concentration supérieure à 150 mg/l.

Nitrification
Ensemble de la nitrosation et nitratation.

Nitrites
Sels de l'acide nitreux. Les nitrites sont particulièrement toxiques pour la faune et la flore. Une concentration au delà de 0,2 mg/l est mortelle pour la plupart des poissons.

Nitrobacters
Bactéries aérobies qui transforment les nitrites en nitrates.

Nitrosation
1ère étape de la nitrification qui consiste en la transformation, en présence d'oxygène, de l'ammoniac ou ammonium en nitrite par des bactéries (nitrosomonas).

Nitrosomonas
Bactéries aérobies qui transforment l'ammoniac ou ammonium en nitrites.

Oxydation
Etymologiquement l'oxydation est une fixation d'oxygène. Plus généralement, une oxydation est une perte d'électrons (4Na + O_2 (2 Na_2O). En effet, dans la réaction précédente, le sodium Na a perdu 1 électron (e^-) et est passé à l'état d'ion Na+ dans l'oxyde Na_2O. Divers corps sont susceptibles de faire perdre un électron à d'autres corps et donc de provoquer leur oxydation. Toute oxydation est toujours couplée à une réduction.

pH (valeur)
Acidité ou alcalinité de l'eau. On exprime la valeur du pH par l'exposant logarithmique négatif décimal de la concentration hydrogène. pH = $^{-10}\log H^+$. L'échelle des exposants s'étend de 1 (très acide) à 14 (très alcalin) en passant par le point neutre (7).

Redox (réaction)
Un corps ne peut être oxydé que s'il est en présence d'un autre corps capable d'accepter les électrons perdus au cours de l'oxydation. Les corps qui captent les électrons sont des oxydants, ceux qui en cèdent sont des réducteurs. Une réaction d'oxydation est toujours accompagnée d'une réaction de réduction. Aussi donne t on à ces 2 réactions inséparables le nom de réaction d'oxydoréduction ou par abréviation réaction Redox.

Potentiel Redox et unité rH

Est exprimé en unité rH et indique le potentiel oxydant d'un couple Redox. Est fonction de la différence de potentiel électrique mesurée à une électrode et le pH de la solution mesurée. Une échelle de 0 à 42 unités rH caractérise ce potentiel. On peut mesurer directement une eau avec des appareils spécifiques vendus dans le commerce. Il faut savoir que l'eau d'un aquarium peut varier dans la fourchette réduite de 27 à 32 unités rH.

Réduction

= gain d'électrons. Selon une théorie erronée, on admettait qu'une réduction correspondait à la substraction d'oxygène d'une combinaison chimique. En électrochimie, on explique la réduction comme un apport d'électrons par le corps réducteur. Ce gain d'électrons diminue le pouvoir oxydant envers un ou des éléments et composés. Toute réduction est toujours couplée à une oxydation.

Tampon (effet)

Propriété d'une combinaison chimique en phase aqueuse qui consiste à accepter des solutions faibles acides ou basiques (alcaline) sans variation notable du pH.

Lutte entre deux mâles Cichlidés (*Pseudotropheus estherae*). Le plus faible a dû être retiré du bac en raison des morsures infligées par le plus fort.

L'éclairage de l'aquarium

Différents types de lampes:

1. Lampes fluorescentes

L'éclairement des lampes fluorescentes dépend en grande partie de la qualité des réflecteurs. La solution idéale serait de revêtir intérieurement la galerie dans laquelle on fixe les lampes d'une matière réfléchissante (effet miroir). A défaut, on peut peindre cette surface avec une peinture blanche brillante. On peut bricoler un réflecteur avec des feuilles d'aluminium. Un bon effet réfléchissant augmente l'éclairement de 50%. Il existe également des tubes avec réflecteur incorporé. La durée de vie d'un tube fluorescent avoisine 5000 heures, mais la puissance diminue progressivement pendant ce temps. Avec une durée d'éclairage de douze à seize heures par jour, on devrait changer les tubes au bout d'un an. Il ne faut pas s'étonner d'une stagnation des plantes si celles-ci ne recoivent que la lumière de tubes trop vieux. Après six mois d'utilisation, les tubes auront perdu 50% de leur intensité d'éclairage. Pour éclairer correctement un aquarium il faut absolument donner la préférence aux tubes fluorescents, car ils ont beaucoup d'avantages sur les autres sources de lumière. Consommation moindre de courant, peu d'élévation de chaleur et un éclairement uniforme les caractérisent.

Table tubes fluorescents

Aquarium		Tubes corresp. à la longueur	Watts	Nombre de tubes
Long en cm	Vol. en litres	en mm		
30	12	212	6	1
40	25	288	8	1–2
50	35	438	15	1
60	65	517	13	2
70	100	590	20	2
80	110	720	16	3
100	180	895	30	3
110	220	970	25	4
130	325	1200	40	4
160	480	1500	65	4

La teinte

Les tubes spéciaux pour plantes, à lumière violacée, mis sur le marché il y a une quinzaine d'années, permettaient de présenter un aquarium d'une façon quelque peu fantasque.

Certains poissons naturellement rougeâtres apparaissent d'un rouge intense et profond sous cette lumière. Il ne faut pas employer uniquement des tubes à lumière violacée (GROLUX, SILVANIA 77) pour éclairer un aquarium, du moins pas si l'on veut obtenir un bon développement des plantes, car on risque de favoriser la prolifération des algues bleues.
Par contre, ce type de tube convient parfaitement, grâce à leur longueur d'onde dans le spectre rouge et bleu, pour être combiné avec les tubes dits «Lumière du jour».

2. Les lampes à incandescence

Conviennent pour l'éclairage de petits bacs vu le faible coût d'investissement. Par contre il ne faut pas attendre un développement extraordinaire des plantes sous cette lumière à dominance rouge-bleue.

3. Les lampes à faisceau concentré

Avec ce type de lampes on peut réaliser de beaux effets de lumière. Ces lampes ont une courte durée de vie et de ce fait sont coûteuses à l'emploi. Par contre, on peut les installer facilement et on peut les coupler avec un régulateur d'intensité.

4. Les lampes halogènes

Pour l'éclairage d'aquarium, il existe une lampe spéciale, type projecteur (100 Watts) sous faible voltage (24 V) qui doit être alimentée par un transformateur. Une telle installation revient assez chère. On ne trouve ce matériel que dans le commerce spécialisé.

5. Lampes à vapeur de mercure

Spécialement conçus pour l'éclairage de halls d'usines, entrepôts et de serres, ces lampes trouvent également un emploi pour éclairer les grands bacs (au-delà de 1 m de long). L'excellent rendu du flux lumineux sous un relatif faible wattage permet une économie certaine. Ces lampes sont disponibles en 60, 80, 125 et 250 Watts, elles ne peuvent être installées dans les couvercles usuels, il faut prévoir un vide important au dessus de l'aquarium. Ces lampes nécessitent un self et des réflecteurs spéciaux. Elles n'atteignent leur flux lumineux total que 3 minutes après enclenchement. Pour l'installation, il faut compter
pour hauteur eau 50 cm = 1,8 Watt pour 1 cm de longueur bac;
pour hauteur eau 60 cm = 2,5 Watt pour 1 cm de longueur bac.

Table lampes à vapeur de mercure			
Hauteur d'eau	Longueur bac	Watts par lampe	Nbre lampes
40	100	60	2
50	130	80	3
60	160	125	3
60	200	125	4

Combien de lumière faut il aux plantes?

Un aquarium a besoin de 12 à 14 h de lumière par jour.

Une durée plus longue ne nuit pas, plus courte elle freine la croissance des plantes. Un aquarium doit être implanté de façon à ne pas dépendre de la lumière naturelle. Les plantes proviennent pratiquement toutes de régions tropicales (on peut y assimiler celles cultivées en serre). Ces plantes sont donc habituées à des conditions de vie constantes. Pour les poissons, la durée d'éclairage a moins d'importance, 8 à 10 h suffiraient par jour. Un éclairement faible et de durée plus longue n'a pas les mêmes effets qu'un éclairement normal de durée correcte. Un éclairement fort de longue durée favorise souvent le développement d'algues. Dans ce dernier cas, il faut réduire la durée. Si l'éclairage fonctionne du matin à 6 h jusqu'au soir à 22 h, on peut sans crainte inclure un arrêt de 1 à 2 h dans le cycle (vers midi). Cela peut se faire automatiquement avec un interrupteur horaire. Cet arrêt ne nuit ni aux plantes ni aux poissons et permet de faire disparaitre les algues.

Quantité de lumière: éclairement

L'éclairement d'un aquarium dépend de son emplacement, des plantes qui décorent le bac, de la grandeur du bac et du type de lampes utilisées. Prenons comme exemple: bac de 60 x 30 x 24 cm – emplacement loin d'une fenêtre; tubes fluorescents: plantes à développement rapide.

Si on retient la formule usuelle de | 1 Watt pour 2 litres |

Il faut environ 20 Watts pour ce bac de 40 litres. Quoiqu'il existe des tubes fluorescents de 20 Watts, une telle lampe ne conviendrait pas dans ce cas précis, car la longueur du tube (59 cm) plus les douilles ne seront plus logeables dans une galerie de bac de 60 cm de long. La taille immédiatement inférieure de lampe est de 52 cm (tube de 13 watts). Il faudra donc installer 2 de ces tubes, ce qui fera 26 Watts au total, donc légèrement plus que prévu. Davantage de lumière vaut mieux que pas assez, car de toute façon l'intensité des tubes diminuera sensiblement après quelques mois d'utilisation.

Retenons que la formule | 1 Watt pour 2 l d'eau |

ne convient que pour des bacs dont la hauteur ne dépasse pas 50 cm.

Aucune formule générale ne peut résoudre des problèmes d'éclairage de bacs sortant de la norme. Afin que vous puissiez résoudre ces cas particuliers, vous trouverez ci-dessous quelques conseils.

L'éclairement se mesure en Lux

1 Lux correspond à l'éclairement de 1 m^2 de surface blanche par une source lumineuse de 1 Watt. L'ensoleillement en région tropicale à midi et avec un ciel sans nuages correspond à 100000 Lux. Selon transparence et hauteur d'eau, les plantes de ces régions reçoivent au minimum entre 50 et 5000 Lux (endroits ombragés). Dans des endroits bien dégagés les 100000 Lux parviennent jusqu'à ces plantes.

Les plantes de surface demandent beaucoup de lumière (à partir de 2000 Lux). *Eichhornia, Salvinia, Pistia,* Valisneria géante, Nénuphar et d'autres.

Ceratopteris est moins exigeante, 100 Lux suffisent. Les plantes des étages intermédiaires se développent de façon optimale dans l'aquarium avec un éclairement de 800 à 1800 Lux. Les plantes tapissant le sol ainsi que les Cryptocorynes demandent au moins 100 Lux; 250 à 300 Lux seraient plus adaptés.

Mesure de l'éclairement

Pour qui dispose d'un tel appareil, le Luxmètre indique les mesures les plus précises. Un posemètre pour appareil à photo peut convenir. Le tableau suivant permet un calcul d'équivalence (données correspondant au posemètre de la marque Lunasix):

Table Lux/Temps d'exposition					
Lux	Dia-phragme	Temps d'expo-sition	Echelle Lunasix	Valeur lumière à 18° DIN 50 ASA	Eclairement convenant pour plantes aquatiques
19	2,8	2	8	2	Lumière trop faible
38	2,8	1	9	3	
75	2,8	1/2	10	4	Cryptocorynes et autres plantes demandant peu de lumière
150	2,8	1/4	11	5	
300	2,8	1/8	12	6	Plantes mi-hautes; Valeur minimale en lumière
600	2,8	1/15	13	7	
1200	2,8	1/30	14	8	
2400	2,8	1/60	15	9	Plantes de surface
4800	2,8	1/125	16	10	
9500	2,8	1/250	17	11	Lumière que reçoivent les plantes dans la nature
19000	4	1/250	18	12	
38000	5,6	1/250	10	13	
75000	8	1/250	20	14	Lumière en plein soleil

La mesure avec posemètre est tout aussi juste qu'avec un luxmètre. Une difficulté survient néanmoïns car contrairement au luxmètre, le posemètre courant n'est pas étanche. Cette difficulté n'existe pas avec les posemètres spéciaux qu'utilisent les plongeurs. Ce type d'appareils n'étant à disposition qu'à de très rares aquariophiles, nous donnons le mode d'emploi d'un posemètre courant.
Introduire le posemètre dans un sachet plastique transparent, fermer hermétiquement le sachet. Mesurer le flux lumineux de la source au niveau du sol de l'aquarium. Si le fait d'immerger le posemètre comporte trop de risques, ou pour se simplifier l'opération, on peut aussi mesurer de l'extérieur, mais toujours au niveau du sol.

Le flux sera dévié vers l'extérieur du bac à l'aide d'un miroir (voir dessin b).

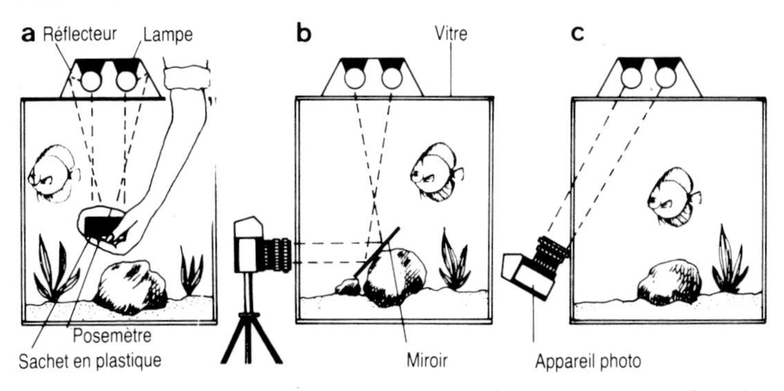

Si cette méthode est encore trop compliquée, il reste la solution de relever les mesures en dirigant le posemètre obliquement vers la source lumineuse. Dans ce cas, il faut diviser les valeurs obtenues par 2 ou par 3 selon l'épaisseur de la vitre. Cette dernière méthode très peu précise, permet néanmoins d'avoir une notion de l'éclairement au niveau du sol (dessin c).

Lampes à vapeur de mercure et tubes fluorescents résolvent différents problèmes. Les premières sont plus adaptées à des bacs hauts (au delà de 60 cm), les deuxièmes conviennent très bien pour des bacs normalisés.

Le réglage de la durée d'éclairage

Comme déjà signalé en début de ce chapitre, une durée fixe de 12 à 14 heures par jour doit être la règle. Certains spécialistes conseillent 16 heures. On peut régler l'allumage et l'extinction de façon précise et régulière avec des contacteurs électriques horaires. Il faut régler le contacteur de telle manière que l'éclairage s'enclenche une demi heure avant la première distribution de nourriture matinale; l'extinction sera réglée selon le souhait de chacun en respectant un minimum de fonctionnement entre allumage et extinction. Il faut néanmoins régler l'extinction de façon à ce qu'il reste un minimum de $^1/_4$ d'heure entre le dernier nourrissage et la coupure de l'éclairage. A la coupure, on peut distribuer la nourriture aux poissons vivant principalement au niveau du sol (silures), ceux-ci recherchant leur manne dans l'obscurité. On peut également coupler le contacteur d'éclairage avec un distributeur automatique de nourriture, dans la mesure où ce dernier appareil est prévu dans l'installation.

Variateur d'éclairage

Equiper une installation d'éclairage d'un variateur est chose facile si la source lumineuse est à incandescence. Cela se complique si la source de lumière est à fluorescence: pour graduer un tel éclairage, il vaut mieux avoir recours aux services d'un électricien. Le variateur permet de réaliser des effets de lumière féériques et reposants. En semi-obscurité, les poissons diurnes recherchent leur lieu de repos, les poissons nocturnes deviennent actifs. En appâtant ces derniers avec de la nourriture en comprimés, on peut les faire sortir de leurs refuges pour mieux les observer.

L'éclairage en été

Les selfs (ballasts) des lampes fluorescentes dégagent une chaleur appréciable qui peut élever la température de l'eau de l'aquarium. En été, il peut arriver que la température monte ou dépasse 30° C, bien que le thermostat ait coupé l'alimentation de la résistance de chauffage. Dans ces conditions, il faut éteindre l'éclairage car outre l'élévation de la température de l'eau, il se produit un échauffement exagéré de l'air emprisonné entre la surface de l'eau et la galerie de l'aquarium. Cet air surchauffé, très sérieusement appauvri en oxygène, risque de gêner considérablement les poissons de la famille des Labyrinthidés.
Pour éviter cet échauffement néfaste, il faut veiller à une bonne ventilation de l'intérieur de la galerie. Cela peut se faire en perçant des trous de 3 cm de diamètre de chaque côté du couvercle. Les reflecteurs de bonne qualité, spéciaux pour aquarium, comportent un système de ventilation incorporé. Une autre solution consiste à fixer les selfs hors du couvercle.

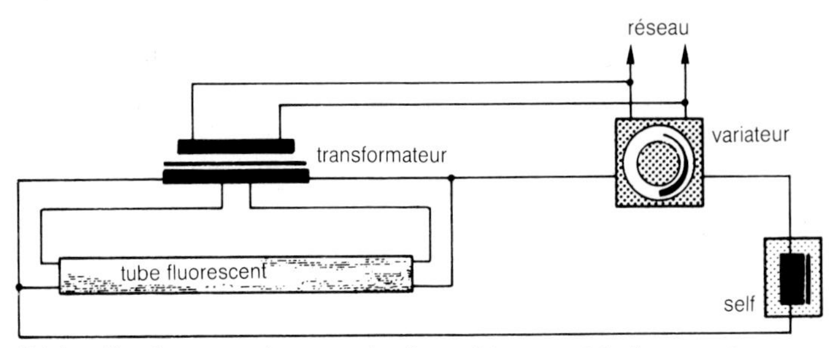

Schéma électrique pour mise en service d'un variateur avec tube fluorescent.

Encore quelques mots concernant l'éclairement: le besoin en lumière d'une plante est d'autant plus grand que la concentration de nitrates de l'eau est élevée (eau très chargée en matières organiques). Ainsi on peut observer que certaines plantes poussent bien dans un bac peu éclairé (nitrates à 10 mg/l) et que ces mêmes plantes, très bien éclairées, végètent dans de l'eau à forte concentration de composés azotés. La seule solution consiste à réduire la concentration de nitrates par un changement partiel de l'eau.

Seules les lampes à vapeur de mercure haute pression peuvent éclairer correctement des aquariums avec hauteur d'eau de 80 cm. En l'absence de couvercle, les plantes de ce bac se développent au delà du niveau d'eau.

Le chauffage de l'eau d'aquarium

Il faut à chaque être vivant, selon son besoin propre, nourriture et chaleur. Les poissons exotiques, dont l'organisme s'est adapté depuis des millénaires à l'environnement, ont un besoin plus grand en chaleur que nos poissons autochtones.
Contrairement aux oiseaux et mammifères, qui sont homéothermes (êtres à sang chaud), les poissons sont des êtres à température interne variable (Poecilothermes) comme les reptiles et les amphibiens. Leur organisme s'adapte à la température ambiante. Le fondement est à rechercher au niveau de la physiologie et du système circulatoire. Les poissons ne possèdent pas de système circulatoire avec veines et artères. Les fonctions vitales, comme se nourrir, ou le processus métabolique, se régulent en fonction de la température. Il faut donc veiller à donner aux poissons un environnement à température spécifique qui leur convienne. Une plage de température moyenne convient heureusement à la majorité des espèces. Cette plage se situe entre 24 et 26° C pour les poissons tropicaux, les variétés autochtones ont besoin de 12 à 20° C, les poissons rouges 16–20° C, les queues de voiles 18–22° C, les poissons d'eau froide de ruisseau des montagnes (truite) 8–12° C, les variétés tropicales de ruisseau des montagnes supportent des températures moindres (15 à 20° C).
Pour l'installation d'un aquarium d'ensemble il faut donc faire le choix de variétés de poissons en fonction d'une plage de température donnée. Une température trop élevée est mieux supportée qu'une température trop faible. Seule une température optimale à chaque espèce favorisera la durée de vie, la fécondité et le bien être (couleurs, formes) des poissons. Les variations de température dans les milieux naturels ne sont pas aussi importantes que usuellement supposées. La différence entre température diurne et nocturne, à 20 cm de profondeur, dans des eaux closes ou dans des rivières à très faible courant n'excède pas 1 à 2° C. Des différences plus importantes, dues à des changements de temps, indisposent fortement les poissons. Au Brésil, dans des régions à fortes perturbations, on a pu observer des poissons morts par millions suite à un refroidissement brutal de l'air. On dispose actuellement de matériel fiable pour assurer une température constante de l'eau de l'aquarium, la pièce maitresse étant le thermostat. L'idée reçue, que la température de l'eau doive correspondre à un cycle journalier n'est pas défendable. Le fait, prouvé, que des poissons ont survécu pendant 10 ou même 20 ans démontre qu'une température constante n'est pas nuisible. La durée de vie de ces mêmes poissons dans la nature eut été bien plus réduite.

L'aquarium et le courant électrique

On sait que l'ensemble eau-courant électrique présente de grands dangers. Car dans ce cas, eau signifie mise à la terre. On s'électrocute quand on touche simultanément la phase et la terre. Voilà la raison pour laquelle il ne faut pas relier l'aquarium à la terre. Prenons le cas d'un aquarium dont le cadre soit relié à la terre. Si par suite d'incident il venait qu'une phase conduise le courant dans l'eau, et que l'aquariophile soit en contact simultané avec ce cadre et l'eau, le courant électrique traversera le corps, il y aurait électrocution. Un court circuit ne peut se produire dans l'aquarium que dans le cas où le matériel électrique comme le thermostat, la résistance de chauffage ou les lampes sont équipés d'une sécurité de mise à la terre. En cas d'accident, soit le fusible, soit le disjoncteur différentiel (ou les 2) sautera et coupera le courant. Cela ne se produira naturellement que si les prises sur lesquelles sont branchés ces équipements, comportent un circuit «Terre». (Toute installation électrique récente est automatiquement réalisée avec un conducteur terre). Dans le cas où cette sécurité n'existé pas, et que la phase soit défectueuse, le court-circuit ne se produira pas immédiatement. Si l'eau de l'aquarium est très peu minéralisée (très douce), donc peu conductrice, il peut se passer un certain temps sans que l'on ne remarque quoi que ce soit.
L'aquariophile, chaussé de souliers avec semelle en cuir, en contact avec un sol conducteur, et plongeant la main dans l'eau, encaissera naturellement un sérieux choc. Des semelles en caoutchouc, une moquette, un tapis, un plancher en bois sont des isolants qui peuvent amoindrir le choc électrique, mais ne constituent pas une sécurité parfaite. Celle-ci ne pourra être obtenue qu'en utilisant la basse tension (sauf lumière) produite par un transformateur spécial (très cher et lourd).

Les différents types de chauffage

Le tube chauffant = la résistance

Le filament chauffant, en forme de spirale est enroulé sur un support en céramique, porcelaine ou tout autre matériau réfractaire. Après connexion avec les fils d'alimentation, ce corps chauffant est logé dans un tube en verre dont le vide est comblé avec du sable très fin (ceci assure une diffusion plus uniforme de la chaleur), puis fermé hermétiquement avec un bouchon en caoutchouc. Ces tubes chauffants existent en plusieurs puissances nominales de 10 à 150 Watts.
Peu coûteux à l'achat, ce type de matériel chauffant présente l'inconvénient de produire une forte chaleur sous une faible surface de chauffe.

Le thermostat

Ce petit appareil très simple nous décharge de la corvée de régulation manuelle de la température de l'eau, et du contrôle de fonctionnement de la résistance. Les aquariophiles disposent d'un grand choix de modèles, allant du contacteur au mercure avec relais (cher), au thermostat bilames (simple et bon marché).

Comment fonctionne le thermostat?

Quand la température de l'eau augmente, la lame bimétallique se dilate, provoquant l'interruption du circuit électrique. Quand la température diminue, la lame bimétallique se rétracte et rétablit le circuit alimentant la résistance qui réchauffera l'eau. Cette lame sensible est en fait constituée de 2 épaisseurs de métaux différents acollés et qui réagissent aux variations de température en se dilatant ou en se rétractant. Ce type de régulation est le plus couramment adopté par les différents constructeurs de matériel de chauffage pour aquarium. Dans le cas où l'aquariophile veut brancher plusieurs résistances sur un même régulateur, il est recommandé de porter le choix sur le thermostat simple plutôt que de choisir un combiné. Par rapport au combiné, le thermostat simple présente également l'avantage qu'en cas de casse de la résistance, il suffit de changer celle-ci. Cela n'est pas possible avec le combiné car les 2 pièces (régleur et résistance) sont solidairement logées dans un même tube protecteur.
Attention: si un thermostat pilote plusieurs résistances, il faut veiller à ne pas dépasser la puissance en watts du thermostat. Il est recommandé de n'acheter que les appareils dont la fermeture en caoutchouc soit et reste parfaitement étanche. Le très bon matériel doit être garanti pour utilisation en immersion totale. Il faut rejeter le matériel qui n'est étanche qu'aux éclaboussures, et ceci pour des raisons évidentes de sécurité.

Le combiné

Comme déjà évoqué plus haut, le combiné est composé d'un thermostat et d'une résistance logés solidairement dans un même tube. Ce type d'appareil, malgré l'inconvénient déjà cité, est le plus utilisé. La plupart des fabricants recommande l'utilisation en position verticale. Les appareils fabriqués en Europe présentent une sécurité suffisante et peuvent être utilisé en immersion totale ou en position horizontale. Aux USA et au Japon, la grande majorité des appareils sont étanchéifiés, à l'aide de bouchons en matière synthétique dure. Cette protection, de loin insuffisante, ne présente pas la sécurité souhaitée.

Quelques recommandations –

Les appareils de chauffage de bonne qualité (thermostat, résistances ou combinés) ont une durée de vie pratiquement illimitée, mais il faut néanmoins les manipulier avec certaines précautions.
- Eviter les chocs contres les vitres de l'aquarium (bris du tube).
- Ne pas faire fonctionner une résistance hors de l'eau.
- Débrancher systématiquement les appareils lors des travaux d'entretien réguliers de l'aquarium.

Quelques précisions –

La fourchette de régulation des thermostats est très réduite. La variation de la température de l'eau en résultant, n'excède pas 1 à 2° C, autour de l'optimum. En plus, cette variation s'étale dans le temps d'où aucun risque pour les poissons et les plantes. Les thermostats sont à présent équipés d'une lampe témoin de fonctionnement. Cette lampe est allumée si la résistance chauffe.

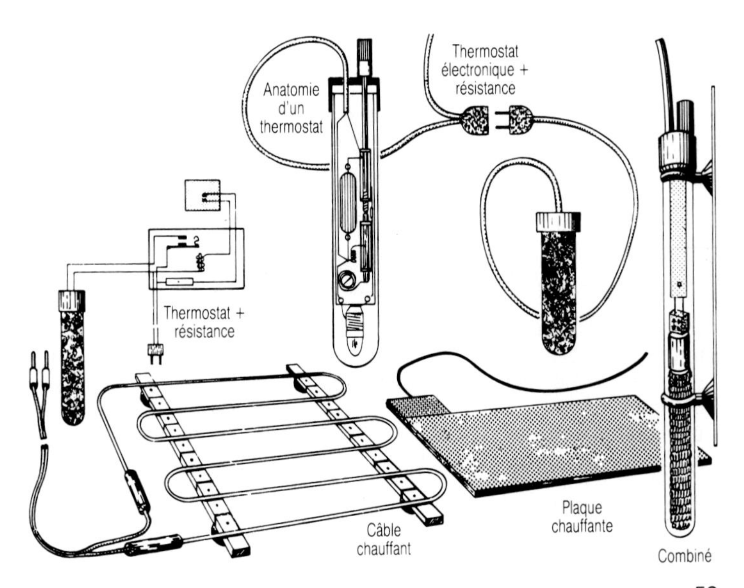

Câbles chauffants

La mise à la température des terrariums par câble chauffant noyé dans le sol, relève d'une technique déjà ancienne. Cette méthode de chauffage trouve également son application en aquariophilie. Il est évident que ce système ne convient que lors d'une mise en place nouvelle. Dans le sol d'un aquarium déjà installé, l'implantation de câbles de plusieurs mètres de long, équivaudrait à un tour de force. La pose de câbles chauffants se réalise facilement lors d'un nouveau montage. Il suffit d'étaler régulièrement le câble sur la vitre de fond, de la fixer à l'aide de quelques ventouses et de recouvrir le tout avec du sable ou du gravier. Il existe des câbles chauffants basse tension (42 volts) fournie par transformateur.

Plaques chauffantes

Le verre est mauvais conducteur de chaleur, mais malgré cela on peut installer une plaque chauffante sous l'aquarium. Ces plaques, de puissance adéquate et de surface équivalente à la vitre du fond, répartissent la chaleur uniformément. Cela devrait se traduire par une végétation luxuriante, une réduction de consommation électrique et une plus grande sécurité. Le prix très élevé d'un tel matériel freinera beaucoup d'aquariophiles qui préfèreront les résistances usuelles, de loin moins chères. On ne peut nier que câbles chauffants ou plaques chauffantes favoriseront la végétation régulière, par contre il faut aussi dire que la plaque chauffante devra être assez puissante pour réchauffer correctement vitre de fond et sol d'aquarium. Un wattage trop faible risquerait de provoquer une différence trop importante entre température du sol et eau de l'aquarium. Le câble chauffant noyé directement dans le sol, répartit mieux la température.

Réglage électronique de la température

On utilise de plus en plus des thermostats électroniques pour régler la température de l'eau des aquariums. Ce moyen de régulation a le grand avantage d'être très précis, et le matériel d'être fiable et pratiquement inusable. Un petit palpeur, de la taille d'une allumette, relève la température de l'eau, l'information est transmise par l'intermédiaire d'un semiconducteur qui règle automatiquement le fonctionnement de la résistance. Ces thermostats électroniques sont d'un prix élevé. Les appareils de certaines marques ne sont pas prévus pour raccorder la résistance par l'intermédiaire d'une prise mâle, dans ce cas il faut réaliser le raccord à l'aide d'un domino.

Puissance de chauffage.
Pour un aquarium installé dans une chambre normalement chauffée il faut prévoir $^{1}/_{3}$ à $^{1}/_{2}$ watt par litre d'eau.

1 Watt par litre d'eau est nécessaire quand le bac est installé dans une chambre non chauffée. En prévision d'une défection quelconque, il est toujours bon d'avoir une résistance en réserve. Celle-ci peut aussi servir pour le chauffage d'un bac de quarantaine. Par suite d'une coupure prolongée du courant, la température de l'eau peut s'abaisser sans danger jusqu'à 20, voire 18° C. En cas d'une coupure d'une durée supérieure à 15 heures d'affilée, il faut absolument réagir pour sauver les poissons d'une mort provoquée par l'eau à trop basse température. Une solution simple et efficace consiste à réchauffer l'eau à l'aide d'eau à 30/32° C qu'on verse dans l'aquarium après avoir vidangé le volume correspondant. Une autre solution consiste à immerger un seau d'eau très chaude dans le bac et à renouveler cette opération jusqu'à obtenir une température de sécurité de 22 à 24° C.

Le thermomètre

Le plus petit, le moins cher de tous les accessoires, le thermomètre est néanmoins un élément tout à fait indispensable en aquariophilie. Nous recommandons de choisir des thermomètres parfaitement étalonnés, de préférence. La fixation se fera à l'aide d'une ventouse. Le contrôle journalier de la température devrait s'accompagner d'un toucher de la vitre de l'aquarium avec le dos de la main. A force d'habitude l'aquariophile détectera au simple toucher si la température se situe dans une fourchette correcte. Cela peut servir en cas de bris du thermomètre. Il faut absolument bannir les thermomètres à colonne de mercure. Ce métal, particulièrement nocif, empoisonnerait inévitablement faune et flore en cas de bris du thermomètre.

La filtration

Un bon filtre doit jouer plusieurs rôles:

1. Filtration mécanique
   (tous types de filtres)
2. Filtration biologique
   (tous les filtres à grande capacité chargés avec le substrat adéquat)
3. Filtration chimique
4. Enrichissement de l'eau en oxygène
   (tous les filtres à grand rendement)
5. Agiter la surface de l'eau
6. Créer une bonne circulation de l'eau du bac
   (filtres à très grand rendement)

La capacité du filtre doit s'adapter au volume du bac et à la densité de la population de poissons donc à l'apport proportionnel de déjection. En règle générale, il faut viser une capacité maximale.

Le rendement du filtre doit correspondre aux mêmes données que ci-dessus. Il faut veiller particulièrement à la proportionnalité de la population. Un aquarium de 100 litres avec une population faible (moins de 1 cm de longueur de poisson pour 5 litres d'eau) nécessitera un rendement plus faible qu'un bac de 60 litres à forte population (1 cm de longueur de poisson par litre d'eau).

En conclusion il faut retenir:
Volume du filtre: le plus grand possible
Rendement par heure: la moitié du volume du bac

Rendement du filtre pour 1 bac de 100 litres			
Densité de la population	1 cm de longueur par x litres d'eau	Rendement du filtre L/h	Volume du filtre
Faible	5	50	250 ml
Normale	2–3	100	500 ml
Forte	1	150	1 l
Trop importante	0,5	+ 200	2 l

Pour un bac de 50 litres les valeurs indicatives du tableau ci-dessus sont à diviser par deux. Pour un bac de 200 litres il faut doubler les valeurs. Ce tableau vous donne des valeurs guides afin de vous permettre de choisir plus facilement la capacité et le rendement du filtre à installer.

Le volume pour un filtre de forme cylindrique (à charge de mousse synthétique) se calcule selon la formule:
Rayon au carré x 3,14 x hauteur

3 cm x 3 cm x 3,14 x 15 cm = 424 cm^3 de volume (capacité)

Le volume pour un filtre de forme cubique ou rectangulaire se calcule selon la formule

longueur x largeur x hauteur en cm = Volume en cm^3

Le rendement d'un filtre diminue proportionnellement à son encrassement. Le rendement est aussi relatif au type de pompe. Le débit diminue plus rapidement avec une pompe type exhausteur qu'avec une pompe rotative. Nous passerons en revue les différents types de filtres. Pour connaitre le rendement d'un filtre, il faut vérifier le débit. Matériel nécessaire:
un chronomètre ou une montre avec trotteuse
un récipient gradué type labo ou ménager

Vérification du rendement du filtre

On immerge le récipient receveur jusqu'à son bord dans l'eau de l'aquarium et sous le tuyau de sortie du filtre. A présent nous chronométrons le temps nécessaire pour remplir le récipient receveur (en minute ou fraction de minute).

Supposons un récipient de 250 ml. Si le temps nécessaire pour remplir ce récipient est de 15 secondes, le débit du filtre sera de 60 l/h

$$\left(\frac{60''}{15''} \times 01250 \times 60' = 60 \text{ l/h}\right)$$

Pour vérifier le débit d'un filtre à haut rendement il est préférable d'utiliser un récipient de grande capacité. Le résultat sera plus juste et ne nécessitera pas de recommencer l'opération plusieurs fois. Dans ce cas on recueille l'eau débitée pendant 1 minute, on mesure ce volume qu'on multiplie par 60. (21450 en 1 minute = 147 L/heure).

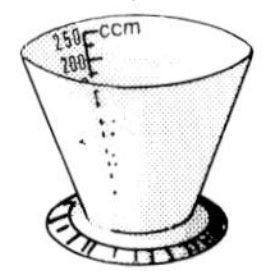
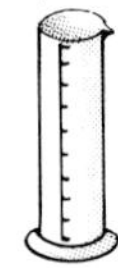

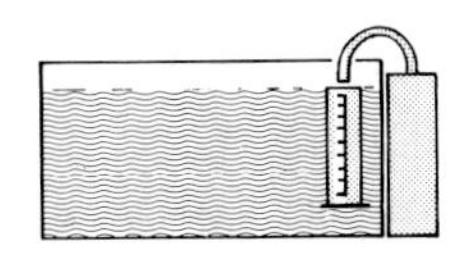

Le but de l'opération ne consiste pas à contrôler le débit annoncé par le fabricant du filtre mais plutôt de connaitre le débit si celui-ci n'est pas indiqué ou de régler le rendement si le type de filtre le permet.

Les différents types de filtration

1. **Filtres intérieurs**
   a) filtre utilisant le sol comme matière filtrante
   b) filtre avec cartouche en mousse synthétique
   c) filtre de coin
   d) filtre à charge plongeante
   e) filtre à pompe à palettes
   f) filtre biologique
2. **Filtres extérieurs**
   a) filtre pot à pompe rotative
   b) filtre boite avec pompe électrique

L'innombrable variété de filtres différents (plus de 100 types de filtres disponibles sur le marché) posera un problème de choix à l'aquariophile débutant. Les conseils suivants aideront ou orienteront son choix.

Pour des bacs (d'élevage) jusqu'à 40 litres:

Filtre intérieur avec cartouche en mousse synthétique (par ex. Billi de Tetra) ou filtre de coin. Ces deux types de filtres, alimentés par une pompe à air, fonctionnent en système exhausteur. Les filtres de sol ne conviennent pas pour ces petits aquariums souvent surpeuplés d'où des nettoyages d'entretien plus rapprochés.

Pour des bacs moyens jusqu'à 80 litres:

Filtre intérieur à cartouche de mousse synthétique (par ex. Brillant de Tetra).
Filtre intérieur de conception variée.
Filtre à pompe rotative (par ex. Eheim N° 288).
Filtre extérieur à pot avec moteur.

Pour des bacs jusqu'à 150 litres:

Filtre immergé à pompe rotative (par ex. Martin).
Filtre à pot à pompe rotative (par ex. Eheim N° 386).
Filtre à cartouches en mousse synthétique (par ex. Tetra Brillant-Super).

Pour des bacs de plus de 150 litres:

Filtre extérieur type Eheim, Vita, Weltweit; bio-filtre incorporé par le fabricant.

Pour des bacs à partir de 300 litres:

Filtre extérieur à haut rendement (mini 500 l/heure) ou un filtre biologique intérieur de grand volume avec pour brassage de l'eau une puissante pompe élevatrice (par ex. Tunze Turbelle).

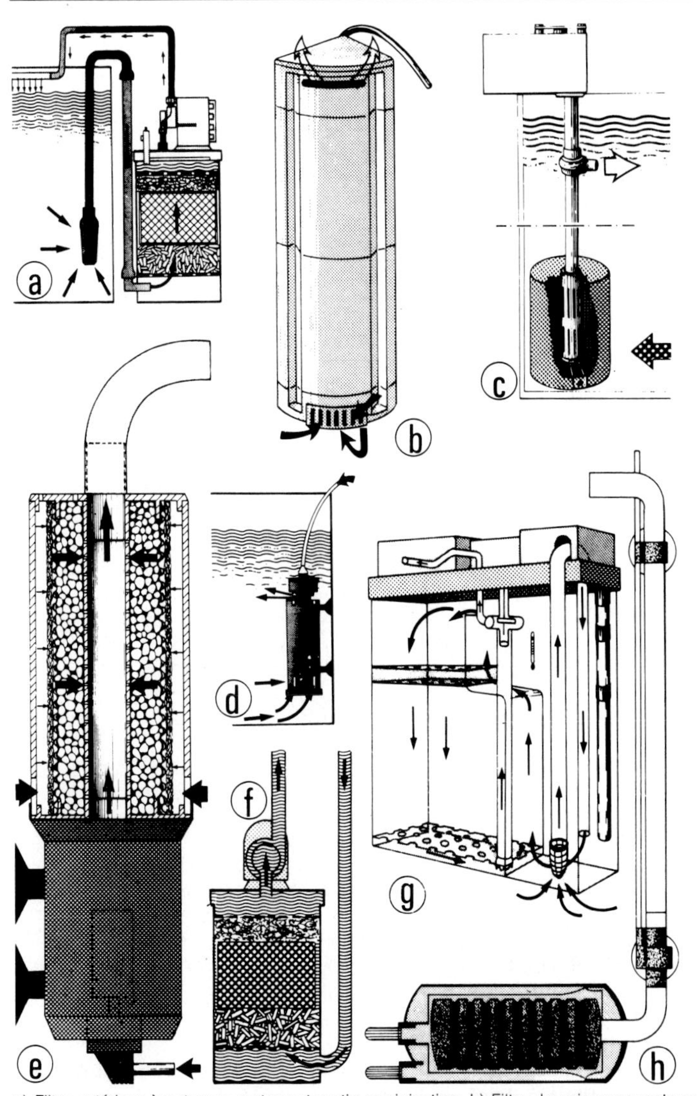

a) Filtre extérieur à pot avec moteur et sortie par injection; b) Filtre de coin avec moteur; c) Filtre intérieur à moteur; d) Filtre immergé à moteur; e) Filtre intérieur (Maximal); f) Filtre extérieur à pot (Eheim); g) Filtre biologique extérieur; h) Filtre Tetra Brillant.

Pour en venir à la conclusion du chapitre filtration, notons que

- tous les filtres, quels qu'ils soient, remplissent une, deux, ou toutes des fonctions demandées.
- l'efficacité d'un filtre n'est pas seulement fonction de sa conception mais également, et en grande partie de la charge filtrante utilisée.

Quelques mots sur le filtre biologique.
Ce type de filtre, le plus ancien et ayant fait ses preuves, a évolué

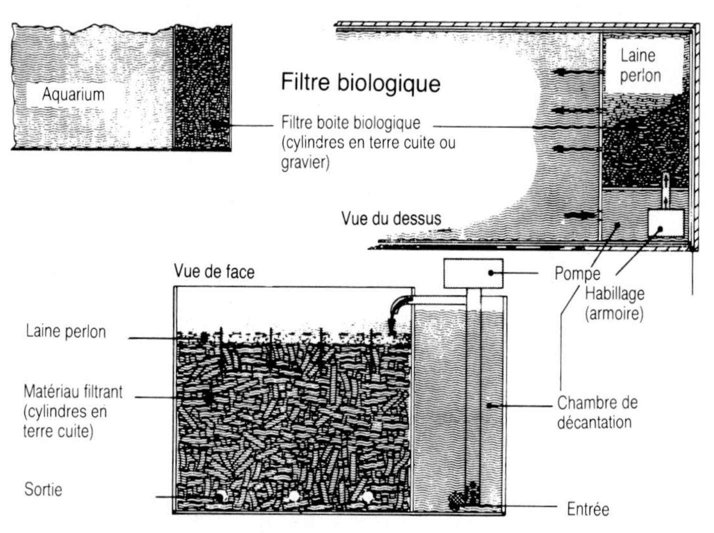

dans sa technicité. Le filtre peut être fixé à l'extérieur du bac ou être intégré dans le bac. Sa construction ne pose pas de problèmes particuliers pour un aquariophile bricoleur. La circulation de l'eau peut être assurée soit par le système exhausteur soit par une pompe électrique plongeante. Par rapport au filtre biologique utilisant le sol comme matière filtrante, il a l'énorme avantage de pouvoir être nettoyé très facilement. Les fibres synthétiques de préfiltration se nettoyent par un lavage hebdommadaire sous l'eau courante. La charge filtrante, gravier de 3 à 5 mm où les petits cylindres en terre cuite peuvent rester dans le filtre pendant 6 à 12 mois sans nettoyage.

Les rôles du filtre

1. Filtration mécanique

Toutes les charges filtrantes conviennent pour la filtration mécanique. Les charges les plus pratiques sont tout de même les fibres synthétiques (Perlon) pour les filtres de petite capacité, ainsi que fibres et terre cuite pour les filtres de plus grande capacité. Le rôle premier de la charge filtrante est de retenir les matières en suspension dans l'eau d'aquarium. Selon constitution des charges, le filtre retient des plus fines aux plus grosses particules en suspension. L'eau sortant du filtre doit être pure physiquement.

Les filtres à grand rendement comme les filtres à pots de petit volume sont l'archétype de cette méthode. Déjà après quelques heures de fonctionnement, l'eau d'un aquarium installé est débarrassée des matières en suspension. Le charbon de bois actif peut également servir de charges filtrantes mécaniques. Vu la grande porosité de surface des particules de charbon de bois, ceux-ci sont à même de retenir les matières les plus fines. En outre, le charbon de bois permet d'éliminer (par absorbtion) les médicaments dissous dans l'eau du bac. A cet égard, il faut retenir qu'un filtre à charbon de bois ne doit pas fonctionner pendant un traitement médicamenteux de l'eau d'aquarium. La charge doit aussi se renouveler après l'élimination et ceci pour éviter la relibération des médicaments absorbés.

2. Filtration biologique

Les excréments des poissons (urine, déjections) et surtout les dérivés azotés solubles chargent dangereusement à la longue l'eau de l'aquarium (voir chimie de l'eau). L'aquariophile a tendance a oublier le processus de transformation des dérivés azotés pour la simple raison que cette pollution n'est pas visible. Il faut éliminer absolument les dérivés azotés de l'eau du bac par des changements partiels de l'eau et par une filtration biologique. Pour rappel: le cycle azoté est assuré par des bactéries; Nitrosomonas transforment l'amoniaque en nitrite, Nitrobacter, le nitrite en nitrate. Ces bactéries ne peuvent exister qu'à la condition de pouvoir se fixer sur une charge filtrante adéquate et remplir leur fonction qu'en présence d'oxygène dissous en quantité suffisante.

Les charges filtrantes pour filtres biologiques:

- Matière synthétique inattaquable par les bactéries
- Gravier poreux (Lave)
- Charbon de bois (utilisation limitée)

Un sol d'aquarium d'une épaisseur d'au moins 5 cm réalisé avec du gravier de granulométrie de 3 à 5 mm constitue la meilleure charge pour la filtration biologique à condition que le débit soit faible et que l'eau circule à travers le sol du bas vers le haut et non l'inverse. Une circulation à travers le sol du haut vers le bas colmaterait très rapidement le gravier. La circulation peut être assurée soit par une pompe électrique à débit réglable, soit par une pompe à air alimentant un exhausteur. Les filtres extérieurs équipés de pots de grande capacité et d'une pompe rotative possèdent une action de filtration biologique honnête.

3. Filtration chimique

A. Les résines

A priori la filtration dite chimique relève davantage de la chimie de l'eau que de la filtration dans le sens aquariophile du mot. Nous assimilons cette méthode à une filtration pour l'unique raison qu'on utilise des filtres à pots fermés pour loger la charge filtrante constituée de résines synthétiques. Selon leur nature, ces résines possèdent chacune leur particularité propre. L'une abaissera la dureté carbonatée et sulfatée, l'autre fixera les acides correspondants aux sels précédents. D'autres encore sont à même de fixer le nitrate. Ces résines, très coûteuses à l'achat doivent absolument être protégées par une préfiltration mécanique. En cours d'utilisation, ces résines se saturent et nécessitent une régénération. Le processus de régénération de résines semblables est chose courante en utilisation ménagère (machines à laver la vaisselle). Nous attirons l'attention de l'aquariophile sur 2 points importants:

a) Les résines de type ménager, régénérables avec du sel de cuisine ne sont pas adaptées à l'aquariophilie.
b) L'amateur qui souhaite s'équiper d'un filtre à résines a tout avantage à se renseigner auprès d'une maison spécialisée.

B. La tourbe vierge (sans engrais)

On peut également ranger la tourbe noire ou vierge parmi les charges de filtration chimique. Citons en inconvénient que la tourbe noire teintera l'eau en brun et son emploi n'est pas bien commode. Citons également les avantages qui annulent les inconvénients:

a) la tourbe transmettra à l'eau des éléments favorables et ceci en faible quantité (acide humique, gelateur, etc.)
b) la tourbe permet de diminuer sensiblement la dureté carbonatée de l'eau à condition de changer souvent la charge du filtre.
c) par rapport aux résines, il n'y a pas de risque d'erreur de manipulation lors de la régénération, car on jette simplement les charges saturées ou on les utilise en jardinage.
d) la tourbe ne coûte pratiquement rien.

Exemple d'utilisation de la tourbe pour abaisser la dureté totale de l'eau de 30 à 10° dGH pour un volume d'aquarium de 100 litres.

– quantité de tourbe sèche nécessaire: environ 250 g

Vu la faible densité de la tourbe on ne pourra loger que 50 à 60 g dans un pot de filtration et de ce fait, il faudra renouveler quatre à cinq fois la charge qui sera saturée au bout de 4 jours.

4. Enrichissement de l'eau en oxygène et

5. Agitation de la surface de l'eau

En utilisant un filtre fonctionnant à l'aide d'une pompe électrique on peut se passer d'une pompe à air, ainsi que du traditionnel diffuseur émettant des bulles bien sympathiques mais totalement inefficaces pour enrichir l'eau de l'aquarium en oxygène. La pompe à air n'aura une efficacité limitée dans ce domaine que si elle alimente un filtre extérieur du type exhausteur. La fonction oxygénation d'un filtre à pompe électrique n'atteindra son optimum qu'à condition de l'utiliser correctement. En premier lieu on n'utilisera qu'une fraction du débit de la pompe. Cette sortie sera implantée de telle manière qu'il se créera un faible courant circulaire en surface. Il se produira alors un échange gazeux; l'oxygène se dissout dans l'eau et le gaz carbonique s'en échappe. Le gaz carbonique, important élément de nutrition des plantes d'aquarium, ne doit pas être éliminé totalement; donc nul besoin d'injecter l'eau du filtre à forte pression en surface. Nous nous répétons donc en insistant: il faut un débit de surface tout juste suffisant pour maintenir une faible circulation de l'eau, ce qui empêchera également la formation d'un voile de surface* (poussière et bactéries). L'évidence recommande aussi de veiller à une bonne ventilation du volume d'air entre vitre et eau ou couvercle et eau. Il faut donc prévoir des orifices de ventilation dans la galerie du bac.

6. Créer un courant

Dans la nature, le courant charrie la nourriture et aère l'eau. La grande majorité des poissons exotiques vivront donc de préférence dans le courant fort ou faible. Cela les oblige à se dépenser physiquement par une nage continue qui fortifie leur organisme. Il en est de même pour les plantes dont le développement sera favorisé par l'eau courante qui apportera en continu du gaz carbonique dissous, directement assimilable par les feuilles. Il s'agit donc et pour les raisons ci-dessus, de créer un courant dans le corps du bac afin de copier au mieux la nature. Indirectement un bon courant répartira uniformément la chaleur dans le bac évitant ainsi les zones froides qui peuvent être génératrices de maladies des poissons et freiner le développement des plantes. Nous voyons donc que créer un courant dans le bac favorise le bien être des poissons et des plantes. Une bonne filtration a donc également la charge de bien remplir cette fonction. Les pompes rotatives possèdent un débit suffisant pour que celui-ci puisse être réparti partiellement en surface et principalement

* Il existe des filtres spéciaux pour aspirer la surface de l'eau.

dans le corps du bac. Nous conseillons d'équiper la sortie du filtre de 2 tuyaux dont on peut régler le débit.
- faible en surface
- fort dans le volume du bac

Conclusions et Conseils

Les filtrations tant mécaniques que biologiques sont d'importance égale. Il faut éliminer toutes les impuretés. Une eau trouble attriste un aquarium. Le filtre constitue l'accessoire utile pour dépolluer continuellement l'eau du bac. Un filtre nouvellement installé devra se roder; cela peut demander quelques semaines de fonctionnement. Une filtration biologique efficace n'est obtenue qu'après 3 mois de fonctionnement. Ce laps de temps est nécessaire à la formation et fixation des colonies de bactéries nitrificatrices qu'il ne faudra pas décimer par des nettoyages trop rapprochés de la charge filtrante.
Pour l'entretien de la charge filtrante, nous conseillons:
- de ne jamais nettoyer la totalité de la charge mais remettre un tiers de volume tel quel, cela assurera un redémarrage efficace.
- de ne jamais laver la charge filtrante avec de l'eau chaude afin d'éviter de détruire les bactéries.
- de nettoyer régulièrement la charge de préfiltration (effet mécanique)
- de ne procéder au nettoyage de la charge de filtration biologique que tous les 4 ou 5 mois.

Bon entretien du filtre = eau propre
Eau propre = faune et flore saines

Un bon entretien du filtre constitue un élément de réussite en aquariophilie. L'emploi de médicaments en aquariophilie doit se limiter à des cas graves. Les médicaments perturbent fortement le bon fonctionnement d'un filtre biologique. Après un traitement médicamenteux il devient impératif de procéder à un changement d'eau important (remplacement de $^{5}/_{6}$ de l'eau). Nous conseillons également de prélever quelques litres de gravier du sol et un cinquième de la charge filtrante avant l'ajout des médicaments. Après traitement et changement d'eau on pourra vacciner le milieu en rajoutant à nouveau ces prélèvements. Le redémarrage biologique se fera plus facilement.
Voir également chapitre entretien et plus particulièrement nettoyage des filtres (page 887).

La décoration

Dans le chapitre «Les poissons d'ornement en communauté» pages 178–197, nous recommandons les différents types d'aquariums adéquates. Nous vous conseillons de lire attentivement ces différentes pages avant d'installer votre nouvel aquarium. Reportez vous aussi au chapitre «L'effet décoratif des plantes» page 72 avant de prendre la décision finale concernant le type d'aquarium souhaité. Quand l'aquariophile a déterminé clairement quelles variétés de poissons et quel type de plantation égayera son bac, il lui sera facile de choisir les matériaux complémentaires de décoration. Retenons que les matériaux comme pierres, racines, écorce, ardoise, ne sont que des décors de second ordre, le décor principal revenant à une végétation luxuriante. Ces matériaux ne seront prédominants que dans les bacs spécifiques aux poissons «mangeurs de plantes» ou aux cichlidés africains. La décor réalisé à l'aide de plantes sera traité dans un chapitre à part. Pour le décor complémentaire, nous pouvons utiliser:

Pierres:

Basalt
Porphyre
Granite
Grès non calcaire
Lave
Ardoise
Bois pétrifié
Pots de terre cuite (refuges et supports de ponte)

Pierres à rejeter:
marbre
pierre calcaire
les dolomies ne conviennent que pour les aquariums «d'eau dure».

Bois:

Racines (Tourbières)
N'essayez pas avec un autre bois car cela créera des foyers de pourriture forts consommateurs d'oxygène et présentant des risques de maladies pour les poissons.

Bambou
Noix de coco, pour les pondeurs en cavernes.

Il va de soi que le cuivre ou les alliages cuivreux ne doivent en aucun cas être utilisés pour le décor des aquariums.

Une esquisse préalable permet de noter sur une liste les formes et types de matériaux homogènes de décor à se procurer. Sans une définition précise des matériaux à acheter et tenté par le choix disponible dans les magasins, on risque, une fois devant le bac à installer, de réaliser un décor hétérogène sans harmonie. L'amateur qui réussira un aquarium typé pourra revendiquer le titre «d'aquariophile expérimenté».

La nature offre un choix important de matériaux de décor. On trouve du gravier multicolore dans les environs des gravières. On peut récupérer des pierres dans des carrières ou des ruisseaux de montagne. Tout en étant gratuits, ces matériaux ont une valeur sentimentale certaine.
Quand l'aquarium sera installé, on se souviendra des expéditions dominicales et on se rappèllera l'époque de fiévreuse préparation. Il peut arriver qu'on trouve de fort belles pièces de bois lors de ces sorties. Mais même récoltées dans un ruisseau limpide et déjà bien délavées, il faut rejeter ces belles pièces. Introduites dans l'eau d'aquarium à 24° ou 26° C les foyers de pourriture apparaîtront; cela consommera inutilement de l'oxygène dissous dans l'eau et un risque de pollution générale existerait réellement. Seules des racines ayant séjourné de longues années dans des tourbières présentent une sécurité suffisante. Le milieu acide de ces tourbières aura imprégné suffisament le bois pour qu'aucun foyer de pourriture ne soit encore actif. Par précaution il faut tout de même faire bouillir ces pièces, si leur grandeur ou forme permet de les loger dans une grande marmite.
Pour les toutes grandes pièces qui ne peuvent subir ce traitement, il faut au minimum les doucher consciencieusement avec de l'eau bouillante. L'eau en ébullition, outre son action de désinfection, chassera également les bulles d'air encore emprisonnées dans le bois. Ces grandes pièces auront tendance à remonter lors de la mise en eau du bac. Pour y remédier on peut les lester avec des pierres, un morceau de vitre. On peut aussi les coincer à l'aide de tiges de bambous prenant appui sur les vitres latérales. On cachera ensuite ces tiges avec le sable du sol. On peut encore ancrer ce bois avec du bambou qui prendra appui d'un côté sur la pièce, de l'autre sur une traverse supérieure du bac.

a) Fixation avec tige bambou en vertical.
b) Fixation en horizontal, la tige de bambou prenant appui sur les vitres latérales.
c) Ancrage à l'aide d'une plaque de verre.

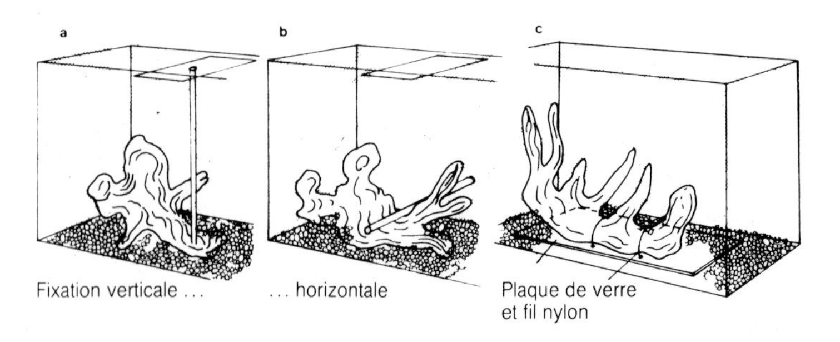

Fixation verticale ... ... horizontale Plaque de verre et fil nylon

Une belle décoration satisfait en premier lieu la vue du spectateur. En second lieu, elle permet de dissimuler les appareils et accessoires. Les matériaux employés constituent également des caches pour les poissons. Il faut donc choisir ces matériaux en fonction de la taille des poissons. Un Pleco (*Hypostomus*) aura besoin d'un plus grand refuge pour son repos diurne qu'un cichlidé nain ou qu'un Kuhli. Toute exagération dans l'emploi de matériaux de décor, doit être évitée. Une surcharge de pierres, bois, briserait l'harmonie générale. Les plantes doivent occuper la plus grande surface et constituer le décor principal. A éviter aussi les gadgets tels que scaphandriers, sirènes, coffrets à trésor, ces bricoles n'ont rien à faire dans un aquarium. Un décor astucieux de la vitre arrière augmentera la perspective et donnera du caractère à l'aquarium. Ce décor devra prolonger le décor intérieur par l'utilisation de matériaux identiques. Là encore il ne s'agit pas de commettre des erreurs; un fond bleu reproduisant un paysage marin jurera évidemment avec un décor d'aquarium réalisé avec une plantation dense. Plusieurs solutions permettent de décorer la vitre arrière.

- coups de pinceaux avec peinture de différente couleur (à déconseiller car décapage difficile lors d'un changement de décor).
- papier ou feuille plastique reproduisant une paroie rocheuse.

Nous conseillons de réaliser un fond donnant une impression de profondeur en procédant comme suit: construction d'une caissette en contreplaqué aux dimensions de la vitre arrière (et d'une profondeur de 5 à 10 cm). Après collage d'un miroir sur environ ⅓ de la surface, on enduit le fond du caisson de colle (sauf une surface difforme du miroir). A présent on saupoudre la surface encollée soit de sciure de bois teintée, soit de sable. Après séchage, le décor complémentaire (roseaux, bambou, bout de roche, écorce) est fixé à l'intérieur du caisson qui sera posé jointivement à l'extérieur et contre la vitre arrière (voir illustration). Le tout donnera une impression de continuité impressionnante du décor du bac.

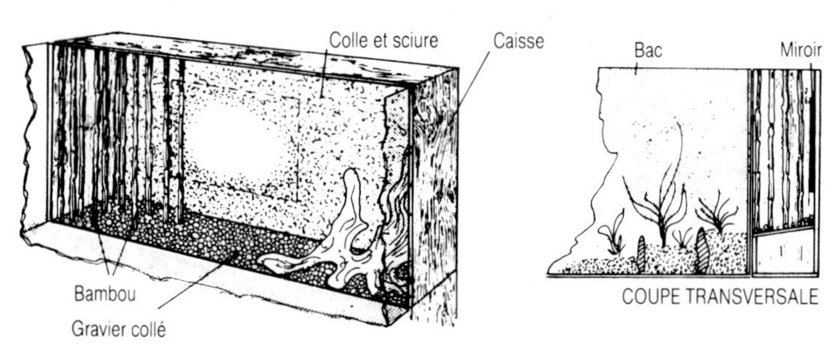

L'installation d'un aquarium

Tout au cours des chapitres précédents, les différents stades de l'installation d'un aquarium ont été traités en détail. A présent nous reprenons en conclusion et en suite logique les différentes phases sous forme de planning.

1. Choix du lieu d'implantation du bac (voir page 21).
2. Définir la future population et choisir le bac (forme, dimensions, volume).
3. Nettoyage du bac et vérification de l'étanchéité.
4. Isoler le bac de son support à l'aide d'une plaque de polystirène si ce support présentait une surface non uniforme ou si le bac reposait sur une dalle froide (marbre, granit).
5. Si on utilise une plaque chauffante, celle-ci sera posée entre l'isolant et le bac. Si on utilise un câble chauffant, celui-ci sera fixé sur le fond intérieur du bac à l'aide de ventouses.
6. Mise en place du système de filtration par le sol avant de verser le sable ou gravier.
7. Laver sable et gravier (voir page 27).
8. Mélanger gravier et fertilisant qui constitueront la couche primaire du sol.
9. Recouvrir avec le restant du sable lavé.
10. Remplir le bac à mi-hauteur. Pour éviter de troubler l'eau on recouvre le sol d'un film de polyane ou on verse l'eau dans un récipient haut, lui-même reposant sur une assiette. L'eau en s'écoulant ne perturbera pas le sol.
11. Fixer le thermostat, non branché, sur la vitre arrière à l'aide d'une ventouse. Idem pour le tube résistance. Relier électriquement les 2 selon mode d'emploi du fabricant.
12. En cas de chauffage à l'aide de plaque chauffante, fixer le thermostat extérieur ou intérieur en veillant au bon contact du détecteur de température. Relier les appareils électriquement selon indications du fabricant.
13. Mise en place du filtre. Voir page 888 pour conseils spécifiques à l'utilisation d'un filtre à pompe rotative et à pot fermé.
14. Ajouter les produits adéquats pour le traitement de l'eau.
15. Elever la température de l'eau à 20° C.
16. Réaliser le décor à l'aide des matériaux retenus en essayant de cacher les différents appareils déjà implantés. Procéder à une plantation en commençant par les grandes plantes qui se trouveront habituellement vers l'arrière du bac. Continuer la plantation du milieu en regroupant sous forme de bosquets les plantes d'une même variété. Terminer la plantation de l'avant du bac avec les plantes naines ou à faible développement. A

remarquer qu'une plantation dense en variétés de plantes à développement rapide comme *Hygrophila, Vallisneria, Egeria, Echinodorus,* favorisera le bon départ du bac et permettra d'obtenir très rapidement un bon équilibre biologique.

17. Compléter le remplissage en veillant à ne pas déraciner les plantes.
18. Mise en place du décor extérieur de la vitre arrière.
19. Brancher et faire fonctionner le filtre.
20. Brancher et faire fonctionner le chauffage, vérifier la température, régler le thermostat pour obtenir de 24° C à 26° C.
21. Vérifier pH, dureté carbonatée, évent. Nitrites.
22. Après un contrôle général on peut introduire quelques poissons. Se limiter à un faible nombre afin que le bac puisse s'équilibrer biologiquement ce qui ne serait pas possible avec une forte population. Il est toujours souhaitable de plonger les sachets contenant les poissons dans l'eau du bac, afin que l'eau des sachets se mette à la température du bac. Après 10 minutes, on peut lacher les captifs dans leur nouvel home.
23. Mise en place de la galerie d'éclairage et, s'il y a lieu, des vitres qui éviteront une trop forte évaporation.
24. Brancher et allumer les lampes.

Les plantes d'aquarium dans la nature

L'étude des plantes d'aquarium est fort avancée, de telle sorte que plus de 250 espèces en sont actuellement cultivées. Toutefois, les macrophytes d'eau douce (plantes des marais et des eaux) comportent à peu près 380 genres regroupant environ 4000 espèces; plus d'une espèce trouvera donc encore le chemin des aquariums. Ces chiffres concernent toutes les plantes qui vivent en permanence ou périodiquement dans l'eau ou qui poussent à sa proximité. Du point de vue écologique, on les classe en trois groupes principaux:

1. Plantes nageantes libres flottant à la surface ou directement sous la surface de l'eau et plantes enracinées à feuilles flottantes, longuement pétiolées.
2. Plantes aquatiques commençant et achevant leur cycle dans l'eau, où leur existence est possible grâce à certaines propriétés particulières. Dans leurs organes, les tissus de soutien sont absents, de telle sorte que ces plantes sont souples et résistantes au courant. Leur développement plus ou moins vertical, se réalise grâce à des lacunes aérifères situées dans les tiges et abaissant leur poids spécifique.
3. Plantes des marais et des marécages s'enracinant dans les sols humides. Leurs tiges et leurs feuilles se développement à l'air libre; des tissus de soutien les maintiennent dressées. Parmi ces plantes amphibies, de nombreuses espèces peuvent continuer à subsister à l'état submergé lors d'une montée des eaux. Dans ce cas, des feuilles de formes différentes et mieux adaptées à la vie submergée, se développent fréquemment.

La culture des plantes en aquarium

La culture des plantes d'aquarium est souvent problématique. Elle est pourtant moins difficile, si l'on évite des erreurs fondamentales lors de l'installation du récipient. Ainsi, dans le choix des espèces, il convient de tenir compte des conditions de vie créées artificiellement. Une grossière erreur consisterait par exemple, à placer une plante dans une eau très dure, alors qu'elle nécessite une eau très douce. Il en est de même pour le choix des facteurs de croissance que sont la lumière et la température. En principe, deux options se présentent pour la culture en aquarium: ou l'installation de base est conforme à des critères bien déterminés de substrat, d'eau, de lumière et au choix approprié des plantes à ces conditions, ou bien une telle installation classique est complétée jusqu'à son optimum par des techniques particulières. Dans ce dernier cas, il est possible de cultiver dans le même espace, plusieurs espèces aux exigences différentes.

Un substrat sain

Dans un aquarium, le rôle du substrat est de fixer les plantes d'une part, d'assurer la formation de leurs racines et l'assimilation des substances nutritives d'autre part. La croissance des plantes peut être favorisée par un enrichissement en éléments nutritifs. Selon la structure de ce substrat, l'absorption des restes de nourriture des poissons et de leurs excréments, est possible. Les produits de dégradation libérés lors de leur décomposition sont en partie utilisables en tant que substances nutritives par les plantes. Des erreurs fondamentales dans la préparation du substrat sont fréquemment à l'origine d'une croissance chétive des plantes.

Un éclairage approprié

L'éclairage est l'un des problèmes essentiels de la culture des plantes submergées. Par ignorance, l'importance de la lumière dans la croissance végétale est en général sous-estimée. C'est ainsi que l'intensité de la source lumineuse est habituellement trop faiblement déterminée. L'élaboration d'une masse organique végétale ne peut se réaliser qu'à l'aide d'énergie lumineuse. La plante doit disposer d'une intensité de lumière suffisante, dispensée pendant une durée relativement importante et selon une composition appropriée (voir aussi le chapitre «L'éclairage de l'aquarium» à partir de la page 42).

L'eau

L'élément vital pour les poissons et les plantes est l'espace aquatique. Sa composition chimique, entre autres facteurs, détermine le bien-être des espèces qui s'y trouvent. En ce qui concerne la croissance des plantes, ce sont les valeurs moyennes usuelles qui, là encore, sont en général les plus favorables. Elles assurent pour la plupart des espèces, une bonne croissance. La valeur pour la teneur en carbonates varie entre 5 et 12 degrés KH. Une eau très douce ou très dure, est en général moins favorable. Dans un environnement dont le pH est de 6,5–7,2, la plupart des espèces végétales sont en mesure de bien se développer. Des écarts importants réduisent le nombre d'espèces possibles (remarques particulières sous «Explication des signes» p. 82).

Les apports d'éléments nutritifs – la fertilisation

Des moyens de croissance bien déterminés sont à notre disposition, en dehors de l'installation de base classique et le choix correspondant et approprié des espèces. L'environnement aquatique dans l'aquarium peut donc être amélioré. Lorsque les apports d'engrais sont utilisés à bon escient et selon des doses bien précises, ils favorisent la croissance végétale. La nécessité détermine le choix de ces apports. On peut les résumer de la manière suivante:

1. L'apport en fer joue un rôle important dans l'alimentation. Quand la teneur en fer est insuffisante (feuilles jaunes, chlorotiques), cet apport constitue un élément de soutien pour le développement de feuilles vertes, bien développées et capables d'assurer l'assimilation des substances nutritives présentes. Il en résulte des plantes vigoureuses, d'un vert foncé et à croissance rapide. Des préparations spéciales existent dans le commerce.
2. L'apport de substances nutritives peut suppléer à d'autres carences dans l'alimentation des plantes. La mise en jeu d'une bonne fertilisation pour les plantes d'aquarium est possible, mais doit se faire uniquement en cas de nécessité et d'une manière particulièrement mesurée. L'excès de substances nutritives est, en général, plus néfaste qu'une absence totale.
3. L'apport de gaz carbonique (CO_2) est également nécessaire pour la croissance optimale des plantes d'aquarium. Il facilite le développement de toutes les plantes aquatiques, stimule la formation des racines et atténue l'effet de choc causé par la transplantation. L'addition de CO_2 devient fréquemment indispensable dans une eau très dure dont l'équilibre en bicarbonate de calcium est plus instable que celui de l'eau plus douce. Le CO_2 stabilise le pH à des valeurs favorables à la croissance et le carbone ainsi additionné constitue conjointement un élément nutritif très important.

En pratique, l'apport de CO_2 est très simple: il suffit d'une bouteille de CO_2, d'une valve-détendeur, d'un diffuseur et d'un réactif (test-CO_2). Diverses maisons de commerce distribuent des systèmes-CO_2 complets. L'enrichissement en CO_2, tout en respectant les autres facteurs de développement, tels que la lumière, la température et la composition des éléments nutritifs du substrat, procurera de grandes satisfactions dans la culture des plantes d'aquarium.

L'effet décoratif des plantes

Des plantes vigoureuses et judicieusement choisies peuvent fournir l'occasion d'installer un «beau jardin» dans l'aquarium. Les caractéristiques essentielles de l'arrangement sont déjà prises en considération lors du premier aménagement. Il existe des règles bien précises qu'on peut appliquer lors de la décoration par les plantes. Il convient avant tout de veiller à la diversité dans le paysage de l'aquarium.

Le décoration de l'arrière-plan

L'arrière-plan et les parties latérales doivent, dans la mesure du possible, être garnis de plantes à rhizome (plantes à tiges souterraines) dressées et persistantes. On les choisira parmi les genres *Crinum, Echinodorus, Sagittaria* et *Vallisneria,* pour ne citer que quelques exemples. Le choix des espèces dépendra de l'intensité lumineuse et de la hauteur du récipient. Dans une eau basse, il faudra des espèces mi-basses à l'arrière-plan, alors qu'un récipient plus grand recevra des espèces plus élevées. Les plantes pourvues de tige poussant rapidement et nécessitant une lumière plus modérée, conviennent également, mais ont besoin de plus de soins. Des remarques pour l'installation sont également fournies par les indications données sous le signe HA (= Hauteur de l'Aquarium).

La décoration de l'avant-plan

Afin d'obtenir un espace libre pour le déplacement des poissons et une vue dégagée dans l'aquarium, on introduira à l'avant-plan des plantes dont la croissance en hauteur est limitée. Le choix de ces plantes basses se portera en général sur des espèces à forte croissance et se multipliant par stolons. On les trouvera dans les genres *Cryptocoryne, Echinodorus, Eleocharis, Marsilea* et *Sagittaria.* La culture de ces plantes basses nécessite une lumière suffisante, à moins que le choix ne se porte sur des espèces capables de se développer sous éclairement modéré.

Le contraste de forme

Dans la conception d'un aménagement à l'aide de plantes figurant à l'arrière-plan, il convient finalement d'introduire différents groupes. L'effet optique d'une décoration repose sur la diversité, de telle sorte qu'on recherchera des contrastes à la fois dans la forme des feuilles, dans le type de croissance et dans la taille des plantes. Les formes identiques seront espacées. Des exemples de contraste de forme: feuilles arrondies de *Lobelia* à proximité des feuilles effilées de *Ludwigia,* ou feuilles découpées de *Cabomba* près des feuilles entières d'*Hygrophila.* De même, des plantes à grandes feuilles à côté de plantes à petites feuilles constituent un bon contraste de forme.

Le contraste de couleur

Des plantes d'aquarium à feuilles rouges créent un effet de contraste dans l'ensemble de couleur verte de l'aquarium. La combinaison avec d'autres formes foliaires donne un excellent résultat. Les plantes colorées nécessitent toutefois un éclairement plus élevé et la coloration de leurs feuilles est intensifiée par l'addition d'éléments ferriques. Les plantes destinées à fournir ce contraste de couleur sont implantées dans les espaces libres de l'aquarium, ce qui rehausse leur effet et garantit le libre accès de la lumière.

La plantation par groupes

Les plantes à tige ont un effet plus décoratif quand on regroupe plusieurs individus d'une même espèce. L'ampleur et l'extension du groupe se fait en fonction des dimensions du récipient, tandis que l'espacement des exemplaires est en rapport avec la taille de leurs feuilles. Un bon effet optique est obtenu par un échelonnement en profondeur des plantes à tige d'une même espèce à l'intérieur d'un groupe. Les boutures auront donc des longueurs diverses et seront plantées de l'avant vers l'arrière selon une taille croissante.

Un typique aquarium de plantes hollandais dans lequel il reste peu de place aux poissons pour nager. A l'avant-plan *Cryptocoryne willisii,* au milieu Lotus rouge et derrière lui *Lobelia cardinalis*; centre droit *Heteranthera zosterifolia* suivi de *Cryptocoryne siamensis.*

Les plantes solitaires

Les grandes plantes à rhizome dont les feuilles sont disposées en rosette, sont en général isolées' elles forment des «solitaires». Bien choisie en fonction des dimensions du récipient et de la hauteur de l'eau et judicieusement placée, la plante solitaire constitue une variante optique intéressante en tant que «point fort». Son emplacement ne doit pas être central, mais décalé latéralement au tiers de la longueur du récipient. Un remarquable effet est alors obtenu quand ainsi isolée, elle est accompagnée de plantes fournissant un contraste et complétée vers l'avant par des espèces de faible taille.

Les formes de multiplication

La multiplication de divers groupes ou espèces végétales est réalisée selon des méthodes variées qui peuvent être faciles ou plus délicates à utiliser. Cette multiplication des plantes d'aquarium abaisse le prix de revient et s'avère particulièrement intéressante dans le cas d'espèces rares ou d'exemplaires uniques. Les quelques indications ci-après sont destinées à expliquer ces méthodes de multiplication.

Boutures

On appelle «bouture», la partie isolée d'une tige piquée dans le sol pour enracinement; elle s'y reproduira végétativement. A cet effet, on utilise surtout les extrémités des rameaux, appelés «boutures de tête». Quand la plante n'est pas ramifiée, la bouture correspond à la partie terminale de la tige qui constitue ainsi la bouture. La partie restante et enracinée de la tige demeure dans le sol et développe un ou plusieurs rameaux latéraux qui sont coupés quand ils ont atteint une longueur de 15 à 20 cm (*Ammannia, Hygrophila, Lobelia*). Les plantes qui se ramifient normalement produisent automatiquement des rameaux latéraux que l'on isole et que l'on plante (*Didiplis, Ludwigia, Mayaca, Rotala*).

Marcottes

On appelle «marcottes», les nouveaux rameaux qui se développent sur les stolons de la plante-mère et qui, en s'enracinant, deviennent indépendants. Cette forme de multiplication la plus simple, conduit rapidement chez les plantes stolonifères, à de nombreux individus nouveaux (*Echinodorus, Sagittaria, Vallisneria*). Par contre, le stolon de *Nymphaea* ne produit de temps en temps qu'un seul individu nouveau que l'on isole quand il présente 5 à 6 petites feuilles et que l'on plante séparément. Les *Cryptocorynes* font de même, mais dans ce cas, on laisse se poursuivre le développement de la marcotte sans intervenir jusqu'à l'obtention d'une touffe.

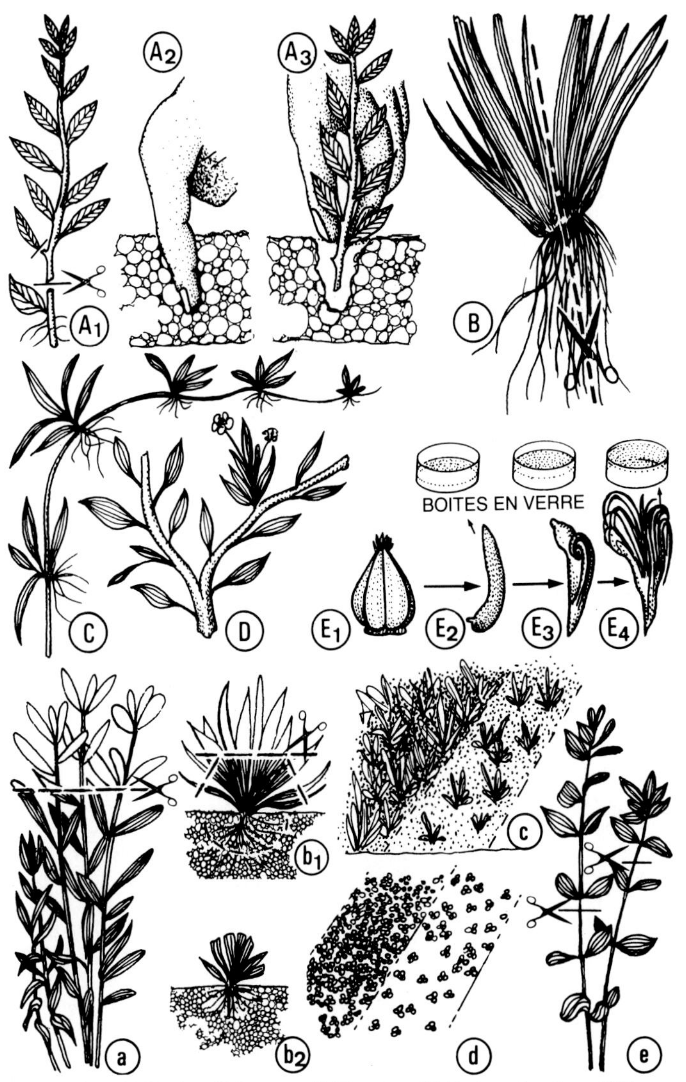

Formes de multiplication: A) Boutures; B) Marcottes; C) Plantes adventives; D) Rameaux latéraux; E) Multiplication par graines. **Entretien des plantes:** a) Taille; b) Rajeunissement; c) Eclaircissage; d) Elagage; e) Rabattage.

Plantes adventives

On appelle «plantes adventives», les plantules végétatives qui se forment sur un organe quelconque de la plante-mère. Elles apparaissent sur les feuilles de *Microsorium, Ceratopteris* ou *Eleocharis* et sont prévelées quand leur taille est convenable. L'axe inflorescentiel submergé de certains *Echinodorus* produit des rameaux adventifs au niveau des verticilles floraux. Quand ces rameaux comportent 5 à 6 petites feuilles et des racines, on les prélève et on les plante en un endroit dégagé. Chez certaines espèces, il est en général préférable de coucher, en un endroit dégagé, la tige pourvue de nouveaux rameaux. Elle est maintenue au sol par de petites pierres ou des pinces. Les rameaux adventifs peuvent ainsi se développer sans être perturbés et s'enraciner. Par la suite, la tige qui les relie, est coupée (voir également les indications dans la description des espèces).

Rameaux latéraux de rhizome

Le rhizome d'*Echinodorus,* de *Lagenandra* ou d'*Anubias* produit de temps en temps et d'une manière autonome des rameaux latéraux. Quand ceux-ci présentent quelques feuilles, on les isole en conservant une partie de rhizome. La formation de tels rejets latéraux est favorisée quand on coupe le rhizome longitudinalement en deux parties égales et qu'on laisse s'enraciner chacune des deux parties ainsi obtenues. Les parties de rhizome de 5 à 10 cm de long qui se trouvent à l'arrière et qui doivent être enlevées lors de la transplantation d'un individu âgé, peuvent également être utilisées. Chaque portion de rhizome est placée en un endroit dégagé sur le gravier de l'aquarium, où elle est maintenue à l'aide d'une pince; elle produit de nouveaux rameaux latéraux qui s'enracineront par la suite.

Multiplication par graines

Les espèces capables d'aller à fleur peuvent être reproduites par graines après fructification. En règle générale, les fleurs doivent être pollinisées artificiellement. Pour ce faire, le pollen est transféré d'une fleur à l'autre à l'aide d'un petit pinceau à aquarelle ou d'un tampon de coton (*Aponogeton, Echinodorus*). L'autopollinisation est possible chez *Barclaya* et *Nymphaea.* La culture des plantules se fait alors dans des petits pots en plastique contenant un mélange de sable, d'argile et de tourbe dans les proportions de 3–1–1. Les graines espacées d'un centimètre, sont enfoncées par pression dans la couche supérieure de sable. Le pot est placé dans l'aquarium en un endroit exposé, sur une pierre ou suspendu à l'aide d'un fil métallique. Au fur et à mesure que les plantules se développent, le pot est placé de plus en plus profondément dans l'eau; quand elles auront acquis une taille suffisante, elles seront transplantées.

Remarques sur l'entretien des plantes

L'entretien des plantes de l'aquarium nécessite des soins appropriés et réalisés à bon escient. Déjà, le choix des espèces doit tenir compte du milieu créé. Les conditions de lumière, d'eau et de température sont également à prendre en considération. A cela s'ajoutent l'état parfait du milieu, la pratique correcte des incisions de racines, la plantation convenable et les espacements suffisants en cas d'installation de groupes. Les soins particuliers aux plantes sont menés de diverses façons et sont brièvement expliqués ci-après.

La taille

Les plantes qui produisent des tiges ont tendance à s'élever audessus de la surface de l'eau, ce qui entraîne généralement le périssement des feuilles situées dans l'eau. Dès que le sommet atteint la surface, la tige doit être coupée à mi-hauteur. La partie sectionnée peut être utilisée comme bouture, alors que la partie inférieure peut être destinée à la multiplication. Des exemples sont donnés par *Ammania, Hygrophila, Lobelia, Saururus.*

Le rajeunissement

Ainsi taillée à plusieurs reprises, la plante-mère est renouvelée à temps: elle est enlevée de l'aquarium, tandis qu'un nouveau groupe est constitué avec l'ensemble des extrémités en bon état. Cette mesure est destinée à prévenir la sénilité de la plante. Ce procédé est également valable pour les plantes qui se multiplient par stolons et dont les rejets forment peu à peu une végétation trop dense. Les exemplaires les plus vigoureux sont prélevés à temps pour constituer un nouveau groupe. Tous les individus plus faibles et superflus sont enlevés.

L'éclaircissage

Si l'on ne souhaite pas rajeunir dans l'immédiat un ensemble constitué de plantes stolonifères et devenu très touffu et si, par ailleurs, on veut éviter l'affaiblissement des différents individus, on prélève avec précaution la moitié environ des exemplaires. On fournit ainsi de nouveaux espaces pour la croissance des individus subsistants. Ce procédé peut être appliqué aux *Sagittaria, Vallisneria* et aux plantes amazoniennes naines.

L'élagage

Ce procédé a le même objectif que le précédent. Cet élagage est réalisé sur des plantes à tige qui se ramifient abondamment et entremêlent leurs rameaux latéraux. La taille et le rajeunissement sont retardés en coupant à mi-hauteur les rameaux les plus longs. On maintient ainsi plus longtemps l'effet décaratif. Cette mesure peut être utilisée chez *Hemianthus, Ludwigia, Mayaca, Rotala.*

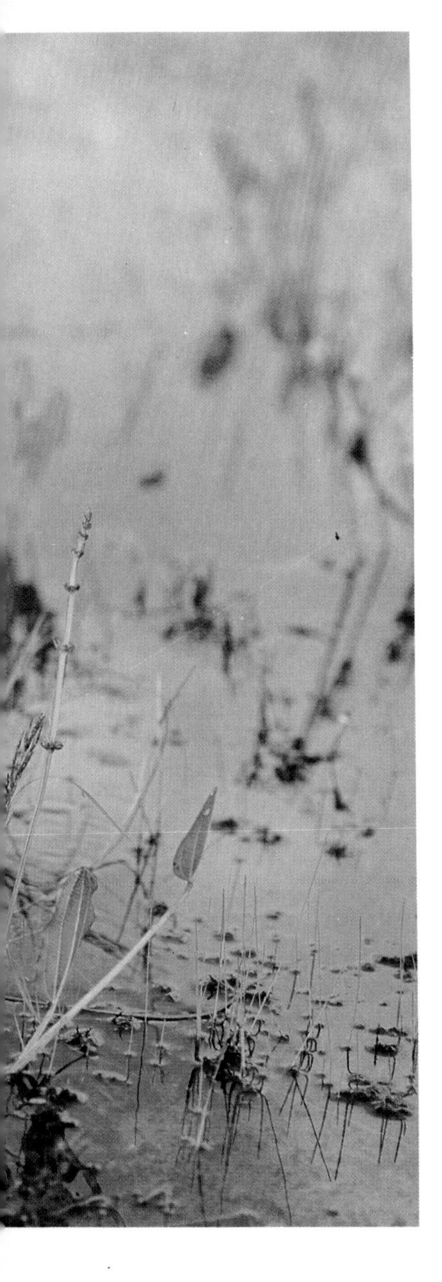

Le rabattage

Occasionellement les plantes solitaires les plus élevées et dont les nombreuses feuilles s'étalent largement en étouffant la décoration environnante, sont rabattues. Les feuilles extérieures correspondantes sont coupées près du rhizome et enlevées. Cette intervention est également nécessaire dans le cas des plantes qui ont tendance à développer des feuilles nageantes, tels que *Nymphaea lotus* et *Echinodorus cordifolius,* chez lesquels les feuilles nageantes sont coupées jusqu'à ce qu'il se forme à nouveau des feuilles submergées à pétiole court.

Echinodorus grandiflorus, de l'est du Brésil, à l'état émergé. A l'état submergé cette plante dépérit. Convient cependant très bien pour les paludariums avec jusqu'à 20 cm de niveau d'eau.

Explication des signes figurant dans la description des plantes

D = difficulté

Ce signe se rapporte aux exigences plus ou moins élevées de l'espèce. Les degrés de difficulté 1 et 2 sont recommandés aux débutants. Les plantes du groupe 3 nécessitent plus d'expérience. Les plantes classées dans le groupe 4 sont tributaires d'une très bonne eau (en général douce) et ne concernent que les amateurs éclairés.

D 1 = espèce robuste et peu exigeante, supportant également une eau dure et se contentant de conditions de nutrition médiocres; besoin en lumière faible à modéré, d'environ 1 watt pour un volume de 4–3 litres. Multiplication en général sans problème.
pH = 6,0–8,0. Dureté jusqu'à 20° KH.
D 2 = espèce robuste et vivace, nécessitant une qualité d'eau quelque peu meilleure; besoin en lumière modéré à moyen, d'environ 1 watt pour un volume de 3–2 litres. Multiplication très facile.
pH = 6,0–7,5. Dureté jusqu'à 15° KH.
D 3 = espèce préférant une eau douce à moyennement dure et à composition nutritive contrôlée et équilibrée; elle peut cependant se développer convenablement par addition de gaz carbonique avec un KH plus élevé; besoin en lumière moyen à élevé, d'environ 1 watt pour une volume de 2,0–1,5 litres. Multiplication pas toujours tacile.
pH = 6,0–7,2. Dureté jusqu'à 10° KH.
D 4 = espèce d'adaptation délicate et nécessitant une eau particulièrement douce; besoin en lumière en général élevé, d'environ 1 watt pour un volume de 1,5 litre. Multiplication le plus souvent difficile.
pH = 6,0–6,8. Dureté jusqu'à 4° KH.

KH = dureté carbonatée en degrés allemands (voir page 7)

La vigueur des plantes dépend souvent du KH de l'eau. Une eau très douce, d'un KH inférieur à 2°, est en général peu favorable à leur bon développement. L'adaptation des espèces à une certaine gamme de dureté est toutefois décisive. Les plantes dites calcifuges nécessitent impérativement une eau douce. Certes, de nombreuses espèces supportent un KH relativement élevé, mais leur développement est freiné quand la valeur du pH s'élève de trop ou que la teneur de l'eau en gaz carbonique est trop faible. Ces indications qui relèvent de l'expérience, montrent les limites d'un développement favorable. De légères fluctuations sont possibles, car il existe des relations avec d'autres facteurs. En général, il est préférable de ne pas associer des plantes à exigences très différentes.

pH = réaction de l'eau («potentiel Hydrogène», titrage de l'eau)

Cette donnée permet de se rendre compte à quel degré d'acidité ou d'alcalinité la culture de l'espèce réussit le mieux. La plupart des plantes préfèrent un pH variant entre 6,5 et 7,2. Des écarts vers le haut ou vers le bas, sont possibles, mais ne doivent pas trop s'éloigner des valeurs données pour les espèces ou les genres. Lors de difficultés de croissance, des mesures peuvent révéler si les causes sont imputables au pH. Il est recommandé de ne pas associer des plantes à exigences très différentes.

T = température

Ce signe concerne la gamme des températures favorables au bon développement sous conditions normales. L'optimum se situe en général un peu au-dessus de la moyenne des valeurs données. Pour certaines espèces, une température supérieure de 2° est possible, mais ceci implique en général des besoins en matières nutritives et en lumière plus élevés que la normale, car le métabolisme se trouve stimulé.

HA = hauteur de l'aquarium

Ce signe indique la hauteur de l'aquarium pour laquelle l'espèce est la mieux adaptée. Ainsi, les plantes à rhizome se développant en hauteur et devenant élevées, de même que les plantes à tige à croissance rapide seront de préférence introduites dans un récipient aux dimensions appropriées. De telles espèces n'ont pas leur place dans des aquariums de faible hauteur, puisqu'il faudrait les rabattre trop fréquemment. Les espèces de taille faible à moyenne conviennent certes à tous les aquariums, compte tenu de leur hauteur, mais il faut se rappeler qu'une trop grande profondeur d'eau diminue fortement l'intensité lumineuse au niveau du sol. Ainsi, les petites plantes et les plantes à tige pourvues de petites feuilles, ne bénéficieront que de trop peu de lumière et deviendront chétives, à moins d'augmenter le rendement des lampes.

Les différentes hauteurs d'aquarium dont il sera question sont:

HA = 1: petits aquariums jusqu'à environ 35 cm de hauteur;
HA = 2: aquariums de taille moyenne jusqu'à environ 45 cm de hauteur;
HA = 3: grands aquariums au-dessus de 45 cm de hauteur.

Le choix des plantes (Définition des groupes)

Pour faciliter la recherche de plantes bien adaptées, les espèces sont classées en groupes et en sous-groupes en fonction de leurs caractères morphologiques.

Groupe 1

Plantes à tige dressée et feuillée
La caractéristique commune de ces plantes est la tige plus ou moins robuste pourvue de feuilles. Pour la décoration, leurs représentants sont en général utilisés par groupes plus ou moins importants d'exemplaires identiques. Leur multiplication est réalisée exclusivement par boutures. Ce groupe comprend 40 genres avec environ 90 espèces. On les répartit selon les différentes positions de leurs feuilles.

Sous-groupe 1

Feuilles verticillées
Deux ou plusieurs feuilles se développent autour d'un nœud, à la même hauteur. Les feuilles sont en général en de nombreux segments plus ou moins fins; chez de rares espèces, les feuilles sont entières; 11 genres comprenant environ 25 espèces sont connus.

Sous-groupe 2

Feuilles opposées
Les deux feuilles insérées sur un nœud constituent une paire. Les feuilles sont en général entières, rarement découpées ou dichotomes; 15 genres comprenant 45 espèces sont connus.

Sous-groupe 3

Feuilles alternes
La feuille unique se développe sur un nœud et l'ensemble des feuilles s'insère le long de la tige selon une spirale. La forme des feuilles est très variée, en général entière, plus rarement découpée; 14 genres comprenant environ 20 espèces, sont connus.

Groupe 2

Plantes à feuilles en rosette
Les feuilles émergent d'un rhizome plus ou moins épais et constituent une rosette plus ou moins importante. Les individus sont plantés, soit en solitaire, soit en groupes dans le cas d'espèces de taille relativement faible. A heure actuelle, on connaît 22 genres comprenant environ 115 espèces.

Heteranthera zosterifolia dans une rivière à courant rapide au sud de la région amazonienne (Brésil). Dans les fleuves brésiliens les plantes sont rares. Lors des hautes eaux en période de pluies les plantes enracinées manquent de lumière. La croissance des plantes aquatiques est donc limitée aux rivières dont le niveau d'eau varie beaucoup moins. Exception faite, bien entendu, pour les plantes aquatiques, par ex. *Eichhornia*.

Sous-groupe 1

Plantes à feuilles étroites en rosette
Essentiellement des formes à croissance élevée et feuilles minces et sessiles. Utilisation en général par petits groupes à l'arrière-plan. Ceci concerne 8 genres comprenant environ 30 espèces.

Sous-groupe 2

Plantes à feuilles larges en rosette
Caractérisées par des feuilles arrondies, en général cordiformes et échancrées et un port souvent trapu. Plantées en général en solitaire. Le nombre d'espèces est variable, car certains représentants se retrouvent dans d'autres sous-groupes.

Sous-groupe 3

Plantes «amazoniennes» (*Echinodorus*)
Ce genre très polymorphe comprend 47 espèces du continent américain. Environ 25–30 espèces peuvent être cultivées en aquarium. Leur plantation peut se faire aussi bien en solitaire qu'en groupe.

Sous-groupe 4

«Les épis d'eau» (*Aponogeton*)
Des 42 espèces existantes (Afrique, Asie, Australie), une douzaine peut s'adapter dans l'aquarium. Ce sont des plantes à tubercules, dont la croissance est rapide; elles fleurissent et fructifient facilement en aquarium.

Sous-groupe 5

«Les calices d'eau» (*Cryptocoryne*)
Genre largement répandu dans le sud-est de l'Asie, comprenant plus de 60 espèces décrites. Une trentaine d'entre elles peuvent être cultivées en aquarium. La forme de leurs feuilles est très variable. Leurs exigences pour la culture en aquarium sont en général plus élevées que celles des autres plantes.

Groupe 3

Mousses et fougères
Ce groupe moins important intéresse 9 genres comprenant 15 espèces. Certaines d'entre elles se retrouvent dans le groupe des plantes nageantes. Le développement des plantes submergées est en général moins rapide et demande habituellement une eau douce. Les espèces à rameaux rampants peuvent être fixées à des pierres ou sur du bois et y poursuivre leur croissance.

Groupe 4

Plantes nageantes
On relève 2 groupes différents. Certaines espèces flottent librement à la surface de l'eau, la face supérieure de leur feuille étant sèche. D'autres plantes nageantes flottent sous la surface de l'eau et sont comparables aux vraies plantes aquatiques en ce qui concerne l'assimilation des substances nutritives. La végétation à la surface de l'eau est utilisée modérément, pour ne pas trop arrêter la lumière nécessaire aux plantes poussant en-dessous. Les plantes nageantes sont en général indispensables pour l'élevage de certains poissons. Parmi les 12 genres, environ 25 espèces sont connues.

Eichhornia crassipes, description v. p. 142

1. Plantes à tige dressée et feuillée
1.1. Feuilles verticillées

Ceratophyllum demersum LINNAEUS (1753) Cornifle nageant
Fam.: Ceratophyllaceae
Distribution: Cosmopolite
C'est une plante sans racine, nageant librement à quelque distance sous la surface de l'eau. Dans le milieu naturel, les tiges légèrement cassantes, sont fixées au sol par des organes semblables à des racines (rhizoïdes). Les feuilles verticillées sont divisées dichotomiquement; elles sont d'un vert foncé, raides, pourvues d'épines molles et quelque peu sensibles à la pression. La culture de cette espèce ne pose guère de problème. Sa croissance rapide et son abondante ramification élaborent des coussinets denses qui peuvent servir de refuge aux jeunes poissons. Un élagage régulier doit être réalisé pour éviter un manque de lumière pour les plantes poussant au ras du sol.
Multiplication: boutures, rameaux latéraux très nombreux.
D: 3, KH: 5–15, pH: 6,0–7,5, T: 18–22° C, HA: 1–3

Egeria densa PLANCHON (1849) Elodée d'Argentine
Fam.: Hydrocharitaceae Syn.: *Elodea densa*
Distribution: Argentine, Paraguay, Uruguay, Brésil
Cette espèce qui s'adapte très facilement et se développe très rapidement, préfère une eau relativement dure. Elle convient essentiellement pour les récipients à eau froide, mais peut également être cultivée en eau plus chaude sous lumière suffisante. La tige est légèrement cassante, pourvue de feuilles sessiles, insérées en verticilles rapprochés, linéaires, de 2 cm de long sur 0,5 cm de large, d'un vert foncé. Les bords de la feuille apparemment lisses sont en réalité pourvus d'une trentaine de dents minuscules. Les longs rameaux flottants sont occasionnellement pourvus de fleurs qui s'épanouissent à l'air (lumière du jour). Ces fleurs sont unisexuées; exclusivement des exemplaires mâles sont cultivés chez nous. Cette espèce a été écartée du genre Elodea en raison du développement particulier de ses fleurs et de sa pollinisation par les insectes.
Multiplication: boutures de rameaux latéraux.
D: 1, KH: 8–15, pH: 6,5–7,5, T: 20–24° C, HA: 1–3

Hemianthus micranthemoides NUTTALL (1817) Micranthème d'Amérique
Fam.: Scrophulariaceae Syn.: *Micranthemum micranthemoides*
Distribution: Cuba, sud-est des U.S.A.
C'est une plante en coussinet, d'un vert clair à utiliser pour les espaces entre les plantes basses de l'avant plan et les plantes de hauteur moyenne. Les rameaux sont fins et souples. Les feuilles de 0,5–0,8 cm de long sur environ 0,3 cm de large, sont disposées en verticilles de 3 ou de 4; elles sont allongées à ovales, effilées et d'un vert clair. Les exigences de cette plante sont modérées à l'égard de la dureté de l'eau et de la température; toutefois, ses besoins en lumière sont relativement élevés. Il convient de la planter en touffes en des endroits dégagés. Les extrémités des rameaux s'enracinent facilement et se développent en épais coussinets, grâce à l'abondance de leurs ramifications latérales. Un entretien régulier est primordial. La plante est très sensible aux substances contenant de la trypaflavine, souvent ajoutées à l'eau.
Multiplication: boutures, rameaux latéraux.
D: 3, KH: 2–12, pH: 6,0–7,0, T: 22–28° C, HA: 1–2

Limnophila aquatica ROXBURGH (1824) Limnophile aquatique
Fam.: Scrophulariaceae
Distribution: Inde, Sri Lanka
C'est une espèce à croissance rapide, formant d'importantes touffes dans des récipients de hauteur importante. Les verticilles foliaires ont jusqu'à 12 cm de diamètre, mais sont en général moins larges, constitués de 18–22 feuilles finement divisées. Les nombreux segments foliaires sont fins, presque filiformes, sans nervure médiane disticte, à extrémité longuement effilée. Le développement de cette plante est parfois aléatoire; les plantes d'importation directe s'adaptent parfois difficilement. Une eau relativement tendre est préférable. Cette plante ferrophile réagit bien à un apport supplémentaire d'éléments ferriques. Sous lumière intense, les verticilles foliaires sont plus rapprochés et la plante prend un effet plus décoratif. Il convient de ne pas trop souvent raccourcir les tiges.
Multiplication: boutures, rameaux latéraux.
D: 3, KH: 5–12, pH: 6,5–7,0, T: 24–26° C, HA: 3

Ceratophyllum demersum

Hemianthus micranthemoides

Egeria densa

Limnophila aquatica

Limnophila sessiliflora VAHL (1820) Limnophile à fleurs sessiles
Fam.: Scrophulariaceae
Distribution: Inde, Pakistan, Indonésie, Japon, Sri Lanka.
Cette espèce à tige dressée est pourvue de feuilles verticillées par 8–13. Ces feuilles de 2–3 cm de long, sont finement découpées, les segments inférieurs étant dichotomiques. L'extrémité des segments de 1 à 2 mm de large, est légèrement élargie vers le sommet. Le segment terminal ne dépasse pas les 2 segments sous jacents. Pour la mise en place d'une touffe, il faut espacer chacune des boutures. Les rameaux qui se développeront vers la surface de l'eau, s'y ramifieront facilement. Il convient de rajeunir à temps les touffes les plus anciennes. Bien adaptée à une eau dure, cette plante peut péricliter par manque de fer, d'où la nécessité d'une vérification régulière et d'une éventuelle fertilisation.
Multiplication: Boutures, rameaux latéraux et stolons.
D: 1, **KH:** 3–15, **pH:** 6,0–7,5, **T:** 22–28° C, **HA:** 2–3

Myriophyllum tuberculatum ROXBURGH (1820) Millefeuille rouge
Fam.: Haloragaceae
Distribution: Inde, Pakistan, Indonésie.
C'est le Millefeuille le mieux adapté pour les aquariums tropicaux. Cette espèce en touffe porte des feuilles finement découpées, disposées en verticilles de 5 en général (rarement 3 ou 6). Ces feuilles de 3 cm de long, sont étroitement rhomboïdales, composées de part et d'autre de la nervure médiane de 8 à 10 segments filiformes, d'un vert clair, de 0,8–1,6 cm de long. Cette plante s'adapte facilement; elle supporte une eau très douce et un pH faible; son besoin en lumière est moyen. Il ne faut pas la rabattre trop souvent. Les tiges qui atteignent la surface de l'eau flottent horizontalement et se ramifient ou s'élèvent en dehors de l'eau sous une lumière du jour intense en développant alors des feuilles aériennes pennées, relativement dures.
Multiplication: Boutures de rameaux latéraux.
D: 1, **KH:** 2–12, **pH:** 5,0–7,5, **T:** 22–30° C, **HA:** 1–3

Myriophyllum mattogrossense HOEHNE (1915) Millefeuille rougeâtre ou M. de Matto Grosso
Fam.: Haloragaceae
Distribution: Amérique du Sud, Brésil.
Cette espèce se caractérise par sa tige et ses feuilles brunâtres à rouge rouille. Les feuilles sont verticillées par 5 à 7. Le limbe de 4–5 cm long, est composé de 10–12 paires de segments filiformes mesurant 0,5–2 cm de long. Comme pour toutes les plantes à feuilles finement découpées, un dépôt de toute nature est à éviter sur les feuilles, d'où la nécessité de bien filtrer l'eau. Luminosité suffisante, dureté de l'eau relativement élevée et apport de fer, sont les conditions nécessaires pour une bonne croissance. Pour éviter la perte des feuilles et un développement déficient par manque de lumière, il convient d'espacer les boutures d'environ 5 cm. La croissance est rapide et quand finalement la plante nage à la surface de l'eau, elle produit de nombreux rameaux latéraux.
Multiplication: Boutures.
D: 2, **KH:** 5–12, **pH:** 6,0–7,2, **T:** 22–28° C, **HA:** 2–3

Myriophyllum pinnatum (WALTER) BRITTON; STERNS & POGGENBURG (1888)
Millefeuille penné
Fam.: Haloragaceae Syn.: *M. scabrqatum*
Distribution: Est de l'Amérique du Nord, est du Mexique, Cuba.
Cette espèce est facile à distinguer des autres Millefeuilles par ses feuilles qui ne constituent pas de véritables verticilles. En général, 2–3 feuilles forment un pseudoverticille et une autre feuille est presque toujours insérée un peu plus haut sur la tige. Les plantes dans leur milieu naturel, développent des feuilles mesurant jusqu'à 4 cm de long et constituées d'une vingtaine de segments filiformes. En aquarium, les feuilles ne mesurent en général que 2–3 cm de long et comportent moins de segments latéraux qui sont également plus courts. Bien que poussant naturellement dans des eaux fraîches, cette plante peut être cultivée dans les aquariums tropicaux. L'éclairement doit être moyen; par ailleurs, nulle autre exigence. L'eau devrait être dépourvue de matières en suspension. Un bon filtrage et une bonne agitation de l'eau sont avantageux.
Multiplication: Boutures, rameaux latéraux plus abondants chez les formes nageantes.
D: 1, **KH:** 5–15, **pH:** 6,5–7,5, **T:** 18–24° C, **HA:** 1–3

Limnophila sessiliflora

Myriophyllum tuberculatum

Myriophyllum mattogrossense

Myriophyllum pinnatum

Alternanthera reineckii "lila" Grande alternanthère
Fam.: Amaranthaceae
Distribution: Amérique tropicale.
C'est une plante dressée, remarquable par ses feuilles rougeâtres; elle nécessite une luminosité élevée et s'adapte moyennement. Ses feuilles par paires, de 5–8 cm de long sur 2–3 cm de large, sont lancéolées, d'un rouge brun olivâtre à la face supérieure, d'un rouge profond à la face inférieure. Cette espèce ne supporte pas de plantes nageantes au dessus d'elle. Il convient d'espacer les boutures de telle manière que les feuilles ne se fassent pas réciproquement de l'ombre. Une plantation aussi dense que le montre la photographie n'est possible que sous un éclairement intense. L'étagement des plantes dans ce cas, outre son avantage esthétique, est destiné à assurer une meilleure réception des rayons lumineux.
Multiplication: Boutures de rameaux latéraux après rabattage.
D: 3, **KH:** 2–10, **pH:** 5,5–7,2, **T:** 24–30° C, **HA:** 2

Alternanthera reineckii "rouge" BRIQUET (1899) Alternanthère à feuilles sessiles
Fam.: Amaranthaceae Syn.: *A. rosaefolia* (nomen nudum)
Distribution: Régions tropicales de l'Ancien et du Nouveau Monde.
C'est une espèce remarquable pour grands récipients par son effet de contraste qui attire le regard. Elle est le meilleur représentant du genre, à croissance rapide et d'adaptation facile. Ses feuilles, de 8–10 cm de long sur 0,5–1,0 cm de large, à pétiole court, sont étroitement lancéolées, d'un vert olive à rouge foncé selon l'intensité lumineuse. Lors de l'implantation, il convient d'espacer les boutures d'environ 10 cm, pour que les feuilles inférieures profitent également de la lumière. La variété *A. sessilis* var. *orforma* n'est pas approprié. Ses feuilles sont d'un rouge sang, glabres, brillantes, obtuses.
Multiplication: Boutures de rameaux latéraux après rabattage.
D: 2, **KH:** 2–12, **pH:** 5,5–7,0, **T:** 24–30° C, **HA:** 2–3

Ammania senegalensis LAMARCK(1791) Ammania d'Afrique ou Hysope d'eau d'Afrique
Fam.: Lythraceae
Distribution: Afrique du Sud, Afrique orientale.
Cette espèce dressée et gracieuse, constitue un point fort dans la décoration d'un aquarium. Ses feuilles de 3–5 cm de long sur 0,5 cm de large, sont opposées, sessiles, lancéolées, d'un vert olive à rougeâtre. Leurs bords sont enroulés vers la face inférieure et leur extrémité est retournée vers le bas. Cette plante exigeante est peu adaptée à une eau dure. Son besoin en lumière est moyen à élevé, d'où la nécessité de la disposer en un endroit totalement dégagé et de ne pas cultiver des plantes nageantes dans le même récipient. Pour implanter un groupe, il faut étager des boutures de longueurs variées et rabattre régulièrement les exemplaires dès que les extrémités des rameaux atteignent la surface de l'eau.
Multiplication: Boutures de rameaux latéraux après rabattage.
D: 3, **KH:** 2–10, **pH:** 6,5–7,2, **T:** 25–28° C, **HA:** 2

Bacopa caroliniana (WALTER) ROBINSON (1908) Bacopa de Caroline
Fam.: Scrophulariaceae Syn.: *B. amplexicaulis*
Distribution: Sud et centre des U.S.A.
C'est une espèce à croissance rapide, constituant de petites touffes. Quand la plante ne se développe pas d'une manière parfaite dans l'aquarium, c'est son exigence relativement élevée en lumière qui est en cause. Un substrat sablonneux pauvre ou des graviers trop grossiers favorisent le développement d'exemplaires chétifs à feuilles grêles. Son adaptation à la dureté de l'eau et à la température est bonne. Les feuilles opposées sont sessiles, ovales et mesurent jusqu'à 2,5 cm de long sur 1,5 cm de large; leur couleur est d'un vert clair.
Multiplication: Boutures.
D: 2, **KH:** 5–15, **pH:** 6,0–7,5, **T:** 22–28° C, **HA:** 2

Alternanthera reineckii "lila"

Ammania senegalensis

Alternanthera reineckii "rouge"

Bacopa caroliniana

Bacopa monnieri (LINNAEUS) PENNEL (1891) Petit Bacopa
Fam.: Scrophulariaceae
Distribution: Régions tropicales et subtropicales.
Le meilleur effet est obtenu en implantant un groupe de 15–20 rameaux de taille moyenne d'une manière échelonnée. Les feuilles de 1–2 cm de long, jusqu'à 1 cm de large, sont opposées, ovales, légèrement charnues, d'un vert moyen, rétrécies à la base. Cette plante n'a guère d'exigences à l'égard de la dureté de l'eau et de la nature du substrat. Sous éclairement suffisant, la croissance des rameaux reste plus compacte et se réalise moins rapidement vers la surface de l'eau. Ceci est avant tout important dans le cas de récipients de faible hauteur, car autrement le developpement des plantes serait réduit par la nécessité de les raccourcir fréquemment. La forme chétive qui en résulterait, serait alors moins décorative.
Multiplication: Boutures de rameaux latéraux après rabattage.
D: 2, **KH:** 2–15, **pH:** 6,0–7,5, **T:** 22–30° C, **HA:** 1–2

Cabomba aquatica AUBLET (1775) Cabombe aquatique
Fam.: Nymphaeaceae
Distribution: Régions septentrionales de l'Amérique du Sud et méridionales de l'Amérique du Nord.
Cette gracieuse plante aquatique ne s'adapte guère à des conditions difficiles, comme c'est le cas pour d'autres plantes d'aquarium. Ses exigences doivent être plus ou moins satisfaites, surtout en ce qui concerne la propreté et la clarté de l'eau et l'intensité lumineuse élevée. Une place dégagée est indispensable pour obtenir des exemplaires sains et compacts. L'espèce est facilement reconnaissable; chaque feuille finement découpée, est composée d'environ 600 segments fins et étirés, de 0,1–0,4 mm de large. La forme d'aquarium toutefois, possède des feuilles plus petites avec environ 200 segments qui sont plus courts.
Multiplication: Boutures.
D: 3, **KH:** 2–10, **pH:** 6,0–6,8, **T:** 24–30° C, **HA:** 2–3

Cabomba caroliniana GRAY (1848) Cabombe de Caroline
Fam.: Nymphaeaceae
Distribution: Du nord de l'Amérique du Sud jusqu'au sud de l'Amérique du Nord.
Cette espèce est à planter par groupes; elle convient aux grandes profondeurs d'eau et donne un bon effet de contraste. Par rapport à C. aquatica, cette plante présente des feuilles moins divisées. Les 100 à 150 segments d'une feuille ont 1–2 mm de large et sont pourvus d'une nervure médiane bien nette. Elle s'adapte plus facilement aux conditions de l'aquarium, supporte éventuellement une eau plus dure et se trouve être moins sensible aux écarts d'éclairement. L'aération de l'eau par une pierre effervescente est absolument à éviter, car le dégagement de gaz carbonique et l'élévation du pH ont un effet négatif.
Multiplication: Bouture de rameaux latéraux après rabattage.
D: 2, **KH:** 2–12, **pH:** 6,5–7,2, **T:** 22–28° C, **HA:** 2–3

Cabomba furcata SCHULTES & SCHULTES (1830) Cabombe rougeâtre
Fam.: Nymphaeaceae Syn.: *C. piauhyensis*
Distribution: Amérique centrale et Amérique du Sud.
Alors que les autres représentants du genre ont des feuilles opposées, cette espèce présente 3 feuilles par nœud. Par la couleur rougeâtre de ses nœuds et de ses segments foliaires, cette plante décorative est facilement reconnaissable. Sa culture en aquarium est toutefois relativement difficile. Une eau douce est nécessaire, ainsi qu'une importante intensité lumineuse et un apport supplémentaire en fer. Souvent, les extrémités des jeunes rameaux jaunissent après quelques jours et deviennent vitreux. On peut obtenir une plante très décorative en prenant soin d'observer ses exigences et de planter la tige avec nœuds dans du sable grossier et propre.
Multiplication: Boutures de rameaux latéraux.
D: 4, **KH:** 2–8, **pH:** 6,0–6,8, **T:** 24–28° C, **HA:** 2

Bacopa monnieri

Cabomba caroliniana

Cabomba aquatica

Cabomba furcata

Didiplis diandra (DE CAROLLE) WOOD (1855) — Peplide aquatique
Fam.: Lythraceae — Syn.: *Peplis diandra*
Distribution: Amérique du Nord.
C'est une espèce gracieuse à planter en groupe dans de bonnes conditions, notamment de qualité d'eau et de lumière. Sa tige est fine et pourvue de feuilles opposées décussées, en forme d'aiguilles de sapin, à une nervure, effilées, sessiles, de 1–2 cm de long sur 0,2 cm de large. Sa couleur est généralement d'un vert clair, souvent rougeâtre à l'extrémité des rameaux, près de la lumière des lampes. Les petites boules brunâtres à l'aisselle des feuilles sont des fleurs submergées. Il faut planter de boutures de longueur moyenne avec un écartement convenable dans un substrat sablonneux et meuble. L'abondante ramification latérale donne naissance à une touffe dense. Des problèmes se posent en eau très dure et sous un faible éclairement; l'apport de fer provoque une bonne réaction.
Multiplication: Boutures.
D: 3, **KH:** 2–12, **pH:** 5,8–7,2, **T:** 24–28° C, **HA:** 1–3

Gymnocoronis spilanthoides DE CANDOLLE (1836) — Faux hygrophile
Fam.: Asteraceae
Distribution: Régions tropicales de l'Amérique du Sud.
C'est une espèce à planter en groupe, appropriée aux hauteurs d'eau importantes. Son effet et son utilisation sont les mêmes que pour *Hygrophila* avec laquelle cette espèce a déjà été confondue. La tige est robuste et pourvue de feuilles d'un vert clair, opposées, brièvement pétiolées, lancéolées, de 10–15 cm de long sur 5–8 cm de large. Les feuilles aériennes sont dentées; leurs deux extrémités sont effilées. Les feuilles submergées sont entières à extrémités obtuses. Elles sont pourvues de 3 nervures principales à la base, l'ensemble du limbe étant à nervation réticulée. Les rameaux aériens obtenus dans le commerce, poussent rapidement hors de l'eau; il convient de les raccourcir fréquemment jusqu'à ce que des tiges submergées normales se soient développées.
Multiplication: Boutures de rameaux latéraux après rabattage.
D: 2, **KH:** 5–15, **pH:** 6,5–7,2, **T:** 18–26° C, **HA:** 2–3

Hygrophila corymbosa (BLUME) LINDAU (1904) — Grand hygrophile
Fam.: Acanthaceae — Syn.: *Nomaphila stricta, Hygrophila stricta*
Distribution: Inde, Malaisie, Indonésie.
C'est certainement l'une des plantes d'aquarium les plus connues. Elle est cultivée aussi bien en solitaire qu'en groupe et fait preuve d'une croissance rapide et d'une adaptation facile. Sa tige dressée et brunâtre est pourvue de feuilles opposées, largement lancéolées de 8–12 cm de long sur 3–5 cm de large, effilées aux deux extrémités, d'un vert moyen. Elle supporte à peu près toutes les valeurs de dureté de l'eau, mais montre, comme toutes les autres espèces du genre des difficultés de croissance pour des valeurs de pH en dessous de 6,0 (petites feuilles, jaunissement, taches). Elle convient plus particulièrement pour décorer les pourtours de l'aquarium. Il faut la rabattre régulièrement et renouveler les plants.
Multiplication: Boutures de rameaux latéraux après rabattage.
D: 1, **KH:** 2–15, **pH:** 6,5–7,5, **T:** 22–28° C, **HA:** 2–3

Hygrophila difformis (LINNAEUS fil.) BLUME (1826) — Glycine aquatique
Fam.: Acanthaceae — Syn.: *Synnema triflorum*
Distribution: Inde, Birmanie, Thaïlande, Malaisie.
C'est une espèce à croissance modérée, convenant pour des groupes importants. Mais, grâce à ses feuilles finement divisées, elle offre également un bon effet de contraste quand elle est plantée en solitaire. Ses feuilles sont opposées, brièvement pétiolées, jusqu'à 12 cm de long, d'un vert clair. Par température trop basse, ses feuilles sont souvent plus petites et lobées. Elle ne présente aucune exigence particulière à l'égard des conditions générales, mais elle est toutefois plus sensible au manque de lumière que les autres représentants du genre. La perte des feuilles de la base de la tige, l'allongement des entrenœuds et la présence de feuilles moins pronfondément divisées témoignent d'un manque critique de lumière.
Multiplication: Boutures après rabattage, rameaux latéraux semblables à des stolons.
D: 2, **KH:** 2–15, **pH:** 6,5–7,5, **T:** 24–28° C, **HA:** 2–3

Didiplis diandra

Hygrophila corymbosa

Gymnocoronis spilanthoides

Hygrophila difformis

Hygrophila polysperma ANDERS (1867) Hygrophile de l'Inde
Fam.: Acanthaceae
Distribution: Inde.
Cette espèce est l'une des meilleurs plantes d'aquarium, poussant normalement à tous les degrés de dureté de l'eau, devenant très luxuriante sous un éclairement intense, à température moyenne et sur substrat comprenant de l'argile. Les feuilles de 2–4 cm de long jusqu'à 1 cm de large, sont brièvement pétiolées, lancéolées, d'un vert clair, à extrémité légèrement obtuse. Plusieurs boutures plantées d'une manière espacée, donnent après formation de rameaux latéraux, un ensemble touffu. Il est recommandé de les rabattre, de les éclaircir et de les rajeunir régulièrement. La détermination de cette espèce encore incertaine récemment, est assurée par des plantes cultivées florifères. Une plante à feuilles semblables, mais de 7 cm de long et brunâtres correspond également à *H. polysperma*.
Multiplication: Boutures après rabattage.
D: 1, KH: 2–15, pH: 6,5–7,2, T: 24–28° C, HA: 2–3

Hygrophila guianensis NEES (1894) Hygrophile de Guyana
Fam.: Acanthaceae Syn.: *H. conferta*
Distribution: Guyana.
C'est une plante à tige dressée, robuste, pourvue de feuilles brièvement pétiolées, de 10 à 15 cm de long et d'environ 2 cm de large, lancèolées, effilées, d'un vert moyen, très rapprochées les unes des autres, d'autant plus que la lumière est intense. Elle forme un ensemble très compact par développement important des rameaux latéraux quand elle est plantée solitairement. Elle est à utiliser pour obtenir des groupes étendus dans des bassins spacieux. Un aspect décoratif plus intéressant est obtenu, en étageant lors de la plantation, des exemplaires de taille différente. Des boutures de très faible taille donnent de bons résultats. Cette espèce a été introduite pour la première fois en 1967. Elle ne constitue peut être pas une espèce indépendante, mais une forme à feuilles étroites d'*H. corymbosa* qui est une espèce très polymorphe.
Multiplication: Boutures après rabattage.
D: 1, KH: 2–15, pH: 6,5–7,2, T: 24–28° C, HA: 2–3

Ludwigia arcuata WALTER (1788) Ludwigie à feuilles arquées
Fam.: Onagraceae
Distribution: Est des U.S.A., Virginie, Caroline.
C'est une plante de contraste par sa couleur d'un rouge sombre obtenue sous lumière intense. Sous un éclairement moins important, elle prend une couleur verdâtre et ses feuilles sont plus espacées: de ce fait, elle devient moins décorative. Sa tige est fine; ses feuilles opposées, de 3–5 cm de long et 0,2–0,3 cm de large, ont leur base rétrécie en pétiole et leur extrémité longuement effilée. Cette plante exige une eau de bonne qualité et a un grand besoin en éléments ferriques, la coloration de ses feuilles devenant plus intense par addition de ces éléments. Il convient de bien séparer les boutures de longueur moyenne. Cette plante fournit des ensembles importants sous conditions convenables.
Multiplication: Boutures, ramifications importantes.
D: 2, KH: 2–12, pH: 6,0–7,2, T: 18–24° C, HA: 2–3

Ludwigia repens FORSTER (1771) Ludwigie rampante
Fam.: Onagraceae Syn.: *L. natans*
Distribution: Amérique du Nord tropicale, Amérique centrale.
C'est une espèce variable comportant plusieurs formes de croissance selon le contour des feuilles et la coloration, sans avoir été toutefois subdivisée en sous espèces et en variétés. La forme à grandes feuilles arrondies illustrée ci contre est celle qui est la plus couramment présentée dans le commerce. Les feuilles de 2–4 cm de long et 2–3 cm de large, sont pétiolées, largement ovales, d'un vert olive à brunâtre à la face supérieure, d'un rouge sombre à la face inférieure. Cette plante qui s'adapte facilement, est à recommander pour les aquariums. Son exigence en lumière est faible à moyenne. Sa tige à croissance rapide développe de nombreuses ramifications latérales, de telle sorte qu'elle fournit des plantations denses. Elle est à placer vers le centre et les bords du récipient et à soigner régulièrement.
Multiplication: Boutures, ramifications importantes.
D: 1, KH: 2–15, pH: 5,5–7,5, T: 20–30° C, HA: 2–3

Hygrophila polysperma

Ludwigia arcuata

Hygrophila guianensis

Ludwigia repens

Ludwigia palustris x *repens* — Ludwigie hybride
Fam.: Onagraceae — Syn.: *L. natans, L. mullertii*

Distribution: Vraisemblablement Amérique du Nord.

C'est un représentant fréquent du genre dans les aquariums, dont les caractères d'hybride sont clairement définis et nombreux. Cette plante d'aquarium est très variable de par la couleur de ses feuilles qui va du rouge au vert. Ces feuilles de 2–4 cm de long et de 1–2 cm de large, sont pétiolées, d'un vert olive à la face supérieure, rougeâtres à la face inférieure. La forme à feuilles vertes et étroites est rare. La culture sous les conditions les plus diverses ne pose aucun problème. Elle fournit des ensembles très touffus par ses abondantes ramifications latérales favorisées par l'ablation des extrémités et constitue ainsi de bonnes possibilités de refuge pour les poissons de toutes sortes.

Multiplication: Boutures, ramifications abondantes.

D: 1, **KH:** 2–15, **pH:** 5,8–7,5, **T:** 18–30° C, **HA:** 1–3

Lysimachia nummularia LINNAEUS (1753) — Herbe aux écus
Fam.: Primulaceae

Distribution: Europe, Ouest des U.S.A., Japon.

C'est une plante vivace, fréquente sur les berges des cours d'eau et dans les prairies marécageuses, à tige rampante et fleurs d'un jaune clair. Les rameaux des formes terrestres s'adaptent sans problème aux conditions de submersion de l'aquarium. La tige dressée présente des feuilles opposées, arrondies, jusqu'à 2 cm de diamètre, brièvement pétiolées, d'un vert clair à nervation réticulée. Ses besoins sont généralement peu importants, mais elle aime la lumière. Il convient d'écarter toute plante nageante ou toute espèce arrêtant la lumière. Elle ne survit guère longtemps dans les aquariums tropicaux à température élevée en permanence. Après une période de croissance rapide, elle devient habituellement chétive et présente de petites feuilles. De nouvelles boutures devront la remplacer.

D: 1, **KH:** 5–15, **pH:** 6,5–7,5, **T:** 15–22° C, **HA:** 1–2

Rotala macrandra KOEHNE (1880) — Rotala rougeâtre
Fam.: Lythraceae

Distribution: Inde.

Plante de contraste à feuilles rougeâtres, constituant un point fort dans la décoration. Elle est à placer par groupe peu serré à l'avant de plantes vertes. Sa tige est fine, flexible et porte des feuilles opposées, de 2–3 cm de long, 1,5–2,0 cm de large, sessiles, ovales, à extrémité brièvement effilée. L'intensité de la coloration est très dépendante de l'éclairement; cette coloration peut également être rendue plus importante par apport d'éléments ferriques ou en laissant flotter par intermittence les rameaux près de la surface de l'eau plus chaude, directement sous la lumière des lampes. Les parties de tige, à plusieurs nœuds, très sensibles à la pression des doigts est à piquer avec précaution dans du sable grossier. Les poissons à écailles rugueuses sont à éviter.

Multiplication: Boutures après rabattage.

D: 3, **KH:** 2–12, **pH:** 6,0–7,0, **T:** 25–30° C, **HA:** 2

Rotala rotundifolia (ROXBURGH) KOEHNE (1880) — Rotala à feuilles rondes
Fam.: Lythraceae

Distribution: Sud Est de l'Asie.

Cette espèce plantée en groupe convient parfaitement pour décorer l'arrière plan des grands aquariums. Sa tige est fine et porte des feuilles opposées, parfois verticillées par 3 ou 4, brièvement pétiolées. Le limbe de 1–2 cm de long et 0,3–0,5 cm de large, est étroitement lancéolé, obtus, en général vert, vert olive à rougeâtre près de la surface de l'eau ou quand le rameau est flottant. C'est une plante qui s'adapte facilement et dont la croissance est rapide, quand les conditions moyennes de luminosité sont remplies. Les boutures, d'une longueur d'environ 20 cm, peuvent être plantées par groupes. La plante ne pousse pas au dessus de la surface de l'eau; ses rameaux deviennent flottants et forment de nombreuses pousses latérales.

Multiplication: Boutures, ramifications abondantes.

D: 1, **KH:** 2–15, **pH:** 5,5–7,2, **T:** 20–30° C, **HA:** 1–3

Ludwigia palustris X repens

Rotala macrandra

Lysimachia nummularia

Rotala rotundifolia

Blyxa novoguineensis DEN HARTOG (1957) Blyxa de Nouvelle Guinée
Fam.: Hydrocharitaceae

Distribution: Nouvelle Guinée.

Le genre *Blyxa* comprend des plantes d'aquarium très exigeantes. Les espèces ne supportent en général qu'une eau douce et de ce fait ne subsistent guère longtemps en présence d'une dureté carbonatée élevée. Par ailleurs, leur bon développement est très dépendant de la lumière. L'espèce présentée ici forme une tige dressée pouvant atteindre 30 cm, portant des feuilles en disposition alterne. Le limbe étroit est sessile, longuement effilé, de 10–15 cm de long sur 0,5 cm de large. Cette plante qui se brise facilement et qui est donc sensible aux chocs sera plutôt associée à des poissons nageant calmement.

Multiplication: Boutures de rameaux latéraux.

D: 3, KH: 2–8, pH: 5,5–6,5, T: 20–28° C, HA: 1–2

Cardamine lyrata BUNGE (1835) Cardamine du Japon, Cresson amer
Fam.: Brassicaceae

Distribution: Sibérie orientale, nord et est de la Chine, Japon, Corée.

Cette espèce à petites feuilles, à planter en groupe est en général maintenue à une température trop élevée dans l'aquarium. Il convient également de lui fournir absolument un éclairement suffisant. Eau chaude et lumière déficiente conduisent à des tiges fines et à des feuilles devenant de plus en plus petites. Dans les conditions appropriées, parmi lesquelles la dureté de l'eau ne doit pas être élevée, la plante peut se développer d'une manière satisfaisante et constante. Il faut éviter les médicaments pour poissons ou autres produits chimiques. Si un tel apport devait s'avérer nécessaire, il est recommandé de transférer quelques rameaux dans un autre récipient.

Multiplication: Boutures.

D: 2, KH: 5–12, pH: 6,5–7,0, T: 15–22° C, HA: 1–2

Eichhornia azurea (SWARTZ) KUNTH (1843) Jacinthe d'eau azurée
Fam.: Pontederiaceae

Distribution: Régions tropicales et subtropicales de l'Amérique.

Feuilles de 10–20 cm de long sur 0,5–0,8 cm de large, d'un vert clair, alternes, linéaires, uninervées, sessiles, distiques sur la tige dressée. Dans ce cas, il s'agit de la forme juvénile d'une plante nageante à feuilles larges. Quand la plante atteint la surface de l'eau, les feuilles aériennes apparaissent; il faut donc rabattre la plante et faire de nouvelles boutures. La hauteur de l'eau ne doit pas être trop faible, car la fréquence du bouturage conduirait à des exemplaires chétifs dont la croissance serait déficiente. Cette espèce nécessite un éclairement important et ne supporte guère une eau dure.

Multiplication: Boutures après rabattage (difficile).

D: 4, KH: 2–8, pH: 6,0–6,0, T: 24–28° C, HA: 2

Blyxa novoguineensis

Cardamine lyrata

Eichhornia azurea

Heteranthera zosterifolia MARTIUS (1823) Hétéranthère à feuilles de zostère
Fam.: Pontederiaceae
Distribution: Nord de l'Argentine, Uruguay, Bolivie, Paraguay.
Cette espèce est surtout employée sous forme de touffes dressées, pour garnir l'arrière plan ou les parties latérales de l'aquarium. Les feuilles alternes sont portées par une tige fine; de 3–5 cm de long et 0,4 cm de large, elles sont linéaires lancéolées, effilées, d'un vert clair, à trois fines nervures longitudinales. Cette plante a un développement rapide, d'où la nécessité de la rabattre régulièrement; quand l'extrémité de ses rameaux atteint la surface de l'eau, elle devient flottante et de nombreuses pousses latérales apparaissent alors. Sa culture ne pose aucun problème, quand la lumière est suffisante. Comme variante de l'utilisation normale, il est possible d'obtenir une forme rampante, qui se développe à partir de boutures plantées obliquement en un endroit dégagé de l'avant plan. Sous un éclairement intense, les pousses rampantes donnent un tapis étendu et uniforme.
Multiplication: Boutures, ramifications latérales.
D: 2, KH: 3–15, pH: 6,0–7,5, T: 24–28° C, HA: 1–3

Hydrocotyle leucocephala CHAMISSO et SCHLECHTENDAHL (1826)
Ecuelle d'eau (ou gobelet d'eau) du Brésil
Fam.: Apiaceae
Distribution: Brésil.
Espèce à planter en touffe, remarquable pour la forme et la couleur vert clair de ses feuilles qui donnent un bon contraste. Les rameaux submergés poussent verticalement. Les feuilles alternes, réniformes arrondies, de 3–5 cm de diamètre, sont pétiolées, à bords moyennement crénelés. Cette plante aime la lumière; par ailleurs, elle s'adapte facilement et n'est guère exigeante. Les rameaux ont une croissance rapide et doivent donc être souvent raccourcis et renouvelés par bouturage. Lorsque les feuilles deviennent flottantes à la surface de l'eau, la plante produit de nombreuses ramifications latérales et arrête fortement la lumière. Il convient donc de l'introduire parcimonieusement et d'éliminer les exemplaires superflus. En paludarium, elle prend la forme rampante des marécages.
Multiplication: Boutures, ramifications latérales.
D: 1, KH: 2–15, pH: 6,0–7,8, T: 20–28° C, HA: 2–3

Lagarosiphon major MOSS (1928) Elodée crépue
Fam.: Hydrocharitaceae Syn.: *L. muscoïdes var. major, Elodea crispa*
Distribution: Afrique du Sud.
C'est une plante typiquement aquatique, convenant plutôt pour les bassins à eau fraîche et dormante. Les feuilles alternes et en spirale serrée sont insérées sur une tige légèrement cassante. Le limbe foliaire, de 1–2 cm de long sur 0,2–0,3 cm de large, est linéaire, vert foncé, à fines dents marginales. Les feuilles sont fortement enroulées vers leur face inférieure, surtout dans la région distale des rameaux. Cette plante, d'un aspect rigide, est délicate à introduire dans la décoration d'ensemble. Le mieux est de l'isoler en groupe peu serré. Sa croissance n'est pas toujours satisfaisante. A température élevée, sa tige devient fine et ses feuilles restent petites. Une lumière intense et un récipient plat sont recommandés.
Multiplication: Boutures.
D: 2, KH: 5–12, pH: 6,8–8,0, T: 18–22° C, HA: 1–2

Lobelia cardinalis LINNAEUS (1753) Lobélie cardinale
Fam.: Lobeliaceae
Distribution: Amérique du Nord.
De par ses feuilles spatuliformes et d'un vert clair, cette plante assure un bon effet de contraste. Son aspect quelque peu rigide peut être atténué par la présence de plantes de taille différente au sein de la touffe. Sa tige est robuste et dressée. Ses feuilles alternes, de 4–6 cm de long sur 2–3 cm de large, sont plus ou moins obtuses, alors que leur base est progressivement atténuée vers le pétiole. Les boutures sont à espacer et la lumière doit leur parvenir directement. La croissance est relativement lente et de ce fait, les soins ne sont guère importants. Dès que l'extrémité d'un rameau atteint la surface de l'eau, il convient de la couper et de la repiquer. Le reste du rameau développe plusieurs pousses latérales qui peuvent fournir de nouvelles boutures dès que leur longueur est suffisante. La culture à l'air libre ne pose aucun problème; une telle plante terrestre fournit de grandes fleurs d'un rouge pourpre.
Multiplication: Boutures, pousses latérales après rabattage.
D: 2, KH: 5–12, pH: 6,5–7,2, T: 22–26° C, HA: 2–3

Heteranthera zosterifolia

Lagarosiphon major

Hydrocotyle leucocephala

Lobelia cardinalis

Mayaca fluviatilis AUBLET (1775) — Mousse du Brésil
Fam.: Mayacaceae — Syn.: *M. rotundis*
Distribution: Régions tropicales de l'Amérique.
Cette espèce prostrée, rampante, ressemblant à une mousse, pousse en touffe dans les marécages et les eaux stagnantes. A l'état submergé, les feuilles alternes, en spirale serrée, sont portées par une tige fine et dressée. Le limbe de 1–2 cm de long sur 0,1 cm de large, est linéaire, effilé, vert clair. Cette plante est à introduire en groupe peu serré, dans les parties centrales et frontales de l'aquarium. Il est indispensable de tenir l'endroit dégagé, car elle exige un éclairement intense. L'eau doit être de préférence douce et pauvre en sels. L'addition de gaz carbonique permet néanmoins la culture dans une eau plus dure. Elle est particulièrement sensible à la présence de substances à base de trypaflavine.
Multiplication: Boutures, ramifications abondantes.
D: 3, KH: 2–8, pH: 6,0–7,0, T: 24–26° C, HA: 1–2

Potamogeton gayii BENNET (1892) — Potamot des tropiques
Fam.: Potamogetonaceae
Distribution: Amérique du Sud.
Peu d'espèces des régions chaudes peuvent être cultivées dans les aquariums tropicaux parmi les 100 représentants du genre qui vivent à l'état submergé ou qui sont pourvus de feuilles nageantes. L'espèce citée ici s'adapte à une large gamme de températures et n'est pas difficile en ce qui concerne la qualité de l'eau, mais demande un éclairement moyen et suffisant. La tige fine continue à flotter à la surface de l'eau. Les feuilles alternes, de 5–10 Cm de long sur 0,2–0,4 cm de large, sont sessiles, linéaires, brièvement effilées. Leur coloration est généralement brunâtre, surtout dans les parties distales des rameaux. Les boutures nécessitent un certain temps pour s'enraciner et s'adapter; par la suite, leur croissance est rapide et avec ses stolons, la plante parcourt tout l'aquarium.
Multiplication: Boutures, pousses latérales stoloniformes.
D: 1, KH: 2–12, pH: 6,0–7,2, T: 20–30° C, HA: 1–3

Proserpinaca pectinata LAMARCK (1791) — Peigne d'eau des tropiques
Fam.: Haloragaceae
Distribution: Sud des U.S.A.
C'est une espèce de groupe très exigeante, pour des récipients dont l'eau est de bonne qualité. Les feuilles alternes, de 2–3 cm de long sur environ 1 cm de large, sont profondément divisées et insérées sur une tige fine. Le limbe penné présente deux rangées de lobes latéraux de longueur à peu près égale. Un éclairement intense est indispensable; une eau moyennement dure est favorable, tandis qu'en présence d'un KH (degré de dureté) élevé, un apport de gaz carbonique est avantageux. Un effet remarquable est obtenu en plantant, d'une manière espacée, plusieurs boutures à l'avant plan. Des plantes offrant un effet de contraste renforcent la qualité esthétique de cette espèce de couleur vert clair. Il convient de la raccourcir et de la repiquer régulièrement.
Multiplication: Boutures, ramifications abondantes.
D: 3, KH: 2–10, pH: 5,5–7,0, T: 22–28° C, HA: 1–2

Utricularia aurea LOUREIRO (1780) — Utriculaire des tropiques
Fam.: Lentibulariaceae
Distribution: Sud Est de l'Asie.
Cette dénomination regroupe plusieurs espèces de plantes aquatiques à feuilles finement découpées. Elles ne doivent pas être piquées dans le sol (absence de racines), car elles flottent librement dans l'eau. Leur croissance est particulièrement rapide et elles prolifèrent abondamment, d'où la nécessité de les élaguer. Des pièges spéciaux situés sur les feuilles («utricules» apparaissant comme des bulles claires sur la photo) attrapent les minuscules animaux tels les infusoires. les cyclopes, les daphnies. Les produits de dégradation leur fournissent un supplément de substances azotées. Ces plantes ne sont pas indiquées pour les aquariums d'élevage, car les utricules qui peuvent atteindre 4 mm sont dangereuses pour les alevins. Parfois et pour des raisons non déterminées, les utricules ne se forment pas.
Multiplication: Ramifications latérales.
D: 1, KH: 2–15, pH: 6,0–7,2, T: 22–30° C, HA: 1–3

Mayaca fluviatilis

Proserpinaca pectinata

Potamogeton gayii

Utricularia aurea

2. Plantes à feuilles en rosette
2.1. Feuilles étroites

Acorus gramineus SOLANDER (1789) Jonc japonais (ou Acore vert) nain
Fam.: Araceae Syn.: *A. pusillus*

Distribution: Asie, Japon.

C'est une plante appréciée pour l'avant plan, mais rarement persistante à l'état submergé. Ses feuilles d'environ 5–10 cm de long sur 2–3 mm de large, sont imbriquées, d'un vert sombre, graminiforme, longuement effilées. Cette plante reste vivace pendant un certain temps, à une température moyennement élevée. En règle générale, il convient de l'échanger de temps à autre contre de nouveaux exemplaires. Vivant naturellement dans les marécages, cette espèce convient parfaitement aux paludariums. Ceci est également valable pour l'espèce type.

D: 4, KH: 2–10, pH: 6,0–6,5, T: 15–20° C, HA: 1–2

Crinum thaianum SCHULZE (1971) Crinole de Thaïlande
Fam.: Amaryllidaceae

Distribution: Thaïlande.

Plusieurs exemplaires de cette espèce à l'arrière plan constituent un décor de verdure persistant; elle peut également être utilisée dans les parties centrales des grands aquariums. La rosette de feuilles sort du bulbe de 5 cm de grosseur. Les feuilles de 2 cm de large, en forme du ruban, peuvent atteindre 150 cm de long, de telle sorte que l'utilisation de cette plante est limitée aux grands récipients. Les exemplaires dont l'enracinement est suffisant, supportent un raccourcissement occasionnel; on peut donc réduire périodiquement la longueur des feuilles. L'adaptation parfaite aux conditions de l'aquarium pose donc moins de problèmes que pour la grande Vallisnérie de même aspect.

Multiplication: Bulbe secondaire.

D: 1, KH: 2–15, pH: 6,0–8,0, T: 22–30° C, HA: 3

Eleocharis parvula (ROEMER et SCHULTES) LINK (1827) Souchet (ou Cirpe) nain
Fam.: Cyperaceae

Distribution: Côtes de l'Amérique du Nord jusqu'à Cuba, Europe, Afrique.

C'est une plante gracieuse à placer à l'avant plan, s'adaptant facilement, mais nécessitant un bon éclairement. Les fines tiges rampent sur le substrat, se ramifient et forment aux nœuds de petites rosettes de feuilles filiformes, de 4–8 cm de long et d'un vert moyen. Les petites touffes sont à planter d'une façon espacée, de nombreux rejets constitueront une véritable prairie. Cette plantation dense sera préservée du flétrissement par un éclaircissement ou un rajeunissement réguliers. *Eleocharis acicularis* (L'Herbe cheveu) lui ressemble beaucoup, mais ses feuilles peuvent atteindre 25 cm de long et ont un contour anguleux. Cette espèce pousse dans les mêmes conditions; elle est toutefois à placer dans les parties centrales de l'aquarium.

Multiplication: Stolons, croissance relativement rapide.

D: 2, KH: 2–15, pH: 5,8–7,5, T: 20–28° C, HA: 1–3

Acorus gramineus

Crinum thaianum

Eleocharis parvula

2. Plantes à feuilles en rosette
2.1. Feuilles étroites

Eleocharis vivipara LINK (1827) Souchet (ou Cirpe) vivipare
Fam.: Cyperaceae

Distribution: U.S.A., de la Floride à la Caroline du Nord, Virginie.

La rosette de feuilles filiformes, dont la longueur est de 40 à 60 cm sur moins de 0,5 mm d'épaisseur, est portée par un court rhizome. Près de l'extrêmité se situe une feuille minuscule à l'aisselle de laquelle se développe une plante adventive. Celle ci à son tour, forme souvent des pousses juvéniles, de telle sorte qu'apparaissent plusieurs étages superposés. Les exemplaires les plus beaux sont obtenus dans une eau douce, sous un éclairement moyen. On évite une trop grande longueur des feuilles, en plaçant la plante en un endroit dégagé et en l'accompagnant de plantes basses. Il convient d'espacer les exemplaires lors d'une plantation en groupe.

Multiplication: Plantes adventives, à séparer et à repiquer à plat.

D: 2, KH: 5–12, pH: 6,0–7,0, T: 22–28° C, HA: 2–3

Sagittaria graminea MICHAUX (1803)
Sagittaire (ou Flèche d'eau) graminoïde, «S. chinoise»
Fam.: Alismataceae Syn.: *S. eatonii*

Distribution: Est de l'Amérique du Nord, vers le Sud jusqu'au Texas.

Cette plante des marécages est polymorphe; ses feuilles aériennes sont lancéolées, et sa forme juvénile submergée convient pour les aquarium. Ses feuilles en rosette, de 15–25 cm de long, jusqu'à 1 cm de large, sont parfois spatuliformes vers l'extrémité, mais plus généralement obtuses ou effilées. Cinq nervures partent de la base rétrécie, dont trois aboutissent à l'extrémité. Sous un éclairement important et quand elle se trouve en un endroit dégagé, cette plante forme une rosette relativement élevée dont les feuilles se recourbent de tous côtés; autrement, son port est dressé. Elle est à introduire en groupe peu serré vers l'avant ou au centre du récipient. C'est une espèce assez robuste, ayant peu d'exigences.

Multiplication: Rejets peu nombreux.

D: 1, KH: 5–15, pH: 6,5–7,5, T: 22–26° C, HA: 1–3

Sagittaria subulata (NUTTALL) BUCHENAU (1903)
Sagittaire (ou Flèche d'eau) naine
Fam.: Alismataceae Syn.: *S. pusilla*

Distribution: Est de l'Amérique du Nord, Amérique du Sud.

C'est une espèce particulièrement robuste convenant pour une décoration de grande surface de l'avant plan. La rosette, basse, est constituée de feuilles sessiles, linéaires, de 5–15 cm de long, d'environ 0,4 cm de large, à trois nervures dont seule la médiane s'étend jusqu'à l'extrémité. Cette plante continue à croître normalement, même quand les conditions ne sont plus optimales. Elle supporte une eau très dure et s'adapte à un éclairement atténué. Une lumière plus intense stimule cependant la croissance et la multiplication, de telle sorte qu'elle tapisse assez rapidement une importante partie du fond de l'aquarium. Ce résultat peut donc être obtenu à peu de frais. Il convient d'espacer les exemplaires au départ.

Multiplication: Rejets très nombreux.

D: 1, KH: 2–15, pH: 6,0–7,8, T: 22–30° C, HA: 1–3

Eleocharis vivipara

Sagittaria graminea

Sagittaria subulata

Sagittaria subulata (LINNAEUS) BUCHENAU (1871)
Sagittaire (ou Flèche d'eau) flottante
Fam.: Alismataceae
Syn.: *S. lorata*
Distribution: Régions côtières du Nord et de l'est des U.S.A.
C'est une espèce polymorphe comprenant plusieurs formes de croissance dont la distinction ne fait pas l'unanimité. Les feuilles disposées en rosette, de 20–30 cm de long, d'environ 0,4 cm de large, sont linéaires, à bord entier, à trois nervures dont les deux latérales se terminent sur les bords près de l'extrémité obtuse. Les feuilles nageantes n'ont guère été observées en culture. La longue tige, fine et flottante, est susceptible d'aller à fleur; les fleurs blanches sont alors disposées en plusieurs verticilles. Cette sagittaire n'est guère exigeante et peut s'adapter à toutes les eaux, de même qu'elle pousse d'une manière satisfaisante sous en éclairement modéré. Elle convient pour une décoration durable de l'arrière plan et doit être recommandée pour les endroits où les *Vallisneria* deviennent trop hautes ou périssent.
Multiplication: Rejets nombreux.
D: 1, KH: 2–15, pH: 6,0–7,8, T: 22–28° C, HA: 1–3

Vallisneria americana var. *biwaensis* (MIKI) LOWDEN (1982)
Vallisnérie d'Asie
Fam.: Hydrocharitaceae
Syn.: *V. spiralis* f. *tortifolia*
Distribution: Japon, lac Biwa, fleuve Yodo.
C'est une variété offrant un excellent contraste, à planter en groupe sous forme de touffle isolée ou dans un ensemble végétal. Cette plante aquatique, à rhizome court, présente des feuilles de 30–40 cm de long sur 0,8 cm de large, d'un vert sombre, vrillées à la manière d'un tire bouchon. Cette particularité dépend beaucoup de la lumière; il faut donc éviter la présence de plantes à feuilles nageantes. Sous un faible éclairement, la spiralisation des feuilles devient moins importante. On plantera une dizaine d'exemplaires espacés de 5 cm; la vue restera dégagée en plaçant des plantules par devant. Cette variété s'adapte facilement; des problèmes de croissance apparaissent dans une eau très douce.
Multiplication: Stolons avec nombreux rejets.
D: 2, KH: 5–12, pH: 6,0–7,2, T: 24–28° C, HA: 1–3

Vallisneria americana var. *americana* MICHAUX (1803)
Vallisnérie géante
Fam.: Hydrocharitaceae
Syn.: *V. gigantea*
Distribution: Nouvelle Guinée, Philippines.
C'est une espèce imposante, destinée à garnir les parties arrières des grands aquariums. Les feuilles émergeant du rhizome sont dressées, en forme de ruban, épaisses, de plus de 100 cm de long sur 2–3 cm de large, d'un vert foncé, à extrémité arrondie et à dents marginales grossières. La culture de cette plante n'est pas toujours facile. Du sable pauvre et le gravier donnent des plantes plus petites; le manque en fer engendre des exemplaires chétifs, jaunissant, avec des feuilles endommagées. Des températures élevées en eau pauvre en sels semblent défavorables. Les longues feuilles flottantes arrêtent la lumière, d'où la nécessité d'une utilisation modérée et d'un espacement convenable.
Multiplication: Rejets.
D: 2, KH: 5–15, pH: 6,0–7,2, T: 18–22° C, HA: 3

Vallisneria spiralis var. *spiralis* LINNAEUS (1753)
Vallisnérie commune
Fam.: Hydrocharitaceae
Distribution: Régions tropicales et subtropicales.
A l'origine, cette espèce était répandue en Afrique du Nord et dans le Sud de l'Europe; elle est à présent devenue cosmopolite. C'est une des plantes d'aquarium les plus connues qui constitue une décoration idéale pour l'arrière plan des grands récipients. Les feuilles de 40–60 cm de long sur 0,4–0,7 cm de large, en forme de ruban, sont parfois légèrement spiralées. Vers l'extrêmité obtuse, la présence de fines dents marginales la distingue des sagittaires à marges lisses. C'est une espèce à croissance rapide, s'adaptant et se multipliant facilement. même dans les eaux fraîches. Les problèmes de croissance intervenant après une culture de longue date au même emplacement peuvent être résolus par simple déplacement des exemplaires.
Multiplication: Stolons avec nombreux rejets.
D: 1, KH: 5–12, pH: 6,5–7,5, T: 15–30° C, HA: 2–3

Sagittaria subulata

Vallisneria americana

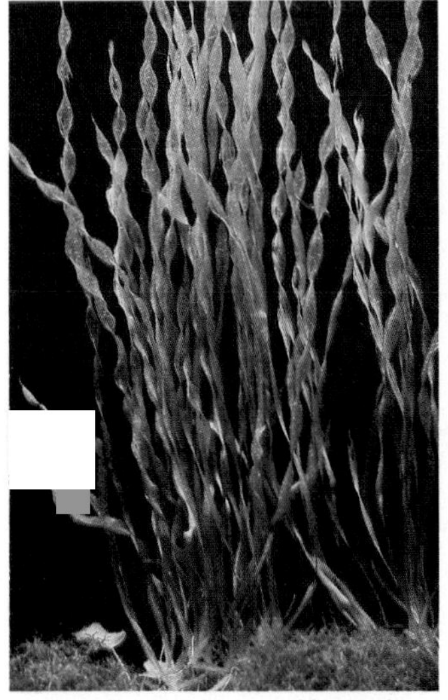

Vallisneria americana var. *biwaensis*

Vallisneria spiralis var. *spiralis*

Anubias barteri var. *glabra* BROWN (1901) Anubias d'Afrique occidentale
Fam.: Araceae Syn.: *A. lanceolata*

Distribution: Régions tropicales de l'Afrique occidentale.

Cette variété solitaire, est robuste et vivace. Les feuilles de 15–25 cm de long sur 5–8 cm de large, sont relativement coriaces, lancéolées, d'un vert foncé; de nombreuses nervures secondaires partent de la nervure médiane. Cette plante peut atteindre 40–50 cm dans les conditions appropriées. En général, ses exigences en lumière sont moyennes, toutefois plus élevées pour les jeunes plantes. Sa croissance est particulièrement lente et son adaptation est plutôt longue. Sur substrat sablonneux, son développement s'avère habituellement peu satisfaisant. Il est donc conseillé de lui fournir un substrat suffisamment enrichi, afin d'assurer sa croissance.

Multiplication: Rameaux latéraux du rhizome, fragmentation du rhizome.

D: 2, **KH:** 2–15, **pH:** 6,0–7,5, **T:** 18–28° C **HA:** 2–3

Anubias barteri var. *nana* (ENGLER) CRUSIO (1979) Anubias nain
Fam.: Araceae Syn.: A. nana

Distribution: Afrique occidentale.

Cette variété est vraisemblablement le représentant le plus petit du genre, puisqu'il n'atteint qu'une hauteur de 10 cm en aquarium. Elle offre un excellent effet décoratif à l'avant plan. Elle se caractérise par des feuilles de 10 x 5 cm, brièvement pétiolées, coriaces et d'un vert foncé. Le rhizome à croissance horizontale a le plus souvent tendance à produire des ramifications latérales; il s'ensuit la possibilité d'une croissance en touffe. Il convient de ne pas transplanter trop souvent les individus. Autrement la culture en aquarium de cette plante ne pose guère de problème; son besoin en lumière est également moyen.

Multiplication: Pousses latérales du rhizome.

D: 2, **KH:** 2–15, **pH:** 6,0–7,5, **T:** 22–28° C, **HA:** 1–3

Barclaya longifolia WALLICH (1827) Barclaya à longues feuilles
Fam.: Nymphaeaceae

Distribution: Birmanie, Iles d'Andaman, sud de Thaïlande, Vietnam.

La rosette foliaire est insérée sur un petit tubercule cylindrique. Les feuilles de 10–20 cm de long sur 1–2 cm de large, sont lancéolées, plus ou moins longuement pétiolées. Il existe deux variantes en fonction de la couleur. La forme d'un vert olivâtre s'adapte à un éclairement moyen et peut atteindre 40 cm de hauteur. La variété à feuilles d'un rouge sombre pousse sous un éclairement intense; elle demeure plus petite, mais se développe plus en largeur. La plante aquatique typique fleurit facilement en aquarium. Les fleurs ouvertes submergées sont dépendantes de la lumière; les boutons floraux ne s'ouvrent en général qu'à l'air libre. Quand la hauteur de l'eau est trop importante, les fleurs restent le plus souvent fermées, mais donnent néanmoins des graines susceptibles de germer.

Multiplication: Semis relativement faciles; également pousses latérales du rhizome.

D: 2, **KH:** 2–12, **pH:** 6,0–7,0, **T:** 22–28° C, **HA:** 1–3

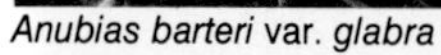

Anubias barteri var. *glabra*

Barclaya longifolia

Anubias barteri var. *nana*

Nuphar pumila (TIMM) DE CANDOLLE (1818) Nénuphar nain
Fam.: Nymphaeaceae

Distribution: Centre et est de l'Europe, ouest de la Sibérie.

C'est une plante aquatique à feuilles nageantes et à feuilles submergées, qui pousse dans les lacs, les étangs et les fossés, dans une eau claire et fraîche, de 50 à 150 cm de profondeur. De ce fait, les températures trop élevées en aquarium constituent un désavantage à son égard. Son adaptation aux autres conditions d'existence est relativement aisée. Elle est également appropriée pour les récipients plus petits, quand sa hauteur ne dépasse pas 20 cm. Ses feuilles de 12 cm de long sur 8 cm de large, d'un vert clair, offrent un bon contraste. Le rhizome est à introduire horizontalement dans le gravier plus ou moins grossier. Il convient de découper les éventuelles parties atteintes de pourriture et de laisser se dessécher les blessures. Changer fréquemment l'eau, cette eau devant être agitée, maintenir la plante dans un espace libre et enlever les feuilles nageantes.

Multiplication: Apparition occasionnelle de pousses latérales sur le rhizome.

D: 2, **KH:** 2–15, **pH:** 6,0–7,2, **T:** 18–22° C, **HA:** 1–3

Nymphaea lotus LINNAEUS (1753) Lotus blanc d'Egypte, Lotus tigré
Fam.: Nymphaeaceae

Distribution: Est de l'Afrique, sud-est de l'Asie.

C'est une espèce polymorphe comportant deux formes submergées: le Lotus vert dont la couleur fondamentale est verte avec des taches rouges et le Lotus rouge de couleur rouge à taches d'un rouge foncé. Les feuilles de 10–18 cm de long sur 8–10 cm de large, sont plus ou moins longuement pétiolées; leur base est profondément échancrée. Sous éclairement intense, les pétioles sont plus courts et leur forme de croissance est plus compacte. Il convient d'enlever les feuilles nageantes pour que les feuilles submergées subsistent. Pour obtenir des fleurs, il faut toutefois conserver les feuilles nageantes. Plusieurs fleurs peuvent alors apparaître au dessus de la surface de l'eau; agréablement parfumées, elles ont jusqu'à 10 cm de diamètre et sont blanches à centre jaune. Ce sont des fleurs à épanouissement nocturne, s'ouvrant et se refermant pendant plusieurs jours. La fructification est possible après autopollinisation.

Multiplication: Semis, rejets de rameaux courts.

D: 2, **KH:** 4–12, **pH:** 5,5–7,5, **T:** 22–28° C, **HA:** 2–3

Nymphoides aquatica (WALTER) O. KUNTZE (1891)
Petit nénuphar commun, Plante à bananes aquatique
Fam.: Gentianaceae

Distribution: Est et sud des U.S.A. (Floride).

C'est une plante appréciée mais à vie courte. Les racines tubérisées, vertes, fasciculées, en forme de massue, sont typiques et renferment des réserves nutritives. Il ne faut pas les enfouir dans le sol, mais les placer horizontalement; leur fixation se fera d'elle même ultérieurement. Les feuilles submergées, jusqu'à 10 cm de diamètre, sont arrondies, en forme de cœur, brièvement pétiolées. Les feuilles nageantes apparaissant par la suite, peuvent atteindre 15 cm et sont longuement pétiolées. De petites fleurs jaunes à pétales frangés, émergent des gaines foliaires situées près de la base. Ensuite se développent des plantes adventives, dépourvues toutefois de racines tubérisées. Dans le commerce, on peut parfois se procurer des feuilles séparées, que l'on peut mener à fleur en les laissant flotter à la surface d'une eau fraîche et sous une bonne lumière.

Multiplication: Plantes adventives.

D: 2, **KH:** 5–10, **pH:** 6,5–7,2, **T:** 20–30° C, **HA:** 1–2

Nuphar pumila

Nymphaea lotus

Nymphoides aquatica

Ottelia alismoides (LINNAEUS) PERSOON (1753) Ottélie plantain
Fam.: Hydrocharitaceae Syn.: *Stratiotes alismoides*

Distribution: Régions tropicales et subtropicales, Asie, Afrique, Australie.

C'est un représentant très exigeant de la flore aquatique, ne supportant guère la dureté carbonatée de l'eau et qui préfère un substrat riche en matières nutritives et un éclairement intense. La rosette foliaire est constituée de feuilles pétiolées, d'un vert jaunâtre. Le limbe, d'environ 12–22 cm de long et de large, à bords nettement enroulés, est arrondi en forme de cœur, ondulé entre les nervures naissant de la base et dont le nombre peut s'élever jusqu'à 11. Sa base et le pétiole trigone sont dentés. C'est une plante rare, relativement fragile et sensible aux chocs. Elle est donc à placer dans des aquariums abritant des poissons calmes. Les fleurs se développent au dessus de l'eau et produisent de nombreux fruits cléistogames.

Multiplication: Semis, très difficile.

D: 4, KH: 2–6, pH: 5,5–6,8, T: 24–26° C, HA: 2–3

Samolus valerandi LINNAEUS (1753) Mouron d'eau d'Amérique
Fam.: Primulaceae Syn.: *S. floribundus*

Distribution: Amérique du Nord, ouest de l'Inde, Amérique de Sud, Europe.

C'est une espèce d'environ 10 cm de hauteur, destinée à l'avant plan où elle sera plantée en groupe. Elle donne un bon contraste dans la végétation de l'aquarium, mais elle est quelque peu délicate et pas toujours durable. Les feuilles de 6–10 cm de long sur 3–5 cm de large, sont rassemblées en rosette basale; elles sont spatuliformes, pétiolées et d'un vert clair. Une bonne croissance est possible sous éclairement intense et à température modérée. Cette plante se développe mieux dans une eau riche en matières nutritives. Il est indispensable de la placer en un endroit dégagé, bien éclairé et de bien veiller à l'espacement des exemplaires qui seront plantés dans du sable grossier. La culture à l'état émergé est facile; la floraison se réalise alors et peut être menée jusqu'à la fructification à partir de laquelle les semis sont possibles.

Multiplication: Ne peut se faire à l'état submergé.

D: 3, KH: 5–12, pH: 6,5–7,5, T: 20–24° C, HA: 1–2

Spathiphyllum wallisii REGEL, 1877 Spathiphyllum d'Amérique
Fam.: Araceae

Distribution: Amérique du Sud (Colombie).

C'est une espèce dont l'utilisation en aquarium est controversée, car sa croissance n'y dure que rarement. Elle subsiste jusqu'à 6 mois à l'état submergé, mais périra avec le temps. Elle est à recommander pour les aquariums abritant de grands poissons à écailles rugueuses, là où d'autres plantes ne se développent pas. Son existence est prolongée, quand la plante de taille moyenne est introduite avec son pot dans lequel elle s'est bien enracinée. Le pot est enfoui dans le gravier et recouvert de pierres plates en présence de poissons fouisseurs. Lorsque les exemplaires sont isolés, il convient de recouvrir le pot avec des pierres, des racines ou de l'écorce. En cas de besoin, échanger contre de nouveaux exemplaires.

D: 1, KH: 2–15, pH: 6,0–8,0, T: 18–28° C, HA: 2–3

Samolus valerandi

Ottelia alismoides

Spathiphyllum wallisii

Echinodorus amazonicus RATAJ (1970) — Amazone à petites feuilles
Fam.: Alismataceae — Syn.: *E. brevipedicellatus*
Distribution: Brésil.
Cette espèce à planter en solitaire, est de taille moyenne, d'environ 40 cm de hauteur; elle constitue un excellent point fort dans la décoration. Les feuilles de 30–40 cm de long sur 2–3 cm de large, sont linéaires lancéolées, légèrement courbées en forme de sabre, d'un vert clair. Elles sont pourvues de 3 nervures s'étendant de la base jusqu'au sommet et de 2 autres nervures plus fines courant le long des bords. Cette espèce est souvent confondue avec E. bleheri dont les feuilles sont toutefois plus larges. Elle est difficile à cultiver, et reste de petite taille, quand la dureté carbonatée est élevée. L'éclairement doit être moyen; le substrat ne doit pas être trop grossier, mais néanmoins léger et bien chauffé.
Multiplication: Plantes adventives apparaissant sur les longs axes floraux submergés; à marcotter et à séparer ultérieurement.
D: 2, KH: 2–12, pH: 6,5–7,2, T: 24–28° C, HA: 2–3

Echinodorus berteroi (SPRENGLER) FASSETT, 1955 — Plante cellophane
Fam.: Alismataceae — Syn.: *E. rostratus*
Distribution: Inde occidentale, sud de l'Amérique du Nord.
C'est une plante d'aquarium intéressante, dont la forme des feuilles est variable. Sa longévité est cependant limitée. La forme juvénile présente des feuilles sessiles, étroites et effilées. Les feuilles de la plante adulte, de 20–30 cm de long sur 3–4 cm de large, sont cordiformes, à nervation d'un jaune clair ondulant le limbe. Les feuilles qui se développent ultérieurement sont longuement pétiolées et deviennent nageantes; elles provoquent la disparition des feuilles submergées. L'apparition peu souhaitable de ces feuilles nageantes peut être évitée en utilisant un substrat sablonneux, maigre et un éclairement journalier inférieur à 12 heures. Les feuilles submergées peuvent également être conservées en coupant régulièrement les feuilles nageantes qui se développent.
Multiplication: Rameaux latéraux du rhizome.
D: 3, KH: 2–12, pH: 6,5–7,0, T: 20–26° C, HA: 2–3

Echinodorus bleheri RATAJ (1970) — Plante épée amazone
Fam.: Alismataceae — Syn.: *E. paniculatus, E. rangeri*
Distribution: Régions tropicales de l'Amérique du Sud.
C'est incontestablement l'espèce la plus répandue dans les aquariums. Cette excellente plante vivace, à nombreuses feuilles en rosette, constitue à l'état solitaire un point fort de la décoration; quand la place est suffisante, elle peut également être plantée en groupe à l'arrière plan du récipient. Les feuilles de 30–50 cm de long sur 4–8 cm de large, sont lancéolées, d'un vert foncé, effilées aux deux extrémités. A partir de la nervure médiane apparaissent à la base et nettement plus haut, deux paires de nervures qui courent le long des bords. Les nombreuses autres nervures secondaires sont transversales et occasionnellement brunâtres. C'est une plante robuste qui se développe normalement, même sous éclairement moyen et en eau dure. Une carance en fer entraîne toutefois une mauvaise croissance des individus qui présentent alors des feuilles cordiformes, translucides et jaunâtres.
Multiplication: Plantes adventives se formant sur les axes floraux que l'on marcotte.
D: 1, KH: 2–15, pH: 6,5–7,5, T: 24–28° C, HA: 2–3

Echinodorus martii MICHELI (1881) — Echinodorus géant
Fam.: Alismataceae — Syn.: *E. maior, E. leopoldina*
Distribution: Brésil.
C'est une espèce imposante à planter en solitaire dans les grands aquariums. Les feuilles de 40–50 cm de long sur 4–8(10) cm de large, sont lancéolées, brièvement pétiolées, d'un vert clair. Leurs bords sont ondulés et leurs deux extrémités sont obtuses. Deux nervures latérales partent de la nervure médiane, toutes les autres nervures secondaires émanant de la base. L'éclairement doit être moyen, l'espace dégagé et le substrat sablonneux, léger et riche en éléments nutritifs. Cette plante est sensible au refroidissement du substrat: dans ce cas, elle pousse de manière chétive. L'axe floral est rigide et se développe au dessus de la surface de l'eau, pouvant atteindre 100 cm de hauteur; il fournit de nombreuses fleurs qui après pollinisation artificielle, donnent des fruits.
Multiplication: Semis possibles, plantes adventives se formant sur l'axe floral que l'on marcotte.
D: 2, KH: 2–12, pH: 6,5–7,2, T: 24–28° C, HA: 3

Echinodorus amazonicus

Echinodorus bleheri

Echinodorus berteroi

Echinodorus martii

Echinodorus cordifolius (LINNAEUS) GRISEBACH (1857)
Echinodorus à feuilles en cœur
Fam.: Alismataceae
Syn.: *E. radicans*

Distribution: Centre et sud de l'Amérique du Nord, Mexique.

C'est une espèce sans exigence particulière à planter en solitaire dans les grands récipients. Les feuilles de 20–25 cm de long sur 10–15 cm de large, sont cordiformes, obtuses et pourvues de 5–7 nervures partant de la base. Elles sont occasionnellement rougeâtres et tachetées. Il convient de couper à temps les feuilles nageantes longuement pétiolées, afin de conserver les feuilles submergées. En cas de nécessité, on abaissera l'assimilation des éléments nutrififs en réduisant le système racinaire. L'axe floral, très robuste, produit de grandes fleurs blanches en dehors de l'eau. La fructification est possible après pollinisation.

Multiplication: Plantes adventives apparaissant sur le substrat; ces plantes sont séparées et repiquées.

D: 2, **KH:** 5–15, **pH:** 6,5–7,5, **T:** 22–28° C, **HA:** 2–3

Echinodorus horizontalis RATAJ (1969)
Echinodorus à feuilles horizontales
Fam.: Alismataceae

Distribution: Nord de l'Amérique du Sud, régions de l'Amazone.

Cette espèce touffue est à planter en solitaire dans des récipients de taille moyenne. L'angle obtus formé par le pétiole et le limbe à peu près horizontal est caractéristique. Le limbe de 15–20 cm de long sur 5–10 cm de large, est cordiforme, d'un vert foncé, en général brièvement pétiolé et pourvu de 5–7 nervures principales partant de la base. Les feuilles sont fréquemment d'un rouge brunâtre au début de leur développement, puis verdissent progressivement. Cette espèce se distingue facilement d'*E. cordifolius* par son extrêmité effilée. Elle s'adapte aisément, bien qu'elle nécessite un bon éclairement et ne produit en général pas de feuilles nageantes. L'axe floral submergé est pourvu de fleurs épanouies sous l'eau ou juste au dessus de la surface de l'eau.

Multiplication: Plantes adventives à séparer de l'axe floral et à repiquer.

D: 2, **KH:** 5–12, **pH:** 6,5–7,2, **T:** 22–28° C, **HA:** 2–3

Echinodorus cordifolius

Echinodorus horizontalis

Echinodurus osiris RATAJ (1970) Echinodorus de Suède
Fam.: Alismataceae Syn.: *E. osiris rubra, E. aureobrunata*

Distribution: Sud du Brésil.

C'est une espèce robuste à planter en solitaire, convenant également pour une eau très dure. Pouvant atteindre une hauteur de 40–50 cm, elle constitue un excellent point fort dans la décoration. Les feullies de 30–40 cm de long sur 4–5 cm de large, très souvent d'un rouge intense dans leur jeunes stades, sont fréquemment très ondulées et pourvues d'une nervation longitudinale et transversale très distincte. Relativement peu exigeante quant à l'éclairement, cette espèce pose des problèmes de croissance quand simultanément, l'eau est pauvre en éléments nutritifs et l'éclairement intense. De ce fait, un substrat enrichi stimule le développement.

Multiplication: Plantes adventives se formant sur l'axe floral; rameaux latéraux du rhizome.

D: 1, KH: 5–15, pH: 6,5–7,5, T: 22–28° C, HA: 2–3

Echinodurus osiris

Echinodorus parviflorus RATAJ (1970) — Echinodorus noir
Fam.: Alismataceae — Syn.: *E. peruensis, E. tocantins*

Distribution: Amérique du Sud, Pérou, Bolivie.

C'est une espèce très répandue en aquariophilie, d'une excellente faculté d'adaptation. La rosette compacte, constituée de nombreuses feuilles, se développe même sous un éclairement moyen. Un substrat composé de gravier grossier ne semble guère favorable au développement des racines. Les feuilles de 15–20 cm de long sur 2–5 cm de large, sont brièvement pétiolées, de forme et de dimension variables, lancéolées, d'un vert foncé. Le limbe est pourvu de 5 nervures longitudinales naissant à la base, entre lesquelles courent de fines nervures transversales brunâtres. La base de ce limbe peut être effilée ou arrondie. Cette plante est à introduire en solitaire dans des récipients de faible taille; elle peut accompagner des espèces à feuilles longuement pétiolées en tant que plante de recouvrement.

Multiplication: Plantes adventives se formant sur l'axe floral, à marcotter.

D: 1, KH: 2–15, pH: 6,0–7,8, T: 22–28° C, HA: 1–3

Echinodorus parviflorus

Echinodorus quadricostatus FASSET (1955) — Amazone naine
Fam.: Alismataceae — Syn.: *E. magdalenensis*

Distribution: Brésil, Para, Rio Xingu.

Cette espèce produit un excellent effet décoratif à l'avant plan des récipients de toutes dimensions. Sa hauteur varie de 5–15 cm selon l'espacement et l'intensité lumineuse. Les petites rosettes sont constituées de feuilles d'un vert clair, de 5–15 cm de long sur 0,5–1,0 cm de large, effilées, plus ou moins longuement pétiolées. Plusieurs nervures secondaires, en général à peine visibles, émanent de la nervure médiane. L'adaptation de cette plante à différentes intensités d'éclairement est généralement bonne. Un gravier trop grossier entraîne la formation de plantes chétives, tandis qu'une carence en fer produit rapidement des individus à feuilles jaunâtres. Il suffit de peu d'exemplaires au départ, compte tenu d'une abondante multiplication. Il convient d'éclaicir régulièrement, voire de rajeunir les populations touffues.

Multiplication: Rejets très nombreux.

D: 1, KH: 2–12, pH: 6,5–7,5, T: 22–28° C, HA: 1–3

Echinodorus tenellus (MARTIUS) BUCHENAU (1869) — Amazone pygmée
Fam.: Alismataceae

Distribution: Du Brésil jusqu'aux U.S.A.

C'est une espèce de petite taille formant un tapis de végétation à l'avant plan des aquariums. Lors de l'implantation, les exemplaires sont espacés; ils fourniront de nombreux rejets sur leurs longs stolons. La végétation qui deviendra très enchevêtrée, devra être éclaircie et rajeunie si nécessaire. Cette gracieuse plante à rosette est pourvue de fines racines et de feuilles graminiformes, étroites, effilées et uninerviées. On distingue: *E. tenellus* var. *tenellus* à feuilles de 8–12 cm de long sur 0,2 cm de large, d'un vert foncé, occasionnellement rougeâtres et qui s'adapte mieux à un éclairement intense et à une eau dure (D: 1); *E. tenellus* var. *parvulus* à feuilles de 3–8 cm de long sur 0,2 cm de large, d'un vert franc (forme adulte) qui est plus exigeante surtout en lumière et dont la capacité d'assimilation des bicarbonates est moyenne d'où sa moindre aptitude à une eau dure.

Multiplication: Stolons avec nombreux rejets.

Echinodorus tenellus est visible en bas à gauche. La plante au centre est la rare Orchidée aquatique *Spiranthus cernua* L. C. RICHARD, 1818. Elle atteint environ 15 cm de hauteur.

D: 1–2, KH: 2–15, pH: 6,5–7,2, T: 22–30° C, HA: 1–2

Echinodorus quadricostatus

Echinodorus tenellus (à l'avant plan à gauche), *Spiranthes cernua*

Aponogeton boivinianus BAILLON ex JUMELLE (1922) Epi d'eau gaufré
Fam.: Aponogetonaceae

Distribution: Nord de Madagascar.

C'est une espèce à planter en solitaire dans un endroit dégagé et central d'un grand aquarium; dans un récipient de faible hauteur, elle s'étend considérablement et n'a plus le même effet décoratif. Elle est pourvue d'un tubercule en forme de disque. Ses feuilles de 30–45 cm de long sur 3–6 cm de large, sont d'un vert foncé et très ondulées à gaufrées sur toute leur surface. Le tubercule est à enfoncer horizontalement dans un substrat sablonneux et léger; de nombreuses feuilles saines se développent, même en eau ralitivement dure. L'éclairement doit être suffisant.

Multiplication: Semis difficile; inflorescene à 3 épis de fleurs blanches autostériles.

D: 1, **KH:** 2–12, **pH:** 6,5–7,5, **T:** 20–26° C, **HA:** 2–3

Aponogeton crispus THUNBERG (1781) Epi d'eau crépu
Fam.: Aponogetonaceae

Distribution: Sri Lanka (Ceylan).

C'est une plante d'aquarium bien connue et d'adaptation facile. La croissance de ses nombreuses feuilles est relativement rapide et fournit des individus à placer en solitaire et produisant en bel effet décoratif. Les feuilles, de forme variable, de 20–40 cm de long sur 1–4 cm de large et d'un vert foncé à vert olivâtre, ont leurs bords ondulés et finement crépus. Sous éclairement faible, les feuilles longuement pétiolées s'étirent vers la source lumineuse et s'étendent en partie à la surface de l'eau. Cette plante a tendance à fleurir facilement en aquarium. On réalise la pollinisation artificielle en tapotant avec précaution les fleurs à l'aide d'un tampon de coton ou d'un pinceau. Elle se réalise également quand on la tire sous l'eau à l'aide de l'anneau de nourrissage et qu'elle pousse à nouveau vers la surface. La maturité des fruits intervient après 2 mois environ.

Multiplication: Semis facile, inflorescence à un épi de fleurs blanches autofertiles.

D: 1, **KH:** 2–15, **pH:** 6,5–7,2, **T:** 22–30° C, **HA:** 2–3

Aponogeton elongatus MUELLER ex BENTHAM (1878) Epi d'eau allongé
Fam.: Aponogetonaceae

Distribution: Nord et est de l'Australie.

C'est une plante solitaire, à croissance rapide, à nombreuses feuilles, d'environ 40 cm de hauteur. Elle est l'un des rares représentants de la flore aquatique australienne utilisable en culture d'aquarium. Les feuilles de 30–40 cm de long sur 3–5 cm de large, sont d'un vert clair, brièvement pétiolées; leurs bords sont légèrement ondulés. C'est une espèce variable comprenant plusieurs formes de croissance. La plante décrite et représentée sur la photographie correspond à *A. e. forma latifolius*. Dans son aspect, elle ressemble à *A. ulvaceus*, dont on la distingue néanmoins facilement quand elle est en fleurs. Cette espèce vivace ne pose guère de problèmes en culture; elle pousse même en eau très dure quand on ajoute du CO_2. Sa période de repos est à respecter.

Multiplication: Semis guère facile; inflorescence à un épi de fleurs d'un jaune verdâtre, autostériles.

D: 1, **KH:** 2–12, **pH:** 6,0–7,5, **T:** 22–26° C, **HA:** 2–3

Aponogeton boivinianus

Aponogeton crispus

Aponogeton elongatus (brun)

Aponogeton madagascariensis (MIRBEL) van BRUGGEN (1968)
Dentelle de Madagascar
Fam.: Aponogetonaceae
Syn.: *A. fenestralis*

Distribution: Madagascar.

C'est une plante aquatique curieuse, dont seule la nervation réticulée se développe, alors que les tissus du limbe font défaut. Il convient de remplir les exigences particulaires de cette plante, afin d'obtenir une croissance satisfaisante pour un temps prolongé. L'eau doit être tendre, pauvre en carbonates, très claire, propre, agitée et plutôt fraîche. Il faut veiller à un pH légèrement acide et à un éclairement moyen à faible. Les dépôts d'algues sont absolument à éviter, car ils détruisent rapidement les feuilles. La longévité demeure toutefois en général limitée; elle est plus élevée dans le cas d'une forme à feuilles étroites.

Multiplication: Semis très difficile; inflorescence à plusieurs épis de fleurs blanches, autofertiles.

D: 4, **KH:** 2–3, **pH:** 5,5–6,5, **T:** 20–22° C, **HA:** 1–3

Aponogeton ulvaceus BAKER (1881)
Epi d'eau laitue
Fam.: Aponogetonaceae

Distribution: Madagascar.

Cette espèce est à placer en solitaire dans un endroit dégagé, où elle constituera le point fort de la décoration. Le tubercule lisse, brun et sphérique, produit des feuilles ondulées, brièvement pétiolées de 30–40 cm de long sur 4–6 cm de large et d'un vert clair. Un éclairement moyen est possible, mais la plante se développe alors plus en hauteur; la croissance est en général rapide. Un temps de repos survient après la période de développement des feuilles et des fleurs; la plupart des feuilles tombent au cours de cet arrêt de croissance. On dégage alors le tubercule de ses résidus de feuilles et de racines, on le place à la surface du substrat et on l'enterre à nouveau après 2–3 mois.

Multiplication: Semis; inflorescence à 2 épis de fleurs jaunes, en général autostériles.

D: 2, **KH:** 2–15, **pH:** 5,5–7,0, **T:** 22–23° C, **HA:** 2–3

Aponogeton undulatus ROXBURGH (1824)
Epi d'eau vivipare
Fam.: Aponogetonaceae

Distribution: Inde, est du Pakistan, Birmanie.

La particularité de cette espèce réside dans son mode de multiplication. La tige qui porte habituellement l'épi de fleurs, produit dans ce cas une plante adventive. Celle ci développe un petit tubercule pourvu de racines, on la sépare alors et on l'implante. La plante adulte atteint environ 30–40 cm de hauteur et ses feuilles d'un vert foncé peuvent être longuement pétiolées. Les bords de la feuille sont plus ou moins ondulés, en fonction de l'intensité de l'éclairement. Des zones plus foncées apparaissent près de l'importante nervure médiane. Cette plante s'adapte facilement. Il convient de respecter la période de repos.

Multiplication: Plantes adventives; formation de fleurs très rare.

D: 2, **KH:** 5–15, **pH:** 6,0–7,5, **T:** 22–28° C, **HA:** 2–3

Aponogeton madagascariensis

Aponogeton ulvaceus

Aponogeton undulatus

Cryptocoryne affinis BROWN ex HOOKER fil. (1893) — Calice d'eau de Haertel
Fam.: Araceae — Syn.: *C. haerteliana*
Distribution: Presqu'île malaisienne.
C'est certainement le représentant le plus connu de ce genre important par le nombre d'espèces. L'adaptation à des conditions courantes est parfaite, avec en règle générale, une préférence pour un éclairement modéré. Avec ses feuilles d'un vert satiné à la face supérieure et vertes à la face inférieure, cette espèce est particulièrement décorative. La multiplication intensive fournit rapidement des populations très denses. Selon l'éclairement et l'espacement, la taille varie entre 10 et 30 cm, de telle sorte que cette plante peut être utilisée pour divers effets. Une plante d'aquarium presque idéale, encore qu'elle soit quelque peu sensible aux variations importantes de lumière, de température et des valeurs chimiques de l'eau; elle est fragile à l'égard de la pourriture des feuilles tant redoutée des Cryptocorynes.
Multiplication: Rejets, très productifs.
D: 1, KH: 3–15, pH: 6,0–7,6, T: 22–28° C, HA: 1–3

Cryptocoryne var. *crispatula* ENGLER (1920) — Calice d'eau gaufré
Fam.: Araceae — Syn.: *C. balansae*
Distribution: Thaïlande, nord du Vietnam, Tonkin.
L'effet particulier de cette espèce appréciée réside dans ses feuilles étroites, à surface bosselée gaufrée. Sa croissance plus ou moins importante dépend de l'éclairement. Les feuilles de 20–40 cm de long et jusqu'à 1 cm de large, s'effilent progressivement vers le sommet. Certaines conditions sont à remplir, si la culture doit réussir: un substrat de gravier riche et meuble, un éclairement moyen et une eau d'une dureté moyenne. Un groupe constitué de plusieurs exemplaires plantés d'une manière relativement espacée, est de préférence à introduire en un endroit dégagé; l'aspect des feuilles est rehaussé par la présence, à proximité, d'espèces à feuilles de formes différentes.
Multiplication: Rejets, moyenne au début, bonne ensuite.
D: 3, KH: 2–12, pH: 6,5–7,2, T: 25–26° C, HA: 1–3

*Cryptocoryne ciliat*a (ROXBURGH) SCHOTT, 1857 — Calice d'eau cilié
Fam.: Araceae
Distribution: Vastes régions du sud-est asiatique.
C'est une espèce pouvant atteindre 40 cm de hauteur et que l'on plante en groupe, car sa multiplication n'est guère importante. Les feuilles disposées en rosette, sont lancéolées, effilées vers le sommet, tandis que la base cunéiforme est insérée latéralement sur le pétiole cylindrique. Le limbe de 30 cm de long et jusqu'à 4 cm de large, est d'un vert moyen. *C. ciliata* var. *latifolia* en diffère par ses feuilles de 10–15 cm de long et jusqu'à 5 cm de large, la base du limbe étant cordiforme. Cette forme de croissance est plus compacte et atteint 20 cm de hauteur. Cette espèce présente peu d'exigences à l'égard des valeurs chimiques de l'eau; le changement fréquent de l'eau est toutefois conseillé. Elle nécessite également un éclairement plus important que les autres espèces du genre, d'où l'importance de ne pas lui associer des plantes à feuilles nageantes.
Multiplication: Rejets rares, occasionnellement des rameaux courts à l'aisselle des feuilles.
D: 2, KH: 5–12, pH: 6,5–7,5, T: 22–28° C, HA: 2–3

Cryptocoryne beckettii TRIMEN (1885) — Calice d'eau de Petch
Fam.: Araceae — Syn.: *C. petchii*
Distribution: Sri Lanka (Ceylan)
C'est une espèce de taille moyenne à planter en groupe dans la partie avant ou centrale de l'aquarium. Elle s'adapte aisément, sans aucun problème d'acclimatation, pousse rapidement et se multiple abondamment. Les feuilles de 8–12 cm de long sur 1 cm de large, sont brièvement pétiolées, lancéolées, à bords ondulés et à stries sombres transversales. Leur coloration est variable selon l'intensité de l'éclairement, d'un vert brunâtre à vert olive foncé à la face supérieure, rouge à la face inférieure. Même sous une lumière plus faible, elles ne verdissent pas complètement, de sorte que l'effet de contraste avec les plantes d'un vert clair qui les accompagnent, est conservé. Il convient de veiller à un éclairement d'intensité constante pour éviter la pourriture des feuilles qui intervient en cas de trop grandes variations.
Multiplication: Rejets très nombreux.
D: 1, KH: 2–15, pH: 6,5–7,5, T: 24–30° C, HA: 1–3

Cryptocoryne affinis

Cryptocoryne ciliata

Cryptocoryne var. *crispatula*

Cryptocoryne beckettii

Cryptocoryne purpurea RIDLEY (1902) Calice d'eau pourpre
Fam.: Araceae Syn.: *C. griffithii*

Distribution: Presqu'île malaisienne.

L'intérêt porté à cette plante d'aquarium réside surtout dans l'apparition de ses fleurs submergées. L'inflorescence d'environ 20 cm de hauteur ouvre sa spathe rouge pourpre même en eau profonde. La culture d'exemplaires vigoureux et florifères réussit le mieux en jours courts sous éclairement moyen. Un substrat enrichi, dont la température correspond à celle de l'eau, favorise la croissance. Les feuilles parfois longuement pétiolées, de 5–10 cm de long sur 3–5 cm de large, sont allongées ovales, vertes à légèrement vert olive à la face supérieure, rougeâtres et tachetées ou nervées de pourpre à la face inférieure.

Multiplication: Rejets en nombre moyen.

D: 3, **KH:** 2–12, **pH:** 5,5–6,8, **T:** 26–28° C, **HA:** 1–3

Cryptocoryne crispatula ENGLER (1920) Calice d'eau graminoïde
Fam.: Araceae

Distribution: Sud-est de l'Asie.

Les feuilles d'un vert sombre, rubannées, d'environ 1 cm de large, peuvent atteindre une longueur de 60 cm. Lœutilisation est donc restreinte aux grands aquariums, dont la profondeur de l'eau est importante, sinon les feuilles d'un effet peu décoratif nagent à la surface de l'eau. Les exigences courantes sont relativement minimes; un éclairement moyen est néanmoins à respecter. Il ne se pose aucun problème pour constituer des groupes importants, compte tenu d'une multiplication intensive. La formation de fleurs est possible en jours courts, c'est à dire avec moins de 12 heures d'éclairement quotidien. L'inflorescence peut atteindre 60 cm de long et sa spathe s'ouvre au dessus de la surface de l'eau.

Multiplication: Rejets relativement abondants.

D: 1, **KH:** 2–15, **pH:** 6,0–7,5, **T:** 25–28° C, **HA:** 3

Cryptocoryne cordata GRIFFITH (1851) Calice d'eau du Siam
Fam.: Araceae Syn.: *C. siamensis*

Distribution: Thaïlande.

C'est une espèce à planter en groupe et dont les feuilles d'un rouge brunâtre offre un bel effet de contraste avec la couleur vert clair de la végétation environnante. Le limbe de 7–10 cm de long sur 3–4 cm de large, est ovale, pourvu d'une striation rouge à rouge foncé à la face inférieure. La forme et la coloration ressemblent à celles de *C. blassii,* dont les feuilles sont cependant plus larges et légèrement cordiformes à la base. Les exemplaires se développent convenablement sous un éclairement faible à moyen, dans une eau à dureté carbonatée pas trop élevée et sur un substrat léger, enrichi et chaud. Il convient de signaler que cette plante nécessite un délai d'adaptation approprié, sans que n'intervienne de perturbation dans le développement. Les individus à système racinaire bien développé produisent plus de rejets et forment bientôt un ensemble décoratif.

Multiplication: Rejets habituellement en nombre moyen.

D: 3, **KH:** 2–8, **pH:** 6,0–7,0, **T:** 25–28° C, **HA:** 1–3

Cryptocoryne purpurea

Cryptocoryne crispatula

Cryptocoryne cordata (rouge)

Cryptocoryne usteriana ENGLER (1905) — Calice d'eau à feuilles d'Aponogeton
Fam.: Araceae — Syn.: *C. aponogetifolia*

Distribution: Philippines.

L'aspect gaufré de la feuille rappelle celui de certains Aponogeton; le synonyme de cette espèce est à ce propos évocateur. Cette plante, particulièrement robuste et d'une grande faculté d'adaptation, est pourvue d'un important rhizome rampant à partir duquel se développent des feuilles pétiolées de 50–100 cm de long sur 3–5 cm de large. Une plante de telle ampleur doit donc être introduite dans un récipient spacieux où la profondeur de l'eau sera importante. La vue sur cette plante sera préservée par la présence vers l'avant d'espèces de faible taille, placées d'une manière espacée.

Multiplication: Rejets, nombreux chez les exemplaires âgés.

D: 1, KH: 5–15, pH: 6,0–7,8. T: 22–28° C, HA: 3

Cryptocoryne walkeri SCHOTT (1857) — Calice d'eau de Walker
Fam.: Araceae

Distribution: Sri Lanka (Ceylan).

C'est une espèce de taille moyenne et d'adaptation facile à planter vers l'avant. Les feuilles de 8–12 cm de long sur 1–2 cm de large, sont lancéolées, en général d'un vert franc, pourvues parfois de zones brunes au voisinage de la nervure médiane, vertes à légèrement rougeâtres à la face inférieure. Cette plante ne pose guère de problème et n'a pas d'exigence particulière à l'égard des valeurs chimiques de l'eau et de l'éclairement. Les exemplaires nouvellement plantés se développent très bien après un bref délai d'acclimatation et produisent des stolons. Ainsi, quelques rares individus entre lesquels on aura laissé des espaces suffisants, formeront rapidement une touffe importante. Cette exubérance est favorisée par un éclaircissage occasionnel.

Multiplication: Nombreux rejets sur les stolons.

D: 1, KH: 2–15, pH: 6,0–7,5, T: 22–30° C, HA: 1–3

Cryptocoryne wendtii DE WITT (1958) — Calice d'eau de Wendt
Fam.: Araceae

Distribution: Sri Lanka (Ceylan).

C'est une espèce dressée, de 30–40 cm de hauteur, à planter à l'arrière. L'espèce type est pourvue de feuilles de 10–15 cm de long sur 2–3 cm de large, lancéolées, le plus souvent longuement pétiolées, vertes à vert olive, avec des taches grises à brunâtres à la face supérieure. Les bords du limbe sont souvent ondulés; sa base est arrondie et son extrêmité est effilée. C'est une plante d'aquarium largement répandue, en raison de sa bonne faculté d'adaptation et de son besoin moyen en lumière. Quand aucune perturbation ne vient gêner leur développement, les stolons dont la croissance est rapide, forment bientôt une végétation dense. Il convient d'éviter des variations brèves et importantes dans la qualité de l'eau et l'intensité de l'éclairement, afin d'écarter tout risque de pourriture des feuilles.

Multiplication: Nombreux rejets.

D: 1, KH: 5–15, pH: 6,5–7,5, T: 24–28° C, HA: 1–3

Cryptocoryne x *willisii* REITZ (1908) — Petit calice d'eau
Fam.: Araceae — Syn.: *C. nevillii*

Distribution: Sri Lanka (Ceylan).

On rappellera avant tout le changement de nomenclature publié par le botaniste danois N. JAKOBSEN. C'est une espèce robuste, de 3–5 cm de hauteur, à planter vers l'avant et convenant pour les aquariums de toutes dimensions. Les feuilles de 3–5 cm de long sur 0,5–0,8 cm de large, sont lancéolées et vertes: leur pétiole est plus court ou de même longueur que le limbe. Plusieurs espèces de même aspect sont connues, mais elles sont rarement cultivées (*C. parva, C. lucens*). Afin d'obtenir plus rapidement un groupe touffu, on plantera un par un, 10 à 15 exemplaires les uns très près des autres. La multiplication est satisfaisante en l'absence de toute perturbation et sous un bon éclairement. Cette plante supporte également une eau fraîche, mais elle pousse plus rapidement et se multiplie plus abondamment à la faveur d'une température plus élevée.

Multiplication: Rejets.

D: 1, KH: 2–15, pH: 6,5–7,2, T: 22–30° C, HA: 1–3

Cryptocoryne usteriana

Cryptocoryne wendtii

Cryptocoryne walkeri

Cryptocoryne x *willisii*

Bolbitis heudelotii (FEÉ) ALSTON (1934) Fougère aquatique du Congo
Fam.: Lomariopsidaceae

Distribution: Afrique; de l'Ethiopie à l'Afrique du Sud.

Dans la nature, cette fougère pousse sur les berges des eaux courantes, les racines dans l'eau. Ses frondes profondément divisées, pennatiséquées, d'un vert foncé, peuvent atteindre 40–50 cm de hauteur et nécessitent donc une profondeur d'eau en conséquence. Cette espèce, dont les besoins en lumière sont généralement modestes, peut aussi se développer à l'ombre. Une eau fraîche, propre et agitée, est la plus favorable. Le rhizome rampant et les racines doivent baigner dans l'eau; de ce fait, il est nécessaire de les fixer à des pierres ou à du bois. Les jeunes pousses se développent par la suite sur ce support.

Multiplication: Fragmentation du rhizome, rameaux latéraux.

D: 2, **KH:** 2–12, **pH:** 5,8–7,0, **T:** 24–26° C, **HA:** 2–3

Ceratopteris cornuta (BEAUVOIS) LE PRIEUR (1810) Fougère cornue aquatique
Fam.: Parkeriaceae Syn.: *C. thalictroides*

Distribution: Essentiellement en Afrique.

La nomenclature a changé et l'ancienne appellation *C. thalictroides* n'est plus valable que pour la Fougère de Sumatra dont les frondes sont plus finement divisées. Dans le cas de *C. cornuta,* les divisions de la fronde sont variables dans leur forme; elles peuvent être larges et épaissies ou étroites et fines. La photographie illustre une forme à divisions relativement peu profondes, qui, sous un éclairement intense, se développe en flottant librement à la surface de l'eau. Cette fougère convient parfaitement pour la culture à l'état submergé, mais devient en général trop envahissante dans les récipients de faibles dimensions. Le rhizome ne doit pas être enterré trop profondément dans le substrat; il convient donc de le placer au ras de la surface de celui ci.

Multiplication: Plantes adventives sur la fronde.

D: 1, **KH:** 5–15, **pH:** 5,5–7,5, **T:** 18–30° C, **HA:** 2–3

Ceratopteris pteridioides (HOOKER) HIERONYMUS (1905) Fougère cornue flottante
Fam.: Parkeriaceae Syn.: *C. cornuta, C. thalictroides f. cornuta*

Distribution: Régions tropicales.

Cette fougère robuste et à croissance rapide, ne peut être utilisée que sous la forme de plante flottante. De nombreuses plantules qui se détachent et deviennent autonomes, se développent sur les bords des frondes. Ces frondes épaisses et d'aspect légèrement spongieux, arrêtent la lumière; il est donc conseillé de procéder à un élagage régulier. Cette espèce convient parfaitement pour des aquariums d'élevage, où les frondes largement lobées constituent un support pour les nids de bulles pour les labyrinthiformes. Le système racinaire qui pend dans l'eau, apporte une protection aux jeunes poissons, tandis que les tendres extrêmités des racines constituent un supplément bienvenu de nourriture pour les herbivores.

Multiplication: Plantes adventives nombreuses.

D: 1, **KH:** 5–15, **pH:** 6,5–7,5, **T:** 18–28° C, **HA:** 1–3

Ceratopteris thalictroides (LINNAEUS) BRONGNIART (1821) Fougère de Sumatra
Fam.: Parkeriaceae

Distribution: Régions tropicales d'Amérique, Afrique, Asie, nord de l'Australie.

A l'inverse de *C. cornuta*, cette espèce présente une morphologie relativement constante. Les frondes d'un vert clair sont profondément divisées, plusieurs fois pennatiséquées, à divisions toujours plus nombreuses et à extrêmités plus fines que celles de *C. cornuta.* Cette plante peut être utilisée aussi bien sous forme flottante que sous forme submergée. Elle se développe plus rapidement et prolifère abondamment à la surface de l'eau. Elle a besoin de plus de lumière et doit donc être placée en solitaire quand elle est cultivée sous l'eau. Lors de son implantation, il ne faut pas trop enterrer le rhizome; les insertions des racines sur le rhizome doivent être visibles.

Multiplication: Plantes adventives sur les frondes.

D: 1, **KH:** 5–12, **pH:** 6,5–7,2, **T:** 24–28° C, **HA:** 2–3

Bolbitis heudelotii

Ceratopteris pteridioides

Ceratopteris cornuta

Ceratopteris thalictroides

Fontinalis antipyretica LINNAEUS (1753) Mousse des fontaines, Fontinale
Fam.: Fontinalaceae

Distribution: Europe, nord-est de l'Asie, Amérique du Nord, Afrique du Nord.

C'est une espèce très variable comprenant plus de deux douzaines de formes. La tige est dépourvue de vraies racines; elle est glabre, fine, légèrement trigone. Les feuilles de 0,4 x 0,6 cm sont d'un vert foncé, sessiles, très rapprochées les unes des autres, alternes, insérées sur trois rangs. Cette mousse convient surtout pour les aquariums à eau froide ou tempérée et nécessite un bon éclairement. Elle peut être fixée par touffe entre des pierres ou des racines. Elle préfère une eau plutôt agitée et sera donc placée près de la sortie du filtre. Elle périclite souvent totalement dans une eau très dure. Les plantes originaires d'eaux à courant moins rapide et de régions plus chaudes s'adaptent plus facilement dans les aquariums. En règle générale, il faut échanger les anciennes plantes avec de nouvelles touffes après un certain temps.

Multiplication: Rameaux latéraux.

D: 1, KH: 2–12, pH: 6,0–7,2, T: 15–22° C, HA: 1–3

Vesicularia dubyana (C. MÜLLER) BROTHERUS (1925) Mousse de Tava
Fam.: Hypnaceae

Distribution: Sud-est de l'Asie, Malaisie, Java, Inde.

C'est une mousse très utilisée qui peut se fixer à toute sorte de supports et qui ne présente guère d'exigences en culture. Les feuilles d'environ 2–4 mm de long, sont insérées sur une tige fine; elles sont planes, lancéolées et d'un vert clair. La ramification des rameaux donne naissance à des touffes régulièrement réparties. Dans les aquariums d'élevage, cette plante fixée au substrat constitue un excellent lieu d'alevinage. Attachée à des pierres, à de l'écorce ou à des racines, elle se fixe par la suite grâce à ses rhizoïdes et se développe sous forme rampante. Les rameaux se ramifient abondamment les uns au dessus des autres et forment des coussinets très denses. Cette plante supporte facilement d'être rabattue. Elle peut être maintenue près de la surface de l'eau en la fixant à un morceau d'écorce de chêne.

Multiplication: Séparation des touffes, rameaux latéraux.

D: 1, KH: 2–15, pH: 5,8–7,5, T: 18–30° C, HA: 1–3

Marsilea drummondii BRAUN (1870) Marsilée naine, Passerage nain
Fam.: Marsileaceae

Distribution: Australie.

C'est une espèce de petite taille pour l'avant plan de l'aquarium, où elle forme un tapis végétal étendu. Quelques pousses plantées d'une manière espacée, suffisent au départ. La rameau fin et rampant est pourvu de feuilles alternes et pétiolées. Les frondes, d'environ 1 cm, sont en général entières, obovales, d'un vert foncé. Occasionnellement, elles comportent plusieurs lobes; plus rarement, elles sont tétralobées. Cette plante supporte à peu près l'eau de toute qualité, et pousse parfaitement en eau très dure quand les besoins plus élevés en éclairement sont satisfaits. Dans une eau douce, sa croissance est bonne, même sous un éclairement moyen. L'ensemble de la plantation peut être détruit en quelques semaines par l'apparition d'une maladie typique des *Marsilea* (noircissement des feuilles et des rameaux). Il convient alors de planter à temps et séparément plusieurs extrêmités de tiges saines.

Multiplication: Ramifications des rameaux rampants.

D: 2, KH: 2–15, pH: 6,5–7,5, T: 22–28° C, HA: 1–2

Fontinalis antipyretica

Vesicularia dubyana

Marsilea drummondii

Microsorium pteropus (BLUME) CHING (1961) Fougère de Java
Fam.: Polypodiaceae

Distribution: Régions tropicales du sud-est de l'Asie, de Java aux Philippines.

C'est une fougère dont le type biologique est celui d'une plante amphibie; elle vit sur les bords des cascades des ruisseaux ou à l'état submergé, sur les racines des arbres dont la base se trouve de temps à autre recouverte d'eau ou encore sur des rochers. Le rhizome est pourvu de racines adhésives se fixant aux supports. C'est ainsi que le rhizome rampant adhère de lui même aux pierres ou aux morceaux de bois auxquels il a été attaché préalablement à l'aide de pinces métalliques ou de fils de nylon. La fronde de 10–20 cm de long sur 2–4 cm de large, est pétiolée, lancéolée, rarement pourvue de deux petits lobes latéraux à la base. Cette espèce s'adapte facilement; ses exigences en lumière sont faibles; elle se couvre souvent de taches noires à l'état adulte, dans lequel cas il convient de la rabattre.

Multiplication: Rameaux adventifs sur les frondes et les racines.

D: 1, **KH:** 2–12, **pH:** 5,5–7,0, **T:** 20–28° C, **HA:** 1–3

Azolla filiculoides LAMARCK (1783) Azolle petite fougère
Fam.: Azollaceae

Distribution: Sud et centre de l'Amérique du Sud, naturalisée en Amérique du Nord et en Asie.

C'est une fougère gracieuse, flottant librement à la surface de l'eau; son adaptation et sa multiplication sont bonnes. Les rameaux sont pourvus de petites frondes poilues et arrondies qui s'imbriquent les unes dans les autres. Une algue bleue capable de fixer le gaz carbonique vit dans l'espace existant entre les deux lobes de la fronde, dont le lobe inférieur joue le rôle de flotteur. Cette *Anabaena azollae* n'existe que là. Introduite en Europe en 1880, les Azolla furent importées contre les anophèles dans les régions infectées par le paludisme. En effet, les larves de ces moustiques qui vivent dans l'eau. meurent asphyxiées, parce que leur tube respiratoire n'est pas capable de transpercer l'épaisse couche cellulaire des frondes de la plante.

Multiplication: Rameaux latéraux.

D: 2, **KH:** 2–10, **pH:** 6,0–7,2, **T:** 20–24° C, **HA:** 1–3

4. Plantes nageantes

Eichhornia crassipes (MARTIUS) SOLMS (1883) Jacinthe d'eau commune
Fam.: Pontederiaceae

Distribution: Régions tropicales d'Amérique.

C'est une plante nageante de grandes dimensions, dont la partie moyenne des pétioles est renflée et contient un tissu fibreux, spongieux et rempli d'air. Le limbe d'environ 15 cm est arrondi et cordiforme. Comme plante d'aquarium, elle convient pour les récipients non recouverts et bien éclairés. Sa culture en plein air est également possible en un endroit bien ensoleillé; dans ce cas, elle fleurit fréquemment. L'espèce originaire d'Amérique du Sud-est actuellement introduite dans presque toutes les régions tropicales et subtropicales. Elle est devenue, en raison de son importante prolifération, une plante préjudiciable, que l'on combat à l'aide de produits chimiques.

Multiplication: Rameaux latéraux, rejets.

D: 2, **KH:** 2–15, **pH:** 6,0–7,8, **T:** 22–26° C, **HA:** 2–3

Microsorium pteropus

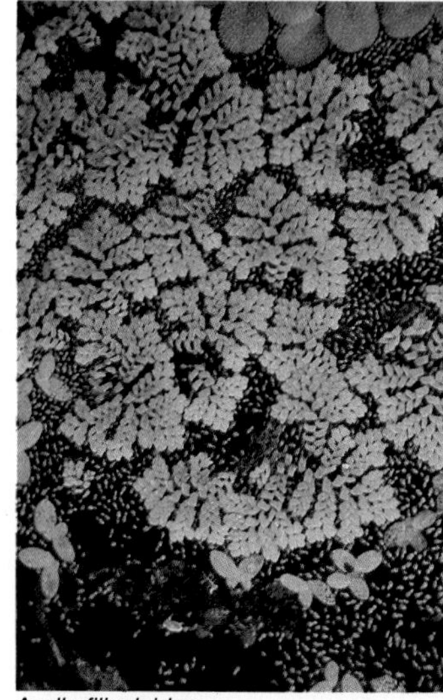

Azolla filiculoides

Eichhornia crassipes

Lemna minor LINNAEUS (1753) Petite lentille d'eau
Fam.: Lemnaceae

Distribution: Presque cosmopolite.

Cette plante nageante, sans grande exigence, est en général introduite incidemment dans les aquariums. Elle est constituée par une lamelle foliacée d'environ 3 mm, qui flotte à la surface de l'eau; cette «fronde» est arrondie ovale, brillante, d'un vert clair et pourvue d'une racine unique. La face inférieure est d'un vert plus clair, toujours plane et non convexe comme chez l'espèce voisine, *L. gibba*. L'exceptionnelle faculté d'adaptation et la succession rapide des divisions permanentes des frondes, mènent, dans de brefs délais, à la formation d'un tapis végétal ininterrompu qui arrête les rayons lumineux. Il convient donc de réduire régulièrement cette population pour permettre l'accès de la lumière qui doit assurer le bon développement de la flore aquatique fixée au substrat.

Multiplication: Divisions des frondes.

D: 1, KH: 2–15, pH: 5,5–7,5, T: 10–30° C, HA: 1–3

Limnobium laevigatum (HUMBOLDT et BONPLANDT) HEINE (1968)
Grenouillette (ou Morène) d'Amérique du Sud
Fam.: Hydrocharitaceae Syn.: *L. stoloniferum, Hydromistria stolonifera*

Distribution: Amérique du Sud.

C'est une plante flottant librement à la surface de l'eau et d'adaptation facile. Elle est constituée de petites rosettes de feuilles brièvement pétiolées. Le limbe de 2–3 cm de diamètre est arrondi, légèrement cordiforme, bombé, lisse, brillant, d'un vert foncé, rarement tacheté à la face supérieure, d'un vert plus clair, gonflé et spongieux à la face inférieure. Il est pourvu de nombreuses racines fines et poilues qui plongent dans l'eau. Les besoins en lumière de cette espèce sont plus élevés que ceux des plantes comparables. Pour éviter les brûlures, la distance entre les lampes et la surface de l'eau doit être maintenue à 10 cm. La vitre recouvrant l'aquarium est à incliner légèrement. Le nouveau binôme de cette espèce se réfère à la première description donnée sous le nom de *Salvinia laevigata*.

Multiplication: Stolons avec rejets très productifs.

D: 2, KH: 2–12, pH: 6,5–7,5, T: 22–24° C, HA: 1–3

Pistia stratiotes LINNAEUS (1753) Laitue (ou salade) d'eau
Fam.: Araceae

Distribution: Toutes les régions tropicales, également dans les régions subtropicales.

C'est une plante flottant librement à la surface de l'eau, constituée d'une rosette de feuilles d'un vert bleuâtre et densément velues, sous laquelle s'insèrent des touffes de racines fines et ramifiées qui plongent dans l'eau. La feuille qui peut atteindre 15 cm de long sur environ 10 cm de large, est légèrement charnue, spatuliforme cunéiforme. Après une culture prolongée en aquarium, cette espèce produit des formes chétives, dont les feuilles de 2–3 cm s'appliquent à la surface de l'eau. Elle est dans ce cas, souvent confondue avec *Salvinia*, qui comporte néanmoins un rameau flottant pourvu de frondes opposées. Il convient d'éviter un réchauffement trop important de l'air ambiant par la lumière des lampes. Une légère inclinaison de la vitre recouvrant l'aquarium assurera une faible circulation de l'air.

Multiplication: Rejets des rameaux latéraux, nombreux.

D: 1, KH: 5–15, pH: 6,5–7,2, T: 22–25° C, HA: 1–3

Lemna minor

Limnobium laevigatum

Pistia stratiotes

Riccia fluitans LINNAEUS (1753) Hépatique flottante
Fam.: Ricciaceae

Distribution: Cosmopolite.

C'est une Hépatique, dont les populations flottent à quelque distance sous la surface de l'eau, où elles constituent une végétation d'un bon effet décoratif. L'appareil végétatif (thalle) comprend de nombreux rameaux filamenteux d'un vert foncé, de 1–2 mm de large, à extrêmités dichotomiques. Cette plante produit des coussinets compacts à la suite des divisions continuelles de ces rameaux. Il faut éviter son envahissement excessif, qui mettrait à l'ombre les plantes fixées au substrat. Elle est résistante, supporte presque toutes les températures couramment utilisées et se développe normalement même sous un éclairement moyen. Une eau très douce à faible teneur en sels minéraux est de toute évidence défavorable (apports d'éléments nutritifs).

Multiplication: Divisions des touffes.

D: 1, **KH:** 5–15, **pH:** 6,0–8,0, **T:** 15–30° C, **HA:** 1–3

Salvinia auriculata AUBLET (1775) Salvinie à oreillettes
Fam.: Salviniaceae

Distribution: Régions tropicales d'Amérique, de Cuba au Paraguay.

C'est une espèce flottant librement à la surface de l'eau et convenant pour la formation d'un tapis végétal clair semé, en particulier dans les aquariums d'élevage. Ses rameaux horizontaux peuvent atteindre 20 cm de longueur. Ses frondes sont verticillées par trois. Deux d'entre elles, d'environ 2 cm de long sur 1 cm de large, sont entières, arrondies, pourvues de poils raides, courts et dressés sur leur face supérieure et flottent sur l'eau. La troisième est submergée, très finement divisée; elle ressemble à des racines et remplit manifestement les fonctions de ces organes dont la plante est dépourvue. Elle constitue un bon refuge pour les alevins et les tendres extrêmités de ses divisions offrent un supplément de nourriture végétale. Cette fougère est sensible aux températures élevées produites par un éclairement intense au dessus des récipients recouverts, ainsi qu'à l'eau de condensation sur les frondes. Il est donc conseillé d'incliner légèrement la vitre qui recouvre l'aquarium, afin d'assurer la circulation de l'air.

Multiplication: Ramifications.

D: 2, **KH:** 5–12, **pH:** 6,0–7,0, **T:** 20–24° C, **HA:** 1–3

Utricularia gibba LINNAEUS (1753) Utriculaire naine
Fam.: Lentibulariaceae

Distribution: Afrique, Australie, Asie.

Cette espèce forme des coussinets qui flottent sous la surface de l'eau. C'est une plante gracieuse à tiges filiformes. Les feuilles de 2–3 cm de long, en forme d'aiguille des formes tropicales, sont plusieurs fois dichotomiques. Celles des formes des régions tempérées sont en général plus courtes et ne se divisent qu'une fois. De petits organes vésiculeux (utricules) captent et digèrent les animalcules aquatiques. En raison de sa petite taille, cette plante peut également être utilisée dans les aquariums d'élevage. Parfois, les organes de capture ne se développent pas en l'absence de nourriture supplémentaire ou en présence d'une teneur suffisante en albumine dans l'eau. Mais la croissance et la ramification des rameaux ne ralentissent pas pour autant.

Multiplication: Ramifications, fragmentation de la plante.

D: 1, **KH:** 2–12, **pH:** 6,5–7,2, **T:** 22–30° C, **HA:** 1–3

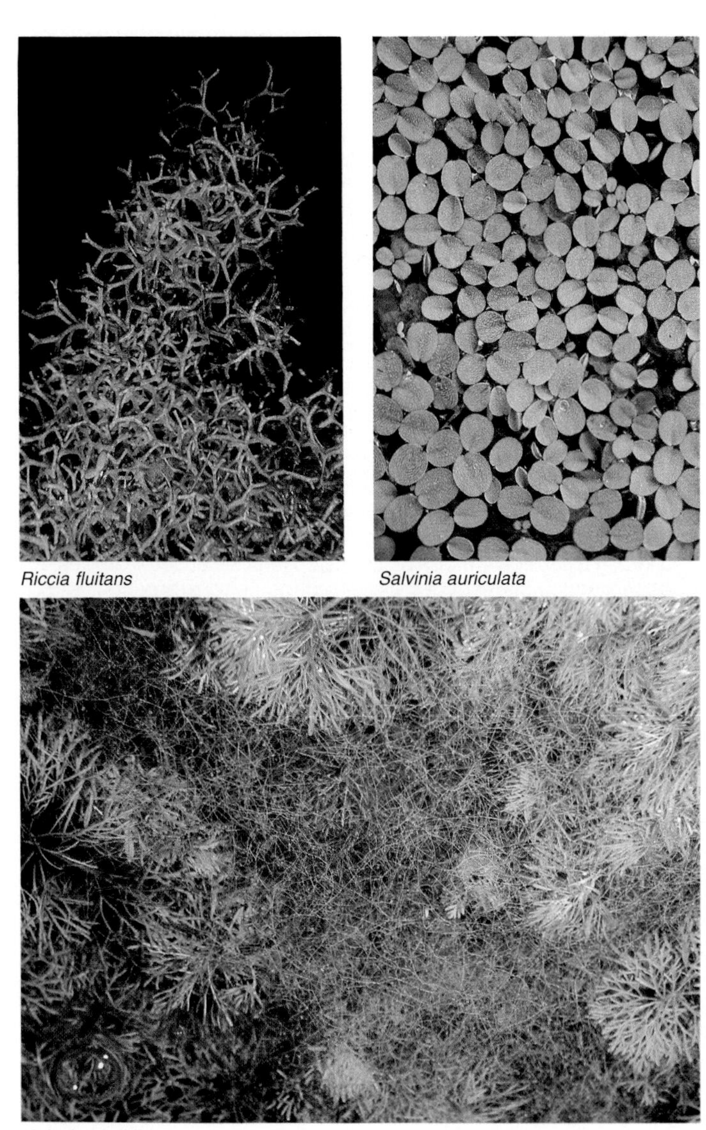

Riccia fluitans

Salvinia auriculata

Utricularia gibba

La Systématique des Poissons

La classification des espèces de poissons s'appuie dans cet ouvrage sur des caractéristiques pratiques, bien visibles de l'aquariophile. Dix groupes ont été retenus. A l'intérieur de ces groupes (le plus souvent des ordres, parfois des sous ordres ou des familles) un classement alphabétique a été retenu pour les espèces à l'intérieur d'une famille. La famille très riche en espèces, des Characins américains (Characidae) forme une exception: un classement en sous familles permet de regrouper les espèces apparentées.
L'expérience montre que le non scientifique se retrouve mieux dans une telle classification que dans une répartition stricte de toutes les espèces en sous familles dans la partie systématique de l'ouvrage. Comme chez les vrais Characins américains qui ont été classés en sous familles, une classification en sous familles aurait également été logique pour les Cichlidés (Cichlidae). Mais chez ces Cichlidés des révisions sont en cours, en particulier dans le vaste genre Haplochromis et laissent présager une répartition nouvelle dans les différentes sous familles. L'indication des sous familles ne nous parait pas souhaitable pour l'aquariophile avant la conclusion de ces révisions.
Sur les pages suivantes, l'aquariophile interessé par la systématique trouvera la classification des poissons en familles et sous familles. En principe, seules les espèces traitées dans cet ouvrage sont signalées, avec indication de leur appartenance à une sous famille, sous ordre et ordre. Le lecteur pourra ainsi se rendre compte aisément de la place qu'occupe un poisson dans le système évolutif des poissons.

Classification des poissons

Embranchement:	Chordata (Chordés)
Sous Embranchement:	Vertebrata (Vertébrés)
Super Classe:	Agnatha (Agnathes)
Classe:	Cyclostomata (Cyclostomes)
Super Classe:	Gnathostomata (Gnathostomes)
Classe:	Chondrichthyes (Poissons cartilagineux)
Sous classe:	Elasmobranchii (Elasmobranches)
Ordre:	Selachiformes (Sélaciens)
Sous ordre:	Batoidei (Raies)
Famille:	Paratrygonidae (Raies d'eau douce)
Classe:	Teleostomi (= Osteichtyes) (Poissons osseux)
Sous classe:	Actinopterygii (Actinoptérygiens)
Super ordre:	Chondrostei (Chondrostéens)
Ordre:	Acipenseriformes (Acipensériformes)
Famille:	Acipenseridae (Acipenséridés ou Esturgeons)
Super ordre:	Holostei (Holostéens)*
Ordre:	Amiiformes (Amiiformes)*
Famille:	Amiidae ((Amiidés ou Amies)*
Ordre:	Lepisosteiformes (Lépisostéiformes)*
Famille:	Lepisosteidae (Lépisostées ou Brochets Lances)*
Super ordre:	Teleostei (Téléostéens ou poissons osseux vrais) (se reporter pour leur systématique à la page 150)
Sous classe:	Brachiopterygii (Brachioptérygiens)
Ordre:	Polypteriformes (Polyptériformes)
Famille:	Polypteridae (Polyptères)
Sous classe:	Dipnoi (Dipneustes)
Famille:	Ceratodontidae (Ceratodidés australiens)*
Famille:	Lepidosirenidae (Lépidosirénidés américains)*
Famille:	Protopteridae (Protoptères africains)

* non décrits dans cet ouvrage

Systématique des Poissons osseux (Teleostei) d'après GREENWOOD et al (1966) (légèrement modifié)

GREENWOOD, P. H.; Rosen, D. E.; WEITZMAN, S. H. & MYERS, G. S. (1966): Phyletic studies of teleostean fishes, with a provisional classification of living forms. – Bull. Amer. Mus. Nat. Hist. 131 (4): 339–456.

Super Ordre:	Teleostei (Poissons osseux vrais)
Ordre:	Anguilliformes (Anguilliformes)*
Fam.:	Anguillidae (Anguilles)*
Ordre:	Osteoglossiformes
Sous ordre:	Osteoglossoidei
Fam.:	Osteoglossidae (Poissons à langue osseuse)
Fam.:	Pantodontidae (Poissons papillons)
Sous ordre:	Notopteroidei
Fam.:	Notopteridae (Poissons couteaux)
Ordre:	Mormyriformes
Fam.:	Mormyridae (Mormyres)
Ordre:	Salmoniformes
Sous ordre:	Esocoidei
Fam.:	Esocidae (Brochets)*
Fam.:	Umbridae (Poissons chiens)
Ordre:	Gonorhynchiformes
Sous ordre:	Chanoidei
Fam.:	Kneriidae
Fam.:	Phractolaemidae (Poissons boue africains)
Ordre:	Cypriniformes (Cypriniformes)
Sous ordre:	Characoidei (Characiformes)
Fam.:	Characidae (Characidés américains)
Fam.:	Characidiidae
Fam.:	Crenuchidae
Fam.:	Alestidae (Characidés africains)
Fam.:	Serrasalmidae
Fam.:	Erythrinidae
Fam.:	Ctenoluciidae
Fam.:	Lebiasinidae
Fam.:	Gasteropelecidae (Poissons hachettes)
Fam.:	Curimatidae
Fam.:	Anostomidae
Fam.:	Citharinidae

Sous ordre:	Gymnotoidei
Fam.:	Gymnotidae (Gymnotes ou Anguilles couteau)
Fam.:	Electrophoridae (Anguilles électriques)
Fam.:	Apteronotidae Poissons couteau américains)
Fam.:	Rhamphichthyidae (Poissons couteau américains)
Sous ordre:	Cyprinoidei
Fam.:	Cyprinidae (Cyprinidés)
Sous-Fam.:	Cyprininae
Sous-Fam.:	Leuciscinae (Poissons blancs)
Sous-Fam.:	Rhodeinae (Bouvières)
Sous Fam.:	Rasborinae (Rasboras)
Sous Fam.:	Abraminae (Brêmes)
Sous Fam.:	Garrinae
Fam.:	Gyrinocheilidae (Mangeurs d'algues)
Fam.:	Cobitidae (Loches)
Fam.:	Homalopteridae
Ordre:	Siluriformes
Sous ordre:	Siluroidei
Fam.:	Ictaluridae (Silures chats)
Fam.:	Bagridae (Bagres)
Fam.:	Siluridae (Vrais Silures)
Fam.:	Schilbeidae (Silures de verre)
Fam.:	Pangasiidae (Silures requins)
Fam.:	Clariidae (Clarias)
Fam.:	Malapteruridae (Silures électriques)
Fam.:	Mochocidae (Synodontis)
Fam.:	Doradidae (Silures épineux)*
Fam.:	Auchenipteridae (Faux Silures épineux)*
Fam.:	Aspredinidae (Banjos)
Fam.:	Pimelodidae (Pimelodus)
Fam.:	Callichthyidae (Corydoras)
Fam.:	Loricariidae (Silures cuirassés)
Fam.:	Chacidae (Silures à grande bouche)
Fam.:	Trychomycteridae
Ordre:	Atheriniformes
Sous ordre:	Exocoetoidei
Fam.:	Hemirhamphidae (Demi becs)
Fam.:	Belonidae (Aiguillettes)

* non décrits dans cet ouvrage

Sous ordre:	Adrianichthyoidei
Fam.:	Oryziatidae
Sous ordre:	Cyprinodontoidei
Fam.:	Cyprinodontidae (Cyprinodontidés ovipares, Killies)
Sous Fam.:	Rivulinae
Sous Fam.:	Fundulinae
Sous Fam.:	Cyprinodontinae
Sous Fam.:	Aphaniinae
Sous Fam.:	Procatopodinae
Fam.:	Anablepidae (Quatre yeux)
Fam.:	Poeciliidae (Cyprinodontidés ovovivipares)
Fam.:	Goodeidae
Sous ordre:	Atherinoidei
Fam.:	Melanotaeniidae (Poissons arc en ciel)
Fam.:	Atherinidae (Athérines)
Ordre:	Gasterosteiformes
Sous ordre:	Gasterosteoidei
Fam.:	Gasterosteidae (Epinoches)
Ordre:	Syngnathiformes
Sous ordre:	Syngnathoidei
Fam.:	Syngnathidae (Aiguilles de mer)
Ordre:	Channiformes
Fam.:	Channidae (Têtes de serpent)
Ordre:	Synbranchiformes*
Sous ordre:	Synbranchoidei*
Fam.:	Synbranchidae
Ordre:	Scorpaeniformes
Sous ordre:	Cottoidei*
Fam.:	Cottidae
Ordre:	Perciformes
Sous ordre:	Percoidei
Fam.:	Centropomidae (Perches de verre)
Fam.:	Centrarchidae (Perches soleil)
Fam.:	Percidae (Perches)
Fam.:	Monodactylidae
Fam.:	Toxotidae (Poissons archers)
Fam.:	Scatophagidae (Argus)
Fam.:	Nandidae (Poissons feuilles)
Fam.:	Badidae (Perches bleues)
Fam.:	Lobotidae (Lobotes)
Fam.:	Cichlidae (Cichlidés)

* non décrits dans cet ouvrage

Sous ordre:	Blennioidei
Fam.:	Blenniidae (Blennies ou Baveuses)
Sous ordre:	Gobioidei
Fam.:	Gobiidae (Gobies)
Fam.:	Eleotridae (Dormeurs)
Fam.:	Periophthalmidae (Périophthalmes)**
Sous ordre:	Anabantoidei
Fam.:	Anabantidae
Fam.:	Belontiidae
Sous Fam.:	Belontiinae
Sous Fam.:	Macropodinae
Sous Fam.:	Trichogasterinae
Fam.:	Helostomatidae (Gourami embrasseur)
Fam.:	Osphronemidae
Sous ordre:	Luciocephaloidei
Fam.:	Luciocephalidae (Tête de Brochet)
Ordre:	Mastacembeliformes
Fam.:	Mastacembelidae (Anguilles épineuses)
Ordre:	Pleuronectiformes
Sous ordre:	Soleoidei*
Fam.:	Soleidae (Soles)*
Ordre:	Tetraodontiformes (Tetraodontiformes)
Sous ordre:	Tetraodontoidei
Fam.:	Tetraodontidae (Tetraodons, Poissons ballons)

** Cette famille est souvent rangée parmi les Gobiidés!

* non décrits dans cet ouvrage

Quelques notions sur la capture et l'importation

Seules quelques espèces de poissons d'aquarium ont été reproduites dans nos pays jusqu'en 1945. La grande majorité des animaux étaient alors importés. Aujourd'hui, environ 90% des poissons maintenus en aquarium ont été reproduits en captivité en Asie, principalement à Hong Kong, en Thailande, à Singapour, à Taiwan et au Japon. Pour le marché américain, de grandes quantités de poissons, surtout des Cyprinidés vivipares, sont élevées en Floride. L'élevage le plus important d'Allemagne, à Bad Lauterberg, reproduit environ un million de poissons d'aquarium par an. On estime qu'environ 300 millions de poissons d'aquarium sont reproduits et peut être 30 millions capturés au Monde par an.

Sont capturées, les espèces qui ne se reproduisent pas facilement en aquarium. C'est le cas du Néon rouge, de nombreuses espèces de *Corydoras,* et d'un grand nombre d'espèces plus rares qui sont surtout recherchées par l'aquariophile confirmé qui cherche à observer des espèces nouvelles pour étudier de nouvelles méthodes d'élevage ou le comportement des poissons, etc. Parmi les 25000 espèces de poissons connues, environ 4000 s'adaptent plus ou moins à la vie en aquarium d'eau douce. Ce chiffre est relativement important quand on sait que 200 à 500 espèces sont couramment reproduites. Comme d'autre part 20 espèces de poissons représentent à elles seules 90% des poissons d'aquarium vendus, la majorité des espèces restantes ne représentent qu'une quantité négligeable dans le commerce. Souvent une espèce reste introuvable durant des années ou redisparait très vite des magasins.

Les espèces traitées dans cet ouvrage ont toutes été offertes plus ou moins souvent par le commerce spécialisé ces dernières années. Avec un petit effort de rercherche, chaque espèce représentée ici par une photographie doit pouvoir être dénichée chez un revendeur.

Dans la description des espèces, figure le plus souvent une indication dans la rubrique «Origine» annonçant que l'espèce arrive dans le commerce surtout à la suite de reproductions en aquarium. Le débutant devrait se contenter exclusivement de ces espèces car la perte d'un tel poisson ne compromet pas l'avenir de l'espèce. Contrairement aux poissons des récifs coralliens, un grand nombre de poissons d'eau douce sont en surnombre dans la nature. Le Néon rouge par exemple meurt par millions durant les périodes sèches pauvres en nourriture. Dans la nature, ce poisson n'atteint guère plus d'un an, deux au maximum, alors qu'en aquarium il peut atteindre dix ans et même davantage. Dans le vaste réseau aquatique de la forêt vierge brésilienne, il n'est pas possible d'exterminer une espèce, à l'excep-

tion peut être des différentes espèces de Discus qui sont capturées la nuit à l'aide de lampes de poche. Des pêcheurs sans scrupules capturent la totalité de la famille alors qu'il serait souhaitable que sur un groupe de 20 à 30 poissons, deux à six soient laissés sur place pour la reproduction. Mais l'aquariophile n'a aucune influence sur ces conseils de protection de la nature dans les pays d'origine et les pêcheurs qui capturent les poissons d'aquarium ne risquent pas de lire ce livre. Ces observations devraient néanmoins inciter le débutant à ne pas acquérir tout de suite des Discus capturés dans la nature.
Grâce à l'amélioration des méthodes de transport, à une distribution d'une nourriture adéquate dès la capture et à l'amélioration des conditions de maintenance, il a été possible de réduire les pertes inhérentes à la capture de poissons d'eau douce des 50% de jadis à environ 10% aujourd'hui. En comparaison, les pertes s'élèvent encore aujourd'hui à environ 80% chez les poissons marins surtout parmi les espèces fragiles.
Le pourcentage des pertes est aussi important chez les poissons importés d'Asie que parmi ceux capturés dans la nature car les conditions de promiscuité dans lesquelles sont élevés ces poissons sont à l'origine des fréquentes maladies. L'importateur non spécialiste et qui ne saurait reconnaitre l'état pathologique des poissons importés et soigner spécifiquement la maladie subira autant de pertes qu'avec des animaux capturés dans la nature. Tous les poissons importés doivent subir impérativement une quarantaine de deux à trois semaines afin que seuls soient mis en vente des poissons parfaitement sains. C'est à cette condition que l'aquariophile peut être sûr de trouver des animaux sains dans le commerce. Certains importateurs ou négociants en gros fournissent déjà un certificat de garantie de bonne santé aux revendeurs. Il n'est évidemment pas possible de munir chaque poisson d'une étiquette mais l'aquariophile devrait demander au vendeur une garantie de bonne santé pour les animaux qui lui sont vendus.

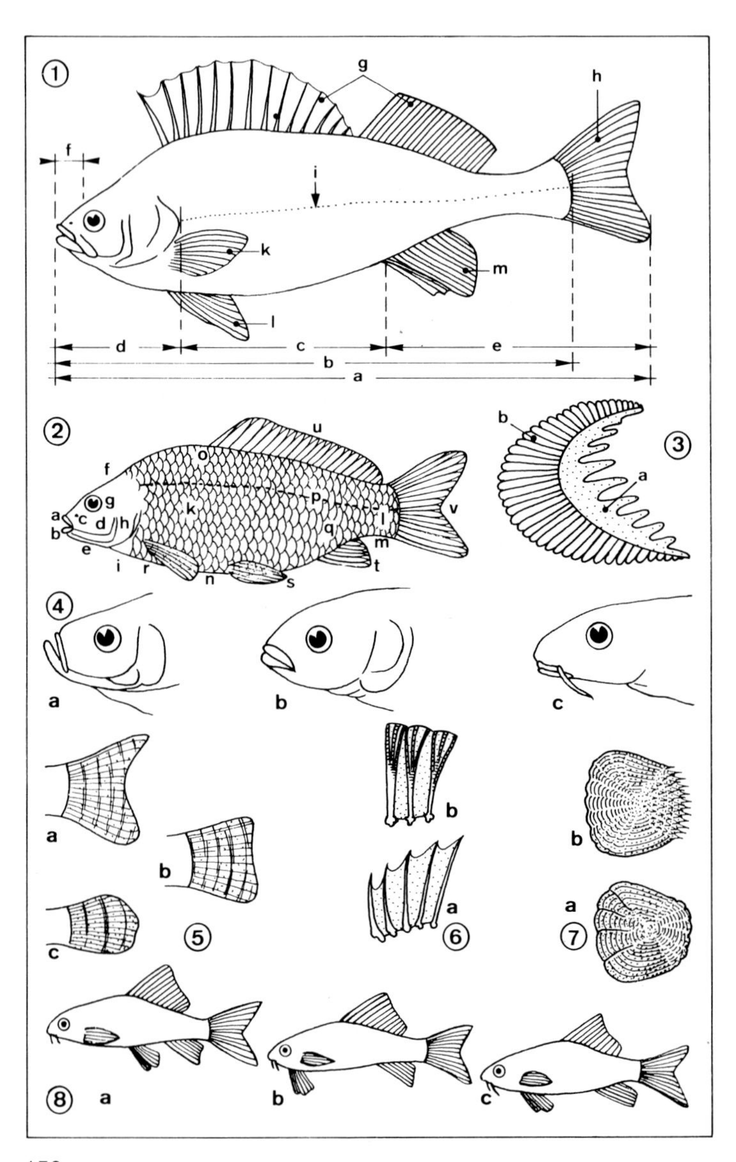

①
g
h
f
i
k
m
l
d
c
e
b
a
②
u
b
③
o
f
g
a
p
a
c
d
h
k
q
l
v
b
m
e
i
r
n
s
t
④
a
b
c
a
b
b
b
b
a
a
c
⑤
⑥
⑦
⑧
a
b
c

Ichthyologie

Tableau «Caractéristiques utilisées pour la détermination»

Figure 1: Mensurations conventionnelles du poisson.
a. longueur totale, b. longueur standard (longueur totale du corps), c. longueur de l'abdomen, d. longueur de la tête, e. longueur de la queue, f. longueur du museau, g. nageoire dorsale (1. partie épineuse, 2. partie molle), h. nageoire caudale, i. ligne latérale (= Linea lateralis), k. nageoires pectorales, l. nageoires pelviennes, m. nageoire anale.

Figure 2: Morphologie du poisson.
a. bouche, b. lèvres, c. narines, d. préopercule (= Praeoperculum), e. gorge, f. front, g. œil, h. opercule (= operculum), i. poitrine, k. écailles du tronc, l. écailles du pédoncule caudal, m. pédoncule caudal, n. ventre, o. écailles dorsales, p. ligne latérale, q. écailles de la région caudale, r. nageoire pectorale, s. nageoire pelvienne, t. nageoire anale, u. nageoire dorsale, v. nageoire caudale.

Figure 3: Morphologie d'un arc branchial.
a. peigne branchial (= arètes branchiales ou branchiospines, gill rackers des auteurs de langue anglaise), b. lamelles branchiales (= épithélium assurant les échanges respiratoires).

Figure 4: Position de la bouche.
a. bouche tournée vers le haut (exemple: Tétra noir), b. bouche terminale (exemple: Barbus de Sumatra), c. bouche placée sous la tête (exemple: Corydoras).

Figure 5: Forme de la nageoire caudale.
a. fourchue (exemple: Barbus de Sumatra), b. échancrée (exemple: Cobitidés ou loches), c. arrondie (exemple: Loche d'étang).

Figure 6: Rayons de nageoire.
a. rayons durs (rayons épineux), b. rayons mous.

Figure 7: Types d'écailles.
a. écaille cycloïde (écaille ronde), b. écaille cténoide (écaille à peigne).

Figure 8: Position des nageoires pelviennes.
a. abdominale, les nageoires pelviennes sont inserrées à l'arrière des nageoires pectorales, b. jugulaire, les nageoires pelviennes sont inserrées en avant des nageoires pectorales, c. thoracique, les nageoires pelviennes sont inserrées sous les nageoires pectorales.

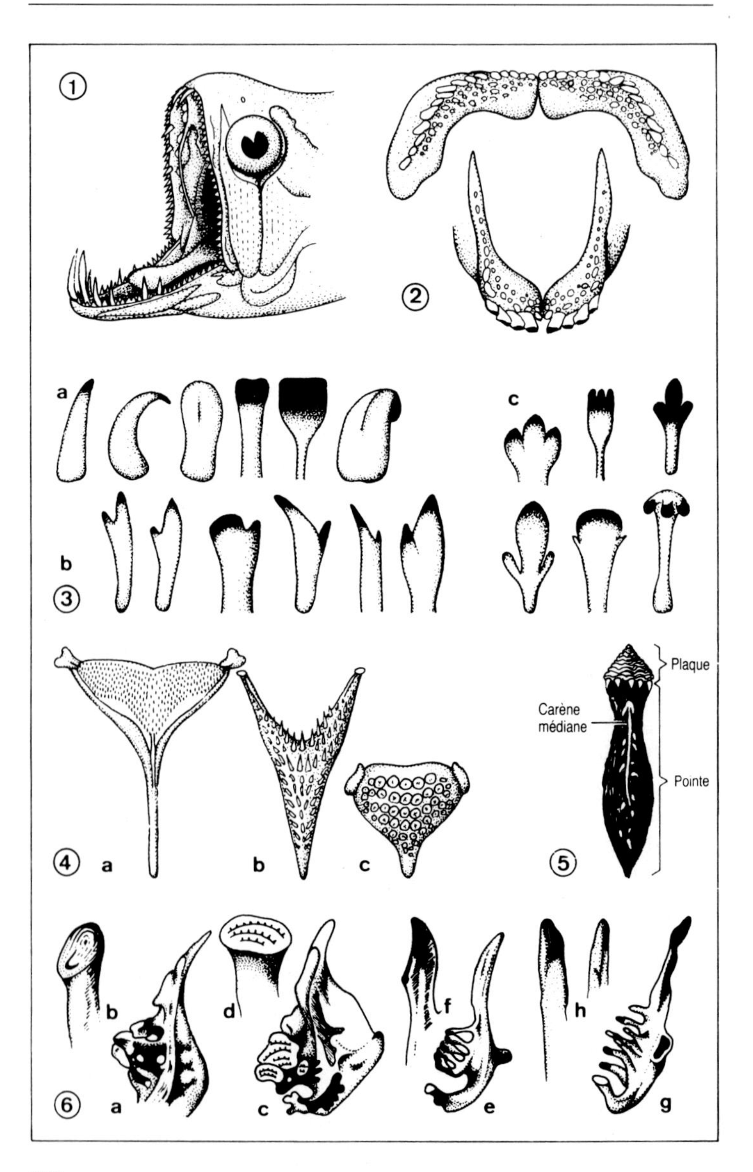
①
②
a
c
b
③
Plaque
Carène
médiane
Pointe
④ a
b
c
⑤
b
d
f
h
⑥ a
c
e
g

Tableau «Dentition et formes de dents»

Figure 1:
Dentition du Citharinidé *Distichodus niloticus.* Remarquer les dents caniniformes (= dents de capture) implantées sur la mâchoire inférieure.

Figure 2:
Dentition des mâchoires supérieure et inférieure d'un Cichlidé (*Chilotilapia rhoadesi,* juvénile).

Figure 3:
Types de dents maxillaires de quelques Cichlidés.
a. dents coniques (unicuspides), b. dents à deux pointes (bicuspides), c. dents à trois pointes (tricuspides).

Figure 4:
Dents pharyngiennes inférieures de quelques Cichlidés. La forme des dents dépend du type de nourriture absorbée par le poisson.
a. dents minuscules d'un mangeur des phytoplancton (*Tilapia esculenta*), b. dents longues et pointues d'un piscivore (*Bathybates leo*), c. dents en pavés chez un consommateur de Mollusques (*Haplochromis placodon*). Les dents larges et solides permettent de broyer la coquille dure de Gastéropodes et de Bivalves.

Figure 5:
Distribution des dents prévomériennes (prévomer) d'un poisson Salmonidé (Fam. Salmonidae). Cet os comporte deux parties, une pointe et une plaque. Une carène médiane est également présente. Chez quelques Salmonidés, seule la plaque porte des dents, chez d'autres uniquement la pointe, chez d'autres enfin les deux parties, pointe et plaque, sont dentées.

Figure 6:
Types de «dents» pharyngiennes de quelques poissons blancs (Fam. Cyprinidae). Les dents pharyngiennes dérivent du 5e arc branchial et remplissent la fonction des vraies dents qui sont absentes chez ces poissons.
a. Barbus d'Aral (phytophage), b. Dent en forme de cuillère évidée du Barbus d'Aral, c. Carpe (essentiellement phytophage), d. Dent en pavé d'une Carpe, e. Brême ou *Abramis brama* (omnivore), f. Dent de capture d'une Brême munie d'un processus molaire, g. Aspic ou *Aspius aspius* d'Europe centrale (piscivore), h. Dent de capture d'un Aspic.

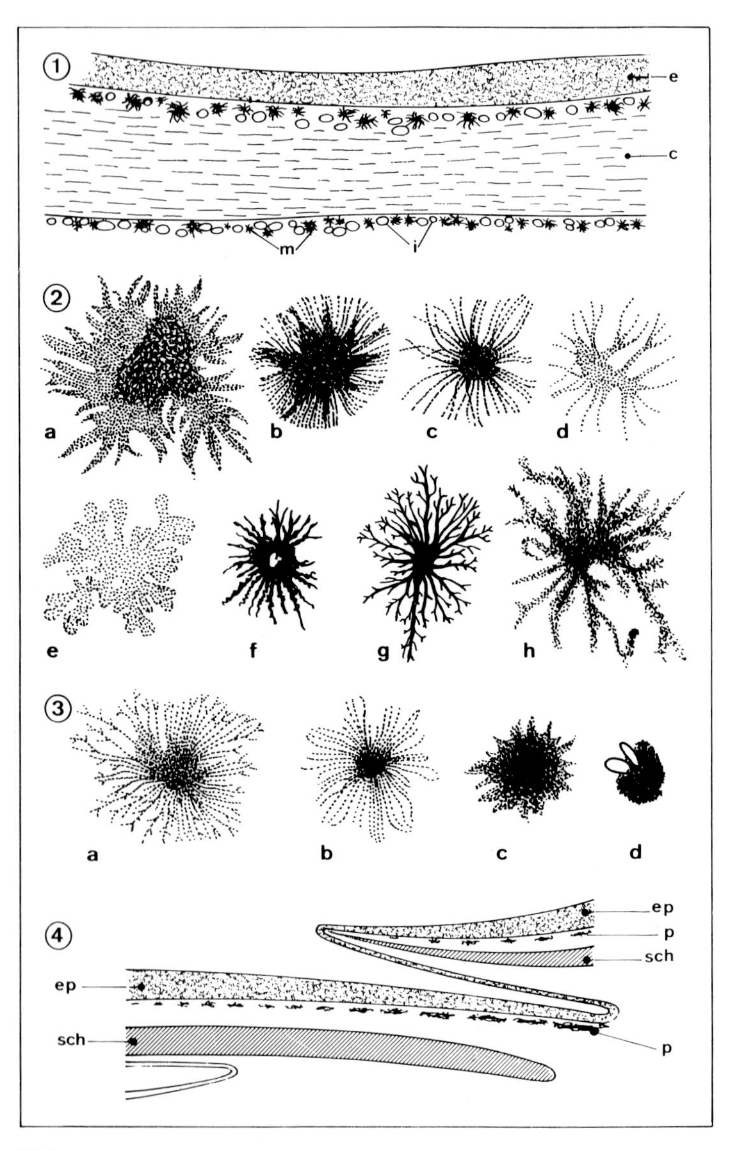
1
e
c
m
i
2
a
b
c
d
e
f
g
h
3
a
b
c
d
4
ep
p
sch
ep
sch
p

Planche «Coloration et pigments»

Figure 1:
Coupe de peau d'un poisson plat (Fam. Pleuronectidae). c = Derme ou chorion, e = Epiderme, i = Guanophores (= Iridocytes), m = Mélanophores.
Les guanophores déterminent la coloration argentée des poissons, les mélanophores la coloration noire.

Figure 2:
Différents types morphologiques de mélanophores (porteurs des pigments noirs). Des mélanophores de poissons marins sont principalement représentés à cause de leur netteté.
a. *Myoxocephalus scorpius,* b. *Agonus cataphractus,* c. *Scophthalmus maximus,* d. *Liparis* spec., e. *Anguilla anguilla,* f. *Trigla* spec., g. *Pomatoschistus minutus,* h. *Liparis reinhardti.*

Figure 3:
Différents degrés d'expansion du pigment dans les mélanphores.
a. Pigment totalement étalé, d. Pigment fortement retracté.

Figure 4:
Coupe du tégument d'un Trachinidé. Des mélanophores très pigmentés se trouvent à la base des écailles. ep = Epiderme, p = Pigment (mélanophores), sch = Ecaille.

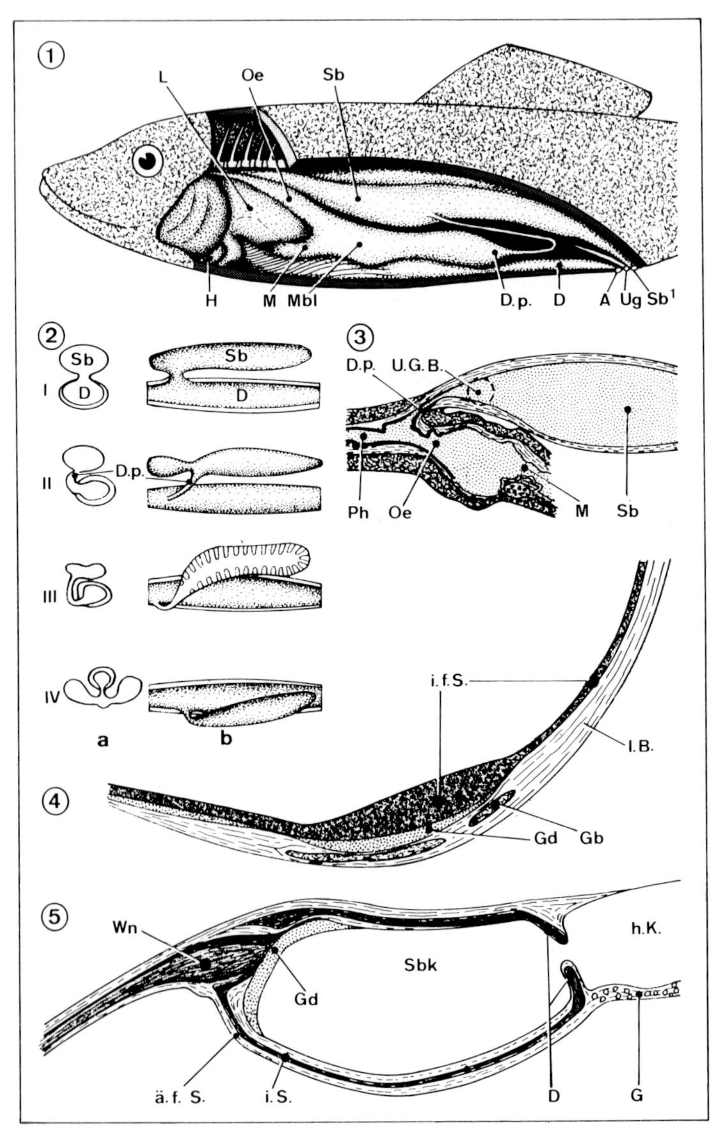
1
L
Oe
Sb
H
M
Mbl
D.p.
D
A
Ug
Sb1
2
Sb
D
I
II
D.p.
III
IV
a
b
3
D.p.
U.G.B.
Ph
Oe
M
Sb
i.f.S.
I.B.
4
Gd
Gb
5
Wn
Sbk
h.K.
Gd
G
ä.f. S.
i.S.
D

Tableau «Vessie gazeuse»

Figure 1:
Anatomie interne d'un poisson de l'ordre des Clupeiformes.
A = Anus, D = Tube digestif, D.p. = conduit pneumatique (Ductus pneumaticus = communication de la vessie gazeuse avec le tube digestif), H = Cœur, L = Foie, M = Estomac, Mbl = Appendice pylorique, Oe = Oesophage, Sb = Vessie gazeuse, Sb1 = orifice postérieur de la vessie gazeuse, Ug = Orifice urogénital (orifice des voies génitales et urinaires).

Figure 2:
Relations entre la vessie gazeuse et le tube digestif des Poissons.
a. en coupe transversale, b. de profil.
D = Tube digestif, Dp = conduit pneumatique, Sb = vessie gazeuse, I = Esturgeons et poissons munis d'un conduit pneumatique, II = le Characidé *Erythrinus,* III = le Dipneuste australien *Neoceratodus forsteri,* IV = Polyptères (Fam. Polypteridae).

Figure 3:
Coupe sagittale à travers la vessie gazeuse du poisson-chien (*Umbra krameri*).
D.p. = Conduit pneumatique, M = Estomac, Oe = Oesophage, Ph = Pharynx, Sb = Vessie gazeuse, U.G.B. = Contours de la glande à gaz localisée des deux côtés.

Figure 4:
Coupe transversale de la paroi latérale postérieure de la vessie gazeuse du Carassin (*Carassius carassius*).
Gb = Capillaires, Gd = Glande à gaz, i.f.S. = Tunique fibro muqueuse interne. Celle-ci est épaissie au niveau de la glande à gaz, I.B. = Conjonctif lâche.

Figure 5:
Coupe sagittale de la vessie gazeuse d'un Syngnathidé.
ä.f.S. = Tunique fibreuse externe de la paroi de la vessie gazeuse, D = Diaphragme, G = Couche irriguée, Gd = Glande à gaz, h.K. = Chambre arrière de la vessie gazeuse, i.S. = Couche lamellaire du conjonctif de la paroi de la vessie gazeuse, Sbk = Chambre de la vessie gazeuse, Wn = Réseau admirable.

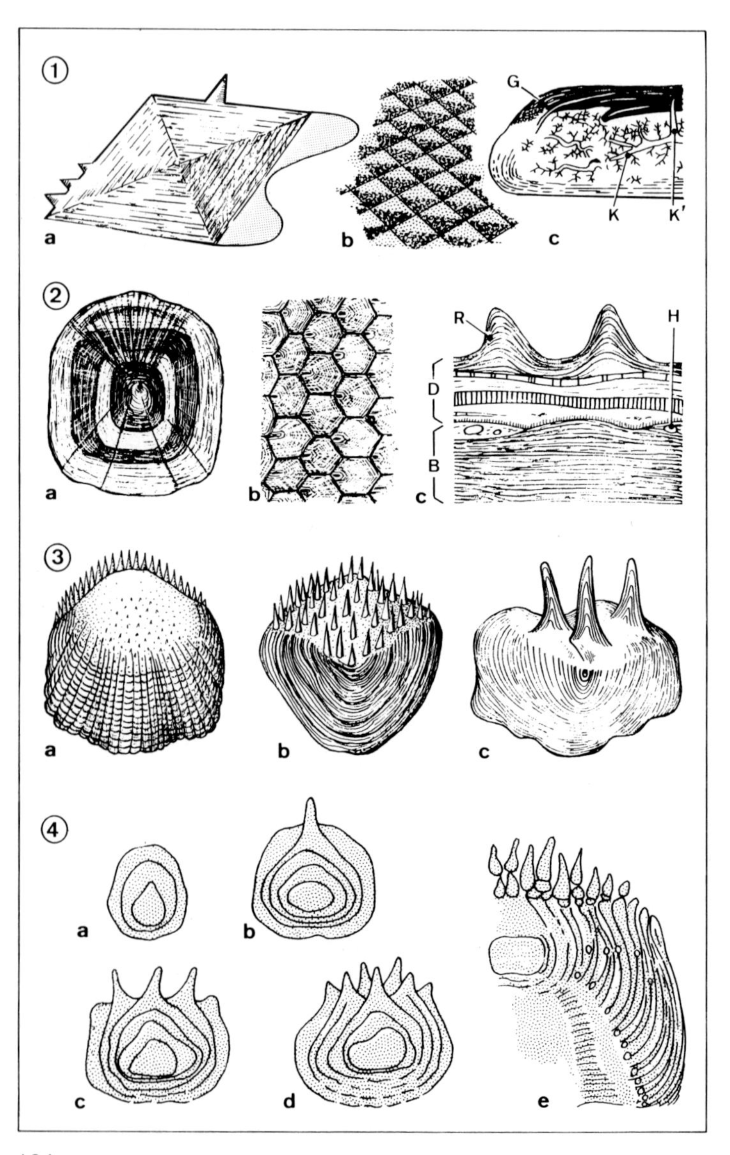
1
a
b
G
K
K'
c
2
a
b
R
H
D
B
c
3
a
b
c
4
a
b
c
d
e

Tableau «Types d'écailles»

Figure 1:
Ecailles ganoïdes (écaille à ganoine) propres aux Ostéichthyens primitifs (Esturgeons, Brochets-Lances).
a. une écaille ganoïde isolée, b. ensemble d'écailles ganoïdes. Les écailles sont articulées les unes par rapport aux autres, c. coupe à travers le rebord postérieur d'une écaille ganoïde. G = Couche de ganoïne, K = Canal vasculaire, K′ = Canalicule perpendiculaire du réseau des canaux vasculaires.

Figure 2:
Ecailles cycloides (écailles circulaires); ce type d'écaille se rencontre chez une grande partie des Ostéichthyens.
a. Ecaille cycloide isolée. Observer les crêtes d'accroissement plus ou moins concentriques («anneaux annuels»), b. Agencement des écailles cycloides sur les flancs d'un poisson, c. Coupe transversale d'une écaille cycloïde.
B = Couche basale, D = couche superficielle, H = Alvéoles, R = Crêtes des anneaux de croissance.

Figure 3:
Ecailles cnétoides (écailles à dents de peigne), propres surtout aux Perciformes.
a.–c. Quelques exemples d'écailles cnétoïdes.

Figure 4:
a.–e. Développement d'une écaille cnétoïde.

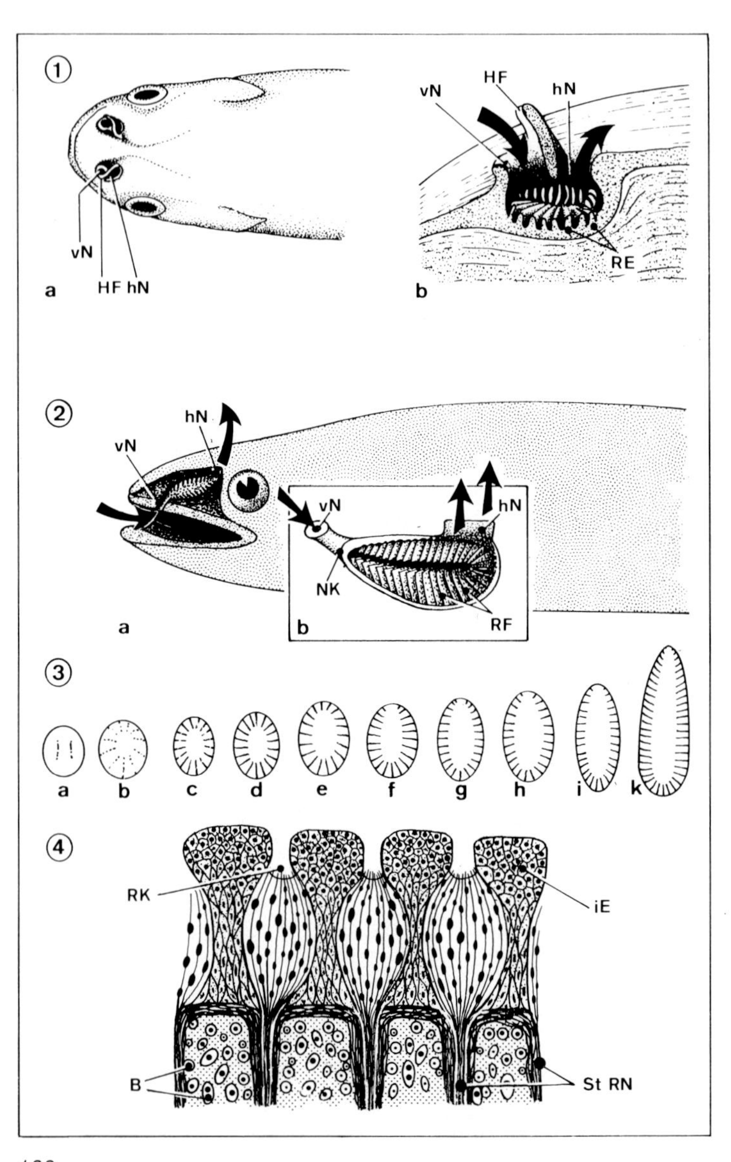
①
vN
HF hN
a
vN
HF
hN
RE
b
②
hN
vN
vN
hN
NK
RF
a
b
③
a
b
c
d
e
f
g
h
i
k
④
RK
iE
B
St RN

Tableau «Organe de l'odorat»

Figure 1:
a. Tête d'un Poisson osseux en vue dorsale. Remarquer la position des narines. b. Coupe schématique longitudinale d'un saccule olfactif d'un Poisson osseux.
HF = Pont cutané quelque peu hélicoïdal conduisant l'eau dans la narine d'entrée lors du déplacement du poisson, hN = Orifice de sortie de l'eau, RE = Plis du plancher ou épithélium olfactif, vN = Narine d'entrée.

Figure 2:
a. Position de l'organe olfactif avec les orifices d'entrée et de sortie chez l'Anguille, b. Coupe de l'organe olfactif de *Anguilla anguilla* (Anguille). Les flèches indiquent le sens du passage de l'eau. Le canal d'entrée de l'eau peut se redresser.
hN = Orifice de sortie de l'eau, NK = Saccule olfactif, RF = Epithélium olfactif, vN = Narine d'entrée.

Figure 3:
Schéma de la rosette olfactive de quelques Poissons osseux. Le chiffre entre parenthèses indique le nombre de plis. a. Epinoche, *Gasterosteus aculeatus* (2), b. Brochet, *Esox lucius* (9–18 plis réduits), c. Truite arc en ciel, *Oncorhynchus mykiss* (13–18), d. Perche, *Perca fluviatilis* (13–18), e. Vairon, *Phoxinus phoxinus* (11–19), f. Goujon, *Gobio gobio* (19–23), g. Tanche, *Tinca tinca* (15–29), h. Loche, *Barbatula barbatula* (16–24), i. Lote, *Lota lota* (30–32), k. Anguille, *Anguilla anguilla* (68–93). a et b sont des poissons à vision développée, c–h ont la vision et l'odorat développés et i et k ont un odorat développé.

Figure 4:
Coupe transversale de l'épithélium olfactif (microscopie optique).
B = Tissu conjonctif, iE = Epithélium indifférencié, RK = Bourgeon olfactif, St = Ramifications de nerf olfactif.

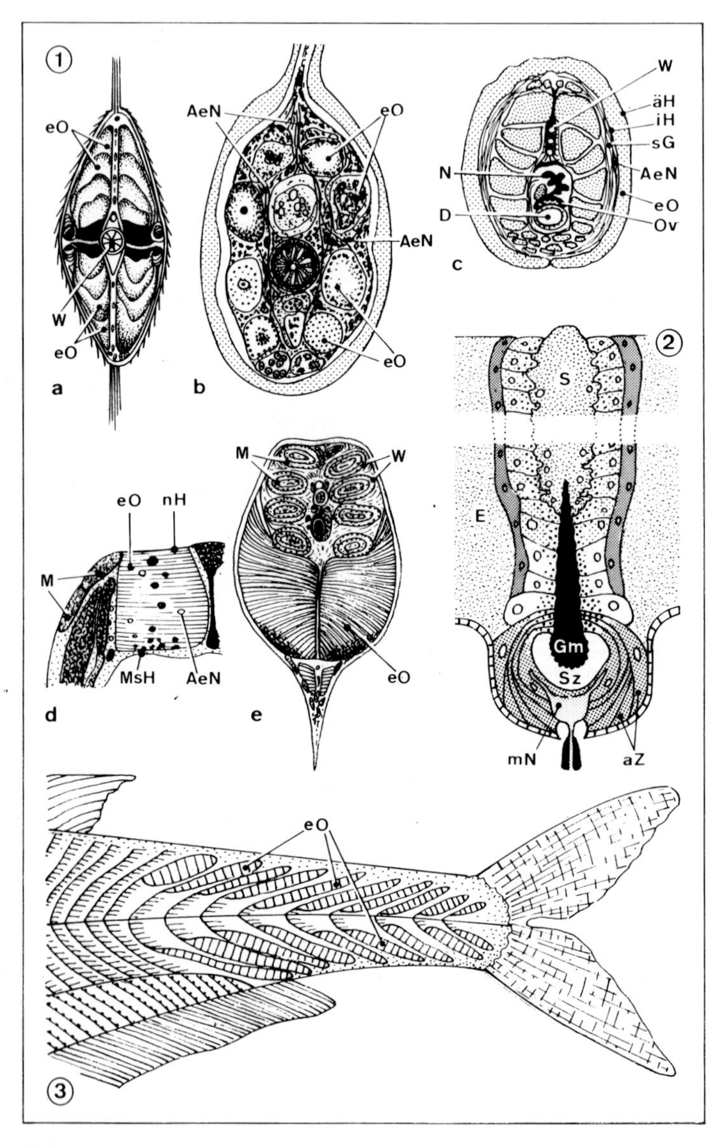
1
eO
W
eO
a
AeN
eO
AeN
eO
b
W
äH
iH
sG
N
AeN
eO
D
Ov
c
2
S
E
Gm
Sz
mN
aZ
M
W
eO
nH
M
MsH
AeN
d
eO
e
eO
3

Tableau «Organes électriques»

Figure 1:
Coupes transversales de poissons possèdant des organes électriques. Ces coupes permettent de mettre en évidence la disposition de ces organes.
a. Brochet du Nil ou Mormyre (*Mormyrus*), b. *Gymnarchus,* c. Poisson-chat électrique (*Malapterurus electricus*), d. Helioscope électrique (*Astroscopus*), e. Gymnote (*Electrophorus electricus*).
AeN = Branche de nerf électrique, äH = Couche tégumentaire externe, D = Intestin, eO = Organe électrique, iH = Couche tégumentaire interne (derme), M = Muscles, nH = plage tégumentaire nue, MsH = Muqueuse buccale, Ov = Ovaire, sG = Tissu souscutané, (W = Vertèbre.

Figure 2:
Schéma d'un organe en ampoule (électrorécepteur) de *Gymnarchus niloticus.* Ce schéma a été réalisé d'après une description en microscopie électronique de DERBIN.
aZ = Cellules accessoires, E = Epiderme, Gm = Granule de la lumière de l'ampoule, mN = Fibre nerveuse myélinisée (fibre nerveuse avec gaine de myéline), S = Mucus, Sz = Cellule sensorielle.

Figure 3:
Mise en évidence des organes électriques du Mormyre (*Mormyrus*).
eO = Organes électriques.

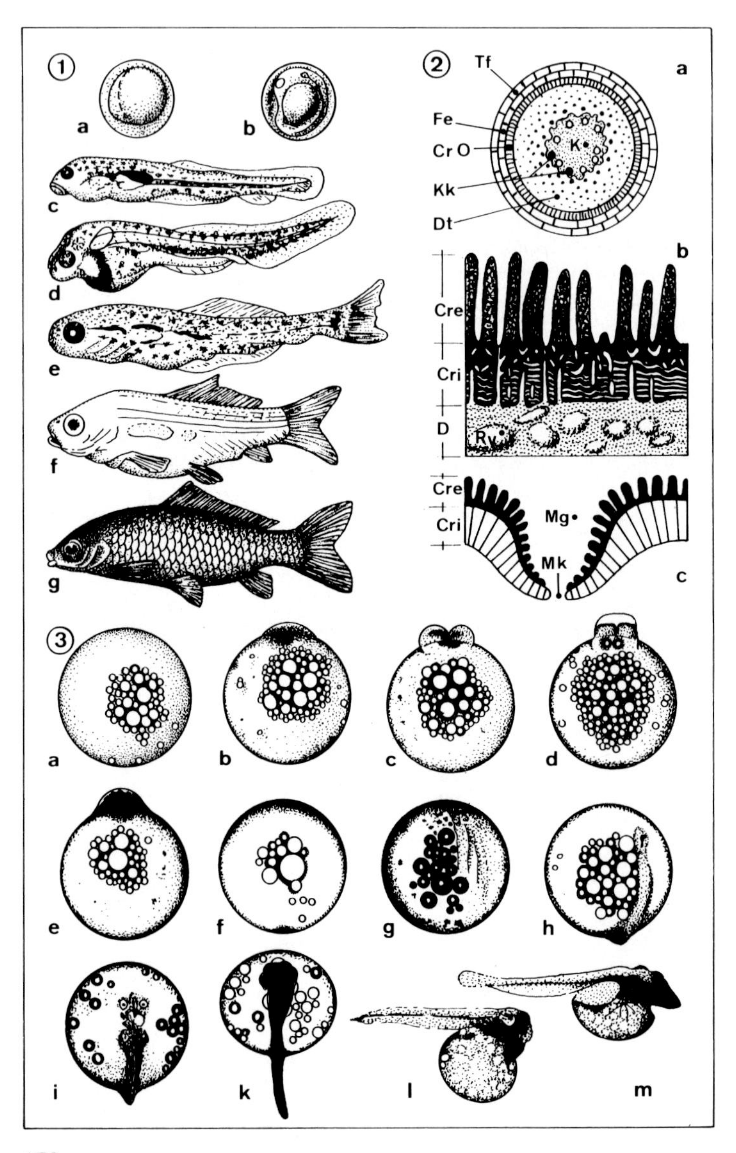
1
a
b
c
d
e
f
g
2
Tf
a
Fe
Cr O
K
Kk
Dt
b
Cre
Cri
D
Rv
Cre
Cri
Mg
Mk
c
3
a
b
c
d
e
f
g
h
i
k
l
m

Tableau «Développement des poissons»

Figure 1:
Succession des périodes et des phases du développement dans la vie du Poisson rouge (*Carassius auratus*).
a.–c. Période embryonnaire: a. Phase ovulaire, b. Phase embryonnaire, c. Phase prélarvaire,
d.+e. Période larvaire: d. Phase larvaire protoptérygienne, e. Phase larvaire ptérygienne,
f. Période juvénile, g. Période d'adulte, h. Période de vieillissement (non représentée).

Figure 2:
a. Représentation schématique de la cellule œuf d'un poisson (Ovule). b. Membranes ovulaires d'un œuf de Goujon (*Gobio gobio*). c. Micropyle (= point de pénétration du spermatozoïde dans l'ovule). Cre = Couche externe de la coque (Cortex radiatus externus), Cri = Couche interne de la coque (Cortex radiatus internus), D = Vitellus, Dt = Plaquette vitelline, Fe = Epithélium folliculaire, Mg = Fossette du micropyle, Mk = Canal du micropyle, K = noyau Kk = Nucléole (Nucleolus), Rv = Alvéoles corticales, Tf = Enveloppe folliculaire. Les deux thèques corticales forment l'enveloppe de l'œuf.

Figure 3:
Développement de *Fundulus heteroclitus*:
a. Ovule non fécondé (Ovule), b. Cellule œuf, c. Stade 2 blastomères, d. Stade 4 blastomères, e. Stade 32 blastomères, f. Blastule (Blastula), g. Gastrule (Gastrula), h. Formation des vésicules optiques, i. Stade des premières contractions cardiaques, k. Stade de la formation du foie et de la cavité abdominale, l. Stade de l'apparition des premiers rayons dans la nageoire caudale, m. Stade de l'éclosion.

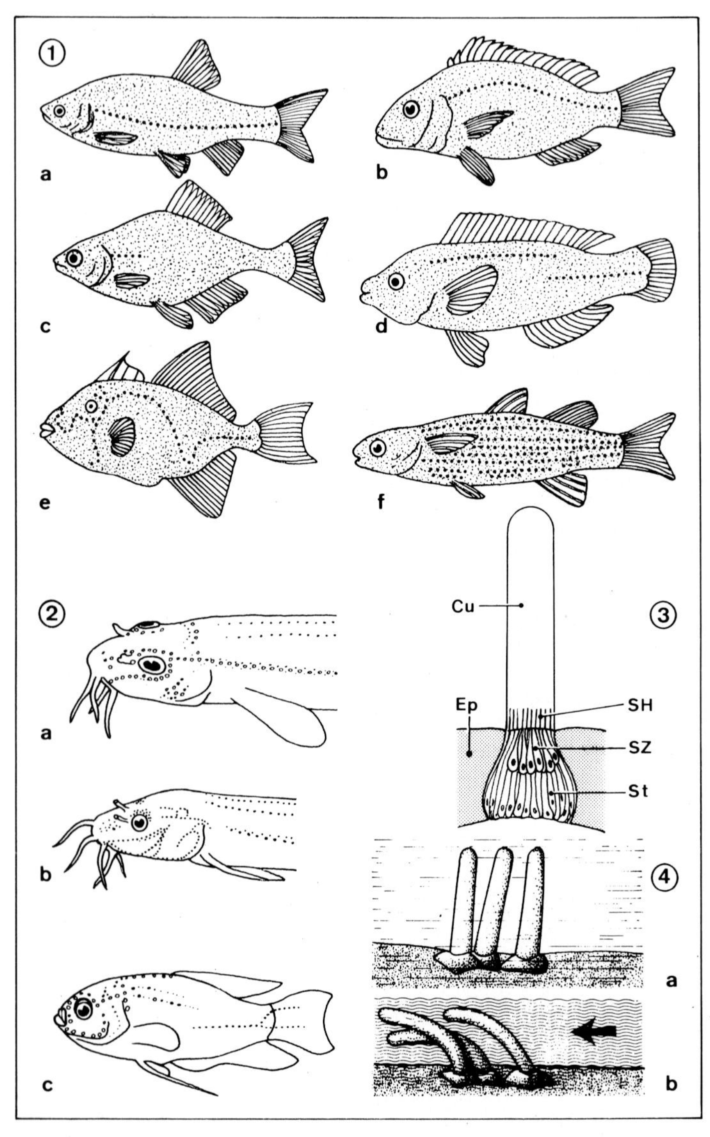
1
a
b
c
d
e
f
2
a
b
c
Cu
3
Ep
SH
SZ
St
4
a
b

Tableau «Système latéral»

Figure 1:
Différents aspects de la ligne latérale.
a. Complète, presque rectiligne (Cyprinidae), b. complète, incurvée vers le haut (Percomorphes), c. incomplète (Bouvière, Able), d. dédoublée (Cichlidae), e. irrégulière (Balistes), f. interrompue et multiple (Mulet).

Figure 2:
Organes de la ligne latérale: a. Loche (*Barbatula barbatula*) vue par dessus en oblique, b. Loche d'étang (*Misgurnus fossilis*), Canaux latéraux absents, c. Macropode (*Macropodus*), Canaux latéraux développés sur la tête uniquement.

Figure 3:
Structure d'un organe de la ligne latérale; bulbe sensoriel libre.
Cu = Cupule, Ep = Epiderme, SH = poils sensoriels, St = Cellule de soutien, SZ = Cellule sensorielle.

Figure 4:
Organes de la ligne latérale du Vairon (*Phoxinus phoxinus*).
a. Groupe de trois bulbes sensoriels de la ligne latérale avec leur cupule en position normale, b. les mêmes cupules à l'arrivée par la droite d'un courant d'eau.

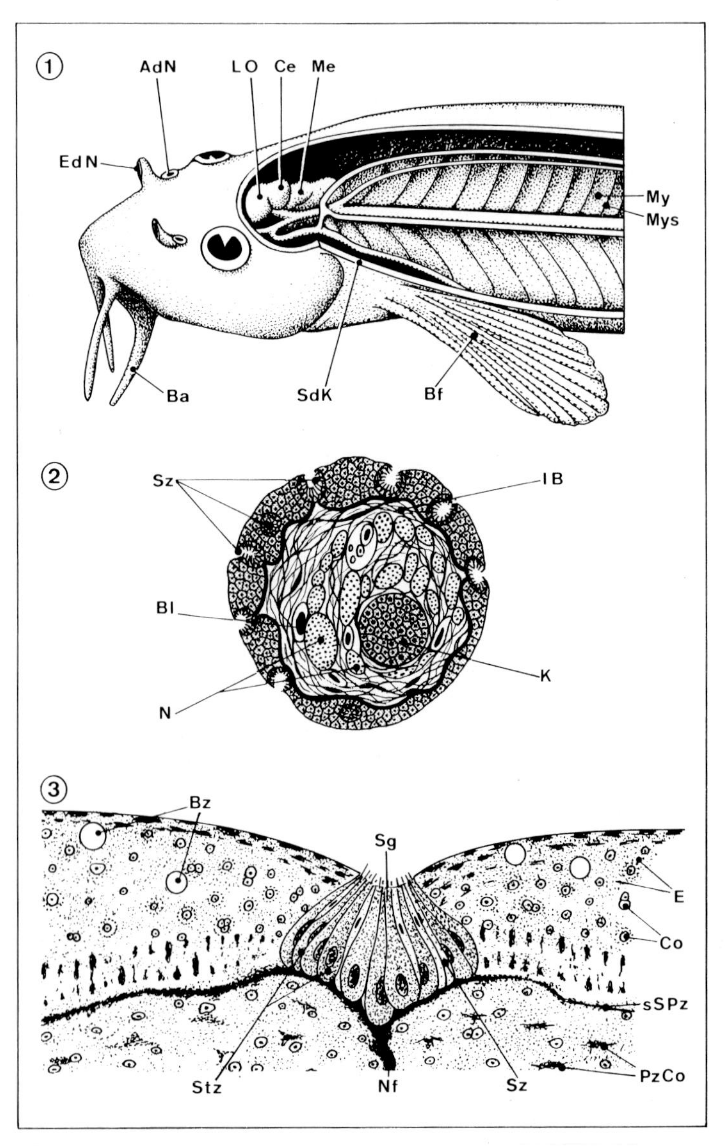
1
AdN
LO
Ce
Me
EdN
My
Mys
Ba
SdK
Bf
2
Sz
IB
Bl
K
N
3
Bz
Sg
E
Co
sSPz
PzCo
Stz
Nf
Sz

Tableau «Organes du goût»

Figure 1:
Disposition des barbillons chez la Loche franche (*Barbatula barbatula*). L'animal est partiellement disséqué pour montrer l'innervation des bourgeons gustatifs.
AdN = Orifice de sortie de l'eau, Ba = Barbillons, Bf = Nageoire pectorale, Ce = Cervelet, EdN = Narine d'entrée, LO = Lobes optiques, Me = Centres gustatifs à l'extrémité antérieure de la mœlle épinière, My = Myomère, Mys = Myosepte, SdK = Coupe dans le tégument.

Figure 2:
Coupe transversale d'un barbillon de *Corydoras punctatus.*
Bl = Vaisseau sanguin, IB = conjonctif lâche, K = Cartilage, N = Nerfs, Sz = Cellules sensorielles (Bourgeon sensoriel).

Figure 3:
Bourgeon sensoriel d'un poisson d'après une coupe histologique.
Bz = Cellules cupuliformes, Co = Corium, E = Epiderme, Nf = Terminaison nerveuse, PzCo = Cellules pigmentaires, Sg = Fossette sensorielle, s
SPz = Assise sous épidermique de cellules pigmentaires, Stz = Cellules de soutien du bourgeon sensoriel, Sz = Cellule sensorielle.

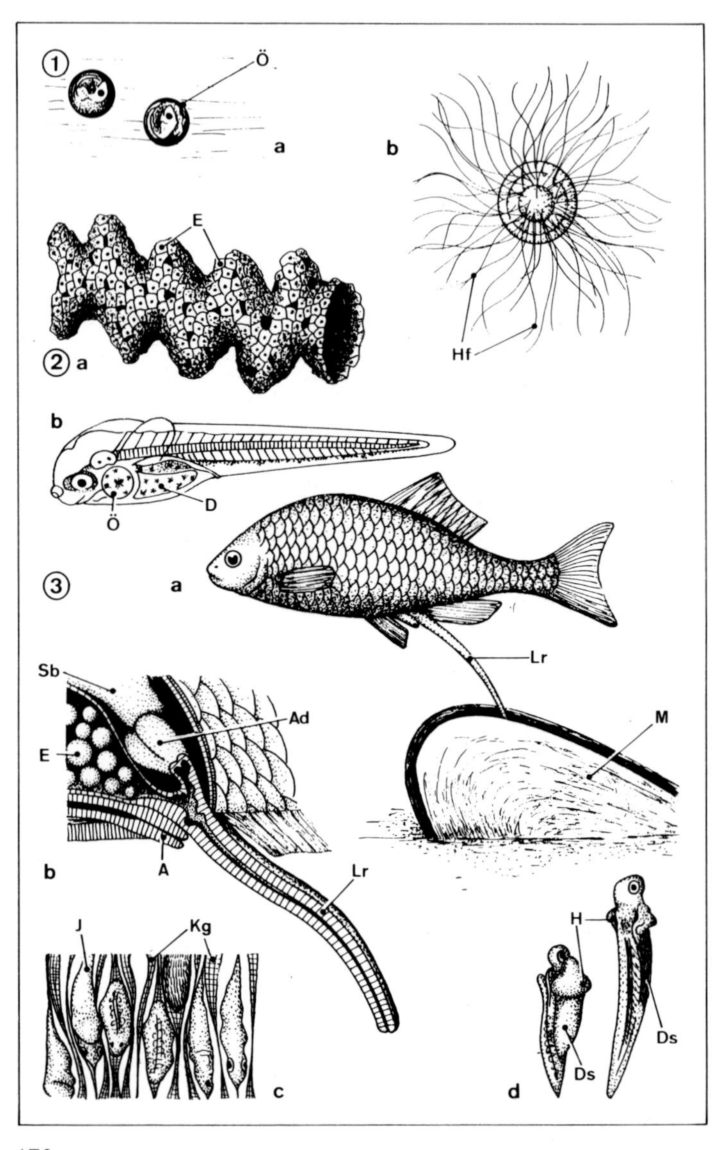
①
Ö
a
b
E
Hf
② a
b
Ö
D
③
a
Lr
Sb
Ad
M
E
A
b
Lr
J
Kg
H
Ds
Ds
c
d

Tableau «Soins de la ponte et incubation chez les Poissons»

Figure 1:
Adaptations des œufs de poissons à différentes exigences écologiques. a. Oeufs planctoniques; les œufs flottent après leur émission dans les eaux superficielles ou moyennes. Leur suspension est rendue possible grâce à la présence d'une ou de plusieurs sphères d'huile. b. œuf d'un poisson déposant sa ponte sur un substrat. L'enveloppe de l'œuf a développé de fins fils collants qui fixent les œufs au substrat.
Hf = Fils adhésifs, O = Sphère d'huile.

Figure 2:
a. Partie d'un cordon d'œufs de la Perche (*Perca fluviatilis*). Les œufs ne sont pas pondus isolément mais sous forme de rubans. Les œufs possèdent une épaisse enveloppe gélatineuse qui assure la fixation des œufs les uns aux autres. Ces cordons d'œufs sont accrochés par la femelle de la Perche aux plantes aquatiques ou à d'autres substrats. b. Embryon âgé de 5 jours de la Grémille (*Gymnocephalus cernuus*). La sphère d'huile et les restes du vitellus sont encore nettement visibles.
D = Vitellus, E = Oeufs, O = Sphère d'huile.

Figure 3:
a. Bouvière déposant sa ponte (pour les détails, voir la description de l'espèce). b. Coupe à travers l'ovaire et l'oviscapte de la femelle de Bouvière. c. Position des embryons de la Bouvière entre les lamelles branchiales d'une Anodonte (*Anodonta*). d. Embryons de Bouvière à différents stades de développement. Le disque adhésif et la vésicule vitelline restent nettement visibles. Le disque adhésif est un épaississement au niveau de la tête et permet l'adhérence de l'embryon aux branchies de la moule d'eau douce. Lorsque les jeunes poissons sont prêts à éclore, le disque adhésif régresse et les poissons de 11 mm de long quittent la moule par l'orifice exhalant «siphon expiratoire».
A = Anus, Ad = Glande annexe, Ds = Vésicule vitelline, E = Oeufs, H = Disque adhésif, J = Embryon, Kg = Tissu branchial, Lr = Oviscapte, M = Moule, Sb = Vessie gazeuse.

Les poissons d'ornement en communauté

Dans le chapitre «Le choix du bon aquarium», page 20, les besoins des poissons dans le milieu «aquarium» ont été mentionnés. En règle générale vous aurez choisi un aquarium prêt à l'emploi proposé par le commerce. Les dimensions sont très standardisées et adaptées aux désirs des clients. Dans ce qui suit nous voulons vous exposer d'après quels critères vous pouvez installer un aquarium et sélectionner une communauté de poissons adéquate.

Parmi les nombreuses espèces décrites individuellement vous trouverez des exemples pour constituer une communauté.

Pour le débutant il est cependant difficile de trouver parmi les plus de 600 espèces décrites dans ce livre celles qui conviennent le mieux dans son cas. Ce sont en premier lieu celles dont le degré de difficulté est indiqué par D:1. En font partie: de nombreux ovovivipares tels que les Porte-épées, les Guppies et les Platies, quelques Labyrinthidés, peu de Cichlidés tels que par ex. les Scalaires, de nombreux Barbus et Characidés. On serait tenté de les réunir tous dans un aquarium mais on aurait alors un mélange qui empêcherait les différentes espèces de présenter leur comportement spécifique.

Il est préférable de sélectionner peu d'espèces mais avec un plus grand nombre d'exemplaires de chaque espèce.

Lors de la composition de diverses communautés de poissons on procède comme suit:

1. Les poissons doivent avoir les mêmes exigences du point de vue de la température.
2. Les poissons doivent avoir les mêmes exigences, ou rapprochantes, envers l'eau, c. à d. se sentir à l'aise dans une eau douce, soit dans une eau dure. Les poissons qui se sentent à l'aise dans une eau dure ne devraient pas être réunis avec des poissons qui préfèrent une eau douce. Des compromis existent pour un certain nombre d'espèces.
3. Nous devons nous assurer de pouvoir offrir aux poissons la nourriture indispensable, en particulier aux espèces qui n'acceptent que des nourritures vivantes.
4. Il faut que les poissons harmonisent. Nous ne pouvons par ex. pas réunir des prédateurs (par ex. Perches) avec des petits Characidés paisibles.

5. Les poissons ne doivent pas tous occuper la même zone d'eau sinon celle-ci est surpeuplée et d'autres sont pratiquement inoccupées. Il faut donc prévoir une espèce pour la zone inférieure, par ex. des *Corydoras,* à laquelle on joint un groupe adéquat pour la zone moyenne et éventuellement encore quelques poissons pour la zone supérieure (près de la surface de l'eau). De cette manière les espèces ne se dérangent pas.
6. Bien entendu, lors de la composition d'une communauté d'espèces il faut veiller à ce que la taille des poissons adultes soit adaptée à la dimension de l'aquarium.

Les indications nécessaires pour effectuer ce choix vous sont fournies dans chaque description de poisson.
Lorsque vous aurez constitué votre communauté vous ne tarderez pas à remarquer que les poissons sont éventuellement originaires de régions géographiques totalement différentes. Mais cela n'a aucune importance tant que la composition de la communauté aura été effectuée d'après les critères indiqués ci-dessus. Seuls les perfectionnistes sélectionnent les espèces d'après les régions géographiques. Il est certes plaisant d'installer un bac qui réponde également à ces exigences. Dans ce cas les plantes et les poissons viennent de la même région, par ex. du sud-est asiatique. Comme décoration on imite un petit cours d'eau et les poissons proviennent, bien entendu, également d'eaux courantes. Pour ces perfectionnistes nous indiquons ci-dessous les différents types d'installation pour aquariums. Il en résulte en partie des chevauchements, par ex. un «aquarium Asie» peut représenter simultanément un «aquarium biotope» et un «aquarium spécifique».
Cette énumération ne se veut pas exhaustive, car il existe une telle diversité de biotopes, d'espèces de poissons, de formes de paysages subaquatiques et de régions géographiques qu'il est impossible de toutes les énumérer. Voici cependant un petit exemple: la plante flottante *Eichhornia* est bien connue. Dans les racines de cette plante vit une petite espèce de Characidé: *Klausewitzia.* Cette espèce s'est totalement adaptée par son mode de vie et sa coloration à cet étroit biotope. Si on voulait maintenir cette espèce en conformité biotopique et spécifique, l'aquarium devrait contenir une eau brune presque opaque, des *Eichhornia* et les Characidés précités. Le biotope c'est la plante qui apparait dans les rivières à courant lent ou dans des bras stagnants de ces rivières. Le tout est originaire de l'Amérique du sud. Avec cet exemple nous aurions donc un aquarium biotope (Rivière) avec des plantes flottantes, un aquarium spécifique (Characidés) et un aquarium d'après des points de vue géographiques, en l'occurence l'Amérique du sud, tout en objectant que *Eichhornia* est cosmopolite et se rencontre dans le monde entier.

Il n'est donc pas obligatoire de procéder avec une méticulosité absolue pour réunir les espèces.
Pour installer et peupler un aquarium on peut se baser sur les critères suivants:

1. Aquariums communautaires
2. Aquariums biotopes
   a. Petit cours d'eau
   b. Rivière
   c. Roselière
   d. Zone rocheuse
   e. Paludarium
3. Aquariums spécifiques (on pourrait également dire aquarium famille ou aquarium genre) par ex. Characidés, Siluridés, Barbus, Cyprinodontidés vivipares, Cyprinodontidés ovipares, Labyrinthidés, Cichlidés (Amérique du sud), Cichlidés (Afrique), Poissons rouges.
4. Aquariums géographiques
   a. Sud-est de l'Asie
   b. Afrique, sans les grands lacs
   c. Afrique, Tanganyika et Malawi
   d. Amérique du sud (Forêt vierge, Steppe)
   e. Australie
   f. Amérique du nord
   g. Europe (Poissons indigènes)

Du point de vue installation et communauté d'espèces tous ces aquariums représentent en général une combinaison des possibilités mentionnées plus haut. D'autres combinaisons sont également possibles:

5. Choix des poissons d'après la température
6. Choix des poissons d'après les conditions physico-chimiques de l'eau
7. Choix des poissons d'après la taille de l'aquarium
8. Aquarium pour phytophages
9. L'aquarium hollandais

Pour l'aquarium communautaire il n'y a pratiquement pas de règles valables pour l'installation et la décoration. Chacun agit selon son goût personnel. Ci-contre un aquarium américain typique à vitre arrière colorée. En Europe on préfère les aquariums richement plantées où le vert naturel domine. Plusieurs exemples sont présentés dans cet ouvrage.

Les différents types d'aménagements:

1. Les aquariums communautaires

Ce sont des aquariums peuplés de plusieurs espèces originaires de différentes régions géographiques. Lors de la composition de la communauté nous observerons en particulier les points 5–8.
Dans les descriptions des poissons, des indications sur le type d'aquarium préconisé sont données. Si l'espèce convient pour l'aquarium communautaire, c'est mentionné dans le texte.

2. Aquariums biotopes

a) Petit cours d'eau

On y trouve des espèces dont les besoins d'oxygène sont plus élevés que chez celles qui vivent dans les eaux stagnantes ou à courant lent. Le courant est assez fort, pas de moulme au sol. Ce dernier est couvert de gravier de différentes granulométries et parmi lequel se trouve des galets et des racines. Produire un courant à l'aide d'un filtre puissant et choisir des plantes qui supportent le courant, par ex. des Vallisnéries pour un cours d'eau tempéré ou *Heteranthera zosterifolia* pour un cours d'eau tropical. Dans ce biotope il n'y a pas de plantes flottantes. Les Vallisnéries supportent une eau relativement dure, jusqu'à env. 20° KH. *Heteranthera* la préfère plus douce et pousse mieux dans une eau de moins de 10° KH.

Pour le petit cours d'eau européen à eau froide, la Petite-Epinoche *Pungitius pungitius* convient très bien, ainsi que la Grande-Epinoche, en communauté avec des Vairons, des Ablettes et des Ables de Stymphale.

Pour le petit cours d'eau tempéré on choisira le Cardinal *Tanichthys albonubes,* des Danios et des Poissons arc-en-ciel, par ex. *Melanotaenia maccullochi,* qui supportent également des températures plus hautes.

Pour le cours d'eau tropical nous pouvons choisir différents Characidés tropicaux et des espèces grégaires.

Le cours d'eau à Cryptocorynes du sud-est de l'Asie, en particulier de Sri Lanka, Thailande et Indonésie, est le favori de nombreux aquariophiles. Les experts cultivent des espèces de Cryptocorynes, parfois très délicates, en combinaison avec l'élevage de diverses espèces des Rasboras et de Labyrinthidés exigeants, tels que *Colisa sota, Colisa lalia* et *Trichopsis vittatus.* On peut, bien entendu, joindre également des Néons mais cela manque de style, vu que les Cryptocorynes du sud-est asiatique en compagnie de Néons sud-américains ne comblent pas les perfectionnistes parmi les aquariophiles.

Cours d'eau amazonien (Brésil), Eau noire typique sans végétation.

Cours d'eau à Cryptocorynes au sud de la Thailande.

b) Rivière

Le courant est moins fort, les poissons sont moins exigeants du point de vue oxygène. Des Cyprinidés tels que les *Barbus* ainsi que des Cichlidés, par ex. des Scalaires, occupent la scène. En faisant vivre des *Barbus* et des Scalaires en communauté il faut cependant ne pas inclure les Barbus de Sumatra, *Barbus tetrazona,* car ces derniers se font un malin plaisir de mordiller les longues nageoires pelviennes des Scalaires, ce qu'ils font d'ailleurs également pour les longues antennes des Labyrinthidés.
Le sol est composé de gravier fin, toutes sortes de racines offrent des abris à de nombreux poissons. La végétation est relativement parcimonieuse, car dans la plupart des rivières il y a un manque de lumière en raison de la teinte brune de l'eau, de sorte que peu de plantes peuvent croître. En surface les plantes flottantes sont abondantes.

c) Roselière

C'est un dérivé du paysage «rivière». On peut imiter une roselière en piquant verticalement dans le sol du bambou ou des tiges de riz. L'inconvénient c'est qu'il est ensuite pratiquement impossible de pouvoir capturer un poisson à l'aide d'une épuisette. Les plantes de la moyenne zone d'eau sont absentes dans ce biotope. Les plantes flottantes sont remplacées par des *Salvinia, Pistia* ou parfois également par des Lentilles d'eau si on désire un aquarium à lumière diffuse. Dans ce genre d'aquarium on peut aussi maintenir des espèces herbivores (phytophages) telles que *Abramites, Leporinus* et *Distichodus.*

d) Zone rocheuse

Ici on pense en premier lieu aux biotopes similaires des Cichlidés des lacs Tanganyika et Malawi. Parmi ces espèces un grand nombre vit au-dessus du fond rocheux, dans des failles, à des profondeurs de 1 à 10 mètres. L'eau relativement limpide laisse passer suffisammemt de lumière pour que des algues puissent se développer sur les roches. Quelques Vallisnéries ou Sagittaires robustes peuvent garnir l'avant-plan de l'aquarium.
Le second type de zone rocheuse est représenté par la rivière sud-américaine. L'édifice rocheux de l'aquarium est effectué à l'aide de plaques d'ardoise ou de basalte, en y aménageant de nombreuses failles que les espèces du genre *Anostomus* et *Leporinus* habitent préférentiellement. A l'aide de leur bouche tournée vers le haut ils broutent les algues sur les parois rocheuses presque verticales.

Tiges de riz ou bambou permettent d'imiter une roselière.

Paysage rocheux près d'une côte du lac Malawi (Photo s. marine).

e) Paludarium

C'est un biotope très difficile à imiter. On peut par ex. reproduire un marais à palétuviers. L'eau sera peuplée de Poissons-archers, de *Argus,* éventuellement encore des *Monodactylus* (et peut être même des Périophthalmes). L'eau est légèrement saumâtre. Vu que les palétuviers n'existent pas chez nous il est préférable d'imiter un paysage inondé de la forêt vierge brésilienne. Dans une hauteur d'eau de 10 à 20 cm on peut très bien maintenir quelques Cichlidés ainsi que des Characidés, par ex. *Moenkhausia.* Du Philodendron dont les racines aériennes trempent dans l'eau peut garnir la partie terrestre. Il faut veiller à ce que ces racines ne soient pas endommagées sinon elles libèrent une substance qui est toxique pour les poissons. En prenant les précautions nécessaires, le Philodendron peut aussi très bien servir de décor autour de l'aquarium. Les racines se multiplient rapidement dans l'eau et offrent des abris pour les petits poissons.
Le Paroi arrière du Paludarium peut être habillée de plaques d'écorce ou de tourbe dans lesquelles on peut cultiver des Broméliacées, de sorte que ce genre «d'aquarium marais» peut également séduire l'amateur de plantes.

3. Aquarium spécifique

Cette dénomination ne signifie pas forcément qu'il est réservé à une seule espèce mais qu'on y maintient également des poissons d'espèces similaires. En fait on devrait le nommer aquarium famille ou aquarium genre. Les amateurs de Cyprinodontidés ovipares créent une communauté de plusieurs espèces dans le même aquarium mais le plus souvent on maintient une seule espèce de cette famille, en général un couple, dans un petit aquarium. Le sol est alors composé de tourbe. Comme plantes on choisit des Cryptocorynes ou d'autres plantes à cultiver en eau douce.
Parmi ces soi-disant aquariums spécifiques l'un sera par exemple réservé à des Characidés délicats, l'autre par exemple à des petits Characidés du genre *Apistogramma* et un autre encore sera exclusivement réservé à des espèces ovovivipares. L'aquarium à Poissons rouges représente un aquarium spécifique particulier. Le chauffage est inutile vu que les Poissons rouges supportent les basses températures. Le sol est composé de gros gravier, de plantes robustes telles que des Vallisnéries et des Sagittaires, ainsi que quelques touffes de *Egeria densa* (Elodée d'Agentine).

Paludarium, la partie basse aquatique est bordée de plantes terrestres

Aquarium spécifique peuplé de Labyrinthidés

4. Aquariums géographiques

a) Aquarium sud-est de l'Asie

Citons en premier la rivière à Cryptocorynes mentionnée sous 2 a). C'est un biotope typique du sud-est asiatique. D'autres biotopes asiatiques ressemblent beaucoup aux aquariums biotopes décrits sous 2, le décor du bac a été réalisé en se basant sur le point de vue géographique, le caractère étant déterminé par les plantes aquatiques et le choix des espèces de poissons qui s'accordent. Ainsi, à titre d'exemple, un aquarium peuplé de Labyrinthidés et garni de plantes asiatiques est un «Aquarium Asie» (les peu nombreux Labyrinthidés originaires de l'Afrique n'entrent pas en ligne de compte).

b) Aquarium Afrique

Il existe peu de plantes aquatiques strictement africaines. *Anubias lanceolata**, *Anubias barteri,* ainsi que *Anubias nana** en font partie. En aquarium leur croissance est mauvaise. Par contre de nombreuses plantes aquatiques cosmopolites apparaissent également dans les eaux africaines. C'est donc principalement la communauté de poissons qui détermine le caractère d'un «Aquarium Afrique».
A cet effet un banc de Tétras du Congo, *Phenocogrammus interruptus,* se recommande particulièrement. Les mâles avec leurs magnifiques nageoires dorsales et caudales témoigneront du savoir faire de leur possesseur. Leur parent, le Tétra du Congo jaune, le *Distichodus* nain *D. decemmaculatus,* ainsi que *Arnoldichthys spilopterus* conviennent très bien pour vivre en communauté avec eux. Celui qui n'est pas trop pointilleux peut joindre aux Tétras du Congo des Néons rouges. Il n'aura alors plus un aquarium spécifique mais un aquarium communautaire choisi d'après les couleurs. Ces deux espèces ont à peu près les mêmes exigences envers les qualités physio-chimiques de l'eau.

* Actuellement ces deux *Anubias* sont considérées comme une seule espèce (v. page 114).

Zone marécageuse en Thailande. Dans cette jungle subaquatique impénétrable on capture *Epalzeorhynchos bicolor* à l'aide de bambou creux. Les poissons les utilisent comme abris et peuvent être aisément capturés par des collecteurs expérimentés.

c) Aquarium Afrique (Tanganyika et Malawi)

Les Cichlidés africains, déjà mentionnés sous 2 d), font partie des «Aquarium Afrique». Vu que ces poissons ont besoin d'une eau de composition spéciale à haute dureté totale, nous prévoyons en général pour ces espèces un aquarium individuel. C'est surtout leur splendide coloration qui les rend si populaires auprès des aquariophiles. Dans certains cas ils égalent la beauté des Poissons coralliens de l'aquarium marin. De plus, ils sont robustes et «savent encaisser». En réunissant plusieurs exemplaires dans le même bac il faut veiller à ce que chaque individu ou couple ait suffisamment de caches à sa disposition (sous forme de grottes) sinon on assiste à des combats territoriaux permanents qui entraineront la mort du sujet le plus faible. Peu de plantes conviennent pour ce genre d'aquarium, car rares sont celles qui supportent l'eau très dure indispensable à ces poissons. On peut éventuellement introduire la Fougère de Java, dédaignée par les phytophages, mais cette plante ne sera pas en conformité avec le style de l'aquarium. De toute manière cette Fougère ne pousse pas si l'eau est trop riche en nitrates, dans ce cas l'eau devra être renouvelée plus fréquemment. Si on veut élever ces Cichlidés, un changement régulier d'eau est de toute manière indispensable. Pour les détails veuillez vous reporter aux descriptions des espèces et des familles.

d) Aquarium Amérique du sud

Sous 2 a) nous avons déjà rencontré un cours d'eau sud-américain. Reproduire un paysage riverain d'Amérique du sud se rapproche le plus du tableau idéal recherché par la plupart des aquariophiles. Dans ce cas nous choisirons des plantes sud-américaines, par ex. de grands *Echinodorus,* des *Echinodorus* nains, des *Heteranthera* et d'autres.
Une assez grande roche ou une racine tourbière lestée, occupera le centre de l'aquarium. Sous cette cache, à laquelle nous donnerons l'aspect d'une caverne en incorporant horizontalement deux fragments de roches ou de racines, les Siluridés d'activité nocturne tels par ex. *Hypostomus, Rineloricaria, Pterigoplichthys, Hemiancistrus* et *Peckoltia* s'abriteront durant la journée. Ce genre d'aquarium peut également recevoir en complément des Characidés, des Cichlidés paisibles et éventuellement quelques espèces ovovivipares originaires de l'Amérique centrale. Mais ces derniers préfèrent une eau dure, à partir de 20° dGH, un détail dont il faudra tenir compte, vu que poissons et plantes d'un aquarium «sud-américain» préfèrent en majorité une eau plus douce.

Aquarium spécifique pour Cichlidés africains

Aquarium Amérique du sud avec Characidés et *Poecilia* d'A. centrale

e) Aquarium Australie

Peu de poissons nous parviennent de l'Australie. Presque tous sont reproduits et élevés à l'est de l'Asie. Il s'agit presque exclusivement de quelques espèces de Poissons arc-en-ciel.
Dans l'aquarium ils peuvent vivre en communauté avec toutes sortes d'espèces car ils sont paisibles et robustes.

f) Aquarium Amérique du nord

Au début de notre siècle les «Nordaméricains» étaient les poissons d'aquarium les plus populaires, car on ne disposait que d'installations primitives de chauffage pour les bacs. Ces espèces nordaméricaines ne sont pas très exigeantes du point de vue température, mais il en est tout autre de la nourriture et de la qualité de l'eau, de sorte qu'en aquarium elles sont moins robustes.
Les Perches nordaméricaines, ainsi que quelques autres espèces plus petites originaires de cette région, sont très belles mais plus difficiles à maintenir que les poissons tropicaux.
De toute manière ce genre d'aquarium devra être spacieux, au minimum d'une longueur de 1 m, sauf pour les espèces naines *Elassoma evergladei* et *Lucania goodei*. Le fond sera recouvert d'une couche haute de 8 à 10 cm de gravier à granulométrie moyenne. La dureté de l'eau peut se situer entre 10 et 25° dGH. Un chauffage est inutile. L'eau doit être fortement brassée et filtrée et riche en oxygène. Certaines Perches nordaméricaines ont un comportement assez rude. Toutes les espèces ne conviennent pas pour vivre en communauté, parfois elles ne se supportent même pas entre congénères. Il est conseillé d'acquérir un petit groupe de juvéniles, ainsi dès leur jeune âge ils seront habitués les uns aux autres. Pour ce groupe de poissons l'alimentation pose le plus grand problème à l'amateur. La majorité des espèces n'acceptent que des nourritures mobiles, donc des proies vivantes, en dédaignant les aliments en flocons ou lyophilisés. Par contre, les proies congelées sont parfois très bien acceptées. Aux grandes Perches, on distribue de préférence des Vers de terre et de petits fragments de foie de cœur de bœuf. Ce genre d'aquarium nordaméricain pourrait certes être également appelé «aquarium spécifique».

Pseudotropheus estherae (v. page 763) ♂♂

g) Aquarium Europe

L'aquarium à poissons indigènes a pratiquement disparu. Où pêcher, à condition d'avoir l'autorisation, des Epinoches, Bouvières et autres petits poissons d'eau froide? Ils sont pratiquement introuvables dans le commerce, sauf certaines espèces vendues dans les magasins de pêche comme vifs, le Gardon par ex., mais ce dernier convient moins bien pour être maintenu en aquarium.
Les Epinoches apparaissent dans des petits cours d'eau à eau claire, petits étangs, canaux d'irrigation, etc. Il leur faut des proies vivantes. Leur capture à l'aide d'une épuisette de 20 cm de large est relativement facile.
Dans l'habitat de la Bouvière il doit obligatoirement y avoir des Moules d'eau douce, car cette dernière est incluse dans le mode de reproduction de la Bouvière. Les œufs sont déposés dans une Moule (voir page 442). La Moule d'eau douce n'apparait que dans les eaux très propres à fond vaseux. En Allemagne certaines piscicultures (poissons comestibles) reproduisent également des espèces convenant pour l'aquarium d'eau froide.
Un aquarium d'eau froide peuplé de poissons indigènes pose des problèmes vu que dans nos appartements la température monte de trop, surtout et logiquement en été. Ces poissons ne supportent pas de hautes températures, entrainant en général un manque d'oxygène, et meurent.
Ce genre d'aquarium à eau froide peut recevoir des plantes aquatiques indigènes telles que des Sagittaires, des Vallisnéries, des Elodées, etc. Au printemps lorsque la température est plus clémente nous pouvons observer dans l'aquarium à eau froide les parades nuptiales et le comportement de ponte de certains poissons indigènes. Il est souhaitable que davantage d'aquariophiles s'intéressent à ce domaine. Il nécessite cependant des connaissances et du savoir faire plus approfondis qu'en aquariophilie tropicale. On peut espérer qu'à l'avenir la pollution de nos eaux soit maîtrisée, de sorte qu'il serait rentable de sauver déjà maintenant quelques espèces menacées de disparaitre, afin de pouvoir les rendre à la nature lorsque les conditions seront meilleures. Cela devrait, bien entendu, se faire en collaboration avec les associations ou autorités compétentes.

En Allemagne une liste rouge de la faune piscicole renseigne sur les espèces intéressantes pour l'aquariophile qui pourrait ainsi contribuer à leur sauvegarde:

1. Espèces menacées à long terme:
   Spirlin (*Alburnoides bipunctatus*)
2. Espèces très menacées:
   Chabot, Loche d'étang, Loche de rivière, Vairon, Bouvière.
3. Espèces menacées:
   Epinoche, Gremille, Able de Stymphale, Epinochette

D'autres espèces européennes menacées de disparaitre ne se prêtent pas pour être maintenues en aquarium, généralement en raison de leur taille. L'amateur intéressé trouvera des renseignements plus détaillés dans les ouvrages sur les poissons indigènes d'eau douce. Celui qui prétend que la faune piscicole indigène n'offre plus aucune nouveauté se trompe. Elle nous procure la satisfaction de pouvoir contribuer à leur protection afin de pouvoir préserver les espèces pour les générations futures.

Paysage fluvial européen (Hortobágy, Hongrie)

5. Choix des poissons en fonction de la température

   a) Aquariums d'eau froide 8–18° C
      Poissons de l'Amérique du nord
      Poissons d'eau froide indigènes

   b) Poissons des températures modérées 14–20° C
      Entre autres les Macropodes
      Poissons cardinals (*Tanichthys*)
      Poissons rouges
      Barbus roses (*B. conchonius*)
      Platys-perroquets et quelques autres ovovivipares

   c) Poissons tropicaux des basses températures
      Dans les Tropiques ces espèces apparaissent dans les hauts sites, par ex. dans des torrents. La température se situe entre 20 et 24° C et en-dessous.

   d) Poissons tropicaux des hautes températures
      Ces espèces apparaissent dans les zones des basses terres tropicales. Elles habitent les grandes eaux profondes dans lesquelles la température reste stable même durant les périodes froides (24–30° C).

Pour l'aquarium communautaire il est particulièrement important que l'on tienne compte de la température exigée par les diverses espèces. Voir aussi le chapitre «chauffage» page 50.

6. Choix des poissons en fonction des qualités physio-chimiques de l'eau

   a) Eau douce, moins de 8° dGH
      De nombreux soi-disant «poissons d'eau noire» sont inclus dans ce choix.

   b) Eau moyennement dure, de 8 à 12° dGH
      Les poissons qui vivent dans la nature dans ce genre d'eau sont les meilleurs «poissons pour débutants».

   c) Eau dure, au-dessus de 18° dGH
      Dans cette zone les Poissons arc-en-ciel, les Perches africaines et les ovovivipares se sentent très à l'aise.

   d) Eau saumâtre, au-dessus de 30° KH, avec adjonction d'env. 0,5% de sel de cuisine.
      Cette eau convient pour les Poissons-archers, Poissons-lunes argentés et les Périophthalmes.

7. Choix des poissons d'après la taille de l'aquarium

Lors du choix de ces espèces il faut tout particulièrement tenir compte de la taille qu'ils auront à l'âge adulte. Il existe des espèces qui conviennent très bien pour les petits aquariums ayant jusqu'à 40 cm de longueur et il y en a d'autres pour lesquelles un bac de 1 mètre de long est indispensable. Les longueurs minimales des aquariums sont indiquées en bas des descriptions des poissons.

8. Aquariums pour herbivores (phytophages)

Les genres *Leporinus, Abramites, Distichodus,* ainsi que de nombreux *Metynnis,* nécessitent un aménagement spécial de l'aquarium en excluant les plantes. A l'aide de plantes «dures» qui ne sont pas du goût des poissons on peut cependant réaliser quand même une décoration plaisante. Pour cet usage les meilleures plantes sont la Fougère de Java et la Mousse de Java. Et dans ce cas on peut également employer des plantes en matière plastique, la fin justifiant les moyens.

9. Aquarium de plantes de type hollandais

Les aquariophiles hollandais, jardiniers par passion, réalisent de véritables jardins d'ornement à l'aide de plantes aquatiques à l'état submergé. Les poissons n'interviennent qu'en second lieu. Lors de la décoration il est particulièrement tenu compte de l'effet «tableau» de la végétation. Chaque plante a sa position adéquate et c'est par groupes qu'elles produisent leur plus bel effet. Lors de la décoration il n'est pas tenu compte de l'affinité entre les diverses espèces de plantes ou de poissons, seul l'effet décoratif est déterminant. Les plantes contrastent en formes et en couleurs. Il est évident que l'entretien d'un aquarium de ce type est astreignant. Les plantes à longues tiges doivent être raccourcies chaque semaine.

Cet aquarium hollandais diffère de celui présenté à la page 74 principalement par un plus grand espace dégagé permettant aux poissons d'évoluer librement à l'avant-plan. Ce bac est aussi plus long et moins haut. A l'arrière-plan la structure étagée est réalisée par les plantes de différentes hauteurs et non pas par la dénivelation du sol.

Explications des signes figurant dans les descriptions illustrées:

Fam.: = Famille
S. fam.: = Sous-famille
Syn.: = Synonyme
Dans la systématique des noms des poissons, seul celui attribué par l'auteur de la première description est valable. Les descriptions ultérieures de la même espèce sous un autre nom sont des synonymes.
O.: = Origine. Est sous-entendu le pays d'origine initial.
P. i.: = Première introduction. Pour de nombreuse espèces il est intéressant de savoir depuis quand l'espèce est connue en aquariophilie.
D. s.: = Dimorphisme sexuel.
C. s.: = Comportement social.
M.: = Maintenance en aquarium. Les paramètres pH et dGH sont souvent indiqués entre parenthèses, ce sont alors les valeurs les plus salutaires pour le poisson. Voir avant-propos p. 6.
R.: = Reproduction. Le renseignement donné dans cette rubrique est à considérer comme élémentaire. Pour les détails, trop volumineux pour figurer dans ce livre, se référer aux revues et ouvrages spécialisés.
N.: = Nourriture (programme alimentaire).
P.: = Particularités
T.: = Température
L.: = Longueur du poisson adulte. La dimension indiquée entre parenthèses se rapporte à la longueur possible en aquarium.
LA.: = Longueur requise de l'aquarium.
Z.: = Zone fréquentée par le poisson.
S = supérieure; m = moyenne; i = inférieure
D.: = Difficulté. Voir explications page 203.

N.: Nourriture (programme alimentaire)

Dans les descriptions des poissons cette rubrique débute avec les abréviations C, H, L, O. Elles signifient:

C = Carnivore = Qui se nourrit de proies animales vivantes

Ces poissons sont le plus souvent des prédateurs tributaires de la nourriture vivante. Leur appareil digestif est court, ils possèdent un grand estomac qui peut recevoir une grande proie en entier. Ces

poissons chassent leurs proies et ne mangent qu'une ou deux fois par jour, ceux de grande taille même seulement une à deux fois par semaine. Parmi eux figurent les Characidés prédateurs, les Ophicephaloïdés et certains Percidés.
Au début les alevins de ces espèces prédatrices peuvent être nourris avec des aliments en flocons. Les grands flocons s'y prêtent très bien.
Les espèces carnivores qui ne sont pas des prédateurs typiques, mais qui se nourrissent de nourritures vivantes telles que les Crustacés d'eau douce, les Insectes et leurs larves, font, bien entendu, également partie de ce groupe. Pour les petits Characidés le commerce spécialisé propose des produits tels que Tetra FD-Menu, TetraOvin, TetraRubin et des larves de Chironomes lyophilisées.

H = Herbivore = Qui se nourrit d'aliments végétaux

Leurs habitudes alimentaires sont exactement opposées à celles des carnivores. Les herbivores se sont adaptés à une autre niche écologique en ce qui concerne leur manière de se nourrir. On pourrait même dire que du point de vue évolutif, ils ne se sont pas tellement développés. Dans la nature ces espèces ne mangent que des fruits, des plantes et des algues. Nombreuses sont celles qui complètent leur menu végétal par de la nourriture vivante consistante, mais parmi ces espèces on ne trouve pas de prédateurs typiques chassant par ex. les alevins.
Les herbivores ont le plus souvent un petit estomac, mais en revanche un intestin grêle très long. Les poissons de ce type mangent durant toute la journée, ils ne peuvent pas se rassassier en une seule fois. Dans l'aquarium les distributions de nourriture doivent donc être plus fréquentes (trois à quatre fois) par jour.
Les alevins des espèces herbivores mangent de préférence la nourriture en flocons à base végétale, par ex. TetraPhyll, Seraflora et autres. Les individus adultes n'arrivent pas toujours à se rassassier, il faut leur distribuer en complément de la salade ébouillantée, du cresson, du mouron, des épinards congelés, etc. Le genre de nourriture recommandée est indiqué dans la rubrique N des descriptions.

L = Limivore = Qui se nourrit de débris organiques contenus dans le limon

Ce groupe se nourrit de substances végétales (algues, détritus), mais également des animalcules qu'elles contiennent. Il ne dédaigne cependant pas les vers du sol, ni la nourriture qui flotte librement. Durant toute la journée ces poissons explorent le sol, les plantes et les racines pour trouver de la nourriture. En aquarium il faut leur distribuer fréquemment de petites portions d'aliments si les matières précitées font défaut. Ces espèces possèdent le plus souvent un petit estomac et un long intestin. Les nourritures en comprimés sont les meilleurs aliments de substitution pour ces espèces. Ils peuvent picorer longtemps sur un comprimé et se rassassier sans hâte.

O = Omnivore = Qui se nourrit indifféremment de substances animales ou végétales

Les Cyprinidés, de nombreux Characidés et de nombreux Cichlidés font partie de ce groupe dans lequel on ne trouve pas de carnassiers typiques, ni d'espèces exclusivement herbivores. Les omnivores peuvent être nourris sans problèmes avec les aliments en flocons proposés par le commerce spécialisé. Les distributions devraient être effectuées deux à trois fois par jour, plus fréquemment pour les alevins.
Dans les descriptions des poissons, les lettres C, H, L et O ne figurent pas toujours individuellement. Elles sont combinées si les habitudes alimentaires de l'espèce décrite ne peuvent être situées clairement.
La première lettre est toujours caractéristique pour l'alimentation dans la nature. La seconde signale qu'en cas de maintenance en aquarium, l'espèce peut tout aussi bien être attribuée à un autre type. Exemple: *Nematobrycon palmeri.*
N.: C, O; nourriture en flocons, nourriture vivante (Artémias, Daphnies, Cyclopes).
Dans ce cas C signifie que dans la nature l'espèce se nourrit principalement de nourriture vivante. Le O attenant signifie qu'en aquarium l'espèce peut également être nourrie sans problèmes avec de la nourriture en flocons contenant à la foi des substances végétales et animales.
La nourriture en flocons mentionnée en premier signifie: l'espèce peut être nourrie exclusivement avec de la nourriture en flocons. Les nourritures mentionnées ensuite sont des nourritures complémentaires recommandées. L'amateur qui dispose en permanence de nourriture vivante peut nourrir comme dans la nature et de manière variée, il n'y a évidemment aucune objection à faire.
Si la nourriture vivante est mentionnée en premier, cela signifie qu'en aquarium l'espèce doit être nourrie principalement avec des proies vivantes et que les autres aliments énumérés sont ou ne peuvent être qu'une nourriture complémentaire.

Le degré de difficulté = D indiqué pour chaque espèce fournit les renseignements suivants sur le nourrissage:

D: 1 (Espèces pour débutants)

Les nourritures en flocons de toutes marques peuvent être distribuées. Il s'agit le plus souvent d'espèces omnivores qui n'ont pas d'exigences particulières envers la composition de la nourriture.

D: 2 (Espèces pour débutants avec notions de base)

On peut distribuer des aliments en flocons, par ex. des marques Aquarian, Brustmann, Sera, Tetra, Vitakraft, Wardley (citées par ordre alphabétique). Les lettres du programme alimentaire indiquent quel type particulier de nourriture de ces marques doit être distribué. L'énumération des marques n'est pas exhaustive, elle sert uniquement de directive.

D: 3 (Espèces pour amateurs expérimentés)

Chez ces espèces la nourriture en flocons figure rarement en première place sur le menu. On peut recommander par ex. les marques Aquarian, Sera et Tetra. Selon le programme alimentaire, il est utile de compléter avec divers autres aliments, par ex. des matières lyophilisées, des comprimés et de la nourriture vivante.

D: 4 (Espèces pour chevronnés et spécialistes)

Ici on trouve des carnassiers typiques pour lesquels la nourriture vivante est indispensable, de même que des herbivores typiques et des espèces délicates, telles que par ex. les Discus, dont la problématique réside tant dans le nourrissage que dans la qualité de l'eau.

Le chiffre du degré de difficulté est souvent suivi d'une indication sur la raison pour laquelle cette espèce a été attribuée à la difficulté 4. Les lettres signifient:

H = Herbivores

Ces typiques mangeurs de plantes ne peuvent pas être maintenus dans un aquarium planté.

Ch = Chimie

Ces espèces ont de hautes exigences envers la qualité de l'eau ou nécessitent des paramètres très spéciaux.

C = Carnivores

On ne peut pas faire cohabiter ces carnassiers avec des espèces de petite taille. Il se peut que la maintenance de l'espèce ne pose aucun problème si elle cohabite avec des congénères ou des espèces d'une taille supérieure. En outre, le C signifie que la nourriture vivante est indispensable pour l'espèce.

T = Taille

L'espèce nécessite de grands bacs avec beaucoup d'espace libre pour nager. Lors de l'acquisition des juvéniles il faut tenir compte de la taille qu'ils auront à l'état adulte.

Afin de ne pas compliquer davantage l'explication du degré de difficulté, on s'est abstenu de combiner différents facteurs. Ainsi un carnassier auquel fut attribué la lettre C, pourrait en outre atteindre une grande taille, de sorte qu'il aurait fallu ajouter la lettre T.
Les lettres indiquées se réfèrent toujours aux plus importants facteurs dans l'estimation du degré de difficulté d'un poisson.

Poissons osseux (Chondrostei) et Poissons cartilagineux (Chondrichthyens)

Nous les avons répertoriés à part des diverses espèces de vrais poissons osseux (Teleostei) présentés dans le groupe 10. Ils sont moins significatifs pour l'aquariophilie, mais pourtant fort intéressants, car dans l'histoire de l'évolution ils sont beaucoup plus anciens que les vrais poissons osseux.

Paratrygon sp. du Venezuela. La photo du haut montre la partie inférieure presque démunie de pigmente avec les fentes buccales et branchiales. La photo du bas montre le très particulier mouvement de nage de ce poisson.

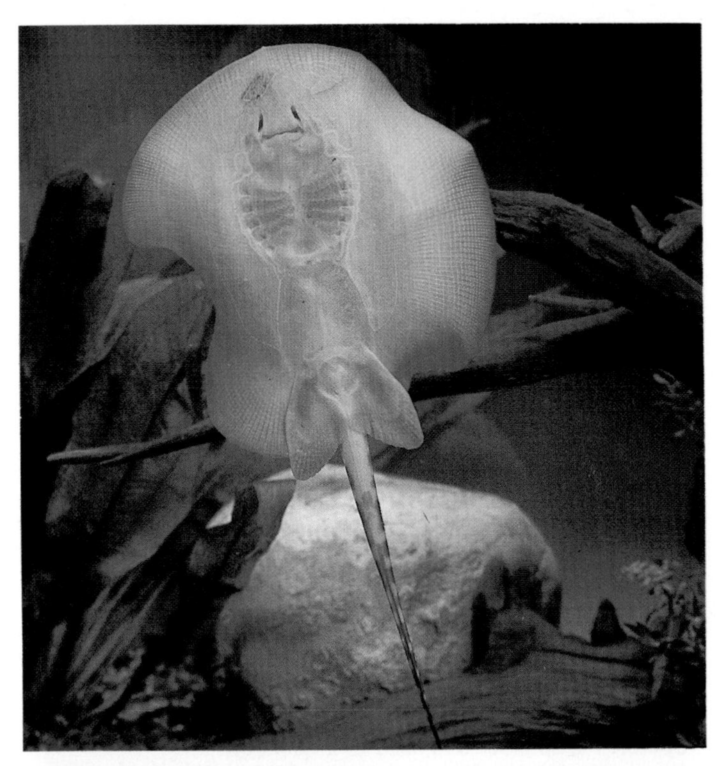

Groupe 1

Fam.: Acipenseridae (Esturgeons)

Poissons peuplant exclusivement l'hémisphère nord. Ils présentent quelques caractères primitifs (une nageoire caudale hétérocerque), par ex. 5 rangées de plaques osseuses sont logées dans la peau nue du corps. La bouche est placée à la face inférieure du corps, elle est très protactile et tubulaire. En avant de la bouche se trouvent 4 barbillons sensoriels. Les œufs de presque toutes les espèces sont transformés en caviar. La famille comprend 4 genres.

Fam.: Protopteridae (Poissons pulmonés)

Cette famille comprend seulement deux genres (*Lepidosiren* et *Protopterus*). L'aire de répartition englobe l'ouest et le centre de l'Afrique, ainsi que le nord et centre de l'Amérique du sud. Corps anguilliforme, poumon à deux lobes. Ces poissons présentent 4 arcs branchiaux et de petites écailles arrondies. Les œufs sont pondus au fond d'un terrier creusé dans la boue, le mâle les surveille jusqu'à l'éclosion. Les larves ressemblent à des têtards et respirent à l'aide de branchies situées sur la tête. 4 espèces sont connues.

Fam.: Paratrygonidae (Raies d'eau douce)

Ces raies habitent les eaux douces d'Amérique du sud. Elles ont une queue en forme de fouet et présentent sur leur partie supérieure un aiguillon doté d'épines. Le corps est très plat, en forme de disque. Chez les raies d'eau douce il y a fécondation interne. Des épaississements en forme de doigts sur les pelviennes des mâles servent à transmettre le sperme. Ces raies sont vivipares.

Fam.: Polypteridae (Polyptères)

Les Polyptères ont un corps allongé. Quelques espèces ressemblent à des serpents. La dorsale est composée de 5 à 18 segments mobiles. Les nageoires pectorales sont pédiculées et en forme d'éventail. Elles servent à la locomotion. Le corps est couvert d'écailles composées en surface de ganoïne. Ces poissons ont un poumon à deux lobes qui est relié à l'intestin et sert d'organe respiratoire auxiliaire. Si on empêche les Polyptères de prendre de l'air à la surface ils meurent au bout de très peu de temps. Les larves de quelques espèces portent des branchies externes. On rencontre les Polyptères exclusivement en Afrique tropicale.

Acipenser ruthenus **LINNAEUS, 1758**
Sterlet

Syn.: *Acipenser ruthenicus, A. dubius, A. gmelini, A. kamensis, A. jeniscensis, A. pygmaeus, Sterlethus gmelini, S. ruthenus.*

Or.: Europe et Sibérie: affluents de la Mer Noire, Mer d'Asow, Mer caspienne et Mer des glaces, de l'Ob jusqu'au Kolyma. L'espèce habite également quelques affluents de la Mer Baltique (Duna).

P.i.: Espèce indigène.

D.s.: Encore inconnu.

C.s.: Poissons inoffensifs et paisibles aimant bien fouiner dans le sol. Les Sterlets sont robustes et sans prétentions. Ne pas faire cohabiter avec des petits poissons.

M.: Bacs à grande surface, sable fin au sol, pas de roches à arêtes vives sur le sol; grand espace libre pour la nage. Eau froide, limpide (env. 15–20° dGH, pH 7,5). Produire un courant à l'aide d'une turbelle. Seuls des spécimens de 10 à 15 cm conviennent pour l'aquarium.

R.: Impossible en aquarium en raison du manque d'espace. Dans la nature *Acipenser ruthenus* fraie en mai et juin sur substrat d'éboulis. L'espèce est très productive (11 000 à 135 000 œufs). Les alevins éclosent au bout de quatre à cinq jours.

N.: C; nourriture vivante, en priorité larves d'insectes aquatiques (éphémères), escargots, petits poissons.

P.: Le nom de Sterlet se rapporte aux petites plaques osseuses étoilées logées dans la peau. Leur morphologie primitive fait que les Sterlets sont d'originaux hôtes pour l'aquarium. Les juvéniles se conservent très bien, malgré leur longueur à l'âge adulte.

T: 10–18° C. (Poisson d'eau froide); **L**: 100 cm, **LA**: 100–150 cm, **Z**: i, **D**: 2–3

Protopterus dolloi BOULENGER, 1900

Syn.: Aucun.

Or.: Afrique; dans la zone de l'embouchure du Zaïre.

P.i.: 1954.

D.s.: Inconnu.

C.s.: Carnassier, insociable et hargneux envers les congénères et les autres espèces. Surveille la ponte (famille de type paternel).

M.: Sol vaseux, végétation dense; le niveau d'eau peut être bas (25 cm). Aucune exigence envers la qualité de l'eau. Seuls les juvéniles se prêtent pour la maintenance en squarium; seulement un exemplaire par bac.

R.: L'espèce ne s'est pas encore reproduite en aquarium.

N.: C; nourriture vivante: poissons, têtards, escargots, vers de terre, larves d'insectes.

P.: *P. dolloi* est le plus allongé de tous les *Protopterus.* C'est durant la saison sèche que les poumons de ces poissons prennent toute leur signification. Lorsque les eaux sont pratiquement asséchées, le poisson s'enfouit dans la boue, s'enroule et sécrète du mucus. Ce dernier durcit et tapisse ainsi le terrier creusé. Cela forme un cocon muqueux doté d'un orifice à proximité de la bouche de l'animal permettant la respiration pulmonaire. Dans ce cocon le poisson peut vivre durant les 4 à 6 mois que dure la saison sèche. Le retour des pluies interrompt le sommeil et il quitte sans dommage le cocon (= nid) ramolli entretemps.

T: 25–30° C, L: 85 cm, LA: 120 cm, Z: i, D: 4 (C)

Potamotrygon laticeps (GARMAN, 1913)
Raie à aiguillon commune

Syn.: Paratrygon laticeps.

Or.: Amérique du sud: Brésil, Paraguay, Uruguay, Argentine.

P.i.: Vraisemblablement seulement après 1970.

D.s.: Coloration des mâles plus contrastée; présence d'organes copulateurs mâles sur les pelviennes.

C.s.: Poisson de fond vivace, paisible.

M.: Bacs à grandes surfaces et à faible hauteur d'eau (30 cm); sol composé de sable mou (couche d'une épaisseur de 10 cm); grands espaces dégagés; uniquement des plantes flottantes. Ces poissons sont délicats et très sensibles à toute pollution pouvant apparaitre dans l'aquarium. Eau moyennement dure (env. 10° dGH) et légèrement acide à neutre (pH 6,5 à 7). Aquarium spécifique!

R.: Aucune reproduction réussie en aquarium est connue à ce jour.

N.: C; nourriture vivante voire nourriture carnée (Tubifex, vers de terre, chair de moules, crevettes, larves de moustiques, chair de poissons, crabes congelés).

P.: Ces raies portent sur le dessus de la queue un aiguillon doté d'épines qui peut causer des blessures très désagréables si on effectue imprudemment des manipulations dans l'aquarium. L'aiguillon est remplacé par un nouveau deux à trois fois par an.

T: 23–25° C, **L**: 70 cm, **LA**: 100 cm, **Z**: i, **D**: 4 (C)

Erpetoichthys calabaricus (J. A. SMITH, 1865)
Poisson-Roseau

Syn.: *Calamoichthys calabaricus, Calamichthys calabaricus, Herpetoichthys calabaricus.*

Or.: Ouest-africain: Nigeria et Cameroun, très commun dans le delta du Niger. L'espèce pénètre aussi dans l'eau saumâtre.

P.i.: En 1906 par F. E. Schneising de Magdebourg.

D.s.: Le mâle présente davantage de rayons dans la nageoire anale (12–14, ♀ seulement 9), qui s'épaissit durant la période du frai. L'anale du mâle a une couleur olive foncée, elle est ocre clair chez la femelle.

C.s.: Poissons actifs au crépuscule et durant la nuit. Bon comportement entre congénères. Ne pas faire cohabiter avec des petits poissons qui pourraient être dévorés.

M.: Sol mou composé de sable fin; végétation dense, aménager de nombreuses caches sous forme de racines et roches. Eau légèrement acide (pH 6,5–6,9) et moyennement dure (env. 10° dGH). Les Polyptères ne se prêtent pas en toutes circonstances pour l'aquarium communautaire.

R.: L'espèce n'a pas encore été reproduite en aquarium.

N.: C; mange exclusivement de la nourriture vivante et de la viande (poissons, grenouilles, moules, crustacés, larves d'insectes, cœur, viande de bœuf et de cheval).

P.: La découverte de la nourriture se fait par l'odorat. Les Polyptères ont une très mauvaise vue; ils peuvent sortir de l'eau pour quelques heures, car leur vessie gazeuse leur sert de poumon auxiliaire pour respirer l'air atmosphérique. L'aquarium doit donc toujours être hermétiquement couvert. Le genre *Erpetoichthys* diffère du genre apparenté *Polypterus* par l'absence de nageoires pelviennes.

T: 22–28° C, **L**: 40 cm, **LA**: 100 cm, **Z**: i, **D**: 3

Polypterus ornatipinnis BOULENGER, 1902

Syn.: Aucun.

Or.: Afrique centrale, cours supérieur et moyen du Zaïre. Vit en eau douce.

P.i.: 1953.

D.s.: Des différenciations fiables n'ont pas encore été observées. Il semblerait que la nageoire anale du ♂ soit plus grande et la tête de la ♀ plus large.

C.s.: Hargneux entre congénères, plus rarement s'ils disposent suffisamment de caches. Bon comportement général envers les autres espèces de plus grande taille.

M.: Un niveau d'eau d'une hauteur de 30 cm est suffisant. Caches sous forme de grottes rocheuses et racines; végétation dense et espace libre; sol composé de sable fin.

R.: Réussie dans quelques cas isolés. Selon ARMBRUST le mâle débute la pariade et est également le plus actif des deux partenaires. La ponte se déroule parmi les plantes. L'anale du ♂ est alors dépliée de manière à former un creux de main, puis est glissée sous l'anus de la ♀. Les œufs, environ 200 à 300, tombent dans ce creux; l'éclosion à lieu au bout de 4 jours (à 25° C).

N.: C; mange exclusivement de la nourriture vivante et de la viande (cœur, lanières de viande de bœuf). Ce sont des prédateurs.

P.: ARMBRUST a stimulé la disposition à frayer chez *P. ornatipinnis* à l'aide de iodure de potassium (KI). Il ajouta à 100 l. d'eau une goutte (pas plus) d'une solution à 1%; cela rend les poissons nerveux et ils sautent (bien couvrir le bac).

T: 26–28° C, **L**: jusqu'à 46 cm, **LA**: 100 cm, **Z**: m, **D**: 4 (C)

Erpetoichthys calabaricus

Polypterus ornatipinnis

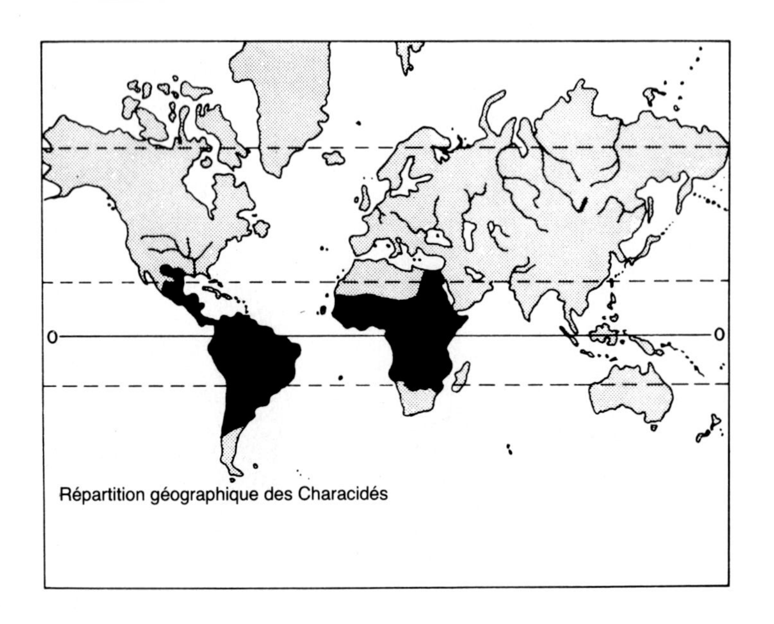

Répartition géographique des Characidés

Le sous-ordre des Characidés et Characoïdes

Certains auteurs, WEBER (1820), BOULENGER (1904), GÉRY (1977) et d'autres, ont supposé ou admettent que les Characoïdés figurent parmi les plus anciens sous-ordres ou seraient même le plus ancien sous-ordre au sein de l'ordre des Cypriniformes. Selon BOULENGER c'est de là que seraient apparus les sous-ordres des Silures, des Cyprinoïdés, des Anguilles et des Poissons-couteaux. D'autres auteurs pensent que les Silures seraient les plus anciens représentants des Poissons osseux. En 1820 E. H. WEBER a décrit «l'appareil de Weber» qui relie l'organe de l'ouïe à la vessie natatoire (faisant office de caisse de résonance) chez les Characidés et poissons apparentés. Les Characidés sont très sensibles aux vibrations. De plus, les poissons de ce groupe sont dotés d'un «système d'alarme chimique» qui les avertit en cas de danger, de sorte qu'ils peuvent former des bancs. L'évolution parallèle des différentes familles de Characidés, tant en Amérique du sud qu'en Afrique, confirma aux biologistes que ces deux continents étaient jadis réunis. Les Characidés ont donc dû apparaitre en l'ère mésozoïque (env. 80–150 millions d'années), avant la division des continents.

Hyphessobrycon socolofi v. p. 284

La diversité des espèces de Characidés que l'on rencontre dans la nature est immense. On connait actuellement env. 1000 espèces en Amérique du sud et env. 200 espèces en Afrique. En 1904 BOULENGER indiquait seulement la moitié de ces chiffres. Selon GÉRY de nombreuses espèces restent encore à découvrir.
La nageoire adipeuse est un caractère extérieur pour l'identification des Characidés (sauf chez les genres *Erythrinus, Lebiasina, Pyrrhulina, Corynopoma* et *Hasemania*). Son utilité est inconnue. On trouve cependant cette nageoire également chez quelques Silures, par ex. *Corydoras* et Salmonidés, non apparentés aux Characidés. Selon GÉRY (1972) le sous ordre des Characidés contient 14 familles.
Les Characidés vivent le plus souvent par bancs, favorisés en cela par leur possibilité d'intercepter des stimulations provenant de l'environnement. Si on répand par ex. de la nourriture à la surface de l'eau d'une rivière tropicale, les Characidés seront toujours les premiers à se rassembler à cet endroit. Ils remarquent «s'il se passe quelquechose».
A part quelques prédateurs (Piranhas), et quelques mangeurs d'écailles et de nageoires, les Characidés sont le plus souvent des poissons paisibles, quoique presque toujours carnivores. Il existe également des espèces exclusivement herbivores, telles par ex. *Distichodus* (Afrique), *Prochilodus* et *Leporinus* (Amérique du sud).
Les espèces qui se nourrissent principalement de substances végétales contenues dans ou sur le limon, par ex. des algues, y compris les animalcules qui s'y trouvent, sont appelées limivores. Il existe également des omnivores que l'on rencontre principalement parmi les Barbus, mais bien entendu, aussi parmi les Characidés maintenus dans l'aquarium.
Les Characidés représentent le plus souvent des poissons de forme allongée, agiles, qui vivent en eau courante limpide. En Amérique du sud ils préfèrent les zones à eau noire et claire aux fleuves à eau blanche «trouble». Mais dans ces dernières les populations sont plus importantes en raison de la nourriture plus riche et plus variée. De toute manière les Characidés ont un grand besoin d'oxygène. Ce sont eux qui ont le moins de chance de survivre, par manque d'oxygène et températures élevées, lorsque les eaux se retirent des régions inondées. Ils succombent facilement en cas de stress causé par la capture à l'aide de l'épuisette ou dans le bac à photographier lors des prises de vues. L'exiguité et le manque d'oxygène qui se manifestent à cette occasion sont très mal supportés par ces poissons. Qui veut maintenir des Characidés en aquarium devra employer un bac de bonne longueur doté d'un filtre puissant provoquant un courant permanent et assurer un enrichissement d'oxygène par une surface d'eau mouvementée. Une eau acidifiée et adoucie par filtration sur tourbe, de couleur brunâtre, est appréciée comme étant «spécifique»

par la plupart des Characidés. Malgré la teinte brunâtre l'eau doit toujours être limpide et pure.
Si l'aquarium n'héberge pas d'espèces herbivores (mangeurs de plantes), on peut cultiver avec succès des plantes aquatiques à fines feuilles, car ces dernières demandent également une eau claire, limpide et pure, sans moulme tourbillonnant, car la plupart des Characidés ne fouillent pas dans le sol.

Selon GÉRY, quelques centaines de Characidés restent encore à décrire, tel par ex. cet *Hemigrammus* sp., pour lequel on propose le nom français «Tetra signal».

Arnoldichthys spilopterus (BOULENGER, 1909)
Characin africain aux yeux rouges

Syn.: *Petersius spilopterus.*

Or.: Ouest de l'Afrique tropicale, du Lagos jusqu'au delta du Niger.

P.i.: En 1907 par C. Siggelkow de Hambourg.

D.s.: Anale convexe chez le ♂, presque droite et avec point noir chez la ♀; chez le ♂ elle est tricolore rouge jaune noir.

C.s.: Poisson grégaire paisible.

M.: Bacs spacieux à faible hauteur (25–30 cm), plantation éparse laissant des zones dégagées pour la nage; sol sombre, eau filtrée sur tourbe à pH 6,0–7,5; dureté jusqu'à 20° dGH. Renouvellement partiel de l'eau toutes les 3–4 semaines.

R.: En eau douce légèrement acide. Un couple a produit 1000 œufs dans un bac de 85 cm. Eclosions au bout de 30–35 h.; les alevins se sont rassemblés au 5 e jour sous la surface et nageait librement au 7e jour. Les alevins sont très craintifs et se précipitent dans le sol qui doit donc être mou (tourbe ou sable très fin). Croissance rapide, une taille de 4,5 cm est atteinte au bout de 7 semaines. Nourrir au début avec des Infusoires, à partir de la deuxième semaine *Artemia*, nourriture floconneuse en poudre, jaune d'œuf, Liquifry et *Cyclops*. Trouver la nourriture adéquate est la seule difficulté d'élevage.

N.: C, O; nourriture vivante consistante, aliments en flocons (grands flocons).

P.: C'est un des plus beaux Characidés africains, à recommander à tout amateur disposant d'un grand bac.

T: 23–28° C, L: 8 cm, LA: 100 cm, Z: m, D: 2–3

Alestes imberi (PETERS, 1852)
Tétra rouge du Congo

Syn.: *Alestes fuchsii, A. lemairri, A. fuchsii taeniata, A. curtus, A. bequaerti, A. humilis, Brachyalestes imberi, B. imberi affinis, B. imberi imberi, B. imberi curtis, B. imberi kingsleyi, Mrycinus imberi, Myletes imberi.*

Or.: Cameroun, Zambie, Zaïre (Stanley Pool), Lac Malawi.

P.i.: 1965.

D.s.: Inconnu.

C.s.: Poisson grégaire paisible.

M.: Comme *Phenacogrammus interruptus.*

R.: On n'a aucun renseignement sur la reproduction. Dans la nature une ♀ peut contenir jusqu'à 14000 œufs.

N.: C, O; nourriture vivante et nourriture em flocons.

P.: Le nom commun correspond peu, il est vraisemblablement dû à une confusion avec *Micralestes stormsi* ou *M. acudidens.*

T: 22–26° C, L: 10 cm, LA: 80 cm, Z: m, D: 2–3

Arnoldichthys spilopterus

Alestes imberi

Alestes longipinnis (GÜNTHER, 1864)
Characin à longues nageoires

Syn.: *Alestes chaperi, Brycinus chaperi, Bryconalestes longipinnis.*

Or.: Delta du Niger, Côte de l'Or, Sierra Leone, Ghana, Togo.

P.i.: 1928.

D.s.: Les rayons de la dorsale du mâle sont très prolongés.

C.s.: Poisson grégaire, paisible, pour le grand bac communautaire.

M.: Ce nageur habile et vivace demande beaucoup d'espace libre. Il apprécie l'insolation ou un éclairage intense sur sol sombre. N'endommage pas la végétation. pH 6,5–7,8; dureté jusqu'à 25° dGH. Une bonne filtration est indispensable, car dans un aquarium surchargé de nitrates sa croissance ne progresse pas. Renouveler régulièrement 1/3 de l'eau.

R.: Pas encore réussie jusqu'à ce jour.

N.: C, O; nourriture vivante de bonne consistance, nourriture en flocons (grands flocons).

P.: Très beau poisson vivace convenant pour les grands aquariums.

T: 22–26° C, **L**: 13 cm, **LA**: 100 cm, **Z**: m, **D**: 2

Hemigrammopetersius caudalis (BOULENGER, 1899)
Tétra jaune du Congo

Syn.: *Petersius caudalis.*

Or.: Stanley Pool (Zaïre inf.), affluents du Zaïre.

P.i.: 1954.

D.s.: Pelviennes et anale présentent des extrémités blanches chez le ♂, transparentes chez la ♀.

C.s.: Poisson grégaire paisible, se prête pour cohabiter avec des espèces paisibles en aquarium communautaire.

M.: À tenir toujours par petits groupes de cinq individus ou plus, sinon il a un comportement farouche. Le comportement grégaire est très prononcé. pH 6,5–7,8; dureté jusqu'à 20° dGH. L'espèce ne mange pas de végétaux.

R.: Comme chez *Phenacogrammus interruptus.*

N.: C, O; nourriture vivante, nourriture en flocons.

P.: Magnifique espèce pour le spécialiste.

T: 22–26° C, **L**: 7 cm, **LA**: 80 cm, **Z**: m, **D**: 3

Alestes longipinnis

Hemigrammopetersius caudalis

Lepidarchus adonis signifer ISBRÜCKER, 1970

Characidé adonis

Syn.: Aucun.

Or.: Ouest de l'Afrique.

P.i.: En 1967 par M. Blair (Ecosse), en 1969 par E. Roloff de Karlsruhe (R.F.A.).

D.s.: Le ♂ présente de nombreuses taches pourpres sur l'arrière du corps et sur la caudale. La ♀ est presque transparente.

C.s.: Espèce délicate, paisible, à faire cohabiter seulement avec des petits poissons, par ex. *Nannostomus*.

M.: Petits aquariums densément plantés, eau extrêmement douce jusqu'à 4 dGH; pH 5,8–6,5; filtration sur tourbe.

R.: Relativement facile, mais pas très productive. Eau très douce (2° KH). Température 24–26° C. Peut frayer dans de très petits bacs parmi les plantes fines (20 à 30 œufs). Eclosion au bout de 36 h., mais nage libre seulement au bout d'une semaine. Les alevins acceptent les Artémies fraichement écloses. Obscurcir le bac sitôt la ponte terminée, les alevins recherchent l'obscurité, mais éclairer le lieu de distribution de nourriture. Vérifier si les alevins s'alimentent, sinon augmenter l'éclairage lors des distributions et baisser le niveau d'eau.

N.: C, O; nourriture vivante planctonique, FD Menu.

P.: Un des plus petits poissons d'aquarium. Un bijou pour connaisseurs et spécialistes.

T: 22–26° C, L: 2 cm, LA: 20 cm, Z: i, D: 3

Ladigesia roloffi GÉRY, 1968

Characidé nain orange

Syn.: Aucun.

Or.: Fleuve Yung, Liberia; Sierra Leone, Côte d'Ivoire et Côte de l'Or.

P.i.: 1967 par Roloff de Karlsruhe (R.F.A.).

D.s.: Nageoire anale prolongée en lobe chez le ♂, droite chez la ♀.

C.s.: Poisson grégaire paisible, farouche, qui vit dans la nature avec *Neolebias unifasciatus*, *Epiplatys annulatus* et *E. bifasciatus*. Seulement pour bacs communautaires en compagnie d'espèces délicates.

M.: Bien couvrir l'aquarium, saute à la moindre frayeur. Sol sombre, filtration sur tourbe (pH 6,0–7,0), dureté jusqu'à 10° dGH et aquarium en pénombre (évent. couche de plantes flottantes à la surface ou feuilles de *Nymphea*) sont indispensables pour le bien être de cette espèce.

R.: La ponte a lieu à proximité du sol (tourbe) dans une eau à pH 6,0. Ajouter de l'eau fraiche de faible dureté (moins de 4° all.) Pour nourrir les alevins du très fin plancton est indispensable. L'espèce n'est pas prolifère.

N.: C, O; nourriture vivante de très petite taille (Drosophiles, vers Grindal, Artémias), nourriture en flocons (FD Menu).

P.: Belle coloration des adultes. L'espèce mérite une plus grande popularité par élevages ciblés.

T: 22–26° C, L: jusqu'à 4 cm, LA: 60 cm, Z: m, D: 2–3

Lepidarchus adonis signifer

Ladigesia roloffi

Micralestes acutidens (PETERS, 1852)
Sous-fam.: Alestinae

Syn.: *Alestes acutidens, Brachyalestes acutidens.*

Or.: Nil, Niger, Zaïre, Zambese, Togo, Ghana.

P.i.: En 1932 par W. Schreitmüller.

D.s.: Le ♂ est plus svelte et présente une nageoire anale d'une autre forme.

C.s.: Poisson grégaire, vivace et paisible. Convient pour l'aquarium communautaire.

M.: Bacs longs, bien plantés à l'arrière et sur les côtés, avec beaucoup d'espace libre pour la nage. N'est pas exigeant envers la qualité de l'eau, mais une bonne aération est indispensable. pH 6,2–8,0; dureté jusqu'à 25° dGH.

R.: Inconnue.

N.: C, O; Nourriture en flocons, toutes sortes de nourritures vivantes.

P.: L'espèce est, hélas, rarement importée, bien qu'elle soit fréquente et largement distribuée. Les juvéniles ont peu d'apparence. Le transport comporte toujours des risques en raison de leur grand besoin d'oxygène.

T: 22–26° C, L: 6,5 cm, LA: 80 cm, Z: m, D: 2

Phenacogrammus interruptus (BOULENGER, 1899)
Tétra bleu du Congo
Sous-fam.: Alestinae

Syn.: *Micralestes interruptus, Alestopetersius interruptus, Hemigrammalestes interruptus, Petersius codalus.*

Or.: Région du Zaïre.

P.i.: En 1950 par «Aquarium Hamburg».

D.s.: Le ♂ est plus grand et plus coloré, la dorsale et la caudale sont prolongées.

C.s.: Poisson grégaire paisible. Ne pas faire cohabiter avec des poissons agressifs, car *P. interruptus* devient alors farouche.

M.: Grands bacs offrant beaucoup d'espace pour nager. Sol sombre, évent. couche de plantes flottantes, une lumière diffuse faisant mieux ressortir les couleurs. Comme presque tous les Characidés, cette espèce est également sensible aux sons, s'abstenir de frapper contre les glaces. pH 6,2; dureté 4–18° dGH. Ces poissons se sentent à l'aise dans une eau filtrée sur tourbe, légèrement ambrée. Ils mangent parfois les plantes tendres, particulièrement les jeunes pousses.

R.: L'insolation ou un fort éclairage électrique, déclenche souvent la parade nuptiale. Ils frayent par couples ou en groupes. Les œufs (jusqu'à 300) coulent au sol. Les éclosions ont lieu au bout de 6 jours. Nourrir les alevins avec des Infusoires jusqu'au 14e jour, ensuite *Artemia* et flocons fins.

N.: C, O; nourriture vivante, nourriture en flocons (grands). Ils peuvent être farouches au point de prendre la nourriture seulement lorsque leur soigneur aura quitté la pièce.

P.: C'est un des plus beaux Characidés africains, mais qui pose parfois des problèmes. Ce poisson dépérit s'il doit vivre en aquarium trop exigu, dans une eau de mauvaise qualité (trop riche en calcaire et en nitrates).

T: 24–27° C, L: ♂ 8,5 cm, ♀ 6 cm, LA: 80 cm, Z: m, s, D: 2–3

Micralestes acutidens ♀

Phenacogrammus interruptus

Distichodus decemmaculatus PELLEGRIN, 1925
Distichodus nain

Syn.: Aucun (?)

Or.: Bassin central du Zaïre.

P.i.: 1970?

D.s.: Inconnu.

C.s.: Paisible, convient pour tout aquarium en compagnie de poissons calmes, pas trop grands, mais tenir compte de son besoin de nourriture végétale.

M.: La végétation de l'aquarium doit être «dure»: Fougère de Java, Mousse de Java, Fougère aquatique (*Ceratopteris*), plantes en matière plastique. L'espèce est par ailleurs considérée comme non problématique. pH 6,5–7,5; dureté jusqu'à 20° dGH.

R.: N'a pas encore été réussie.

N.: H; nourriture végétale en flocons, comprimés de nourriture, laitue, épinards, mouron, cresson de fontaine.

P.: C'est la plus petite des espèces du genre *Distichodus*, et très jolie. Malheureusement elle dévore les plantes délicates. Chez les adultes les couleurs sont plus prononcées que sur la photo. La région ventrale, de la ligne latérale jusqu'au bas du ventre, est vert mousse. Les nageoires, particulièrement les pelviennes, sont rouges.

T: 23–27° C, L: 6 cm, LA: 60 cm, Z: i, m, D: 2

Distichodus fasciolatus BOULENGER, 1898
Distichodus rayé

Syn.: *Distichodus martini.*

Or.: Cameroun, Zaïre (Stanley Pool), Katanga, Angola.

P.i.: 1953.

D.s.: Inconnu.

C.s.: Espèce paisible, seulement pour très grands aquariums.

M.: Comme pour les autres *Distichodus*. Vu qu'il se nourrit principalement de végétaux (aliments de lests) l'eau se trouble facilement. Un filtre puissant est à conseiller. Un nettoyage régulier du filtre et un régulier changement d'eau favorisent la croissance. pH 6,0–8,0; dureté jusqu'à 25° dGH.

R.: Inconnue.

N.: H; herbivore prononcé, les juvéniles acceptent aussi les aliments en flocons.

P.: N'est pas un poisson d'aquarium au sens stricte.

T: 23–27° C, L: 60 cm, LA: 250 cm, Z: i, m, D: 3 (H)

Distichodus decemmaculatus

Distichodus fasciolatus

Distichodus lusosso SCHILTHUIS, 1891

Syn.: *Distichodus leptorhynchus.*

Or.: Bassin du Zaïre et Angola, Cameroun, Katanga.

P.i.: 1953.

D.s.: Inconnu.

C.s.: Paisible, herbivore confirmé.

M.: Comme pour les autres *Distochodus*, nécessite de très grands aquariums. Une maintenance conforme aux exigences de l'espèce n'est possible que dans les aquariums publics.

R.: Inconnue, vraisemblablement impossible en aquarium.

N.: H; plantes! comme *D. sexfasciatus.*

P.: N'est pas un poisson d'aquarium en raison de sa taille. Diffère de *D. sexfasciatus* principalement par son museau plus long.

T: 22–26° C, L: 40 cm, LA: 150 cm, Z: i, m, D: 3 (H)

Distichodus affinis GÜNTHER, 1873

Distichodus à nageoires rouges

Syn.: *Distichodus abbreviatus, D. affine.*

Or.: Zaïre inférieur.

P.i.: En 1911 par Fritz Mayer de Hambourg.

D: Inconnu.

C.s.: Aussi paisible que le Distichodus-nain.

M.: Cohabitant agréable pour certains bacs à Cichlidés ne comportant pas de végétation. Se rencontre rarement en aquarium, peut être à cause de la présentation peu attrayante des juvéniles. Soins comme pour *D. decemmaculatus.*

R.: Inconnue.

N.: H, L; salade, épinards (ébouillantés) nourriture en flocons.

P.: Seulement quelques unes des 30 espèces connues se prêtent pour la maintenance en aquarium. L'espèce décrite ci dessus en fait partie, c'est certainement la plus belle. Mais les importations diminuent, de sorte que cette espèce est actuellement rarement disponible dans le commerce. Les trois *Distichodus* qui se ressemblent par leurs nageoires rouges et la tache noire dans la dorsale se distinguent comme suit:

D. affinis (photo)

Extrémités des nageoires arrondies, anale plus longue que la dorsale; A 19–21; nombre d'écailles dans la ligne latérale 37–39. Congo inférieur.

D. noboli

Caudale également arrondie, anale plus courte que la dorsale; A 14–16; 38–45 écailles dans ligne latérale. Congo supérieur.

D. notospilus

Caudale à extrémités pointues, les autres nageoires comme chez *D. noboli.* Coloration de la robe plus uniforme que chez *D. affinis*, mais moins tacheté sur les flancs. Cameroun à Angola.

T: 23–27° C, L: 8 cm, LA: 80 cm, Z: i, m; D: 3 (H)

Distichodus lusosso

Distichodus affinis

Distichodus sexfasciatus BOULENGER, 1897
Distichodus zèbre
Sous-fam.: Distichodinae

Syn.: Aucun.

Or.: Bassin du Zaïre et Angola.

P.i.: 1953.

D.s.: Inconnu.

C.s.: Poisson grégaire paisible, également en solitaire; strictement herbivore. Pour grands aquariums communautaires sans végétation.

M.: Espèce peu recommandée pour la maintenance en aquarium. Seuls les juvéniles présentent une coloration plaisante, par la suite ils deviennent gris-jaune. La couleur des nageoires s'estompe et se transforme en gris. L'aquarium peut seulement être décoré par des roches, des racines et des plantes en matière plastique, les plantes naturelles sont dévorées. La Mousse de Java est épargnée s'il y a d'autres végétaux à disposition. pH 6,0–7,5; dureté jusqu'à 20° dGH, moins est préférable (10° dGH).

R.: Pas encore réussie.

N.: H; végétaux (salade ébouillantée, épinards, mouron, cresson de fontaine), flocons à base végétale, grands flocons.

P.: Seulement pour spécialistes.

T: 22–26° C, L: 25 cm, LA: 120 cm, Z: i, D: 3 (H)

Nannaethiops unitaeniatus GÜNTHER, 1871
Characidé africain à une bande
Sous-fam.: Distichodinae

Syn.: Aucun.

Or.: Très répandu à l'ouest de l'Afrique du Zaïre au Niger et à l'est jusqu'au Nil blanc.

P.i.: 1931.

D.s.: ♂ plus svelte, couleurs plus prononcées. En période de frai une partie de la dorsale et le lobe supérieur de la caudale sont colorés en rouge.

C.s.: Poisson grégaire paisible et farouche, à maintenir de préférence en aquarium spécifique. Ce n'est qu'alors qu'il présente sa belle couleur cuivre.

M.: Sol composé de sable fin, végétation parcimonieuse, éclairage intense. Filtration sur tourbe. pH 6,5–7,5; dureté jusqu'à 12° dGH.

R.: La reproduction n'est pas difficile en aquarium spécifique. Il parait que le soleil matinal favorise la disposition à frayer. Eau douce, pH 6,0–6,5. Filtration sur tourbe, ajouter de l'eau neuve complétée d'un bon produit pour le traitement de l'eau. Les œufs sont éparpillés (pondeurs en eau libre) parmi les plantes et les roches. Eclosion au bout d'environ 30 heures, au cinquième jour les alevins nagent librement. On les élève à l'aide de nourriture naturelle planctonique et d'Artémies. Le bac de ponte devrait avoir une capacité d'au moins 50 litres vu que l'espèce est très productive.

N.: C; toutes sortes de nourritures vivantes fines, les aliments lyophilisés sont acceptés au bout d'un certain temps.

T: 23–26° C, L: 6,5 cm, LA: 60 cm, Z: i, m, D: 2–3

Distichodus sexfasciatus

Nannaethiops unitaeniatus

Nannocharax fasciatus GÜNTHER, 1867

Syn.: Aucun.

Or.: Cameroun, Volta, Niger, Gabon, Guinée.

P.i.: 1969.

D.s.: N'a pas encore été décrit.

C.s.: Poisson grégaire paisible, vit aussi en solitaire; se prête pour aquariums communautaires bien entretenus. A faire cohabiter seulement avec des espèces calmes.

M.: Des bacs de très petites dimensions peuvent convenir. Cette espèce demande une eau riche en oxygène et bien brassée. pH 6,0–7,5; dureté jusqu'à 15° dGH. Végétation parcimonieuse et beaucoup de lumière correspondant à l'environnement naturel de cette espèce. Une adjonction d'extrait de tourbe est recommandée.

R.: Pas réussie jusqu'à ce jour.

N.: C; toutes sortes de nourritures planctoniques; peut être habitué aux aliments lyophilisés, happe des flocons entrainés par le courant du filtre.

P.: Le genre a une grande ressemblance avec le genre sud américain *Characidium*. Ce dernier «stationne» sur le sol à l'aide des pectorales et des pelviennes, alors que *Nannocharax* se sert des pelviennes, de l'anale et complémentairement également du lobe inférieur de la caudale. C'est une espèce plutôt curieuse et assez familière; elle nage toujours penchée à 45°, la tête dirigée vers le haut.

T: 23–27° C, L: 7–8 cm, LA: 40 cm, Z: i, D: 3

Neolebias ansorgii BOULENGER, 1912

Neolebias vert, Characin d'Ansorge

Syn.: *Neolebias landgrafi, Micraethiop ansorgii.*

Or.: Cameroun, Angola, Afrique centrale, Tschiloango. Dans des marais.

P.i.: 1924.

D.s.: Voir photo couleur ci contre. Coloration du ♂ plus vive.

C.s.: Paisible et farouche. Ne se prête pas pour l'aquarium communautaire où il est dominé en permanence.

M.: Petits aquariums faiblement éclairés, à partir de 50 cm de longueur. Sol moulmeux composé de tourbe (cf. Killies). Ajouter un bon produit pour le traitement de l'eau de chaque changement d'eau afin de la «vieillir» rapidement, car cette espèce est sensible à l'eau neuve. Hauteur d'eau: 20 cm. Filtration pas obligatoire. Végétation composée de: *Myriophyllum, Nitella, Cabomba*, Nénuphar.

R.: Ponte comme chez les Killies; jusqu'à 300 œufs tombent dans le substrat (mousse, tourbe, fibreuse). Elevage des alevins à l'aide d'Infusoires. Les éclosions ont lieu au bout de 24 h., puis les alevins pendent à la surface de l'eau. Hauteur d'eau: 15–20 cm. Ils sont matures à l'âge de 7 mois.

N.: C, O; nourriture vivante (larves de Moustiques), FD Menu, nourriture en flocons.

P.: Parmi les dix espèces du genre *Neolebias* c'est celle qui est le plus fréquemment proposée dans le commerce. Le genre ne porte pas de nageoire adipeuse.

T: 24–28° C, L: 3,5 cm, LA: 50 cm, Z: i, m, D: 2–3

Nannocharax fasciatus

Neolebias ansorgii

Phago maculatus AHL, 1922
Phago tacheté Sous-fam.: Ichthyoborinae

Syn.: Voir sous P.

Or.: Delta du Niger, Est de l'Afrique.

P.i.: En 1913 par Hase de Hambourg.

D.s.: Inconnu.

C.s.: Carnivore, à faire cohabiter seulement avec des grands poissons d'une longueur de 10 cm et plus (cf. nourriture!).

M.: Cette espèce aime la tranquillité et refuse de s'alimenter si elle est fortement incommodée. Elle a besoin de caches parmi les branches et la végétation. L'espèce n'est pas très exigeante envers la qualité de l'eau: pH 6,5–7,5; dureté jusqu'à 20° dGH. Une couleur ambrée de l'eau convient à son besoin de s'abriter.

R.: N'a pas encore été réussie en aquarium.

N.: C; Les spécimens de taille moyenne prennent des proies vivantes d'assez grande taille, par la suite ils ne mangent pratiquement que des poissons vivants. Dans la nature ils arrachent des fragments de nageoires, même sur de très grands poissons.

P.: Espèce rarement importée, seulement pour spécialistes. Selon GÉRY (1977) le nom de l'espèce n'est pas certain. L'espèce est évent. identique avec *Phago loricatus* GÜNTHER, 1865.

T: 23–26° C, L: 14 cm, LA: 80 cm, Z: m, D: 3–4 (C)

Abramites hypselonotus (GÜNTHER, 1868)
Characin-brème
Sous-fam.: Anostominae

Syn.: *Leporinus hypselonotus, A. microcephalus.*

Or.: Bassin de l'Amazone et de l'Orinoco.

P.i.: 1917.

D.s.: Inconnu.

C.s.: Assez irascible envers ses congénères lorsqu'il a un certain âge. Les juvéniles sont paisibles jusqu'à une taille de 10 cm, ils se prêtent pour les aquariums dépourvus de végétation.

M.: Comme toutes les espèces du genre *Leporinus*: aquarium dépourvu de végétation, mais aménagé avec des racines et des roches. Eau douce à moyennement dure (jusqu'à 18° dGH); pH 6,0–7,5; filtration puissante.

R.: Pas encore réussie.

N.: L, H; Broute les algues sur les plantes, sans ménagement pour les jeunes pousses. Laitue, cresson de fontaine, nourriture végétale en flocons, petites proies vivantes.

P.: Poisson très intéressant par son mode de vie en solitaire. En plus de *A. hypselonotus hypselonotus* il existe encore une autre sous-espèce: *A. hypselonotus ternetzi* (NORMAN, 1926).

T: 23–27° C, L: 13 cm, LA: 80 cm, Z: i, m, D: 2–3

Anostomus anostomus (LINNAEUS, 1758)

Anostome rayé

Syn.: *Salmo anostomus, Leporinus anostomus, Anostomus gronovii, A. salmoneus, Pithecocharax anostomus.*

Or.: Amazone, en amont de Manaus; fleuve Orinoco, Vénézuéla; Guyane, Colombie.

P.i.: En 1924 par W. Eimeke de Hambourg.

D.s.: Inconnu.

C.s.: La cohabitation est meilleure par groupes de 7 individus et plus. Peut aussi vivre en solitaire dans un aquarium communautaire et importune rarement les autres espèces.

M.: La maintenance de *A. anostomus* dans un bac bien planté ne pose pas de problèmes s'il dispose suffisamment d'algues à brouter ou si on lui fournit assez de nourriture végétale. Des concurrents alimentaires tels que *Hemiancistrus, Gyrinocheilus, Epalzeorhynchus*, ne devraient pas cohabiter avec lui, car *A. anostomus*, souvent peureux, aurait des difficultés pour s'alimenter.

R.: Semble déjà réussie, mais on manque d'informations précises. Voir aussi *Chilodus punctatus* p. 318.

N.: Certains auteurs disent que la bouche supère sert à brouter les algues sur les tiges serrées. Effectivement, presque tous les Anostomus vivent dans les failles rocheuses presque verticales dans le courant rapide des fleuves et rivières peu profonds. On y observe souvent un fort développement alguaire. Dans l'aquarium les plantes et jeunes feuilles ne sont acceptées qu'en guise de remplacement. Par contre, la nourriture vivante (larves de Moustiques, Daphnies, petits vers) est appréciée, ainsi que des flocons de végétaux comme aliments complémentaires. Idem pour la laitue ébouillantée, cresson de fontaine et mouron. Les juvéniles aiment broutiller les comprimés d'aliments lyophilisés.

P.: Ses exigences envers la qualité de l'eau sont celles de tous les Characidés sud américains: pH 5,8–7,5, optima 6,5; dureté jusqu'à 20° dGH, optima 8°.

Il est conseillé d'installer un filtre puissant assurant un courant important, de sorte que la totalité du volume d'eau ait circulée au moins deux fois par heure. Un éclairage intense favorise la croissance d'algues entre et sur les roches qui constituent le décor. Chaque individu s'établit un territoire dans les espaces rocheux.

T: 22–28° C, L: 18 cm, LA: 100 cm, Z: i, m, D: 2–3

Anostomus taeniatus (KNER, 1858)

Anostome cuivré

Syn.: *Laemolyta taeniata.*

Or.: Amazone central, Rio Negro.

P.i.: En 1913 par la firme C. Kropac de Hambourg.

D.s.: Inconnu.

C.s.: Poisson grégaire paisible.

M.: Vit sous d'épaisses couches de plantes (*Eichhornia*), par ex. dans le Rio Moiocu, affluent du Rio Tapajos où il a été observé en compagnie de Discus, *Osteoglossum, Klausewitzia* et d'autres Cichlidés, en eau calme, presque stagnante. pH 6,0; dureté non mesurable = O. Espèce robuste dont la maintenance en aquarium à filtration sur tourbe ne pose pas de problème. Lors des changements d'eau, toujours ajouter un bon produit pour le traitement de l'eau.

R.: Inconnue.

N.: L, O; nourriture en flocons, algues, nourriture vivante, comprimés lyophilisés.

P.: Voir *A. anostomus*.

T: 24–28° C, L: 20 cm, LA: 100 cm, Z: i, m, D: 3

Anostomus anostomus

Anostomus taeniatus, haut: coloration de jour; bas: juv. en coloration de nuit

Anostomus ternetzi FERNANDEZ YEPEZ, 1949
Anostome doré

Syn.: Aucun.

Or.: Orinoco; Rio Araguaia, Rio Zingu, Brésil.

P.i.: 1965, précédemment évt. sous un autre nom.

D.s.: Inconnu.

C.s.: Espèce très paisible à bon comportement intra et interspécifique.

M.: Comme *A. anostomus*, souvent moins sensible.

R.: Inconnue.

N.: L; nourriture en flocons, algues, petites proies vivantes, comprimés lyophilisés.

P.: Moins coloré que son cousin. *A. anostomus,* mais plus calme et de plus petite taille.

T: 24–28° C, L: 16 cm, LA: 100 cm, Z: i, m, D: 3

Pseudanos trimaculatus (KNER, 1859)
Anostome à trois taches

Syn.: *Schizodon trimaculatus, Pithecocharax trimaculatus, Anostomus plicatus* (pas EIGENMANN), *Anostomus trimaculatus.*

Or.: Amazone, Brésil; Guyane.

P.i.: En 1913 par la firme W. Eimeke, Hambourg.

D.s.: Inconnu.

C.s.: Poisson grégaire, paisible et le plus souvent très sociable.

M.: Dans la nature ces poissons vivent en bancs importants ou par groupes de 12 à 50 individus, souvent en compagnie d'espèces du genre Leporinus (*L. frederici, L. «maculata»*). Demande une eau bien oxygénée et ne dédaigne pas les plantes de l'aquarium.

R.: Inconnue.

N.: L, O; algues, plantes tendres, zooplancton, flocons lyophilisés, flocons à base végétale.

P.: Morphologiquement *Pseudanos trimaculatus* a une grande ressemblance avec *Anostomus plicatus.*

T: 23–27° C, L: 12 cm, LA: 80 cm, Z: i, m, D: 3

Anostomus ternetzi

Pseudanos trimaculatus

Leporinus affinis (GÜNTHER, 1864)
Leporinus vert
Sous-fam.: Anostominae

Syn.: *Leporinus fasciatus affinis.*

Or.: Vénézuela, Paraguay, Brésil, Colombie, Pérou.

P.i.: En 1912 par J. Kropac de Hambourg.

D.s.: Inconnu.

C.s.: Herbivore paisible; parfois belliqueux envers ses congénères.

M.: Grands aquariums, eau claire, gravier au sol. racines, plantes très robustes, par ex. Fougère de Java; évtl. plantes en plastique. Ces poissons sont guère appréciés vu qu'ils dévorent toute végétation se trouvant dans l'aquarium. Ils vivent dans les endroits calmes des rivières à fond sablonneux, mais ne craignent pas les courants rapides. Ils mangent tout ce qui vient à leur rencontre y compris les fruits et les feuilles mortes. Les arbres tombés dans l'eau sont littéralement «broutés jusqu'à l'écorce». Lors de l'achat il faut se souvenir que presque toutes les espèces atteignent une grande taille adulte. pH 5,8–7,8; dureté jusqu'à 20° dGH.

R.: Pas encore réussie.

N.: H; aliments en flocons, végétaux, grands flocons cresson de fontaine, mouron, laitue.

P.: Ce *Leporinus* fréquemment importé de Belem se distingue de *L. fasciatus* par les extrémités arrondies de la caudale et par 9 au lieu de 10 bandes noires transversales. Cette sous-espèce garde toujours sa couleur verdâtre, alors qu'une gorge rouge apparait chez *L. fasciatus.*
Leporinus = petit lapin, le nom de genre fait allusion à la bouche en forme de bec de lièvre.

T: 23–27° C, **L:** 25 cm, **LA:** 100 cm, **Z:** i, m, **D:** 3

Leporinus fasciatus fasciatus (BLOCH, 1794)
Leporinus à bandes noires
Sous-fam.: Anostominae

Syn.: *Salmo fasciatus, Chalceus fasciatus, Leporinus novem fasciatus, Salmo timbure.*

Or.: Vénézuéla, affluents de l'Amazone, centre de l'Amérique du sud.

P.i.: 1912 par les Piscicultures Réunies de Conradshöhe (Berlin).

D.s.: Inconnu.

C.s.: En général paisible, a cependant tendance à mordiller les nageoires de ses congénères.

M.: Bacs sans végétation, décorés par quelques racines et roches. Sol sablonneux. Provoquer un fort courant à l'aide du filtre. Habile nageur, peut sauter, donc bien couvrir l'aquarium. Eau douce et légèrement acide, mais l'espèce s'adapte aisément. pH 5,5–7,5; dureté jusqu'à 20° dGH.

R.: Pas encore réussie.

N.: H; fruits, feuilles, salade, cresson, mouron. Les juvéniles acceptent également les aliments en flocons à base végétale. Cinq sous-espèces ont été décrites: *Leporinus fasciatus affinis* (GÜNTHER, 1864); *L. f. altipinnis* (BORODIN, 1929); *L. f. fasciatus* (BLOCH, 1794) et *L. f. tigrinus* (BORODIN, 1929). Certains ichthyologistes doutent de la validité de la sous-espèce *L. fasciatus holostictus* (COPE, 1878).

T: 22–26° C, **L:** 30 cm, **LA:** 120 cm, **Z:** i, m, **D:** 3

Leporinus affinis

Leporinus fasciatus fasciatus

Leporinus nigrotaeniatus (JARDINE, 1841)
Leporinus pointillé

Syn.: *Chalceus nigrotaeniatus, Leporinus margaritaceus, Salmo biribiri.*

Or.: Guyanes, Amazonie (Brésil).

P.i.: Inconnu.

D.s.: Inconnu.

C.s.: Poisson grégaire paisible, occasionnellement disputes entre congénères.

M.: Comme tous les grands *Leporinus*. L'espèce se trouve rarement dans le commerce, elle est présentée ici en guise de mise en garde pour l'amateur qui aurait l'occasion de les voir et éventuellement de les acheter, sous leur forme juvénile qui est très attrayante. C'est un poisson robuste. pH 6,0–7,8: dureté jusqu'à 25° dGH.

R.: Probablement impossible en aquarium.

N.: H; végétaux de toutes sortes, fruits, racines des Cassadas.

P.: En raison de sa grande taille à l'âge adulte ce poisson n'est pas conseillé pour l'aquarium d'amateur. La détermination de l'espèce d'après la photo ci contre n'est pas absolument certaine.

T: 23–26° C, L: 40 cm, LA: 150 cm, Z: m, i, D: 4

Leporinus striatus KNER, 1859
Leporinus rayé

Syn.: *Salmo tiririca.*

Or.: Bolivie, Colombie, Equateur, Mato Grosso, Paraguay et Vénézuéla.

P.i.: En 1935 par «Aquarium Hamburg».

D.s.: Inconnu.

C.s.: Poisson grégaire paisible, pour des grands aquariums.

M.: Comme les autres *Leporinus*, à maintenir dans de grands aquariums dépourvus de plantes. L'auteur a observé *Leporinus* dans des eaux à courant rapide (sous des chutes d'eau) qui avaient une taille de 60 cm et plus. S'ils n'ont pas encore été reproduits en aquarium, cela est certainement dû à leur grande taille. En aquarium ils n'atteignent pas la maturité. Exception faite pour *Leporinus «maculatus»* reproduit couramment au Japon.

R.: Inconnue.

N.: H; nourriture végétale; fruits, salade, cresson, mouron.

P.: A une grande ressemblance avec *L. arcus* du Vénézuéla et des Guyanes, mais qui présente plus de couleur rouge et trois bandes noires (photo ci contre en bas).

T: 22–26° C, L: jusqu'à 25 cm, LA: 80 cm, Z: i, m, D: 3 (H)

Leporinus nigrotaeniatus, juv.

Leporinus striatus au milieu, *L. arcus* en bas

Aphyocharax alburnus (GÜNTHER, 1869)
Alburnus

Syn.: *Chirodon alburnus, Aphyocharax avary, Aphyocharax erythrurus.*

Or.: Sud du Brésil, Paraguay, Argentine.

P.i.: 1934.

D.s.: Pas connu avec certitude.

C.s.: Poisson grégaire paisible, convient parfaitement pour les aquariums communautaires.

M.: Assez grands bacs, pas trop hauts avec végétation au choix. Cette espèce demande davantage d'oxygène que son cousin. *A. anisitsi* et est un peu plus exigeante envers les qualités physicochimiques de l'eau. pH 5,5–7,5; dureté jusqu'à 20° dGH.

R.: Pas encore réussie à ce jour?

N.: O, C; omnivore, nourriture en flocons.

P.: Diffère de *A. anisitsi,* mieux connu par une couleur rouge plus pâle de la nageoire caudale et par une bande longitudinale bleue bien prononcée.

T: 20–28° C, L: 7 cm, LA: 80 cm, Z: m, s, D: 1

Aphyocharax anisitsi EIGENMANN & KENNEDY, 1903
Characidé à nageoires rouges

Syn.: *A. rubripinnis, A. affinis, Tetragonopterus rubropictus.*

Or.: Rio Parana (Argentine).

P.i.: En 1906 par Oskar Kittler de Hambourg.

D.s.: Petits crochets sur la nageoire anale des mâles.

C.s.: Poisson grégaire paisible, se prête pour tout aquarium communautaire.

M.: Son comportement vivace se manifeste surtout au sein d'un groupe. Les côtés et l'arrière de l'aquarium devraient être plantés avec des *Vallisneria* et des *Sagittaria.* Ces poissons peuvent être maintenus dans un aquarium non chauffé, à température ambiante, mais il est alors moins vivace et ses couleurs sont plus pâles. Si possible aménager un sol sombre. Eau: pH 6,0–8,0; dureté jusqu'à 30° dGH.

R.: Pond en eau libre, près de la surface, les œufs sont disséminés parmi les plantes. Retirer les reproducteurs sitôt la ponte terminée sinon ils mangent les œufs. Nourrir les alevins avec de la nourriture très fine et des *Artemia.* L'espèce est prolifère (300 à 500 œufs).

N.: O, C; omnivore, nourriture en flocons.

P.: Très robuste, peut vivre dix ans et plus.

T: 18–28° C, L: 5 cm, LA: 60 cm, Z: m, s; D: 1

* Vu le grand nombre d'espèces de vrais Characidés américains, ils sont répertoriés complémentairement par sous-familles en ordre alphabétique.

Aphyocharax alburnus

Aphyocharax anisitsi

Brycon falcatus MÜLLER & TROSCHEL, 1845
Characidé turque

Syn.: *Brycon schomburgki.*

Or.: Guyanes, Rio Branco, Brésil.

P.i.: En 1923 par Eimeke, Hambourg?

D.s.: Inconnu.

C.s.: Poisson grégaire, paisible à l'état juvénile, mais se transforme petit à petit en prédateur.

M.: Ne pose pas de problèmes jusqu'à une taille de 12 cm environ. Peut cohabiter avec des Cichlidés robustes. Végétation de l'aquarium seulement par plantes robustes: Vallisnéries géantes, Plantes-épées de l'Amazone. pH 5,5–7,5; dureté jusqu'à 25° dGH. Nageur agile, bon sauteur.

R.: N'a pas été expérimentée?

N.: O; omnivore, nourriture en flocons, comprimés, ultérieurement nourriture vivante consistante.

P.: N'est pas vraiment un poisson d'aquarium, ne serait-ce qu'en raison de sa taille. Se développe bien dans les grands aquariums publics où il prend de belles couleurs. La dorsale et les pelviennes prennent une teinte orange.

T: 18–25° C, **L**: 25 cm, **LA**: 120 cm, **Z**: m, **D**: 3 (G)

Chalceus macrolepidotus CUVIER, 1817
Characidé brillant

Syn.: *Brycon macrolepidotus, Chalceus ararapeera, Pellegrina heterolepsis, Chalceus erythrurus.*

Or.: Guyanes, Amazone.

P.i.: 1913 par Eimeke, Hambourg.

D.s.: Inconnu.

C.s.: Poisson grégaire carnivore, ne peut cohabiter qu'avec des poissons plus grands que lui. Pas recommandable comme poisson d'aquarium.

M.: Ne se développe que dans les très grands aquariums; n'est pas sensible envers la qualité de l'eau, mais végète dans les petits bacs; ne mange pas de plantes.

R.: Pas réussie à ce jour.

N.: C; omnivore vorace: poissons, chair de poissons, viande. Les juvéniles acceptent les aliments en flocons et peuvent être habitués aux comprimés.

P.: Au Zoo de Hellabrunn (Munich) certains ont vécus 19 ans. En Amérique du sud il est très apprécié comme poisson comestible.

T: 23–28° C, **L**: 25 cm, **LA**: 150 cm, **Z**: m, **D**: 4 (C)

Triportheus angulatus (SPIX, 1829)
Characidé pointillé, Characidé arbalette

Syn.: *Chalceus angulatus, Chalcinus angulatus, Chalcinus nematurus, Salmo clupeoides, Triportheus flavius, T. nematurus.*

Or.: Bassin de l'Amazone, commun dans certaines eaux. Pérou, Paraguay, Orinoco (Vénézuéla).

P.i.: 1934.

D.s.: Inconnu.

C.s.: Poisson grégaire paisible, mais peut pourchasser les petits poissons.

M.: Demande beaucoup d'oxygène, sensible à la pression. Aquarium bien éclairé avec grand espace libre pour la nage et surface dégagée. pH 6,0–7,5; dureté jusqu'à 15° dGH. Très bon sauteur, bien couvrir l'aquarium. Peut «voler» sans bouger les pectorales sur plusieurs mètres.

R.: Inconnue.

N.: C; Insectes, aliments lyophilisés, également nourriture en flocons.

P.: Espèce attrayante, mais qui semble ne pas plaire aux amateurs. L'individu présenté sur la photo mesure 10 cm.

Brycon falcatus

Chalceus macrolepidotus

Triportheus angulatus

Selon LÜLING, *Triportheus se nourrit* principalement des Moustiques morts qui, après leur vol nuptial, recouvrent par myriades la surface de l'eau. De *Triportheus angulatus*, cinq sous espèces ont été décrites: *T. a. angulatus* (SPIX, 1829), *T. a. curtus* (GARMAN, 1890), *T. a. fuscus* (GARMAN, 1890), *T. a. signatus* (GARMAN, 1890) et *T. a. vittatus* (GARMAN, 1890).

T: 22–28° C, **L**: plus de 10 cm, **LA**: 80 cm, **Z**: m, s, **D**: 2

Exodon paradoxus

MÜLLER & TROSCHEL, 1844

Exodon à deux taches

Syn.: *Epicyrtus exodon, Epicyrtus paradoxus, Hystricodon paradoxus.*

Or.: Rio Madeira, Rio Marmelo, Rio Branco, Brésil, Guyane.

P.i.: 1935.

D.s.: Ventre de la ♀ plus rond.

C.s.: Isolé ou par petits groupes. Très vorace. Si la proie est trop grande pour être avalée en entier il la déchiquète. Fortement déconseillé pour l'aquarium communautaire. A tenir par groupes de 10 à 15 individus, dans ce cas ils sont relativement inoffensifs. Souvent les juvéniles s'arrachent mutuellement les yeux.

M.: Bon sauteur, donc bien couvrir l'aquarium. Filtrer sur tourbe, eau brunâtre mais claire. pH 5,5–7,5 (6,0), dureté 0–20° dGH (4° dGH) sont les paramètres qui lui conviennent au mieux. Ne mange pas les plantes aquatiques.

R.: Possible. Pond parmi les plantes, éclosion au bout de 1–1½ journée; alevins sont difficiles à élever, car ils se dévorent entre eux.

N.: C; poissons, vers, grands flocons de nourriture.

P.: Attention, prédateur! Les juvéniles sont très beaux.

T: 23–28° C, **L**: 15 cm, **LA**: 100 cm, **Z**: m, **D**: 3

Gnathocharax steindachneri

FOWLER, 1913

Syn.: Aucun.

Or.: Rio Madeira, Brésil, près de Porto Velho.

P.i.: En 1970 par le Dr. Geisler?

D.s.: La femelle a la tache embryonnaire noire.

C.s.: Poisson grégaire paisible. Peut cohabiter avec des Characidés paisibles, des Corydoras et des Cichlidés.

M.: N'a pas d'exigences particulières envers les paramètres de l'eau: pH 5,5–7,5, dureté jusqu'à 20° dGH. Bacs spacieux, plantes flottantes à la surface, grand espace libre pour nager. Sol sombre. Surface brassée, choisir le filtre en fonction. Filtration sur tourbe avantageuse. Bien couvrir l'aquarium.

R.: Inconnue.

N.: C, O; nourriture en flocons, nourriture vivante.

P.: Bon sauteur.

T: 23–27° C, **L**: 6 cm, **LA**: 80 cm, **Z**: m, **D**: 2

Exodon paradoxus

Gnathocharax steindachneri

Roeboides caucae
Characin du Cauca

EIGENMANN, 1922

Syn.: Aucun.

Or.: Fleuve Cauca, Colombie.

P.i.: Après 1950?

D.s.: Mâle plus allongé, femelle plus haute.

C.s.: Carnassier, dans la nature il se nourrit principalement d'écailles d'autres poissons. Ne convient pas pour l'aquarium communautaire.

M.: Ce poisson d'apparence délicate peut éliminer en quelques jours tous les petits poissons de l'aquarium. Ce genre est un proche parent de *Exodon paradoxus*. Une eau claire et bien oxygénée, une bonne filtration et une alimentation substantielle sont primordiales pour une maintenance correcte. Il n'a pas d'exigences particulières envers la qualité physico chimique de l'eau.

R.: Pond en eau libre à proximité de la surface parmi les plantes et les racines. Les jeunes éclosent au bout de 1–2 jours et demandent de grandes quantités d'Infusoires, sinon ils se dévorent entre eux.

N.: C; petits poissons, grandes proies vivantes, accepte également les aliments en flocons.

P.: Prédateur intéressant pour les aquariophiles ayant déjà beaucoup d'expérience et qui sont continuellement à la recherche de nouveautés. Les espèces de ce genre sont très communes au Brésil et au nord de l'Amérique du sud.

T: 22–26° C, L: 6 cm, LA: 60 cm, Z: m, D: 3

Asiphonichthys condei
Characin verre

GÉRY, 1976

Syn.: *Epicyrtus microlepis, Anacyrtus microlepis, Cynopotamus microlepis, Roeboides microlepis.*

Or.: Vénézuéla, Asuncion, Paraguay.

P.i.: ?

D.s.: Mâle plus svelte et plus jaune, sa nageoire anale est plus large; dos de la femelle est plus haut.

C.s.: Poisson grégaire ou solitaire, carnassier, à ne pas faire cohabiter avec des petits poissons.

M.: Aquarium offrant beaucoup d'espace libre pour la nage. Végétation de faible hauteur au sol et quelques plantes flottantes à la surface, c'est suffisant. Extrait de tourbe ou filtration sur tourbe favorise le bien être et la coloration; pas très exigeant par ailleurs. pH 6,5–7,8; dureté jusqu'à 20° dGH. Sol sombre.

R.: En période de frai la gorge du mâle prend une teinte orangerouge. On a peu de renseignements sur la ponte et l'élevage des jeunes, probablement comme chez les espèces précédentes.

N.: C; nourriture vivante substantielle, accepte parfois les flocons. Attaque aussi les congénères lors des distributions.

P.: Les sujets âgés ont tendance à nager en dirigeant la tête vers le bas.

T: 23–25° C, L: 10 cm, LA: 80 cm, Z: i, m, D: 3

Roeboides caucae

Asiphonichthys condei

Corynopoma riisei GILL, 1858
Corynopoma nain

Syn.: *Corynopoma albipinne, C. aliata, C. searlesi, C. veedoni, Nematopoma searlesi, Stevardia albipinnis, S. aliata, S. riisei.*

Or.: Rio Meta (Colombie).

P.i.: En 1932 par Otto Winkelmann d'Altona.

D.s.: Les pectorales des mâles sont longues et en forme de pagaie.

C.s.: Poisson grégaire paisible, convient très bien pour l'aquarium communautaire.

M.: Ce poisson est très sensible à l'Ichthyo. La quarantaine est condition de survie chez le marchand, ensuite il est très durable. Eau: pH 6,0–7,8; dureté jusqu'à 25° dGH. Espace dégagé pour nager librement. Offrir la possibilité de s'abriter parmi les plantes flottantes.

R.: Insémination par spermatophores. Lors de la ponte les œufs sont fécondés sans que le mâle soit présent. Eclosion au bout de 20 à 36 heures. Nourrir les alevins avec des *Artemia*, mouture très fine d'aliments en flocons, Liquifry.

N.: O; flocons, toutes les nourritures vivantes.

P.: Dans le passé il était très recherché en raison de son insémination particulière. Actuellement, au «temps des poissons colorés», on ne s'y intéresse pratiquement plus.

T: 22–28° C, **L**: 6–7 cm, **LA**: 70 cm, **Z**: m, s, **D**: 2

Pseudocorynopoma doriae PERUGIA, 1891
Cerf volant

Syn.: *Bergia altipinnis, Chalcinopelecus argentinus.*

Or.: Sud du Brésil et région du La Plata (Argentine, Uruguay, Paraguay).

P.i.: En 1905 par Oskar Kittler de Hambourg.

D.s.: Dorsale et anale plus longues chez le mâle. La photo montre un mâle.

C.s.: Poisson grégaire agile, paisible. Convient bien pour l'aquarium communautaire.

M.: Cet habile nageur demande beaucoup d'espace libre; de préférence un bac pas très haut, mais offrant une grande surface. Végétation au choix de l'amateur, mais pas trop dense. Poisson idéal pour le débutant aimant faire des observations. Eau: pH 6,0–7,5; dureté jusqu'à 20° dGH.

R.: Un couple par bac de reproduction. La parade nuptiale du mâle est remarquable. En position verticale, tête en bas, il nage autour de la femelle durant plusieurs heures. Jusqu'à 1000 œufs sont pondus parmi les plantes à fines ramures. Les jeunes éclosent déjà au bout de 12–48 heures. La vésicule vitelline est résorbée au bout de 2–3 jours, il faut alors distribuer du très fin zooplancton et/ou des flocons finement moulus.

N.: O; aliments en flocons.

P.: Diffère de *Corynopoma* par l'absence de la fécondation intérieure.

T: 20–24° C, **L**: 8 cm; **LA**: 80 cm, **Z**: m, s, **D**: 1

Corynopoma riisei

Pseudocorynopoma doriae

Paragoniates alburnus STEINDACHNER, 1876
Characin verre bleu

Syn.: Aucun.

Or.: Amazone moyen et supérieur; dans les rivières du Vénézuéla.

P.i.: ?

D.s.: Inconnu.

C.s.: Poisson grégaire paisible convenant pour l'aquarium communautaire.

M.: Le comportement de cette espèce se compare à celui du Danio. Elle demande également beaucoup d'espace pour évoluer librement, une puissante filtration (courant d'eau), des bacs bien éclairés et bien plantés. Elle s'adapte aisément à la qualité de l'eau: pH 5,8–7,8; dureté jusqu'à 20° dGH.

R.: N'a pas été signalée, on suppose qu'ils pondent en groupe, en eau libre, parmi les plantes.

N.: C, O; omnivore, nourriture en flocons, aliments lyophilisés, petites proies vivantes.

P.: Cette espèce n'est pas très populaire (peu colorée), convient cependant pour l'amateur débutant.

T: 23–27° C, L: 6 cm, LA: 70 cm, Z: m, D: 2

Xenogoniates bondi MYERS, 1942
Characin verre à front doré

Syn.: Aucun.

Or.: Colombie, est du Vénézuéla.

P.i.: ?

D.s.: Inconnu.

C.s.: Poisson grégaire paisible.

M.: Pas de renseignements dans la littérature, pas d'expériences personnelles. L'auteur se base sur les renseignements fournis par le photographe qui possédait ce poisson durant quelques semaines: pH 7,2; dureté 20° dGH; température 24° C. Les plantes n'ont pas été endommagées, les autres poissons n'ont pas été molestés. L'espèce est farouche, mais peut être était-ce dû au fait qu'il n'y avait qu'un seul exemplaire.

R.: Pas encore réussie.

N.: C, O; nourriture en flocons, aliments lyophilisés, Daphnies et autres petites proies vivantes.

P.: Ressemble beaucoup à *Kryptopterus,* mais se distingue par la dorsale, la nageoire adipeuse et l'absence de barbillons.

T: 20–26° C, L: 6 cm, LA: 60 cm, Z: m, D: 2–3

Prionobrama filigera (COPE, 1870)
Characin verre à queue rouge

Syn.: *Aphyocharax filigerus, Aphyocharax analis, Bleptonema amazoni, Paragoniates muelleri, Aphyocharax analialbis, Prionobrama madeirae.*

Or.: Rio Paraguay, Argentine, sud du Brésil.

P.i.: En 1931 par «Aquarium Hamburg».

D.s.: Nageoire anale plus longue chez le mâle et avec lisière noire derrière le bord blanc.

C.s.: Poisson grégaire très calme convenant très bien pour l'aquarium communautaire, même en compagnie de Cichlidés africains.

M.: Toujours par groupe sinon très craintif. Cherche à s'abriter près de la surface (sous feuilles de Vallisnéries géantes, Fougères). Eau: pH 6,0–7,8; dureté jusqu'à 30° dGH. Poisson pour débutants. Aime stationner dans le courant du filtre.

R.: Relativement facile à 26–30° C, eau douce et plantes flottantes.

N.: O; flocons, Daphnies, etc.

P.: Pas très populaire car coloration peu attrayante. L'espèce est robuste et d'une longue durée de vie. Mérite d'être mieux connue.

T: 22–30° C, L: 6 cm, LA: 80 cm, Z: m, s, D: 1–2

Paragoniates alburnus

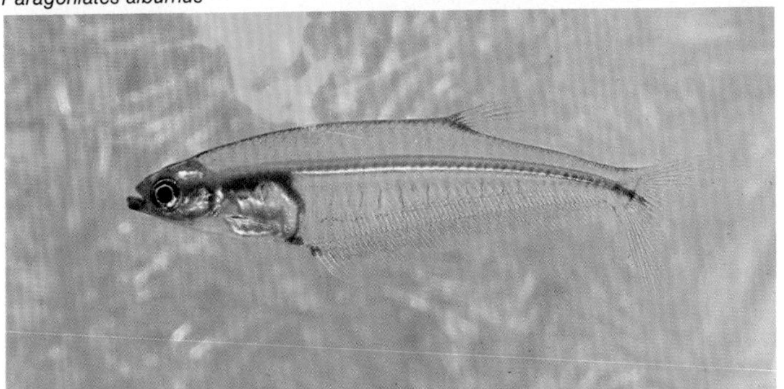

Xenogoniates bondi

Prionobrama filigera

Brachychalcinus orbicularis (VALENCIENNES, 1849)
Characin disque

Syn.: *Ephippicharax orbicularis, Tetragonopterus orbicularis, T. compressus, Fowlerina orbicularis, Gymnocorymbus nemopterus, Poptella orbicularis.*

Or.: Nord et centre de l'Amérique du sud.

P.i.: Inconnue.

D.s.: Inconnu.

C.s.: Poisson grégaire paisible, convient pour aquariums communautaires à végétation robuste.

M.: Toujours maintenir par groupe; espace libre pour la nage. Eviter plantes tendres, décorer l'aquarium avec des roches, racines, Fougère de Java, évtl. plantes en plastique. Eau: pH 5,5–7,5; dureté jusqu'à 25° dGH.

R.: Seulement possible dans des grands bacs de 600 l. et plus. Pond pratiquement dans toute eau d'une température de 22–30° C, entre 1000 à 2000 œufs. Les alevins nagent librement au bout de 6 jours. Elevage possible en les nourrissant de flocons très fins et d'*Artemia*.

N.: H, O; omnivore.

P.: Joli poisson ressemblant aux *Metynnis*, mais dont le caractère herbivore n'est pas aussi prononcé que chez ces derniers.

T: 18–24° C, L: 12 cm, LA: 140 cm, Z: m, s, D: 3 (H)

Astyanax bimaculatus (LINNAEUS, 1758)

Characin losange

Syn.: *Salmo bimaculatus, Tetragonopterus maculatus, Astyanax bartlettii, A. jacuhiensis, A. lacustris, A. orientalis, Charax bimaculatus, Poecilurichthys maculatus, Tetragonopterus jacuhiensis, T. orientalis.*

Or.: Est de l'Amérique du sud jusqu'au Paraguay.

P.i.: En 1907 par les Piscicultures réunies de Conradshöhe.

D.s.: Les mâles adultes présentent une nageoire anale et caudale jaune-rougeâtre.

C.s.: Poisson grégaire paisible, pour grands bacs. A l'état juvénile, jusqu'à 10 cm de long; il attaque ni les plantes, ni les petits poissons. Plus tard il ne dédaigne nullement les jeunes pousses des plantes.

M.: Espèce de grande taille exigeant de très grands bacs équipés d'une bonne filtration. Plantes robustes. Nourriture à distribuer en grande quantité. pH 5,5–7,5; dureté jusqu'à 25° dGH.

T: 20–28° C, L: 15 cm, LA: 120 cm, Z: m, D: 2

R.: Doit être possible dans des bacs à partir de 150 cm de long.

N.: C, O; nourriture sous forme de grands flocons, toutes sortes de nourritures vivantes.

P.: Coloration très variable. N'est pas un poisson d'aquarium à l'échelle amateur, principalement en raison de sa grande taille.

Astyanax fasciatus mexicanus (CUVIER, 1819)
Poisson aveugle, Tétra aveugle

Syn.: *Anoptichthys jordani, A. hubbsi, A. antrobius.*

Or.: Mexique, Texas jusqu'au Panama.

P.i.: 1949, 1951 par «Aquarium Hamburg».

D.s.: Mâle plus svelte que la femelle.

C.s.: Poisson grégaire paisible convenant pour l'aquarium communautaire.

M.: Pour tous genres d'aquariums. Il n'est pas nécessaire d'obscurcir les bacs. Ne mange pas de plantes. Eau: pH 6,0–7,8; dureté jusqu'à 30° dGH.

T: 20–25° C, **L**: 9 cm, **LA**: 80 cm, **Z**: m, **D**: 1

R.: Relativement facile, température 18–20° C. Les jeunes éclosent au bout de 2–3 jours et nagent librement à partir du sixième jour. On les élève avec du plancton, *Artemia* et flocons très fins. Au début les alevins sont encore voyants.

N.: C, O; omnivore.

P.: La forme aveugle est la forme des cavernes du Characidé *Astyanax fasciatus* largement répandu en Amérique centrale. Les poissons aveugles flairent leur nourriture et s'alimentent presque comme les voyants.

Axelrodia riesei GÉRY, 1966
Tétra semoule rouge

Syn.: Aucun.

Or.: Rio Meta, sud de la Colombie.

P.i.: Après 1970.

D.s.: Mâle plus svelte; femelle plus arrondie (v. photo).

C.s.: Poisson grégaire paisible.

M.: Cette espèce est un peu plus délicate que le Néon rouge. Comme ce dernier on peut certes la maintenir dans une eau d'une dureté d'env. 20° dGH, mais dans ce cas sa coloration disparait. C'est une eau douce, d'une dureté jusqu'à env. 8° dGH, filtrée sur tourbe, d'un pH max. de 7, un sol sombre et un éclairage atténué par des plantes flottantes qui font apparaitre la beauté de ce poisson.

T: 20–26° C, **L**: 4 cm, **LA**: 50 cm, **Z**: m, **D**: 3

R.: Pas encore réussie jusqu'à présent, mais devrait être possible. Il faudrait procéder comme pour le Néon. Nourrir les reproducteurs avec des proies vivantes (larves de Moustiques).

N.: C; nourriture vivante fine; Tetra-Rubin; aliments en flocons.

P.: Rarement importé. Dans la nature sa robe est rouge-encre, mais cette teinte s'estompe lors de la maintenance en aquarium.

Astyanax fasciatus mexicanus

Axelrodia riesei

Boehlkea fredcochui GÉRY, 1966
Tétra bleu du Pérou

Syn.: «*Microbrycon cochui*».

Or.: Fleuve Maranon, Pérou; Leticia, Columbie.

P.i.: 1956 aux USA; Europe?

D.s.: Pas bien connu, mâle plus vigoureux.

C.s.: Poisson grégaire vivace et paisible. Convient pour aquariums communautaires bien entretenus et à eau adéquate. Ne mange pas de végétaux.

M.: Filtration sur tourbe, sol sombre et lumière difuse font apparaitre la beauté de ce très joli poisson. La photo montre la coloration magnifique qui s'estompe cependant souvent lorsqu'il séjourne dans les bacs des commerçants. Eau: pH 5,5–7,5; dureté jusqu'à 15° dGH.

R.: A déjà été reproduit en captivité, mais on n'a pas de renseignements précis. Ponte probablement comme chez les *Hemigrammus* et les *Hyphessobrycon*.

N.: C, O; nourriture vivante fine, aliments lyophilisées, flocons.

P.: Un magnifique poisson d'aquarium, mais pratiquement introuvable faute de reproduction. Il est cependant fréquemment importé, bien qu'il supporte mal le transport et demande beaucoup d'oxygène.

T: 22–26° C, L: 5 cm, LA: 60 cm, Z: m, D: 2–3

Carlastyanax aurocaudatus (EIGENMANN, 1913)

Syn.: *Astyanax aurocaudatus*.

Or.: Cours supérieur du Rio Cauca, Colombie (Baranquilla).

P.i.: 1968 par Heiko Bleher.

D.s.: Inconnu.

C.s.: Poisson grégaire paisible.

M.: Espèce peu exigeante, mais qui affectionne l'eau courante et limpide. Il est recommandé de la tenir par groupe, sinon elle est mal à l'aise. Bien oxygéner l'eau. La filtration sur tourbe est avantageuse, mais pas obligatoire, car après l'acclimatation ces poissons acceptent également l'eau dure. pH 5,8–7,5; dureté jusqu'à 20° dGH.

R.: Inconnue.

N.: C, O; omnivore; nourriture vivante et aliments en flocons avec des substances lyophilisées.

P.: Ce poisson a une allure de Cyprinidé. Il peut présenter une magnifique coloration. Etant endémique du rio Cauca il est rarement importé.

T: 22–25° C, L: env. 5 cm, LA: 60 cm, Z: m, i, D: 2–3

Boehlkea fredcochui

Carlastyanax aurocaudatus

Paracheirodon axelrodi (SCHULTZ, 1956)
Néon rouge, Tétra cardinal

Syn.: *Cheirodon axelrodi, Hyphessobrycon cardinalis.*

Or.: Très vaste aire de répartition, du Vénézuéla (Orinoco) à travers le Brésil (Rio Vaupes, affluents du nord et l'est du Rio Negro) jusqu'à l'ouest de la Colombie, en eau noire. Près de Manaus on rencontre fréquemment des spécimens échappés des stations d'exportations.

P.i.: 1956.

D.s.: Mâle un peu plus vigoureux.

C.s.: Poisson grégaire vif et paisible. Convient pour tout aquarium communautaire bien entretenu.

M.: C'est un «vrai» poisson de l'eau noire, mais que l'on peut aussi habituer à l'aquarium «normal». Si on ne respecte pas les conditions naturelles de l'eau il faut compter durant la première quinzaine (après l'importation) avec env. 50% de pertes. pH dans la nature 5,3–5,8 – en aquarium jusqu'à 7,8 (7,0); dureté jusqu'à 20° dGH, de préférence jusqu'à 10° dGH. Lumière diffuse par extrait de tourbe ou filtration sur tourbe favorise la luminosité de la robe.

R.: Comme pour le Néon (v. page 307), mais employer des bacs de ponte plus grands (env. 60 cm). Pond le soir sous éclairage artificiel. Produit jusqu'à 500 œufs.

N.: C, O; nourriture en flocons, *Artemia,* aliments lyophilisées, petites proies vivantes.

P.: L'un des plus beaux poissons d'aquarium.

T: 23–27° C, L: 5 cm, LA: 60 cm, Z: m, i, D: 2–3

Cheirodon parahybae EIGENMANN, 1915
Tétra à trait bleu

Syn.: Aucun.

Or.: Bassin du Rio Paraiba, sud-est du Brésil (au nord de Rio de Janeiro).

P.i.: Après 1970.

D.s.: Mâle nettement plus svelte; femelle présente un ventre plus rond (photo); mâle n'a pas de crochet sous le pédoncule caudal (typique pour le genre).

C.s.: Poisson grégaire paisible et enjoué.

M.: Comme les Néons: sol sombre, eau filtrée sur tourbe d'un pH de 6,5–7,5; dureté jusqu'à 20° dGH. Plantes flottantes, lumière diffuse. A maintenir exclusivement par groupe. Ses besoins en oxygène se situent un peu au-dessus de la moyenne.

R.: N'a pas encore été décrite, mais est certainement très semblable à celle de *Cheirodon axelrodi.*

N.: C, O; nourriture en flocons, matières lyophilisées, fine nourriture vivante.

T: 23–27° C, L: 4,5 cm, LA: 60 cm, Z: m, D: 2

Paracheirodon axelrodi

Cheirodon parahybae

Ctenobrycon spilurus hauxwellianus (COPE, 1870)
Characin à dos haut

Syn.: *Tetragonopterus spilurus.*

Or.: Amazone.

P.i.: 1912.

D.s.: Mâle un peu plus svelte, coloration plus vive.

C.s.: Poisson grégaire paisible, mais toujours en mouvement, de sorte qu'il ne se prête pas pour les aquariums communautaires hébergeant des poissons calmes.

M.: Aquariums spacieux, surtout larges, forte filtration, végétation robuste. Peut cohabiter avec des *Corydoras* et d'autres Siluridés, des Cichlidés robustes, des grands Characidés et toute la tribu des Characidés herbivores. Eau: pH 6,0–8,0; dureté jusqu'à 25° dGH.

R.: Très prolifique. Pond en eau libre parmi les plantes. Retirer les reproducteurs qui peuvent parfois dévorer le frai. Les jeunes éclosent déjà au bout d'une journée, on les élève sans difficulté à l'aide de plancton, mouture de flocons, jaune d'œuf et *Artemia.*

N.: C, O; aliments en flocons (grands), toutes sortes de nourritures vivantes, mange parfois des plantes.

P.: La très ressemblante sous espèce. *C. spilurus spilurus* est plus svelte et originaire de la région de Georgetown, Guyane et Vénézuéla. Les deux sous espèces n'ont hélas pas retenu l'attention des amateurs.

T: 20–28° C, L: 8 cm, LA: 100 cm, largeur 50 cm, Z: m, D: 2

Gymnocorymbus ternetzi (BOULENGER, 1895)
Tétra noir, veuve noire

Syn.: *Tetragonopterus ternetzi, Moenkhausia ternetzi.*

Or.: Rio Paraguay, Rio Guaporé, Bolivie.

P.i.: 1935.

D.s.: Chez le mâle la partie antérieure de la nageoire anale est beaucoup plus large que chez la femelle. Chez cette dernière le bord de l'anale est plus parallèle à la ligne ventrale. La dorsale du mâle est un peu moins large et plus pointue.

C.s.: Poisson grégaire paisible, convient pour tout aquarium communautaire.

M.: Dans les eaux blanches, le plus souvent troublées de vert par la fleur d'eau, au sud du Brésil, règne toujours une lumière diffuse. Mais le Tétra noir prospère également dans les bacs bien éclairés où il ne cause aucune difficulté à l'amateur. Quelques plantes hautes et un sol pas trop clair sont appréciés par lui comme un luxe. Eau: pH 5,8–8,5; dureté jusqu'à 30° dGH.

R.: Comme l'espèce précédente.

N.: Omnivore, sauf des plantes. Nourriture en flocons, également flocons à base végétale.

P.: C'est un poisson pour débutants, adulte avant d'avoir atteint l'âge de 1 an. La belle livrée noire des juvéniles prend alors une teinte grise moins plaisante. Ils deviennent aussi de plus en plus calmes. La variété «voile» actuellement proposée par le commerce a contribuée à ce que les amateurs s'intéressent davantage à cette espèce.

T: 20–26° C, L: 5,5 cm, LA: 60 cm, Z: m, D: 1

Ctenobrycon spilurus hauxwellianus

Gymnocorymbus ternetzi

Gymnocorymbus thayeri EIGENMANN, 1908
Tétra argenté

Syn.: *Moenkhausia bondi, M. profunda, Phenacogaster bondi.*

Or.: Bassin de l'Amazone et de l'Orinoco.

P.i.: ?, vu que parfois confondu avec G. ternetzi.

D.s.: Bord de la nageoire anale concave chez le mâle, droit ou convexe chez la femelle.

C.s.: Poisson grégaire paisible, convient très bien pour l'aquarium communautaire.

M.: Ce poisson n'est pas aussi robuste que son cousin *ternetzi*, car il est originaire d'eaux limpides dont la dureté est plus faible et le pH plus bas: pH 5,5–7,5, dureté jusqu'à 20° dGH. Il préfère l'eau filtrée sur tourbe tout en étant aussi «tolérant» qu'un Néon. Un sol sombre, une puissante filtration, ainsi qu'une végétation abritante amènent une bonne coloration, signe de bien être.

T: 23–27° C, **L:** 6 cm, **LA:** 60 cm, **Z:** m, **D:** 2

R.: Pas encore reproduit (?). Probablement similaire à celle des espèces du genre *Hyphessobrycon* (v. page 276).

N.: C, O; flocons, occasionnellement flocons de végétaux, substances lyophilisées, toute nourriture vivante.

P.: Il semblerait que les nageoires des sujets âgés se colorent en rouge. Cette espèce est peu commercialisée, probablement à cause de sa livrée juvénile peu attrayante.

Hasemania nana (REINHARDT en LÜTKEN, 1874)
Tétra cuivre

Syn.: *Hasemania melanura, H. marginata, Hemigrammus nanus.*

Or.: Bassin du Rio Sao Francisco, est du Brésil; affluents du Rio Purus, ouest du Brésil, dans des ruisseaux, eau blanche et eau noire.

P.i.: 1937 par Heinrich Röse, Hambourg.

D.s.: Mâle plus svelte et plus coloré, pointe de l'anale blanche, jaunâtre chez la femelle.

C.s.: Poisson grégaire paisible, convient pour tout aquarium communautaire.

M.: Cette espèce robuste et alerte vit dans des eaux vives courantes et bien oxygénées. Il faut lui offrir une végétation abritante tout en laissant assez d'espace dégagé pour nager librement. Eau filtrée sur tourbe, lumière diffuse et sol sombre lui sont favorables.

T: 22–28° C, **L:** 5 cm, **LA:** 60 cm, **Z:** m, **D:** 1

R.: Dans les bacs de reproduction assez spacieux le mâle présente un comportement territorial. La ponte se déroule comme chez *Hyphessobrycon flammeus*, et comme chez ce dernier, l'élevage des jeunes ne pose pas de problèmes.

N.: C, O; flocons, *Artemia*, aliments lyophilisées.

P.: Espérons qu'il ne changera plus de nom! Livrée très variable selon l'origine. Le genre Hasemania se distingue de *Hemigrammus* et *Hyphessobrycon* principalement par l'absence de la nageoire adipeuse.

Gymnocorymbus thayeri

Hasemania nana

Hemigrammus caudovittatus AHL, 1923
Tétra à losange

Syn.: *Hyphessobrycon anisitsi* (pas EIGENMANN).

Or.: Région de La Plata, Argentine, Paraguay.

P.i.: 1922 par Martin Becker, Hambourg.

D.s.: Nageoires du mâle à couleur rouge ou jaunâtre plus vif; femelle plus ronde.

C.s.: Poisson grégaire paisible, pour aquariums communautaires dépourvus de végétation.

M.: Espèce très robuste et durable qui prospère pratiquement dans toute eau. pH 5,8–8,5; dureté jusqu'à 35° dGH. Bacs longs avec beaucoup d'espace libre pour la nage. Filtre puissant. Décor à l'aide de roches, racines et plantes en plastique, évtl. Fougère de Java qui ne sera pas dévorée.

T: 18–28° C, **L**: 10 cm, **LA**: 80 cm, **Z**: m, **D**: 1

R.: Pas difficile à 24° C. Pond en eau libre parmi les plantes «dures» ou fils de nylon. Très prolifique.

N.: H, O; mange tout.

P.: A pratiquement disparu de nos aquariums parce qu'il dévore toutes les plantes tendres. Dans le passé il fut un poisson d'aquarium très populaire.

Quelques *Hemigrammus* rarement maintenus en aquarium:

Hemigrammus elegans
(STEINDACHNER, 1882)
Tétra à trait doré
Amazone

T: 23–27° C, **L**: 3,5 cm, **LA**: 50 cm, **D**: 2

Hemigrammus marginatus
ELLIS, 1911
Tétra-bassam
Cours supérieur du Rio Meta, Colombie, Rio Sao Francisco, est du Brésil; Paraguay.

T: 20–28° C, **L**: 8 cm, **LA**: 80 cm, **D**: 1

Hemigrammus levis
DURBIN in EIGENMANN, 1908
Tétra à trait argenté
Amazone moyen

T: 24–28° C, **L**: 5 cm, **LA**: 60 cm, **D**: 1–2

Hemigrammus rodwayi
DURBIN, 1909
Tétra cerise
voir texte page 272.

La photo montre cette espèce dans sa coloration normale rarement commercialisée.

Hemigrammus caudovittatus

H. elegans

H. levis

H. marginatus

H. rodwayi

Hemigrammus erythrozonus* DURBIN, 1909

Tétra lumineux

Syn.: *H. gracilis.*

Or.: Endémique du fleuve Essequibo, Guyane. Actuellement reproduit en Allemagne et en Asie.

P.i.: 1933.

D.s.: Femelle plus grande et plus vigoureuse, ventre rond; mâle plus svelte.

C.s.: Poisson grégaire paisible convenant pour tout aquarium communautaire bien entretenu.

M.: Ce poisson se présente seulement sous son meilleur aspect s'il vit en groupe, sous lumière diffuse (filtration sur tourbe, couche de plantes flottantes). pH entre 5,8 et 7,5; dureté jusqu'à 15° dGH, mieux 6° dGH.

R.: Pond parmi les plantes fines, par couples isolés ou par groupes, dans une eau douce filtrée sur tourbe, à 28° C.

N.: C, O; aliments lyophilisées, fine nourriture vivante, flocons de bonne qualité, distribués en très petites portions 3 à 4 fois par jour.

P.: Un des plus beaux Characidés nains dont la beauté se rapproche de celle du Néon.

* D'après GÉRY cette espèce devra certainement être rangée dans le genre *Cheirodon.*

T: 24–28° C, **L**: 4 cm, **LA**: 60 cm, **Z**: m, **D**: 2

Hemigrammus hyanuary DURBIN, 1910

Néon vert, Tétra-costello

Syn.: Aucun.

Or.: Amazone central et supérieur, lac Hyanuary près de Manaus, Brésil. Les produits d'élevage nous parviennent principalement de Singapour.

P.i.: Avant 1957; à cette époque le commerce proposait déjà des spécimens d'élevage.

D.s.: Mâle plus svelte, présence d'un crochet sur la nageoire anale par lequel il reste accroché dans l'épuisette.

C.s.: Poisson grégaire paisible convenant pour un aquarium communautaire, même en compagnie de poissons vivaces.

M.: Bacs bien éclairés, ensoleillés à végétation clairsemée et sol sablonneux. pH 6,0–7,5; dureté jusqu'à 15° dGH. Régulier changement d'eau avec adjonction d'un produit pour le traitement de l'eau et/ou filtration sur tourbe.

R.: Eau: 24–26° C, pH 6,0, dureté: moins de 4° KH. Les larves éclosent au bout de 24 h., montent à la surface pour emplir leur vessie natatoire et nagent librement au 6° jour. Nourrir les premiers jours avec du zooplancton de mare, au bout d'une semaine après résorption de la vésicule vitelline ils acceptent des Nauplies d'*Artemia.* Ensuite plus de problèmes d'élevage. Renouveler chaque semaine l'eau des alevins.

N.: C, O; flocons de taille adéquate, aliments lyophilisés en comprimés.

T: 23–27° C, **L**: 4 cm, **LA**: 50 cm, **Z**: m, **D**: 1–2

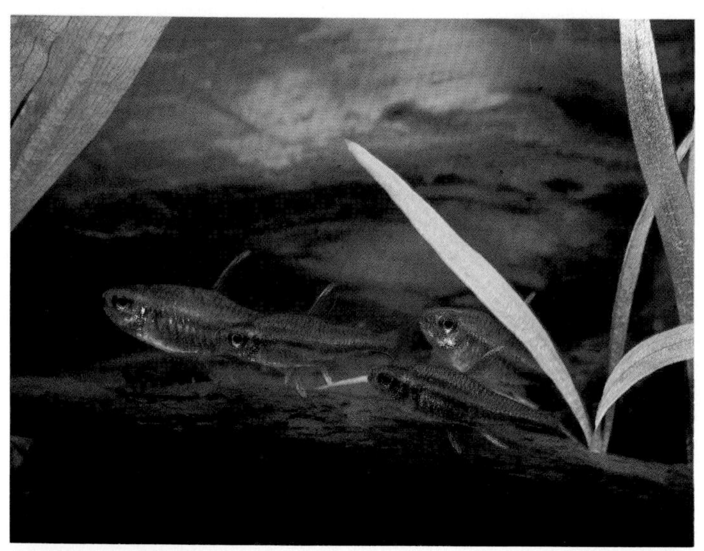

Hemigrammus erythrozonus

Hemigrammus hyanuary

Hemigrammus ocellifer (STEINDACHNER, 1882)
Feux de position

Syn.: *Tetragonopterus ocellifer, Holopristis ocellifer.*

Or.: *H. ocellifer ocellifer* en Guyane française dans la zône côtière; région amazonienne, Bolivie. *H. ocellifer falsus* en Argentine?

P.i.: 1910 par H. Blumenthal, Hambourg (*H. ocellifer falsus*).

D.s.: Vessie natatoire apparait plus pointue chez le mâle, en partie inapparente chez la femelle, de sorte qu'elle semble être arrondie dans le bas.

C.s.: Poisson grégaire paisible convenant très bien pour l'aquarium communautaire.

M.: Voir les renseignements fournis pour le genre *Hyphessobrycon* (page 276).

R.: Relativement facile, l'espèce est très prolifique. Pour les détails voir la description du genre *Hyphessobrycon,* page 277.

N.: C, O; nourriture en flocons, petites proies vivantes, substances nutritives lyophilisées.

P.: On connait deux sous-espèces: 1) *H. ocellifer falsus* MEINKEN, 1958 (selon GÉRY il s'agit probablement de *H. mattei* (EIGENMANN, 1910). 2) *H. ocellifer ocellifer* (STEINDACHNER, 1882), introduit en 1960.

T: 1) 22–26° C, **L**: 4,5 cm, **LA**: 60 cm, **Z**: m, **D**: 1–2
2) 24–28° C

Hemigrammus pulcher LADIGES, 1938
Joli Tétra, Pulcher

Syn.: Aucun.

Or.: Des bras de l'Amazone péruvien à partir de Iquitos, Brésil.

P.i.: 1938 par l'ancienne firme «Aquarium Hamburg» qui n'existe plus.

D.s.: Femelle plus trapue et plus vigoureuse, sa vessie natatoire est arrondie en bas; mâle plus svelte, vessie natatoire pointue en bas.

C.s.: Poisson grégaire paisible, convient pour aquariums communautaires bien entretenus, contenant de l'eau douce et des poissons délicats.

M.: Comme les autres espèces de ce genre.

R.: Si un couple ne concorde pas, il faut échanger les partenaires jusqu'à ce que l'on trouve un couple harmonisant.

N.: C, O; nourriture en flocons, substances lyophilisées, fine nourriture vivante.

P.: Deux sous-espèces ont été décrites: 1. *H. pulcher pulcher* LADIGES, 1938; 2. *H. pulcher haraldi* GÉRY, 1961; ce dernier est originaire de l'Amazone moyen, près de Manaus. On ne le rencontre pas souvent en aquarium.

T: 23–27° C, **L**: 4,5 cm, **LA**: 60 cm, **Z**: m, **D**: 2

Hemigrammus ocellifer

Hemigrammus pulcher

Hemigrammus bleheri GÉRY, 1986
Tétra à bouche rouge

Syn.: Aucun.

Or.: Delta amazonien.

P.i.: 1924/25 par l'ancien «Aquarium Hamburg».

D.s.: Mâle plus svelte, en période de frai la femelle est plus trapue et a un ventre plus rond.

C.s.: Poisson grégaire paisible, agile, pouvant cohabiter sans inconvénients avec des espèces similaires.

M.: Une espèce pas toujours facile à maintenir en aquarium. Une attention particulière doit être portée à la qualité de l'eau. Une faible teneur en nitrates devra être maintenue en effectuant de fréquents changements d'eau. Faire usage d'un bon produit pour le traitement de l'eau. Une eau de la conduite ayant au départ une teneur en nitrates de plus de 30 mg/l. est nocive.

R.: En eau douce (filtrée sur tourbe) d'une température de 25–28° C; pH 6,0–6,5; dureté moins de 4° KH. Pond de préférence en groupe, parmi les plantes fines. Les œufs sont souvent dévorés. Les jeunes éclosent au bout de 30–36 h. et nagent librement à partir du quatrième jour. Il faut leur offrir une nourriture planctonique, car ils sont très petits.

N.: C, O; nourriture en flocons, comprimés lyophilisés, fine nourriture vivante.

P.: Comparer avec *Petitella georgiae*, page 308, et *H. rhodostomus*, page 278. Cette espèce a été désignée jusqu'à présent comme *H. rhodostomus* AHL, 1924. Des examens approfondis ont cependant révélé qu'en plus des différences de la coloration il existe également des variations dans les os crâniens. *H. bleheri* et *H. rhodostomus* sont des poissons des eaux noires, alors que *Petitella* est plutôt un poisson des eaux blanches.

T: 23–26° C, L: 4,5 cm, LA: 80 cm, Z: m, D: 2–3

Hemigrammus rodwayi DURBIN, 1909
Tétra cerise, Tétra doré, Tétra laiton

Syn.: *H. armstrongi* (forme dorée pathologique).

Or.: Guyane (britannique).

P.i.: 1930.

D.s.: Ventre de la femelle plus rond; anale du mâle blanche à l'avant et plus rouge que celle de la femelle. Les sujets dorés sont presque toujours des mâles.

C.s.: Poisson grégaire paisible, enjoué, dont la «maladie» n'est pas contagieuse.

M.: Cette espèce, intéressante par sa robe dorée, n'est pas toujours facile à maintenir en aquarium – c'est ce que prétendent certains auteurs. D'autres sont d'avis que l'espèce ne pose pas de problèmes. Ces opinions divergentes sont certainement dues aux différentes aires de répartition. Dans tous les cas cette espèce demande des bacs bien éclairés et pas trop densément plantés.

R.: Les sujets d'élevage perdent le plus souvent leur couleur or et il en résulte le «vrai Tétra cerise». Pour la ponte une température de 26° C est conseillée, pH 6,3, dureté jusqu'à 12° dGH.

N.: C, O; flocons, substances lyophilisées, fine nourriture vivante.

P.: Cette espèce est sensible aux maladies. Elle est facilement atteinte par des Trématodes (parasites de la peau). La peau du poisson se défend alors par des sécrétions de guanine de sorte que le poisson apparait comme saupoudré de poudre d'or. C'est cette coloration qui motiva l'attribution d'un autre nom (*Hemigrammus armstrongi* SCHULTZ et AXELROD, 1955). La photo de la page 267 montre la coloration normale.

T: 24–28° C, L: 5,5 cm, LA: 60 cm, Z: m, D: 2–3

Hemigrammus bleheri

Hemigrammus rodwayi

Hemigrammus ulreyi (BOULENGER, 1895)
Tétra ulreyi, Drapeau belge

Syn.: *Tetragonopterus ulreyi.*

Or.: Cours supérieur du Rio Paraguay, Amérique du sud.

P.i.: 1905 par Oskar Kittler, Hambourg.

D.s.: Femelle plus grande et plus trapue que le mâle.

C.s.: Poisson grégaire paisible convenant pour l'aquarium communautaire habité par des petits poissons.

M.: Des bacs spacieux et clairs avec beaucoup d'espace pour la nage libre, une végétation pas trop dense et un courant d'eau moyen provoqué par le filtre conviennent parfaitement à cette espèce toujours en mouvement. pH 5,8–7,2; dureté jusqu'à 10° dGH.

R.: Pas encore réussie.

N.: C, O; nourriture en flocons, aliments lyophilisées,, fine nourriture vivante.

P.: Dans le passé il a souvent été confondu avec le «faux ulreyi» *Hyphessobrycon heterorhabdus* (v. page 288). Le «vrai» *H. ulreyi* est rarement importé.

T: 23–27° C,L: 5 cm, LA: 80 cm, Z: m, D: 1–2

Hemigrammus unilineatus (GILL, 1858)
Nageoire-plume

Syn.: *Poecilurichthys hemigrammus unilineatus, Tetragonopterus unilineatus.*

Or.: Nord de l'Amérique du sud, Rio Paraguay, Amazone jusqu'au Guyanes; Trinidad.

P.i.: 1910 par les «Vereinigte Zierfischzüchtereien» Conradshöhe.

D.s.: Mâle plus svelte, vessie natatoire plus pointue que chez la femelle.

C.s.: Poisson grégaire paisible, enjoué, convenant très bien pour les aquariums communautaires.

M.: La maintenance de cette espèce ne pose aucun problème. Elle aime des bacs clairs, ensoleillés avec beaucoup d'espace pour la nage. pH 6,0–7,5; dureté jusqu'à 20° dGH.

R.: Souvent facile; opérer avec deux mâles et une femelle. Les œufs sont pondus parmi les plantes (env. 200–300). Les larves éclosent au bout de 60 heures et restent suspendues durant env. 4 jours aux plantes et aux glaces. On les élève facilement à l'aide de plancton, ensuite MikroMin et *Artemia.*

N.: C, O; flocons, toute sorte de nourriture vivante.

P.: Rarement importé. GÉRY (1959) a décrit la sous-espèce *H. u. cayennensis* du Surinam.

T: 23–28° C, L: 5 cm, LA: 60 cm, Z: m, D: 1

Hemigrammus ulreyi

Hemigrammus unilineatus

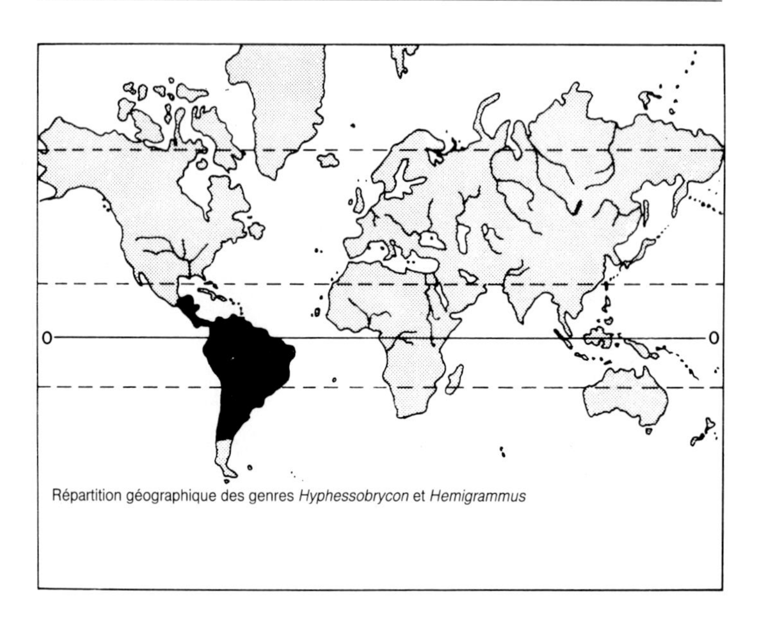

Répartition géographique des genres *Hyphessobrycon* et *Hemigrammus*

Le genre *Hyphessobrycon*

GÉRY (1977) a constaté que le nom du genre est vraisemblablement faux pour la plupart des espèces, mais ne voudrait pas les changer (on s'y est habitué depuis longtemps). «A réserver pour une révision de tous les *Tetragonopterinae* sud-américains». Les aquariophiles ont déjà dû s'accommoder de nombreux changements de noms, de sorte qu'un éventuel changement de la dénomination des plus de 60 espèces de *Hyphessobrycon* devrait être supportable. Le genre actuellement valable a été établi par DURBIN en 1908. Les *Hyphessobrycon* (= petit *Brycon*) se distinguent des *Hemigrammus* par l'absence d'écailles sur la nageoire anale et sa base.
L'aire de répartition du genre se limite à l'Amérique du Sud, avec deux exceptions originaires du Mexique et de l'Amérique Centrale. Les conditions de maintenance en aquarium ne sont pas forcément identiques pour toutes les espèces. Par conséquent, dans les descriptions, le degré de difficulté renseigne sur les conditions d'eau requises:
D 1 = pH supérieur à 6,5–8,0; dureté jusqu'à 25° dGH.
D 2 = pH entre 5,5 et 7,5; de préférence en-dessous de 7,0; dureté jusqu'à 15° dGH.

D 3 = pH entre 5,0 et 6,5; dureté jusqu'à 4° dGH.
Ces espèces habitent toutes les eaux plates d'une profondeur d'env. 50 cm.
Ils se tiennent le plus souvent parmi les plantes pour se protéger (dans les eaux vives), ainsi que dans des cours d'eau plus larges parmi les racines et les branchages. Ce n'est que pour s'alimenter qu'ils osent s'aventurer en eau libre.
La température de l'eau est indiquée dans les descriptions des espèces, ainsi que la longueur conseillée pour l'aquarium. Dans l'aquarium les poissons appartenant à ce genre se tiennent de préférence dans la zone centrale.

La reproduction des *Hyphessobrycon*

Une faible dureté de l'eau, de 4° KH à un pH de 5,5–6,5, est conseillée pour presque toutes les espèces. Quelques unes frayent également dans une eau un peu plus dure. On obtient ces valeurs par désionisation totale et filtration sur tourbe. Mais la filtration sur tourbe seule n'adoucit pas l'eau. Environ 10 g de tourbe noire adoucissent 100 litres d'eau de 1° KH. Pour baisser une eau de conduite de 25° KH à 4° KH il faut donc 210 g de tourbe. Mais comme on ne peut pas introduire cette quantité en une seule fois dans le filtre extérieur, il faut adoucir par étapes, c. à d. employer à répétition de nouvelles charges. Il faut retenir que la valeur du pH reste relativement constante jusqu'à environ 4° KH. Ce n'est qu'en-dessous de 4° KH que l'effet tampon des sels de calcium, qui constituent la dureté, s'arrête et que l'on peut abaisser le pH. Mais cette baisse se produit alors rapidement et doit, à partir de ce moment, être contrôlée fréquemment, sinon l'eau s'acidifie trop et le pH descend en-dessous de 5,0, ce qui peut être préjudiciable pour certains poissons (voir également p. 62).
Le bac de ponte minutieusement nettoyé, ayant env. 30–40 cm de long, 30 cm de large et env. 25 cm de haut, sera faiblement éclairé, la lumière du jour trop vive est à éviter. Pour des raisons d'hygiène le fond restera nu. La laine synthétique verte, ainsi que des plantes flottantes sont utilisables comme substrat de ponte. Les racines des Fougères flottant à la surface sont très appréciées. Dans la nature il s'agit le plus souvent de *Eichhornia* ou de plantes fines du genre *Myriophyllum.* Dans le bac les tiges des plantes sont lestées par des baguettes en verre vendues pour les laboratoires.
Un petit filtre, de préférence à cartouche en mousse synthétique, devrait être installé. L'eau doit être tempérée, de préférence à 24–

26° C, à l'aide d'une petite résistance de 10–20 W avec thermostat combiné pour stabiliser la température.
Maintenant il nous faut un couple reproducteur approprié. Chez la plupart des espèces on peut facilement distinguer les sexes: le mâle est plus svelte que la femelle et présente souvent une dorsale se terminant en pointe. Les femelles sont souvent aisément identifiables par la forme de leur vessie natatoire qui est très arrondie, alors qu'elle est pointue chez les mâles. Chez les espèces transparentes on peut aussi très bien voir les œufs. La meilleure solution consiste à sélectionner un couple qui a déjà présenté une parade nuptiale.
L'alimentation est très importante pour la mise en condition des parents. Sans apport de nourriture vivante on ne peut faire reproduire que quelques espèces peu exigeantes, telles par ex. *H. heterorhabdus, H. bentosi rosaceus, H. bifasciatus, H. scholzei, H. flammeus.* Pour toutes les autres espèces la nourriture vivante est indispensable pour le conditionnement au frai, de préférence des larves de Moustiques. Par la suite, dans le bac de ponte, on ne nourrira plus que très parcimonieusement. Pour faciliter l'adaptation aux nouvelles conditions osmotiques du bac de ponte, il est conseillé d'employer un bon produit pour le traitement de l'eau. Il protège à la fois les poissons et le frai.
Lorsque la ponte est terminée (entre 50 et 300 œufs, selon l'espèce) il faut retirer les reproducteur du bac de ponte.
L'élevage des alevins se fait à l'aide de nourriture planctonique récoltée dans la nature, et au bout d'environ 10 jours à l'aide d'Artémies et de nourriture en flocons très fine. Cette dernière doit être adéquatement dosée afin d'éviter que l'eau se trouble. Lorsqu'on nourrit exclusivement avec des aliments en flocons il faut effectuer au moins six distributions par jour. La croissance des alevins est alors saine et rapide. Il faut effectuer une fois par semaine un changement partiel de l'eau du bac d'élevage.

Hemigrammus rhodostomus, le vrai Characidé à bouche rouge, a été décrit en 1924 par AHL. Jusqu'en 1968 il nous parvenait sporadiquement en passant par Belem (delta de l'Amazone). En 1965 un autre Characidé à bouche rouge, originaire du Rio Negro, fut importé en provenance de Manaus et également appelé *Hemigrammus rhodostomus* (parfois il fut confondu avec *Petitella georgiae*). Voir page 272 et 308!

Le Characidé à tête rouge qui fut importé en provenance de Manaus, parfois également en provenance de la Colombie, fut reconnu seulement maintenant comme espèce nouvelle et a été décrit comme *Hemigrammus bleheri* GÉRY, 1986. Actuellement *H. rhodostomus* (celui de AHL) est à nouveau importé. Il ne présente pas une coloration aussi belle que celle de *H. bleheri,* en revanche sa maintenance et sa reproduction sont plus faciles.

Hemigrammus rhodostomus

Poecilocharax weitzmani

Hyphessobrycon bentosi bentosi DURBIN, 1908
Bentosi

Syn.: *H. ornatus, H. callistus bentosi.*

Or.: Guyane, Amazone inférieur; actuellement presque exclusivement des importations d'élevage en provenance de l'Asie.

P.i.: 1933.

D.s.: Dorsale pointue chez le mâle.

C.s.: Poisson grégaire paisible convenant bien pour l'aquarium communautaire.

M.: Un bac bien planté sur le pourtour avec grand espace dégagé au centre, un sol sombre et un faible courant de l'eau filtrée sont appréciés par cette espèce. Filtration sur tourbe pas obligatoire, mais pas désavantageux. pH 5,8–7,5; dureté jusqu'à 20° dGH.

R.: Pond volontiers parmi les plantes fines dans un bac de ponte à eau douce. Les larves éclosent au bout d'env. 20 h. et nagent librement à partir du cinquième jour. On les nourrit avec du plancton très fin et de la mouture de flocons (MikroMin) etc.

N.: C, O; flocons, aliments lyophilisées, toutes les nourritures vivantes.

P.: Un des plus beaux Characidés. Selon l'origine il est très rouge ou presque transparent.

T: 24–28° C, L: 4 cm, LA: 60 cm, Z: m, D: 1–2

Hyphessobrycon bentosi rosaceus DURBIN, 1909
Rosaceus, Tétra rose

Syn.: *Hyphessobrycon rosaceus, H. callistus rosaceus.*

Or.: Guyane et Amazone inférieur, Rio Guaporé, (Paraguay).

P.i.: 1912 par Kropac, Hambourg.

D.s.: Dorsale plus grande chez le mâle qui est plus svelte que la femelle et à couleurs plus vives.

C.s.: Poisson grégaire paisible convenant pour l'aquarium communautaire.

M.: Voir *H. bentosi bentosi.*

R.: Voir description du genre p. 276.

N.: C, O; flocons, aliments lyophilisés, fine nourriture vivante.

P.: L'espèce n'a pas de tache noire derrière l'opercule.

T: 24–28° C, L: 4 cm, LA: 60 cm, Z: m, D: 1–2

Hyphessobrycon copelandi DURBIN, 1908
Tétra de Copeland

Syn.: Aucun.

Or.: Bassin de l'Amazone, sauf au sud.

P.i.: 1934.

D.s.: Dorsale du mâle très étirée.

C.s.: Poisson grégaire paisible, mais parfois mordant, (comme *H. callistus*) envers ses congénères.

M.: Comme les autres de ce genre; un peu plus exigeant envers l'oxygène. Préfère un sol sombre et une surface couverte de plantes flottantes.

R.: Pas encore reproduit en aquarium (?).

N.: C, O; nourriture vivante, petits flocons.

P.: Espèce rarement importée, pourtant très belle.

T: 24–28° C, L: 4,5 cm, LA: 70 cm, Z: m, D: 2

H. copelandi

Hyphessobrycon bentosi bentosi

Hyphessobrycon bentosi rosaceus

Hyphessobrycon bifasciatus ELLIS, 1911
Tétra jaune, «Jaune de Rio», Tétra laiton

Syn.: Aucun.

Or.: Est du Brésil, près de Rio de Janeiro, dans des ruisseaux forestiers ombragés, lacs et embouchures des fleuves.

P.i.: 1925 par Ramsperger, Brême.

D.s.: Femelle plus trapue.

C.s.: Poisson grégaire paisible, agile, convenant bien pour l'aquarium communautaire. A maintenir toujours par groupe de 5–7 individus.

M.: Espèce sans problèmes qui peut pratiquement vivre dans toute sorte d'eau: 5,8–8,0 (7,0); dureté jusqu'à 30° dGH. (10°). Se sent particulièrement à l'aise si l'éclairage vif est atténué par des zones ombreuses. Aime se cacher parmi la végétation dense et affectionne un fort courant d'eau et beaucoup d'oxygène, mais sait s'adapter aux conditions moins favorables du point de vue oxygénation.

R.: Voir *H. flammeus* page 286.

N.: O; mange tout sauf des plantes.

P.: Dans la nature cette espèce se rencontre fréquemment dans sa forme dorée par la guanine (v. *Hemigrammus rodwayi* p. 272). La grande photo montre la livrée or, la petite montre la coloration normale.

T: 20–25° C, L: 4 cm, LA: 60 cm, Z: m, s, D: 1

Hyphessobrycon eques (STEINDACHNER, 1882)
Tétra sang

Syn.: *Tetragonopterus callistus, Chirodon eques.*

Or.: Sud du bassin amazonien.. Actuellement toujours des importations de l'Asie et des sujets issus d'élevages allemands.

P.i.: 1953?

D.s.: Vessie natatoire termine en bas en pointe chez le mâle, arrondie cachée chez la femelle; cette dernière est plus haute et plus ronde.

C.s.: Poisson grégaire pas aussi paisible que les autres représentants du genre. Se comporte parfois au sein du groupe comme les Piranhas: les individus les plus faibles sont attaqués, on en voit parfois auxquels il manque un œil suite aux bagarres. Souvent une alimentation inadéquate en est la cause. Normalement l'espèce convient pour l'aquarium communautaire.

M.: Comme les autres espèces du genre. pH 5,8–7,5 (6,8); dureté jusqu'à 25° dGH (10°).

R.: Possible en eau douce légèrement acide (tourbe) si on possède de bons couples.

N.: C, O; aliments lyophilisés, flocons, proies vivantes telles que larves de Moustiques, *Artemia*, etc.

P.: Voir sous C.s.

T: 22–28° C, L: 4 cm, LA: 60 cm, Z: m, D: 2

Hyphessobrycon bifasciatus

Hyphessobrycon eques

Aphyocharax paraguayensis EIGENMANN, 1915

Tétra soleil

Syn.: A été désigné comme «*Hyphessobrycon eos*», mais ce dernier est une autre espèce.

Or.: Ouest de la Guyane.

P.i.: 1933.

D.s.: Mâle plus svelte, ventre de la femelle plus rond.

C.s.: Poisson grégaire paisible convenant pour l'aquarium communautaire à eau douce.

M.: Un peu plus délicat que les autres représentants du genre: pH: 5,5–7,5: dureté jusqu'à 15° dGH. Bacs pas trop haut, végétation sur le pourtour, beaucoup de lumière et fort courant. A tenir toujours par groupes importants. La filtration sur tourbe est avantageuse.

R.: Obscurcir, baisser le niveau d'eau, établir un pH de 6,0 et une dureté d'env. 2–4° KH déclenche rapidement la ponte chez cette espèce. Le mâle parade parmi les plantes. Oeufs et alevins sont très sensibles aux mycoses. Comparés à ceux d'autres Tétras ils sont très petits. Les larves ont un grand sac vitellin. Lorsqu'il est résorbé il faut distribuer du plancton très fin et au bout de 20 jours des *Artemia*.

N.: C, O; fine nourriture vivante, flocons et substances lyophilisées.

P.: C'est un joli poisson qui contraste dans l'aquarium, par ex. avec des Néons.

T: 24–28° C, **L**: 4,5 cm, **LA**: 70 cm, **Z**: s, **D**: 2–3

Hyphessobrycon erythrostigma (FOWLER, 1943)

Tétra Perez, Cœur saignant

Syn.: *H. rubrostigma, H. callistus rubrostigma.*

Or.: Bassin supérieur de l'Amazone.

P.i.: 1956 par l'ancien «Aquarium Hamburg».

D.s.: Mâle diffère nettement de la femelle par sa très longue dorsale et anale (v. photo).

C.s.: Poisson grégaire paisible, peut également être tenu par couple. Faire cohabiter seulement avec des espèces calmes, par ex. espèces du genre *Megalamphodus, Corydoras, Nannostomus.*

M.: Comme *H. bentosi,* nécessite cependant une attention plus soutenue à la qualité de l'eau. Filtration sur tourbe, pH 5,6–7,2; dureté jusqu'à 12° dGH; sol sombre. Beaucoup d'espace pour nager librement, végétation sur le pourtour.

R.: Pas encore réussie.

N.: C, O; flocons, aliments lyophilisés et nourriture vivante substantielle (larves de Moustiques).

P.: L'espèce qui fait pendant à celle ci est originaire du Rio Negro et a été décrite par WEITZMAN, 1977 comme *Hyphessobrycon socolofi.* Elle est présentée sur la grande photo de la page 213.

T: 23–28° C, **L**: 6 cm, **LA**: 60 cm, **Z**: m, **D**: 2

Aphyocharax paraguayensis

Hyphessobrycon erythrostigma, haut ♀, bas ♂

Hyphessobrycon flammeus MYERS, 1924

Rio rouge, Tétra de Rio, Tétra rouge

Syn.: *H. bifasciatus* (pas ELLIS, 1911).

Or.: Est du Brésil, dans les environs de Rio de Janeiro.

P.i.: 1920 par C. Brüning, Hambourg.

D.s.: Anale du mâle rouge sang, plus claire à jaune chez la femelle. Seules les pointes des pectorales du mâle sont noires.

C.s.: Poisson grégaire très paisible, convient pour tout aquarium communautaire.

M.: Espèce robuste. Affectionne un sol sombre comme d'ailleurs presque tous les Characidés. Une lumière diffuse met la coloration en valeur. pH 5,8–7,8 (6,5–7,0); dureté jusqu'à 25° dGH (10°). Filtrer sur tourbe est avantageux.

R.: Facile, comme indiqué dans la description du genre page 276.

N.: O; omnivore, nourriture en flocons.

P.: Espèce «démodée» parce qu'elle est trop «simple» et souvent mal présentée dans les bacs des marchands.

T: 22–28° C, **L**: 4 cm, **LA**: 50 cm, **Z**: m, **D**: 1

Hyphessobrycon griemi HOEDEMAN, 1957

Griemi, Tétra tuile

Syn.: Aucun.

Or.: Brésil central (Goias). De nos jours on ne trouve plus que des sujets d'élevage.

P.i.: 1956 par l'ancien «Aquarium Hamburg».

D.s.: Anale rouge sang et avec liséré blanc chez le mâle, plus pâle chez la femelle.

C.s.: Poisson grégaire très paisible convenant pour tous les aquariums communautaires.

M.: Comme *H. flammeus*.

R.: Comme indiqué dans la description du genre page 276. Facile à élever.

N.: C, O; flocons, aliments lyophilisés, fine nourriture vivante.

P.: Grande ressemblance avec *H. flammeus*, mais présente deux taches noires au lieu de trois.

T: 23–28° C, **L**: 4 cm, **LA**: 50 cm, **Z**: m, **D**: 1–2

Hyphessobrycon flammeus

Hyphessobrycon griemi

Hyphessobrycon herbertaxelrodi GÉRY, 1961
Néon noir, Tétra noir

Syn.: Aucun.

Or.: Rio Taquari (bras du Rio Paraguay), Mato Grosso, Brésil. Actuellement principalement sujets d'élevage.

P.i.: 1960 par les USA.

D.s.: Ventre de la femelle plus rond.

C.s.: Poisson grégaire très paisible pouvant très bien cohabiter avec des espèces calmes.

M.: L'espèce est un peu plus délicate que les autres Néons. Une eau douce n'est pas absolument nécessaire, mais elle préfère celle filtrée sur tourbe. pH 5,5–7,5 (6,5) et dureté jusqu'à 15° dGH (6°). Le groupe évolue en permanence à travers l'aquarium, alors que les Néons «stationnent» souvent près du sol. Un courant d'eau est avantageux, ainsi qu'une lumière diffuse et un sol sombre.

R.: Les reproducteurs doivent être bien nourris avec de la nourriture vivante (larves de Moustiques piquants) et placés en bacs de ponte individuels à filtration sur tourbe (pH 6,0, dureté env. 4° KH.). Les larves éclosent au bout de 36 heures.

N.: C, O; fine nourriture vivante, aliments lyophilisés, flocons de bonne qualité. Le menu doit être très varié.

P.: Le nom de «Néon noir» a certainement été attribué pour des raisons commerciales. Le comportement de cette espèce diffère nettement de celui des vrais Néons.

T: 23–27° C, L: 4 cm, LA: 60 cm, Z: m, s, D: 2–3

Hyphessobrycon heterorhabdus (ULREY, 1895)
Tétra drapeau, «Faux Ulreyi»

Syn.: *Tetragonopterus heterorhabdus, Hemigrammus heterorhabdus, Tetragonopterus ulreyi* (pas BOULENGER).

Or.: Affluents au sud de l'Amazone moyen.

P.i.: 1910 par Blumenthal, Hambourg.

D.s.: Femelle plus trapue et souvent un peu plus grande.

C.s.: Poisson grégaire paisible.

M.: Comme *H. herbertaxelrodi.*

R.: Eau douce et légèrement acide (pH 6,0–6,5) une dureté jusqu'à 4° KH amène les meilleurs résultats, mais l'espèce n'est pas très prolifique.

N.: C, O; aliments lyophilisés, fine nourriture vivante, rarement des flocons.

P.: Au début l'espèce a souvent été confondue avec *H. ulreyi,* le «vrai» *ulreyi.*

T: 23–28° C, L: 4,5 cm, LA: 60 cm, Z: m, D: 2

Hyphessobrycon herbertaxelrodi

Hyphessobrycon heterorhabdus

Hyphessobrycon loretoensis
Tétra loreto

LADIGES, 1938

Syn.: «*H. metae*»

Or.: Amazone au Pérou, Rio Meta (Dep. Loreto).

P.i.: 1938 par «Aquarium Hamburg».

D.s.: Aucun dans la coloration; femelle plus grosse que le mâle.

C.s.: Poisson grégaire paisible, alerte nageur, convient pour les bacs communautaires des amateurs expérimentés.

M.: Comme *H. herbertaxelrodi*.

R.: Pas encore réussie (?).

N.: C, O; fine nourriture vivante (*Artemia*), nourriture lyophilisée, flocons de bonne qualité.

P.: Est facilement confondu avec *H. peruvianus* (Iquitos). *H. metae* a aussi une grande ressemblance.
Les livrées mettent les différences bien en évidence. Les opercules facilitent l'identification des espèces: chez *H. peruvianus* ils sont presque totalement dépourvus de pigmentation.
Chez *H. loretoensis* ils présentent une tache sombre, chez *H. metae* ils sont presque totalement sombres (en prolongement de la large bande corporelle. Selon GÉRY *H. peruvianus* est probablement un *Hemigrammus*.

T: 22–26° C, L: 4 cm, LA: 60 cm, Z: m, D: 2–3

Hyphessobrycon inconstans
EIGENMANN et OGLE, 1907
Tétra à paillettes

Para, est du Brésil

T: 22–28° C, L: 4,5 cm, LA: 60 cm, D: 1

Hyphessobrycon robustulus
(COPE, 1870)
Tétra bille

Amazone au Pérou

T: 23–26° C, L: 4,5 cm, LA: 50 cm, D: 2

Hyphessobrycon minor
DURBIN, 1909
Minor blanc, Minor verre

Guyanes

T: 23–27° C, L: 3 cm, LA: 60 cm, D: 2

Hyphessobrycon vilmae
Tétra poudre d'or

GÉRY, 1966

Syn.: Aucun.

Or.: Mato Grosso, Brésil, eaux vives du Rio Tapajos, Rio Arinos.

P.i.: 1975 par Hans Baensch, Melle (RFA).

D.s.: Femelle plus grande et plus ronde (ventre).

C.s.: Poisson grégaire paisible et vivace convenant très bien pour cohabiter dans les bacs communautaires avec des espèces délicates. Il vit en compagnie de *Hemiancistrus, Otocinclus* et divers petits Characidés.

M.: L'espèce a été maintenue en aquarium seulement durant une dizaine de jours.

Dans la nature ces poissons vivent dans un milieu aux paramètres: pH 5,8 (septembre); dureté moins de 1° à peine mesurable. Température 23° C. Les premiers spécimens importés ont cependant supporté une dureté de 25° dGH (18° KH). Ils ont péris accidentellement.

R.: Trop peu de sujets importés pour avoir pu être reproduits en captivité.

N.: C, O; fine nourriture vivante (*Artemia*), petits flocons, aliments lyophilisés.

P.: L'espèce se rencontre dans des rivières où la végétation est d'une abondance exceptionnelle.

T: 22–26° C, L: 4 cm, LA: 60 cm, Z: m, s, D: 2–3

Hyphessobrycon loretoensis

H. inconstans

H. minor

H. robustulus

H. vilmae

Hyphessobrycon pulchripinnis AHL, 1937
Tétra citron

Syn.: Aucun.

Or.: Brésil central, affluents du Tocantins, dans des ruisseaux très herbeux.

P.i.: 1937 par la firme Scholze et Pötzschke de Berlin.

D.s.: Le bord noir de l'anale du mâle est plus prononcé.

C.s.: Poisson grégaire paisible, pas craintif.

M.: L'espèce nécessite un grand espace dégagé pour la nage libre, entouré d'une végétation dense. Une filtration sur tourbe, un sol sombre, une lumière diffuse et un fréquent changement d'eau sont indispensables pour la maintenance de cette espèce. Les poissons grandissent également dans l'eau dure, mais ne présentent alors pas de couleurs. pH 5,5–8,0 (6,0); dureté jusqu'à 25° dGH (8°).

R.: L'espèce est, hélas, rarement reproduite, peut être parce qu'elle présente rarement des couleurs attrayantes vu qu'elle est souvent maintenue dans des conditions inadéquates.

N.: C, O; nourriture en flocons, aliments lyophilisés, fine nourriture vivante.

P.: Ces poissons présentent leurs couleurs lumineuses jaune et orange seulement s'ils reçoivent une alimentation adéquate. TetraRubin est jusqu'à ce jour la seule nourriture répondant à ces exigences.

T: 23–28° C, **L**: 4,5 cm, **LA**: 60 cm, **Z**: m, s, **D**: 1–2

Hyphessobrycon «robertsi»
Robertsi, Tétra faucille

Syn.: Cette espèce (ou croisement?) n'a pas encore été décrite, il s'agit peut être d'un élevage d'aquarium. On la nomme le plus souvent *H. «robertsi»*.

Or.: Iquitos (Pérou).

P.i.: 1962 par Heiko Bleher.

D.s.: Dorsale plus étirée chez le mâle.

C.s.: Poisson grégaire paisible convenant bien pour les bacs communautaires à filtration sur tourbe.

M.: Comme *H. bentosi,* mais il est un peu plus exigeant envers l'eau: pH 5,5–7,5 (6,0); dureté jusqu'à 10° dGH. Filtration sur tourbe, végétation dense, éclairage faible. Sous lumière trop vive les poissons sont farouches et leurs couleurs pâlissent.

R.: Difficile, on réussit rarement à trouver des couples concordants. Pour la ponte: lumière diffuse, pH 5,5–6,0: dureté jusqu'à 3° KH. Des réussites dues au hasard ont été signalées, mais il s'agit vraisemblablement d'autres espèces.

N.: C, O; flocons, aliments lyophilisés, nourriture vivante.

P.: L'auteur a observé à Iquitos des spécimens sauvages à robe très ressemblante chez un exportateur de poissons exotiques. Il est possible qu'il s'agit quand même d'une bonne espèce ou sous-espèce. Des croisements avec *H. bentosi* (*ornatus*) ont déjà été effectués, de sorte que *«robertsi»* est certainement plus proche de *Hyphessobrycon* que *Megalamphodus,* ainsi que certains auteurs l'ont supposé. La zone d'origine du «robertsi» chevauche celle de *H. erythrostigma.* Selon SCHEEL le nombre de chromosomes de *H.* (*ornatus*) = *bentosi* est égal à celui de *«robertsi»*. Par conséquent «robertsi» pourrait être une variété de coloration (avec une autre aire de répartition) de *H. bentosi.*
Selon GÉRY (communication personnelle) il s'agit vraisemblablement d'une bonne espèce.

T: 23–28° C, **L**: 5 cm, **LA**: 70 cm, **Z**: m, **D**: 2

Hyphessobrycon pulchripinnis

Hyphessobrycon «robertsi», deux ♂

Hyphessobrycon scholzei AHL, 1937

Tétra à bande noire

Syn.: Aucun.

Or.: Est du Brésil, Paraguay.

P.i.: 1937 par Scholze et Pötschke, Berlin.

D.s.: Femelle plus grande que le mâle, la caudale du mâle est plus fourchue.

C.s.: Poisson grégaire paisible; aime manger des plantes. Se prête bien pour les bacs communautaires à végétation «dure».

M.: C'est un poisson pour amateurs débutants, mais il n'est pas très populaire, vu que l'on préfère actuellement les aquariums très plantés. Dans un aquarium décoré par des roches, racines, Mousse de Java (plante dure), il peut cohabiter avec d'autres espèces herbivores et former un agréable contraste. Eau: pH 6,8–8,0 (7,0); dureté jusqu'à 25° dGH (15°).

R.: Il est utile de couvrir le fond du bac de ponte avec du gravier (rond) pour éviter que les reproducteurs dévorent trop vite les œufs. Poser par dessus une touffe de Mousse, des plantes en plastique ou de la laine de perlon. Température 26–28° C. Les larves éclosent au bout de 24 h. et nagent librement au bout de deux jours. Nourrir les deux premiers jours avec des Infusoires, ensuite *Artemia* et mouture de flocons.

N.: O, H; omnivore, herbivore.

P.: Cette espèce peut être recommandée aux aquariophiles débutants encore inexpérimentés en matière de reproduction.

T: 22–28° C, **L**: 5 cm, **LA**: 60 cm, **Z**: m, **D**: 1–2 (H)

Paracheirodon simulans (GÉRY, 1963)

Néon bleu

Syn.: *Hyphessobrycon simulans.*

Or.: Rio Jufaris ou Tupari, système du Rio Negro, Brésil.

P.i.: 1962.

D.s.: Femelle un peu plus grande et plus trapue.

C.s.: Poisson grégaire paisible, se prête pour la cohabitation.

M.: Comme *Cheirodon axelrodi*, p. 260, mais un peu plus délicat et sensible aux nitrates, facilement atteint d'Oodinium. Un traitement par Tetra GeneralTonic ou Brustmann Cilex est recommandé dans les bacs dépourvus de végétation ou à plantes robustes. Filtration sur tourbe, eau douce et acide (pH 5,5–6,0; dureté jusqu'à 4° KH) sont indispensables pour la maintenance correcte. Après acclimatation l'espèce supporte aussi des eaux plus dures (jusqu'à 15° KH).

R.: Peu rentable, probablement seulement possible dans les meilleures conditions de nutrition et en eau très douce (1–2° KH; pH 5,2–5,8). Il est possible qu'il fraye mieux en groupe. Elevage des jeunes exclusivement avec du très fin plancton de mare.

N.: C, O; fine nourriture vivante, aliments lyophilisés, très fine mouture de flocons (FD Menu Tetra).

P.: Grande ressemblance avec le Néon. D'après SCHULTZ l'espèce vivrait en communauté avec le Néon rouge. Elle est rarement importée.

SCHEEL a examiné les trois Néons et a constaté 25 chromosomes chez *P. simulans*, 16 chez *P. innesi* et 26 chez *Paracheirodon axelrodi.* Malgré leur ressemblance les trois espèces ne sont pas de proches parents. WEITZMAN et FINK ont réunis les trois espèces dans le genre *Paracheirodon.*

T: 23–27° C, **L**: 2–3,5 cm, **LA**: 60 cm, **Z**: m, **D**: 2–3

Hyphessobrycon scholzei

Paracheirodon simulans

Iguanodectes spilurus (GÜNTHER, 1864)
Tétra lézard

Syn.: *Piabucus spilurus, Piabuca spilurus, Iguanodectes tenuis, I. rachovii.*

Or.: Guyane; Rio Madeira, affluents de l'Amazone moyen.

P.i.: 1912 par la firme Kropac, Hambourg.

D.s.: Les premiers rayons de l'anale sont plus longs chez le mâle.

C.s.: Poisson grégaire paisible et vivace, convenant pour l'aquarium communautaire.

M.: Ce poisson d'aspect modeste peut rapidement changer de couleur. Les populations originaires de différentes régions présentent également diverses colorations. Sa présence dans les rivières à courant rapide indique un grand besoin d'oxygène. Une eau filtrée sur tourbe n'est pas obligatoire, car ces poissons ont un grand pouvoir d'adaptation. Eau: pH 5,0–7,5: dureté jusqu'à 18° dGH. Il ne mange pas de végétaux.

R.: Non encore expérimentée (?).

N.: C, O; flocons, fine nourriture vivante.

P.: Rarement importé car difficile à capturer et peu demandé en raison de son apparence «insignifiante». Les connaisseurs devraient tout de même s'y intéresser.

T: 23–27° C, **L**: 5–6 cm, **LA**: 80 cm, **Z**: m, s, **D**: 2

Inpaichthys kerri GÉRY et JUNK, 1977
Tétra royal

Syn.: Aucun.

Or.: Amazonie (Rio Aripuana); en Allemagne reproduit par «West Aquarium».

P.i.: 1977 par Heiko Bleher.

D.s.: Le mâle est plus grand, plus fort et plus coloré que la femelle.

C.s.: Poisson grégaire paisible convenant bien pour l'aquarium communautaire en compagnie d'espèces paisibles.

M.: Une lumière diffuse et un sol sombre mettent la beauté de cette espèce en évidence. Ces poissons vifs et enjoués doivent toujours être tenu par groupe. Ils demandent beaucoup d'espace dégagé pour pouvoir nager à l'aise, mais apprécient une végétation dense sur le pourtour. Ils préfèrent une eau douce jusqu'à 10° dGH et si possible filtrée sur tourbe. pH env. 7,0.

R.: Comme le Tétra empereur.

N.: C, O; flocons, fine nourriture vivante, substances lyophilisées.

P.: En maintenance inadaptée l'espèce se présente sous forme terne peu attrayante. Les mâles adultes enchantent l'amateur par leur couleur bleue lumineuse. Le nouveau genre *Inpaichthys* se distingue du genre *Hyphessobrycon* par sa ligne latérale incomplète, une autre denture et une nageoire caudale dépourvue d'écailles.

T: 24–27° C, **L**: ♂ 4 cm, ♀ 3 cm, **LA**: 60 cm, **Z**: m, **D**: 2

Iguanodectes spilurus

Inpaichthys kerri

Hyphessobrycon megalopterus (EIGENMANN, 1915)
Tétra fantôme noir

Syn.: *Megalamphodus megalopterus.*

Or.: Rio San Franzisco, près de la source, Brésil central.

P.i.: 1956.

D.s.: Exception: femelle plus colorée avec adipeuse rouge, pectorales et anale rouges; mâle gris fumé, nageoires très noires, dorsale plus grande.

C.s.: Poisson grégaire paisible pouvant aussi être tenu par paires. Deux mâles se livrent des combats fictifs (comportement d'imposition) mais ne se causent aucun dommage.

M.: Parmi toutes les espèces de ce genre c'est le Tétra fantôme noir qui est le plus facile à élever. Il attache moins d'importance à une eau douce et acide que son cousin *H. sweglesi*: pH 6,0–7,5 (6,5); dureté jusqu'à 18° dGH (10°). Dans ses milieux naturels la surface de l'eau est toujours couverte de plantes flottantes: *Salvinia, Pistia, Eichhornia.*

R.: Parade nuptiale des mâles est toujours très imposante. Reproduction possible à la manière de autre *Hyphessobrycon*, v. page 276. Ramener la valeur du pH à 5,5–6,0; dureté en dessous de 4° KH; obscurcir le bac de ponte.

N.: C, O; flocons, nourriture vivante (crustacés), aliments lyophilisés.

P.: Un poisson que tout aquariophile devrait posséder au moins une fois.

T: 22–28° C, L: 4,5 cm, LA: 60 cm, Z: m, D: 2

Hyphessobrycon sweglesi (GÉRY, 1961)
Tétra fantôme rouge

Syn.: *Megalamphodus sweglesi.*

Or.: Bassin supérieur de l'Orinoco, Rio Muco, Rio Meta, Colombie.

P.i.: 1961.

D.s.: Dorsale polychrome chez la femelle (rouge/noir/blanc), dorsale prolongée et de couleur rouge chez le mâle.

C.s.: Poisson grégaire paisible convenant pour les bacs communautaires en cohabitation avec d'autres espèces calmes, Characidés ou Cichlidés nains, supportant des températures moins élevées.

M.: Cette espèce demande beaucoup d'attention lors de la maintenance en aquarium. Une température trop élevée est l'erreur la plus fréquemment commise. Les conditions primordiales pour le bien être de cette espèce sont: eau douce et légèrement acide, nourrissage parcimonieux, mais fréquent, régulier changements d'eau et lumière diffuse. Eau: pH 5,5–7,5 (6,0); dureté jusqu'à 20° dGH (4–8°).

R.: Eau douce de 1–2° dGH; pH 5,5–6,0; température 20–22° C; obscurcir le bac de ponte. Laine de perlon comme substrat de ponte. Propreté absolue. Les œufs sont rouge brun. Les alevins nagent librement au bout de 5 jours et acceptent de suite les Artémias fraichement éclos.

N.: C, O; fine nourriture vivante: *Artemia, Cyclops*, flocons, aliments lyophilisés.

P.: Les juvéniles ressemblent à *Pristella maxillaris.*

T: 20–23° C, L: 4 cm, LA: 60 cm, Z: m, D: 2–3

Hyphessobrycon megalopterus

Hyphessobrycon sweglesi

Moenkhausia collettii (STEINDACHNER, 1882)

Tétra coletti

Syn.: *Tetragonopterus collettii.*

Or.: Bassin de l'Amazone et Guyanes.

P.i.: 1970 par Heiko Bleher.

D.s.: Chez le mâle les premiers rayons de l'anale sont plus longs.

C.s.: Poisson grégaire paisible et enjoué pouvant cohabiter dans l'aquarium communautaire avec d'autres espèces délicates.

M.: L'espèce a une certaine ressemblance avec *Chanda ranga,* mais elle est beaucoup plus sélective du point de vue nutrition. Elle préfère une lumière diffuse sous des plantes flottantes, beaucoup d'espace pour nager librement, un sol sombre et une eau douce légèrement acide: pH 5,2–7,2; dureté jusqu'à 15° dGH.

R.: Une reproduction réussie a été signalée en 1988 dans TI-International, N° 90.

N.: C, O; flocons, fine nourriture vivante.

P.: Chez le genre *Moenkhausia* le pédoncule caudal est garni d'écailles alors qu'il en est dépourvu chez le genre apparenté *Astyanax.*

T: 23–27° C, L: 3 cm, LA: 60 cn, Z: m, D: 2

Moenkhausia intermedia EIGENMANN, 1908

Tétra ciseau

Syn.: Aucun.

Or.: Bassin de l'Amazone, Rio Paraguay.

P.i.: ?

D.s.: La vessie natatoire du mâle est pointue dans le bas, la nageoire anale est un peu plus étirée que chez la femelle.

C.s.: Poisson grégaire paisible, convient parfaitement pour des bacs communautaires bien entretenus.

M.: Comme *Moenkhausia pittieri.*

R.: N'a pas encore été décrite, mais est certainement similaire à celle des *Hyphessobrycon,* v. page 276.

N.: C, O; flocons, aliments lyophilisés, fine nourriture vivante.

P.: Ressemble fortement à *Moenkhausia dichroura,* mais s'en distingue par son prémaxillaire plus long. Comparer également à *Rasbora trilineata,* p. 441 et *Hemigrammus marginatus,* p. 267. Extérieurement *M. intermedia* est d'ailleurs presque totalement identique avec *Schultzides axelrodi* GÉRY, 1963. Seule la structure dentaire permet de distinguer les deux poissons.

T: 23–27° C, L: 5 cm, LA: 60 cm, Z: m, D: 2–3

Moenkhausia collettii

Moenkhausia intermedia

Moenkhausia pittieri
Moenkhausia brillant
EIGENMANN, 1920

Syn.: Aucun.

Or.: Lac Valencia (Vénézuéla) et environs (Rio Bue, Rio Tiquirito). Actuellement parfois reproduit en Asie.

P.i.: 1933 par Otto Winkelmann, Altona.

D.s.: Dorsale du mâle étirée en pointe (photo).

C.s.: Poisson grégaire paisible, assez vivace s'il dispose d'espace suffisant.

M.: Assez exigeant. Pas très durable dans un bac communautaire «normal» à eau dure. Filtration sur tourbe indispensable, ainsi que lumière diffuse et sol sombre.

R.: Possible dans des petits bacs de 40 cm de longueur. Eau douce filtrée sur tourbe, jusqu'à 4° KH, laine de perlon verte comme substrat de ponte. Rétablissement de la lumière après obscurcissement préalable et distribution de larves de Moustiques déclenchent la ponte. Celle-ci se déroule parmi les plantes ou le substrat artificiel. Retirer les parents après la ponte. Eclosion au bout de 2–3 jours. Encore 2–3 jours de plus et les alevins auront résorbé leur vésicule vitelline. Elevage des jeunes comme chez *M. sanctaefilomenae.*

N.: C, O; nourriture vivante, aliments lyophilisés, flocons.

P.: Seuls les adultes présentent leur vrai beauté, les jeunes échappent à l'attention des non initiés.

T: 24–28° C, L: 6 cm, LA: 60 cm, Z: m, D: 3

Moenkhausia sanctaefilomenae
Moenkhausia aux yeux rouges
(STEINDACHNER, 1907)

Syn.: *Tetragonopterus sanctaefilomenae, Moenkhausia agassizi, M. australis, M. filomenae, Poecilurichthys agassizi.*

Or.: Paraguay, est de la Bolivie, est du Pérou, ouest du Brésil; actuellement le plus souvent élevé en Asie.

P.i.: 1914 par C. Kropac, Hambourg.

D.s.: Chez les individus matures le ventre de la femelle est distinctement plus rond.

C.s.: Poisson grégaire paisible, pour tous les bacs communautaires.

M.: Ces poissons n'ont aucune exigence particulière. Quelques plantes abritantes et un sol sombre rehaussent leur bien-être. Eau: pH 5,5–8,5; dureté jusqu'à 30° dGH.

R.: Fraye en groupe en eau libre ou par couples. Pond même dans les très petits bacs (à partir de 30 cm), en eau filtrée sur tourbe ou adoucie à moins de 4° KH. Dévore les œufs! Il faut donc enlever les parents. Les jeunes éclosent au bout de 1–2 jours, on les nourrit avec du plancton très fin durant la première semaine, ensuite avec des *Artemia* et du MikroMin.

N.: O; mange tout sauf des plantes; toute nourriture en flocons.

P.: Un Characidé très répandu que l'on rencontre actuellement dans de nombreux aquariums communautaires.

T: 22–26° C, L: 6 cm, LA: 70 cm, Z: m, D: 1

Moenkhausia pittieri

Moenkhausia sanctaefilomenae

Nematobrycon lacortei WEITZMAN et FINK, 1971

Tétra arc en ciel, Tétra empereur aux yeux rouges

Syn.: *N. amphiloxus* = variété de *N. palmeri.*

Or.: Rio Atrato, ouest de Colombie.

P.i.: Après 1970 aux USA; 1967 en Allemagne par Heiko Bleher.

D.s.: Dorsale plus longue chez le mâle.

C.s.: Pacifique, calme, comme *N. palmeri.*

M.: Comme *N. palmeri*; étant plus rare, l'espèce mérite davantage d'attention. Filtration sur tourbe, pH 5,6–7,2; dureté jusqu'à 12° dGH.

R.: Pas encore décrite jusqu'à présent, serait cependant très souhaitable. L'espèce ne semblant pas difficile du point de vue maintenance, la nutrition inadéquate est probablement la cause de la non disposition au frai.

N.: C, O; nourriture vivante, nourriture en flocons.

P.: Une troisième espèce du genre *Nematobrycon* a été décrite: *N. amphiloxus* EIGENMANN et WILSON, 1914. Mais d'après GÉRY il s'agit d'un synonyme de *N. palmeri.* La «variété *amphiloxus*» diffère certes de *N. palmeri.* Elle est gris fumé et communique une impression plus morne.

T: 23–27° C, **L**: 5 cm, **LA**: 70 cm, **Z**: m, **D**: 2–3

Nematobrycon palmeri EIGENMANN, 1911

Tétra empereur

Syn.: *N. amphiloxus.*

Or.: Côte ouest de Colombie.

P.i.: 1959.

D.s.: Bien mis en évidence par la photo: mâle en haut, femelle en bas.

C.s.: Très calme et paisible, peut être maintenu en groupe ou individuellement.

M.: Cette espèce veut vivre tranquille et n'aime pas cohabiter avec des espèces de grande vivacité. Végétation dense atteignant la surface de l'eau pour atténuer l'éclairement, sol sombre et de préférence filtration sur tourbe. Changement d'eau en ajoutant un bon produit pour son assainissement. pH 5,0–7,8 (6,5); dureté jusqu'à 25° dGH (10°).

R.: Pas très productive mais sans difficultés à 26–28° C. Placer le couple reproducteur dans un bac assombri contenant de l'eau douce. Il est utile de recouvrir le fond du bac avec un grillage ou similaire pour empêcher les parents de dévorer les œufs. Ceux ci sont pondus un par un, retirer le couple au bout de quelques heures. Les jeunes éclosent au bout de 1–1½ jour, leur élevage est assez facile à l'aide de plancton de mare, au bout de quelques jours ils acceptent déjà des *Artemia.*

N.: C, O; flocons, nourriture vivante (*Artemia*, Daphnies, *Cyclops*).

P.: Belle espèce, très calme, très appréciée par les aquariophiles, pouvant vivre plus de six années. Après acclimatation, l'espèce convient également pour les amateurs débutants.

T: 23–27° C, **L**: 5 cm, **LA**: 70 cm, **Z**: m, **D**: 2

Nematobrycon lacortei

Nematobrycon palmeri

Paracheirodon innesi

Paracheirodon axelrodi p. 260, *P. simulans* p. 294

Paracheirodon innesi (MYERS, 1936)
Néon

Syn.: *Hyphessobrycon innesi.*

Or.: Rio Putumayo, est du Pérou. Actuellement 95% sont reproduits en aquarium, principalement à Hongkong.

P.i.: 1936 par A. Rabaut, Paris.

D.s.: Mâle plus svelte, sa ligne longitudinale bleue est droite; la femelle est plus ronde du ventre, sa ligne bleue est «cassée».

C.s.: Poisson grégaire très paisible, convient pour tout aquarium communautaire n'hébergeant pas de grands poissons, tels par ex. des Scalaires et contenant une eau de bonne qualité.

M.: L'espèce est souvent maintenue dans des conditions inadéquates; elle supporte, après acclimatation, une eau dure jusqu'à 30° dGH et un pH de 8,0. Une eau filtrée sur tourbe, légèrement ambrée, d'une dureté jusqu'à 10° dGH et d'un pH en-dessous de 7,0 est cependant préférable. Il est conseillé de tenir toujours un groupe d'au moins 5 à 7 individus. Un sol sombre, une bonne végétation et un régulier changement d'eau sont les conditions primordiales pour une maintenance correcte. Le Néon peut vivre plus de 10 ans.

R.: Seulement possible dans une eau très douce de 1–2° dGH, à pH 5,0–6,0, dans un bac obscurci. T. 24° C. Une bonne femelle reproductrice pond jusqu'à 130 œufs parmi les plantes fines ou un substrat artificiel similaire. Le mâle entoure presqu' entièrement la femelle qui se trouve alors en position presque verticale. Retirer le couple après la ponte. Les œufs doivent être maintenus en obscurité sinon ils seront envahis de champignons. Les jeunes éclosent au bout de 24 h. et nagent librement au 5° jour. On les nourrit avec du plancton de moins de 50 μ de ∅.

N.: C, L; fine nourriture en flocons, aliments lyophilisés, comprimés (au sol), *Artemia*, fine nourriture vivante.

P.: Dans le monde entier c'est le poisson d'aquarium n° 1.

T: 20–26° C, L: 4 cm, LA: 60 cm, Z: m, i, D: 1–2

Petitella georgiae GÉRY et BOUTIERE, 1964
Tétra à tête rouge*

Syn.: Aucun.

Or.: Petites rivières près de Villa Vicente, Colombie; Manaus, Brésil.

P.i.: Avant 1960.

D.s.: Pas aisé à distinguer: chez le mâle les rayures de la caudale sont plus contrastées.

C.s.: Poisson grégaire paisible.

M.: Un typique poisson de l'eau noire pouvant cohabiter avec des Discus, Néons, *Corydoras*, Cichlidés nains et autres espèces calmes. Eau: pH 5,5–7,0; dureté jusqu'à 12° dGH. Filtration sur tourbe, végétation dense (évent. plantes flottantes) et sol très sombre. Changement d'eau seulement avec adjonction d'un produit approprié pour son traitement.

R.: N'a pas encore été décrite, est probablement difficile. Expérimenter en procédant évent. comme pour le Néon rouge. Dépend vraisemblablement aussi de la nutrition.

N.: C, O; très fine nourriture vivante, *Artemia*, petites larves de Moustiques, aliments lyophilisés en flocons.

P.: Est actuellement plus fréquemment importé que *Hemigrammus rhodostomus*, bien que sa maintenance est plus difficile. Les importations de *H. rhodostomus* de l'Amazone inférieur (Belem) sont devenues rares. Par contre, on trouve dans le commerce, sous le même nom, des individus originaires de Manaus (Rio Caures et Rio Jufaris) et de Iquitos. *Petitella georgiae* (comme sur photo ci contre) est importé de Manaus et de Colombie. Il faut attendre et voir si un examen approfondi révèle d'autres différenciations spécifiques.

* Pour la distinguer de *Hemigrammus rhodostomus*, cette espèce devrait être nommée Characidé à bouche rouge de Georgie (Georgie est l'épouse du Dr. GÉRY).

T: 22–26° C, L: 5 cm, LA: 60 cm, Z: m, s, D: 4

Pristella maxillaris (ULREY, 1895)
Pristella

Syn.: *Pristella riddlei, Holopristes riddlei, Aphyocharax maxillaris.*

Or.: Vénézuéla, Guyane, Amazone inférieur, Brésil. Actuellement presque exclusivement des sujets d'élevage.

P.i.: 1924 par W. Eimeke, Hambourg.

D.s.: Mâle plus svelte, vessie natatoire pointue. Femelle plus ronde, vessie natatoire arrondie, plus grossière (dissimulée).

C.s.: Poisson grégaire paisible convenant bien pour tout aquarium communautaire.

M.: Un poisson pratiquement sans prétentions, mais dont la beauté n'apparait que dans l'eau douce. pH 6,0–8,0 (7,0) dureté jusqu'à 35° dGH. Un sol sombre et une lumière diffuse sont honorés par une coloration plus prononcée. L'espèce a également été rencontrée en eau saumâtre.

R.: Très productive (300–400 œufs) et simple, à condition d'avoir la main heureuse lors du choix du couple reproducteur. Chaque individu n'accepte pas automatiquement l'autre partenaire.

N.: C, O; nourriture en flocons, également flocons à base végétale en alternance.

P.: Dans des bacs à éclairage trop vif et eau dure les couleurs restent pâles.

T: 24–28° C, L: 4,5 cm, LA: 50 cm, Z: m, D: 1–2

Petitella georgiae de Manaus

Pristella maxillaris

Tetragonopterus argenteus CUVIER, 1818

Syn.: *Salmo saua, Tetragonopterus rufipes, T. sawa.*

Or.: Amazone (Brésil, Pérou), Vénézuéla?

P.i.: N'a pas encore été décrit, pourrait être similaire à *T. chalceus.*

C.s.: Poisson grégaire paisible.

M.: Plus facile que celle de l'espèce ci-dessous. A peu près comme le Tétra noir, p. 262.

R.: Facile. En Asie et en Floride on le reproduit (certes rarement) dans des bassins de plein air. Il pond parmi les plantes ou du substrat artificiel. Enlever les parents. Elevage des jeunes avec *Artemia*, mouture de nourriture en flocons, Mikro-Min, Liquifry rouge.

N.: O; mange tout sauf des plantes, nourriture en flocons (avec complément végétal).

P.: Se distingue du genre *Moenkhausia* principalement par la ligne latérale courbée vers le bas, voir photo ci-contre. Diffère de *T. chalceus* par ses couleurs plus pâles et par un plus grand nombre d'écailles dans la ligne latérale (12–16) alors que *T. chalceus* n'en a que 8–10. De plus, chez *T. chalceus* on remarque davantage d'écailles sur la nageoire caudale. Le poisson représenté sur la photo a une longueur de 4 cm. Cette espèce est «l'espèce type» du genre.

T: 22–27° C, L: 8 cm (?), LA: 100 cm, Z: m, D: 1

Tetragonopterus chalceus AGASSIZ, 1829

Syn.: *Coregonus amboinensis, Tetragonopterus artedii, T. ortonii, T. schomburgki.*

Or.: Guyane et Rio Sao Francisco, Rio Araguaia, Brésil; Arroyo, Trementina, Paraguay.

P.i.: 1913 par Kropac, Hambourg.

D.s.: Mâle plus svelte, sa nageoire dorsale est plus longue.

C.s.: Poisson grégaire en général paisible, à l'âge avancé parfois insociable envers ses congénères.

M.: Une distribution occasionnelle de nourriture vivante, une eau de bonne qualité (filtration sur tourbe), un sol sombre et une végétation dense à l'arrière plan du bac mettent les couleurs de cette espèce en évidence. Eau: pH 5,0–7,5 (6,5); dureté jusqu'à 20° dGH.

R.: Est possible. Pond parmi les plantes. Obscurcir le bac de ponte au début, ensuite éclairer fortement, évent. par insolation. Les géniteurs bien conditionnés par une nourriture substantielle frayent volontiers dans une eau douce. Enlever les parents. Elevage des jeunes comme pour *G. ternetzi*, p. 262.

N.: C, O; mange tout, plantes seulement en cas de disette. Flocons, également ceux à base végétale, aliments lyophilisés, toute nourriture vivante.

P.: Certains auteurs désignent l'espèce représentée ici sous *T. argenteus* comme. *T. chalceus* et vice versa. Les deux espèces diffèrent nettement du point de vue coloration. La photo présente un individu de 7,5 cm de longueur.

T: 20–28° C, L: 8–12 cm, LA: 120 cm, Z: m, D: 2–3

Tetragonopterus argenteus

Tetragonopterus chalceus

Thayeria boehlkei WEITZMAN, 1957
Tétra pingouin, Poisson pingouin

Syn.: Souvent confondu avec. *T. obliqua,* surtout sur les illustrations.

Or.: Rio Araguaia, Brésil; Amazone, Pérou.

P.i.: 1935 (?); a été confondu jusqu'en 1957/58 avec *T. obliqua.*

D.s.: En période de frai le ventre de la femelle est plus rond.

C.s.: Poisson grégaire très calme et paisible convenant pour tout aquarium communautaire.

M.: Un poisson sans exigences en ce qui concerne la nutrition et les qualités physicochimiques de l'eau, mais qui est sensible à la pollution (nitrites/nitrates). Il est donc recommandé de le maintenir seulement dans des bacs bien plantés, où l'eau est renouvelé régulièrement ($^1/_3$ tous les 15 jours) ou moins fréquemment si la population n'est pas trop nombreuse. pH 5,8–7,5 (6,5); dureté jusqu'à 20° dGH. Cette espèce supporte une salinité assez élevée.

R.: Très productive: jusqu'à 1000 œufs. changer l'eau après la ponte, car les nombreux spermes polluent l'eau.

N.: C, O; nourriture en flocons, aliments lyophilisés, nourriture vivante.

P.: Ces poissons nagent presque toujours en position oblique, la tête dirigée vers le haut (30% de l'axe longitudinale). Leur nage «balançante» et le dessin particulier de leur robe apportent une diversité dans l'aquarium.

T: 22–28° C, L: 6 cm, LA: 60 cm, Z: s, m, D: 2

Thayeria obliqua EIGENMANN, 1908
Poisson pingouin (comme le précédent)

Syn.: Aucun.

Or.: Rio Guaporé/Mamoré (système du Rio Madeira); île Bananal sur le Rio Araguaia, Brésil.

P.i.: 1949.

D.s.: Il faut se référer à l'embonpoint de la femelle gravide.

C.s.: Poisson grégaire très paisible convenant pour tout aquarium communautaire bien entretenu. Ses exigences en ce qui concerne l'oxygène et le renouvellement d'eau sont similaires à celles des espèces du genre *Hemiodus* avec lesquelles il apparait souvent de manière sympatrique. L'auteur a trouvé cette espèce dans des bras du Rio Mamoré parmi la très dense végétation (roseaux). Le sol de ces eaux était densément recouvert d'algues. Normalement ces poissons se tiennent très près de la surface de l'eau parmi les feuilles des roseaux qui les camouflent à la vue des prédateurs. L'auteur n'a pas pu constater si ces poissons vivent exclusivement parmi les roseaux. Près de la surface l'eau atteint durant la journée une température de 28–30° C et qui descend la nuit à env. 20° C, en période de mauvais temps encore plus bas. Il est probable que les poissons se retirent alors dans des zones plus profondes, donc moins fraiches.

R.: C, O; insectes et leurs larves, aliments lyophilisés, flocons.

P.: Les poissons figurant sur les illustrations de la littérature jusqu'en 1957/58 sont toujours des *T. boehlkei.*

T: 22–28° C, L: 8 cm, LA: 80 cm, Z: s, m, D: 3

Thayeria boehlkei

Thayeria obliqua

Characidium fasciatum REINHARDT, 1866

Syn.: *Characidium zebra* (?)

Or.: Largement répandu en Amérique du sud dans des petits cours d'eau limpides.

P.i.: 1913.

D.s.: La dorsale du mâle est pointillée à sa base, transparente chez la femelle.

C.s.: Très calme; solitaires (avec territoire?). Dans la nature chaque individu occupe quelques mètres carrés au sol. Ce sont des poissons curieux, pas craintifs. Leur nage saccadée est amusante à voir. Ces poissons s'adaptent au sol par le dessin de la robe et la coloration. Dans les rivières herbeuses ils ont un aspect verdâtre, sur le sol sombre limitrophe ils sont olive foncé avec un dessin à bandes noires ou en damier.

M.: On ne sait pas si plusieurs individus peuvent cohabiter en aquarium. En général ils sont importés individuellement. L'espèce a un grand besoin d'oxygène et vit en plein courant. L'eau doit être filtrée sur tourbe, douce et légèrement acide. Après acclimatation une eau plus dure est supportée (jusqu'à 25°dGH). pH5,6–7,6, optima 6,5.

R.: Pond en eau libre, reproduction facile. Les œufs tombent parmi les plantes et le gravier. Eclosion au bout de 30–40 heures. Les alevins doivent pouvoir s'abriter immédiatement parmi les plantes. Il est conseillé de retirer les parents. Elevage des jeunes à l'aide de nourriture vivante très fine (Infusoires, *Artemia*).

N.: C; vermisseaux, larves de Moustiques, également nourriture en comprimés. Même dans la nature ils ont accepté des comprimés lyophilisés (bon flair).

P.: Au Brésil on trouve dans chaque cours d'eau de nombreuses espèces et sous espèces. La distinction des différentes espèces n'est pas aisée. En raison de l'insuffisance des premières descriptions toutes les espèces ont été réunies dans un premier temps en quatre groupes. Il semblerait qu'il existe env. 50 espèces. Le nom d'espèce pour *C. fasciatum* doit être considéré comme récapitulation du groupe *fasciatum*.

T: 18–24° C, **L**: 8–10 cm, **LA**: 60 cm, **Z**: i, **D**: 2

Characidium rachovii (REGAN, 1913)

Syn.: *Jobertina rachovi.*

Or.: Sud du Brésil.

P.i.: 1912 par Karl Kopp.

D.s.: La nageoire dorsale est pointillée chez le mâle, transparente chez la femelle.

C.s.: Comme l'espèce ci dessus.

M.: Comme l'espèce ci dessus.

R.: Probablement comme l'espèce ci dessus.

N.: C, O; fine nourriture vivante, aliments lyophilisés, fines particules de flocons en suspension.

P.: Une des nombreuses espèces du genre *Characidium* qui présente une ligne longitudinale noire parallèle à la ligne latérale, au lieu d'une large bande noire irrégulière. FOWLER attribuait le genre *Characidium* à la sous famille des Nannostomatinae. Cette dénomination n'est actuellement plus valable.

T: 20–24° C, **L**: 7 cm, **LA**: 50–60 cm, **Z**: i, **D**: 2

Characidium fasciatum

Characidium rachovii

Boulengerella maculata (VALENCIENNES, 1849)

Syn.: *Xiphostoma maculatum, Hydrocynus maculatus, Xiphostoma taedo.*

Or.: Amazone et dans des affluents à courant calme et criques.

P.i.: 1913.

D.s.: Inconnu.

C.s.: On le rencontre souvent par paires ou par groupes chassant près de la surface. Il est possible de le faire cohabiter avec des poissons de sa taille.

M.: Ce poisson a un grand besoin d'espace et d'oxygène. Il est farouche et très sensible à tout dommage pouvant être causé à l'extrémité de sa bouche. En aquarium il faut lui réserver un grand espace pour nager librement. Ne pas planter de Vallisnéries géantes, car elles arrivent à recouvrir la presque totalité de la surface de l'eau avec leurs longues feuilles rubanées. Eau: pH 6,0–7,5; dureté jusqu'à 18° dGH. Cette espèce n'est généralement pas très durable.

T: 23–27° C, L: 35 cm, LA: 120 cm, Z: s, D: 3

R.: Inconnue.

N.: C; petits poissons, grands insectes. Les individus de petite taille acceptent également des aliments en flocons (grands flocons).

P.: C'est un carnassier vivant près de la surface de l'eau, il convient plutôt pour les grands bacs des aquariums publics. Dans la nature on peut le pêcher à la cuillère.

Crenuchus spilurus GÜNTHER, 1863
Crenuchus

Syn.: Aucun.

Or.: Guyane.

P.i.: 1912 par Kuntzschmann, Hambourg.

D.s.: Le mâle présente une dorsale longue et pointue, de couleur rouge. La robe de la femelle est plus pâle, elle est plus petite que le mâle.

C.s.: Généralement calme, ne convient pas pour l'aquarium communautaire, car il est très farouche et vit toujours caché. Vorace envers les poissons plus petits que lui.

M.: Un petit bac dont le sol est composé de tourbe, une végétation dense et des grottes rocheuses lui conviennent comme habitat. Une eau douce et légèrement acide correspond à son milieu naturel. pH 5,5–6,5; dureté jusqu'à 5° dGH. Changement d'eau en ajoutant un produit adéquat. A tenir individuellement ou par paires. Les mâles développent envers les autres poissons et leurs congénères un comportement territorial assez agressif.

R.: Pas bien connue. Semble frayer sur des pierres et éventer les œufs. Période de frai d'octobre à février.

N.: C; nourritures vivantes de toutes tailles (larves de Moustiques, petits vers, également petits poissons.

P.: Cette espèce porte sur la tête un organe inconnu, selon GÉRY il servirait à détecter des rayons thermiques (Infrarouge?). L'espèce apparentée *Poecilocharax weitzmani* GÉRY, 1965 est apparue récemment plusieurs fois sur le marché. Sa maintenance est identique à celle de l'espèce ci-dessus. Photo p. 279.

T: 24–28° C, L: 6 cm, LA: 50 cm, Z: s, m, D: 3–4

Chilodus punctatus MÜLLER et TROSCHEL, 1845

Chilodus, Chilodus pointillé, Tête en bas

Syn.: *Chaenotropus punctatus, Citharinus chilodus.*

Or.: Guyanes, Amazone supérieur, Rio Tocatins, Orinoco supérieur.

P.i.: 1912 par J. S. Kropac, Hambourg.

D.s.: Inconnu, se référer à l'embonpoint chez une femelle gravide.

C.s.: Poissons paisibles vivant souvent par petits groupes.

M.: Effectuer fréquemment un changement d'eau, mais en employant exclusivement une eau dont la température est égale à celle de l'aquarium et après y avoir ajouté un bon produit pour son traitement. L'eau de l'aquarium doit être brun foncé, limpide ou éventuellement assurer une lumière diffuse à l'aide de plantes flottantes. Il faut offrir à ces poissons une végétation composée de plantes de grande taille et de «fouillis» parmi lesquels ils peuvent stationner et s'abriter. Dans des bacs trop vivement éclairés ils sont craintifs et ne s'alimentent pas correctement. Les paramètres de l'eau sont ceux indiqués ci dessous dans le chapitre reproduction.

R.: Durant la période du frai le dessin pointillé de la robe disparait pour être remplacé par une à deux grandes taches noires situées entre les yeux et la nageoire dorsale. La reproduction est décrite dans la DATZ 12, 1959, p. 138. En voici un résumé:bac de ponte de 1 mètre de longueur et plus. Sol sablonneux alternant avec des racines et des pierres plates, de préférence recouvertes d'algues. Eau limpide d'un pH entre 6 et 7; dureté max. 10° KH (dureté carbonatée). La filtration sur tourbe pour acidifier l'eau est souvent la clé du succès. Des distributions adéquates de Chironomes, *Cyclops* et beaucoup d'algues vertes constituent la base de la nutrition. On peut ajouter complémentairement de la nourriture en flocons et de la salade ébouillantée. Température env. 25–27° C, lumière diffuse. Les accouplements ont lieu à proximité de la surface, parmi les plantes. Les œufs d'une taille de 1,5 mm sont pondus par nombre de 3 à 5. Les jeunes ont déjà adopté la position verticale, tête en bas, des parents. Sitôt éclos ils mangent des *Artemia*. Leur élevage ne semble pas difficile. Il faut retirer les parents du bac de ponte ou transférer les jeunes dans un autre bac où on leur offrira des algues en abondance. Dans «Aquarien Magazin 11/79 FRANKE indique comment libérer les larves de la membrane des œufs non éclos (éventuellement suite à une qualité d'eau non adéquate) en employant des aiguilles de préparation.

N.: H, L; fine nourriture vivante, Algues, nourriture végétale.

P.: Un poisson charmant, comme *Anostomus*, mais plus paisible. Il semblerait que ces poissons émettent parfois des sons grinçants.

T: 24–28° C, L: 9 cm, LA: 100 cm, Z: i, m, D: 3

Chilodus punctatus

Cyphocharax multilineatus (MYERS, 1927)
Sous-fam.: Curimatinae

Syn.: *Curimata multilineata.*

Or.: Rio Negro, Brésil.

P.i.: 1968 par Heiko Bleher.

D.s.: Inconnu.

C.s.: Poisson grégaire paisible, ne ménage pas les plantes.

M.: Aménager des bacs à sol sablonneux (sable fin) ou moulmeux lui permettant de fouisser. La Fougère de Java se prête très bien comme plantation. Dans leur pays d'origine ces poissons vivent principalement dans des zones régulièrement inondées et se sont par conséquent adaptés aux modifications de la qualité de l'eau. Un pH de 5,5–7,5 et une dureté jusqu'à 20° dGH sont bien supportés.

R.: Inconnue.

N.: H; plantes, algues. Toute sorte de nourriture en flocons, même des flocons d'avoine.

P.: Près de 90 espèces appartenant à ce genre ont été décrites. Dans nos aquariums ce poisson n'apparait pas fréquemment, quelques individus isolés par ci, par là. En aquariophilie ce genre n'est pas apprécié vu qu'il mange toutes les plantes de l'aquarium.

T: 23–27° C, **L**: 12 cm, **LA**: 80 cm, **Z**: m, **D**: 2

Fam.: Prochilodontidae

Semaprochilodus taeniurus (VALENCIENNES en HUMBOLDT, 1817)
Sous-fam.: Prochilodontinae

Syn.: *Curimatus taeniurus, Anodus taeniurus, Prochilodus taeniurus.*

Or.: Brésil, ouest de Colombie.

P.i.: 1912.

D.s.: Inconnu.

C.s.: Poisson grégaire paisible pouvant cohabiter avec d'autres herbivores.

M.: Aquariums spacieux, pas très hauts, avec beaucoup d'espace pour la nage libre. C'est une espèce fouisseuse, de sorte qu'elle trouble facilement l'eau de l'aquarium. Un filtre puissant est primordial. pH 5,5–7,5 (mieux 6,0); dureté jusqu'à 15° dGH. Décor composé de racines ou plantes en plastique.

R.: Pas encore réussie.

N.: H, L; végétaux, tels que épinards, laitue, mouron, cresson de fontaine et plancton animal (Daphnies) en complément.

P.: Une espèce attrayante du point de vue coloration, mais peu appréciée parce que herbivore. Elle est souvent confondue avec *Prochilodus insignis.*

T: 22–26° C, **L**: jusqu'à 30 cm, **LA**: 130 cm, **Z**: m, **D**: 3

Cyphocharax multilineatus

Semaprochilodus taeniurus

Erythrinus erythrinus (SCHNEIDER, 1801)
Characin saumon

Syn.: *Synodus erythrinus, Erythrinus brevicauda, E. kessleri, E. longipinnis, E. microcephalis, E. salmoneus, Cyprinus cylindricus.*

Or.: Amérique du sud; du nord au sud du Brésil.

P.i.: 1910 par l'association «LINNÉ», Hambourg.

D.s.: Inconnu.

C.s.: Carnivore, ne convient pas pour l'aquarium communautaire.

M.: Cette espèce ne convient que pour un aquarium spécifique. La vessie natatoire peut servir d'organe respiratoire. Pour cette raison ce poisson peut vivre dans des mares peu profondes où l'eau est pauvre en oxygène (zones inondées en voie d'assèchement). Maintenance en aquarium comme pour l'espèce décrite ci dessous. Quelques auteurs attirent l'attention sur l'emploi d'aquariums à faible hauteur (jusqu'à 25 cm).

R.: Inconnue.

N.: C; petits poissons, nourriture vivante de bonne consistance.

P.: C'est un Characidé sans nageoire adipeuse. Il convient seulement pour spécialistes et grands aquariums publics.

T: 22–26° C, L: 25 cm, LA: 100 cm, Z: i, D: 3

Hoplerythrinus unitaeniatus (AGASSIZ in SPIX, 1829)

Syn.: *Erythrinus unitaeniatus, E. salvus, E. gronovii, E. kessleri, E. vittatus.*

Or.: Amérique du sud, Vénézuéla, Trinidad, Paraguay.

P.i.: ?

D.s.: Inconnu.

C.s.: Vit en solitaire; dans la nature il se nourrit principalement de petits Characidés et constitue lui même la nourriture des Anguilles électriques. Selon LÜLING les espèces de ce genre prennent de l'air atmosphérique à la surface pour en remplir leur intestin. C'est là que les Anguilles électriques se tiennent à l'affu°t, la tête directement à la surface de l'eau, ce qui leur permet de percevoir les turbulences provoquées par les poissons happant de l'air. Une décharge électrique assomme la victime qui peut alors être dévorée aisément par l'Anguille.

En plus de la respiration branchiale, *H. unitaeniatus* a également la possibilité de prendre de l'oxygène à l'aide de la vessie natatoire. De plus, un système de vaisseaux sanguins situé à l'extrémité des opercules amène de l'oxygène dans le sang. Cette espèce est bien équipée pour survivre dans des eaux pauvres en oxygène.

M.: En solitaire ou seulement en compagnie de très grands poissons. Il n'est pas exigeant envers la qualité de l'eau: pH 5,6–7,8; dureté jusqu'à 30° dGH. Le bac peut être planté. Certains individus (parents?) se déplacent sur la terre au cours de la nuit. Donc bien immobiliser le couvercle du bac pour éviter des fuites nocturnes.

R.: Probablement impossible en aquarium.

N.: C; poissons vivants, petits mammifères, aliments en flocons de grand format.

P.: Ne convient pas comme poisson d'aquarium. Ne porte pas de nageoire adipeuse.

T: 23–27° C, L: 40 cm, LA: 120 cm, Z: m, D: 4 (T, C)

Erythrinus erythrinus

Hoplerythrinus unitaeniatus

Carnegiella marthae marthae MYERS, 1927
Poisson hachette aux ailes noires

Syn.: Aucun.

Or.: Dans la région du Rio Negro, dans des petits ruisseaux forestiers; Orinoco, Vénézuéla.

P.i.: 1935.

D.s.: Non apparentes.

C.s.: Poisson grégaire paisible, très délicat, ne pouvant cohabiter qu'avec des espèces tout aussi délicates, par ex. le Characidé loreto, petits *Corydoras, Crenicara filamentosa.*

M.: Comme *Carnegiella strigata*, mais il est plus exigeant envers la qualité de l'eau qui doit être douce et légèrement acide: pH 5,5–6,5; dureté jusqu'à 4° dGH. Lors du changement il est indispensable d'ajouter un produit pour son traitement.

R.: Pas réussie jusqu'à présent.

N.: C; insectes minuscules (Drosophiles), jeunes larves de Moustiques noires, aliments lyophilisés et très fine nourriture en flocons.

P.: Le plus délicat de tous les Poissons hachettes. Seulement pour spécialistes. Une sous espèce a également été décrite: *C. marthae schereri.* FERNANDEZ YEPES, 1950. Elle est originaire de la région péruvienne de l'Amazone.

T: 23–27° C, L: 3,5 cm, LA: 60 cm, Z: s, m, D: 4 (C)

Carnegiella myersi FERNANDEZ YEPEZ, 1950
Poisson hachette transparent

Syn.: Aucun.

Or.: Amazone au Pérou, Rio Ucayali; Bolivie.

P.i.: 1957.

D.s.: Inconnu.

C.s.: Poisson grégaire paisible, ne fait même pas la chasse aux alevins.

M.: Comme Carnegiella strigata.

R.: Pas réussie jusqu'à présent.

N.: C; aliments lyophilisés, fine nourriture en flocons, jeunes larves de Moustiques noires.

P.: C'est la plus petite espèce parmi les Poissons hachettes.

T: 23–26° C, L: 2,5 cm, LA: 60 cm, Z: s, m, D: 3

Carnegiella marthae marthae

Carnegiella myersi

a) *Carnegiella strigata strigata* (GÜNTHER, 1864)
Poisson-hachette marbré

b) *Carnegiella strigata fasciata* (GARMAN, 1890)
Poisson-hachette fourche
Sous-fam.: Gasteropelecinae

Syn.: a) *Gasteropelecus strigatus, C. vesca.*
b) *Gasteropelecus fasciatus.*

Or.: a) Iquitos, Pérou; b) Guyane.

P.i.: 1910 par F. Meyer, Hambourg.

D.s.: Seulement identifiables par l'embonpoint des femelles gravides. Parfois on peut apercevoir les œufs.

C.s.: Poissons grégaires paisibles, à tenir de préférence par groupes d'au moins 5 individus. Les alevins sont parfois poursuivis.

M.: Nageurs très rapides, mais stationnant souvent dans le courant provoqué par le filtre puissant. Vu qu'un fort courant entraine les plantes flottantes on protège ces dernières à l'aide de plantes à feuilles rubanées touchant ou dépassant la surface de l'eau. pH de 5,5–7,5 (6,0) et une dureté jusqu'à 20° dGH sont supportés hors reproduction.

R.: En distribuant généreusement des petits insectes volants (Drosophiles) et des larves de Moustiques des envies de frayer peuvent se manifester. A partir de là, la reproduction, en eau douce (jusqu'à 5° KH) et d'un pH de 5,5–6,0, ne semble plus être une trop grande difficulté. Il faut obscurcir le bac ou, à l'aide d'une double à triple dose d'extrait de tourbe, rendre l'eau presque opaque. La ponte est précédée par une parade nuptiale très mouvementée au cours de laquelle les poissons peuvent sauter hors de l'eau durant les poursuites effrénées parmi les plantes et les racines (racines de Fougères flottantes par ex.). La plupart des œufs tombent au sol. Enlever les parents. Les éclosions ont lieu au bout d'env. 30 h., les alevins nagent librement au cinquième jour. On les nourrit à l'aide de Paramécies jusqu'au septième jour, ensuite avec des *Artemia*.

N.: C; une nutrition composée exclusivement d'aliments en flocons ne convient pas à la longue. Il faut se procurer des larves de Moustiques, Chironomes et autres substances lyophilisées.

P.: Très sensible à l'Ichthyo. Observer une quarantaine de 15 jours avant d'introduire des Poissons-hachettes parmi d'autres espèces dans l'aquarium communautaire. Le genre *Carnegiella* se distingue de *Gasteropelecus* par sa plus petite taille et l'absence de nageoire adipeuse. Dans l'aquarium les individus originaires de la Guyane sont beaucoup plus robustes.

T: 24–28° C, L: 4 cm, LA: 70 cm, Z: s, m, D: 3

Gasteropelecus maculatus STEINDACHNER, 1879
Poisson-hachette tacheté
Sous-fam.: Gasteropelecinae

Syn.: *Thoracocharax magdalenae, T. maculatus.*

Or.: Surinam, Panama, Vénézuéla, Colombie.

P.i.: 1910.

D.s.: Non identifiable avec certitude.

C.s.: Poisson grégaire à tenir par groupes d'au moins cinq. Fait parfois la chasse aux alevins. Peut cohabiter avec des Characidés d'assez grande taille.

M.: Grands bacs peu profonds avec beaucoup d'espace entre la surface de l'eau et le couvercle. Bon sauteur. Offrir quelques abris à l'aide de plantes de surface. Végétation générale plutôt éparse. pH 6,0–7,0; dureté jusqu'à 15° dGH. Changer environ toutes les 2–3 semaines 1/3 de l'eau en ajoutant un produit de traitement. Ces poissons ont besoin de beaucoup d'oxygène. Il est conseillé de régler la sortie d'eau du filtre de manière à ce qu'elle assure un fort mouvement d'une partie de la surface de l'eau.

R.: Évent. comme chez *C. strigata.*

N.: C; insectes volants, larves de Moustiques, aliments en flocons, larves de Moustiques lyophilisées.

T: 22–28° C, L: 9 cm, LA: 100 cm, Z: s, m, D: 3

Carnegiella strigata strigata en haut, *C. s. fasciata* en bas

Gasteropelecus maculatus

Gasteropelecus sternicla (LINNAEUS, 1758)
Poisson-hachette argenté
Sous-fam.: Gasteropelecinae

Syn.: *Clupea sternicla, G. coronatus, Salmo gasteropelecus.*

Or.: Affluents du sud de l'Amazone au Brésil; Guyane, Surinam; petites à moyennes rivières avec îles végétales.

P.i.: 1912 par J. S. Kropae, Hambourg.

D.s.: Pas identifiable avec certitude. Vu du dessus le mâle est plus svelte.

C.s.: Poisson grégaire paisible, un peu farouche. Convient pour le bac communautaire, mais avec réserves.

M.: Ces poissons ont besoin d'être abrités par en haut. Un aquarium rempli à moitié seulement, avec une végétation dont les extrémités dépassent et penchent audessus de la surface constituerait un bac spécifique pour Poissons-hachettes. Des plantes flottantes offrent également ce genre d'abri, mais elles ne doivent pas gêner la capture de la nourriture. Bien couvrir le bac. Paramètres de l'eau comme pour *G. maculatus.*

R.: Pas encore reproduit en captivité; cf. *C. strigata.*

N.: C; petits insectes (Drosophiles); petits flocons; larves de Moustiques lyophilisées.

P.: *Gasteropelecus sternicla* peut facilement être confondu avec *Thoracocharax securis.*

T: 23–27° C, **L**: 6,5 cm, **LA**: 80 cm, **Z**: s, **D**: 2

Thoracocharax securis (FILIPPI, 1853)
Poisson-hachette platine
Sous-fam.: Thoracocharacinae

Syn.: *Gasteropelecus securis, Thoracocharax pectorosus, G. stellatus, Salmo pectoralis, Thoracocharax stellatus.*

Or.: Fleuves à eau blanche du centre de l'Amérique du sud, dans des criques plates de l'eau libre.

P.i.: 1910 par Oskar Kittler, Hambourg.

D.s.: Inconnu.

C.s.: Poisson grégaire, fait la chasse à tout ce qui est comestible et qui bouge à la surface de l'eau. A été trouvé en compagnie de grands *Loricaria, Triporteus albus, Hypostomus* et *Geophagus.*

M.: C'est le plus grand des Poissons-hachettes et le roi des «volants» parmi les poissons d'eau douce. Mis à part son grand besoin d'espace et d'oxygène sa maintenance ne pose pas de problèmes. Pas trop de difficultés du point de vue nutrition, pas d'exigences particulières envers la qualité physico-chimique de l'eau. pH 6,0–7,5; pH 6,0–7,5; dureté jusqu'à 15° dGH.

R.: Pas encore réussie.

N.: C; tout ce qui tombe sur la surface de l'eau, insectes, nourriture en flocons de grande taille.

P.: La photo montre un spécimen dans son lieu de trouvaille naturel (Rio Purus, ouest du Brésil), d'une longueur de 8,5 cm. Cette espèce «vole» plus de 10 m. Il est certain que les nageoires pectorales sont alors actionnées à la manière des ailes d'un oiseau.

T: 23–30° C, **L**: jusqu'à 9 cm, **LA**: 120 cm, **Z**: s, m, **D**: 3

Gasteropelecus sternicla

Thoracocharax securis

Hemiodopsis quadrimaculatus quadrimaculatus (PELLEGRIN, 1908)
Characin torpedo
Sous-fam.: Hemiodinae

Syn.: *Hemiodus quadrimaculatus.*

Or.: Fleuve Camopi en sud de la Guyane.

P.i.: 1967 par Heiko Bleher.

D.s.: Inconnu.

C.s.: Poisson grégaire paisible, agile.

M.: Ce poisson grégaire très vivace a un grand besoin d'espace et d'oxygène. La végétation du bac doit être composée de plantes «dures». Ces poissons, assez farouches au début, sont toujours en excitation et se déplacent sans arrêt. On peut les faire cohabiter avec des poissons de fond, tels par ex. les *Corydoras.* Ils ont un grand besoin d'oxygène et sont sensibles contre toute pression lors de leur capture (à l'air libre ils meurent très vite). Il est donc conseillé d'employer un récipient pour les capturer et non une épuisette. Ils ne sont pas particulièrement exigeants envers la qualité de l'eau: pH 6,0–7,5; dureté jusqu'à 20° dGH. Toujours assurer le renouvellement d'eau!

R.: Inconnue.

N.: O; omnivore, aliments en flocons, nourriture vivante, beaucoup de nourriture végétale (salade, etc.).

P.: Cette espèce est facilement confondue avec *H. sterni* du Mato Grosso qui présente plus de 50 écailles le long de la ligne latérale, alors que *H. q. quadrimaculatus* en a seulement jusqu'à 45. Le spécimen présenté sur la photo a une longueur de 7,5 cm. STERBA mentionne l'espèce apparentée *H. q. vorderwinkleri* qui est une autre sous espèce de *H. q. quadrimaculatus* et qui se distingue seulement d'aprés son origine et parce qu'elle a un rayon anal en moins que *H. q. quadrimaculatus.*

T: 23–27° C, L: 10 cm, LA: 100 cm, Z: m, D: 2–3

Parodon piracicabae EIGENMANN en EIGENMANN & OGLE, 1907
Parodon
Sous-fam.: Parodontinae

Syn.: Aucun.

Or.: Brésil, Tiéte-Paraná.

P.i.: 1977.

D.s.: Inconnu.

C.s.: Poisson grégaire paisible, apparait fréquemment dans les eaux à fond rocheux en compagnie de *Corydoras.*

M.: En aquarium un courant d'eau est souhaité, mais pas indispensable. Cette espèce a besoin de beaucoup d'oxygène. Peut vivre en communauté avec presque tous les poissons pas trop agressifs. Aime se reposer en prenant appui sur les pectorales. L'aquarium doit comporter de nombreuses roches et racines, de temps en temps on devrait les remplacer par d'autres recouvertes d'algues. On les conserve dans un bac à part, ainsi on dispose toujours d'une nourriture alguaire fraiche. pH 6,0–7,5; dureté jusqu'à 15° dGH.

R.: Inconnu.

N.: L; toutes les espèces de ce genre se nourrissent d'algues et d'animalcules qu'elles prélèvent sur les fonds rocheux. Aliments en flocons, les comprimés d'aliments lyophilisés sont bien acceptés.

P.: Ressemble à *Crossocheilus siamensis*, page 418, mais diffère par la nageoire adipeuse, l'absence de barbillons et la bande noire complémentaire qui se trouve sur le dos. Il existe environ 20 espèces différentes appartenant à ce genre et toutes se ressemblent plus ou moins.

T: 22–26° C, L: 8 cm, LA: 80 cm, Z: i, D: 2

Hemiodopsis quadrimaculatus quadrimaculatus

Parodon piracicabae

Copeina guttata (STEINDACHNER, 1875)
Copeina à points rouges
Sous-fam.: Pyrrhulininae

Syn.: *Pyrrhulina guttata, C. argirops.*

Or.: Bassin amazonien.

P.i.: 1912 par Kropac, Hambourg.

D.s.: Livrée de la femelle plus pâle; la partie supérieure de la caudale du mâle est plus étirée.

C.s.: Espèce relativement paisible, sauf en période de frai. Peut cohabiter dans l'aquarium communautaire avec des poissons de plus de 8 cm de long.

M.: Aquariums longs, à sol sablonneux et bien plantés. Cette espèce ne mange pas de plantes, mais déracine parfois des pousses délicates lors de la parade nuptiale. La filtration sur tourbe met les couleurs en évidence. Dans les bacs des commerçants cette espèce n'est pas toujours très attrayante et peut décourager les acheteurs.

R.: Température 28–30° C. Après une vive parade nuptiale, 100 à 2500 œufs sont pondus dans une excavation du sol. La ponte se répète, par intervalles de quelques minutes, environ 10 à 50 fois. Le mâle surveille les œufs et les évente. Les éclosions ont lieu au bout de 30 à 50 heures, on les nourrit avec des Infusoires.

N.: C, O; toute nourriture vivante, flocons de grande taille, aliments lyophilisés, larves de Moustiques congelées.

P.: L'espèce apparentée et très ressemblante, *C. osgoodi* du Pérou, n'a pas de dents sur la mâchoire supérieure.

T: 23–28° C, L: 7 cm à 15 cm dans la nature, LA: 80 cm, Z: m, i, D: 2–3

Copella arnoldi (REGAN, 1912)
Characin arroseur
Sous-fam.: Pyrrhulininae

Syn.: *Copeina arnoldi, C. callolepis, C. carsevennensis, C. eigenmanni, Pyrrhulina filamentosa, P. rachoviana.*

Or.: Guyane.

P.i.: 1905 par Oskar Kittler, Aquarienverein Rossmässler, Hambourg.

D.s.: Cf. photo; mâle plus grand et plus coloré.

C.s.: Poisson paisible, se rencontre par petits groupes ou par paires.

M.: Bacs spacieux, clairs, si possible recevant les rayons du soleil, avec dans un coin des plantes flottantes (*Nymphaea*) et dans un autre coin une végétation assez dense. Ces poissons sautent hors de l'eau, même en dehors de la période de frai, il faut donc bien couvrir l'aquarium. Filtration sur tourbe et régulier changement d'eau sont conseillés. pH 6,5–7,5; dureté entre 2 et 12° dGH.

R.: Employer des petits bacs de ponte à partir de 40 cm de long. L'espèce pond volontiers si les conditions d'eau et de nutrition sont bonnes. Bien couvrir le bac. Les œufs sont pondus sur la face inférieure du couvercle en verre ou sur une feuille qui dépasse la surface de l'eau. Le couple saute contre le verre, étroitement serré l'un contre l'autre. En l'espace de 4 à 10 secondes environ 10 œufs sont collés contre la vitre. La ponte se répète jusqu'à ce que 150 à 200 œufs ont été émis. Toutes les 20 à 30 minutes le mâle fait gicler de l'eau sur le frai à l'aide de sa tête et de sa caudale. Les œufs qui tombent au sol périssent. Les jeunes éclosent au bout de 2–3 jours et tombent dans l'eau où ils se nourrissent durant 1 à 2 jours de leur réserve vitelline. Ensuite il faut leur offrir du plancton de mare.

N.: O, C; nourriture en flocons, aliments lyophilisés, nourriture vivante.

P.: Poisson intéressant par son mode de reproduction très particulier. A recommander à tout éleveur amateur.

T: 25–29° C, L: ♂ 8 cm, ♀ 6 cm, LA: 70 cm, Z: s, m, D: 2

Copeina guttata

Copella arnoldi

Copella metae (EIGENMANN, 1914)
Characin meta
Sous-fam.: Pyrrhulininae

Syn.: *Copeina metae, Pyrrhulina nigrofasciata.*

Or.: Amazone au Pérou, Rio Meta, Colombie, dans des criques herbeuses.

P.i.: ?

D.s.: La dorsale du mâle est plus grande et plus pointue.

C.s.: Espèce vive et paisible ne convenant pas trop bien pour l'aquarium communautaire. La maintenance par groupe permet d'éviter des bagarres entre deux mâles.

M.: Cette espèce affectionne les petits bacs en exposition calme et comportant des plantes flottantes pour créer une ambiance ombreuse. Il n'est pas conseillé de la faire cohabiter avec des espèces turbulentes. Eau courante claire, filtrée sur tourbe. Plantation: *Echinodorus, Heteranthera.* pH 5,8–7,5; dureté jusqu'à 25° dGH (après acclimatation).

R.: Température env. 26° C, eau douce, sol composé de sable, végétation dense. Mettre une noix de coco ou caverne similaire à disposition de la femelle afin qu'elle puisse se mettre à l'abri des rudesses du mâle. Ces poissons frayent de préférence sur une large feuille, d'un jeune *Echinodorus* par ex. Les larves (200–300) éclosent au bout d'env. 30 h. (à 25° C) et 48 h. plus tard elles nagent librement et «s'accrochent» quelque part dans l'environnement. Cinq jours plus tard la vésicule vitelline est résorbée et l'éleveur doit distribuer des Infusoires. Tant que les œufs/larves reposent sur le substrat de ponte ils sont gardés par le mâle. Il est utile d'ajouter à l'eau d'incubation de la tourbe ou de l'extrait de tourbe, ou un produit du commerce (antibactérien) pour prévenir contre les mycoses.

N.: C, O; comme l'espèce ci-dessous.

T: 23–27° C, **L**: 6 cm, **LA**: 60 cm, **Z**: m, **D**: 2–3

Copella nattereri (STEINDACHNER, 1875)
Characin à points bleus
Sous-fam.: Pyrrhulininae

Syn.: *Pyrrhulina natteri, Copeina callolepis.*

Or.: Amazone inférieur jusqu'au Rio Negro.

P.i.: 1908 par Haase, Hambourg.

D.s.: Mâle plus svelte, un peu plus grand, couleurs plus prononcées, dorsale plus longue.

C.s.: Espèce paisible convenant pour le bac communautaire habité par des espèces délicates.

M.: Comme *C. metae.*

R.: Comme *C. metae.*

N.: C, O; très fine nourriture vivante, jeunes larves de Moustiques pour les géniteurs, aliments en flocons avec composantes lyophilisées.

T: 23–27° C, **L**: 5 cm, **Z**: m, **D**: 2–3

Copella nigrofasciata (MEINKEN, 1952)
Characin biche
Sous-fam.: Pyrrhulinae

Syn.: *Pyrrhulina nigrofasciata.*

Or.: Région de Rio de Janeiro (Brésil).

P.i.: 1950 par «Aquarium Hamburg».

D.s.: Nageoires du mâle plus pointues, arrondies chez la femelle; les nageoires du mâle sont plus colorées.

C.s.: Espèce très paisible, peut cohabiter avec des espèces délicates.

M.: Comme les espèces précédentes. Se conserve bien en eau (filtrée sur tourbe) extrêmement douce et traitée par un produit adéquat. pH 6,0–7,0; dureté jusqu'à 8° dGH.

R.: La femelle nettoie les feuilles choisies comme substrat. Les éclosions ont lieu au bout de 25–30 h. Les alevins chassent la nourriture à partir du cinquième jour.

N.: C, O; fine nourriture vivante, menu lyophilisé, flocons fins.

P.: GÉRY signale que cette espèce est vraisemblablement identique avec *'C. eigenmanni* (REGAN, 1912), que l'on rencontre en Guyane et à Para (est du Brésil).

T: 21–25° C, **L**: 6 cm, **LA**: 60 cm, **Z**: s, **D**: 2–3

Copella metae

Copella nattereri

Copella nigrofasciata

Lebiasina astrigata (REGAN, 1903)
Lebiasina pointillé
Sous-fam.: Lebiasininae

Syn.: *Piabucina astrigata.*

Or.: Nord de l'Amérique du sud; Rio Esmeralda, Rio Vinces, Colombie.

P.i.: Après 1970.

D.s.: Mâle plus coloré, femelle présente un ventre plus rond.

C.s.: Assez vorace, ne pas faire cohabiter avec des petits poissons. Seulement pour les aquariums communautaires où l'on distribue fréquemmment de la nourriture vivante consistante.

M.: Également durable dans les eaux pauvres en oxygène. La vessie natatoire constitue un organe respiratoire. Cette espèce est très robuste et a une grande faculté d'adaptation. Intéressante à observer. Végétation dense sinon farouche. Se tient à l'affût des proies dans de petites caches. Paramètres de l'eau: pH 5,8–7,8, dureté jusqu'à 25° dGH sont bien supportés.

T: 22–26° C, L: 8 cm, LA: 70 cm, Z: m, D: 2–3

R.: Pas encore réussie jusqu'à présent.

N.: C; nourriture vivante (vers, petits poissons), un peu d'aliments lyophilisés (après acclimatation).

P.: Ressemble morphologiquement aux grands Characidés voraces.

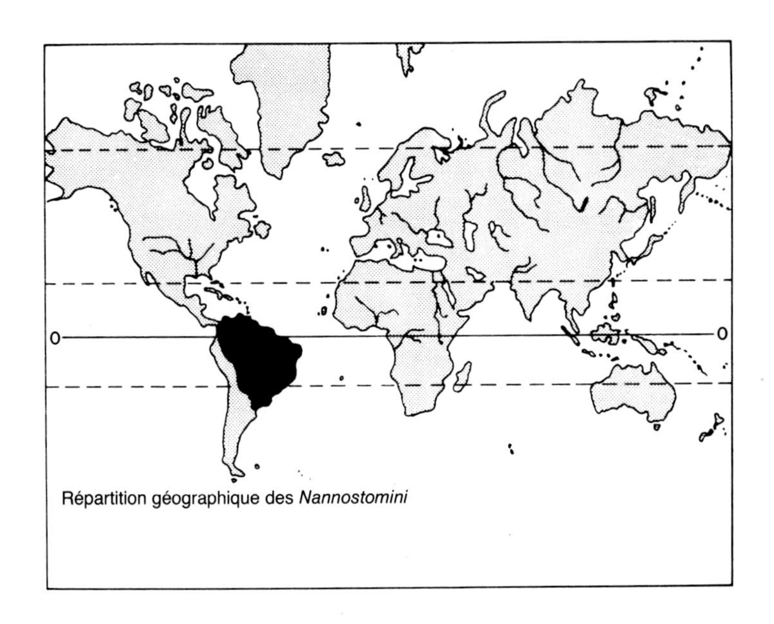

Répartition géographique des *Nannostomini*

Les genres *Nannostomus* et *Nannobrycon* (Poissons-crayon)

Ils appartiennent tous à la famille des *Lebiasinidae.* WEITZMANN et COBB (1975) ont regroupé toutes les espèces dans le genre *Nannostomus* et ont dissout l'ancien genre *Poecilobrycon.* Pour les deux espèces «obliques» *N. eques* et *N. unifasciatus,* GÉRY (1977) rétablit à nouveau le genre *Nannobrycon* HOEDEMAN, 1950. C'est cette dernière nomenclature qui a été suivie dans cet atlas, vu que GÉRY est le seul à avoir si intensivement étudié les Characidés.
Les huit espéces les plus fréquemment proposées par le commerce sont décrites sur les pages suivantes. A remarquer que les noms connus *N. anomalus* et *N. aripirangensis* sont actuellement considérés comme des synonymes de *N. beckfordi.*
Quelques autres espèces connues, *Nannostomus digrammus* FOWLER, 1913, *N. erythrurus* (EIGENMANN, 1909), *N. marilynae* WEITZMAN et COBB, 1975, une nouvelle espèce, et *N. minimus,* ressemblent du point de vue morphologie, maintenance et soins aux espèces traitées ici, mais sont introuvables dans le commerce.

Comportement social:
Les «Poissons-crayon» sont paisibles et farouches. Durant la journée ils s'abritent parmi les racines et les plantes, à proximité de la surface de l'eau (*Nannobrycon*) ou dans les zones d'eau moyennes parmi les branches immergées (*Nannostomus*). Ce n'est qu'au crépuscule qu'ils se mettent à chercher de la nourriture et deviennent un peu plus actifs. Dans la nature ils font la chasse aux petits insectes sous ou directement à la surface de l'eau. Il est déconseillé de les faire cohabiter avec des poissons vivaces, car ils sont alors effarouchés et ne s'alimentent pas.

Maintenance:
Pour toutes les espèces l'aquarium doit avoir une longueur minimum de 50 cm. Toutes les espèces de ces deux genres (sauf *N. beckfordi*) ont de hautes exigences envers les qualités physico-chimiques de l'eau. Elle doit être douce, légèrement acide et ne pas contenir de nitrates. Dans les régions où l'eau est dure on a intérêt à employer un déminéralisateur ou à filtrer sur tourbe durant un temps prolongé. La tourbe vendue en balles pour usage horticole est valable si elle ne contient pas d'engrais. La valeur du pH peut s'établir entre 5,5 et 7,0, mais ne devrait pas subir de variations (v. filtration sur tourbe, p. 62). La dureté se situe alors automatiquement en-dessous de 4° KH, c'est exactement ce qu'il faut pour ces espèces délicates. L'aquarium doit comporter un sol sombre (Lave ou évent. fibres de tourbe) et être bien, mais pas trop densément planté, sinon on ne verra plus du tout ces beaux «crayons». La surface de l'eau peut être couverte par diverses plantes flottantes. Mais vu qu'alors il y a un manque de lumière au sol, seules des Cryptocorynes pourront y pousser, bien que cela ne soit pas très conforme vu qu'elles sont originaires de l'Asie. Elles se prêtent pourtant très bien pour cet usage, car les mêmes conditions d'eau leur conviennent. Il est conseillé d'employer un bon produit pour le traitement de l'eau lors des réguliers changements partiels, car il contribue à ce que les poissons supportent mieux les variations du pH, de la pression osmotique, etc.

Reproduction:
Toutes les espèces présentées sur les pages suivantes ont déjà été reproduites en aquarium. La reproduction des *Nannobrycon* est plus difficile que celle des *Nannostomus*. Toutes les espèces dévorent les œufs sitôt la ponte terminée. Pour cette raison il est utile d'équiper le bac de ponte d'une grille (grillage en matière plastique avec mailles de 3–4 mm). On pose dessus un écheveau de laine verte synthétique ou de Mousse de Java. L'eau doit être extrêmement douce (jusqu'à 2° KH) et d'un pH d'env. 6,0.

Le bac de ponte ne recevra qu'un seul couple. Le nombre d'œufs pondus lors de chaque phase varie selon l'espèce: de 1 à 3 (*Nannobrycon*) à une à plusieurs douzaines. Les œufs restent accrochés parmi les plantes ou tombent au sol. Ce sont également des pondeurs en eau libre (comme presque tous les Characidés) et ne pratiquent pas de soins au frai. Si on ne dispose pas d'une grille de protection il faut retirer les reproducteurs lorsque la ponte est terminée. Au bout de trois jours on peut les réintroduire dans le bac, ils pondront à nouveau.
Si on veut faire de la reproduction et que toutes les conditions s'y rapportant sont conformes: qualité de l'eau, lumière diffuse, sol, reproducteurs sains et que malgré tout il ne se passe rien, c'est la nourriture qui peut en être la cause. Il faudrait alors, se procurer des larves de Moustiques, soit dans des flaques d'eau, dans un récipient posé dans le jardin ou sur le balcon. Elles ont un effet stimulant et contiennent tous les acides aminés déterminants (v. aussi chapitre nourriture p. 882). Certains éleveurs emploient également les Drosophiles pour stimuler la disposition au frai.
Les éclosions ont lieu au bout de 1 à 3 jours, l'élevage des alevins ne pose pas de problèmes si on dispose de la nourriture planctonique adéquate (Infusoires, Rotifères), récoltée dans les mares ou produite soi-même (cultures à l'aide de peaux de bananes par ex.).

Nourriture:
Il s'agit de poissons carnivores et limivores (p. 200 et 202). Si on ne dispose pas de nourriture vivante fine et saine on peut offrir des composants lyophilisés, par ex. petites larves de Moustiques rouges (Chironomes), Artémias et foie, ainsi que des flocons tamisés ne dépassant pas 3 mm. Toutes les espèces apprécient les *Artemia salina* vivantes. Nourrir (généreusement) le soir, cela correspond aux activités naturelles de ces poissons qui ne chassent pas durant la journée. Distribuées le matin, les proies vivantes seraient mortes le soir.

Particularités:
Quelques espèces portent une nageoire adipeuse, d'autres en sont dépourvues. Ces différences existent également au sein d'une même espèce. Chez toutes les espèces la coloration de nuit diffère de la coloration de jour. La nuit, et même sous faible éclairage, les bandes longitudinales disparaissent presque entièrement au profit des bandes transversales floues, semblables à celles de *N. espei*.

Nannobrycon eques (STEINDACHNER, 1876)
Eques

Syn.: *Nannostomus eques, Poecilobrycon auratus.*

Or.: Amazone, Rio Negro (Brésil), est de Colombie, Guyanes.

P.i.: 1910 par Aquarien Verein Rossmäßler, Hambourg.

D.s.: Femelle moins svelte, ventre plus rond et moins colorée que le mâle.

C.s.: Poisson grégaire paisible.

M.: Comme pour les espèces du genre Nannostomus.

R.: Voir p. 338.

N.: C; fine nourriture vivante, aliments lyophilisés, fine nourriture en flocons.

P.: Les beaux mâles présentent des pectorales à pointes blanches bleuâtres.

T: 22–28° C, **L**: 5 cm, **LA**: 60 cm, **Z**: s, **D**: 3

Nannobrycon unifasciatus (STEINDACHNER, 1876)
Poisson crayon à 1 bande

Syn.: *Nannostomus unifasciatus, N. eques* (pas STEINDACHNER), *Poecilobrycon unifasciatus, P. ocellatus.*

Or.: Amazone supérieur, jusqu'en Colombie; affluents du Rio Madeira, Rio Negro; Guyane.

P.i.: 1910 par Jonny Wolmer, Hambourg.

D.s.: Nageoire anale noire chez la femelle, noir rouge chez le mâle.

C.s.: Poisson grégaire paisible. Convient que pour les aquariums communautaires habités par des espèces calmes et délicates.

M.: Voir description du genre page 338.

R.: Voir description du genre page 338.

N.: C; très fine nourriture vivante, de préférence happée à la surface de l'eau. *Artemia* (pas exclusivement, ni en continuité), menu lyophilisé.

P.: L'espèce *N. (P.) ocellatus* mentionnée à part chez quelques auteurs est vraisemblablement une race locale d'une coloration remarquablement belle, provenant des Guyanes et du Rio Madeira, Brésil.

T: 25–28° C, **L**: 6 cm, **LA**: 60 cm, **Z**: s, **D**: 3

Nannobrycon eques

Nannobrycon unifasciatus

Nannostomus beckfordi GÜNTHER, 1872
Anomalus, Poisson crayon

Syn.: *Nannostomus anomalus, N. aripirangensis, N. simplex.*

Or.: Guyanes, Rio Negro inférieur, moyen Amazone.

P.i.: 1911 par Carl Siggelkow, Hambourg.

D.s.: Mâle plus svelte que la femelle, les extrémités de ses nageoires sont blanches.

C.s.: Espèce calme et paisible, la seule du genre pouvant cohabiter avec des espèces plus vivaces. Convient pour tout aquarium communautaire non habité par des carnassiers.

M.: Végétation dense, filtration sur tourbe, sol sombre, eau limpide, cohabitants calmes ne sont pas obligatoires, mais contribuent à maintenir cette espèce avec succès. Eau: pH 6,0–7,5; dureté jusqu'à 20° dGH.

R.: Comme indiqué dans la description du genre, page 338. Température pour la reproduction: 30° C.

N.: C, O; nourriture en flocons, aliments lyophilisés, fine nourriture vivante.

P.: Parmi toutes les espèces appartenant à ce genre c'est celle qui pose le moins de problèmes de maintenance en aquarium. Elle apparait dans des variétés de coloration très différentes.

T: 24–26° C, L: 6,5 cm, LA: 60 cm, Z: m, s, D: 1–2

Nannostomus bifasciatus HOEDEMAN, 1954
Poisson crayon à 2 bandes

Syn.: Aucun.

Or.: Surinam et Guyane.

P.i.: 1953.

D.s.: Les pelviennes de la femelle sont transparentes, chez le mâle elles sont blanc bleuâtre.

C.s.: Poisson grégaire paisible.

M.: Comme indiqué dans la description du genre, page 338.

R.: Comme indiqué dans la description du genre, page 338.

N.: C, O; fine nourriture vivante, aliments lyophilisés, flocons fins.

T: 23–27° C, L: 4 cm, LA: 60 cm, Z: m, s, D: 3

Nannostomus beckfordi

Nannostomus bifasciatus

Nannostomus espei (MEINKEN, 1956)
Poisson-crayon d'Espe Sous-fam.: Pyrrhulininae

Syn.: *Poecilobrycon espei.*

Or.: Sud-ouest de la Guyane.

P.i.: 1955 par la «Zierfischzüchterei und Importfirma Espe» de Brême.

D.s.: Chez la femelle la bande dorée est moins brillante que chez le mâle.

C.s.: Poisson grégaire paisible devant être tenu par groupe d'au moins dix individus.

M.: Voir description du genre, page 338.

R.: Voir description du genre, page 338.

N.: C, O; très fine nourriture vivante, aliments lyophilisés (Chironomes, Brine Shrimps); occasionnellement nourriture en flocons. Les Insectes sont très appréciés.

P.: Parmi toutes les espèces de ce genre c'est celle qui est la moins développée au cours de l'évolution.
Cette espèce n'est capturée qu'une seule fois dans l'année, vers la fin de l'automne, lorsque le niveau d'eau est très bas. Très peu d'exemplaires sont exportés.

T: 22–26° C, L: 3,5 cm, LA: 60 cm, Z: m, s, D: 2–3

Nannostomus harrisoni EIGENMANN, 1909
Poisson-crayon à bandes dorées Sous-fam.: Pyrrhulininae

Syn.: *Archicheir minutus* (forme juv.), *N. kumini, N. cumuni.*

Or.: Guyane.

P.i.: 1968 par Heiko Bleher.

D.s.: Nageoires anales plus colorées chez le mâle.

C.s.: Poisson grégaire paisible.

M.: Comme les espèces du genre *Nannobrycon,* page 338.

R.: Voir description du genre, page 338.

N.: C; fine nourriture vivante, aliments lyophilisés, mouture de flocons.

P.: C'est la seule espèce qui fait partie du sous-genre *Poecilobrycon.*

T: 24–28° C, L: 6 cm, LA: 60 cm, Z: m, s, D: 3–4

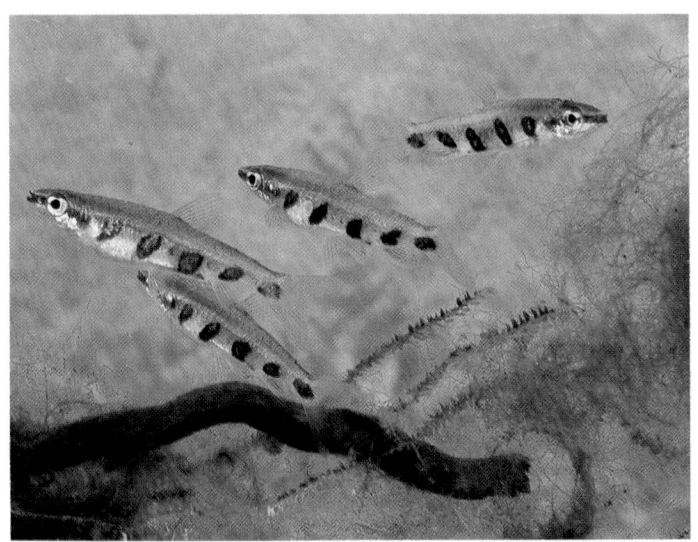

Nannostomus espei

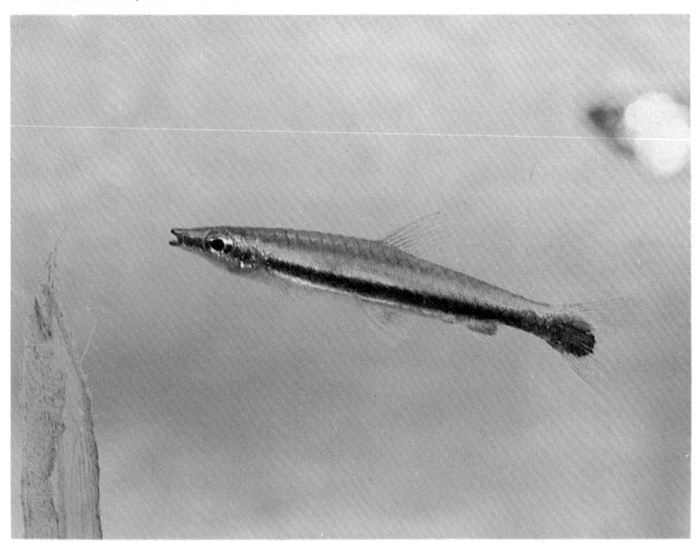

Nannostomus harrisoni

Nannostomus marginatus EIGENMANN, 1909
Marginatus, Poisson-crayon nain
Sous-fam.: Pyrrhulininae

Syn.: Aucun.

Or.: Surinam, Guyane, Amazone inférieur?

P.i.: 1928 par la firme Schulze et Pötzschke de Berlin.

D.s.: Femelle moins svelte que le mâle.

C.s.: Poisson très calme et timide, convient pour cohabiter avec des poissons de très petite taille.

M.: Bacs très bien plantés, comportant également des plantes flottantes, mais laissant suffisamment d'espace dégagé pour la nage libre, à proximité de la surface et dans la zone moyenne. L'espèce apprécie un léger courant de l'eau qui doit être limpide, mais brunie par la tourbe. pH 5,8–7,5 (6,5); dureté jusqu'à 15° dGH (4°).

R.: Voir description du genre, page 338.

N.: C, O; fine nourriture vivante (*Artemia*), Cyclops, aliments lyophilisés, fine nourriture en flocons, comprimés de nourriture lyophilisée. Des distributions fréquentes de petites portions de nourriture contribuent largement à la réussite de la maintenance en aquarium de cette espèce.

P.: C'est la plus petite espèce de ce genre, elle réjouit les amateurs d'espèces de petite taille.

T: 24–26° C, L: 3,5 cm, LA: 40 cm, Z: m, s, D: 2–3

Nannostomus trifasciatus STEINDACHNER, 1876
Poisson-crayon à 3 bandes
Sous-fam.: Pyrrhulininae

Syn.: *Poecilobrycon vittatus, P. auratus, P. trifasciatus, N. trilineatus.*

Or.: Brésil: Rio Tocantins, affluents du sud de l'Amazone, Belem, Guajara-Mirim (Rio Madeira), Mato Grosso.

P.i.: 1912 par W. Eimeke, Hambourg.

D.s.: Femelle plus ronde, couleurs moins prononcées.

C.s.: Poisson grégaire paisible, peut convenir pour l'aquarium communautaire.

M.: Voir description du genre, page 338.

R.: Voir description du genre, page 338.

N.: C, O; aliments lyophilisés, fine nourriture vivante, flocons tamisés jusqu'à 3 mm de Ø.

P.: C'est un des plus beaux représentants de son genre.

T: 24–28° C, L: 5,5 cm, LA: 60 cm, Z: m, s, D: 2

Nannostomus marginatus

Nannostomus trifasciatus

Pyrrhulina filamentosa VALENCIENNES, 1846

Sous-fam.: Pyrrhulininae

Syn.: Aucun.

Or.: Guyanes, Vénézuéla, Amazone.

P.i.: 1912.

D.s.: Mâle plus svelte et plus grand. La photo montre trois mâles.

C.s.: Ce n'est pas un carnassier proprement dit mais il vaut mieux le tenir en aquarium spécifique, si possible par groupe d'au moins 7 individus. Les mâles parfois belliqueux sont alors plus calmes et se molestent moins.

M.: Bacs densément plantés, assez spacieux, à sol sombre composé de sable, fort courant d'eau et possibilités de stationner près de la surface à l'abri de plantes flottantes. pH 5,8–7,5; dureté jusqu'à 18° dGH.

R.: N'a pas été mentionnée jusqu'à présent dans la littérature; pourrait être similaire à celle de *P. vittata.*

N.: C, O; nourriture vivante (larves de Moustiques), nourriture en flocons avec substances lyophilisés.

P.: C'est l'espèce la plus grande et la plus rare de ce genre. Elle est génotype. Son nom *Pyrrhulina* signifie «petit bouvreuil».

T: 23–28° C, **L:** 12 cm, **LA:** 80 cm, **Z:** m, i, **D:** 2–3

Pyrrhulina vittata REGAN, 1912

Pyrrhulina rayé

Sous-fam.: Pyrrhulininae

Syn.: Aucun.

Or.: Bassin de l'Amazone et Rio Madeira.

P.i.: 1912 par Kropac, Hambourg.

D.s.: Pelvienne et anale sont rouges en période de frai chez le mâle. Les mâles paradent aussi en dehors de la période de reproduction ou cherchent à éloigner le plus faible.

C.s.: Espèce paisible (v.D.s.); convient pour cohabiter avec des espèces calmes de taille moyenne. N'est pas vraiment un poisson grégaire, mais se rencontre souvent par groupes.

M.: Grands bacs, pas trop éclairés, à plantation robuste et espace dégagé pour nager librement. Sol sablonneux. Filtration puissante (courant!) sur tourbe. pH 6,0–7,5; dureté jusqu'à 20° dGH, mieux 10°.

R.: Le mâle ne tolère la proximité de la femelle que pour la ponte. Le mâle nettoie le substrat: une feuille large ou une pierre. Après la ponte la femelle doit s'éloigner, le mâle évente les œufs et monte la garde. 200 à 300 larves éclosent au bout de 2 jours et nagent librement au bout de 5 jours. Au début les jeunes acceptent de préférence des Nauplies de *Cyclops,* à partir du cinquième jour des *Artemia.* Le bac d'élevage doit contenir de l'eau vieille.

N.: C; nourriture vivante, flocons seulement dans des cas exceptionnels, car les particules inertes ne sont pas acceptés.

P.: Cette espèce ressemble à *P. spilota,* mais peut être identifié par la disposition des taches noires et la position de la dorsale.

T: 23–27° C, **L:** 6 cm, **LA:** 60 cm, **Z:** m, s, **D:** 3

Pyrrhulina filamentosa

Pyrrhulina vittata

Acnodon normani GOSLINE, 1951
Pacu brebis
Sous-fam.: Myleinae

Syn.: Aucun.

Or.: Rio Xingu, Rio Tocantins, Brésil.

P.i.: 1975 par Hans Baensch, Melle.

D.s.: Inconnu.

C.s.: Espèce paisible, vit le plus souvent par bancs. Herbivore. Son nom commun (traduit de l'allemand, lui même traduit de l'anglais) fait allusion à ce que le banc broute les substances végétales comme un troupeau de brebis. Ces poissons sont très robustes et supportent des mauvaises conditions d'eau. Un bac pas trop haut, bien éclairé, avec quelques abris, des plantes en plastique, des racines et un sol sablonneux, semble convenir au mieux pour cette espèce. pH 5,8–7,2; dureté jusqu'à 18° dGH.

R.: Inconnu.

N.: H; fruits, végétaux, graines, nourriture en flocons à base végétale.

P.: Cette espèce n'a pas encore été importée, car dans son aire d'origine il n'existe aucune station d'exportation. Elle ne présente pas de «dents» du côté de la poitrine comme ses proches parents.

T: 22–28° C, L: 10–15 cm, LA: 100 cm, Z: m, i, D: 3

Colossoma macropomum (COPE, 1871)
Pacu noir

Syn.: *Colossoma nigripinnis, C. oculus, Myletes nigripinnis, M. oculus, Piaractus nigripinnis.*

Or.: Région amazonienne.

P.i.: 1912 par A. Rachov et W. Eimeke, Hambourg.

D.s.: Il semblerait que chez le mâle la dorsale est pointue et l'anale dentée.

C.s.: Poisson grégaire paisible, herbivore.

M.: Demande beaucoup d'espace, des caches entre les racines et une abondante nourriture végétale. Dans un bac trop exigu il présente un comportement peureux et farouche. Il n'a pas de grandes exigences envers l'eau: pH 5,0–7,8; dureté jusqu'à 20° dGH.

R.: Pas encore réussie.

N.: H; épinard, salade, mouron.

P.: Ne convient que pour les grands aquariums publics.

T: 22–28° C, L: plus de 60 cm, LA: à partir de 120 cm, Z: m, D: 3 (H)

Acnodon normani

Colossoma macropomum

Metynnis argenteus AHL, 1923
Dollar d'argent
Sous-fam.: Myleinae

Syn.: *M. anisurus, M. dungerni, M. eigenmanni, M. heinrothi, M. smethlageae.*

Or.: Guyane, Amazone à l'est du Rio Negro dans des bras herbeux.

P.i.: 1913.

D.s.: Chez le mâle l'avant de l'anale est rouge et plus long que chez la femelle.

C.s.: Poisson grégaire paisible et agile.

M.: Bacs spacieux à lumière diffuse. Des caches aménagées à l'aide de racines et de plantes en plastique sont conseillées pour constituer le décor. Bonne oxygénation, sol sombre, eau filtrée sur tourbe ou extrait de tourbe. pH 5,0–7,0; dureté jusqu'à 15° dGH.

R.: Similaire à celle de *M. hypsauchen.*

N.: H; toutes sortes de végétaux tendres, salade, cresson, mouron, nourriture en flocons à base végétale (grands flocons).

P.: Selon l'origine, ces poissons présentent des taches peu prononcées sur les flancs.
Le «Dollar d'argent» est un poisson très populaire aux USA. Il est très attrayant dans les bacs souvent décorés à l'aide de plantes en plastique et de gravier coloré. Les plantes en plastique étant fréquemment employées dans les aquariums américains, la maintenance d'espèces herbivores est donc davantage pratiquée que chez nous.

T: 24–28° C, L: 14 cm, LA: 100 cm, Z: m, D: 3 (H)

Metynnis hypsauchen (MÜLLER et TROSCHEL, 1844)
Metynnis à grosse tête
Sous-fam.: Myleinae

Syn.: *M. callichromus, M. erhardti, M. fasciatus, Myletes hypsauchen, M. ocinoccensis, M. schreitmülleri.*

Or.: Guyanes, Orinoco à l'ouest de l'Amazone et bassin du Paraguay.

P.i.: 1912.

D.s.: La nageoire anale du mâle est plus rouge, bordée de noir et plus longue.

C.s.: Poisson grégaire paisible.

M.: Comme *Metynnis argenteus.*

R.: La reproduction est relativement facile, à condition d'avoir un ou plusieurs (ils frayent souvent en groupe) couples harmonisant. Température 26–28° C, ajouter de l'eau douce. D'abord obscurcir, ensuite éclairer le bac. pH 6,0–7,0; dureté jusqu'à 10° dGH; KH en-dessous de 4°. Event. filtration sur tourbe. Poser quelques touffes de plantes flottantes sur la surface de l'eau, les *Metynnis* les apprécient comme «chambre nuptiale». Les œufs (jusqu'à 2000 par ♀) tombent au sol, mais ne sont pas dévorés par les géniteurs. Les éclosions ont lieu au bout de 3 jours et au sixième jour les jeunes nagent librement et se fixent aux vitres. Deux jours plus tard ils commencent à s'alimenter (très fin plancton animal).

N.: H; toute sorte de nourriture végétale, certains individus acceptent des flocons d'avoine broyés.

P.: Il arrive que les *Metynnis* attaquent un congénère malade et se comportent alors comme les Piranhas.

T: 24–28° C, L: 15 cm, LA: 120 cm, Z: m, D: 3 (H)

Metynnis argenteus

Metynnis hypsauchen

Metynnis lippincottianus (COPE, 1871)
Metynnis tacheté

Syn.: *Myletes lippincottianus, Metynnis roosevelti, M. seitzi, M. goeldii.*

Or.: Bassin de l'Amazone, très répandu dans les eaux blanches.

P.i.: 1912 par les «Vereinigte Zierfischzüchtereien» de Berlin - Conradshöhe.

D.s.: La nageoire anale du mâle est bordée de rouge et pointue à l'avant.

C.s.: Poisson grégaire paisible, convient pour les aquariums communautaires dépourvus de plantes.

M.: Sa maintenance en aquarium ne pose pas de problèmes. Dans la nature ces poissons vivent sous une lumière très diffuse, en aquarium un éclairage trop vif les incommode. Seule la Mousse de Java pourrait convenir comme plantation, car elle est dédaignée par la plupart des herbivores. Comme décoration employer beaucoup de racines et de plantes en plastique, sol sombre, beaucoup d'espace libre pour la nage. Eau: pH 5,5–7,5; dureté jusqu'à 22° dGH.

R.: Voir chez *M. hypssauchen.*

N.: H; toute sorte de nourriture végétale, Daphnies.

P.: Diffère de l'espèce apparentée *M. maculatus* par son épine prédorsale (elle est en dents de scie chez *M. maculatus* et normalement lisse chez *M. lippincottianus*) et au nombre d'épines ventrales *(M. m.* = 36–41, *M. l.* = 29–37). Le dessin formé par les taches corporelles est très variable.

T: 23–27° C, **L:** 13 cm, **LA:** 100 cm, **Z:** m, **D:** 2 (H)

Myleus rubripinnis rubripinnis (MÜLLER et TROSCHEL, 1844)
Myleus crochet

Syn.: *Myloplus rubripinnis, M. asterias, M. ellipticus.*

Or.: Guyanes, région amazonienne.

P.i.: 1967 par Heiko Bleher.

D.s.: N'a pas été décrit.

C.s.: Poisson grégaire paisible.

M.: Comme *Metynnis argenteus*, mais un peu plus délicat. Grand besoin d'oxygène. Souvent recouvert de minuscules bulles limpides qui ne sont pas des bulles d'air, mais proviennent d'une maladie qui n'a pas encore été décrite jusqu'à présent.

R.: N'a pas encore été reproduit.

N.: O; nourriture végétale et zooplancton; aliments en flocons, Daphnies.

P.: Deux sous espèces ont été décrites:
Les adultes conservent leur couleur argentée (*M. rubripinnis rubripinnis*, v. photo).
Les adultes deviennent plus foncé avec moucheture rouge (*M. rubripinnis luna*).
Le nom du genre *Myloplus* employé dans le passé est aujourd'hui un sous genre de *Myleus.*

T: 23–27° C, **L:** 10 cm en aquarium, jusqu'à 25 cm dans la nature, **LA:** 80 cm, **Z:** m, **D:** 3–4

Metynnis lippincottianus

Myleus rubripinnis rubripinnis

Mylossoma duriventre (CUVIER, 1818)
Characin meule
Sous-fam.: Myleinae

Syn.: *Myletes duriventris, Mylossoma albicopus, M. ocellatus, M. argenteum, M. unimaculatus* (forme juvénile).

Or.: Sud de la région amazonienne jusqu'en Argentine.

P.i.: 1908 par Oskar Kittler du «Aquarien Verein Rossmässler», Hambourg.

D.s.: Inconnu.

C.s.: Poissons grégaires paisibles qui vivent dans des rivières peu profondes où ils vivent en tant que juvéniles parmi la végétation et «broutent» en permanence. Les adultes cherchent toujours les lieux où ils trouvent une végétation abondante.

M.: N'est pas apprécié comme poisson d'aquarium à cause de sa taille adulte et de son grand besoin en nourriture végétale. En période sèche lorsque le niveau des fleuves baisse ils meurent en masse en raison du manque d'oxygène. Les juvéniles jusqu'à une longueur de 10 cm sont très durables en aquarium. Eau: pH 5,0–7,8; dureté jusqu'à 20° dGH. Cette espèce ne supporte pas un important changement des conditions physico-chimiques de l'eau et meurt rapidement.

R.: Inconnue mais pourrait être similaire à celle de *Metynnis.*

N.: H; nourriture végétale, laitue, épinard, mouron.

P.: Les juvéniles sont très attrayants et présentent une tache noire sous la nageoire dorsale.

T: 22–28° C, L: plus de 20 cm, LA: 150 cm, Z: m, i, D: 4 (H)

Serrasalmus nattereri (KNER, 1859)
Piranha rouge
Sous-fam.: Serrasalminae

Syn.: *Pygocentrus nattereri, P. altus, P. stigmaterythraeus, Roosevelfiella nattereri, Serrasalmo piranha.*

Or.: Guyane jusqu'à la région du La Plata.

P.i.: 1911.

D.s.: Mâle à gorge rouge et de couleur argent-or, femelle plus jaune.

C.s.: Poisson grégaire dangereux. Lorsque ces poissons sont affamés ils attaquent tout ce qui vit et le déchiquètent en quelques minutes.

M.: Maintenance relativement facile si on arrive à assurer la nourriture vivante indispensable; bacs spacieux, filtre puissant. Eau: pH 5,5–7,5; dureté jusqu'à 20° dGH.

R.: Déjà réussie; une adjonction d'eau fraiche déclenche souvent les préliminaires au frai. pH neutre, dureté env. 6° dGH.
Les mâles creusent des cuvettes dans le gravier dans lesquelles seront déposés les œufs. La ponte se déroule à l'aurore, entre 4 et 5 heures du matin. Le mâle défend le frai. Durant 24 h. la femelle participe à la défense, ensuite elle est chassée par le mâle. Si on enlève les œufs, le mâle fraie à nouveau 2–3 jours plus tard avec une autre femelle du groupe. Les œufs ont une teinte dorée et collent sur le gravier. On peut les prélever en se protégeant à l'aide d'une ou plusieurs vitres de séparation. Une ponte comprend 500 à 1000 œufs. Dans le bac d'élevage les jeunes nagent librement à partir du huitième jour. Au bout de 4–5 jours, après résorption de la vésicule vitelline, il faut leur distribuer des *Artemia.* A l'âge de 1 mois il faut sélectionner les jeunes en fonction de leur taille. A l'âge de 3 mois on distribue des larves de Chironomes (vivantes), de la viande finement hachée et du filet de poisson. Ne pas distribuer les larves de Moustiques trop tôt, les alevins risquent de s'étouffer en les avalant.

N.: C; toute sorte de nourriture carnée; filet de poisson.

P.: Il faut être très prudent lors des manipulations dans l'aquarium, car cette espèce mord cruellement dès qu'elle se sent menacée. Aux USA l'importation a été interdite en raison du danger d'introduction dans les eaux locales.
La photo de la page 359 montre un individu d'une longueur de 12 cm avec la livrée pointillée typique des juvéniles.

T: 23–27° C, L: 28 cm, LA: 120 cm, Z: m, D: 4 (C)

Mylossoma duriventre

Serrasalmus nattereri ♂ adulte

Serrasalmus rhombeus (LINNÉ, 1766)
Piranha pointillé

Syn.: *S. paraense, S. niger, Salmo rhombeus, S. albus, S. caribi, S. humeralis, S. immaculatus, S. iridopsis.*

Or.: Guyanes et bassin de l'Amazone.

P.i.: 1913 par Wilhelm Eimeke, Hambourg.

D.s.: La nageoire anale du mâle est étirée en pointe chez le mâle, droite chez la femelle.

C.s.: Poisson grégaire carnassier, mais qui n'attaque pas l'homme. En aquarium il faut cependant être prudent. Un poisson paniqué peut quand même mordre un doigt et causer des blessures douloureuses avec ses dents acérées.

M.: Bacs à lumière diffuse par plantes flottantes, décor rocheux, filtration puissante, sol constitué de gros gravier permettant cependant de distinguer les gros fragments de nourriture non consommés. Eau douce jusqu'à 10° dGH, pH 5,8–7,0. Il est recommandé de réserver à cette espèce un bac spécifique bien que des colocataires sont en général seulement attaqué s'ils présentent des signes de maladie ou de faiblesse (nage dandinante, etc.).

R.: A déjà été obtenue à l'aquarium de la Wilhelma, Zoo de Stuttgart (RFA). On n'a pas d'autres renseignements; ponte évtl. comme *S. spilopleura.*

N.: C; nourriture vivante consistante pour les juvéniles, également grands flocons, ultérieurement poisson, chair de poisson, cœur de bœuf. Nourrir seulement 2 à 3 fois par semaine.

P.: La belle couleur des juvéniles pâlit par la suite et prend un ton uniforme gris argent avec quelques taches. La photo présente un juvénile d'env. 9 cm de longueur.

T: 23–27° C, **L**: 38 cm, **LA**: 120 cm, **Z**: i, m, **D**: 4 (T)

Serrasalmus spilopleura (pas de photo) KNER, 1860
Piranha à bande noire

Syn.: *Pygocentrus dulcis, P. melanurus, P. nigricans, Serrasalmus aesopus, S. maculatus.*

Or.: Région amazonienne, La Plata, Orinoco.

P.i.: 1899 par Paul Matte, Berlin Lankwitz.

D.s.: La caudale du mâle est plus incurvée.

C.s.: Poisson grégaire carnassier ne convenant pas pour l'aquarium communautaire.

M.: Une puissante filtration est indispensable, car le métabolisme élevé de ces poissons de grande taille charge rapidement l'eau. Eau: pH 5,0–7,0; dureté jusqu'à 18° dGH.

R.: Est possible. L'aquarium public de Duisburg (RFA) a pu reproduire une espèce du genre *Serrasalmus.* Les couples ont pondu parmi les racines des plantes flottantes (*Eichhornia*) à proximité de la surface. Les œufs ont un diamètre d'environ 4 mm. Les éclosions ont lieu au bout de 2 jours et 8–9 jours plus tard les alevins nagent librement. On les nourrit avec des *Artemia*, au bout de 10 jours avec des *Cyclops*, ensuite Daphnies. Température 25–26° C.

N.: C; grands vers de terre, poissons vivants, viande de bœuf et chair de poisson.

P.: N'est pas aussi vorace que *S. nattereri* ou S. piraya qui n'est pas présenté ici sur photo.

T: 23–28° C, **L**: 25 cm, **LA**: 150 cm, **Z**: m, **D**: 4 (C)

Serrasalmus rhombeus

Serrasalmus nattereri, juvénile

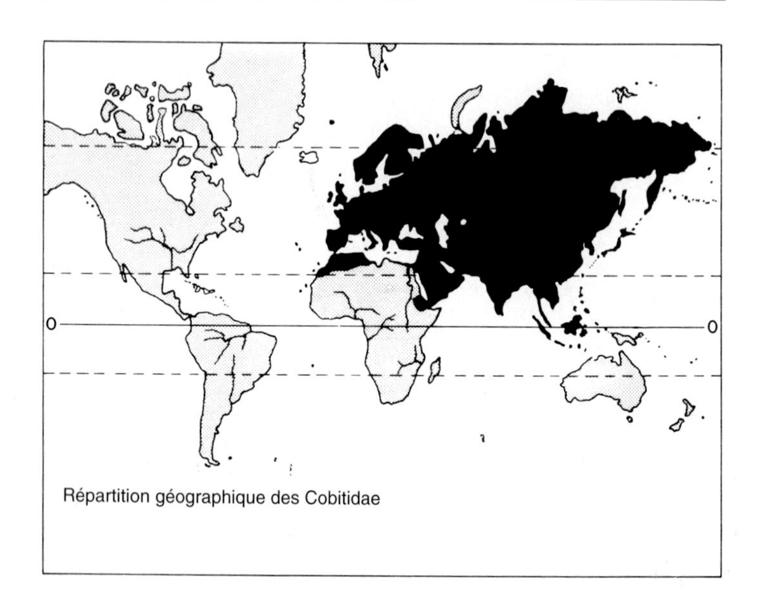

Répartition géographique des Cobitidae

La famille des Cobitidae Loches

La petite famille des Loches se compose d'environ 100 espèces qui habitent exclusivement l'eau douce. La famille est répartie sur un territoire immense, mais délimité, comprenant que des parties de l'ancien monde. Ainsi les Loches se rencontrent dans toute l'Europe et l'Asie, y compris l'Archipel malais. Par contre, en Afrique on ne trouve que quelques espèces au Maroc et en Ethiopie. C'est au Sud et Sud-est asiatique que le nombre d'espèces de Cobitidés est le plus élevé, puis diminue vers le Nord et l'Ouest, de sorte qu'en Allemagne on ne rencontre plus que trois espèces (*Cobitis taenia, Misgurnus fossilis, Barbatula barbatula*).

Il s'agit le plus souvent d'espèces de petite taille, seules quelques *Misgurnus, Botia* et *Noemacheilus* peuvent atteindre 30 cm de longueur et plus. Les Loches sont caractérisées par un corps long, le plus souvent cylindrique. Quelques espèces présentent un ventre plat. La bouche est le plus souvent infère. Toutes ces caractéristiques signalent qu'il s'agit de poissons qui vivent au sol. Le corps des Loches est soit couvert de petites écailles, soit totalement ou en partie nu. La bouche est dépourvue de dents. Les lèvres portent 3 à 6 paires de barbillons courts ou moyennement longs. On note la présence de

Carassius auratus v.p. 410

dents pharyngiennes disposées sur une rangée. La partie antérieure de la vessie gazeuse est contenue dans une capsule osseuse. Sous les yeux ou juste en avant d'eux se trouve une épine à un ou deux denticules. Elles peuvent être érigées et verrouillées. Les épines sont parfois logées dans la peau ou inexistantes (qques. *Noemacheilus*). Chez de nombreuses Loches l'intestin sert d'organe respiratoire annexe (exemple: espèces du genre *Misgurnus*). L'oxygène de l'air (pris à la surface de l'eau) est absorbé au cours de son passage dans l'intestin et permet aux Loches de vivre dans des eaux pauvres en oxygène.
La nourriture des Loches est composée principalement de larves d'Insectes et de vers (*Tubifex*). Leurs barbillons sont pourvus de papilles gustatives. Ils sont très utiles pour repérer la nourriture. Quelques espèces acceptent les aliments en flocons, ainsi quœun complément végétal sous forme d'algues molles. Les genres traités dans ce livre présentent les particularités suivantes (en partie d'après SMITH ou STERBA):

Acantopsis: Allongé, bas; les yeux sont recouverts d'une peau transparente; tête dépourvue d'écailles; 3 paires de barbillons; ligne latérale complète; épine oculaire à 1 denticule.

Pangio: Allongé, vermiforme; les yeux sont recouverts d'une peau transparente; tête dépourvue d'écailles; le début des nageoires pelviennes est situé loin en avant de celui de la dorsale; 4 paires de barbillons, dont 1 paire à la mâchoire inférieure; pas de ligne latérale; épines oculaires à 2 denticules.

Botia: Corps plus trapu et moyennement haut, souvent aplati sur les côtés; les yeux ne sont pas recouverts par une peau transparente; les pelviennes débutent sous ou en arrière de la dorsale; 3 paires de barbillons; épine oculaire à 2 denticules.

Cobitis: Tête aplatie sur les côtés; yeux non recouverts d'une peau transparente; 3 paires de barbillons dont 1 paire à la mâchoire inférieure; ligne latérale incomplète; épine oculaire à 1 ou 2 denticules.

Lepidocephalus: Allongé, bas; yeux recouverts d'une peau transparente; tête partiellement couverte d'écailles; 4 paires de barbillons dont 1 paire à la mâchoire inférieure; épine oculaire à 1 denticule.
Misgurnus: Corps presque rond, aplati sur les côtés vers l'arrière; 5 paires de barbillons dont 2 paires à la mâchoire inférieure; ligne latérale rudimentaire; épine oculaire cachée dans la peau céphalique.

Noemacheilus: Corps partiellement rond à aplati; 3 paires de barbillons; ligne latérale complète ou incomplète; épine oculaire minuscule et recouverte de peau ou totalement absente.

Les différentes manières d'aménagement des aquariums convenant aux Loches sont indiquées dans les descriptions des espèces, ainsi que les données sur la qualité de l'eau, la température et l'éclairage. On a encore peu de renseignements sur la reproduction des Loches et on ignore pratiquement tout sur la biologie de la reproduction de certaines espèces. Les succès de reproduction sont souvent dues au hasard. Les déroulements de pontes décrits dans la littérature aquariophile sont souvent contradictoires et doivent donc être interprétés avec une certaine prudence. On a même signalé la construction d'un nid, mais cette information semble erronée. Un vaste champ d'observations est encore ouvert à celui qui veut étudier le mode de vie et la reproduction de nombreuses espèces de Loches.

Variétés d'élevage de *Puntius tetrazona*,
en haut: albinos, en bas: «Barbus mousse» ou «Barbus vert»

Pangio kuhlii

(VALENCIENNES, 1846)

Kuhli, Loche coolie

Sous-fam.: Cobitinae

Syn.: *Cobitis kuhlii, Acanthophthalmus fasciatus, A. kuhlii.*

Or.: Sud-est asiatique: Thailande, Malaisie-ouest, Singapour, Sumatra, Java, Bornéo.

P.i.: 1909 par les «Vereinigte Zierfischzüchtereien» de Conradshöhe près de Berlin.

D.s.: Pas connu avec certitude.

C.s.: Espèce active au crépuscule et durant la nuit, restant cachée durant la journée; vit en solitaire.

M.: Sol mou pouvant être recouvert d'une couche de moulme ou de tourbe. Plantation dense par plantes fines, mais ces dernières seulement en l'absence de moulme. Caches composées de racines et de roches. Plantes flottantes pour atténuer l'éclairage. L'eau peut être douce (pauvre en calcaire) et acidifiée par de la tourbe (pH env. 6). Tous les *Pangio* affectionnent une température élevée.

R.: Quelques reproductions réussies en aquarium ont le plus souvent été dues au hasard. L'émission des œufs a lieu à proximité de la surface de l'eau. Les œufs collent aux racines des plantes flottantes où ils restent accrochés. Ils ont une couleur vert-clair.

N.: C, O; toute sorte de nourriture vivante, comprimés d'aliments lyophilisés (FD). Distribuer la nourriture le soir vu leur activité nocturne.

P.: Cette espèce est divisée en deux sous-espèces: *Pangio kuhlii kuhlii,* (VAL., 1846) et *P. kuhlii sumatranus* FRASER-BRUNNER, 1940 (Loche de Sumatra). Cette sous-espèce a été introduite la première (1909) mais fut seulement décrite comme telle en 1940. Les deux sous-espèces diffèrent par leur coloration et par le dessin de la robe. Selon KLAUSEWITZ *P. myersi* appartient également à ce groupe et devrait s'appeler *P. kuhlii myersi.*

T: 24–30° C, L: 12 cm, LA: 60 cm, Z: i, D: 2

Pangio shelfordii

POPTA, 1901

Loche de Bornéo

Sous-fam.: Cobitinae

Syn.: *Acanthophthalmus shelfordii.*

Or.: Archipel malais: Bornéo, Sarawak (actuellement: Malaisie-est).

P.i.: 1939 (1933?)

D.s.: Inconnu à ce jour.

C.s.: Similaire à *Pangio kuhlii.*

M.: Voir *P. kuhlii.*

R.: Ne semble pas avoir réussie en captivité.

N.: C, O; nourriture vivante principalement prise au sol; nourriture en flocons, aliments en comprimés.

P.: On compte *Pangio shelfordii* parmi le groupe des *kuhlii.* Ce groupe comprend les espèces d'assez grande taille telles que *P. kuhlii, P. semicinctus, P. myersi* et *P. shelfordii.* Il se distingue du groupe *P. cuneovirgatus* non seulement par la taille des poissons, mais aussi par la forme des écailles. Chez le premier groupe cité elles sont presque rondes et à large bord, chez le groupe *P.cuneovirgatus* elles sont par contre elliptiques à bord étroit.
D'après la photo, le poisson représenté pourrait aussi être. *P. muraeniformis* De BEAUFORT, 1933. Cette espèce possède 8 barbillons, alors que *P. shelfordii* a seulement 6 barbillons.

T: 24–30° C, L: 8 cm, LA: 50 cm, Z: i, D: 2

P. kuhlii sumatranus

P. kuhlii myersi

P. shelfordii

Acantopsis dialuzona v. HASSELT, 1823
Loche à rostre Sous-fam.: Cobitinae

Syn.: *Acanthopsis choirorhynchus, Acantopsis choerorhynchos, A. dialyzona, A. biaculeata, A. diazona.*

Or.: Sud-est asiatique: Thailande, Burma, Péninsule malaise, Vietnam, Sumatra, Bornéo, Java.

P.i.: 1929 par Edmund Riechers, Hambourg.

D.s.: Inconnu.

C.s.: Poisson paisible, nocturne, grand fouilleur dans le sol, vivant le plus souvent en solitaire.

M.: Sol composé de sable fin d'une hauteur minimum de 5 à 10 cm, car ces poissons aiment s'enterrer. Il est conseillé de planter dans des coupes et d'entourer la base de gravier pour éviter que les plantes soient déracinées. Offrir des caches sous forme de racines, roches ou noix de cocos. Eau jusqu'à 10° dGH, légèrement acide: pH 6–6,5. Plantes flottantes pour atténuer l'éclairage.

R.: Pas encore réussie en captivité.

N.: C. O; mange tout mais préfère la nourriture vivante (*Tubifex,* Enchytrées, insectes aquatiques).

P.: L'espèce apparait dans de nombreuses variétés de coloration. Lorsqu'ils sont incommodés, ces poissons s'enterrent rapidement dans le sédiment mou. Ils peuvent rester longtemps dans cette position en ne laissant dépasser que les yeux. Ce sont des nageurs maladroits.

T: 25–28° C, L: 22,5 cm (mature à partir de 6 cm), LA: 80 cm, Z: i, D: 2–3

Botia berdmorei (BLYTH, 1860)
Sous-fam.: Botiinae

Syn.: *Syncrossus berdmorei.*

Or.: Sud-est asiatique, Burma, Thailande (Pasalc-River).

P.i.: Douteuse.

D.s.: Inconnu.

C.s.: Souvent intolérant envers ses congénères, les autres cohabitants sont rarement attaqués; territorial. Lors du nourrissage l'individu le plus fort mange toujours en premier et chasse le plus petit. En ce faisant il émet des sons craquants. Convient pour le bac communautaire.

M.: Bacs spacieux décorés de roches et de racines. Plantes flottantes sur une partie de la surface. Il est conseillé de filtrer sur tourbe. Eau limpide exempte de nitrates (fréquents changements). pH 6,5–7,5; dureté jusqu'à 12° dGH. Les Loches du genre *Botia* sont assez craintives, il faut leur offrir la possibilité de se cacher. Elles aiment fouiller dans le sol, donc éviter tout sédiment à arêtes vives.

N.: C, O; nourriture vivante consistante, comprimés (TetraTips), aliments lyophilisés et flocons.

P.: H. M. SMITH (1945) supposait que *B. berdmorei, B. beauforti,* et *B. hymenophysa* ne représentent qu'une seule espèce avec une large variété de coloration et d'autres caractères. Actuellement ces espèces sont considérées comme individuelles. Deux épines escamotables sont situées sous les yeux, *Botia* s'en sert pour se défendre. Ces épines sont gênantes lors de la capture à l'épuisette, car elles accrochent aux mailles.

T: 22–26° C, L: jusqu'à 25 cm, en aquarium jusqu'à 15 cm, LA: 100 cm, Z: i, D: 2–3

Acantopsis dialuzona

Botia berdmorei

Botia morleti TIRANT, 1885

Loche d'Horas Sous-fam.: Botiinae

Syn.: *Botia modesta* (pas BLEEKER), *B. horae.*

Or.: Thailande.

P.i.: 1955 par la firme «Tropicarium», Frankfort/M.

D.s.: Inconnu à ce jour.

C.s.: Poisson vivace et paisible. L'espèce mène une vie cachée et devient active au crépuscule. Peut cohabiter avec des *Barbus* ou *Corydoras.*

M.: Sol composé de sable fin, car ce sont des fouilleurs. Il faut protéger les plantes en les cultivant dans des coupoles et en entourant leur base de gros gravier. Le décor rocheux doit être bien stabilisé sur le sol sinon on risque que l'édifice s'effondre. Des moitiés de noix de coco sont appréciées et volontiers utilisées comme cachettes et abris. Eau douce (5° dGH) et légèrement acide (pH 6–6,5). Changement partiel de l'eau (10% chaque semaine). Lumière diffuse (plantes flottantes). Presque toutes les espèces du genre *Botia* conviennent pour l'aquarium communautaire. Les changements d'eau sont indispensables pour leur bien-être.

R.: Pas encore reproduit en captivité.

N.: Mange de préférence de la nourriture vivante, mais accepte également les comprimés lyophilisés (TetraTips FD) ainsi que la nourriture congelée, rarement celle en flocons.

P.: Ce sont des nageurs maladroits. Durant tous les stades de sa vie cette espèce présente une coloration caractéristique (voir photo) qui la distingue de toutes les autres espèces du genre *Botia.*

T: 26–30° C, L: 9,5 cm, LA: 80 cm, Z: i, m, D: 2

Botia helodes SAUVAGE, 1876

Loche-tigre Sous-fam.: Botiinae

Syn.: Aucun?

Or.: Sud-est asiatique: Thailande, Laos et Cambodge. Dans les rivières et fleuves.

P.i.: 1929 par Edmond Riechers, Hambourg.

D.s.: Inconnu.

C.s.: Plutôt associal, souvent même très agressif. L'espèce est assez excitée et craintive. Actif la nuit, vit caché durant le jour.

M.: Comme indiqué pour *Botia morleti.* En aquarium communautaire faire cohabiter *B. helodes* avec des poissons de la même taille ou plus grands.

R.: Pas encore reproduit en aquarium.

N.: C; nourritures vivantes de toutes sortes, même des petits poissons; s'habitue aux aliments en flocons et en comprimés.

P.: *Botia helodes* est à maintenir de préférence en aquarium spécifique. Lors des distributions de nourriture et de la défense du territoire, ces poissons émettent des sons claquants qui donnent parfois l'impression qu'une vitre de l'aquarium a éclatée. Fut commercialisé sous le nom de *B. hymenophysa,* mais ce dernier n'apparait qu'à Sumatra, Bornéo et sud de la Malaisie. Actuellement on trouve également le vrai *B. hymenophysa* dans le commerce.

T: 24–30° C, L: 22 cm, LA: 100 cm, Z: i, (m), D: 2

Botia morleti

Botia helodes

Botia lohachata CHAUDHURI, 1912
Loche réticulée
Sous-fam.: Botiinae

Syn.: Aucun.

Or.: Inde, nord des Indes orientales (Province de Bihar) et Bangladesch.

P.i.: 1956 par la firme «Tropicarium» Francfort/M.

D.s.: Inconnu.

C.s.: Poisson craintif, paisible, nocturne. Espèce sociable aimant vivre en groupe.

M.: Comme indiqué chez *Botia morleti.*

R.: Pas encore reproduit en captivité.

N.: O; mange tout: nourriture vivante de toute sorte. Nourriture en flocons et nourriture végétale (Algues).

P.: La Loche réticulée monte également à la surface pour prendre de la nourriture. Elle se tourne alors sur le dos. Cette espèce porte quatre paires de barbillons, sa coloration est très variable. Elle peut émettre des sons claquants.

T: 24–30° C, **L**: 7 cm, **LA**: 80 cm, **Z**: i, m, **D**: 2

Botia macracanthus (BLEEKER, 1852)
Loche-clown, Botia-clown
Sous-fam.: Botiinae

Syn.: *Cobitis macracanthus, Hymenophysa macracantha, Botia macracantha.*

Or.: Indonésie: Sumatra, Bornéo. Dans les eaux courantes et stagnantes.

P.i.: 1935.

D.s.: Chez les vieux mâles le dos est plus haut, le corps est plus trapu. Les femelles sont plus sveltes. La caudale des vieux mâles est plus fourchue, les extrémités sont courbées vers l'intérieur. Chez la femelle elles sont droites (voir dessins).

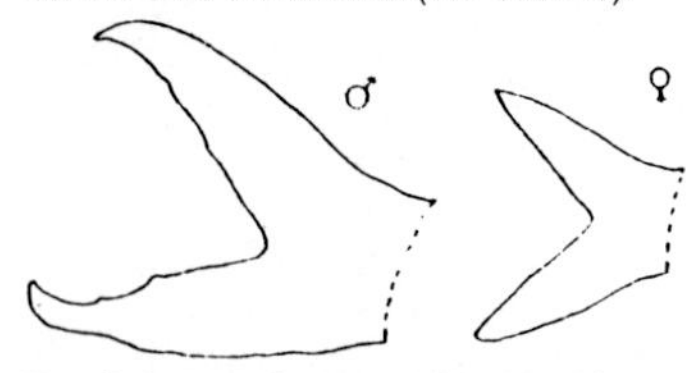

C.s.: Poisson grégaire paisible. L'espèce a un comportement sociable, intra- et interspécifique. Il est également actif durant la journée et ne mène pas une vie si cachée que les autres espèces du genre *Botia.* Malgré cela c'est au crépuscule que *Botia macracanthus* déploie toute son activité.

M.: Comme indiqué chez *Botia morleti.*

R.: L'espèce fraye au début de la saison des pluies dans des eaux vives à courant rapide. La croissance des jeunes se déroule ultérieurement dans des bras à courant lent et dans les zones des embouchures des fleuves (communication verbale du Dr. LIEM de Djakarta).

N.: O; nourriture vivante, en flocons et végétale (Algues), comprimés lyophilisés, aliments congelés.

P.: *B. macracanthus* peut émettre des sons claquants. Dans leurs pays d'origine ces poissons sont appréciés comme poissons comestibles dont la chair est excellente. Ils portent quatre paires de barbillons. L'espèce est très sensible à *l'Ichthyophthirius.*

T: 25–30° C, **L**: 30 cm (en aquarium rarement plus de 16 cm), **LA**: 100 cm, **Z**: i, m, **D**: 2–3

Botia lohachata

Botia macracanthus

Botia rubripinnis
Loche verte

SAUVAGE, 1865

Syn.: Aucun.

Or.: Thailande, Vietnam, Archipel malais. En eaux stagnantes et eaux courantes.

P.i.: 1935 par «Aquarium Hamburg», mais avec certitude en 1955 par la firme «Tropicarium», Francfort/M.

D.s.: Inconnu, mais vraisemblablement les mâles sont un peu plus petits que les femelles.

C.s.: Poissons nocturne très craintif. L'espèce est réputée être asociale, mais semble pourtant être grégaire.

M.: Comme pour *Botia morleti*.

R.: Pas encore réussie en captivité.

N.: C, O; omnivore, mange aussi bien de la nourriture vivante que des comprimés ou de la nourriture en flocons, ainsi que des Algues.

P.: Cette Loche peut également émettre des sons claquants.

T: 26–30° C, L: 24 cm, LA: 100 cm, Z: i, m, D: 2

Botia morleti page 368

Botia sidthimunki
Loche naine, Loche damier

KLAUSEWITZ, 1959

Syn.: Aucun.

Or.: Nord de la Thailande, où l'on trouve cette Loche dans de petites pièces d'eau vaseuses.

P.i.: 1959 par A. Werner, Munich.

D.s.: Pas identifiable.

C.s.: Poisson grégaire vivace, très paisible. Cette espèce est également active durant la journée et nage avec plaisir.

M.: Comme indiqué chez *Botia morleti*. De plus le sol devrait être recouvert d'une couche de moulme, cette dernière étant très appréciée par *Botia sidthimunki*. A maintenir toujours par groupe.

R.: L'espèce n'a pas encore été reproduite en aquarium.

N.: C, O; omnivore, nourriture vivante et en flocons de taille adéquate. Ce poisson n'est pas très difficile du point de vue nutrition, mais préfère celle lyophilisée.

P.: *Botia sidthimunki* est le plus petit représentant de son genre et devrait être présent dans tout aquarium communautaire bien entretenu.

T: 26–28° C, L: 5,5 cm, LA: 50 cm, Z: u + m, D: 2

Botia rubripinnis

Botia sidthimunki

Cobitis taenia taenia LINNAEUS, 1758
Loche de rivière
Sous-fam.: Cobitinae

Syn.: *Aconthopsis taenia, Botia taenia, Cobitis barbatula, C. elongata.*

Or.: Europe et ouest de l'Asie: du Portugal jusqu'à la Lena. L'espèce est absente en Irlande, Ecosse, Scandinavie (sauf sud de la Suède et Danemark), Corse, Sardaigne et le Péloponnèse. Dans des eaux claires courantes ou stagnantes.

P.i.: Espèce continentale.

D.s.: Mâle plus petit que la femelle; le deuxième rayon des pectorales du mâle est épaissi.

C.s.: Poisson de fond nocturne, le plus souvent d'un comportement intra- et interspécifique paisible. A faire cohabiter dans l'aquarium d'eau froide avec des poissons aux exigences similaires du point de vue oxygène et tempétaure.

M.: Comme indiqué pour *Barbatula barbatula,* mais *Cobitis t. taenia* est encore plus sensible envers les températures élevées et le manque d'oxygène que *B. barbatula.* Introduire quelques plantes dans l'aquarium, par ex. Vallisnéries ou *Fontinalis.*

R.: Ressemble à celle de *B. barbatula* sauf que *C. t. taenia* ne soigne pas la ponte. Les œufs sont déposés au hasard parmi et sur les plantes, les roches, etc. Dans la nature cette espèce fraie d'avril à juillet.

N.: C; presque exclusivement de la nourriture vivante (petits crustacés, larves de Moustiques, *Tubifex,* etc.).

P.: L'espèce est divisée en plusieurs sous-espèces dont la répartition géographique est limitée. Dans la nature ces poissons constituent une part importante de la nourriture des Truites.

T: 14–18° C (max. 20° C, poisson d'eau froide), L: 12 cm, LA: 70 cm, Z: i, D: 2–3

Misgurnus fossilis (LINNAEUS, 1758)
Loche d'étang
Sous-fam.: Cobitinae

Syn.: *Cobitis fossilis, Acanthopsis fossilis, Cobitis fossilis var. mohoity, C. micropus, Ussuria leptoceohala.*

Or.: Europe: du nord de la France jusqu'à la Newa; du Danube jusqu'à la Wolga et le Don. L'espèce est absente en Grande-Bretagne, Irlande, Scandinavie, Espagne, Portugal, Italie, Grèce et Crimée.

P.i.: Espèce continentale.

D.s.: Mâle plus petit et plus svelte, le deuxième rayon des pectorales est épaissi.

C.s.: Poisson de fond nocturne, paisible.

M.: Sol vaseux ou au moins mou; plantes continentales d'eau froide de préférence cultivées dans des pots (espèce fouilleuse). Cachette constituées de roches, racines et moitiés de noix de coco. Eclairage pas trop vif, ces poissons préfèrent une lumière diffuse. Bonne filtration. N'est pas exigeant envers la qualité de l'eau.

R.: Déjà réussie plusieurs fois en aquarium, mais probablement due au hasard. Ces poissons frayent en ondulant du corps. Souvent les œufs sont déposés sur des plantes. Dans la nature la fraie a lieu d'avril à juillet.

N.: C; nourriture vivante de toute sorte (larves d'insectes, petits crustacés, etc.). Nourrir de préférence le soir.

P.: On dit que la Loche d'étang signale les orages en devenant très agitée durant la journée. Elle dispose d'une respiration intestinale qui lui permet de survivre également dans des eaux très pauvres en oxygène.

T: 4–25° C, L: 30 cm, LA: 80–100 cm, Z: i, D: 1–2

Cobitis taenia taenia

Misgurnus fossilis

Barbatula barbatula, description v. p. 376

Barbatula barbatula (LINNAEUS, 1758)
Loche franche
Sous-fam.: Nemacheilinae

Syn.: *Cobitis barbatula, Barbatula toni, B. tonifowleri, B. tonifowleri posteroventralis, Cobitis fuerstenbergii, C. toni, Nemachilus barbatulus, N. cimpressirostris, N. pechilensis, N. sturanyi, Oreias toni, Orthrias oreas, N. sibiricus.*

Or.: D'Europe en Sibérie. L'espèce est absente de la Péninsule ibérique (sauf nord-est de l'Espagne), en Ecosse, Scandinavie (sauf certaines régions du Danemark et du sud de Suède), Italie et Grèce. C'est une commensale des Truites de rivières. Elle apparait dans des eaux claires courantes à fond solide.

P.i.: Espèce continentale.

D.s.: Mâle plus petit et plus svelte que la femelle; les pectorales du mâle sont plus longues, leur deuxième rayon est épaissi. A ne faire cohabiter qu'avec des espèces aux exigences similaires envers l'oxygène et la température.

C.s.: Poisson de fond, actif au crépuscule, le plus souvent paisible envers les autres poissons.

M.: Bacs longs, sol sablonneux avec quelques galets plats. Former des cachettes à l'aide de pots à fleurs et noix de coco coupées en deux. On peut se dispenser de plantation. Eau claire, propre, pas trop tempérée. Bonne aération. Si possible produire un courant à l'aide d'une Turbelle. Eau moyennement dure (10–15° dGH) et neutre à légèrement alcaline (pH 7–7,7).

R.: Seulement possible avec des adultes, les femelles doivent présenter des signes de gravidité. Les œufs sont collants et sont déposés sur des roches ou du gravier. On les découvre souvent à l'endroit le plus sombre de l'aquarium. La ponte est surveillée par le mâle (pas toujours!) (cf. RIEHL, 1974: Das Aquarium 8, 241). Eclosions au bout d'env. 7 jours, nourrir les alevins avec des Nauplies d'*Artemia*. Dans la nature cette espèce fraye de mars à mai.

N.: C; nourriture vivante de toute sorte. Accepte la nourriture en flocons mais avec réticence.

T: 16–18° C (max. 20° C), L: 16 cm, LA: 80 cm, Z: i, D: 2–3

La famille des Cyprinidae — Cyprinidés

La famille des Cyprinidés est la plus riche en espèces. On connait environ 1400 espèces. Les Cyprinidés peuplent de larges zones de l'Europe et de l'Asie, mais également de presque toute l'Afrique et Amérique du Nord. Par contre on ne les trouve pas en Amérique du Sud et en Australie. Ce sont presque exclusivement des habitants de l'eau douce. Quelques espèces seulement pénètrent en eau saumâtre, alors que le Rotengle oriental supporte même des salinités océaniques.

Les Cyprinidés sont caractérisés par les marques distinctives suivantes: 1 - dents peu nombreuses, disposées en une à trois rangées sur les os pharyngiens inférieurs.

2 - ils possèdent une plaque masticatrice cornée située à la base des os pharyngiens. Cette plaque sert à broyer les aliments. La plupart des Cyprinidés présentent la «typique» morphologie d'un poisson. Ils n'ont pas de nageoire adipeuse. Ils ne portent pas de barbillons ou au maximum deux paires (à l'exception du genre *Gobiobotia*).

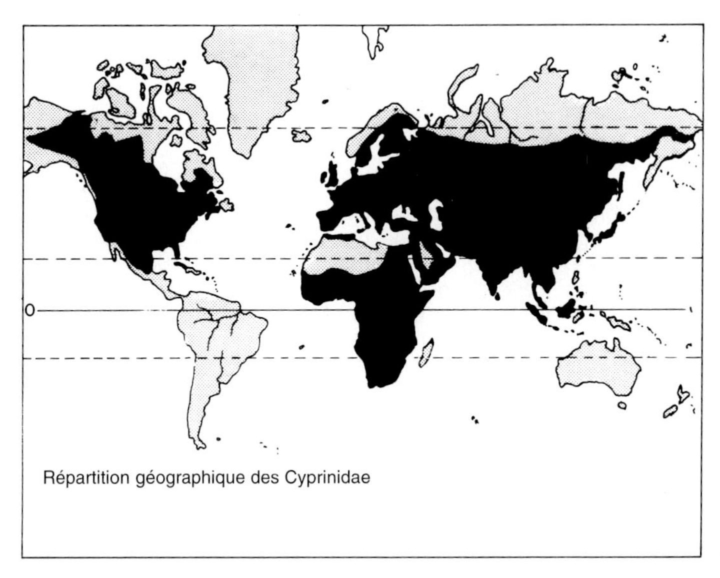

Répartition géographique des Cyprinidae

La tête des Cyprinidés est toujours dépourvue d'écailles. Le corps, quelques espèces nues mise à part, est toujours couvert d'écailles cycloïdes. La bouche est généralement très protractile. La vessie natatoire est habituellement grande et divisée en deux. La partie antérieure n'est entourée d'une capsule osseuse que dans quelques cas exceptionnels.
La famille des Cyprinidae comprend de très petites à de très grandes espèces. *Barbus* tor est le plus grand des représentants. Il est originaire de l'Inde et atteint une longueur maxima de 2,50 m. De nombreux Poissons blancs présentent une robe brillante argentée produite par des cristaux de guanine. D'autres présentent un dessin voyant et très joliment coloré. Ces signaux optiques ont une importance vitale pour les poissons grégaires dont font partie de nombreux Cyprinidés. Ils leurs permettent de se reconnaitre entre eux et de s'orienter. Ceux qui vivent au sol sont souvent bien camouflés par leur coloration. Leur corps présente des taches sombres dont la disposition fait que les contours du poissons se confondent avec le substrat. Chez de nombreux Cyprinidés la coloration du mâle change en période de frai. Elles s'intensifient alors particulièrement ou de nouvelles couleurs apparaissent (par ex. chez l'Epinoche). On les nomme robes nuptiales. Après la ponte les poissons reprennent leur coloration normale.

Du point de vue biologique ces poissons diffèrent beaucoup. Ils vivent dans des eaux très froides (fonte de neige), tels par ex. le Vairon (*Phoxinus phoxinus*), comme dans des eaux très échauffées où règne un manque d'oxygène (*Carassius carassius, Tinca tinca*). On rencontre les Cyprinidés dans les eaux à courant rapide comme dans les lacs et les mares où l'eau stagne.
De nombreux Cyprinidés n'ont aucune prétention envers la nourriture. Etant omnivores, ils mangent tout. Mais on ne devrait pas négliger de leur offrir régulièrement de la nourriture vivante, car distribuer exclusivement des aliments en flocons peut freiner leur croissance et ternir leurs couleurs. Certaines espèces ont besoin de nourriture végétale. On leur offre des algues molles, de tendres pousses de plantes aquatiques, des laitues ou épinards ébouillantés et des flocons d'avoine.
Le mode de reproduction des Cyprinidés est également très différent. Ce sont en majorité des pondeurs en eau libre, c. à d. qu'œufs et laitance sont émis dans l'eau. Souvent les œufs restent accrochés à un substrat quelconque (plantes, roches, etc.) où ils se développent sans surveillance parentale. La durée du développement des œufs de ces poissons est courte. Les larves des espèces qui pondent parmi les plantes possèdent un organe spécial leur permettant de se fixer, ainsi que des organes respiratoires larvaires. Chez les Cyprinidés pondeurs sur substrat (roches, sable), les larves ne sont pas équipées de cet organe de fixation, ni d'organes respiratoires larvaires. Un petit nombre de Cyprinidés produit des œufs planctoniques qui flottent en eau libre. Ces espèces sont souvent très prolifiques. Le développement embryonnaire est rapide. Les larves n'ont pas d'organes de fixation, les organes respiratoires larvaires sont peu développés.
En général les Cyprinidés ne s'occupent pas du frai. Il n'y a que les mâles de *Pseudogobio rivularis* qui construisent un nid sous forme d'une cuvette et surveillent les œufs. Chez quelques autres espèces (*Pseudorasbora* parva et espèces du genre *Pseudogobio*) les mâles surveillent également les œufs. Les soins du frai s'observent aussi chez les Bouvières, *Rhodeus* et *Acanthorhodeus*, chez lesquelles les femelles déposent les œufs dans des moules de la famille des Unionidae, à l'aide d'un long tube de ponte qui se développe seulement en période de frai. A l'intérieur des moules les œufs sont absolument protégés. De plus amples détails sont fournis dans la description de *Rhodeus amarus* p. 442.

Alburnoides bipunctatus (BLOCH, 1782)
Ablette de rivière, Spirlin Sous-fam.: Abraminae

Syn.: *Cyprinus bipunctatus, Aspius bipunctatus, Abramis bipunctatus, Alburnus bipunctatus, Leuciscus bipunctatus, Spirlinus bipunctatus.*

Or.: Europe: de la France jusqu'aux affluents de la Mer Caspienne, Rhin, Danube. L'espèce est absente au sud des Alpes et des Pyrénées, au Danemark et au nord de l'Europe.

P.i.: Espèce indigène.

D.s.: Les femelles sont plus vigoureuses.

C.s.: Poisson de surface, grégaire. A faire cohabiter de préférence avec d'autres Ciprinidés d'eau froide.

M.: Sol composé de sable fin; plantation sur le pourtour, une zone dégagée pour la nage libre est indispensable; une bonne aération est à assurer, car il a un grand besoin d'oxygène; poisson d'eau froide typique.

T: 10–18° C, **L**: 14 cm, **LA**: 80 cm, **Z**: s, **D**: 2

R.: Réussie en aquarium dans quelques cas exceptionnels. Les œufs sont déposés sur le gravier.

N.: C, O; nourriture vivante (organismes planctoniques, insectes), aliments en flocons.

P.: Cette espèce nécessite une acclimatation soigneuse pour pouvoir vivre en aquarium. C'est un poisson très sensible aux brusques changements de température. La ligne latérale bordée de noir des deux côtés est un caractère particulier à ce poisson.

Balantiocheilus melanopterus (BLEEKER, 1851)
Barbus requin

Syn.: *Barbus melanopterus, Puntius melanopterus, Systomus melanopterus.*

Or.: Sud-est asiatique: Thailande, Bornéo, Sumatra et Péninsule malaise.

P.i.: 1955 par la firme Tropicarium, Francfort/M.

D.s.: Non identifiable; durant la période du frai la femelle est plus grosse que le mâle.

C.s.: Espèce paisible pouvant cohabiter même avec des espèces de petite taille; poisson grégaire.

M.: Pour cette espèce il faut des aquariums longs. Ces poissons ont besoin d'un grand espace libre pour la nage. Les bacs devraient recevoir la lumière du soleil. Eau douce (env. 5° dGH) et légèrement acide à neutre (pH 6,5–7). Plantation sur les bords et le fond. Décor aménagé avec des racines.

R.: Pas encore réussie en aquarium. On n'a pas de renseignements valables sur le mode de reproduction de cette espèce. La reproduction ne semble possible que dans de grands bacs (300 l. et plus).

N.: O; nourritures vivantes (*Tubifex*, Daphnies, larves de Moustiques); aliments en flocons, nourriture végétale en complément.

P.: Bien couvrir l'aquarium car ces poissons sont d'excellents sauteurs. Cette espèce peut produire des sons. Bien que couramment employé, le nom commun ne convient pas.

T: 22–28° C, L: 35 cm (Indonesie), 20 cm (Thailande), LA: 100 cm, Z: toutes, D: 2

Puntius arulius (JERDON, 1849)
Arulius, Barbus à trois bandes

Syn.: *Barbus arulius.*

Or.: Sud et sud-est de l'Inde.

P.i.: 1954.

D.s.: Les rayons de la nageoire dorsale sont très prolongés chez le mâle, chez la femelle ils touchent le bord de la nageoire; vers la période du frai la bouche du mâle est entourée de petits points blancs; les femelles sont plus vigoureuses.

C.s.: Poisson grégaire vivace et durable. Cohabiter au mieux avec *Puntius danckeri, P. everetti* ou d'autres Ciprinidés similaires.

M.: Plantation par plantes robustes à ramures pas trop fines; constituer des abris avec des racines et des roches; sol mou (sable avec couche de moulme); espace libre pour la nage. L'espèce convient pour l'aquarium communautaire. Eau douce (jusqu'à 10° dGH) et légèrement acide (pH 6–6,5); changer chaque semaine ¼ de l'eau.

R.: Ni très facile ni très rentable; prendre des bacs pas trop exigus; touffes de plantes fines. Après une parade nuptiale très mouvementée, la ponte se déroule à proximité de la surface. Le plus souvent moins de 100 œufs sont pondus.

N.: O; nourriture vivante consistante; aliments en flocons et nourriture végétale (épinard, salade, algues).

P.: L'espèce est peu attrayante chez le commerçant, car sa belle coloration n'apparait que très tard avec l'âge, de ce fait elle ne retient pas l'attention lorsqu'elle est proposée sur le marché.

T: 19–25° C, L: 12 cm, LA: 60 cm, Z: toutes, D: 2–3

Balantiocheilus melanopterus

Puntius arulius

Barbus callipterus BOULENGER, 1907

Syn.: Aucun.

Or.: Ouest de l'Afrique: du Cameroun jusqu'au Niger; dans les eaux courantes.

P.i.: 1913 par K. Siggelkow, Hambourg.

D.s.: Non identifiable en dehors de la période du frai, durant cette période les femelles sont beaucoup plus grosses.

C.s.: Paisible et social; c'est une espèce vivace, sans exigences particulières et qui ne demande pas de température élevée.

M.: Sol pas trop clair, mou; plantes flottantes à la surface, plantation sur le pourtour du bac, suffisamment d'espace libre pour la nage; n'est pas exigeant envers la qualité de l'eau.

R.: Pas encore réussie en aquarium.

N.: O; mange tout: toutes sortes de nourritures vivantes, nourriture végétale, aliment en flocons, etc.

P.: Bien couvrir l'aquarium car *B. callipterus* est un bon sauteur.

T: 19–25° C, **L**: 9 cm, **LA**: 60 cm, **Z**: toutes, **D**: 1

Puntius conchonius (HAMILTON, 1822)

Barbus rosé, Conchonius

Syn.: *Cyprinus conchonius, Barbus conchonius, Systomus conchonius.*

Or.: Nord de l'Inde, Bengal, Assam, dans des rivières, étangs et mares.

P.i.: 1903 par H. Stüve, Hambourg.

D.s.: Difficile à voir chez les juvéniles; à l'approche de la maturité des différences de coloration apparaissent chez les deux sexes; en outre les mâles sont plus sveltes et souvent plus petits que les femelles.

C.s.: Poisson grégaire vivace et paisible, n'ayant pas d'exigences particulières. A faire cohabiter de préférence avec des espèces similaires et ne demandant pas de température élevée. Convient pour les bacs communautaires moins tempérés.

M.: Sol mou avec beaucoup de moulme. Plantation par plantes robustes, grand espace libre pour la nage; pas d'exigences envers la qualité de l'eau, mais préfère une eau douce (jusqu'à 10° dGH) et légèrement acide (env. pH 6,5).

R.: 23–25° C; placer un mâle et deux femelles dans un bac de 20 à 30 l. Qualité de l'eau peu importante (8–15° dGH, pH 6–6,5). Sol constitué de gros gravier ou grille en plastique pour éviter que les reproducteurs dévorent les œufs. La ponte est précédée d'une parade nuptiale assez spectaculaire et de plusieurs faux accouplements. Quelques centaines d'œufs par ponte. Retirer les reproducteurs lorsque la ponte est terminée. Les larves éclosent au bout de 30 heures.

N.: O; mange tout: toutes sortes de nourritures vivantes, aliments en flocons ou lyophilisés ou congelés.

P.: Pour la reproduction de cette espèce il est important de maintenir au début un niveau d'eau très bas (8–10 cm). Nourrir abondamment les alevins.

T: 18–22° C, **L**: 15 cm, mature à partir de 6 cm, **LA**: 70 cm, **Z**: toutes, **D**: 1

Barbus callipterus

Puntius conchonius (à droite ♂, à gauche ♀)

Puntius cumingi (GÜNTHER, 1868)
Barbus de Ceylan

Syn.: *Barbus cumingii, Puntius phutunio* (pas HAMILTON).

Or.: Ceylan, dans les ruisseaux des forêts de montagnes.

P.i.: 1936 par la firme «Aquarium Hamburg».

D.s.: Mâle plus svelte, ses nageoires sont plus colorées; femelle plus grosse, surtout en période de frai, leur ventre est plus rond.

C.s.: Barbus vivace aimant s'amuser avec ses congénères.

M.: Bacs densément plantés, avec épaisse couche de moulme; emplacement du bac pas trop clair; plantes flottantes pour tamiser la lumière; le changement partiel d'eau est important. Paramètres de l'eau comme pour *B. filamentosus, P. cumingi* convient pour l'aquarium communautaire.

R.: Pas trop facile car tous les couples n'harmonisent pas entre eux. La reproduction nécessite des soins minutieux et beaucoup de doigté. Température 24–26° C; dureté de l'eau jusqu'à 8° dGH, pH 6,2–7,4.

N.: O; omnivore: nourriture vivante, aliments en flocons, nourriture végétale, etc.

P.: A Ceylan *Puntius cumingi* est un poisson rare.

T: 22–27° C, L: 5 cm, LA: 60 cm, Z: m, i, D: 2–3

Puntius johorensis (DUNCKER, 1904)
Barbus rayé

Syn.: *Barbus johorensis.*

Or.: Péninsule malaise, sud Malaysia ouest (Johore) Sumatra, Bornéo (Kalimantan).

P.i.: 1934 par la firme H‹rtel de Dresde.

D.s.: Mâle nettement plus svelte, les raies sombres sont plus prononcées; femelle plus trapue, son dos est plus courbé et les raies sont plus pâles.

C.s.: Poisson paisible, agile nageur, un peu farouche. A faire cohabiter avec des Danio ou Brachydanio.

M.: Comme indiqué chez *Rasbora heteromorpha*, mais pour *P. johorensis* il faut un bac plus spacieux.

R.: 25–26° C; eau douce (2–3° dGH) et acide (pH 5,8–6,3); plantation dense, sol sombre avec moulme. Pond parmi les plantes. Nourrir durant la ponte avec des Enchytrées. L'espèce est très prolifique. Retirer les parents après la ponte. Les larves éclosent au bout d'env. 24–30 heures. L'élevage des jeunes est simple.

N.: O; mange tout: nourriture vivante, nourriture végétale, aliments lyophilisés et en flocons.

T: 23–25° C, L: 12 cm, LA: 80–100 cm, Z: m, i, D: 2

Puntius cumingi

Puntius johorensis

Puntius everetti (BOULENGER, 1894)
Barbus clown, Barbus d'Everett

Syn.: *Babus everetti.*

Or.: Sud-est asiatique: Singapour, Bornéo, île Bunguran.

P.i.: 1913 par K. Siggelkow, Hambourg.

D.s.: Les femelles sont plus grosses que les mâles, notamment en période de frai. Les mâles sont plus sveltes, leur coloration est plus vive.

C.s.: Poisson grégaire paisible, à faire cohabiter avec des espèces affectionnant les températures élevées.

M.: Maintenance comme indiqué pour *P. conchonius*, mais demande une température plus élevée et un aquarium spacieux avec beaucoup d'espace libre pour la nage. Végétation dense sur les côtés et le fond, caches composées de racines et de roches. Eau douce (jusqu'à 10° dGH) et légèrement acide (pH 6–6,5). Changer une fois par semaine env. 20–25% de l'eau.

R.: 26–28° C; pas facile, réussit seulement dans de grands bacs à faible hauteur d'eau. Eau: 6–12° dGH, pH env. 7. Isoler les partenaires durant 2 à 3 semaines et bien les nourrir (larves blanches de Moustiques, Enchytrées, laitue). Le bac de ponte doit être garni de *Myriophyllum* et recevoir les rayons de soleil matinal.

N.: O; omnivore: nourriture vivante, aliments en flocons, nourriture végétale.

P.: Les difficultés de reproduction de cette espèce sont souvent dues à des mâles trop jeunes. La maturité des mâles est atteinte au plus tôt à l'âge de 18 mois, celle des femelles déjà au bout de 12 mois. Chez des couples frère et sœur, la femelle est déjà mature alors que le mâle ne l'est pas encore. Lorsque le mâle sera en mesure de frayer il arrive souvent que la femelle ne peut plus pondre.

T: 24–30° C, **L**: 10 cm, **LA**: 70 cm, **Z**: m, i, **D**: 2–3

Puntius fasciatus (JERDON, 1849)
Barbus braise, Barbus feu

Syn.: *B. melanampyx, Cirrhinus fasciatus, Barbus fasciatus.*

Or.: Sud-est asiatique: Péninsule malaise, certaines régions de l'Indonésie.

P.i.: 1960.

D.s.: Mâle plus svelte et le plus souvent plus petit, femelle plus trapue et à dos plus courbé.

C.s.: Poisson vif, bon nageur. A tenir par groupe car isolé il devient craintif.

M.: Sol sombre couvert de tourbe (moulme); végétation dense sur les bords, grand espace dégagé pour la nage; caches composées de racines et de plantes. Eau douce (env. 5° dGH) et légèrement acide (pH 6–6,5).

R.: 25–26° C; elle n'est pas facile. Paramètres de l'eau comme ci dessus.

N.: O; nourriture vivante de toutes sortes, nourriture lyophilisée, nourriture en flocons et nourriture végétale en complément.

P.: *Puntius fasciatus* JERDON, 1849 est une espèce à raies transversales. Cependant un autre *Puntius* , à raies horizontales, porte la même dénomination, il s'agit de *Puntius fasciatus* (BLEEKER, 1853), le Barbus rayé, qui s'appelle aujourd'hui *Puntius johorensis* (v. p. 385).

T: 22–26° C, **L**: 15 cm, **LA**: 100 cm, **Z**: m, i, **D**: 2–3

Puntius everetti

Puntius fasciatus, en haut ♂, en bas ♀

Puntius filamentosus (VALENCIENNES, 1842)
Barbus à tache noire

Syn.: *Leuciscus filamentosus, Barbus mahecola, Barbus filamentosus, Systomus assimilis.*

Or.: Sud et sud ouest de l'Inde, Ceylan. L'espèce vit dans des torrents.

P.i.: 1954.

D.s.: Les couleurs du mâle sont plus belles et plus brillantes, il est plus petit que la femelle. A la saison du frai des points blancs apparaissent sur la lèvre supérieure et les opercules. Les rayons de la dorsale sont prolongés chez les mâles.

C.s.: Poisson vivace, bon nageur, formant de petits groupes. L'espèce est paisible.

M.: Bacs longs; plantation en bordure par plantes fines; grand espace dégagé pour la nage. L'aquarium devrait être ensoleillé au moins quelques heures par jour. Dureté de l'eau jusqu'à max. 15° dGH, pH 6 (légèrement acide).

R.: 24–26° C, eau douce à moyennement dure (jusqu'à 10° dGH) et à pH 6. Bac de ponte pas trop exigu, gravier sur le fond, touffes de plantes fines. Les mâles paradent avec assiduité. La ponte a lieu le matin au milieu des plantes. Selon température, les jeunes éclosent au bout de 36–48 h. Leur élevage ne pose pas de problèmes. Retirer les parents sitôt la ponte terminée.

N.: O; nourriture vivante de toutes sortes, viande, végétaux tendres (laitue, algues), aliments en flocons. A grand appétit.

P.: Après son introduction, *Puntius filamentosus* a d'abord été considéré comme *P. mahecola.* Mais *P. filamentosus* se distingue de ce dernier par l'absence de barbillons, *P. mahecola* porte une paire à la mâchoire supérieure.
La robe juvénile de *P. filamentosus* est présentée sur le dos de la jaquette de ce livre, en haut à droite.

T: 20–24° C, **L**: 15 cm, **LA**: 100 cm, **Z**: m, **D**: 2

Puntius gelius (HAMILTON, 1822)
Barbus tacheté

Syn.: *Cyprinus gelius, Systomus gelius, Barbus gelius.*

Or.: Inde centrale, Bengal, Assam: dans des eaux à courant lent ou stagnantes.

P.i.: 1912 par les «Vereinigte Zierfischzüchtereien de Conradshöhe» près de Berlin.

D.s.: Mâle plus svelte et plus petit, présentant une bande horizontale cuivrée bien prononcée.

C.s.: Poisson paisible et social pouvant cohabiter avec d'autres petits *Puntius* .

M.: Sol sombre couvert de moulme; aquariums rodés. Plantation composée de Cryptocorynes et plantes similaires. Décor formé de racines. Eau douce (jusqu'à 10° dGH) et légèrement acide (pH 6,5). Toujours tenir par groupes (pas moins de 6 à 8).

R.: 22–23° C; bac de ponte d'une longueur de 30 cm, niveau d'eau 15 cm. Eau: 5° dGH et pH 6–6,5. Sélectionner les reproducteurs. Vive parade nuptiale. Mettre des *Ludwigia* à leur disposition, la ponte se déroule sous leurs feuilles. Nombre d'œufs: 70–100. Retirer les reproducteurs après la ponte sinon ils dévorent les œufs. Eclosions au bout d'env. 24 h. Nourrir les alevins avec du plancton animal microscopique.

N.: O; nourriture vivante de toutes sortes, aliments en flocons et algues. La taille de la nourriture doit être adaptée à leur bouche qui est très petite.

P.: Pour la reproduction ne pas dépasser 23° C, car à des températures plus élevées de nombreux œufs restent infécondés. D'après les observations connues, les alevins dégénèrent et n'atteignent plus la taille de leurs parents. Cela se perpétue jusqu'à ce que les poissons perdent complètement leur faculté de reproduction. On peut prévenir partiellement ce phénomène premièrement: en employant pour la reproduction seulement des sujets à maturité totale (âgés d'env. 2 ans), et deuxièmement: en se débarassant de ses reproducteurs et de se procurer de nouveaux sujets d'une autre souche.

T: 18–22° C, **L**: 4 cm, **LA**: 50 cm, **Z**: m, **D**: 2

Puntius filamentosus

Puntius gelius

Barbus holotaenia BOULENGER, 1904

Barbus à bande noire

Syn.: *Barbus camtacanthus var. cottesi, Barbus kessleri* (pas STEINDACHNER).

Or.: Afrique: du Cameroun au Zaire et Angola.

P.i.: 1913.

D.s.: Inconnu.

C.s.: Poisson grégaire paisible, bon nageur. L'espèce convient pour l'aquarium communautaire.

M.: Sol mou, de préférence couche de moulme; végétation sur les bords, espèces à feuilles fines (*Cabomba, Myriophyllum*), espace dégagé au centre du bac pour la nage libre. A maintenir en eau vieille à laquelle on ajoute de temps à autre un peu d'eau neuve. Eau douce (jusqu'à 8° dGH) et légèrement acide (pH 6–6,5).

R.: Ne semble pas avoir été reproduit en aquarium.

N.: O; omnivore: nourriture vivante, nourriture végétale (salade, algues), aliments lyophilisés, aliments en flocons.

P.: *B. holotaenia* a une grande ressemblance avec *Nannaethiops unitaeniatus* et a déjà souvent été confondu avec ce dernier.

T: 24–30° C, **L:** 12 cm, **LA:** 100 cm, **Z:** toutes, **D:** 2–3

Barbus hulstaerti POLL, 1945

Barbus papillon

Syn.: *Capoeta hulstaerti.*

Or.: Afrique, cours inférieur du zaire, Angola; Zaire (Stanley Pool).

P.i.: 1956.

D.s.: Mâle plus svelte, la première tache noire est en forme de croissant; femelle plus trapue, la première tache est ronde et parfois difficile à distinguer.

C.s.: Poisson grégaire paisible et alerte. Les sujets isolés ou vivant parmi des espèces de grande taille présentent un comportement craintif.

M.: Sol tacheté, c. à d. à surfaces claires et sombres; végétation sur les bords et au fond du bac, plantes flottantes pour tamiser la lumière; décoration par racines de tourbières. Eau vieille douce (5° dGH) et légèrement acide (pH 6–6,5); remplacer une fois par semaine 10% de l'eau par de l'eau fraiche; légère filtration sur tourbe.

R.: Cette espèce n'a pas été souvent reproduite en aquarium; les communications sur la reproduction sont très variables. Il est probable qu'elle ne soit possible que dans une eau très douce (1–2° dGH) et acide (pH 5–5,5). Le bac doit être obscurcit. On dit qu'à une température dépassant 22° C les alevins ne sont pas viables. La ponte a lieu aux endroits les plus sombres du bac.

N.: O; omnivore: nourritures vivantes de toutes sortes, nourriture végétale, aliments en flocons, nourriture lyophilisée et congelée.

P.: L'espèce est sensible aux variations de la qualité de l'eau (pH, dureté, teneur en nitrites).

T: autour de 24° C, **L:** 3,5 cm, **LA:** 50 cm, **Z:** m, **D:** 3

Barbus holotaenia

Barbus hulstaerti

Puntius lateristriga (VALENCIENNES, 1842)
Barbus clé

Syn.: *Barbus zelleri, Barbus lateristriga, Systomus lateristriga.*

Or.: Sud-est asiatique: Singapour, Thailande, Java, Bornéo, Sumatra, autres îles de l'Archipel malais. L'espèce apparait dans des eaux courantes et stagnantes (étangs).

P.i.: 1914 par J. Wolmar, Hambourg.

D.s.: Mâle un peu plus svelte et à coloration plus prononcée, particulièrement le rouge de la dorsale; les femelles ont un ventre plus rond.

C.s.: Poisson vivace, robuste, sans exigences. A faire cohabiter avec des espèces calmes non farouches. Les juvéniles de *P. lateristriga* forment des groupes dissolus, les spécimens âgés vivent plutôt en solitaires.

M.: Sol composé de gravier couvert d'une couche de moulme; végétation éparse, espace libre pour nager, caches sous forme de buissons ou racines; qualité d'eau comme pour *P. everetti.*

R.: 26–28° C; bac de ponte densément planté. Les mâles pourchassent les femelles, la ponte a lieu principalement à l'aube, au milieu des plantes. Les œufs (plusieurs centaines) restent collés aux plantes. Retirer les reproducteurs sitôt la ponte terminée (dévorent les œufs!) Les jeunes éclosent au bout d'env. deux jours. Ne pas distribuer des *Cyclops* aux alevins.

N.: O; omnivore: nourriture vivante, même des petits poissons; aliments en flocons, nourriture végétale; les sujets âgés sont très voraces.

P.: S'ils sont pourchassés, ces poissons cherchent à s'enfouir dans le moulme. Selon KLAUSEWITZ, *Puntius zelleri* (AHL) est identique avec la forme juvénile de *Puntius lateristriga.*

T: 25–28° C, L: 18 cm, LA: 90 cm, Z: m, D: 2–3

Puntius nigrofasciatus (GÜNTHER, 1868)
Barbus nigro, Barbus à tête pourpre

Syn.: *Barbus nigrofasciatus.*

Or.: Sud de Ceylan (Sri Lanka); dans des eaux de montagnes à courant lent et riche végétation.

P.i.: 1935 par Mlle Wagner, Hambourg.

D.s.: Corps du mâle plus grand et plus haut, coloration plus belle (dichroïsme sexuel); femelle plus grosse, leur coloration ne change pas en période de frai comme celle du mâle.

C.s.: Poisson grégaire paisible et vivace. *P. nigrofasciatus* est à faire cohabiter de préférence avec d'autres *Barbus* à raies transversales.

M.: Sol couvert d'une épaisse couche de moulme; bac bien planté et grand espace libre pour la nage. Placer le bac en un lieu pas trop éclairé; lumière tamisée par plantes flottantes à larges feuilles (*Eichhornia, Ceratopteris* etc.); offrir des caches; dans les bacs trop éclairés ces poissons ont tendance à devenir farouches; qualité d'eau comme pour *Puntius filamentosus.*

R.: 25–28° C; eau pas trop dure (jusqu'à 12° dGH) et légèrement acide (pH 6,0); le mâle prend l'initiative pour la ponte, il nage autour de la femelle en déployant toutes ses nageoires. La ponte a lieu le matin parmi les racines des plantes flottantes ou parmi les buissons de plantes fines; la ponte dure jusqu'à deux heures, retirer les reproducteurs sinon ils dévorent les œufs. Les jeunes éclosent au bout d'env. 24 heures et nagent librement au bout de 7 jours.

N.: O; nourritures vivantes de toutes sortes, aliments en flocons, nourriture végétale en complément, etc.

P.: Si les œufs de plusieurs pontes n'ont pas été fécondés le mâle peut en être la cause. Il faut alors l'isoler et bien le nourrir durant plusieurs semaines avant d'effectuer un nouvel essai.

T: 22–26° C, hiverner à 20–22° C, L: 6,5 cm, LA: 70 cm, Z: m, D: 1

Puntius lateristriga

Puntius nigrofasciatus (en avant ♂, en arrière ♀)

Puntius oligolepis (BLEEKER, 1853)
Oligolepis, Barbus quadrillé

Syn.: *Capoeta oligolepis, Barbus oligolepis, Systomus oligolepis.*

Or.: Indonésie: Sumatra; dans des rivières, fleuves et lacs.

P.i.: 1923 par Jonny Wolmer, Hambourg.

D.s.: Nageoires du mâle plus colorées, brun rouge, à liséré noir; le mâle est plus svelte, souvent plus grand, à couleurs plus prononcées.

C.s.: Poisson paisible qui préfère se réunir en petit groupe. Les mâles prennent souvent une attitude menacante mais les combats sont rares.

M.: Sol composé de sable, couvert d'une épaisse couche de moulme; plantation allégée sur les bords et fond du bac; espace libre pour la nage; eau vieille, rajouter de temps en temps de l'eau froide; qualité de l'eau comme pour *Puntius everetti.*

R.: 24–26° C; ne pas faire frayer plusieurs couples dans le même bac de ponte. Eau: moitié eau fraiche, moitié eau vieille; dense végétation: *Myriophyllum* ou *Nitella*; la ponte se déroule dans la couche supérieure de l'eau; environ 300 œufs sont pondus un par un; retirer les parents lorsque la ponte est terminée (dévorent les œufs!). Les éclosions ont lieu au bout d'env. 36–48 h.

N.: O; omnivore, accepte volontiers les aliments en flocons; nourriture végétale indispensable (algues fines).

P.: La croissance de *Puntius oligolepis* est rapide, il peut être mature au bout de 4 à 6 mois si l'alimentation et la température sont correctes. Photo: femelle en haut, mâle en bas.

T: 20–24° C, **L:** 5 cm, **LA:** 50 cm, **Z:** m, i, **D:** 1

Puntius orphoides (VALENCIENNES, 1842)
Barbus à nageoires rouges,
Barbus à joues rouges

Syn.: *Barbodes rubripinna, Barbus rubripinnis, Barbus orphoides, Puntius rubripinna.*

Or.: Sud-est asiatique: Thailande, Java, Madura, Bornéo; vit dans les eaux courantes et eaux stagnantes.

P.i.: 1951.

D.s.: Inconnu.

C.s.: Similaire à *Puntius lateristriga.*

M.: Sol mou (moulme); plantes robustes, grand espace pour nager librement; changer (une fois par semaine) 1/5 du volume d'eau. Qualité d'eau comme pour *Puntius everetti.*

R.: Pas encore reproduit en captivité.

N.: O; toutes sortes de nourriture vivante, végétale et en flocons.

P.: Les juvéniles figurent parmi les plus beaux *Puntius.* Il est rarement importé en raison de sa taille.

T: 22–25° C, **L:** 25 cm, mature à 8 cm, **LA:** 80 cm, **Z:** m, i, **D:** 2

P. orphoides, adulte

Puntius oligolepis

Puntius orphoides, juv.

Puntius pentazona (BOULENGER, 1894)

Barbus à cinq bandes

Syn.: *Barbodes pentazona, Barbus pentazona.*

Or.: Sud-est asiatique: Singapour, Péninsule malaise, Bornéo; dans les eaux calmes des plaines.

P.i.: 1911 par les Vereinigte Zierfischzüchtereien de Conradshöhe près de Berlin.

D.s.: Mâle plus petit et plus svelte, coloration plus prononcée.

C.s.: Poisson calme, parfois farouche. Nage moins que la plupart des autres *Puntius*; faire cohabiter avec des poissons paisibles et calmes.

M.: Comme pour *Puntius lateristriga*, qualité de l'eau comme pour *P. everetti. P. pentazona* est plus sensible à la température que la plupart des autres *Puntius.*

R.: 27–30° C; eau jusqu'à 10° dGH et pH de 6–7; pour le succès de la reproduction il est très important d'avoir des couples harmonisants; ne pas séparer les reproducteurs avant la ponte; il faut les nourrir avec des Enchytrées pour éviter qu'ils dévorent le frai; jusqu'à 200 œufs par ponte; les jeunes éclosent au bout d'env. 30 h., au bout de 5 jours ils nagent librement.

N.: C; toutes les nourritures vivantes; n'apprécie pas la nourriture en flocons. *P. pentazona* a de plus hautes exigences alimentaires que les autres *Puntius.*

P.: Une propreté absolue et de fréquents changements d'eau sont indispensables pour l'élevage des alevins. Les bacs pollués et les eaux stagnantes causent des pertes totales ou provoquent une dégénération des nageoires.

T: 22–26° C, **L:** 5 cm, **LA:** 70 cm, **Z:** m, **D:** 2–3

Puntius rhomboocellatus KOUMANS, 1940

Barbus à losanges

Syn.: Aucun.

Or.: Bornéo.

P.i.: ?

D.s.: Le ventre de la femelle est nettement plus rond que celui du mâle.

C.s.: Poisson grégaire paisible, convient pour l'aquarium communautaire en compagnie d'espèces plutôt délicates.

M.: Aquarium à lumière diffuse et dont l'eau est bien brassée; eau pauvre en nitrates: moins de 15 mg/l.; filtration sur tourbe; pH 6,5–7,5; dureté jusqu'à 15° dGH, une eau encore plus douce est préférable; en eau dure l'espèce vit moins longtemps.

R.: Comme *Puntius pentazona*; la reproduction de cette espèce rarement importée n'a pas encore été décrite.

N.: O; mange toutes les nourritures vivantes fines, des flocons tamisés, des aliments lyophilisés et des algues.

T: 23–28° C, **L:** 5 cm, **LA:** 60 cm, **Z:** toutes, **D:** 2

Puntius pentazona

Puntius rhomboocellatus

Barbodes schwanenfeldi (BLEEKER, 1853)

Schwanenfeldi, Barbus de Schwanenfeld

Syn.: *Puntius schwanenfeldi, Barbus schwanenfeldi.*

Or.: Sud-est asiatique: Thailande, Péninsule malaise, Sumatra, Bornéo.

P.i.: 1951.

D.s.: Inconnu.

C.s.: Poisson grégaire relativement paisible; chasse et mange cependant des petits poissons. *B. schwanenfeldi* peut également cohabiter avec des Cichlidés.

M.: Des grands bacs sont indispensables pour cette espèce; si possible sol mou; végétation dense sur les bords et le fond du bac, composée de plantes robustes; l'espèce aime fouiner dans le sol; eau vieille, paramètres de l'eau comme indiqués pour *Puntius gelius. Barbodes schwanenfeldi* convient pour l'aquarium communautaire mais avec réserves.

R.: N'a pas encore réussie en aquarium.

N.: O; mange tout: nourriture vivante, aliments en flocons, nourriture végétale. C'est une espèce à croissance rapide.

P.: Cette espèce atteint une trop grande taille pour la majorité des aquariums d'amateurs et pourtant ce sont les grands exemplaires qui sont magnifiques.

T: 22–25° C, L: 35 cm, LA: 100–120 cm, Z: m, i, D: 3–4 (H)

Puntius semifasciolatus (GÜNTHER, 1868)

Barbus laiton, Barbus de Hongkong

Syn.: *Capoeta guentheri, Puntius guentheri, Barbus semifasciolatus, «Puntius schuberti».*

Or.: Sud-est de la Chine, de Hongkong jusqu'à l'île de Hainan.

P.i.: 1909, par les «Vereinigte Zierfischzüchtereien» de Conradshöhe près de Berlin, en provenance d'Hongkong.

D.s.: Livrée du mâle plus prononcée; mâle plus svelte et plus petit que la femelle dont le corps est plus trapu.

C.s.: Poisson grégaire vivace, paisible, sans exigences, habile nageur.

M.: Bac en situation ensoleillée; sol sablonneux avec couche de moulme sombre; végétation dense avec espace dégagé pour la nage libre; eau vieille avec ajouts périodiques d'eau fraiche; paramètres comme pour *Puntius gelius.*

R.: Autour de 24° C; pas de bacs en dessous de 50 cm de long; végétation dense; la ponte tumultueuse se déroule à l'aube, chaque ponte produit 10 à 30 œufs qui coulent au fond ou restent accrochés aux plantes; retirer les parents après la ponte sinon ils dévorent les œufs; les jeunes éclosent au bout de 30 à 36 h., leur élevage est facile.

N.: O; mange tout: toute sorte de nourriture vivante, nourriture en flocons, nourriture végétale.

P.: Il existe une forme jaune de *Puntius semifasciolatus* qui est dénommée *«Puntius schuberti».*

T: 18–24° C, L: 10 cm, LA: 60 cm, Z: m, i, D: 1

Barbodes schwanenfeldi

P. semifasciolatus au milieu, *P. «schuberti»* en bas

Puntius tetrazona (BLEEKER, 1855)
Barbus de Sumatra

Syn.: *Barbus tetrazona.*

Or.: Indonésie: Sumatra, Bornéo. La présence de cette espèce en Thailande est incertaine et controversée.

P.i.: 1935.

D.s.: La coloration du mâle est plus vive, il est plus petit et plus svelte; femelle plus trapue et plus haute.

C.s.: Poisson grégaire vivace et enjoué; un ordre hiérarchique règne au sein du groupe; parfois l'enjouement est exagéré au point que cela importune les cohabitants du bac. *P. tetrazona* mordille les longues nageoires d'autres espèces (Gouramis, Scalaires).

M.: Sol mou (sable couvert de moulme); végétation composée de plantes robustes sur le pourtour, grand espace dégagé au centre; n'est pas très exigeant envers la qualité de l'eau. *Puntius tetrazona* ne convient pas pour tous les aquariums communautaires.

R.: 24–26° C; eau pas trop dure (jusqu'à 10° dGH) et légèrement acide (pH env. 6,5); sélectionner les reproducteurs parmi un groupe assez important; les reproducteurs doivent présenter un dessin et une coloration parfaite; la reproduction est identique à celle de *Puntius pentazona.*

N.: O; mange tout: nourriture vivante et végétale, aliments en flocons.

P.: *Puntius tetrazona* est très sensible à l'*Ichthyosporidium* (maladie de l'*Ichthyophonus*). De nombreuses variétés de couleurs (mutation) ont été crées par élevage sélectif, parmi lesquelles la variété «vert mousse» est particulièrement jolie. La variété albinos avec ou sans opercules (v. photo p. 363) est une affaire de gou°t individuel.

T: 20–26° C, **L:** 7 cm, **LA:** 70 cm, **Z:** m, **D:** 1–2

Puntius ticto (HAMILTON, 1822)
Ticto, Barbus à deux taches

Syn.: *Cyprinus ticto, Barbus stoliczkanus, Barbus rubis, Barbus ticto, Rothee ticto, Systomus ticto, S. tripunctatus.*

Or.: De Ceylan (Sri Lanka) jusqu'à l'Himalaya, dans des eaux courantes et des eaux stagnantes.

P.i.: 1903 par H. Stüve, Hambourg.

D.s.: Difficile à reconnaitre en dehors de la période du frai; les femelles matures sont plus trapues, leur dorsale est rarement mouchetée; les mâles sont plus sveltes, leur dorsale est pointillée de noir.

C.s.: Poisson sociable, paisible et robuste, aimant la compagnie.

M.: Comme indiqué pour *Puntius conchonius.* Le Ticto est encore moins exigeant envers la température que *P. conchonius*; il convient pour l'aquarium communautaire.

R.: 24–26° C; réunir une femelle et plusieurs mâles; reproduction comme chez *P. conchonius.*

N.: O; mange tout: toutes les nourritures vivantes; aliments lyophilisés, congelés ou aliments en flocons.

P.: Ne fouine pas dans le sol; devrait hiverner à 14–16° C.

La plus petite variété est appelée Barbus rubis. Cette forme de couleur est apparue en premier à Moscou (?) et devint rapidement très populaire. Hélas, la magnifique coloration des mâles n'apparait pleinement qu'au bout de 6 à 9 mois, auparavant ils sont pâles comme les femelles. Cette forme atteint seulement 6–7 cm de long. Une nourriture variée ainsi que TetraRubin favorise l'éclat de la couleur rubis. Maintenance et soins comme la forme normale.

T: 14–22° C, **L:** 10 cm, **LA:** 70 cm, **Z:** toutes, **D:** 1

Puntius tetrazona

Puntius ticto (en bas ♂, en haut ♀)

Puntius titteya (DERANIYAGALA, 1929)
Titteya

Syn.: *Barbus titteya, Barbus frenatus.*

Or.: Ceylan (Sri Lanka); ruisseaux et rivières ombragés des basses terres.

P.i.: 1936 par la Firme W. Odenwald, Hambourg.

D.s.: Magnifique coloration rouge du mâle en période de frai.

C.s.: Poisson paisible et discret; la tendance à vivre en groupe n'est pas si prononcée que chez d'autres *Puntius*; les mâles sont très querelleurs entre eux.

M.: Sol sombre avec couche de moulme; végétation dense avec zones ombreuses sous des plantes flottantes; caches constituées par des racines, pierres et buissons verts, elles seront fréquemment visitées lorsque ces poissons désirent s'écarter des cohabitants; laisser un peu d'espace dégagé pour la nage libre; eau: jusqu'à 18° dGH; pH 6,5–7,5.

R.: 24–26° C; eau jusqu'à 12° dGH et légèrement avide (pH 6–6,5); faible hauteur d'eau dans le bac de ponte, ce dernier doit contenir de nombreuses plantes fines; jusqu'à 300 œufs sont pondus par fractions de 1 à 3; distribuer simultanément des Enchytrées pour éviter qu'ils mangent les œufs; retirer les reproducteurs après la ponte; les jeunes éclosent au bout d'environ 24 heures.

N.: O; petites proies vivantes, nourriture végétale, aliments lyophilisés et aliments en flocons.

P.: Les œufs sont suspendus aux plantes par un filament.

T: 23–26° C, **L:** 5 cm, **LA:** 50 cm, **Z:** i, m, **D:** 1

Puntius viviparus (WEBER, 1897)
Barbus couture, Barbus tailleur

Syn.: *Barbus viviparus.*

Or.: Sud-est de l'Afrique: du fleuve Umtanvuna à travers le Natal jusqu'au système du Zambèze.

P.i.: 1955.

D.s.: Inconnu.

C.s.: Poisson grégaire paisible, vivace et robuste.

M.: Similaire à celle de *Puntius conchonius.*

R.: On n'a pas de renseignements su°rs et précis sur la reproduction en aquarium.

P.: Le nom de l'espèce «*viviparus*» (= qui met au monde des petits non enfermés dans un œuf) ne correspond pas car ce *Puntius*, comme d'ailleurs tous les autres représentants de ce genre, est ovipare c. à d. pond des œufs (voir BARNARD, 1943: Ann. Mus. S. Afr. 36 (2), 101–162.

T: 22–24° C, **L:** 6,5 cm, **LA:** 60 cm, **Z:** m, **D:** 2

Puntius titteya

Puntius viviparus

Opsaridium chrystyi (BOULENGER, 1920)
Bouche-dorée Sous-fam.: Cyprininae

Syn.: *Barilius chrystyi.*

Or.: Afrique, nord du Ghana.

D.s.: Pas connu avec certitude.

C.s.: Poisson grégaire, vivace, bon sauteur.

M.: Gros sable au fond; plantation allégée; bacs longs avec beaucoup d'espace pour pouvoir nager librement; eau douce (5–10° dGH) et légèrement acide (pH 6,5).

R.: Pas encore réussie en aquarium.

N.: C; ces poissons mangent pratiquement tout et apprécient tout particulièrement les insectes qu'ils peuvent happer à la surface de l'eau; ils acceptent les grands flocons.

P.: Son nom commun lui vient de la tache dorée qu'il porte sur la mâchoire supérieure. Excepté *B. neglectens,* toutes les espèces du genre *Barilius* présentent sur les flancs une zébrure verticale qui est très rare chez ce genre de poissons grégaires.

T: 22–24° C, L: 15 cm, LA: 80 cm, Z: s et m, D: 2–3

Brachydanio albolineatus (BLYTH, 1860)
Danio perlé, Danio arc-en-ciel, Albo Sous-fam.: Rasborinae

Syn.: *Nuria albolineata, Danio albolineata.*

Or.: Sud-est asiatique: Burma, Thailande, Péninsule malaise, Sumatra; dans des rivières et fleuves.

P.i.: 1911 par la firme Scholze et Pötzschke de Berlin.

D.s.: Adultes, les mâles sont plus grands que les femelles, plus sveltes et plus vivement colorés.

C.s.: Poisson grégaire vivace; fidélité conjugale entre les reproducteurs.

M.: Aquariums longs, largeur et hauteur n'ont aucune importance; sol composé de gros gravier et éboulis; végétation modérée sur le pourtour; grand espace libre pour la nage; eau: dureté 5–12° dGH, pH 6,5–7,0.

R.: 26–30° C; meilleures réussites en eau fraiche; niveau d'eau 10–15 cm; buissons de plantes fines; réunir 2 mâles et 1 femelle; introduire la femelle dans le bac de ponte 1 à 2 jours avant les mâles; la ponte a lieu parmi les plantes; bien nourrir les reproducteurs durant la ponte (Enchytrées) sinon ils dévorent les œufs; les jeunes éclosent au bout de 36–48 heures.

N.: C, O; toutes sortes de nourritures vivantes (*Tubifex,* larves de Moustiques, petits crustacés), nourriture végétale et flocons.

P.: Il existe une variété de *Brachydanio albolineatus* qui présente une coloration jaune ocre que l'on nomme «Danio jaune». Bien couvrir l'aquarium car ces poissons sont de bons sauteurs.

T: 20–25° C, L: 6 cm, LA: 80 cm, Z: toutes, D: 1

Opsaridium chrystyi

Brachydanio albolineatus

Brachydanio kerri (SMITH, 1931)
Danio kerri, Kerri
Sous-fam.: Rasborinae

Syn.: *Danio kerri.*

Or.: Thailande, seulement sur les îles Koh Yao Yai et Koh Tao Noi au nord-ouest de l'Isthme de Ligor dans des ruisseaux et petites pièces d'eau.

P.i.: 1956 par Erhard Roloff de Karlsruhe.

D.s.: Mâle plus svelte que la femelle.

C.s.: Poisson grégaire paisible et vivace, bon nageur; faire cohabiter avec d'autres espèces du genre *Brachydanio* ou *Danio.*

M.: Comme indiqué pour *Brachydanio albolineatus*; pour *B. kerri* les plantes aquatiques ne sont pas indispensables car dans son biotope naturel elles sont également absentes.

R.: Comme indiqué chez les autres *Brachydanio; B. kerri* ne fraye pas comme *B. rerio, B. albolineatus* ou *B. nigrofasciatus* parmi les plantes mais au-dessus du sol libre; planter le bac de ponte n'est donc pas nécessaire; couvrir le fond d'une couche de 5 cm de gravier, les œufs tombent entre les interstices où ils sont à l'abri des reproducteurs; une ponte produit jusqu'à 400 œufs, les jeunes éclosent à 24° C au bout d'env. 4 jours.

N.: O; nourritures vivantes de toutes sortes, nourriture végétale (algues, salade) et aliments lyophilisés.

P.: *Brachydanio kerri* se présente en de nombreuses variations de couleurs de sa robe. L'espèce peut être croisée avec d'autres *Brachydanio* mais ne produit alors que des hybrides.

T: 23–25° C, L: 5 cm, LA: 70 cm, Z: toutes, D: 1–2

Brachydanio nigrofasciatus (DAY, 1869)
Danio tacheté
Sous-fam.: Rasborinae

Syn.: *Barilius nigrofasciatus, Brachydanio analipunctatus, Danio anilipunctatus, Danio nigrofasciatus.*

Or.: Birmanie, dans des ruisseaux, rivières, étangs et rivières.

P.i.: 1911 par la firme Scholze et Pötzschke, Berlin.

D.s.: Le corps de la femelle est plus rond et plus tassé que celui du mâle, ce dernier présente sur le bas de la nageoire anale un liséré brun clair à reflet doré; chez la femelle on remarque à peine un liséré clair.

C.s.: Poisson grégaire vivace, mais moins actif pour nager que *Brachydanio rerio,* mais également de fidélité conjugale.

M.: Comme indiqué pour *Brachydanio albolineatus,* mais demande une température plus élevée.

R.: 26–28° C; opérer avec deux mâles et une femelle; isoler les partenaires quelques jours avant la ponte qui se déroule au milieu des plantes; les œufs, jusqu'à 300, sont pondus par fractions de 10 à 15 lors de chaque phase; retirer les reproducteurs après la ponte; élevage des alevins comme ceux de *Brachydanio rerio.*

N.: C, O; toutes sortes de nourritures vivantes, aliments lyophilisés, nourriture en flocons.

P.: Il est possible de croiser des mâles *Brachydanio albolineatus* avec des femelles *B. nigrofasciatus.* Les descendants sont très jolis mais stériles.

T: 24–28° C, L: 4,5 cm, LA: 60 cm, Z: toutes, D: 1–2

Brachydanio kerri

Brachydanio nigrofasciatus

Brachydanio rerio (HAMILTON, 1822)
Rério, Danio-zèbre
Sous-fam.: Rasborinae

Syn.: *Cyprinus rerio, Perilampus striatus, Danio rerio.*

Or.: Indes orientales, de Calcutta à Masulipatam.

P.i.: 1905 par P. Matte, Lankwitz.

D.s.: Les femelles matures sont nettement plus grosses que les mâles, leurs couleurs sont souvent plus pâles que celles des mâles. Chez le mâle le fond entre les bandes bleues est jaune doré avec de fines lignes rougeâtres, alors qu'il est blanc argenté chez la femelle.

C.s.: Poisson grégaire vivace et plein de tempérament, nageur actif. La fidélité conjugale est remarquable. Souvent le Rério ne fraye qu'avec un partenaire déterminé et ne se laisse pas en imposer un autre, d'où de nombreux échecs de reproduction.

M.: Comme indiqué pour *Brachydanio albolineatus.*

R.: 24–25° C, des températures plus hautes provoquent un épuisement précoce de la femelle. Les meilleurs résultats s'obtiennent dans une eau fraiche, le niveau ne devant dépasser 12 à 15 cm; placer le bac en situation ensoleillée; créer des buissons de plantes fines; introduire la femelle un jour avant la ponte prévue, le mâle seulement la veille au soir; la ponte se déroule le plus souvent à l'aurore; les œufs, env. 400–500 par ponte, sont pondus au milieu des plantes; distribuer des Enchytrées aux reproducteurs pour freiner leur tendance à dévorer les œufs, les retirer sitôt la ponte terminée; les jeunes éclosent au bout de deux jours; on les nourrit avec MikroMin, Protogen-Granulat, Enchytrées broyées et/ou du jaune d'œufs en poudre; leur croissance est rapide.

N.: O; mange tout: nourritures vivantes, aliments en flocons, lyophilisés ou congelés; offrir de temps en temps de la nourriture végétale en complément (algues, TetraPhyll, etc.).

P.: En 1963 *Brachydanio frankei* a été décrit par H. Meinken. Cette espèce peut être croisée avec *B. rerio,* les descendants sont féconds. Pour cette raison la valabilité de l'espèce est douteuse et il faut considérer *B. «frankei»* comme variété de *B. rerio* tant que ce mystère n'aura pas été éclairci.

T: 18–24° C, L: 6 cm, LA: 80 cm, Z: toutes, D: 1

Brachydanio rerio, forme à nageoires voilées

Brachydanio rerio

Brachydanio «frankei», une variété de *B. rerio*?

Carassius auratus (LINNAEUS, 1758)
Poisson rouge
Sous-fam.: Cyprininae

Syn.: *Cyprinus auratus.*

Or.: Primitivement en Chine. Actuellement cette espèce est pratiquement répandue dans le monde entier.

P.i.: La date exacte ne peut plus être identifiée. La première reproduction en Europe réussit en Hollande en 1728.

D.s.: Mâle plus svelte, femelle plus grosse; en période de frai les mâles présentent des boutons de noce sur la tête et sur les flancs; la région anale est concave chez le mâle et convexe chez la femelle.

C.s.: Similaire à celui du Carassin (*Carassius carassius*).

M.: Sol composé de sable lavé de granulométrie moyenne; plantes aquatiques d'eau froide robustes; les plantes fines ne conviennent pas car ces poissons font tourbillonner des particules de saleté qui se déposent ensuite sur les plantes; décor composé de racines, bois, bambou ou roches sans arêtes vives; eau claire, fraiche, avec renouvellement partiel d'env. $^1/_4$ du volume par semaine. L'eau doit être neutre et d'une température de 22° C. La ponte est précédée d'une parade nuptiale, elle produit souvent 1000 œufs et plus; les jeunes éclosent au bout de cinq jours, on leur distribue de la fine nourriture vivante; les juvéniles ont une couleur gris verdâtre qu'ils transforment en rouge vers le huitième mois.

N.: O; ces poissons mangent toutes les nourritures vivantes ou en flocons par grande quantité. L'alimentation ne devrait pas être trop riche en protéines (env. 30%).

P.: Toute une série de variétés ont été obtenues par élevages sélectionnés, voici les principales: Queue de voile; Shubunkin (Poisson-rouge-Calico); Comète; Nymphe; Poisson-œuf; Tête de lion; Oranda; Tête d'oie (= Tête de tigre); Poisson télescope de Chine; Télescope à queue de voile; Œil globuleux; Œil de dragon; à opercule transformé (= Curled Gill) et écailles perlées.

T: 10–20° C, L: 36 cm, LA: 80–100 cm, Z: toutes, D: 1

Carassius carassius (LINNAEUS, 1758)
Carassin
Sous-fam.: Cyprininae

Syn.: *Cyprinus carassius, Carassius vulgaris.*

Or.: Grandes parties de l'Europe, pas en Irlande, nord de l'Ecosse et Wales; l'espèce est également absente en Suisse et sur la Péninsule ibérique; elle est présente dans la région de la Mer Noire, de la Mer Caspienne et en Sibérie.

P.i.: Espèce indigène.

D.s.: Femelle plus grosse en période de frai.

C.s.: Poisson calme et paisible, l'espèce est très robuste et durable.

M.: Sol en sable fin; plantes aquatiques d'eau froide; n'est pas un grand consommateur d'oxygène, l'aération du bac peut donc être supprimée. Régulier changement d'eau ($^1/_5$ du volume chaque semaine); les paramètres de l'eau n'ont pas une grande importance.

R.: N'a pas encore été effectuée en aquarium pour manque de place mais doit être possible dans de très grands bacs.

N.: O; mange toutes sortes de nourritures vivantes, aliments en flocons, nourriture végétale, etc.; prend sa nourriture presque exclusivement au sol.

P.: Période du frai dans la nature: de mai à juin; l'espèce est très prolifique, une ponte produit jusqu'à 300000 œufs qui sont lachés au milieu des plantes.

T: 14–22° C (poisson d'eau froide), L: 80 cm, le plus souvent 20 cm, LA: 70 cm, Z: i, m, D: 1

Carassius auratus

Carassius carassius

Chela laubuca (HAMILTON, 1822)
Barbus-verre indien
Sous-fam.: Abraminae

Syn.: *Cyprinus laubuca, Laubuca laubuca, L. siamensis, Leuciscus laubuca, Perilampus guttatus, P. laubuca.*

Or.: Sud-est asiatique: partout aux Indes, Ceylan (Sri-Lanka), Birmanie, Thailande, Péninsule malaise et Sumatra.

P.i.: 1925 par A. Ramsperger, Brême.

D.s.: La femelle est plus grosse que le mâle.

C.s.: Poisson grégaire paisible, nageur actif; convient pour cohabiter avec les espèces du genre *Brachydanio.*

M.: Végétation sur le pourtour de l'aquarium, grand espace libre pour la nage au centre et à l'avant du bac; eau limpide, remplacer tous les 14 jours env. $^1/_5$ du volume de l'eau par de l'eau fraiche; paramètres similaires à ceux indiqués pour *Brachydanio albolineatus. Chela laubuca* convient pour l'aquarium communautaire.

R.: 26–28° C; eau douce à moyennement dure (5–10° dGH) et légèrement acide; la ponte débute au crépuscule; installer le bac comme pour *B. albolineatus.* Le mâle enlace la femelle qui pond 30 à 40 œufs à chacune de ces nombreuses étreintes; les reproducteurs ne cherchent pas à dévorer les œufs. Les jeunes éclosent au bout d'env. 24 h. (température 24° C) et nagent librement au bout de trois à quatre jours.

N.: O; peu exigeant envers la nourriture, mange toutes les nourritures vivantes, en flocons et végétales; il ne ramasse aucune nourriture tombée au sol.

P.: Il ne faut pas suralimenter ces poissons car ils sont sensibles à la «maladie rouge» (fortes accumulations de sang dans les vaisseaux sanguins) qui a le plus souvent une issue fatale. Bien couvrir l'aquarium car *Chela laubuca* est un bon sauteur. L'espèce s'acclimate difficilement.

T: 24–26° C, L: 6 cm, LA: 70 cm, Z: s et m, D: 1–2

Crossocheilus siamensis voir page 418

Cyclocheilichthys apogon (VALENCIENNES, 1842)
Barbus des Indes
Sous-fam.: Cyprininae

Syn.: *Barbus apogon, Anematichthys apogon, A. apogonides, Cyclocheilichthys rubripinnis, Systomus apogon, S. apogonoides.*

Or.: Inde et Péninsule malaise: Birmanie, Thailande, Malaisie, Sumatra, Bornéo, Java.

P.i.: 1934 par E. Koch, Bremerhaven.

D.s.: Inconnu.

C.s.: Poisson calme, très paisible, actif nageur.

M.: Sol composé de sable fin, végétation dense sur les côtés et l'arrière du bac, grand espace libre au centre; décor composé de racines de tourbières. Seuls les juvéniles conviennent pour l'aquarium à l'échelle amateur, leur taille adulte est trop grande. N'est pas très exigeant envers la qualité physicochimique de l'eau.

R.: Cette espèce n'a vraisemblablement pas encore été reproduite en aquarium.

N.: O; toutes sortes de nourritures vivantes et aliments en flocons; ramasse également des restes de nourriture au sol.

P.: Dans leur pays d'origine ces poissons sont très appréciés en tant que poissons comestibles.

T: 24–26° C, L: 15–50 cm, LA: 80 cm, Z: m et i, D: 1

Chela laubuca

Cyclocheilichthys apogon

Ctenopharyngodon idella (VALENCIENNES, 1844)
Carpe herbeuse
Sous-fam.: Cyprininae

Syn.: *Leuciscus idella.*

Cette espèce n'intéresse pas l'aquariophile, elle est trop grande pour un aquarium normal. Par contre, elle est précieuse pour les possesseurs de grands bassins de jardin ou d'étang.
Ces poissons mangent des plantes aquatiques supérieures, même des roseaux, ce qui n'est pas le cas pour la carpe. Ils évitent ainsi que l'étang soit envahi par la prolifération des roseaux. Ils supportent également les hivers européens.

T: 10–20° C, **L**: jusqu'à 60 cm, **LA**: à partir de 120 cm, **Z**: i, m, **D**: 4 (H)

Cyprinus carpio LINNÉ, 1758
Carpe: variété d'élevage (Koi)
Sous-fam.: Cyprininae

Syn.: *Cyprinus acuminiatus, C. coriaceus, C. elatus, C. hungaricus, C. macrolepidotus, C. regina, C. rex cyprinorum, C. specularis.*

Or.: Origine primitive: Japon et Chine. L'espèce est maintenue partout en bassin, de sorte qu'elle apparait dans de nombreuses eaux européennes, redevenue sauvage.

P.i.: Date non identifiable.

D.s.: Petits boutons de noce chez le mâle, femelle beaucoup plus grosse en période de frai.

C.s.: Les juvéniles sont grégaires, les adultes plutôt solitaires.

M.: Sol fin; végétation dense, quelques racines comme décor; eau env. 10–15° dGH et neutre à légèrement alcaline (pH 7–7,5).

R.: Impossible en aquarium pour manque de place.

N.: O; nourriture vivante, de préférence crevettes, mollusques, vers, larves d'insectes vivant au sol, aliments en flocons ou lyophilisés, nourriture végétale, pommes de terre, flocons d'avoine, mais trempé.

P.: Il existe quelques races d'élevage de la carpe sauvage, par ex. la Carpe cuir (sans écailles), la Carpe miroir (quelques grandes écailles sur le dos), etc. Etant donné qu'il s'agit de poissons comestibles et non de poissons d'aquarium, la forme naturelle n'est pas présentée ici en photo. Ce poisson ne peut être maintenu que dans des bacs d'exposition d'au moins 1000 litres.
La photo ci-contre présente une mutation, la carpe d'ornement que l'on trouve dans toutes les variations de couleurs. Elle convient pour les aquariums à partir de 100 cm de longueur où elle ne dépassera pas une taille de 20 cm. Cette forme convient également très bien pour les bassins de jardin mais demande des températures plus élevées que la forme sauvage. Il faut donc la faire hiverner à l'intérieur à 10° C, comme les Poissons rouges. La carpe d'ornement ou Koi est élevée en étangs au Japon et aux USA. Au Japon elle est considérée comme porte-bonheur.

T: 10–23° C (poisson d'eau froide), **L**: 20–120 cm, **LA**: 100 cm, **Z**: i, m, **D**: 1–2

Ctenopharyngodon idella

Cyprinus carpio (forme d'élèvage)

Danio aequipinnatus (McCLELLAND, 1839)
Malabaricus
Sous-fam.: Rasborinae

Syn.: *Perilampus malabaricus, Danio albur-nus, D. aurolineatus, D. lineolatus, D. micronema, D. osteographus, Leuciscus lineolatus, Paradanio aurolineatus, Perilampus aurolineatus, P. canarensis, P. mysorius, Danio malabaricus.*

Or.: Côte ouest des Indes et Ceylan (Sri Lanka), en eaux stagnantes et eaux courantes.

P.i.: 1909.

D.s.: Mâle plus svelte; robe de la femelle plus terne, ventre plus rond; chez le mâle la bande bleue centrale est droite jusqu'à la nageoire caudale; chez la femelle elle est courbée vers le haut à la base de la caudale.

C.s.: Poisson grégaire paisible, vivace, assez nerveux; on observe une certaine fidélité conjugale mais moins prononcée que chez les *Brachydanio.*

M.: Sol sablonneux; végétation sur le pourtour par plantes assez robustes; espace libre pour la nage, surtout dans la couche supérieure; paramètres de l'eau comme pour *B. albolineatus. D. aequipinnatus* convient pour l'aquarium communautaire.

R.: 25–28° C; similaire à celle des *Brachydanio*; bac de ponte pas trop exigu, eau fraiche et situation ensoleillée; aménagement comme pour *Brachydanio.* Distribuer des Enchytrées durant la ponte, retirer les parents sitôt la ponte terminée. Entre 5 et 20 œufs sont pondus lors de chaque phase, au total env. 300; les jeunes éclosent au bout de 24–48 heures, ils sont faciles à élever.

N.: O; nourriture vivante et aliments en flocons ou lyophilisés, nourriture végétale en complément.

P.: Dans son pays d'origine *Danio aequipinnatus* forme un certain nombre de races qui diffèrent par leur aspect et par leur coloration.

T: 22–24° C, L: 10 cm, LA: 80 cm, Z: toutes, D: 1

Danio devario (HAMILTON, 1822)
Danio devario
Sous-fam.: Rasborinae

Syn.: *Cyprinus devario.*

Or.: Pakistan, nord des Indes et Bangladesh, de l'Indus jusqu'à Assam.

P.i.: 1949.

D.s.: Le mâle est plus svelte, ses couleurs sont plus vives; la femelle a un plus gros ventre et une plus grande taille.

C.s.: Poisson grégaire typique; ceux qui vivent en isolés deviennent craintifs et leurs couleurs pâlissent; espèce très paisible, à faire cohabiter avec des *Brachydanio.*

M.: Comme indiqué pour *Danio aequipinnatus*; mais *Danio devario* est plus exigeant envers la température.

R.: 24–25° C; similaire à *D. aequipinnatus* et espèces du genre *Brachydanio.*

N.: O; toutes sortes de nourritures vivantes, nourriture végétale, aliments en flocons, etc.

P.: Danio devario se distingue de tous les autres *Danio* et *Brachydanio* par le nombre de rayons de la nageoire dorsale: avec ses 18 ou 19 rayons il possède la plus longue dorsale.

T: 15–26° C, L: 15 cm, mature à partir de 7 cm, LA: 80 cm, Z: toutes, D: 1

Danio aequipinnatus

Danio devario

Epalzeorhynchos kalopterus (BLEEKER, 1850)
Barbeau à belles nageoires

Syn.: *Barbus kalopterus.*

Or.: Indes et Indonésie: Thailande, Sumatra, Bornéo, le plus souvent en eaux courantes.

P.i.: 1935 par Werner Ladiges, Hambourg.

D.s.: Inconnu.

C.s.: Espèce territoriale, les territoires sont défendus contre les congénères; par ailleurs l'espèce est paisible. Les spécimens d'âge avancé sont plus agressifs.

M.: Sol composé d'un mélange de sable et de gravier; caches composées de racines et de pierres; végétation dense composée de plantes à larges feuilles; eau douce (5–8° dGH) et légèrement acide (pH 6,5); un partiel changement d'eau contribue au bien être de ces poissons (chaque semaine env. ¼ du volume).

R.: N'a pas encore été reproduit en aquarium.

N.: O; nourriture vivante, lyophilisée ou en flocons, nourriture végétale (algues, salade, flocons d'avoine); ces poissons ne mangent pas d'algues filamenteuses.

P.: La position de repos de *Epalzeorhynchos kalopterus* est très intéressante: à l'aide des nageoires pectorales il prend appui sur une grande feuille ou au sol. Cette espèce mange volontiers des Planaires.

T: 24–26° C, **L:** 15 cm, **LA:** 70 cm, **Z:** i, (m), **D:** 2

Crossocheilus siamensis (SMITH, 1931)
Barbeau à raie noire, Mangeur d'algues

Syn.: *Epalzeorhynchos siamensis.*

Or.: Sud-est asiatique: Thailande, Péninsule malaise.

P.i.: 1962 par la firme Andreas Werner, Munich.

D.s.: Inconnu.

C.s.: Paisible envers les autres espèces, même si elles sont de plus petite taille; entre congénères les querelles sont cependant assez fréquentes. *E. siamensis* peut être maintenu dans l'aquarium communautaire.

M.: Sol mou; végétation dense localisée, décor constitué de racines; l'espèce demande une température assez élevée; eau douce (env. 5° dGH) et légèrement acide (pH 6,5); des paramètres plus élevés sont cependant supportés: pH jusqu'à 8, dureté jusqu'à 20° dGH; une bonne oxygénation est indispensable.

R.: Pas encore réussie en aquarium.

N.: H; toutes sortes de nourritures vivantes, même des Planaires; algues, salade, aliments en flocons; mange des algues filamenteuses mais pas de plantes aquatiques.

P.: Contrairement à *E. kalopterus*, les nageoires de C. siamensis sont transparentes; il porte une paire de barbillons à la lèvre supérieure alors que *E. kalopterus* en a deux paires; l'espèce est considérée comme meilleur mangeur d'algues en aquarium; c'est le Docteur Baensch qui fut le premier à constater ce fait qu'il fit connaitre par l'intermédiaire de la Pisciculture Exotique West Aquarium. Malgré son apparence insignifiante ce mangeur d'algues est couramment proposé par le commerce spécialisé.

Le genre *Crossocheilus* diffère de *Epalzeorhynchos* par les lobes nasaux.

T: 24–26° C, **L:** 14 cm, **LA:** 80 cm, **Z:** i, (m), **D:** 1

Epalzeorhynchos kalopterus

Crossocheilus siamensis

Epalzeorhynchos stigmaeus SMITH, 1945
Mangeur d'algues brun doré Sous-fam.: Cyprininae

Syn.: Aucun.

Or.: Nord de la Thailande.

P.i.: À partir de 1950, occasionnellement en complément de lots d'importation.

D.s.: Inconnu.

C.s.: Poisson grégaire paisible, également en solitaire; convient pour tout aquarium communautaire, en tenant compte des exigences thermiques de cette espèce.

M.: Conformément à son milieu naturel: rivières forestières à basses températures et fond de gravier, l'espèce doit être maintenue dans des bacs longs équipés d'une bonne filtration (eau riche en oxygène); pH neutre, dureté jusqu'à 12° dGH.

R.: Inconnue.

N.: H, O; aliments en flocons et en comprimés, algues, nourriture vivante.

T: 18–22° C, **L**: 13 cm, **LA**: 80 cm, **Z**: i, **D**: 2

Gobio gobio (LINNAEUS, 1758)
Goujon Sous-fam.: Gobioninae

Syn.: *Cyprinus gobio, Gobio fluviatilis, G. venatus.*

Or.: Toute l'Europe, jusqu'à l'Oural; l'espèce est absente sur la Péninsule ibérique, en Italie (excepté le nord), Grèce, Norvège, nord de la Suède, Finlande et Ecosse.

P.i.: Espèce indigène.

D.s.: Le mâle présente des boutons de noce en période de frai, pas d'autres caractères permettant d'identifier les sexes.

C.s.: Poisson grégaire paisible, agile; le Goujon peut très bien cohabiter avec le Vairon (*Phoxinus phoxinus*) et les Loches (*Barbatula barbatula, Cobitis taenia*).

M.: Sol composé de gravier, caches; bonne aération car l'espèce a un grand besoin d'oxygène; si possible créer un courant à l'aide d'une Turbelle; l'eau doit être claire et propre (poisson d'eau froide!); eau moyennement dure à dure (10–20° dGH) et neutre à légèrement alcaline (pH 7–7,5).

R.: Quelques reproductions de *Gobio gobio* ont réussi en aquarium, elles sont cependant encore fortement tributaires du facteur chance.

N.: C, O; toutes sortes de nourritures vivantes (*Tubifex*, Gammares, Larves de Moustiques, etc.), aliments lyophilisés, en flocons ou en comprimés.

P.: Dans certaines régions (en France par ex.) le Goujon est apprécié comme poisson comestible de bonne chair.

T: 10–18° C (poisson d'eau froide), **L**: 20 cm, **LA**: 80 cm, **Z**: i, **D**: 2

Epalzeorhynchos stigmaeus

Gobio gobio

Epalzeorhynchos bicolor (SMITH, 1931)
Labéo à queue rouge

Syn.: *Labeo bicolor.*

Or.: Thailande: centre de la Thailande, Bassin Menam Chao Phya et la région de Paknampo.

P.i.: 1952 par «Aquarium Hamburg».

D.s.: Femelle plus massive dans sa forme, couleurs plus pâles que celles du mâle. Il semblerait que la forme de la nageoire soit uns caractère fiable: chez le mâle elle termine en pointe alors que le bord arrière forme un angle droit chez la femelle.

C.s.: Poisson solitaire et territorial, asocial envers ses congèneres en général, mais pacifique envers d'autres espèces. Les grands spécimens peuvent devenir de vrais tyrans terrorisant même des cohabitants de grande taille.

M.: Grands bacs, sol composé de sable fin abris constitués de racines et de roches. Aménager la plantation de manière à ce que ces poissons peuvent former des territoires sans avoir un contact visuel direct avec leurs voisins. L'eau doit être douce à moyennement dure (jusqu'à 15° dGH) et neutre (p env. 7). Ne convient pas pour tous les bacs communautaires.

R.: Rarement réussie, difficile en raison du comportement asocial de l'espèce.

N.: C, O; toutes sortes de nourritures vivantes, flocons, comprimés aliments lyophilisés, végétaux (algues, laitue, épinard).

P.: Une reproduction réissoe a été signalée par DEAKIN et MORRILL. La températire était de 27–28° C, l'eau était douce et acidifiée à l'aide de tourbe. La ponte eu lieu dans une caverne rocheuse. Les jeunes éclorent au bout de 2 jours et encore 2 jours plus tard ils nageaient librement. Ils présentaient des nageoires à pointes blanches. Leur robe est d'abord brun-argenté, puis brun foncé et vire finalement au noir. La couleur rouge de la nageoire caudale apparait seulement à partir de la septiéme semaine.

T: 22–26° C, L: 12 cm, LA: 80 cm, Z: i et m, D: 2

Epalzeorhynchos frenatus (FOWLER, 1934)
Labeo verde

Syn.: *Labeo erythrurus, L. frenatus.*

Or.: Nord de Thailande.

P.i.: 1953.

D.s.: Mâle plus svelte, nageoire anale bordée de noir; femelle plus ronde, pas de bord noir sur la nageoire anale.

C.s.: Comme indiqué pour *E. bicolor.*

M.: Comme pour *E. bicolor.*

R.: A déjà reproduit en aquarium mais les réussites sont très rares.

N.: C, O; nourriture vivante, aliments lyophilisés, aliment en flocons, algues et laitue.

T: 22–26° C, L: 15 cm, LA: 120 cm,
Z: i et m, D: 2

Epalzeorhynchos frenatus

Epalzeorhynchos bicolor

Epalzeorhynchos erythrurus (sans texte)

Leucaspius delineatus (HECKEL, 1843)
Able de Stymphale Sous-fam.: Abraminae

Syn.: *Squalius delineatus, Aspius owsianka, Leucaspius abruptus, L. relictus.*

Or.: Europe et ouest de l'Asie; du Rhin à la Mer Caspienne. L'espèce est absente en Irlande, Angleterre, Scandinavie (excepté le sud de la Suède), France, Italie, grandes parties de la Yougoslavie et en Grèce. On la rencontre dans la région du Danube.

P.i.: Espèce continentale.

D.s.: Le mâle est plus svelte, la femelle plus grande et plus ronde.

C.s.: Poisson grégaire paisible et vivace. Le mâle pratique les soins de la ponte.

M.: Par bancs, si possible dans des bacs longs; sol composé de gros sable; plantes d'eau froide sur le pourtour, grand espace libre au centre. En cas de température élevée, bien oxygéner l'aquarium. Eau moyennement dure (env. 15° dGH) et neutre (pH env. 7).

R.: 18–20° C; opérer de préférence avec trois à quatre couples. Introduire quelques tiges de roseaux dans le bac. Les œufs sont déposés en cercle autour des tiges. Le mâle s'occupe du frai, il surveille les œufs et leur amène de l'eau fraiche en tamponnant les roseaux. De plus, le mâle enduit les œufs d'une sécrétion antibactérienne.

N.: O; nourriture vivante et en flocons, de toute sorte.

P.: Dans le temps les écailles de ce poisson servaient à fabriquer l'Essence d'Orient avec laquelle on recouvrait les faces internes de petites boules en verre. Ces dernières ressemblaient alors fortement aux vraies perles.

T: 10–20° C, ne pas dépasser 22° C, L: 9 cm, LA: 60 cm, Z: s et m, D: 1–2

Leuciscus idus (LINNAEUS, 1758)
Ide mélanote Sous-fam.: Leuciscinae

Syn.: *Cyprinus idus, Idus idus, I. melanotus.*

Or.: Europe: du Rhin à l'Ural. L'espèce est absente en Grande-Bretagne, Irlande, Norvège, France, Suisse, au sud des Alpes et dans le Danube.

P.i.: Espèce continentale.

D.s.: Boutons de ponte chez le mâle; les femelles sont plus fortes et plus grosses en période de frai.

C.s.: Poisson de surface grégaire et vivace, paisible dans sa forme juvénile.

M.: Aquariums longs, sol composé de gravier fin; robustes plantes d'eau froide sur le pourtour avec grand espace libre au centre. Paramètres de l'eau comme pour *Cyprinus carpio*; changement d'eau hebdomadaire ou adjonction d'eau neuve sont à recommander. En aquarium la croissance est très lente.

R.: Pas réalisable dans un aquarium normal en raison de la grande taille des adultes matures. Dans la nature la période du frai dure d'avril à juillet.

N.: C, O; toutes les nourritures vivantes; aliments lyophilisés, flocons. Les grands spécimens sont des voraces et mangent des petits poissons.

P.: Il existe une variété dorée à nageoires rouges, nommée Ide dorée. Elle est très robuste et convient mieux pour le bassin de jardin que le Poisson-rouge.

T: 4–20° C, L: 80 cm, LA: 100 cm, Z: s et m, D: 1–2

Leucaspius delineatus

Leuciscus idus

Luciosoma trinema BLEEKER, 1855
Barbeau brochet Sous-fam.: Rasborinae

Syn.: *Leuciscus trinema, Trinematichthys trinema.*

Or.: Sud-est asiatique.

P.i.: 1969.

D.s.: Mâle souvent plus grand et présentant des pelviennes à rayons prolongés. Actuellement certains auteurs ne considèrent pas les rayons prolongés des nageoires pelviennes comme étant des caractères sexuels.

C.s.: Poisson grégaire vivace et attractif.

M.: Bacs longs, pas très hauts, hermétiquement couverts, car ce poisson est un bon sauteur; végétation sur le pourtour avec grand espace libre au centre. Paramètres de l'eau comme pour *Epalzeorhynchos kalopterus.*

R.: Aucun renseignement sur une reproduction en aquarium.

N.: O; mange tout: laitue, cœur de bœuf, foie, calamars, vers de farine, *Tubifex*, aliments en flocons et en comprimés.

P.: L'appellation *Luciosoma* (= «corps de brochet» fait allusion à la forme du corps de ce poisson.

T: 24–27° C, **L**: 30 cm, **LA**: 100 cm, **Z**: s et m, **D**: 2

*Labeo chrysophekadion** (BLEEKER, 1849)
Morulius noir, Labéo noir Sous-fam.: Cyprininae

Syn.: *Rohita chrysophekadion, Morulius chrysophekadion, Morulius dinema, M. erythrostictus, M. pectoralis.*

Or.: Sud-est asiatique: Thailande, Cambodge, Laos, Java, Bornéo et Sumatra.

P.i.: 1932.

D.s.: Inconnu.

C.s.: Poisson vivant en solitaire à comportement asocial envers ses congénères; n'est pas si agressif envers les autres espèces: est cependant plus pacifique que *Epalzeorhynchos bicolor.*

M.: Comme indiqué pour *Epalzeorhynchos bicolor.* En raison de sa taille, *Labeo chrysophekadion* se prête moins bien pour l'aquarium communautaire.

R.: Pas encore réussie en aquarium.

N.: O; mange tout: nourriture vivante, algues, laitue, épinard, aliments en flocons et en comprimés.

P.: Dans son pays d'origine *Labeo chrysophekadion* joue un rôle important en tant que poisson comestible, il est considéré comme délicatesse.

* D'après des indications de Maurice Kottelat, cette espèce a été rangée dans le genre *Labeo.*

T: 24–27° C, **L**: 60 cm, **LA**: 100–120 cm, **Z**: m et i, **D**: 2

Luciosoma trinema

Labeo chrysophekadion

Notropis lutrensis (BAIRD et GIRARD, 1853)
Ide américaine à nageoires rouges
Sous-fam.: Leuciscinae

Syn.: *Leuciscus lutrensis, Cliola billingsiana, C. forbesi, C. gibbosa, C. iris, C. jugalis, C. lutrensis, C. montiregis, C. suavis, Cyprinella bubelina, C. billingsiana, C. complanata, C. forbesi, C. suavis, Hylsilepis iris, Moniana couchi, M. gibbosa, M. jugalis, M. leonina, M. laetabilis, M. pulchella, M. rutila.*

Or.: Amérique du nord: USA, du sud de l'Illinois jusqu'au sud du Dakota, Kansas et le Rio Grande.

P.i.: 1935 par W. Schreitmüller, Francfort.

D.s.: Couleurs du mâle plus prononcées, boutons de ponte, nageoire dorsale à pointe noire; femelle plus ronde et moins colorée en période de frai.

C.s.: Poisson grégaire robuste, bon nageur.

M.: Bacs longs avec beaucoup d'espace libre pour la nage; eau fraiche limpide, fréquents changements d'eau; bonne aération, pourtour planté d'espèces d'eau froide. Eau moyennement dure à dure (10–20° dGH) et neutre à légèrement alcaline (pH 7–7,5).

R.: Semble ne pas avoir été réalisée en aquarium. Il n'existe aucune communication signalant une reproduction réussie en aquarium.

N.: O; mange tout: nourriture vivante de toute sorte, complément végétal, nourritures lyophilisées et congelées, aliments en flocons et en comprimés.

P.: Il est prétendu que cette espèce aurait déjà été importée en Allemagne en 1908 par Paul Matte, mais ce renseignement n'est, hélas, pas confirmé.

En Amérique du nord ce poisson fraye au mois de mai. Durant l'hiver il ne faut pas les maintenir à une température trop élevée, cela réduit leur résistance naturelle.

T: 15–25° C (poisson d'eau froide), L: 8 cm, LA: 60 cm, Z: s et m, D: 1

Osteochilus hasselti VALENCIENNES, 1842)
Carpe de Java
Sous-fam.: Cyprininae

Syn.: *Rohita hasselti.*

Or.: Sud-est asiatique: Thailande, Péninsule malaise, Java, Bornéo, Sumatra et de nombreuses petites îles de la Sonde.

P.i.: 1931.

D.s.: Inconnu; les femelles sont probablement plus grosses que les mâles.

C.s.: Poisson grégaire paisible, agile. Convient pour l'aquarium d'amateur seulement dans sa forme juvénile.

M.: Sol sombre composé de sable fin, sans particules troublantes, car il fouille dans le sol; végétation dense sur le pourtour. Caches composées de racines et de roches; espace libre pour la nage. Paramètres de l'eau comme pour *Epalzeorhynchos kalopterus.*

R.: Une reproduction en aquarium n'a pas encore été signalée. Il est fort possible que les spécimens matures soient trop grands pour un aquarium normal.

N.: O; mange tout, principalement des nourritures vivantes et des aliments en flocons avec complément végétal (algues, laitue, épinard).

P.: La carpe de Java atteint une trop grande taille pour pouvoir vivre en aquarium, elle convient cependant très bien pour les grands bacs des aquariums publics.

T: 22–25° C, L: 32 cm, LA: 100 cm, Z: m et i, D: 2

Notropis lutrensis

Osteochilus hasselti

Phoxinus phoxinus (LINNAEUS, 1758)
Vairon Sous-fam.: Leuciscinae

Syn.: *Cyprinus phoxinus, Leuciscus phoxinus, Phoxinus aphya, Phoxinus laevis.*

Or.: Europe et Asie. L'espèce se rencontre au nord de l'Espagne et de l'Italie, jusqu'à l'Amur. Elle est absente ailleurs en Espagne et au Portugal, en Ecosse, centre et sud de l'Italie et Peloponnes. Ces poissons habitent des eaux claires à courant rapide et riches en oxygène. On les rencontre jusqu'à une altitude de 2000 mètres.

P.i.: Espèce continentale.

D.s.: Difficile à identifier; les mâles sont plus vivement colorés en période du frai, les femelles sont plus grosses.

C.s.: Poisson de surface paisible et vif. A faire cohabiter de préférence avec d'autres poissons d'eau froide (*Gobio gobio, Noemacheilus barbatulus, Cobitis taenia*). Ne fouille pas le sol.

M.: Sol composé de gros sable pas trop clair; quelques racines et galets. Bacs longs offrant beaucoup d'espace libre pour la nage. Pourtour garni de plantes d'eau froide. Eau fraiche et bonne aération. Paramètres de l'eau comme indiqué pour *Gobio gobio.*

R.: Réalisable sans trop de difficultés; 16–20° C; eau fraiche limpide, sable fin avec quelques galets. Niveau d'eau maximum 15 cm. Introduire plusieurs couples reproducteurs; forte oxygénation. Les œufs sont déposés sur des galets, retirer les parents sitôt la ponte terminée. Les jeunes éclosent au bout d'env. 6 jours, on les nourrit avec du plancton. Leur croissance est lente, ils sont matures au bout de 3–4 ans.

N.: Nourriture vivante: larves d'insectes, petits crustacés, *Tubifex,* Enchytrées; nourriture en flocons (après acclimatation).

P.: Des boutons de ponte apparaissent chez les deux sexes. Chez le Vairon l'odorat et la capacité auditive sont très développés. Il discerne des différences de tonalité au même titre que les humains. Dans certaines régions on le consomme après l'avoir fait mariner.

T: 12–20° C (poisson d'eau froide), **L:** 14 cm, **LA:** 70 cm, **Z:** s et m, **D:** 2

Rasbora borapetensis SMITH, 1934
Rasbora à queue rouge Sous-fam.: Rasborinae

Syn.: Aucun.

Or.: Sud-est asiatique: Thailande, Malaisie ouest près de Kuala Trengganu.

P.i.: 1954.

D.s.: Mâle plus svelte, femelle plus ronde; pas d'autres caractères sexuels dans la coloration et le dessin.

C.s.: Poisson grégaire vivace à faire cohabiter de préférence avec d'autres espèces du genre *Rasbora* ou du genre *Brachydanio* et petits *Barbus*.

M.: Bacs densément plantés, espace libre pour la nage; surface couverte de plantes flottantes pour faire régner une lumière diffuse, éviter l'ensoleillement direct; décor formé de racines. Eau: douce à moyennement dure (jusqu'à 12° dGH) et légèrement acide (pH 6,5); fréquent changement d'eau; l'espèce convient pour l'aquarium communautaire.

R.: 25–26° C; bac de ponte à faible hauteur d'eau (15 cm) et plantes flottantes pour atténuer l'éclairage. Eau pas trop dure (jusqu'à 10° dGH) et légèrement acide à neutre (pH 6,5–7,0); ajouter de l'eau fraiche. La ponte a le plus souvent lieu quelques jours après l'introduction des reproducteurs, elle est précédée d'une tumultueuse parade nuptiale. Le mâle entoure brièvement la femelle et jusqu'à six œufs sont émis. *R. borapetensis* n'est pas très prolifique, 30 à 40 œufs au total. Les parents, surtout le mâle, dévorent les œufs, il faut les retirer après la ponte. Les jeunes éclosent au bout de 36 heures.

N.: C, O; nourritures vivantes (petits crustacés, larves de Moustiques, *Tubifex*), aliments en flocons.

P.: *Rasbora borapetensis* est une des rares espèces du genre *Rasbora* à bande horizontale qui présentent une ligne latérale incomplète.

T: 22–26° C, L: 5 cm, LA: 50 cm, Z: s et m, D: 2

Rasbora dorsiocellata dorsiocellata DUNCKER, 1904
Rasbora à ocelle Sous-fam.: Rasborinae

Syn.: Aucun.

Or.: Sud-est asiatique: Péninsule malaise, Sumatra; en eaux stagnantes et eaux courantes.

P.i.: 1935 par W. Schreitmüller via Paris.

D.s.: Nageoire caudale rougeâtre et ventre droit chez le mâle; caudale jaunâtre et ventre arrondi chez la femelle.

C.s.: Poisson grégaire paisible, vivace et sans exigences particulières.

M.: Comme indiqué pour *Rasbora heteromorpha*; prévoir pour *R. dorsiocellata* un grand espace dégagé pour la nage.

R.: 22–24° C; faible hauteur d'eau. Aménager le bac de ponte comme pour *Barbus conchonius* ou les *Brachydanio.* Introduire une femelle mature un à deux jours avant le mâle qui sera introduit la veille du jour prévu pour la ponte. La parade nuptiale est très mouvementée, la ponte se déroule parmi les plantes. Enlever les parents lorsque la ponte est terminée sinon ils dévorent les œufs. Les éclosions ont lieu au bout d'env. 24 heures.

N.: O; mange tout.

P.: Deux sous-espèces sont connues: *R. dorsiocellata dorsiocellata* DUNCKER, 1904 qui est identique avec le poisson décrit ci-dessus et *R. dorsiocellata macrophthalma* MEINKEN, 1951. Cette sous-espèce atteint seulement 3,5 cm de long.

T: 20–25° C, L: 6,5 cm, LA: 70 cm, Z: m, D: 1–2

Rasbora elegans elegans VOLZ, 1903
Rasbora élégant Sous-fam.: Rasborinae

Syn.: *Rasbora lateristriata* var. *elegans.*

Or.: Sud-est asiatique: Malaisie ouest, Singapour, Sumatra et Bornéo; en eaux stagnantes et eaux courantes.

P.i.: 1909 par les «Vereinigte Zierfischzüchtereien» de Conradshöhe près de Berlin.

D.s.: Femelle souvent plus grande, ses couleurs sont moins prononcées.

C.s.: Poisson grégaire paisible et vif: faire cohabiter avec d'autres *Rasbora.*

M.: Aquarium rodé, densément planté mais avec espace dégagé pour la nage libre; sol sombre; décor constitué de racines. Eau jusqu'à 10° dGH; pH 6,0–6,5 (légèrement acide); changer tous les 14 jours $^{1}/_{4}$ du volume d'eau). Aquarium communautaire.

R.: Comme indiqué pour *Rasbora dorsiocellata. Rasbora elegans* est très prolifique. Ne pas employer des couples trop jeunes pour la reproduction.

N.: O; mange tout: nourriture vivante, aliments en flocons, complément végétal partiel. L'espèce est assez goinfre.

P.: *Rasbora elegans* apparait en trois sous-espèces: *R. elegans elegans* VOLTZ, 1903, *R. elegans nematotaenia* HUBBS et BRITTAN, 1954 (sud-est de Sumatra: rivière Moesi), *R. elegans bunguranensis* BRITTAN, 1951 (île Bunguran) et *R. elegans spilotaenia* HUBBS et BRITTAN, 1954 (Sumatra).

T: 22–25° C, L: 20 cm, LA: 80–100 cm, Z: m, D: 2

Rasbora dorsiocellata dorsiocellata

Rasbora elegans elegans

Rasbora espei (MEINKEN, 1967)
Rasbora d'Espe

Syn.: *R. heteromorpha espei.*

Or.: Indonésie: Sumatra, dans le Djambi et le Tambesi.

P.i.: 1967 par Heinrich Espe, Brême.

D.s.: Mâle plus svelte et plus coloré; femelle à corps plus haut et ventre plus rond.

C.s.: Poisson grégaire paisible, nageur agile. Durant la journée ils forment un groupe pas très compact, la nuit le groupe se sépare et chaque individu dort à part, légèrement adossé à une feuille. *Rasbora espei* cohabite au mieux avec *Boraras maculatus.*

M.: Sol sombre, végétation dense sur le pourtour du bac, grand espace libre pour la nage. Plantes flottantes pour diffuser la lumière. Décor par racines de tourbières. Eau: pH 6–6,5, jusqu'à 12° dGH; filtration sur tourbe. Espèce assez délicate.

R.: Comme indiqué pour *Rasbora heteromorpha*, il semble cependant que *Rasbora espei* ne soit pas si prolifique.

N.: C, O; petites proies vivantes et aliments en flocons. Les Puces d'eau ont déjà une trop grande taille par rapport à la petite bouche de cette espèce.

P.: MEINKEN signale un comportement intéressant au sein du groupe, il le désigne comme «position de gardien». Sitôt que le groupe s'attarde quelque part ou reste totalement immobile, quelques individus regardent toujours vers l'extérieur et observent attentivement les alentours. S'ils font demi tour et s'enfuient, tout le groupe suit le mouvement.

T: 23–28° C, **L**: 3,5 cm, **LA**: 50 cm, **Z**: m + s, **D**: 2

Rasbora heteromorpha DUNCKER, 1904
Arlequin

Syn.: Aucun.

Or.: Sud-est asiatique: ouest de la Malaisie, Singapour, certaines parties de Sumatra, sud-est de la Thailande.

P.i.: 1906 par Julius Reichelt, Berlin.

D.s.: Mâle plus svelte. Les sexes diffèrent également par la forme de la tache triangulaire noire: chez la femelle le bord antérieur de la tache noire est droit, alors que chez le mâle il est légèrement arrondi dans le bas et un peu étiré vers l'avant.

C.s.: Poisson grégaire très paisible, vivace. A faire cohabiter avec *Rasbora espei, Boraras maculatus* ou *Rasboroides vaterifloris.*

M.: Sol sombre; végétation dense offrant des abris; lumière diffuse par plantes flottantes; décor par racines. Toujours tenir cette espèce par petits groupes d'au moins huit exemplaires. Paramètres de l'eau comme pour *Rasbora espei. R. heteromorpha* peut être maintenu dans l'aquarium communautaire.

R.: Pas très simple; temp. 25–28° C; eau très douce (env. 2° dGH) et acide (pH 5,3–5,7), filtrée sur tourbe; faible hauteur d'eau (15 à 20 cm); préparer l'eau quatre semaines avant la reproduction; introduire quelques plantes à grandes feuilles (par ex. *Cryptocoryne*); placer le bac à un endroit ensoleillé. Opérer avec une jeune femelle et un grand mâle âgé de 2 ans. Le mâle prend l'initiative. Les œufs sont déposés sous les feuilles des plantes, les poissons nageant en position retournée, ventre vers le haut. Retirer les parents lorsque la ponte est terminée et obscurcir le bac à l'aide de papier. Les jeunes éclosent au bout de 24 heures, on les nourrit avec des Infusoires, Rotifères, etc.

N.: O; toutes nourritures vivantes, aliments en flocons et aliments congelés. N'est pas un mangeur difficile.

P.: Les échecs dans la reproduction de *R. heteromorpha* sont le plus souvent du°s à l'âge des femelles, car celles trop âgées ne conviennent plus.

T: 22–25° C, **L**: 4,5 cm, **LA**: 50 cm, **Z**: m, (s), **D**: 2–3

Rasbora espei

Rasbora heteromorpha

Rasbora kalochroma (BLEEKER, 1850)

Syn.: *Leuciscus kalochroma.*

Or.: Sud-est asiatique: ouest de la Malaisie, Bornéo et Bangku.

P.i.: 1965 par Heinrich Espe, Brême.

D.s.: Mâle plus svelte et avec nageoire anale plus colorée et plus foncée.

C.s.: Poisson paisible et vif mais qui ne semble pas être grégaire. Selon MEINKEN chaque individu occupe un petit territoire d'env. 25–30 cm de diamètre duquel il chasse ses congénères comme les autres espèces.

M.: Bac long, plantes en partie à feuilles fines, grand espace dégagé pour la nage libre; sol sombre (Lavalit). Eau douce à moyennement dure (jusqu'à 10° dGH) et légèrement acide (pH 6–6,5); partiellement filtration sur tourbe; éclairage pas trop intense, atténué par des plantes flottantes.

R.: Aucune reproduction réussie en aquarium n'a été signalée jusqu'à présent.

N.: O; toutes sortes de nourritures vivantes, aliments en flocons, lyophilisés et congelés.

P.: Voir *Boraras maculatus.*

T: 25–28° C, **L**: 10 cm, **LA**: 80 cm, **Z**: m, **D**: 2

Boraras maculatus (DUNCKER, 1904)

Rasbora nain

Syn.: *Rasbora maculata.*

Or.: Sud-est asiatique: ouest de la Malaisie, Singapour et ouest de Sumatra; dans des étangs, marais, fossés et eaux à faible courant.

P.i.: 1905 par Julius Reichelt, Berlin.

D.s.: Mâle plus svelte, plus petit et plus vivement coloré, ventre droit; femelle à ligne abdominale arrondie.

C.s.: Comme pour *Rasbora espei* et *Rasbora heteromorpha.* Vu sa petite taille, *B. maculatus* ne convient pas pour tous les genres d'aquariums communautaires.

R.: 24–28° C; réalisable dans des bacs de très petit format; poser une grille sur le fond, car les parents sont d'intensifs dévoreurs d'œufs. Hauteur d'eau au max. 15 cm. Eau douce (2–3° dGH) et acide (pH 5,8–6,3); végétation dense. Parade nuptiale très assidue de la part du mâle. L'espèce n'est pas très prolifique, max. 50 œufs par ponte. Bien nourrir les géniteurs durant la période du frai, puis les retirer du bac d'élevage. Les jeunes éclosent au bout d'env. 24–36 heures. Leur élevage pose des problèmes de nourriture car ils sont très petits.

N.: O; toutes sortes de petites proies vivantes, aliments en flocons et lyophilisés.

P.: *Boraras maculatus* est le plus petit Cyprinidé connu et en général un des plus petits vertébrés (à peu près en dixième position sur la liste). Durant longtemps on croyait que *Boraras maculatus* était une forme juvénile de *Rasbora kalochroma.*

T: 24–26° C, **L**: 2,5 cm, **LA**: 40 cm, **Z**: m, **D**: 2–3

Rasbora kalochroma

Boraras maculatus

Rasborа dusonensis (BLEEKER, 1851)
Rasbora bleu

Syn.: *Rasbora argyrotaenoides, R. myersi.*

Or.: Sud-est asiatique: Thailande, Péninsule malaise, sud ouest et nord de Bornéo et à Sumatra dans le Moesi.

P.i.: Date incertaine, probablement après 1970.

D.s.: Femelle plus pleine, à ventre arrondi.

C.s.: Poisson grégaire paisible.

M.: Ressemble à celle de *Rasbora heteromorpha.*

R.: N'a pas encore été signalée comme réussie en aquarium.

N.: Toutes sortes de nourritures vivantes, aliments en flocons et en comprimés.

P.: *Rasbora dusonensis* fait partie du complexe-*argyrotaenia* qui comprend encore autres espèces: *Rasbora argyrotaenia* (2 sous espèces), *R. philippina, R. tawarensis* et *R. leptosoma.*

T: 23–26° C, **L:** 10 cm, **LA:** 80 cm, **Z:** n et s, **D:** 1–2

Rasbora pauciperforata WEBER et DE BEAUFORT, 1916
Rasbora à bande rouge

Syn.: *Rasbora leptosoma.*

Or.: Sud-est asiatique: ouest de la Malaisie, Sumatra et Belitung (Billiton).

P.i.: 1928 par la firme Scholze et Pötzschke, Berlin.

D.s.: Mâle plus svelte avec ventre relativement droit; femelle plus forte, avec ventre très courbé.

C.s.: Poisson grégaire vif mais très craintif; à faire cohabiter avec des espèces tout aussi remuantes.

M.: Sol sombre; végétation dense avec espace dégagé. Eau douce et légèrement acide (jusqu'à 10° dGH, pH 5,8–6,5); adjonction de tourbe; un fréquent changement partiel de l'eau est salutaire.

R.: Pas très facile vu que très difficile dans le choix du partenaire. Il est recommandé de tenir un groupe important au sein duquel des couples se formeront. Eau très douce (2–3° dGH) et légèrement acide; beaucoup de plantes dans le bac de ponte. La ponte se déroule parmi les plantes fines. Retirer les reproducteurs lorsque la ponte est terminée. Les alevins éclosent au bout de 24 à 30 heures, on les nourrit avec du plancton très fin.

N.: O; toutes sortes de nourritures vivantes (*Tubifex*, Enchytrées, larves de Moustiques, etc.); mange également des aliments en flocons et de la nourriture végétale en complément (algues tendres, salade, épinard).

P.: *Rasbora pauciperforata* est un représentant typique du groupe *Rasbora*, qui présentent une ligne latérale réduite et une bande longitudinale sombre. Font partie de ce groupe: *Rasbora gracilis, R. chrysotaenia, R. borapetensis, Boraras urophthalmoides, Rasbora beauforti et R. einthovenii* et probablement aussi *R. palustris* et *R. semilineata.*

T: 23–25° C, **L:** 7 cm, **LA:** 70 cm, **Z:** m et s, **D:** 2–3

Rasbora dusonensis

Rasbora pauciperforata

Rasbora trilineata STEINDACHNER, 1870
Rasbora ciseaux

Syn.: *Rasbora calliura, R. stigmatura.*

Or.: Sud-est asiatique: ouest de la Malaisie, Sumatra et Bornéo, en eaux courantes et lacs.

P.i.: 1932 par la firme «Aquarium Hamburg».

D.s.: Mâle plus petit et plus svelte, seul repère connu.

C.s.: Poisson grégaire vif et paisible, plus calme que certains autres *Rasbora.*

M.: Bacs longs, sol sombre de sable fin; végétation dense sur le pourtour, grand espace pour évoluer librement. Eau comme pour *Rasbora espei.*

R.: 25–28° C; reproduction pas très facile; les bacs longs conviennent au mieux; hauteur d'eau 15 à 20 cm; eau douce (5 à 8° dGH) et légèrement acide (pH 6–6,5); sol sombre et végétation dense. Parade nuptiale assez mouvementée. La ponte se déroule au milieu des plantes, retirer les parents lorsqu'elle est terminée. Les jeunes éclosent au bout de 24 heures. Après résorption de la vésicule vitelline on leur distribue des Nauplies d'*Artemia* et des Rotifères.

N.: O; toutes sortes de nourritures vivantes, aliments en flocons et lyophilisés.

P.: Les œufs et les alevins sont très sensibles aux infestations d'Infusoires.

T: 23–25° C, L: 15 cm, LA: 90 cm, Z: m et s, D: 2

Boraras brigittae (VOGT, 1978)
Rasbora orné
Sous-fam.: Rasborinae

Syn.: *Rasbora urophthalma brigittae.*

Or.: Indonésie: Sumatra.

P.i.: 1913 par la firme Scholze et Pötzschke, Berlin.

D.s.: Mâle plus petit, plus svelte et plus coloré. Il présente une tache blanchâtre sur la base de la caudale, surmontée d'une bande noire. Cette tache ainsi que la bande sont absentes chez la femelle.

C.s.: Poisson grégaire vif et très paisible. Faire cohabiter avec des espèces similaires sinon *B. brigittae* devient craintif.

M.: Sol composé de sable et d'une couche de moulme; plantes fines, décoration par racines de tourbières. Eau douce pas obligatoire en dehors de la période du frai (jusqu'à 10° dGH). Filtration sur tourbe, changement d'eau (10 à 15% du volume) une fois par semaine.

R.: 26–28° C; des bacs de ponte d'une longueur de 30 cm conviennent; plantation par *Ludwigia*, Cryptocorynes, etc.). La ponte se déroule dans le calme. Les œufs sont souvent fixés sous les feuilles des plantes. Les jeunes éclosent au bout de 48 heures, retirer les parents avant l'éclosion. Nourrir les alevins avec des Infusoires (Protogen Granulat, MikroMin). L'espèce n'est pas très prolifique (jusqu'à 50 œufs). Paramètres de l'eau: voir *Boraras maculatus.*

N.: C, O; fine nourriture vivante, aliments en flocons, nourriture végétale (algues).

P.: Ce poisson est vraisemblablement également présent au Vietnam sud, près de Saigon.

T: 23–25° C, L: 3,5 cm, LA: 40 cm, Z: m, D: 2–3

Rasbora trilineata

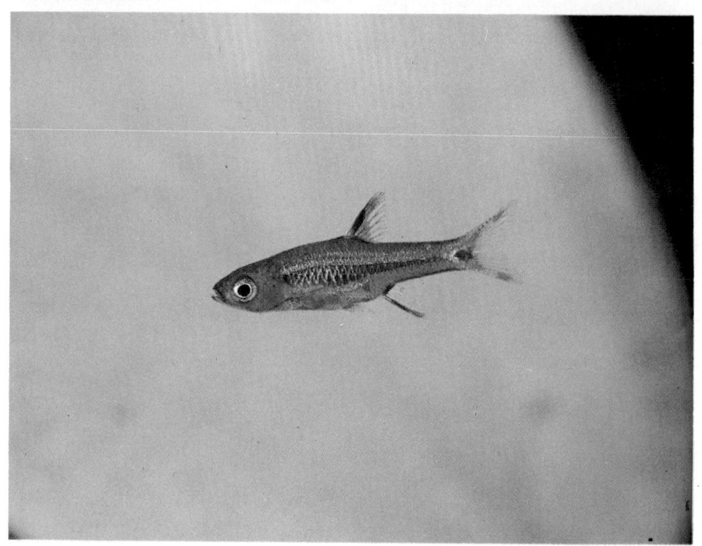

Boraras brigittae

Rhodeus amarus (BLOCH, 1782)
Bouvière Sous fam.: Rhodeinae

Syn.: *Cyprinus amarus, Rhodeus sericeus amarus, Rhodeus sericeus.*

Or.: Europe et ouest de l'Asie: du nord et est de la France et de la région du Rhône, jusqu'à la Newa; également dans la région de la Mer Noire et Mer Caspienne. L'espèce est absente au sud des Alpes et des Pyrénées, ainsi que dans toute la Scandinavie, Angleterre et Irlande.

P.i.: Espèce indigène.

D.s.: Dichromatisme sexuel nettement apparent; le mâle présente une belle livrée nuptiale, les couleurs de la femelle sont plus modestes, peu avant la ponte elle présente un long tube de ponte; lors du frai le mâle est porteur de tubercules.

C.s.: Poisson paisible et alerte aimant la compagnie; il pratique les soins de la ponte.

M.: Sol composé de sable fin et d'une couche de moulme; bonne végétation composée de plantes d'eau froide; espace libre pour la nage; aération pas obligatoire; eau moyennement dure (10 à 15°dGH) et neutre à légèrement alcaline (pH 7–7,5).

R.: À env. 20°C; sol de sable fin bien lavé; plantes en pots; placer 1 ou 2 moules d'eau douce dans le bac de ponte, elles stimulent la disposition au frai. En période de frai un tube de ponte long de 3 à 4 cm apparait chez la femelle; elle l'introduit dans une moule et pond rapidement un œuf, processus qui se répète environ 40 fois. La laitance du mâle sera aspirée par la moule, de sorte que les œufs sont fécondés et se développent à l'intérieur de la moule fixés sur les branchies. A la naissance les alevins portent une boursouflure sur la tête, de sorte qu'ils ne peuvent pas être évacués par l'eau qui sort de la fente branchiale de la moule. Au bout de 4 semaines ces boursouflures régressent et la moule expulse les alevins.

N.: O; nourriture vivante et végétale, aliments en flocons.

P.: On peut aisément reconnaitre les Bouvières à la bande verte qui orne le pédoncule caudal. Ce comportement de ponte est un typique exemple de protection du frai. Par contre les soins de la ponte englobent des soins actifs prodigués par les parents aux œufs et/ou aux alevins.

T: 5–24° C, **L:** 10 cm, **LA:** 60 cm, **Z:** m et s, **D:** 2

Rhodeus amarus ♂ et ♀

Rhodeus amarus ♂

Rhodeus amarus ♂

Rutilus rutilus LINNAEUS, 1758
Gardon blanc

Syn.: *Leuciscus rutilus, Gardonus rutilus.*

Or.: Europe et parties de l'Asie: des Pyrénées vers l'est jusqu'en Sibérie. L'espèce est absente sur la Péninsule ibérique, au sud des Alpes, au centre et au sud de la Norvège et au sud de la Suède. On ne la rencontre pas en Bretagne et en Ecosse.

P.i.: Espèce indigène.

D.s.: À l'époque du frai le mâle présente des tubercules sur le corps; la femelle est plus grande.

C.s.: Poisson grégaire vif et paisible. A faire vivre en compagnie d'autres Cyprinidés d'eau froide (*Leuciscus idus, Gobio gobio, Cyprinus carpio* ou *Carassius carassius*).

M.: En été, protéger le bac contre l'échauffement. Sol composé de sable fin, végétation composée de plantes indigènes d'eau froide; décor composé de pierres et de tiges de roseau. Bonne filtration et oxygénation du bac; remplacer régulièrement chaque semaine ¼ de l'eau par de l'eau fraiche. Paramètres comme pour les autres poissons blancs indigènes.

N.: O; nourriture vivante et en flocons, végétaux, détritus. Les grands exemplaires mangent aussi des petits poissons.

P.: Le Gardon blanc est souvent confondu avec le Gardon rouge ou Rotengle (*Rutilus erythrophthalmus*). Les deux espèces se distinguent par la position des nageoires pelviennes: chez le Gardon blanc leur aplomb est situé en dessous du début de la dorsale, alors que chez le Gardon rouge les pelviennes se trouvent loin en avant du début de la dorsale.

T: 10–20° C, **L:** 40 cm, **LA:** 80–100 cm, **Z:** m et i, **D:** 1–2

Rutilus erythrophthalmus (LINNAEUS, 1758)
Rotengle, Gardon rouge

Syn.: *Cyprinus erythrophthalmus, Leuciscus erythrophthalmus, L. scardafa, Scardinius erythrophthalmus.*

Or.: Europe et Asie jusqu'au lac Aral. L'espèce est absente sur la Péninsule ibérique, en Sicile, au Peloponnes, sur de grandes parties de la Norvège, au nord et au centre de la Suède, Ecosse et Crimée. En eaux stagnantes et eaux à courant faible.

P.i.: Espèce indigène.

D.s.: À l'époque du frai les mâles présentent des tubercules sur le corps; le sexe est difficile à reconnaitre en temps normal.

C.s.: Poisson grégaire paisible à faire cohabiter de préférence avec des espèces similaires (*Rutilus rutilus, Leuciscus idus*).

M.: Comme indiqué plus haut pour *Rutilus rutilus.*

R.: La reproduction est possible dans de très grands bacs, elle est impossible dans un aquarium normal en raison du manque d'espace. Dans la nature ces poissons frayent d'avril à juin. L'espèce est très prolifique et produit plus de 100000 œufs.

N.: O; mange tout mais préfère la nourriture végétale.

P.: Le ventre du Rotengle est caréné entre les nageoires pelviennes et l'anus.

T: 10–20° C (poisson d'eau froide), **L:** 40 cm, **LA:** 80 cm, **Z:** m et i, **D:** 1–2

Rutilus rutilus

Rutilus erythrophthalmus

Tanichthys albonubes LIN SHU YEN, 1932
Tanichthys, Cardinal
Sous-fam.: Rasborinae

Syn.: *Aphyocypris pooni.*

Or.: Sud de la Chine, dans les rivières des Montagnes aux nuages blancs, près de Canton, environs de Hongkong.

D.s.: Mâle plus coloré et plus svelte que la femelle, cette dernière est plus ronde.

C.s.: Poisson grégaire paisible, sans exigences, bon nageur.

M.: Bac à sol sombre composé de sable fin; végétation dense à l'arrière et sur les côtés, espace libre à l'avant. Ne demande pas de température élevée. A maintenir toujours par groupe sinon craintif et de couleurs pâles. *Tanichthys albonubes* n'a pas d'exigences envers la qualité physico chimique de l'eau.

R.: 20–22° C; aisément réalisable; un bac de ponte de 25x20x15 cm est suffisant. Introduire un seul couple dans le bac. Parade nuptiale assidue de la part du mâle. La ponte se déroule parmi les plantes, sitôt terminée il faut enlever les parents. Les jeunes éclosent au bout d'env. 36 heures. Leur croissance est rapide, on les nourrit avec des Infusoires.

N.: O; mange toutes sortes de nourritures vivantes et aliments en flocons.

P.: Il est remarquable que l'on obtient des résultats de reproductions très différents selon les femelles. Certaines femelles pondent rarement mais produisent alors jusqu'à 300 œufs par ponte. D'autres femelles pondent souvent mais sont peu productives. Les sujets nés et élevés en aquarium présentent souvent d'importantes modifications de la coloration des nageoires.

T: 18–22° C, **L**: 4 cm, **LA**: 40 cm, **Z**: toutes, mais de préférence s, **D**: 1

La photo ci contre en haut et la petite photo montrent des Cardinals différemment colorés. La photo du bas montre des nageoires voiles.

Tanichthys albonubes

Tanichthys des nageoires voiles

Gyrinocheilus aymonieri (TIRANT, 1883)
Gyrino, Suceur, Laveur
Sous-fam.: Gyrinocheilinae

Syn.: *Psilorhynchus aymonieri, Gyrinocheilus kaznakovi, G. kaznakoi, Gyrinocheilops kaznakoi.*

Or.: Centre de la Thailande.

P.i.: 1956 par la firme A. Werner, Munich.

D.s.: Pas connu avec certitude. Les sujets matures présentent des épines autour de la bouche. Il semblerait qu'elles sont plus nombreuses et plus grandes chez les mâles.

C.s.: Poisson territorial typique; le territoire est vigoureusement défendu contre des intrus. Les juvéniles peuvent cohabiter avec d'autres espèces, les adultes molestent souvent leurs cohabitants, il est donc préférable de les maintenir dans un aquarium spécifique.

M.: Étant donné que cette Loche est principalement maintenue en aquarium en raison de ces qualités de nettoyeur, elle doit s'accomoder de tous genres d'aquariums. Pour cette raison nous ne donnons pas d'indications particulières sur le décor. A souligner cependant que cette espèce affectionne les caches. Jusqu'à une taille de 8 à 10 cm elle peut vivre dans l'aquarium communautaire.

R.: N'a pas encore été reproduit en aquarium. On ne dispose d'aucune observation du mode de reproduction dans la nature.

N.: H; presque exclusivement de la nourriture végétale (algues), de temps à autre des proies vivantes ou des flocons en complément.

P.: Ces poissons cessent de brouter les algues si la température descend en-dessous de 20° C; par ailleurs ils sont très utiles pour éliminer les algues dans l'aquarium.

T: 25–28° C, L: 27 cm (mature à partir de 12 cm), LA: 60–80 cm, Z: toutes, le plus souvent i, D: 2

Balitora burmanica HORA, 1932
Loche carpe
Sous-fam.: Homalopterinae

Syn.: *Balitora melanosoma*

Or.: Sud-est asiatique: Java, Sumatra, Thailande (1 exemplaire); torrents à courant rapide et fond rocheux.

P.i.: ?

D.s.: Inconnu.

C.s.: Poisson de fond très calme et paisible; territoire (?).

M.: Similaire à celle des espèces du genre *Barbatula*. Dans l'aquarium, produire un courant à l'aide d'une Turbelle.

R.: Pas encore réussie en aquarium. Dans la nature le mode de reproduction n'a jamais été observé.

N.: L, H; algues, nourriture vivante, aliments lyophilisés et en flocons sont acceptés avec réticence.

P.: Cette espèce est rarement proposée dans le commerce et si oui, comme mangeur d'algues. Le dessous du corps est tout plat ou légèrement incurvé. Les nageoires pectorales et les pelviennes, qui peuvent être unies, forment une ventouse très efficace. Elle permet à ces poissons de se maintenir contre le courant violent de leur habitat. Parfois il dévore aussi des algues bleues. Cependant, si ces dernières ont assimilées des substances toxiques, par ex. lors d'un traitement de maladies, elles peuvent être mortelles pour cette espèce. Il est donc recommandé d'enlever toutes les algues avant ou après l'emploi de médicaments.

T: 22–24° C, L: 10 cm, LA: 80 cm, Z: i, D: 3–4

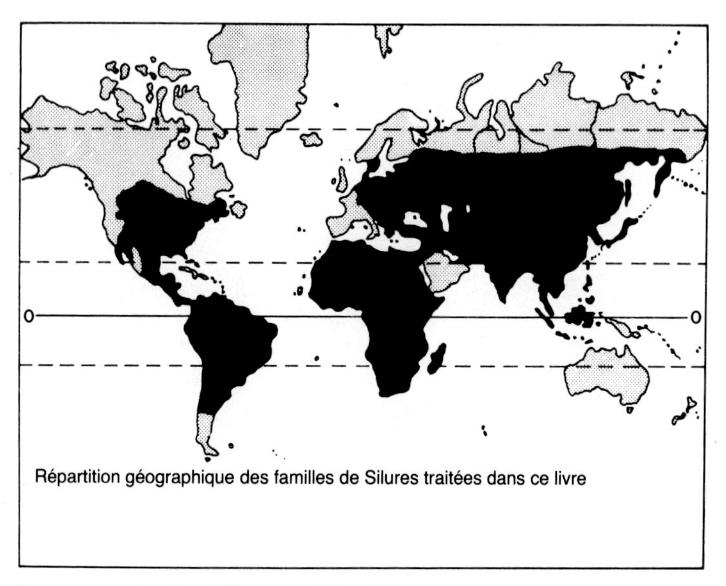

Répartition géographique des familles de Silures traitées dans ce livre

Le sous-ordre des Silures et Siluroidés

Les familles des Silures et des Siluroidés présentent une diversité presque aussi importante que celle des Characidés. Le nombre d'espèces dépasse vraisemblablement le millier dont plus de 400 appartiennent à la famille les Loricariidae.
On rencontre des représentants de ce sous-ordre sur tous les Continents. Nous avons cependant présenté dans ce livre seulement quelques familles intéressantes pour l'aquariophilie et choisi parmi ces dernières les espèces les plus connues.
Les Silures se distinguent le plus souvent par une ou plusieurs paires de barbillons. De même que les Characidés et les Cyprinoidés, les Silures présentent ce que l'on nomme «l'appareil de Weber» cf. p. 212. Ils diffèrent cependant par l'absence d'écailles, c. à d. que le corps est le plus souvent nu ou protégé par des plaques osseuses (Callichthyidae et Loricariidae). Chez certains seule la tête est cuirassée (*Synodontis*).
La structure osseuse des diverses familles diffère autant que leur mode de nutrition. Comme les Characidés, les Silures ont également occupé toutes les niches écologiques: il existe des espèces herbivores, des omnivores, ainsi que de nombreux Silures prédateurs et même de ceux dont on dit qu'ils mangent des petits enfants!

Mystus vittatus, description v. p. 456

Le gigantesque Manguruyu (*Zungaro zungaro*) de la région amazonienne atteint une longueur de plus de 3 mètres. Dans la région du Rio Branco par exemple, on l'accuse de la disparition de petits enfants en baignade. Par contre, *Pangasius gigas* de Thailande, qui atteint également plus de 3 m de long, est herbivore. Les *Corydoras* nains qui ne mesurent que 2,5 cm de long sont certainement les plus petits Silures.
Les Silures vivent principalement en eau douce, très peu d'espèces vivent dans la mer et il semblerait que ces derniers frayent dans l'eau saumâtre des embouchures des fleuves.
Presque tous les Silures s'adaptent facilement à la qualité de l'eau. Ils supportent dans bien des cas même une eau polluée et pauvre en oxygène. Complémentairement à leur respiration branchiale, de nombreuses espèces sont en mesure d'approvisionner le sang en oxygène par une respiration accessoire. Ils expulsent l'air usé en montant à la surface de l'eau et pressent de l'air frais dans leur vessie natatoire. En aquarium, si les Silures montent souvent à la surface prendre de l'air, cela peut indiquer que l'eau est de mauvaise qualité. Observez alors le mouvement des opercules chez les autres espèces. Il se pourrait que le filtre soit bouché ou quœune autre défectuosité technique ait provoqué un manque d'oxygène?
La plupart des Silures sont des spécialistes en ce qui concerne leur mode de vie et les habitudes alimentaires. Beaucoup n'ont quœune activité nocturne, durant la journée ils restent cachés dans des grottes. Leurs différentes exigences sont signalées dans les descriptions des espèces. Les espèces nocturnes doivent toujours être nourries le soir, sinon ils risquent de ne pas s'alimenter. S'ils maigrissent on ne le voit pas, notamment chez les espèces cuirassées, ou seulement en examinant de plus près le bas de leur ventre. Les espèces paisibles sont un enrichissement pour tout aquarium communautaire, malgré leur apparence peu attrayante. Ils dévorent tous les restes de nourritures trainant au sol et certaines espèces sont d'excellents mangeurs d'algues.
Le tableau ci contre peut aider à faire un choix individuel selon l'aquarium dont on dispose. Il fournit les principaux renseignements sur le mode de vie des Silures.

Famille		Origine	Comportement				Nourriture		
			paisible	prédateur	diurne	nocturne	H	O	C
Aspredinidae	Banjos	AS	X			X			X
Bagridae	Bagres	Af/As		X		X		X	X
Callichthyidae	Corydoras	AS	X		X			X	
Chacidae	Chaca	As	P			X			X
Clariidae	Clarias	Af/As		X		X		X	X
Doradidae	Amblydoras	AS	X			X		X	X
Ictaluridae	Ictalurus	AC/AN		X	X				X
Loricariidae	Silures cuirassés	AS	X		X	X	X		
Malapteruridae	Silures électriques	Af		X		X			X
Mochokidae	Synodontis	Af	X			X		X	X
Pangasiidae	Silures requins	As		X	X			X	X
Pimelodidae	Pimelodus	AS		X		X		X	X
Schilbeidae	Silures de verre	Af/As	X		X			X	X
Siluridae	Vrais Silures	Eu/As	X	P		X		X	X
Trichomycteridae	Candirus	AS	P		X	X			X

Explication des signes
P = Particularités, v. description des espèces
Af = Afrique
As = Asie
Eu = Europe
AC = Amérique Centrale
AN = Amérique du Nord
AS = Amérique du Sud
H = Herbivore
O = Omnivore
K = Carnivore

Dysichthys coracoideus COPE, 1874
Banjo
Sous-fam.: Bunocephalinae

Syn.: *Bunocephalus bicolor, Bunocephalus coracoideus.*

Or.: De l'Amazone au La Plata.

P.i.: 1907.

D.s.: Inconnu.

C.s.: Espèce paisible.

M.: Sol sombre, végétation pas trop dense. Bonne filtration. Préfère un sol sablonneux, car il aime s'enfouir. Pas de grandes exigences envers la qualité de l'eau. pH 5,8–7,8; dureté 2–20° dGH. Température variable selon l'origine.

R.: L'espèce fraye probablement en groupes. Matures à partir d'env. 12 cm de longueur. 4000 à 5000 œufs sont déposés sur le sable, le plus souvent en plusieurs pontes. A cette occasion des plantes sont parfois déracinées. Hauteur d'eau jusqu'à 30 cm. Elevage des jeunes à l'aide de Rotifères. A partir d'une taille de 12 mm les *Tubifex* hachés sont acceptés. On n'a pas encore fait d'essai avec des aliments en flocons, mais des comprimés lyophilisés ramollis pourraient être acceptés (ne pas suralimenter!). Des Puces d'eau contribuent à clarifier l'eau, car elles ne sont pas considérées comme nourriture. Ne pas les éliminer par le filtre.

N.: C; nourriture vivante, comprimés lyophilisés.

P.: C'est un poisson pour les connaisseurs qui ne se contentent pas d'un simple aquarium communautaire.

T: 20–27° C, L: 15 cm, LA: 80 cm, Z: i, m, D: 3

Bagroides melapterus BLEEKER, 1851
Bagre bourdon

Syn.: Aucun.

Or.: Sumatra, Bornéo.

P.i.: ?

D.s.: Inconnu.

C.s.: Cette espèce défend son territoire contre ses congénères et devrait donc être tenue individuellement. Vorace, ne pas faire cohabiter avec des poissons d'une taille en dessous de 5 cm.

M.: Grands bacs avec de nombreuses caches. Les plantes ne sont pas mangées mais déracinées pour creuser un abri. Durant la journée ce poisson se repose en position renversée, le ventre dirigé vers le haut, comme le font les Silures qui nagent sur le dos.

R.: Encore inconnue à ce jour.

N.: C, O; toutes sortes de nourritures vivantes, vers de terre, après acclimatation également des aliments lyophilisés en comprimés.

P.: Produit des grognements lorsqu'on le sort de l'aquarium ou pendant qu'il défend son territoire.

T: 18–28° C, L: 20 cm, LA: 100 cm, Z: i, D: 2–3

Mystus bimaculatus VOLZ, 1904
Bagre à deux taches

Syn.: Aucun.

Or.: Sumatra; dans les rivières.

P.i.: Inconnu.

D.s.: Pas décrit.

C.s.: Poisson paisible pour bacs communautaires sans trop de petits poissons.

M.: Robuste mangeur de restes; pour grands bacs bien filtrés. pH 6,5–7,8; dureté jusqu'à 20° dGH.

N.: C, O; omnivore, préfère la nourriture vivante y compris des petits poissons.

P.: Espèce rarement importée.

T: 20–26° C, **L**: 15 cm, **LA**: 100 cm, **Z**: i, **D**: 1

Mystus vittatus (photo page 451) (BLOCH, 1794)
Bagre jaune

Syn.: *Silurus vittatus, Mystus atrifascinatus.*

Or.: Inde, Burma en eaux courantes et stagnantes.

P.i.: 1903 par H. Stüven Hambourg.

D.s.: Inconnu.

C.s.: Silure paisible, diurne; attaque les jeunes poissons. Peut cohabiter avec des poissons d'une taille de 8 cm.

M.: Grands bacs de faible hauteur, riches en plantes et abris. Sol composé d'assez gros gravier sombre, avec une plage de sable, racines et roches, éventl. un pot à fleurs couché. pH 6,0–7,5; dureté 4 à 25° dGH.

R.: Fraye au sol parmi les racines et les plantes basses. Après une pariade mouvementée, en émettant des «gazouillements», la femelle pond de grands œufs blanc jaunâtre.

N.: C; nourriture vivante consistante, aliments en flocons de toute sorte, nourriture en comprimés.

P.: Silure robuste, populaire en raison de son activité diurne enjouée.

T: 22–28° C, **L**: 20 cm, **LA**: 100 cm, **Z**: i, **D**: 1–2

Parauchenoglanis macrostoma (PELLEGRIN, 1909)
Bagre tacheté

Syn.: *Auchenoglanis macrostoma.*

Or.: Delta du Niger, Haute Volta, près des rives.

P.i.: 1934.

D.s.: Inconnu.

C.s.: Individuel, défend son territoire. Ne convient pas pour le bac communautaire ordinaire (seulement avec des cohabitants jusqu'à env. 8 cm de long.).

M.: Grands bacs avec sable fin et racines formant des abris caverneux. Très fouisseur (recherche de nourriture). Végétation composée de Mousse de Java fixée en haut sur les racines. Ne mange pas les plantes. Une couche de plantes flottantes pour diffuser la lumière est conseillée. pH 6,5–8,0; dureté 4 à 25° dGH.

R.: Inconnue à ce jour.

N.: C, O; nourriture vivante (vers), aliments en flocons et comprimés lyophilisés. La nourriture est toujours prise au sol.

P.: En raison de sa taille ce poisson ne convient que pour les grands bacs. Les rayons durs des nageoires pectorales et de la dorsale peuvent être immobilisés par des articulations bloquantes. Il est donc conseillé de capturer ce poisson à l'aide d'un bocal en verre et de le transporter dans ce dernier.

T: 23–27° C, **L**: 24 cm, **LA**: 100 cm, **Z**: i, **D**: 2

Mystus bimaculatus

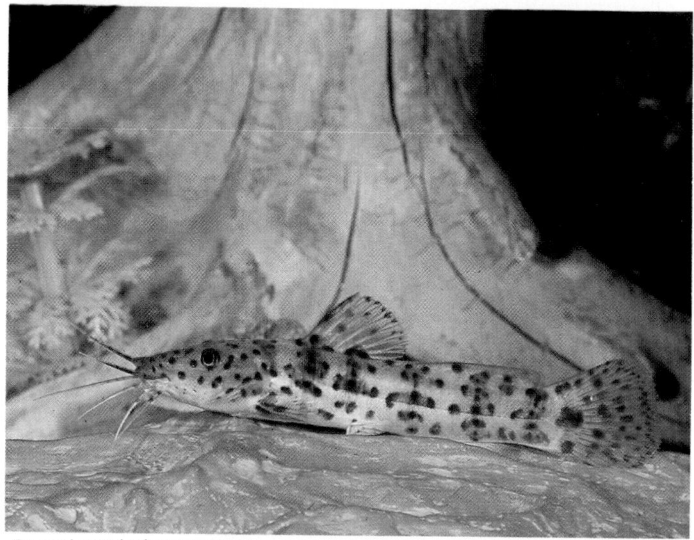

Parauchenoglanis macrostoma

Brochis splendens (CASTELNAU, 1855)
Poisson cuirassé vert
Sous-fam.: Corydoradinae

Syn.: *Brochis coeruleus, Brochus dipterus, Callichthys splendens, Chaenothorax bicarinatus, C. semiscutatus.*

Or.: Iquitos (haut Amazone), Rio Tocantins (Brésil), Rio Ambiacu (Pérou), Rio Napo (Equateur).

P.i.: 1938 par la Münchener Tierpark AG, Hellabrunn.

D.s.: Inconnu.

C.s.: Poisson grégaire paisible; peut cohabiter avec presque toutes les espèces.

M.: Très robuste envers les qualités d'eaux: pH 5,8–8,0; dureté 2–30 ° dGH. Préfère un sol sombre en sable grossier. Ne pas employer de gravier à arêtes vives qui endommagent les barbillons. Offrir des abris. Végétation dense en alternance avec des plages sablonneuses libres où il peut fouir. Ces poissons prennent de l'air à la surface (respiration intestinale), donc éviter des différences de température entre l'air extérieur et l'eau.

R.: Rarement réussie; correspond à celle des autres espèces de cette sous-famille. Pour la reproduction: pH 6,0–6,5; dureté jusqu'à 4° dGH.

N.: O; dévore les restes trouvés sur le sol, comprimés, aliments lyophilisés, nourriture vivante.

P.: Le genre *Brochis* se distingue de *Corydoras* par le nombre de rayons de la dorsale: *Corydoras* 6–8, *Brochis splendens* 10–12, *Brochis multiradius* 17. Le genre *Brochis* contient trois espèces. Les deux genres diffèrent pas seulement par le nombre de barbillons comme l'indiquent certains auteurs. *Corydoras* comme *Brochis* présentent 6 barbillons, à l'exception de deux espèces de *Corydoras* pas encore importées.

T: 22–28° C, L: 7 cm, LA: 70 cm, Z: i, D: 1

Callichthys callichthys (LINNAEUS, 1758)
Callichthys
Sous-fam.: Callichthyniae

Syn.: *Callichthys asper., C. coelatus, C. hemiphractus, C. laeviceps, C. loricatus, C. tamoata, Cataphractus callichthys, C. depressus, Silurus callichthys.*

Or.: Est du Brésil, Pérou, Bolivie, Paraguay, Guyane, Vénézuela.

P.i.: 1897 par Paul Matte, Berlin-Lankwitz.

D.s.: Les épines des pectorales sont plus épaisses et plus longues chez les mâles qui sont aussi plus colorés.

C.s.: Poisson grégaire, paisible; durant la nuit les grands spécimens peuvent ajouter des petits poissons de moins de 3 cm de longueur à leur menu.

M.: Bacs densément plantés avec des abris sous les racines et les roches. L'espèce mène une vie cachée et devient active qu'au crépuscule. Très durable, sait s'adapter. pH 5,8–8,3; dureté 0–30 ° dGH.

R.: Le mâle construit un nid de bulles sous les plantes flottantes et le défend énergiquement contre les cohabitants du bac. Ponte: jusqu'à 120 œufs. Elevage des jeunes à l'aide de jaune d'œufs, *Artemia* et poudre d'aliments en flocons.

N.: O; distribuer le soir, après ou juste avant d'éteindre la lumière, des aliments en comprimés; un petit ou un demi comprimé par poisson. La nourriture vivante est prélevée de préférence au sol.

P.: Croissance lente. Durant les soins de la ponte le mâle produit des grognements. A l'aide des puissantes nageoires pelviennes cette espèce se déplace sur terre lors du déssèchement des eaux. Le genre *Callichthys* est monotypique, c. à d. composé d'une seule espèce.

T: 18–28° C, L: jusqu'à 18 cm, LA: 80 cm, Z: i, D: 1

Brochis splendens

Callichthys callichthys

Corydoras acutus
COPE, 1872
Rivière Ampiyacu, Pérou
L: jusqu'à 5,5 cm

Corydoras armatus
(GÜNTHER, 1868)
Syn.: *Callichthys armatus, Gastrodermus* armatus
Est de la Bolivie
L: 6 cm

Corydoras barbatus
(QUOY et GAIMARD, 1824)
Corydoras chabraque
Syn.: *Callichthys barbatus, Scleromystax barbatus, S. kronei, Corydoras eigenmanni, C. kronei*
Rio de Janeiro jusqu'à Sao Paulo, Brésil
L: env. 12 cm

Corydoras aeneus
(GILL, 1858)
Corydoras métallisé
Syn.: Hoplosternum aeneum, Callichthys aeneus, Corydoras macrosteus
Trinidad, Vénézuéla jusqu'au Rio La Plata
L: 7 cm

Corydoras arcuatus
ELWIN, 1939
Corydoras fuselé
Téfé, Amazone moyen
L: jusqu'à 5 cm

Corydoras axelrodi
RÖSSEL, 1962
Corydoras rose
Rio Meta, Colombie
L: jusqu'à 5 cm

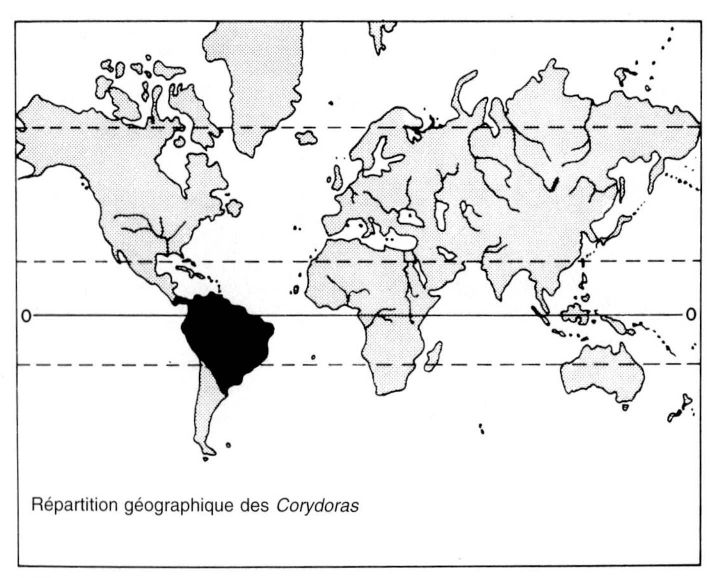

Répartition géographique des *Corydoras*

C. acutus

C. aeneus et photo p. 463 en haut

C. blochi vittatus

C. arcuatus

C. armatus

C. axelrodi

C. barbatus ♀, photo ♂ v. p. 47

Corydoras blochi blochi
NIJSSEN, 1971
Guyane
L: jusqu'à 6 cm

Corydoras blochi vittatus Photo p. 461
NIJSSEN, 1971
Rio Itapecuru, système de l'Amazone
L: jusqu'à 6 cm

Corydoras concolor
WEITZMAN, 1961
Ouest du Vénézuéla
L: jusqu'à 6 cm

Corydoras bondi bondi
GOSLINE, 1940
Guyane, Surinam
L: jusqu'à 5,5 cm

Corydoras loxozonus
NIJSSEN & ISBRÜCKER, 1983
Cette nouvelle espèce de Corydoras a été «découverte» et photographiée chez un commercant de New York

Le genre *Corydoras*

Environ 180 espèces sont connues de la science, seulement env. 50 espèces sont proposées par le commerce. A peu près 10 espèces sont régulièrement reproduites par des professionnels. Pratiquement chaque système fluvial héberge sa propre espèce ou sous espèce de *Corydoras*. Au cours d'un voyage le long de la Transamazonienne au sud de l'Amazone, l'auteur a traversé 50 rivières et fleuves là où c'était possible, a capturé des poissons, parmi lesquels se trouvait presque toujours une autre espèce de *Corydoras*. Deux à trois espèces, rarement plus, cohabitent parfois. La nuit, à la lueur d'une lampe de poche, on les voit près du sol dans l'eau calme, peu profonde, avec seulement quelques centimètres d'eau au dessus du dos. On peut alors aisément les capturer à l'épuisette. Durant la journée ils nagent souvent en plein courant, au milieu de la rivière. Devant le filet ils fuient aussi vite que les poissons réputés bons nageurs. Ils fuient toujours vers l'amont, mais reviennent, au bout de quelques minutes et parfois déjà au bout de quelques secondes, à leur place habituelle.

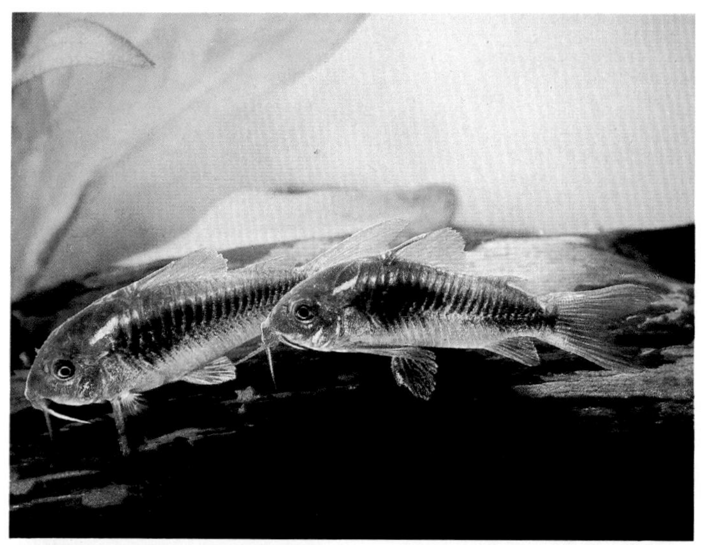

Corydoras aeneus

C. blochi blochi

C. bondi bondi

C. concolor

C. loxozonus

Corydoras elegans
STEINDACHNER, 1877
Syn.: *Gastrodermus elegans*
Amazone central
L: jusqu'à 6 cm

Corydoras eques
STEINDACHNER, 1877
Syn.: *Osteogaster eques*
Téfé, Amazone central
L: jusqu'à5,5 cm

Corydoras evelynae
RÖSSEL, 1963
Affluent du Puru
L: 4 cm

Corydoras ellisae
GOSLINE, 1940
Arrayo Pona, Sapucay, Paraguay
L: jusqu'à 5,5 cm

Corydoras garbei
v. IHERING, 1910
Rio Xingu, Brésil
L: jusqu'à 5 cm

Ils vivent toujours par bancs. Des bancs de plusieurs douzaines d'individus sont fréquents. Mais le plus souvent il n'y en a que trois à six, cela dépend de la pièce d'eau et de la saison, occupés à chercher de la nourriture dans une zone très limitée. Sur le terrain l'auteur les a attiré en eau plate à l'aide d'aliments en comprimés. Ils sont arrivés d'une distance de plusieurs mètres et ont fouiné directement sur le filet sur lequel les comprimés avaient été posés. Au cours de cette expédition notre filet ramena une fois plusieurs milliers de jeunes *C. garbei* d'une longueur de 20–25 mm. De telles captures sont rentables pour les exportateurs locaux, car déjà la capture d'une douzaine d'individus de cette espèce rare demande beaucoup de temps et d'efforts. Cela peut expliquer pourquoi ce sont toujours les mêmes espèces fréquentes dans la nature qui nous parviennent.

C. elegans

C. ellisae

C. eques

C. evelynae

C. garbei

Corydoras gracilis
NIJSSEN et ISBRÜCKNER, 1975
Corydoras pointillé
Affluent du Rio Madeira près de Itaituba (Transamazonienne)
L: jusqu'à 2,5 cm

Corydoras habrosus
WEITZMAN, 1960
Rio Salinas, Vénézuéla
L: jusqu'à 3,5 cm

Corydoras griseus
HOLLY, 1940
Corydoras gris
Affluents du Sud de l'Amazone
L: jusqu'à 3 cm

Corydoras hastatus
EIGENMANN et EIGENMANN, 1888
Corydoras à croissant
Syn.: *Microcorydoras hastatus*
Rio Guaporé, Brésil
L: jusqu'à 3 cm

Corydoras trilineatus COPE, 1872
Corydoras à trois bandes

Syn.: *Corydoras dubius, Corydoras episcopi, Corydoras julii* (confusion).

Or.: Amérique du sud: au Pérou dans le Rio Ampiyacu, Rio Morona, Rio Ucayali et Yarina Cocha.

P.i.: A partir de 1950.

D.s.: Femelles plus grandes et plus grosses. Le dessin corporel est en général moins prononcé, la tache dans la nageoire dorsale est plus petite.

C.s.: Espèce paisible, à maintenir absolument en petit groupe. *Corydoras trilineatus* peut très bien vivre en compagnie de petites expèces dans une eau à faible dureté.

M.: Aquarium densément planté avec, de préférence à l'avant plan, une zone sablonneuse libre pour fouir. Eau: pH 5,8 à 7,2; 18° dGH (dureté totale all.) à maximum 10° dGH (dureté carb. all.).

R.: Après de fréquents changements d'eau, la moins dure possible (selon Franke ces poissons frayent aussi à une dureté de 15° dGH et pH 7), les mâles paradent durant quelques jours avant que les pontes débutent, le plus souvent en groupes. Souvent des mâles isolés frayent avec des femelles isolées sans que le reste du groupe participe. Les jeunes éclosent au bout de quatre à cinq jours, à une température de 23 à 24° C. Beaucoup d'œufs sont envahis par des champignons. L'élevage des jeunes à l'aide de Rotifères, Nauplies d'Artémies et du contenu de petits pois frais est cependant facile. Fréquents changements partiels de l'eau. Lors du nourrissage avec des Microvers il faut être prudent.

N.: O; mange tout, mais préfère les nourritures vivantes telles que Larves de Moustiques et *Tubifex*.

P.: Cette espèce est souvent confondue avec *C. julii*, bien que l'on peut facilement distinguer ces deux espèces.

T: 22–26° C, L: 5 cm, LA: 60 cm, Z: i, D: 2

Les espèces du genre *Corydoras* se rencontrent dans toute l'étendue sud américaine de Trinidad jusqu'en Argentine. Leur principale aire de répartition est le bassin de l'Amazone qui contient le plus grand nombre d'espèces. Les conditions pour la maintenance en aquarium sont à peu près identiques pour toutes les espèces:

T: 22–26° C, LA: 60 cm, Z: i, certaines aussi i et m, D: 1–2.
pH 6,0–8,0; dureté 2 à 25° dGH. Sol foncé composé de sable ou de gravier rond; le gravier à arêtes vives endommage les barbillons.
Avec leurs yeux très mobiles et leur joyeuse activité de nettoyeurs durant la journée, les *Corydoras* ont acquis une grande popularité auprès des aquariophiles!

C. gracilis

C. griseus

C. habrosus

C. hastatus

C. trilineatus

Corydoras agassizii
STEINDACHNER, 1877
Corydoras à raies argentées
Iquitos, Pérou
L: jusqu'à 6,5 cm

Photo page 472
Corydoras melanistius melanistius
REGAN, 1912
Guyane
L: jusqu'à 6 cm

Corydoras melini
LÖNNBERG et RENDAHL, 1930
Corydoras à diagonale
Colombie
L: jusqu'à 6 cm

Corydoras metae
EIGENMANN, 1914
Corydoras à dos noir
Rio Meta près de Barrigona, ainsi que moins grandes rivières aux alentours de Villa Vicente, Colombie
L: jusqu'à 5,5 cm

Corydoras rabauti
LA MONTE, 1941
cf. texte p. 472

La petite photo en bas à gauche présente le *Corydoras* connu sous le nom de *C. «myersi»*. Il diffère de *C. rabauti* seulement par la longueur de la bande noire qui traverse obliquement la tête: elle est légèrement plus longue chez *C. «myersi»*. Ce caractère ne suffit pas pour en faire une espèce valide. Cette variante doit donc être attribuée à *C. rabauti*.

La reproduction des Corydoras

La méthode du frai varie d'une espèce à l'autre. Ainsi,

a) *C. aeneus* dépose les œufs par paquets sur les feuilles des plantes, tandis que
b) la plupart des espèces fixent seulement 2 à 4 œufs sur une feuille et répètent ce procédé durant deux à quatre heures, jusqu'à ce qu'env. 100 œufs (rarement plus, max. 380) ont été pondus. Par contre, il semblerait que *C. hastatus* ne fixe quœun seul œuf à la vitre de l'aquarium.

Pour la méthode b) la ♀ porte 2 à 4 œufs entre les nageoires pelviennes et le ♂ les féconde pendant que les deux partenaires pressent leur ventre l'un contre l'autre durant env. 30 secondes. Ce n'est qu'ensuite que la ♀ nage vers une feuille choisie par elle pour y coller les 2 à 4 œufs. Ces derniers sont collants. Les pontes ont lieu de préférence en hiver, ce qui correspond à la saison des pluies dans leur pays d'origine. Les couples qui se sont par ex. «rencontrés» dans un aquarium communautaire, seront transférés avec précautions dans un bac de ponte préparé d'avance. On les nourrit avec des larves de Moustiques ou d'autres nourritures vivantes, ainsi que des comprimés d'aliments lyophilisés.

C. agassizii

C. melini

C. metae

C. «myersi»

C. rabauti

Corydoras baderi
GEISLER, 1969
Brésil de Oueste.
L: jusqu'à 4 cm

Corydoras ornatus
NIJSSEN et ISBRÜCKNER, 1975
Corydoras orné
Affluent du Tapajos, à 80 km à l'Est de Jacareacanga. Découvert par l'auteur et H. Bleher en 1975 lors de l'expédition transamazonienne
L: jusqu'à 5,5 cm

Corydoras paleatus
(JENYNS, 1842)
Corydoras marbré
Syn.: *Callichthys paleatus, Corydoras marmoratus*
La Plata, Sud-est du Brésil
L: jusqu'à 7 cm
Cette espèce est plus fréquemment proposée par le commerce dans sa forme d'élevage albinotique (Photo en bas à gauche)

Corydoras punctatus
(BLOCH, 1794)
Syn.: *Cataphractus punctatus, Corydoras geoffroy*
Surinam, affluents du Sud de l'Amazone inférieur
L: jusqu'à 6 cm

On enlève le couple lorsque la ponte est terminée ou bien on transfère les œufs, evtl. en coupant les feuilles, dans un bac en verre où il faudra bien aérer. Afin de préserver le frai des mycoses on ajoute un bon produit pour le traitement de l'eau.
Les paramètres de l'eau du bac d'incubation ne jouent pas de rôle important, car beaucoup d'espèces pondent également dans l'eau dure. Elles préfèrent cependant un pH de 6,0–7,0 et une dureté de 6° dGH. La température optimale pour la ponte est de 24–26° C.
Jusqu'à présent les espèces suivantes ont été reproduites en aquarium: *C. aeneus, C. barbatus, C. hastatus, C. metae, C. baderi, C. paleatus, C. rabauti.*

C. baderi

C. ornatus

C. paleatus

C. paleatus, albinos, variété d'élevage

C. punctatus

Corydoras pygmaeus
KNAACK, 1966
Corydoras nain
Rio Madeira et affluents, Brésil
L: 2,5 cm

Corydoras nageant librement dans les couches moyennes et supérieures de l'eau.
Préfère les aliments en flocons et les fines nourritures vivantes aux aliments en comprimés.

Corydoras rabauti (photo p. 468)
LA MONTE, 1941
Rabauti
Tabatinga, Brésil. Les exportations en provenance de Leticia passent par Bogota en Colombie
L: jusqu'à 6 cm

Corydoras reticulatus
FRASER BRUNNER, 1947
Corydoras réticulé
Iquitos, Pérou
L: jusqu'à 7 cm

Corydoras melanistius melanistius

Corydoras pygmaeus

Corydoras reticulatus

Corydoras parallelus
BURGESS, 1993
Embouchure du Rio Purus, est du Brésil
L: jusqu'à 6,5 cm

Corydoras napoensis
NIJSSEN et ISBRÜCKER, 1986
Surinam
L: jusqu'à 5 cm

Corydoras sychri
WEITZMANN, 1960
Amérique du Sud
L: 4,5 cm

Corydoras septentrionalis
GOSLINE, 1940
Vénézuéla
L: 6 cm

Corydoras sodalis
NIJSSEN et ISBRÜCKER, 1986
Pérou
L: 6 cm

Corydoras barbatus ♂

C. parallelus

C. sychri

C. napoensis

C. sodalis

C. septentrionalis

Dianema longibarbis COPE, 1871
Silure grenaille

Syn.: *Callichthys adspersus, Decapogon adspersus.*

Or.: Rio Ambyiac (Pérou), Rio Pacaya.

P.i.: Par T. Duncker, date exacte inconnue.

D.s.: Seulement indentifiable avant la ponte (femelle plus ronde).

C.s.: Poisson grégaire paisible, peut aussi être tenu individuellement. Ne mange pas de petits poissons sauf éventl. des vivipares nouveaux nés.

M.: Vivant cachée durant le jour, cette espèce a besoin de nombreux abris sous les roches et les racines ou une végétation très dense au sol. Supporte bien les paramètres suivants: pH 5,5–7,5; dureté 2–20° dGH.

R.: Encore peu reproduit jusqu'à présent. Construit un nid comme *C. callichthys.* Baisser le niveau de l'eau. Distiller l'eau et élever la température à env. 28° C devrait contribuer à faire démarrer la reproduction.

N.: O; mange tout sauf des plantes. Distribuer les comprimés de nourriture le soir avant d'éteindre la lumière.

P.: Se distingue du genre *Hoplosternum* par une cuirasse moins épaisse et un mode de vie différent: il nage plutôt en eau libre que près du sol. Il peut stationner en «suspension» dans l'eau en agitant la dorsale, les pectorales et l'anale.

T: 22–26° C, **L**: 9 cm, **LA**: 70 cm, **Z**: i, m, **D**: 1–2

Dianema urostriata RIBEIRO, 1912
Silure à bandes noires

Syn.: *Decapogon urostriatum, Dianema urostriata.*

Or.: Rio Negro, près de Manuas (Brésil).

P.i.: À partir de 1963, principalement aux USA, seulement 1972 en Hollande.

D.s.: Le mâle est nettement plus petit et plus svelte. Les deux grandes plaques pectorales sont espacées chez les mâles.

C.s.: Poisson grégaire paisible.

M.: Eau brune (tourbe) avec peu de plantes, mais en revanche beaucoup de racines et de grottes rocheuses, semble convenir au mieux à cette espèce. pH 4,8–7,0; dureté 2–10° dGH.

R.: Déjà réussie mais n'a pas été publiée.

N.: C, O; omnivore avec préférence pour la nourriture carnée, nourriture vivante, le soir également des comprimés lyophilisés.

P.: Animal crépusculaire; prend de temps à autre de l'air à la surface de l'eau.

T: 22–26° C, **L**: ♂ 9 cm, ♀ 12 cm, **LA**: 80 cm, **Z**: i, m, **D**: 1–2

Dianema longibarbis

Dianema urostriata

Megalechis thoracatum (VALENCIENNES, 1840)
Cascadure, Silure peint
Sous-fam.: Callichthyinae

Syn.: *Callichthys thoracatus, C. longifilis, C. personatus, C. exaratus, Hoplosternum thorae, H. longifilis, H. magdalenae, H. thoracatum.*

Or.: Trinidad, Guyane, Martinique, Vénézuéla, Brésil, Pérou, Paraguay; dans des eaux peu profondes à fond vaseux et végétation dense (roseaux). Des bancs de quelques centaines à un millier d'individus habitent certains bras morts, en particulier à proximité des lieux colonisés par l'homme où de nombreux déchets arrivent dans l'eau.

P.i.: 1911 par les «Vereinigte Zierfischzüchtereien» de Conradshöhe près de Berlin.

D.s.: À la période du frai le dessous du ventre du mâle est bleu violet. Chez le mâle le premier rayon des pectorales est très large et rouge brun.

C.s.: Paisible sauf en période de ponte. Pratique les soins de la ponte (famille paternelle).

M.: Sans exigences, mais préfère les bacs sombres avec beaucoup de caches. pH 5,5–8,3; dureté jusqu'à 30° dGH.

R.: Lors du frai le mâle est très agressif; il est préférable d'enlever la femelle après la ponte. Elevage des jeunes avec de la fine nourriture vivante.

N.: O; mange tout, distribuer des comprimés le soir.

P.: Les œufs sont abrités dans un nid de bulles. Il arrive fréquemment que les parents, principalement le mâle, dévorent les œufs et les alevins.

T: 18–28° C, L: 18 cm, LA: 70 cm, Z: i, D: 1

Chaca chaca (HAMILTON, 1822)

Silure à grande bouche

Syn.: *Platystatus chaca.*

Or.: Bornéo (actuellement Kalimantan), Birmanie, Indes, Sumatra.

P.i.: 1938.

D.s.: Inconnu.

C.s.: Partiellement prédateur. Ne convient pas pour l'aquarium communautaire.

M.: Animal nocturne, devient seulement actif pour manger, mais attaque alors des poissons endormis, même s'ils ont jusqu'à 6 cm de longueur. Très peu exigeant envers la qualité de l'eau. pH 6–8; dureté 4–25° dGH. Lui offrir des cavernes que l'on construit à l'aide de grands galets plats. N'endommage pas les plantes.

R.: Inconnue.

T: 22–24° C, L: 20 cm, LA: 100 cm, Z: i, D: 3

N.: C; s'habitue aux comprimés lyophilisés. La grande bouche fait penser aux mœurs carnivores. Selon MEINKEN il semble cependant qu'elle sert à filtrer le plancton. En général ce poisson est connu comme prédateur.

P.: Exclusivement pour aquariophiles amateurs de l'inhabituel.

Clarias batrachus (LINNAEUS, 1758)
Silure grenouille

Syn.: *Silurus batrachus, Clarias magur, C. marpus, C. punctatus, Macropteronotus batrachus, M. magur.*

Or.: Sri Lanka, Est des Indes jusque'en Malaisie.

P.i.: 1899 par H. Stüve, Hambourg.

D.s.: La nageoire dorsale est pointillée chez le mâle, uniforme chez la femelle.

C.s.: Pour la cohabitation avec d'autres espèces il faut tenir compte de la voracité de ce genre de poisson.

M.: Bacs bien couverts avec de parcimonieuses plantes de grande taille et bien enracinées; sol sombre, mettre une grande caverne à sa disposition. S'adapte à toutes les conditions d'eau.

R.: Se fait en Floride dans des étangs.

N.: O; mange tout.

P.: Peut être maintenu dans des aquariums non chauffés; est plutôt réservé aux grands aquariums d'exposition. Aux USA l'importation est interdite par crainte d'introduction dans les eaux naturelles. Ce Silure peut «voyager» sur la terre ferme en fermant les branchies pour éviter la dessication. Il menace la faune aquatique de la Floride, car il dévore les pontes d'autres espèces. L'espèce a été fortement décimée par des hivers rigoureux que cette région a subi ces dernières années. Une forme albinotique est proposée par le commerce.

T: 20–25° C (peut descendre à 10° C), L: 50 cm, LA: 120 cm, Z: i, D: 2–3

Acanthodoras cataphractus (LINNAEUS, 1758)
Silure cataphracte
Sous-fam.: Doradinae

Syn.: *Cataphractus americanus, Doras blochii, D. cataphractus, D. polygramma, Silurus cataphractus.*

Or.: Embouchure de l'Amazone.

P.i.: ?

D.s.: Inconnu.

C.s.: Paisible; peut cohabiter avec toutes les espèces.

M.: L'espèce sait s'adapter. Dévore tous les restes que les poissons ont laissé durant la journée et qu'il dévore au soir. Reste caché durant la journée. Se rencontre en eau brune de couleur tourbe sous des enchevêtrements de racines. Ne mange pas les plantes mais aime fouiller dans le sol mou couvert de moulme. pH 6,0–7,5; dureté 4–25° dGH.

T: 22–26° C, L: 10 cm, LA: 70 cm, Z: i, D: 1

R.: Inconnue.

N.: O; mange tout, algues, les nourritures en comprimés sont à distribuer le soir.

P.: On ignore si l'espèce vit sympatriquement avec *A. hancockii.* Des lieux d'habitation indentiques sont mentionnés dans la littérature. Il est possible qu'il s'agit de confusions.

Agamyxis pectinifrons (COPE, 1870)
Silure peige Sous-fam.: Doradinae

Syn.: *Doras pectinifrons.*

Or.: Pebas (Equateur).

P.i.: 1933.

D.s.: Inconnu.

C.s.: Espèce paisible.

M.: Craint la lumière, mais après acclimatation il quitte aussi son abri durant la journée. Lumière diffuse par plantes flottantes. Préfère une eau acide filtrée sur tourbe et douce; pH 5,8–7,5; dureté 0–20° dGH; aime s'enfouir dans le sol, donc lui aménager un coin sablonneux ne contenant aucune végétation. N'endommage pas les plantes.

R.: Inconnue.

N.: O; mange tout, en particulier des petits vers; également des nourritures lyophilisées en comprimés.

P.: Supporte temporairement des baisses de température jusqu'à 15° C; dans ses pays d'origine les eaux peu profondes qu'il habite en situation élevée peuvent sensiblement rafraichir durant la nuit.
Sur le marché cette espèce est le plus souvent proposée sous le nom de *Agamyxis pectinifrons,* mais ce dernier est rayé (comme *Platydoras costatus*). On le trouve cependant rarement dans le commerce.

T: 20–26° C, L: 16 cm, LA: 100 cm, Z: i, D: 1–2

Amblydoras hancockii (VALENCIENNES, 1840)
Amblydoras d'Hancock Sous-fam.: Doradinae

Syn.: *Amblyodoras affinis, Doras affinis, D. costatus* (pas LINNAEUS), *D. hancockii, D. truncatus.*

Or.: Rio Branco, Rio Guaporé. De la Guyane jusqu'en Colombie. Dans des bras riches en algues.

P.i.: 1950.

D.s.: Le dessous du ventre de la femelle est blanc sale, chez le mâle il est couvert de points bruns.

C.s.: Espèce paisible et sociale, convient pour l'aquarium communautaire.

M.: Grands bacs pas très hauts, si possible envahis d'algues; offrir des abris sous des plantes à feuilles larges, racines, etc. Un emplacement ensoleillé est favorable. Il est arrivé à l'auteur de capturer en une seule fois env. deux mille individus d'une taille de 5 à 12 cm. Dans l'aquarium un niveau d'eau de 10–20 cm est conseillé. Dureté jusqu'à 20° dGH, pH 5,8–7,5.

R.: Seulement connue de la nature. Selon HANCOCK cette espèce construit à l'aide de plantes un nid de bulles près de la surface. Le mâle surveille la ponte.

N.: O; algues, détritus, aliments en comprimés.

P.: Ces poissons produisent des grognements nettement audibles.

T: 23–28° C, L: jusqu'à 15 cm, LA: 80 cm, Z: i, D: 1

Agamyxis pectinifrons

Amblydoras hancockii

Platydoras costatus (LINNAEUS, 1766)
Silure rayé
Sous-fam.: Doradinae

Syn.: *Silurus costatus, Cataphractus costatus, Doras costatus.*

Or.: Région amazonienne, Pérou.

P.i.: 1964.

D.s.: Pas évidents.

C.s.: Paisible, sociable; convient bien pour les grands bacs communautaires.

M.: Lui réserver au moins une petite plage sablonneuse, car cette espèce s'enterre parfois dans le sol. La végétation de l'aquarium ne pose pas de problème, car elle ne sera pas endommagée. Seules les plantes à feuilles fines détestent le sédiment que le poisson fait tourbillonner en s'enfouissant dans le sol. Une bonne couche de plantes flottantes est avantageuse. Offrir des cavernes composées de racines. pH 5,8–7,5; dureté 2–20° dGH. Filtrer sur tourbe.

R.: Pas encore réussie à ce jour.

N.: O; mange tout, algues, aliments en comprimés.

P.: Ne pas capturer à l'aide d'une épuisette mais d'un bocal en verre. C'est un des plus beaux Silures épineux.

T: 24–30° C, **L**: 22 cm, **LA**: 100 cm, **Z**: i, **D**: 1–2

Ameiurus punctatus (RAFINESQUE, 1818)
Ictalurus pointillé

Syn.: *Silurus punctatus, Ictalurus punctatus, Pimelodus caerulescens, P. caudafurcatus, P. argentinus, P. argystus, P. furcifer, P. gracilis, P. graciosus, P. hammondi, P. houghi, P. maculatus, P. megalops, P. nolatus, P. pallidus, P. vulpes, Ictalurus robustus, I. simpsoni, Silurus punctatus, Synechoglanis beadlei.*

Or.: Rio Grande, sud et ouest des USA.

P.i.: 1888.

D.s.: Inconnu.

C.s.: En tant que prédateur, ce Silure ne convient pas pour l'aquarium communautaire.

M.: Aquarium de grande taille, à éclairage diffus, sol sablonneux et exclusivement des plantes «dures». pH 6–8; dureté 4–30° dGH. L'espèce est très robuste.

R.: Seulement possible dans des étangs. Le couple creuse une cuvette dans le sable. Les œufs sont émis par masses agglomérées et surveillés par le mâle.

N.: O; mange tout, très vorace.

P.: Poisson comestible! Seulement la forme juvénile convient pour l'aquarium. Les albinos (grande photo) sont très populaires aux USA. L'espèce apparentée *A. nebulosus* a également été introduite en Europe dans les eaux continentales où elle a fortement proliférée. Taille max. 40 cm. Le petite photo montre la coloration normale.

T: température ambiante et en dessous, L: jusqu'à 70 cm, LA: 100 cm, Z: i, D: 2–3

Ancistrus dolichopterus KNER, 1854
Silure bleu
Sous-fam.: Ancistrinae

Syn.: *Ancistrus cirrhosus* (pas VALENCIENNES), *A. temminckii* (pas VALENCIENNES), *Chaetostomus dolichopterus, Xenocara dolichopterus.*

Or.: Affluents de l'Amazone, rivières à eau claire et courant rapide.

P.i.: 1911 par deux importateurs de Hambourg.

D.s.: Le mâle porte des excroissances en forme de «cornes de cerfs» sur le front, la femelle seulement des tentacules minces et courts.

C.s.: Espèce paisible, convient pour les grands aquariums communautaires.

M.: Préfère les grands bacs clairs, riches en oxygène, comportant des grandes racines situées à l'ombre pour faire office d'aire de repos. C'est là, à l'abri de la lumière, que ces Silures passent la plus grande partie de la journée en parfaite immobilité. Assurer un bon courant et enrichissement d'oxygène à l'aide d'un filtre puissant ou d'un grand diffuseur. pH 5,8–7,8; dureté 2–30° dGH.

R.: Fraye dans des cavernes constituées par des racines. Le mâle soigne la ponte et l'évente. Pour la reproduction: pH 6,5–7,0; dureté 4–10° dGH. Les jeunes éclosent au bout d'env. cinq jours et se fixent immédiatement aux vitres de l'aquarium. Au bout d'environ 14 jours la grande vésicule vitelline est résorbée, il faut maintenant distribuer de la très fine nourriture verte en flocons (MikroMin).

N.: H; principalement des algues, auxquelles on ajoute des restes de flocons et de la nourriture végétale: des feuilles de laitue trempées durant 4 à 5 jours.

P.: Poisson curieux, très utile pour le nettoyage des algues.

T: 23–27° C, L: 13 cm, LA: 80 cm, Z: i, D: 2

Ancistrus hyplogenys (GÜNTHER, 1864)
Silure pointillé
Sous-fam.: Ancistrinae

Syn.: *Chaetostomus hoplogenys, Chaetostomus leucostictus, Chaetostomus malacops, Chaetostomus tectirostris, Ancistrus leucostictus, Xenocara hoplogenys.*

Or.: Eaux de sources des affluents de l'Amazone.

P.i.: Date exacte inconnue, est rarement importé, souvent sous un faux nom.

D.s.: Inconnu.

C.s.: Espèce paisible.

M.: Actif au crépuscule et la nuit; a de hautes exigences envers la teneur en oxygène dans l'aquarium. Une branche creuse (si possible) sert d'abri durant la journée. pH 5,5–7,5; dureté 2–20° dGH. N'endommage pas les plantes.

R.: La reproduction a déjà été réussie plusieurs fois en aquarium, mais pas aussi facilement que celle d'autres *Ancistrus.* Les œufs sont déposés de préférence dans un fragment de bois creux ou sous une racine de tourbière. Le mâle surveille le frai, 10 jours après la ponte les jeunes ont résorbé la vésicule vitelline et seront alors nourris avec de la salade ébouillantée et hachée.

N.: H; algues, aliments en comprimés contenant également des végétaux.

P.: Espèce à coloration plaisante.

T: 22–26° C, L: 8 cm, LA: 60 cm, Z: i, D: 2–3

Ancistrus dolichopterus

Ancistrus hyplogenys

Farlowella acus (KNER, 1853)
Silure aiguille commun

Syn.: *Acestra acus.*

Or.: La Plata, affluents du sud de l'Amazone.

P.i.: 1933.

D.s.: Mâle et femelle se reconnaissent facilement à la prolongation de la bouche. Chez le ♂ elle est plus large et garnie de soies, chez la ♀ elle est moins large et nue. Une demie journée à une journée avant la ponte, un tube de ponte bien visible apparait chez la ♀.

C.s.: Paisible, même craintif. Ne se prête pas pour l'aquarium communautaire. Le ♂ surveille le frai.

M.: S'adapte mal aux variations des paramètres de l'eau. pH 6,0–7,0: dureté 3–8 ° dGH. C'est l'alimentation spécifique qui pose le plus grand problème de maintenance. Contrairement aux espèces apparentées appartenant au genre Loricaria, ce poisson ne vit pas dans des eaux à courant rapide, mais plutôt dans les marécages des zones d'inondations. Il est possible que la courte durée de vie en aquarium soit due à une cause naturelle (poisson saisonnier?). Seuls des spécimens adultes sont proposés par le commerce spécialisé. Où sont les juvéniles?

R.: La reproduction est assez facile à réussir par un amateur ayant déjà de solides expériences avec d'autres Silures. M. J. ABRAHAM de Pottendorf, Autriche (communic. écrite) a observé que ses spécimens déposaient les œufs toujours au même endroit (glace frontale du bac). La ponte eue lieu soit dans la nuit ou très tôt le matin. Le nombre d'œufs étaient de 40 à 60. A une température de 26° C les éclosions ont lieu au bout de 240 heures. Le ♂ surveille, soigne et délivre les jeunes de leur membrane. Les meilleurs résultats s'obtiennent à une «vieille» eau riche en oxygène et sous éclairage diffus. Le pH devrait être près du neutre, la dureté entre 5 à 10 ° dGH. Des petits poissons calmes peuvent être présents dans le bac de reproduction.

N.: Animalcules des gazons alguaires.

P.: Ce n'est pas un poisson pour débutants. Il est ennuyeux qu'il se déplace très peu. Les espèces du genre *Farlowella* se distinguent de celles du genre *Loricaria* par la position de la nageoire dorsale. Chez *Farlowella* cette dernière est opposée à l'anale, tandis que chez *Loricaria* elle est située en avant de l'anale.

T: 24–26° C, L: 15 cm, LA: 80 cm, Z: i, m, D: 3–4

Farlowella gracilis REGAN, 190
Petit Silure aiguielle

Syn.: *Acestra gracilis.*

Or.: Colombie (Rio Caqueta, Cauca).

P.i.: 1954.

D.s.: Inconnu.

C.s.: Poisson de fond paisible, apparaissant parfois en grande quantité mais sans être un réel poisson grégaire.

M.: Ce poisson a un grand besoin d'oxygène et nécessite un long délai d'acclimatation. Une couche de plantes flottantes pour tamiser la lumière est recommandée. La filtration sur tourbe est salutaire. Changement d'eau seulement en le complétant par un bon produit pour le traitement de l'eau. Sol fin et sombre, végétation dense.

R.: Pas encore réussie.

N.: H, L; algues (gazons), nourriture lyophilisée en comprimés.

P.: Un poisson intéressant mais délicat ne convenant que pour les aquariophiles chevronnés.

T: 22–26° C, L: jusqu'à 19 cm, LA: 80 cm, Z: i, m, D: 3–4

Farlowella acus

Farlowella gracilis

Hypoptopoma thoracatum

GÜNTHER, 1868
Sous-fam.: Hypoptopomatinae

Syn.: *Hypoptopoma bilobatum.*

Or.: Embouchure du Rio Negro dans l'Amazone. D'après la littérature également dans le Rio Xebero, Mato Grosso.

P.i.: ?

D.s.: Inconnu.

C.s.: Solitaire paisible; se rencontre seulement par petits groupes. Cohabite sans problèmes avec d'autres espèces. Ne nuit pas aux alevins.

M.: N'est pas tellement tributaire d'un fort courant que Otocinclus; se rencontre dans des pièces d'eau plus importantes que ce dernier. Craint la lumière, il faut lui aménager des zones d'ombre dans l'aquarium, ainsi que des abris sous des racines ou roches (également pot à fleurs). Ce petit poisson est tributaire du crépuscule, comme d'autres Silures, mais s'adapte peut être mieux. pH 6,0–7,5; dureté 4–15° dGH.

R.: Inconnue, probablement comme celle de *Otocinclus.*

N.: H; algues, aliments en comprimés.

P.: Cette espèce est souvent commercialisée sous le nom de *Otocinclus.* Elle est hélas très rare. En raison de sa petite taille ce poisson pourrait avantageusement remplacer *Hypostomus* pour éliminer les algues dans les aquariums de taille réduite.

T: 23–27° C, L: 8 cm, LA: 70 cm, Z: i, m, D: 2–3

Hypostomus punctatus
Silure cuirassé pointillé

VALENCIENNES, 1840
Sous-fam.: Hypostominae

Syn.: *Plecostomus punctatus, Hypostomus subcarinatus, Plecostomus affinis, P. commersoni, P. commersoni affinis, P. commersoni scabriceps.*

Or.: Sud et sud-est du Brésil.

P.i.: 1928.

D.s.: Inconnu.

C.s.: Solitaire inoffensif, convient bien pour les aquariums communautaires.

M.: De grands bacs à partir de 1,20 m de longueur, à plantation modérée, garnis de racines et de grottes formées par des roches, conviennent parfaitement; poisson crépusculaire vivant caché durant la journée. Les poissons appartenant à ce genre vivent dans les eaux à courant rapide (juvéniles) comme dans les eaux de zones inondées et dans les bras profonds des rivières. La plupart des espèces préfèrent des eaux claires, d'autres apparaissent fréquemment dans les flots des fleuves dont l'eau a pris une teinte café au lait après les pluies. Ce poisson s'adapte à presque toutes les conditions d'eau; de pH 5,0 à 8,0, dureté 0,5 à 25° dGH, mais préfère cependant une eau douce et légèrement acide.

R.: Pas encore réussie jusqu'à présent.

N.: H; algues, nourriture végétale composée d'épinard ébouillanté, laitue, etc.; flocons à base végétale; le soir, aliments en comprimés.

P.: Ces poissons sont d'intensifs fouisseurs, cultiver les plantes en godets. Dans leur pays d'origine, les espèces de grande taille sont considérées comme bons poissons comestibles.

T: 22–28° C, L: jusqu'à 30 cm, LA: 1,20 m, Z: i, D: 1

Hypoptopoma thoracatum

Hypostomus punctatus

Otocinclus affinis

STEINDACHNER, 1877
Sous-fam.: Hypoptopomatinae

Syn.: Aucun.

Or.: Sud-est du Brésil, près de Rio de Janeiro, dans des rivières à eau claire et courant rapide, à végétation dense ou tapis alguaires sur les pierres.

P.i.: 1920.

D.s.: Femelle plus ronde et plus grande.

C.s.: Agréable cohabitant pour des espèces assez délicates dans l'aquarium communautaire de taille moyenne. Ne pas faire cohabiter avec des cichlidés rudes.

M.: Aquariums bien plantés, puissante filtration, eau limpide, évtl. adjonction d'extrait de tourbe. pH 5,0–7,5; dureté 2–15° dGH, après acclimatation aussi jusqu'à 20° dGH.

R.: Similaire à celle des *Corydoras*. Fixe les œufs sur les feuilles des plantes. Les jeunes éclosent au bout d'env. 3 jours et seront élevés à l'aide de nourriture planctonique (vivante et artificielle). Pas prolifique.

N.: L, H; algues, nourriture en comprimé.

P.: C'est l'espèce du genre *Otocinclus* qui a la plus petite taille et qui est la plus fréquemment proposée par le commerce. Tous les *Otocinclus* sont d'excellents dévoreurs d'algues. Environ 20 espèces du genre *Otocinclus* ont été décrites mais dont seulement une demi douzaine apparaissent sur le marché.

T: 20–26° C, **L**: 4 cm, **LA**: 50 cm, **Z**: i, m, **D**: 2

Panaque nigrolineatus
Panaque

(PETERS, 1877)
Sous-fam.: Ancistrinae

Syn.: *Cochliodon nigrolineatus, Chaetostomus nigrolineatus.*

Or.: Sud de la Colombie.

P.i.: 1974 (?) par Heiko Bleher, Francfort.

D.s.: Inconnu.

C.s.: Paisible envers toutes les autres espèces, à faire vivre seulement en compagnie d'espèces calmes.

M.: Grands bacs clairs, comportant des galets ronds, beaucoup de lumière et puissante filtration (courant). Un abri aménagé sous une grande racine lui est agréable pour passer la journée mais n'est pas obligatoire. Craint moins la lumière que d'autres Silures. pH 6,5–7,5; dureté 2–15° dGH. Ne mange pas de plantes.

R.: Inconnue.

N.: H; algues, algues, algues! Nourriture lyophilisée en comprimés et flocons à base végétale sont également acceptés.

P.: Un poisson pour amateurs spécialisés; ses yeux rouges sur fond zébré sont particulièrement marquants. Cette espèce est l'espèce type du genre.

T: 22–26° C, **L**: 25 cm (en aquar.), **LA**: 120 cm, **Z**: i, **D**: 3

Otocinclus affinis

Panaque nigrolineatus

Peckoltia pulchra (STEINDACHNER, 1917)
Silure cuirassé nain

Syn.: *Ancistrus pulchra, Hemiancistrus pulcher.*

Or.: Rio Négro près de Moura.

P.i.: Env. 1960.

D.s.: Inconnu.

C.s.: Paisible, également envers ses congénères et les alevins.

M.: Plusieurs individus peuvent cohabiter, cela dépend de la taille de l'aquarium: env. 80 litres par exemplaire, s'ils sont trop nombreux il y a risque de dégénérescence par manque de nourriture alguaire; ne pas faire cohabiter avec d'autres poissons mangeurs d'algues, sinon il pourrait y avoir pénurie pour tous. Offrir des abris sous roches (petites cavernes). On peut cultiver toutes sortes de plantes, car ces dernières ne sont ni endommagées, ni mangées. Eviter l'emploi de produits pour lutter contre les algues. Paramètres de l'eau: pH 5,5–7,8 (meilleure moyenne 7,0); dureté 2–30° dGH (meilleure moyenne 10° dGH, sinon la croissance des algues est handicapée).

R.: Inconnue, mérite d'être étudiée. Probablement seulement possible dans des bacs très envahis d'algues.

N.: L, H; se nourrit exclusivement d'algues, accepte évent. des aliments en comprimés que l'on devrait distribuer le soir avant d'éteindre la lumière.

P.: Espèce modeste à coloration plaisante. Dégénère en cas de manque d'algues. Est plus avantageux pour l'aquarium que les *Hypostomus*, en raison de sa taille.

T: 24–28° C, L: 6 cm, LA: 60 cm, Z: i, D: 1–2

Peckoltia vittata (STEINDACHNER, 1882)
Silure cuirassé nain rayé

Syn.: *Chaetostomus vittatus, Ancistrus vittatus, A. vittatus var. vermiculata, Hemiancistrus vittatus.*

Or.: Amazone, Tajapouru, Rio Xingu près de Porto do Moz, Rio Madeira.

P.i.: Env. 1960.

D.s.: Inconnu.

C.s.: Espèce paisible.

M.: Poisson très robuste; très amusant à observer le soir lorsqu'il est actif. Durant la journée il repose sous des galets plats. Il n'est pas fouisseur et ne cause aucun dommage, ni aux poissons, ni aux plantes. Une nutrition composée d'algues est primordiale pour une durée de vie prolongée. pH 5,0–7,5; dureté 2–20° dGH.

R.: Inconnue.

N.: H; algues, algues, algues. Comprimés lyophilisés.

P.: Poisson actif la nuit.

T: 23–26° C, L: 14 cm, en aquar. jusqu'à 10 cm, LA: 60 cm, Z: i, D: 2

Peckoltia pulchra

Peckoltia vittata

Glyptoperichthys gibbiceps (KNER, 1854)

Syn.: *Ancistrus gibbiceps, Chaetostomus gibbiceps, Hemiancistrus gibbiceps, Liposarcus altipinnis, L. scrophus, Pterygoplichthys gibbiceps.*

Or.: Rio Pacaya, Pérou.

P.i.: 1961 par K. H. Lüling, Bonn.

D.s.: Inconnu.

C.s.: Dans la nature il vit en groupes; paisible, également envers les très petits poissons. Convient pour les grands aquariums communautaires.

M.: Grands bacs à partir de 1,40 m de longueur, avec d'assez grandes grottes ou d'abris parmi la végétation dense. Ce poisson est actif au crépuscule et durant la nuit. Recherche intensivement des algues mais sans endommager les plantes, même celle de très petite taille. pH 6,5–7,8; dureté 4–20° dGH.

R.: Inconnue.

N.: H; algues, comprimés lyophilisés, résidus d'aliments. Nourrir le soir! Les grands spécimens de 30 cm et plus ont un besoin quotidien de 6 à 8 comprimés Tetratips et d'une grande quantité d'algues. La laitue ébouillantée n'est acceptée qu'avec réticence.

P.: L'aquarium doit être équipé d'un filtre puissant à grand volume, car cette espèce produit beaucoup d'excréments. Dans les bacs trop petits la croissance de ce poisson est très lente ou stagne.

T: 23–27° C, **L**: 60 cm, **LA**: 140 cm, **Z**: i, **D**: 1 (amlgré la taille)

Liposarcus multiradiatus (HANCOCK, 1828)

Syn.: *Ancistrus multiradiatus, Hypostomus multiradiatus, H. pardalis, Liposarcus jeanesianus, L. pardalis, L. varius, Plecostomus pardalis, Pterygoplichthys jeanesianus, P. pardalis, multiradiatus.*

Or.: Fleuves à eaux blanches au Pérou, en Amazonie, Bolivie, Paraguay.

P.i.: 1970 par Heiko Bleher (comme «Pardalis spec.»).

D.s.: Inconnu.

C.s.: D'après LÜLING cette espèce n'apparait pas en groupes aussi importants que *G. gibbiceps*. Espèce paisible.

M.: Comme pour l'espèce décrite ci dessus.

R.: Inconnue.

N.: H; algues et nourritures en comprimés qu'il faut distribuer le soir.

P.: Espèce rarement importée et devenant de trop grande taille pour l'aquarium du hôme. La différence par rapport aux espèces du genre *Hypostomus* réside principalement dans le nombre des rayons de la nageoire dorsale: *Hypostomus* a I, 7; *Liposarcus* I, 10–13.

T: 23–27° C, **L**: plus de 50 cm, **LA**: 140 cm, **Z**: i, **D**: 1

Glyptoperichthys gibbiceps

Liposarcus multiradiatus

Rineloricaria microlepidogaster (REGAN, 1904)

Syn.: *Loricaria microlepidogaster.*

Or.: Brésil central, eaux vives à courant rapide.

P.i.: 1928.

D.s.: La bouche du mâle est garnie de soies.

C.s.: Espèce très paisible, convient pour l'aquarium communautaire à eau adéquate.

M.: Bacs clairs, bien oxygénés, bon courant d'eau et nombreux abris. Si l'oxygène vient à manquer, les poissons se fixent à l'aide de leur bouche ventouse sur la vitre du bac, à proximité de la surface de l'eau. Végétation de tout genre, elle ne sera pas endommagée par ce poisson. Nourrir toujours le soir car il ne s'alimente pas durant la journée. Il aime s'enfouir dans le sol mou. pH 5,8–7,8; dureté jusqu'à 20° dGH (après acclimatation) moins est préférable.

R.: Comme *R. parva.*

N.: H; algues, nourriture végétale, nourriture en comprimés (la nuit).

P.: C'est la plus petite espèce du genre *Loricaria.* Le nom de l'espèce n'est pas confirmé. Suite à la révision effectuée par ISBRÜCKER (1978), le genre *Loricaria* avec ses nombreuses espèces a été divisé en plusieurs genres. Il en résulte chez les espèces les plus connues des aquariophiles des modifications de la dénomination du genre.

T: 22–26° C, **L**: 10 cm, **LA**: 60 cm, **Z**: i, **D**: 2–3

Rineloricaria fallax (STEINDACHNER, 1915)

Syn.: *Loricaria parva.*

Or.: Région du La Plata, Paraguay. Rivières à courant rapide, d'une hauteur d'eau de seulement 10 à 30 cm, à fond de gravier.

P.i.: 1908 par les Vereinigte Zierfischzüchtereien de Berlin Conradshöhe.

D.s.: Comme chez d'autres *Rineloricaria* les mâles portent des soies courtes et denses sur les joues. Vu d'en haut, la tête de la femelle est triangulaire, la tête du mâle est plus large dans le premier tiers (selon STEINDACHNER).

M.: Comme l'espèce ci dessus.

R.: Nécessite en plus d'une eau aux paramètres favorables, et d'une bonne nutrition à base végétale, tout particulièrement des terriers de frai d'un diamètre de 3–4 cm et d'env. 20 cm de longueur. La femelle (parfois plusieurs) y dépose 100 à 200 œufs de la taille d'un grain de moutarde, qui seront immédiatement fécondés par le mâle. A cet effet, la femelle se fixe à l'aide de sa bouche ventouse à l'une des pectorales du mâle. Les jeunes éclosent au bout de 9–12 jours durant lesquels le mâle a surveillé le frai. Il aspire la membrane des œufs pour libérer les alevins. Sur le terrain on a déjà capturé des mâles qui portaient tous les œufs sous leur bouche, sans les lâcher dans le filet. On nourrit les alevins avec des Artémias, puis des *Cyclops* et des Daphnies. A partir de la deuxième semaine il faut offrir de la nourriture végétale. Il faut veiller impérativement à la propreté intérieure du bac.

N.: H; algues, aliments en flocons, comprimés.

P.: N'est pas aussi durable que les espèces du genre *Hypostomus (Plecostomus).*

T: 15–25° C, **L**: 12 cm, **LA**: 80 cm, **Z**: i, **D**: 2

Rineloricaria microlepidogaster

Rineloricaria fallax

Malapterurus electricus (GMELIN, 1789)
Silure électrique

Syn.: *Silurus electricus.*

Or.: Afrique centrale au nord du fleuve Zambesi (Nil, Niger, Volta, Zaïre, lac Tschad).

P.i.: 1904.

D.s.: Inconnu.

C.s.: Solitaire actif la nuit; pour aquariums spécifiques.

M.: Grands bacs d'exposition à partir de 500 litres, offrant une grande grotte formée de roches ou de racines. Cultiver les plantes dans des pots. Filtration puissante. Dureté jusqu'à 20° dGH; pH 7,0–8,0.

R.: Inconnue; les femelles pondent dans des cuvettes qu'elles ont creusé elles-mêmes dans le sol.

N.: C; nourriture vivante (poissons), grands vers de terre, morceaux de viande.

T: 23–30° C, **L:** 100 cm, **LA:** 120 cm, **Z:** i, **D:** 4.

P.: Convient seulement pour les aquariums publics. Les organes électriques entourent tout le corps du poisson et peuvent émettre des secousses électriques (pour anesthésier la proie).

Synodontis decorus

BOULENGER, 1899
Sous-fam.: Mochokinae

Syn.: Aucun.

Or.: Zaïre supérieur, Cameroun.

P.i.: Env. 1960.

D.s.: Inconnu.

C.s.: Paisible.

M.: Comme pour l'espèce décrite page suivante. Ne pas capturer dans un filet à larges mailles, car les épines des pectorales s'accrochent et sont ensuite très difficiles à libérer, en plus du danger de se blesser soi même durant l'action.

R.: Inconnue.

N.: O; mange tout, flocons, comprimés, toutes sortes de nourritures vivantes.

P.: Seuls les juvéniles conviennent comme poissons d'aquarium. La photo du haut montre un juvénile, la petite photo montre un subadulte.

T: 23–27° C, L: jusqu'à 24 cm, LA: 100 cm, Z: i, D: 2–3

Synodontis alberti SCHILTHUIS, 1891

Syn.: Aucun.

Or.: Région du Zaïre (Stanley Pool), Kinshasa, Ubunghi Banziville, Katanga: Riv. Lukulu.

P.i.: 1957 par Espe, Brême, 1954 RDA.

D.s.: Inconnu.

C.s.: Poisson grégaire paisible, le plus souvent solitaire, qui dérange cependant les autres occupants de l'aquarium par sa nage incessante. Ses barbillons toujours en action incommodent également les autres poissons.

M.: À faire cohabiter de préférence avec des poissons grégaires de surface. Maintenir individuellement en bacs sombres offrant de nombreuses caches sous forme de grottes. Il affectionne particulièrement des aires de repos composées de racines en position verticale. Sol composé de sable fin. Plantation selon convenance personnelle. Eau: pH 6,0–8,0; dureté 4–25° dGH.

R.: Pas encore réussie.

N.: Aliments en comprimés, algues, nourriture vivante (vers).

P.: Possède des dents mobiles sur la mâchoire inférieure qui lui permettent de racler les algues.

T: 23–27° C, **L**: 16 cm, **LA**: 80 cm, **Z**: i, **D**: 2

Synodontis angelicus SCHILTHUIS, 1891
Synodontis pintade

Syn.: Aucun.

Or.: Zaïre (Stanley Pool), Mousembe (Zaïre supérieur), Cameroun.

P.i.: 1954.

D.s.: Inconnu.

C.s.: Paisible, peut cohabiter avec des congénères ainsi que d'autres espèces appartenant à ce genre. Comme poissons de compagnie les Tétras du Congo et d'autres Characidés africains conviennent très bien.

M.: Bac à sol composé de sable fin pour fouisser. Grandes racines servant d'abris caverneux. Nage parfois en position dorsale. Après acclimatation il sort de son abri également dans la journée pour s'alimenter. Il ne creuse pas, mais aime fouisser. Un filtre puissant assurant à la fois courant d'eau et nettoyage, contribue à son bien être. Un tiers de l'eau devrait être changé toutes les trois semaines en ajoutant un bon produit d'entretien. Les plantes fines sont moins indiquées car elles ont tendance à se couvrir du sédiment tourbillonnant sous l'action des fouisseurs. Les algues sont indispensables pour cette espèce, l'aquariophile a donc intérêt à ne pas enlever les algues (sauf les algues bleues) sur les vitres et le décor. L'espèce est sensible aux nitrates. pH 6,5–7,5; dureté 4–15° dGH.

R.: Serait souhaitable car les importations sont en voie de restriction. A part *S. nigriventris* et *S. nigrita,* aucune espèce du genre *Synodontis* a été reproduite en captivité.

N.: Fine nourriture vivante, algues, flocons, comprimés lyophilisés; nourrir le soir.

P.: Cette espèce rare est actuellement interdite à l'exportation, ceux qui nous parviennent atteignent des prix exorbitants. Une sous espèce a été décrite: *Synodontis angelicus zonatus* POLL, 1933 (Katanga: Riv. Lukulu).

T: 20–25° C, **L**: 55 cm, **LA**: 250 cm, **Z**: i, m, **D**: 4

Synodontis alberti

Synodontis angelicus

Synodontis decorus, page 501
Synodontis eupterus, page 508

Synodontis flavitaeniatus BOULENGER, 1919
Synodontis à bandes jaunes

Syn.: Aucun.

Or.: Zaïre (Stanley Pool); Rivière Chiloango.

P.i.: 1970?

D.s.: Inconnu.

C.s.: Paisible, peut vivre en compagnie de toutes espèces.

M.: Préfère les bacs à sol moulmeux ou composé de sable fin. Introduire des racines sous lesquelles il peut s'abriter. Fuit moins la lumière que d'autres Mochocidés, de sorte qu'on peut aisément l'observer durant la journée. Il fouille moins le sol que les grands représentants de son genre, l'aquarium peut donc recevoir une plantation normale. Un régulier changement d'eau est conseillé. pH 6,5–8,0; dureté 4–25° dGH.

R.: Inconnue.

N.: O; mange tout, fine nourriture vivante et nourriture en comprimé, un peu d'algues.

P.: C'est un des plus beaux Mochocidés mais très rare et cher. Seulement environ une douzaine d'individus sont capturés chaque année.

T: 23–28° C, **L:** 20 cm, **LA:** 80 cm, **Z:** i, **D:** 1

Synodontis schoutedeni DAVID, 1936
Synodontis marbré

Syn.: Aucun.

Or.: Congo moyen.

P.i.: 1951.

D.s.: Inconnu.

C.s.: Solitaire paisible qui dérange cependant les cohabitants du bac par sa nage presque incessante et l'activité de ses barbillons. Dans le cas ou plusieurs spécimens de la même espèce ou du même genre vivent en communauté, le plus grand domine les plus petits.

M.: Grands bacs à sol sablonneux ou moulmeux. Les plantes tendres sont parfois considérées comme nourriture. Durant la journée ce poisson aime reposer sur les faces verticales des racines ou roches. Il n'est pas très exigeant envers les qualités physicochimiques de l'eau, mais est très sensible à l'eau fraiche de la conduite. pH 6,0–7,5; dureté 4–15° dGH. Equiper le bac d'un filtre puissant.

R.: Inconnue.

N.: O; mange tout, nourriture vivante fine et de moyenne consistance, végétaux, flocons et comprimés.

P.: Une des plus belles espèces du genre *Synodontis* mais rarement importée.

T: 22–26° C, **L:** 14 cm, **LA:** 100 cm, **Z:** i, **D:** 2–3

Synodontis flavitaeniatus

Synodontis schoutedeni

Synodontis nigriventris DAVID, 1936
Silure du Congo

Syn.: *Synodontis ornatipinnis* (pas BOULENGER).

Or.: Bassin du Zaïre, de Kinshasa à Basonga.

P.i.: 1950 en Belgique.

D.s.: Femelle nettement plus ronde, sa robe est plus pâle, ses couleurs plus délavées.

C.s.: Paisible, également envers ses congénères. Bon poisson de compagnie.

M.: Aquarium planté de plantes à feuilles larges (Echinodorus) et comportant des racines et des roches sous forme d'abris. Il aime brouter sur la surface inférieure des feuilles en cherchant plutôt de la nourriture carnée (larves d'insectes) que des algues.

R.: C'est la seule espèce du genre *Synodontis* qui a déjà été reproduite plusieurs fois en aquarium. Les œufs sont déposés dans une grotte. A l'époque du frai les femelles sont particulièrement rondes. Les parents pratiquent un genre de soins à la ponte. Jusqu'au quatrième jour les jeunes disposent d'un sac vitellin, ensuite ils acceptent des *Artemia* fraichement écloses. A partir de 7 à 8 semaines les jeunes adoptent la nage sur le dos. Jusqu'à une taille de 5 cm (à partir de 2 cm) les alevins présentent un comportement grégaire qui disparait par la suite.

N.: C, O; larves d'insectes (pas d'algues), comprimés lyophilisés. La nage sur le dos permet à ce Silure de happer aisément les larves de moustiques à la surface de l'eau. Cette nourriture enclenche souvent le frai, si toutes les autres conditions sont favorables.

T: 22–26° C, **L:** ♂ 8 cm, ♀ 10 cm, **LA:** 60 cm, **Z:** s, m, i, **D:** 1

Synodontis notatus VAILLANT, 1893
Synodontis à point noir

Syn.: *Synodontis maculatus* (pas RÜPPELL).

Or.: Zaïre, du Stanley Pool à Monsembe.

P.i.: 1952.

D.s.: Inconnu.

C.s.: Espèce paisible.

M.: Comme les autres grands *Synodontis*; aime fouiller le sol.

R.: Inconnue.

N.: O; mange tout.

P.: Parmi les plus de 80 espèces connues, celle ci est la plus fréquemment importée; sa maintenance n'a rien de particulier. La sous espèce *S. notatus ocellatus* est nettement plus robuste.

T: 22–26° C, **L:** 14 cm, **LA:** 100 cm, **Z:** i, **D:** 2–3

Synodontis schoutedeni, page 504

Synodontis nigriventris

Synodontis notatus

Synodontis eupterus BOULENGER, 1901
Synodontis à nageoires ornées Sous-fam.: Mochokinae

Syn.: Aucun.

Or.: Nil blanc, Bassin du Tschad et Niger (Afrique).

P.i.: Inconnue.

D.s.: Inconnu.

C.s.: Espèce paisible, convient pour l'aquarium communautaire à espèces de taille moyenne.

M.: Bac à lumière diffuse comportant des caches (racines, pot à fleurs ou noix de coco). Sable fin permettant de fouisser est indispensable pour ménager les barbillons. Adjonction d'extrait de tourbe ou filtration sur tourbe. Plantation laissant des zones dégagées au sol. pH 6,2–7,5; dureté jusqu'à 15° dGH.

R.: N'a pas encore été reproduit en captivité.

N.: O; comprimés, toutes nourritures vivantes.

P.: A été vendu jusqu'à présent comme S. ornatus, ce qui est cependant un synonyme de *S. nigrita*.

T: 22–26° C, L: env. 15 cm, LA: 80 cm, Z: i, D: 2

Pangasius hypophthalmus (SAUVAGE, 1878)
Pangasius requin, Silure requin Sous-fam.: Pangasiinae

Syn.: *P. sutchi.*

Or.: Thailande (près de Bangkok).

P.i.: 1964 par «Tropicarium Frankfurt».

D.s.: Inconnu.

C.s.: Les juvéniles vivent en bancs, les adultes en solitaires.

M.: Grands bacs offrant beaucoup d'espace pour nager. Ce poisson a une mauvaise vue. Il prend de l'air à la surface mais occupe le plus souvent le tiers inférieur du bac. Très peureux, ne pas frapper contre les vitres et ne pas allumer la lumière au cours de la nuit. Eclairage diffus par couche de plantes flottantes est avantageux. Pas besoin de caches. Eau: pH env. 7,0; dureté 2–20° dGH.

R.: Dans son pays d'origine il est reproduit dans des étangs, les jeunes sont élevés dans des cuves en bois. Reproduction impossible en aquarium.

N.: O; mange tout, les juvéniles principalement de la nourriture vivante. Les individus âgés perdent leurs dents et passent à la nutrition végétale.

P.: N'est pas un poisson d'aquarium! Est introduit dans les rizières comme poisson comestible. L'alevinage (alevins de la longueur d'un doigt) est approvisionné de temps à autre par des importations.

Les amateurs ne savent pas toujours résister à la tentation d'acheter des jeunes de cette espèce, ces derniers sont d'ailleurs très robustes.

Son proche parent, *P. pleurotaenia*, ne présente quœune seule bande horizontale et n'atteint pas une aussi grande taille (d'après ELIAS).

T: 22–26° C, **L:** jusqu'à 100 cm, en aquar. env. 30 cm, **LA:** 200 cm, **Z:** i, **D:** 3

Pimelodus blochii VALENCIENNES, 1840
Silure gras Sous-fam.: Pimelodinae

Syn.: *Ariodes clarias, Fagrus clarias, Mystus ascita, Pimelodus arekaima, P. maculatus, P. macronema, P. schomburgki, Piramutana macrospila, Pseudodariodes clarias, P. albicans, P. pantherinus, Pseudorhamdia uscita, P. piscatrix, Silurus callarias, S. clarias.*

Or.: Pratiquement toutes les grandes rivières et grands fleuves de Panama jusqu'au Brésil.

P.i.: 1895 par P. Nitsche, Berlin.

D.s.: Inconnu.

C.s.: Asocial envers les congénères. Comme compagnie: *Hypostomus, Loricaria, Corydoras, Acanthodoras* et grands Cichlidés.

M.: Ce poisson vit au sol dans l'eau opaque de couleur café au lait. Il repère sa nourriture à l'odorat et à l'aide de ses longs barbillons. Obscurcir l'aquarium et offrir des abris qu'il occupe durant la journée. Le soir il quitte sa cachette et mène une alerte vie nocturne. Eau: pH 6,0–7,5; dureté 4–10° dGH.

R.: Inconnue.

N.: K, O; mange tout, préfère les vers, surtout les vers de terre; larves d'insectes, *Tubifex.*

P.: On dit que l'épine de la nageoire dorsale peut provoquer une intoxication allergique en cas de blessure. L'auteur ne peut pas le confirmer. A deux occasions il s'est «enfoncé un *Pimelodus* dans le pied» au cours d'une expédition. La douloureuse blessure mise à part (un côté de l'épine est garni de dents en forme de dents de scie faisant effet d'hameçons), il n'y eut ni inflammation ni signes d'intoxication.

En cas de mauvaises conditions d'eau il passe à la respiration intestinale et aspire de l'air à la surface, ce qu'il fait en général que sporadiquement.

T: 20–26° C, **L**: 20 cm (30 cm), **LA**: 100 cm, **Z**: i, **D**: 1–2

Pseudoplatystoma fasciatum (LINNAEUS, 1766)
Silure tigre Sous-fam.: Sorubiminae

Syn.: *Platystoma fasciatum, P. punctifer, P. truncatum, Pseudoplatystoma punctifer, Silurus fasciatus.*

Or.: Paraguay: Rio Lebrijo près de Santander (Vénézuéla); Rio Négro, Pérou.

P.i.: Date inconnue.

D.s.: Inconnu.

C.s.: Prédateur qui ne peut être maintenu qu'en compagnie de très grands poissons. Il arrive aussi qu'il n'accorde aucune attention aux très petits poissons.

M.: Grands bacs offrant quelques abris. Pas exigeant envers la qualité de l'eau. pH 6,0–8,0; dureté 4–30° dGH. Actif au crépuscule et durant la nuit.

R.: Inconnue.

N.: C; mange tout ce qui vit et qu'il peut avaler; après acclimatation également viande et chair de poisson.

P.: N'est pas un poisson d'aquarium! Vorace comme un tigre. Cinq sous espèces de *P. fasciatum* sont connues: *P. fasciatum brevifile* EIGENMANN & EIGENMANN, 1882; *P. fasciatum fasciatum* LINNAEUS, 1766; *P. fasciatum intermedium* EIGENMANN & EIGENMANN, 1888; *P. fasciatum nigricans* EIGENMANN & EIGENMANN, 1889 et *P. fasciatum reticulatum* EIGENMANN & EIGENMANN, 1889.

T: 24–28° C, **L**: 25–30 cm (jusqu'à 100 cm!), **LA**: 120 cm, **Z**: m, i, **D**: 3

Pimelodus blochii

Pseudoplatystoma fasciatum

Sorubim lima (BLOCH et SCHNEIDER, 1801)
Silure spatule
Sous-fam.: Pimelodinae

Pimelodus blochii

Pseudoplatystoma fasciatum

511

Syn.: *Platystoma lima, P. luceri, Silurus, gerupensis, S. lima, Sorubim infraocularis, S. luceri.*

Or.: Régions d'Amazonie, Vénézuéla, Paraguay.

P.i.: 1929 par «Firma Scholze und Pötzschke», Berlin.

D.s.: Inconnu.

C.s.: Prédateur chassant ses proies seul ou par groupes; faire cohabiter qu'avec des grands poissons.

M.: Grands bacs avec beaucoup de racines comme abris et lieux de repos. Cette espèce est rarement importée. N'endommage pas les plantes. Durant la journée ce poisson occupe de préférence une position surélevée parmi les plantes et les racines. Au crépuscule il manifeste une singulière agitation et explore tout son territoire pour trouver de quoi manger. Eau: pH 6,5–7,8; dureté jusqu'à 20° dGH.

R.: Pas encore réussie en captivité.

N.: C; poissons vivants, après acclimatation accepte également des comprimés entiers et des grands vers de terre.

P.: Seulement pour amateurs disposant de suffisamment de nourritures vivantes adéquates.

T: 23–30° C, L: 20 (60) cm, LA: 100 cm, Z: i, D: 4 (C)

Eutropiellus buffei GRAS, 1960
Eutropiella
Sous-fam.: Schilbeinae

Syn.: *Eutropius buffei, Eutropiellus vandeweyeri.*

Or.: Zaïre, Gabon (Afrique).

P.i.: 1954.

D.s.: Le ventre de la femelle est plus rond.

C.s.: Poisson grégaire paisible, vivace, diurne. Les individus isolés se sentent mal à l'aise. Convient pour l'aquarium communautaire.

M.: Bacs assombris par une couche de plantes flottantes et offrant un grand espace pour la nage. Assurer un bon courant à l'aide d'un filtre puissant. N'est pas très exigeant envers la qualité de l'eau: pH 6,0–7,5; dureté 1 à 25° dGH. Végétation adaptée aux conditions de luminosité. Ne mange pas les plantes. Le sol doit être composé de sable ou de gravier sombre. La filtration sur tourbe est favorable mais pas obligatoire.

R.: Inconnue.

N.: C; aliments en flocons, fines nourritures vivantes.

P.: Ces poissons stationnent ou nagent toujours avec la caudale légèrement dirigée vers le bas et toujours en mouvement. *E. buffei* est généralement proposé sous le nom de l'espèce *E. debauwi*, très ressemblant et originaire de la région du Zaïre. *E. debauwi* diffère de *E. buffei* par le dos plus foncé, l'absence de taches sur les lobes de la caudale, et par seulement deux bandes longitudinales.

T: 24–27° C, L: 8 cm, LA: 80 cm, Z: m, s, D: 2

Schilbe intermedius RÜPPELL, 1832

Silure argent Sous-fam.: Schilbeinae

Syn.: *Silurus mystus, Schilbe mystus.*

Or.: Nil, Lac Victoria, Lac Tschad; delta du Niger (Afrique occidentale).

P.i.: 1934.

D.s.: Inconnu.

C.s.: Poisson grégaire, les grands spécimens attaquent parfois leurs petits cohabitants dans l'aquarium.

M.: Ce poisson grégaire vivace a besoin d'un grand espace libre pour nager, dans un bac spacieux de 1,20 m et plus. Le sol doit être composé de terre (ni gravier, ni sable, souvent trop clairs). L'espèce se sent seulement à l'aise au dessus d'un sol sombre. Les individus obligés à vivre en solitaire dégénèrent facilement et refusent de s'alimenter.

R.: Jusqu'à présent seulement réussie par hasard.

N.: O; mange tout; nourriture vivante consistante, grands flocons.

P.: Un poisson d'aspect plaisant mais qui devient malheureusement très grand. L'amateur qui s'intéresse plus particulièrement aux Siluridés sera également ravi du comportement de cette espèce.

T: 23–27° C, L: jusqu'à 35 cm, LA: 120 cm, Z: m, D: 2

Kryptopterus minor
Poisson de verre

ROBERTS, 1989
Sous-fam.: Silurinae

Syn.: *Cryptopterichthys bicirrhis, Cryptopterus amboinensis, Kryptopterichthys palembangensis, Silurus bicirrhis, S. palembangensis.*

Or.: Indochine; Thailande; Malaysia; Indonésie: Sumatra, Java, Bornéo.

P.i.: 1934 par Winkelmann, Hambourg Altona.

D.s.: Inconnu.

C.s.: Poisson grégaire paisible, convient pour le bac communautaire en compagnie de petites espèces calmes, à partir de 4 cm et jusqu'à 6 cm de long. Dévore les alevins.

M.: Silure aimant la lumière de l'eau libre avec possibilités de s'abriter parmi la végétation. Eventl. couche de plantes flottantes. Sol sombre. Grand espace dégagé pour la nage et puissante filtration.

T: 21–26° C, L: 8 cm, LA: 80 cm, Z: m, D: 3

R.: Jusqu'à présent seulement réussie par hasard.

N.: C, O; fine nourriture vivante, flocons flottants dans le courant du filtre, aliments lyophilisés.

P.: Hélas assez délicat, par ailleurs très intéressant.

Ompok bimaculatus (BLOCH, 1794)
Silure verre à deux taches Sous-fam.: Silurinae

Syn.: *Silurus bimaculatus, Callichrous bimaculatus.*

Or.: Côte de Malabar, Nepal, Thailande, Birmanie/Sumatra, Java, Bornéo, Vietnam, Inde, Sri Lanka.

P.i.: 1934.

D.s.: Pas décrit.

C.s.: Poisson grégaire paisible. Pas de problèmes de cohabitation avec des grands poissons. Ne pas tenir en solitaire.

M.: Un des rares Silures à vie diurne, de sorte que l'aquarium peut être placé à un endroit éclairé. L'espèce se complait en eau libre (courante) en compagnie de plusieurs congénères. On devrait le tenir par groupe d'au moins cinq exemplaires. Cela nécessite évidemment un aquarium spacieux et beaucoup de nourriture, car *Ompok* est très gourmand. Végétation composée de plantes à grandes feuilles. Ne fouille pas dans le sol. Eau: pH 6–8; dureté 4–28° dGH.

R.: En bassins. N'a pas été reproduit en aquarium, le milieu étant trop confiné.

N.: O; mange tout, préfère la nourriture carnée; accepte aussi les grands flocons et les fragments de comprimés.

P.: Dans sa forme juvénile il est transparent comme le Poisson de verre auquel il ressemble d'ailleurs à s'y méprendre. *Ompok bimaculatus* présente cependant 4 rayons dans la dorsale, alors que le Poisson de verre *Kryptopterus bicirrhis* n'en a qu'un. L'espèce est largement répandue, on l'élève comme poisson comestible.

T: 20–26° C, **L**: 12–20 cm en aquar., jusqu'à 45 cm dans la nature, **LA**: 100 cm, **Z**: m, **D**: 2

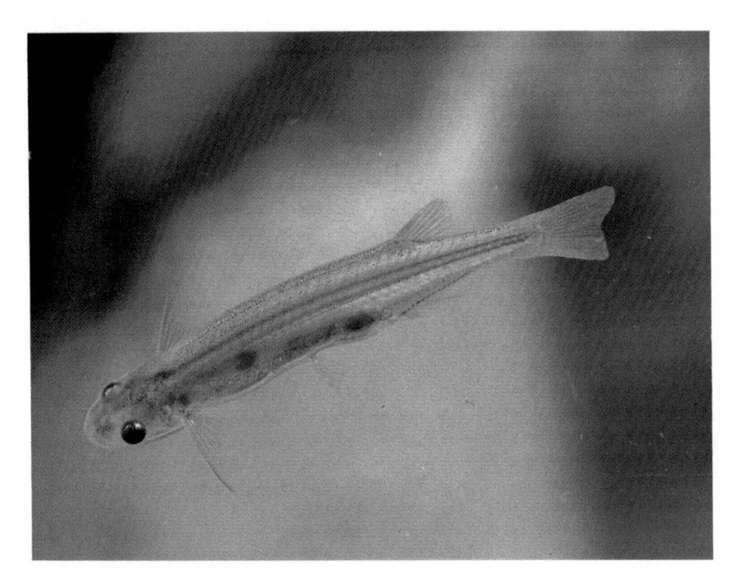

Tridensimilis brevis (EIGENMANN & EIGENMANN, 1889)
Canero

Syn.: *Tridens brevis, Tridentopsis brevis.*

Or.: Région de l'Amazone.

P.i.: 1967 par Heiko Bleher.

D.s.: Inconnu.

C.s.: Solitaire, plusieurs individus peuvent cependant cohabiter sur une surface de 1 mètre carré.

M.: Dans la nature ce Silure vit dans le sable des rivières peu profondes. On le recontre rarement en aquarium, car il a un aspect insignifiant et mène une vie cachée. Eau: pH 5,5–7,0; dureté 2–10° dGH. Le sol doit être composé de sable fin et moulmeux.

R.: Inconnu.

N.: C, L; Daphnies, larves de Moustiques.

T: 20–30° C, L: 3 cm, LA: 40 cm, Z: i, D: 2

P.: Le groupe de Silures auquel appartient cette espèce est tragiquement célèbre par sa particularité de s'introduire dans les cavités branchiales des grands poissons (le plus souvent des Silures) et de les parasiter. Il arrive que ces minuscules Silures pénètrent dans les voies urinaires des mammifères.

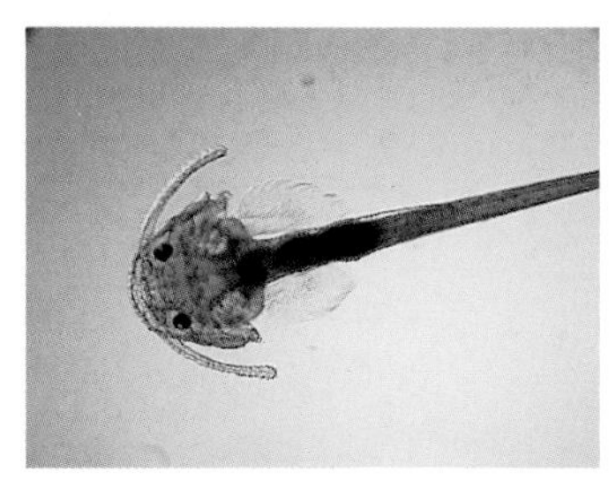

Larve de *T. brevis*

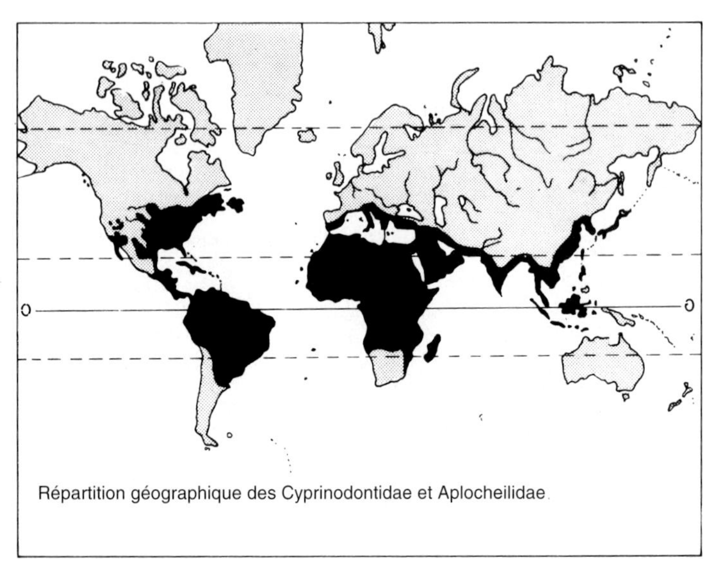

Répartition géographique des Cyprinodontidae et Aplocheilidae

Les familles des Cyprinodontidae et Aplocheilidae (Cyprinodontidés ovipares, Killies)

La grande famille des Cyprinodontidés ovipares comprend plus de 450 espèces que l'on rencontre sur tous les continents, sauf l'Australie. Le plus grand nombre d'espèces se trouve dans les régions tropicales, mais quelques sous familles, par ex. les Fundulinae et les Aphaniinae, pénètrent profondément dans les zones tempérées de l'Amérique du Nord et de l'Europe, voir de l'Asie.
De nombreux Killies sont d'habiles nageurs, ce qui s'exprime par leur corps svelte en forme de brochet. D'autres présentent un corps plutôt cylindrique avec des nageoires courtes et rondes. Quelques pondeurs au sol sud américains (*Cynolebias, Pterolebias, Rachovia*) ont un corps plus haut et moins svelte. Leurs nageoires sont le plus souvent très longues et larges. Les nageoires impaires sont particulièrement développées, car elles servent aux mâles à étreindre les femelles durant le frai.
Il s'agit le plus souvent de petits poissons d'une longueur de 5 à 10 cm. Seulement quelques espèces dépassent cette taille. *Orestias cuvieri* qui atteint 30 cm de long est le plus grand Killi. Il est originaire de l'Amérique du Sud. *Fundulus catenatus* d'une longueur de 20 cm est le plus imposant Cyprinodontidé nord américain. *Lamprichthys tanganicanus* d'une longueur de 13,5 cm est le plus grand parmi les

Nothobranchius melanospilus

espèces africaines. Mais il existe aussi de véritables nains parmi les Killies, en particulier *Oryzias minutillus* et *Aplocheilichthys myersi* qui ne dépassent pas 2 cm de longueur.
Chez la majorité des Killies le dessus de la tête est aplati. La bouche est terminale ou légèrement supère. Elle est garnie de dents longues et pointues. Chez la plupart des sous familles des Cyprinodontinae et Aphaniinae les dents sont tricuspides. Presque tous les Cyprinodontidés présentent des écailles cycloïdes. Le système de la ligne latérale est limité chez beaucoup d'espèces à la région de la tête. L'écaillure de la tête et la disposition des organes de la ligne latérale sur la tête servent à la détermination des Killies.
La majorité des Cyprinodontidés ovipares ne vit pas en bancs ou écoles. Les représentants de trois sous familles font exception. Parmi ces dernières seule celle des Oryziatinae est intéressante pour l'aquariophilie. Les individus de ces sous familles forment des bancs à tout âge. Quelques Cyprinodontidés et Aphaniinés forment temporairement des écoles.
La reproduction et le développement des œufs des Cyprinodontidés ovipares sont fort intéressants. De nombreux cas sont détaillés plus loin dans les descriptions des espèces. Chez les Killies on distingue ceux qui fixent leurs œufs aux plantes et ceux qui les introduisent dans le sol. Les deux groupes diffèrent non seulement par le choix du substrat de ponte, mais aussi par leur biologie. Les premiers habitent des eaux qui n'assèchent jamais. Ils peuvent donc vivre durant une ou plusieurs années. Chez eux il n'y a pas d'adaptation du développement embryonnaire au cycle annuel ou il est très faiblement développé. Par contre, les pondeurs au sol habitent des eaux qui assèchent lentement en période sèche. Ils passent cette dernière sous forme d'embryons dans le sol humide, protégés par la membrane de l'œuf. Le développement embryonnaire est interrompu par des diapauses. Chez la plupart des Killies deux diapauses ont lieu, chez les représentants de la sous famille des Rivulinae il s'en ajoute une troisième. En tenant compte de ces processus, on peut diviser les Cyprinodontidés ovipares en espèces non annuelles (pondeurs sur substrat) et espèces annuelles (pondeurs au sol). Les différences qui apparaissent dans la reproduction de ces deux groupes et les détails à observer, sont indiqués plus loin pour les espèces traitées. Les sous familles: Aphaniinae, Cyprinodontinae, Fundulinae, Procatopodinae, Rivulinae.

Adinia multifasciata GIRARD, 1859
Killi diamant
Sous-fam.: Fundulinae

Syn.: *Fundulus xenicus, Adinia xenica.*

Or.: Sud des USA: du Texas à l'ouest de la Floride. En eau saumâtre et eau douce.

P.i.: Pas connue exactement, probablement seulement à partir de 1975.

D.s.: La femelle présente 10 à 14 bandes de couleur perle entre les bandes verticales sombres; elles sont absentes chez le mâle.

C.s.: Seulement agressif dans un bac trop exigu et en l'absence de cachettes. Peut cohabiter avec d'autres espèces d'eau saumâtre (*Cyprinodon variegatus,* espèces du genre *Monodactylus,* quelques espèces du genre *Fundulus*).

M.: Sol mou et sombre, nombreuses caches composées de roches et racines; végétation allégée composée de plantes supportant l'eau saumâtre (par ex. *Vallisneria americana*); eau très saumâtre, ajouter $^1/_4$ à $^1/_2$ d'eau de mer à l'eau douce.

R.: Eau saumâtre d'une température de 22° C; quelques touffes de plantes à fines ramures. La ponte a lieu au milieu des plantes ou près du sol.

N.: O; mange tout: nourritures vivantes (Larves de Moustiques, petits crustacés, etc.) Accepte les aliments en flocons et les végétaux (épinards, laitue).

P.: Dans l'eau douce les couleurs de *Adinia multifasciata* sont beaucoup plus pâles que dans l'eau saumâtre. Dans la nature Adinia multifasciata est apprécié comme dévoreur de Larves de Moustiqués, on l'emploie dans la lutte biologique contre les Moustiques.

T: 20–23° C, L: 5 cm, LA: 60 cm, Z: i et m, D: 2

Aphanius iberus (VALENCIENNES, 1846)
Aphanius d'Espagne

Syn.: *Cyprinodon iberus, Lebias ibericus.*

Or.: Espagne (Catalonie, Valencia, Murcia), Maroc, Algérie. L'espèce n'apparait qu'en eau douce.

P.i.: 1911.

D.s.: Mâle bleu vert à bleu marin; la dorsale et l'anale sont foncées à points clairs; la nageoire caudale est bleu foncé avec dessin clair. La femelle est vert olive ou bleu vert, ses nageoires sont incolores.

C.s.: Poisson paisible sans exigences particulières. A faire cohabiter avec des espèces similaires.

M.: Sol composé de sable fin; bac densément planté; décor composé de racines avec un peu d'espace libre à l'avant. Eau moyennement dure (8–10° dGH) et neutre (pH 7).

R.: Eau env. 30° C; plantes fines. La parade nuptiale qui précède la ponte est fort violente; la ponte se déroule auprès des plantes. Bien nourrir les reproducteurs auparavant sinon ils dévorent les œufs. Les jeunes éclosent au bout d'une semaine environ, on les élève avec de la nourriture planctonique. Retirer les parents avant l'éclosion.

N.: C; nourritures vivantes, de préférence des Larves de Moustiques (noires, blanches et même les rouges).

P.: On obtient les meilleurs résultats de reproduction en leur faisant passer l'hiver à basse température (12–16° C). Dans la lutte biologique contre les Moustiques, cette espèce a été remplacée par *Gambusia affinis*.

A. iberus, femelle

T: 10–24° C, **L:** 7 cm, **LA:** 60 cm, **Z:** m, **D:** 1–2

Aphanius fasciatus (HUMBOLDT et VALENCIENNES, 1821)
Aphanius zèbre

Syn.: *Lebias fasciatus, Aphanius calaritanus, Cyprinodon calaritanus, C. fasciatus, C. marmoratus, Lebias calaritanus.*

Or.: Europe et Asie; région méditerranéenne: Alpes maritimes, Sardaigne, Sicile, les deux côtes de l'Italie jusqu'à Venise, Yougoslavie (Istrie, Dalmatie), Chypre, Turquie, Syrie, Israel, côte nord africaine, de l'Egypte jusqu'à Algérie.

P.i.: 1913.

D.s.: Mâle brun olive, ventre blanchâtre avec 10–14 raies verticales blanc jaune s'élargissant du bas vers le haut; nageoires jaune à jaune orange. Femelle gris brun, ventre clair avec une rangée horizontale de taches rondes sombres. Toutes les nageoires sont plus ou moins incolores.

C.s.: Le plus souvent paisible, c'est un Killi robuste. Faire cohabiter avec des espèces calmes.

M.: Comme indiqué chez *Aphanius iberus*. Il est recommandé d'ajouter du sel marin à l'eau douce (1–2 cuillerée à café pour 10 l. d'eau.

R.: Similaire à celle de *A. iberus*. On manque de renseignements précis sur la reproduction en aquarium.

N.: C; nourriture vivante (Larves de Moustiques noires et blanches).

P.: *Aphanius fasciatus* est un proche parent de *Aphanius iberus* et *A. dispar* (RÜPPELL, 1829).

T: 10–24° C, **L:** 7 cm, **LA:** 60 cm, **Z:** m, **D:** 1–2

Aphanius iberus ♂

Aphanius fasciatus

Aphyosemion australe (RACHOW, 1921)
Cap Lopez, Queue en lyre

Syn.: *Haplochilus calliurus var. australis, H. calliurus, Panchax polychromus, P. australe.*

Or.: Afrique occidentale.

P.i.: 1913 par J. Wolmer, Hambourg.

D.s.: La nageoire caudale du mâle est trilobée, les rayons des lobes inférieur et supérieur sont étirés et se terminent en pointes; les nageoires dorsale et anale également prolongées; la femelle présente une robe simple brunverdâtre, la caudale est arrondie; la femelle est plus petite que le mâle.

C.s.: Poisson très paisible; à faire cohabiter de préférence avec d'autres Aphyosemion et des poissons de surface.

M.: Végétation dense, sol sombre (tourbe ou moulme), quelques caches sous forme de racines; lumière diffuse; plantes flottantes; eau douce (jusqu'à 10° dGH) et légèrement acide (pH 5,5–6,5); ajout de sel marin (1 cuillerée à café pour 10 l. d'eau); filtration sur tourbe; convient pour l'aquarium communautaire si l'eau est adéquate.

R.: 23° C; possible dans un très petit bac. Employer des plantes fines ou un écheveau de fils en nylon comme substrat de ponte. Eau douce (5° dGH) et légèrement acide (pH 6,5); filtration sur tourbe. Opérer avec 1 mâle et 2–3 femelles. Il est possible de prélever tous les jours 10 à 20 œufs sur le substrat et de les transférer dans un petit bac d'incubation contenant la même eau. Le développement dure 14 jours. Les œufs de ce pondeur sur substrat peuvent être traités comme ceux d'un pondeur au sol (voir chez les *Cynolebias*).

N.: C, O; toutes les nourritures vivantes, accepte également les aliments congelés et en flocons.

P.: *Aphyosemion australe* a une durée de vie relativement longue et peut atteindre un âge de 3 ans s'il est maintenu sous de bonnes conditions. Les mâles présentent des attitudes d'imposition remarquables, leurs nageoires étant largement déployées.

T: 21–24° C, L: 6 cm, LA: 50 cm, Z: i et m, D: 2

Aphyosemion bivittatum (LÖNNBERG, 1895)
Aphyo rayé

Syn.: *Fundulus bivittatus, Fundulopanchax bivittatum.*

Or.: Afrique occidentale: région du sud-est du Nigeria et sud ouest du Cameroun.

P.i.: En 1908 par la firme Siggelkow, Hambourg.

D.s.: Mâle plus coloré que la femelle; la caudale du mâle est prolongée dans son lobe inférieur et supérieur.

C.s.: Poisson paisible, habile nageur; les mâles présentent un comportement d'imposition très prononcé mais blessent rarement les femelles.

M.: Comme indiqué chez *Aphyosemion mirabile*. Pour *A. bivittatum* il est important que l'eau soit limpide, exempte d'infusoires et de bactéries; l'aquarium doit être situé à un endroit ombragé et ne pas être touché directement par les rayons du soleil.

R.: 24–26° C, comme indiqué chez *A. mirabile.*

N.: C; exclusivement nourriture vivante (Daphnies, *Cyclops*, Larves d'Insectes aquatiques, Enchytrées, petits vers de terre.

P.: Il existe plusieurs tribus de *Aphyosemion bivittatum*, toutes présentent la typique forme *-bivittatum* mais peuvent être très différentes dans leurs couleurs et dessins.

T: 22–24° C, L: 5 cm, LA: 60 cm, Z: m et i, D: 2

Aphyosemion australe

Aphyosemion bivittatum (grande photo). La petite photo montre *A. bitaeniatum* (anc. *multicolor),* souvent nommé à tort *A. bivittatum.*

Aphyosemion elberti (AHL, 1924)

Syn.: *Haplochilus bualanus, Aphyosemion bualanum, A. rubrifascium, A. tessmanni.*

Or.: Afrique, est du Cameroun, République Centrafricaine; habite les eaux des Savannes.

P.i.: 1938.

D.s.: Le mâle présente une livrée multicolore à reflets métalliques bleu ou bleu violet sur les flancs; les rayons des nageoires impaires sont prolongés. La femelle a une couleur brunverdâtre, ses nageoires impaires sont arrondies.

C.s.: Poisson relativement vivace et social.

M.: Comme indiqué chez *Aphyosemion australe* ou *Aphyosemion mirabile.* Eau douce à moyennement dure (5–15° dGH) et légèrement acide (pH 5,5–6,5), une adjonction de sel marin n'est pas nécessaire. On peut faire cohabiter cette espèce dans un aquarium communautaire avec d'autres poissons paisibles.

R.: Similaire à celle de *A. australe;* les œufs sont fixés aux plantes La durée du développement embryonnaire est de 21 jours, l'élevage des jeunes ne pose pas de problèmes. L'eau d'élevage doit être douce (2–5° dGH) et légèrement acide (pH 6–6,5). La croissance des alevins de *Aphyosemion elberti* est lente.

N.: O; mange tout.

P.: Ces poissons sont très sensibles à tout pH au dessus de 7.

T: 21–25° C, **L**: 5 cm, **LA**: 50 cm, **Z**: m et i, **D**: 1–2

Aphyosemion cognatum MEINKEN, 1951
Killi rouge

Syn.: Aucun.

Or.: Afrique: Zaïre, dans la région du Stanley Pool.

P.i.: En 1950 par «Aquarium Hamburg».

D.s.: Le mâle présente une livrée multicolore; la nageoire dorsale et la nageoire anale sont bordées d'une bande rouge à liséré bleu; la femelle présente une robe grise à jaunâtre.

C.s.: Alerte nageur, généralement paisible. A faire cohabiter avec d'autres espèces du genre *Aphyosemion* ou à maintenir en aquarium spécifique.

M.: Comme indiqué chez *Aphyosemion striatum.* Végétation dense parmi laquelle ces poissons peuvent s'abriter et se cacher; décor composé de racines. Eau douce (5–8° dGH) et légèrement acide (pH 6–6,5); un régulier changement partiel de l'eau est recommandé.

R.: Voir chez *A. striatum*; les œufs, environ 200 à 250, sont fixés aux plantes. Pour la reproduction opérer avec 1 mâle et 2 femelles. Le développement des œufs est continu, sans diapause. Les jeunes éclosent au bout d'environ 14 jours.

N.: C; nourriture vivante.

P.: *Aphyosemion cognatum* est un proche parent de *Aphyosemion elegans* (BOULENGER, 1899).

T: 22–24° C, **L**: 5,5 cm, **LA**: 70 cm, **Z**: m et i, **D**: 2

Aphyosemion elberti; en haut: Cameroun ouest, en bas: Cameroun est

Aphyosemion cognatum

Aphyosemion deltaense RADDA, 1976
Aphyo delta

Syn.: Aucun.

Or.: Afrique occidentale: Nigeria, région ouest du delta du Niger.

P.i.: En 1974 par le Dr. A. Radda de Vienne, en quelques exemplaires mais qui moururent bientôt, ensuite en 1975 par E. Pürzl de Vienne.

D.s.: Le mâle est plus coloré et plus grand que la femelle.

C.s.: Poisson asocial, les mâles ont tendance à se livrer des combats entrainant des morsures, il est donc conseillé d'en maintenir un seul ou un grand nombre; dans le dernier cas les agressions de ces poissons sont mieux «réparties».

M.: Comme indiqué pour *Aphyosemion sjoestedti*; offrir beaucoup d'espace pour la nage libre.

R.: 22–24° C; pond au sol; le développement dure environ 3 mois; élevage comme pour *A. sjoestedti.* Opérer uniquement avec des femelles prêtes à pondre, car si ce n'est pas le cas les mâles ont tendance à les malmener. Il est donc impératif de mettre des abris à la disposition des femelles afin qu'elles puissent échapper aux brutalités des mâles. Ces brutalités peuvent entrainer la mort de la femelle qui n'avait aucune possibilité de se cacher.

N.: Toutes sortes de nourritures vivantes: Larves de Moustiques, Insectes adultes, *Tubifex*, Enchytrées; également aliments en flocons.

P.: Aucune.

T: 22–26° C, **L**: 10 cm, **LA**: 80 cm, **Z**: m et i, **D**: 2

Aphyosemion exigoideum RADDA et HUBER, 1977

Syn.: Aucun.

Or.: Afrique, Gabon; dans un ruisseau de la forêt pluviale près de Mandilou.

P.i.: 1977.

D.s.: Le mâle présente une couleur brun rouille, la région ventrale est blanchâtre avec des taches rouges, les flancs sont à fond vert couvert de taches rouge foncé, les nageoires sont multicolores; la femelle est brun gris, la région ventrale est beige clair, les nageoires sont incolores.

C.s.: On manque encore de renseignements précis.

M.: Peu de renseignements par RADDA et HUBER (1977): Aquaria 24, 138–143. Eau douce à moyennement dure (1–12° dGH) et légèrement alcaline (pH 7,5).

R.: Déjà réussie mais il n'y a pas encore eu de compte rendu. Le développement embryonnaire se situe entre 10 et 20 jours.

N.: C; nourriture vivante.

T: 22–24° C, **L**: 3,5 cm, **LA**: 50 cm, **Z**: i et m, **D**: 2–3

Aphyosemion deltaense

Aphyosemion exigoideum

Aphyosemion exiguum (BOULENGER, 1911)

Killi du Cameroun

Syn.: *Haplochilus exiguus, Aphyosemion jaudense, A. loboanum, Panchax loboanus, Panchax jaudensis.*

Or.: Afrique occidentale: ouest du Cameroun, nord du Gabon; dans les eaux forestières.

P.i.: 1966.

D.s.: Coloration du mâle plus belle et plus prononcée que celle de la femelle; la dorsale du mâle est parfois très pointue.

C.s.: Killi élégant, bon nageur; très bon comportement entre congénères.

M.: Voir chez *Aphyiosemion australe* et *Aphyosemion mirabile.*

R.: Similaire à celle de *A. australe*; espèce non annuelle; les œufs adhèrent aux plantes. Les jeunes éclosent au bout d'environ 21 jours. Pour l'élevage l'eau doit être douce (env. 5° dGH) et légèrement acide (pH 6–6,5); la croissance des alevins est très lente.

N.: C; toutes sortes de nourritures vivantes.

P.: La reproduction de *Aphyosemion exiguum* peut également se faire en eau dure et alcaline. Ce poisson est un proche parent de *Aphyosemion bualanum.*

T: 21–24° C, **L**: 4 cm, **LA**: 40–50 cm, **Z**: m et i, **D**: 2

Aphyosemion filamentosum (MEINKEN, 1933)

Syn.: *Fundulopanchax filamentosus, «Aphyosemion ruwenzori».*

Or.: Afrique occidentale: région ouest du Nigeria, Togo. Ces poissons apparaissent dans des mares.

P.i.: 1913.

D.s.: Le mâle est plus grand et plus coloré que la femelle; les rayons de la caudale et de l'anale du mâle sont prolongés.

C.s.: Killi annuel, paisible, alerte nageur; devient agressif s'il est dérangé pendant la parade nuptiale; à maintenir de préférence dans un aquarium spécifique; en cas de cohabitation, seulement avec d'autres *Aphyosemion* et/ou des poissons de surface.

M.: Sol mou, sombre (tourbe, moulme); lumière diffuse (plantes flottantes); végétation dense avec espace libre au centre; offrir de nombreuses caches sous forme de roches et de racines; cette espèce n'est pas très exigeante envers la qualité de l'eau, mais une eau douce (jusqu'à 10° dGH) est conseillée.

R.: 22–25° C; bac long à faible hauteur d'eau (20 cm); végétation dense par espèces fines, lumière diffuse. Le bac d'élevage doit être obscurci. Sol composé de tourbe (pond au sol). Eau légèrement acide (pH 5,5–6) et douce (jusqu'à 8° dGH). Opérer avec 1 mâle et 2–3 femelles. Prélever la tourbe 3 semaines après la ponte, égoutter légèrement et stocker à température modérée et à l'abri de l'évaporation durant 4 à 12 semaines. Ensuite verser de l'eau douce. Nourrir abondamment les jeunes aussitôt après l'éclosion.

N.: C, O; principalement nourritures vivantes; accepte également des aliments en flocons, aliments lyophilisés et congelés.

P.: *A. filamentosum* apparait en de nombreuses formes locales à coloration, dessin et structure des nageoires variables. Un poisson importé à partir de 1966 et désigné comme *«Aphyosemion ruwenzori»* est une forme locale de A. filamentosum avec des nageoires d'un rouge très prononcé apparaissant par générations.

T: 21–23° C, **L**: 5,5 cm, **LA**: 50 cm, **Z**: m, **D**: 3

Aphyosemion exiguum

Aphyosemion filamentosum

Aphyosemion gardneri (BOULENGER, 1911)
Aphyo bleu acier

Syn.: *Fundulus gardneri, Fundulopanchax gardneri.*

Or.: Afrique occidentale: Nigeria et ouest du Cameroun; vit dans les eaux des Savannes et des forêts vierges.

P.i.: 1913 par Brandt de Leipzig.

D.s.: Magnifique livrée du mâle avec 30 à 90 taches rouges sur les côtés; la robe de la femelle est moins somptueuse, les taches au nombre variable sur les côtés sont petites et brunes.

C.s.: Poisson saisonnier, relativement agressif et asocial; les mâles en particulier se détériorent souvent les nageoires entre eux; les femelles sont assiduement poursuivies par les mâles, ces derniers se combattent mutuellement.

M.: Comme indiqué chez *Aphyosemion australe* mais en supprimant l'adjonction de sel marin; l'aquarium doit comporter de nombreuses caches. Eau douce (5–8° dGH) et légèrement acide (pH 6,5).

R.: 24–26° C; les œufs adhèrent aux plantes aquatiques fines parmi lesquelles la ponte se déroule. Paramètres de l'eau comme indiqué ci dessus. Les jeunes éclosent en général au bout de 14 à 21 jours. On peut provoquer une diapause, par assèchement, mais qui ne prolonge que peu la vie des embryons. Il faut absolument verser l'eau au bout de 28 à 30 jours (continuation du développement embryonnaire).

N.: C; nourritures vivantes, rarement des aliments en flocons.

P.: Suite à des colorations et des dessins très variables, il existe chez *Aphyosemion gardneri* un grand nombre de populations difficiles à répertorier. Un certain nombre de sous espèces ont été décrites.

T: 22–25° C, **L**: 6 cm, **LA**: 50 cm, **Z**: s et m, **D**: 2

Aphyosemion gulare (BOULENGER, 1901)
Aphyo jaune

Syn.: *Fundulus gularis, Aphyosemion beauforti, A. fallax, Fundulopanchax gularis.*

Or.: Afrique occidentale: sud du Nigeria, ces poissons vivent dans des trous d'eau.

P.i.: 1907 par la firme C. Siggelkow, Hambourg.

D.s.: Couleurs du mâle plus vives; ses nageoires pectorales sont jaunâtres bordées de rouge ou de bleu, les ventrales sont rouge jaunâtre; les pectorales et les ventrales de la femelle sont incolores.

C.s.: Ce Killi ne supporte pas la présence de congénères. Les grands exemplaires sont des prédateurs, il ne faut pas les faire cohabiter avec des petits poissons.

M.: Comme indiqué chez *Aphyosemion filamentosum;* nombreuses caches dans le bac sont indispensables. Paramètres de l'eau (pH, dureté) jouent un rôle secondaire pour A. gulare.

R.: 22–24° C; espèce annuelle; pondeur au sol; sol composé de tourbe; autres conditions comme indiqué chez *A. filamentosum.* Les jeunes éclosent au bout de 3 mois, leur élevage est facile.

N.: C; nourriture vivante; aliments en flocons.

P.: On est actuellement pratiquement certain que *Aphyosemion gulare* représente une super espèce.

T: 20–22° C, **L**: 8 cm, **LA**: 70 cm, **Z**: m et i, **D**: 2

Aphyosemion marmoratum RADDA, 1973
Aphyo marbé

Syn.: Aucun.

Or.: Afrique occidentale: Cameroun, dans la région du Mémé près de Mbonga.

P.i.: 1972 par le Dr. Alfred Radda de Vienne.

D.s.: Mâle plus coloré que la femelle.

C.s.: Killi paisible pouvant cohabiter avec des *Aphyosemion similaires* ou être maintenu en aquarium spécifique.

Aphyosemion gardneri

Aphyosemion gulare

M.: Comme indiqué chez *Aphyosemion australe* et *A. striatum.*

R.: Se réalise facilement, pour les détails voir A. striatum.

N.: C; principalement nourritures vivantes; n'accepte pas les aliments en flocons, par contre les proies congelées.

P.: Du point de vue systématique, Aphyosemion marmoratum semble se situer entre *Aphyosemion mirabile,* un représentant de la super espèce *Aphyosemion gardneri* et le complexe *Aphyosemion cameronense.*

T: 21–23° C, **L:** 5 cm, **LA:** 50 cm, **Z:** i et m, **D:** 1–2

Aphyosemion volcanum — RADDA et WILDEKAMP, 1977

Aphyo volcan

Syn.: *A. bivittatum* (pas LÖNNBERG, 1895).

Or.: Afrique occidentale: sols volcaniques de la montagne du Cameroun, ainsi que près de Kumba, puis vers le nord au Cameroun ouest dans une aire relativement étroite.

P.i.: Probablement en 1966 par Clausen et Scheel.

D.s.: Le mâle est multicolore, les nageoires impaires sont allongées, les pointes présentent le plus souvent un beau jaune soufre; le corps a une couleur bronze à cuivre; la femelle a des nageoires petites et arrondies, souvent plus ou moins transparentes.

C.s.: Plutôt agressif envers ses congénères et d'autres mâles *Aphyosemion,* mais ignore les autres espèces. Maintenir seulement en compagnie d'espèces calmes et paisibles ou dans un aquarium spécifique. Les *Priapella* par ex. conviennent très bien pour la cohabitation.

M.: *A. volcanum,* un poisson de l'Afrique occidentale tropical, a été découvert dans des pièces d'eaux à température élevée (25,5 à 27° C), douces et légèrement acides (pH 6,0; dureté 1° dGH), mais il est confirmé qu'en captivité 23 à 26° C sont suffisants. On choisit une eau pas trop dure et légèrement acide. Sous bonnes conditions et surtout dans des bacs densément plantés, les paramètres de l'eau ne sont pas primordiaux. Il faut effectuer régulièrement un changement partiel de l'eau. Il est recommandé d'employer un sol sombre (couche de tourbe) et de ne pas éclairer trop fortement, les couleurs des poissons sont alors davantage mises en valeur. Comme végétation on peut choisir la Fougère de Java, ainsi que la Mousse de Java, mais également *Anubias barteri* dans sa forme naine. Pour la décoration on peut employer des racines et même des feuilles de hêtre qu'on aura fait bouillir (contrôler fréquemment le pH).

R.: On a les meilleures chances en opérant avec 1 mâle et 2 femelles que l'on introduit dans un petit bac de ponte. Comme substrat de ponte on leur propose de la Mousse de Java, un écheveau de fils en nylon, un mop de laine ou des fibres de tourbe. Le substrat sera placé dans un récipient individuel placé au centre du bac de ponte, d'où on pourra prélever régulièrement les œufs. Ces derniers seront introduits dans un bac d'incubation. Pour éviter que les œufs soient atteints de champignons on ajoute une prise de Trypaflavine, de Cilex ou de tout autre fongicide proposé par le commence aquariophile. Les jeunes éclosent au bout d'environ 14 jours. Pour obtenir des éclosions régulières chez cette espèce on peut procéder comme suit: employer des fibres de tourbe comme substrat de ponte; au bout d'une semaine on introduit les fibres dans un sachet en plastique dans lequel elles seront stockées durant 2–3 semaines, sans eau, mais humides. Le temps de stockage écoulé, on verse de l'eau fraiche d'une température de 16° C sur les fibres. Après l'éclosion on élève les jeunes avec des Nauplius d'*Artemia salina.* Leur élevage ne pose pas de problème particulier.

N.: C; nourritures vivantes; pour les reproducteurs, prévoir des Larves de Moustiques (blanches et noires); les aliments en flocons sont mal acceptés.

P.: *A. volcanum,* ainsi que A. *bivittatum, A. loennbergii, A. riggenbachi et A. splendopleure,* appartient au sous genre *Chromaphyosemion.* Toutes les populations de ces espèces ne devraient pas circuler sans être accompagnées du nom de leur lieu de trouvaille, car souvent il n'est pas possible de les croiser entre eux durant plusieurs générations.

T: 23–26° C, **L:** 4,5 cm, **LA:** 60 cm, **Z:** toutes, **D:** 2–3

Aphyosemion marmoratum

Aphyosemion volcanum

Aphyosemion mirabile RADDA,1970
Aphyo miracle

Syn.: Aucun.

Or.: Afrique occidentale: ouest du Cameroun (Mbio).

P.i.: 1970 par le Dr. Alfred Radda de Vienne.

D.s.: Le mâle est beaucoup plus coloré que la femelle qui ne présente quœune simple coloration brunâtre pointillée en rangées.

C.s.: Killi paisible, relativement vivace.

M.: Sol sombre (tourbe, moulme), bonne végétation. Le bac ne doit pas se trouver à un endroit trop éclairé. Quelques racines comme décor et caches. Eau douce (1–6° dGH) et légèrement acide (pH 6–6,5); un partiel changement d'eau de temps à autre est recommandé.

R.: Réussit même dans des petits bacs de cinq litres. Employer de la Mousse de Java ou des fils nylon comme substrat de ponte. Opérer avec 1 mâle et 2–3 femelles. Prélever de temps en temps des œufs sur le substrat et les conserver dans un récipient rempli de la même eau. Ajouter un peu de Trypaflavine, mais l'eau ne doit prendre quœune teinte jaune clair (voir sous «Particularités»). Les jeunes éclosent au bout d'env. 3 semaines.

N.: C; nourritures vivantes, principalement des Larves de Moustiques (blanches et noires).

P.: Quatre sous espèces ont été décrites jusqu'à ce jour: *Aphyosemion mirabile mirabile* RADDA, 1970 (photo); *A. mirabile moense* RADDA, 1970; *A. mirabile intermittens* RADDA, 1971 et *A. mirabile traudeae* RADDA, 1972. Un surdosage de Trypaflavine et produits similaires provoque un durcissement de la membrane des œufs. Les jeunes ne peuvent plus éclore et meurent.

A. m. traudeae

T: 22–25° C, **L:** 7 cm, **LA:** 60 cm, **Z:** i, **D:** 2

Aphyosemion puerzli RADDA et SCHEEL, 1974

Syn.: Aucun.

Or.: Afrique occidentale, ouest du Cameroun.

P.i.: 1973 par le Dr. A. Radda et le Dr. J. Scheel.

D.s.: Mâle plus joliment coloré, le dessin sous la tête et sur les opercules est plus prononcé.

C.s.: Ressemble à celui de *Aphyosemion gardneri.*

M.: Comme indiqué chez *Aphyosemion australe* ou *Aphyosemion gardneri*, selon que *A. puerzli* doit être traité comme pondeur en eau libre ou pondeur au sol.

R.: 22–25° C; eau douce (env. 5° dGH) et neutre à légèrement alcaline (pH 7–7,5). *Aphyosemion puerzli* peut être considéré comme espèce semi annuelle. On peut les faire reproduire en eau libre ou au sol. Chez les espèces semi annuelles le frai se développe dans l'eau, en continuité. Cependant, en cas d'assèchement, les typiques signes de diapause se manifestent. Dans l'eau, reproduction sous forme de ponte en eau libre, le développement du frai de *A. puerzli* dure 18 à 21 jours. Ne pas employer une eau trop riche en oxygène qui produit des difficultés d'éclosion. En cas d'assèchement, reproduction sous forme de pondeur au sol, la durée d'incubation favorable est de 7 à 8 semaines.

N.: C; toutes sortes de nourritures vivantes, de préférence Larves de Moustiques (blanches et noires).

T: 21–24° C, **L:** 6 cm, **LA:** 60 cm, **Z:** i et m, **D:** 2

Aphyosemion mirabile

Aphyosemion puerzli

Aphyosemion riggenbachi (AHL, 1924)
Aphyo de Riggenbach

Syn.: *Haplochilus riggenbachi.*

Or.: Afrique occidentale: sud ouest du Cameroun, l'espèce apparait dans des mares de sources.

P.i.: 1971 par le Dr. Alfred Radda de Vienne.

D.s.: Couleurs plus vives chez le mâle, ses nageoires présentent des taches rouge carmin absentes chez la femelle; les nageoires de la femelle sont plus courtes et arrondies; le haut et le bas de la caudale du mâle sont prolongés et pointus.

C.s.: Killi à prédominence paisible, aime se déplacer à travers le bac. A maintenir dans un aquarium spécifique ou en cohabitation avec d'autres *Aphyosemion* de taille similaire.

M.: Des bacs d'une faible hauteur d'eau, env. 10 cm, sont suffisants; aménager des caches à l'aide de racines; végétation dense sur le pourtour, dégagée au centre; sol sombre (tourbe ou moulme). Eau très douce (jusqu'à 5° dGH) et acidité modérée (pH 5,5). Très sensible à la pollution de l'eau, réagit par collement des nageoires.

R.: Facile à réaliser; l'espèce est prolifique si elle a été nourrie correctement. Elevage comme indiqué chez *Aphyosemion mirabile.*

N.: C; toutes sortes de nourritures vivantes, à distribuer parcimonieusement, car ces poissons ont tendance à se goinfrer ce qui entraine leur mort au bout de quelques semaines.

P.: Les spécimens nés en captivité n'atteignent en général pas la taille de ceux capturés dans la nature. *Aphyosemion riggenbachi* appartient à la super espèce *Aphyosemion bivittatum.*

T: 20–23° C, L: 10 cm, LA: 70 cm, Z: i + m, D: 2

Aphyosemion sjoestedti (LÖNNBERG, 1895)
Aphyo bleu, Killi bleu

Syn.: *Fundulus sjoestedti, Fundulopanchax sjoestedti, Nothobranchius sjoestedti, Aphyosemion coeruleum, Fundulus caeruleum.*

Or.: Afrique occidentale: du sud du Nigeria et ouest du Cameroun jusqu'au Ghana où il apparait dans des trous d'eau.

P.i.: 1909 par J. Wolmer, Hambourg.

D.s.: Livrée du mâle beaucoup plus somptueuse que celle de la femelle et il est plus grand.

C.s.: Poisson saisonnier souvent très agressif.

M.: Demande un bac spacieux; hauteur d'eau 20–30 cm est suffisante; végétation dense, sol sombre; nombreuses caches sous forme de roches et racines. Cette espèce n'est pas très exigeante envers la qualité de l'eau, cependant une eau pas trop dure (jusqu'à 12° dGH) et légèrement acide (pH 6,5) est plus avantageuse.

R.: 22–24° C; peut être réalisée dans des petits bacs, mais pas moins de 10 l. par couple; paramètres de l'eau comme indiqués ci dessus; sol constitué d'une épaisse couche de tourbe, c'est un pondeur au sol; après la ponte égoutter la tourbe et la conserver durant 4 à 6 semaines dans un sachet en plastique à une température de 18–20° C, mais sans laisser dessécher la tourbe. Ce délai écoulé, on verse de l'eau douce et les jeunes éclosent; on les nourrit avec des Nauplius d'*Artemia salina.*

N.: C; exclusivement nourritures vivantes telles que *Tubifex*, Enchytrées, Larves de Moustiques, Insectes et petits poissons.

P.: Après sa description en 1895, ce poisson n'a été redécouvert qu'en 1981 à proximité du lieu de trouvaille du type, à l'ouest du Cameroun (embouchure du Ndian River) par des amateurs allemands spécialisés en Killies.

T: 23–26° C, L: 12 cm, LA: 80 cm, Z: m, D: 3

Aphyosemion riggenbachi

Aphyosemion sjoestedti

Aphyosemion striatum (BOULENGER, 1911)
Aphyo rayé, Killi rayé

Syn.: *Haplochilus striatus.*

Or.: Afrique: nord du Gabon.

P.i.: 1961.

D.s.: Mâle multicolore, femelle de couleur olive.

C.s.: Poisson paisible.

M.: Sol sombre, végétation dense, lumière diffuse, plantes flottantes; caches par buissons de végétation et racines. Eau pas trop dure (jusqu'à 12° dGH) et légèrement acide (pH env. 6); eau limpide; une adjonction d'eau salée prévient contre une infestation d'ectoparasites (1 cuillère à café pour 10 l. d'eau).

R.: Déjà possible dans des récipients plants contenant environ 2 l. d'eau et un peu de substrat (Mousse de Java, fils nylon). Eau douce (jusqu'à 6° dGH) et légèrement acide (pH 6,5). La période du frai dure quelques semaines. Un couple produit 30 œufs par tranches de 12 à 14 heures; les œufs portent de minuscules filaments par lesquels ils restent collés au substrat. Le développement embryonnaire dure en moyenne 10 à 15 jours; les alevins seront nourris avec des Nauplius d'*Artemia* et/ou des Paramécies.

N.: C; principalement nourritures vivantes de toutes sortes; accepte volontiers les aliments lyophilisés, mais pas les flocons.

P.: Ainsi que c'est le cas chez de nombreux Killies, les températures élevées permanentes raccourcissent la durée de vie de *A. striatum*. Il faut couvrir hermétiquement l'aquarium, car *Aphyosemion striatum* est un excellent sauteur.

T: env. 22° C, L: 5 cm, LA: 50 cm, Z: i et m, D: 2–3

Callopanchax toddi (CLAUSEN, 1966)
Roloffia de Todd

Syn.: *Aphyosemion occidentale toddi, A. toddi, "Roloffia" occidentalis toddi, "R." toddi.*

Or.: Afrique occidentale: Sierra Leone, dans des mares de la forêt vierge.

P.i.: 1963 par Erhard Roloff de Karlsruhe.

D.s.: Le mâle est plus coloré, sa nageoire anale est étirée en pointe.

C.s.: Les exemplaires matures sont assez belliqueux entre congénères et se blessent parfois par morsures. Cependant, si l'aquarium est d'assez grande taille ils sont relativement paisibles, car la promiscuité est moins évidente.

M.: Sol mou et sombre (tourbe, moulme); caches constituées par des racines; plantes flottantes pour créer une lumière diffuse; éviter les éclairages intenses; eau douce (jusqu'à 8° dGH) et légèrement acide (pH 6–6,5); régulier changement partiel d'eau; maintenir en aquarium spécifique.

R.: Env. 23° C; fond du bac de ponte couvert d'une couche de 5 cm de tourbe, car c'est un pondeur au sol; prélever de la tourbe tous les 8 à 14 jours, l'égoutter et la stocker dans une boite en plastique fermée, à un endroit sombre et à une température de 22–24° C; au bout d'env. 5 mois, verser de l'eau sur la tourbe. Il est recommandé de prélever les jeunes éclos à l'aide d'une pipette, puis au bout de 24 heures égoutter à nouveau la tourbe et la conserver dans les mêmes conditions, en l'inondant au bout de 1 mois on obtient encore une fois des éclosions, certes moins nombreuses que la première fois; sitôt éclos les alevins mangent des Nauplius d'*Artemia*, au bout de quelques jours ils peuvent avaler des Vers Grindal.

N.: C; toutes les nourritures vivantes; ne pas nourrir exclusivement avec des *Tubifex*, cela cause des pertes.

P.: Initialement *Callopanchax toddi* a été considéré comme sous espèce de *C. occidentalis,* mais les croisements produisent déjà dans la première génération fille des descendants stériles, ce qui confirme l'autonomie des deux espèces.

T: 22–24° C, L: 8 cm, LA: 60 cm, Z: i, D: 3

Aphyosemion striatum

Callopanchax toddi

Aphyosemion volcanum page 534

Aphyosemion walkeri (BOULENGER, 1911)
Aphyo de Walker
Sous-fam.: Aplocheilinae

Syn.: *Haplochilus walkeri, Aphyosemion spurrelli.*

Or.: Afrique occidentale, sud ouest du Ghana, sud-est de la Côte d'Ivoire; dans les eaux des forêts vierges.

P.i.: 1952 par L. Sheljuzhko mandaté par la firma A. Werner de Munich.

D.s.: Mâle plus grand et plus coloré.

C.s.: Killi vivace et agressif, pas farouche; ne pas faire cohabiter avec des petits poissons dont il ferait son ordinaire.

M.: Comme indiqué chez *Aphyosemion australe* ou *Aphyosemion striatum;* Paramètres de l'eau: 5–10° dGH; pH 6,5; filtration sur tourbe.

R.: 23–25° C; opérer avec 1 mâle et 2 femelles. On peut faire reproduire *A. walkeri* sous forme de pondeur en eau libre ou pondeur au sol; pour les détails voir chez *Aphyosemion puerzli.* Pour le frai pondu en eau libre le développement embryonnaire dure quatre à cinq semaines, le frai pondu au sol (dans la tourbe) se développe en 6 semaines environ.

N.: C; nourritures vivantes, réticent aux aliments en flocons.

P.: Les températures d'eau trop élevées font pâlir les couleurs de ce poisson et le rendent sensible aux maladies.

T: 20–23° C, **L**: 6,5 cm, **LA**: 60 cm, **Z**: m et s, **D**: 2

Aplocheilichthys macrophthalmus MEINKEN, 1932
Sous-fam.: Aplocheilichthyinae

Syn.: *Fundulopanchax luxophthalmus.*

Or.: Afrique occidentale: du sud du Dahomey jusqu'au delta du Niger; dans les eaux des forêts vierges.

P.i.: 1929 par «Aquarium Hamburg».

D.s.: Mâle beaucoup plus coloré, dorsale et anale terminent en pointe; la femelle a une coloration plus modeste, les nageoires sont incolores et arrondies.

C.s.: Poisson grégaire, très paisible, vivace; faire cohabiter de préférence avec *Telmatherina ladigesi.*

M.: Sol sombre; végétation périphérique dense; lumière diffuse par plantes flottantes; espace libre pour nager; quelques racines pour le décor; produire un faible courant à l'aide d'une Turbelle. Eau moyennement dure (env. 10° dGH) et légèrement alcaline (pH 7,2–7,5).

R.: 24–26° C; frai comme indiqué chez *Aplocheilichthys pumilus*, exclusivement eau de dureté moyenne (env. 10° dGH) et neutre à légèrement alcaline (pH 7–7,5); les œufs très petits (Ø 1 mm) sont suspendus aux plantes par de très fins filaments, le développement dure 10 à 14 jours. On élève les alevins avec de la très fine nourriture vivante.

N.: Nourritures vivantes en majorité, mais accepte également les aliments en flocons, FD Menu (nourriture lyophilisée).

P.: On connait deux sous espèces de ce poisson: *A. macrophthalmus macrophthalmus* MEINKEN, 1932 et *A. macrophthalmus hannerzi* SCHEEL, 1967.

A. macrophthalmus scheeli, l'ancienne sous espèce, est actuellement considérée comme espèce autonome.

Les alevins de *A. macrophthalmus* sont sensibles aux Infusoires.

T: 22–26° C, **L**: 4 cm, **LA**: 50 cm, **Z**: m et s, **D**: 3

Aphyosemion walkeri

Aplocheilichthys macrophthalmus

Aplocheilichthys pumilus (BOULENGER, 1906)

Syn.: *Haplochilus pumilus, Haplochilichthys pumilus, Haplochilus dhonti, Aplocheilichthys dhonti.*

Or.: Lacs de l'Afrique orientale: Victoria, Tanganyika, Edouard, Kivu.

P.i.: Probablement vers 1930.

D.s.: Les nageoires du mâle sont brun orange (sauf les pectorales), toutes les nageoires de la femelle incolores et plus arrondies.

C.s.: Poisson grégaire paisible mais craintif; faire cohabiter cette espèce de préférence avec des poissons habitant la couche inférieure et moyenne.

M.: Sol sombre; bonne végétation périphérique; quelques caches sous forme de racines, beaucoup d'espace libre pour nager. Eau dure (12° dGH et plus) et légèrement alcaline (pH 7,5); pas de déchets dans l'eau; forte aération du bac, une eau riche en oxygène intensifie les couleurs.

R.: 25–27° C; pour le frai eau douce (5° dGH) et légèrement acide (pH 6,5); pour la ponte l'eau ne doit plus contenir que la moitié des sels contenus dans l'eau du bac habituel des reproducteurs; plantes fines, bonne aération, faible hauteur d'eau; les œufs adhèrent aux plantes; l'incubation dure en moyenne 15 jours; la lumière peut activer le développement; élever les jeunes avec une nourriture molle.

N.: C; toutes sortes de nourritures vivantes (Daphnies, Larves de Moustiques, *Tubifex*, Enchytrées, etc.); accepte également les aliments en flocons.

P.: En eau douce et acide *A. pumilus* est toujours très sensible à la tuberculose des poissons. Il est conseillé de laisser une veilleuse allumée durant la nuit, car en obscurité totale ces poissons exécutent parfois des mouvements incontrôlés et peuvent se blesser.

T: 24–26° C, **L:** 5,5 cm, **LA:** 60 cm, **Z:** m et s, **D:** 2–3

Aplocheilichthys spilauchen (DUMERIL, 1861)

Syn.: *Poecilia spilauchena, Aplocheilithys typus, Epiplatys spilauchen, Haplochilus spilauchen, Poecilia bensoni.*

Or.: Afrique occidentale: du Sénégal au bas Zaïre. Ces poissons habitent les embouchures et les marais des Mangroves, ils pénètrent également dans l'eau saumâtre.

P.i.: 1906 par H. Stüve de Hambourg.

D.s.: Le mâle est plus haut et plus grand, présente des bandes verticales argentées sur le pédoncule caudal, les couleurs de ses nageoires sont plus prononcées.

C.s.: Poisson grégaire très vivace.

M.: Comme indiqué chez *Aplocheilichthys pumilus*, cependant *A. spilauchen* demande des températures plus élevées. Eviter que la température minimale descende en dessous de 23° C. L'eau saumâtre est indispensable pour son bien être (2–3 cuillères à café de sel marin pour 10 l. d'eau).

R.: 26–30° C; ajouter 10 à 15% de sel marin à l'eau du bac de ponte, par ailleurs la reproduction est similaire à celle de *A. pumilus*, sauf que *A. spilauchen* est moins prolifique.

N.: C, O; toutes sortes de nourritures vivantes, aliments en en flocons.

P.: Ces poissons sont extrêmement sensibles à une accumulation d'Infusoires dans l'eau de l'aquarium.

T: 24–32° C, **L:** 7 cm, **LA:** 70 cm, **Z:** s et m, **D:** 2

Aplocheilichthys pumilus

Aplocheilichthys spilauchen

Aplocheilus blockii (ARNOLD, 1911)
Panchax nain

Syn.: *Haplochilus panchax var. blockii, Aplocheilus parvus, Panchax parvus, P. panchax var. blockii.*

Or.: Sud de l'Inde (Madras), Sri Lanka (?).

P.i.: 1909 par le capitaine Block.

D.s.: Les couleurs de la femelle sont plus pâles, le dessin est moins prononcé, elle est plus petite que le mâle.

C.s.: Poisson vivace habitant les couches supérieures et moyennes. En général il est paisible envers les congénères et les cohabitants de l'aquarium, ces derniers doivent être de taille similaire.

M.: Comme indiqué chez *Aplocheilus lineatus.* Eau pas trop dure, environ jusqu'à 10° dGH.

R.: Voir chez *A. lineatus.* La réussite de reproduction est influencée de manière déterminante par l'alimentation. Pour cette raison il est indispensable de distribuer des Larves de Moustiques et des Insectes.

N.: C, O; toutes sortes de nourritures vivantes, accepte également les aliments en flocons.

P.: *Aplocheilus blockii* est la plus petite espèce du genre *Aplocheilus* actuellement connue.

T: 22–26° C, **L:** 5 cm, **LA:** 40 cm, **Z:** m + s, **D:** 2

Aplocheilus dayi (STEINDACHNER, 1892)
Panchax vert

Syn.: *Haplochilus dayi, Panchax dayi.*

Or.: Sud de l'Inde, Ceylan.

P.i.: 1937 par Fritz Mayer.

D.s.: Les nageoires de la femelle sont plus courtes et plus arrondies, à la base de la dorsale se trouve une tache noire.

C.s.: Poisson de surface, robuste, relativement farouche, parfois assez grossier envers ses congénères. A faire cohabiter avec des poissons de taille égale ou plus grande.

M.: Comme indiqué chez *Aplocheilus lineatus.* Pour *A. dayi* il est important d'aménager de nombreuses caches, car les dominants sont parfois très rudes envers les dominés.

R.: Env. 25° C; voir chez *A. lineatus. A. dayi* produit jusqu'à 10 œufs par jour (en période du frai); les œufs ont un diamètre d'environ 2 mm et sont incolores, le développement dure 12 à 14 jours; la croissance des alevins est rapide.

N.: C; toutes sortes de nourritures vivantes, aliments en flocons et en comprimés lyophilisés.

P.: Ce sont de bons sauteurs, l'aquarium doit donc toujours être bien couvert.

T: 20–25° C, **L:** 10 cm, **LA:** 80 cm, **Z:** s, **D:** 2

Aplocheilus blockii

Aplocheilus dayi

Aplocheilus lineatus (VALENCIENNES, 1846)
Panchax rayé

Syn.: *Panchax lineatum, Aplocheilus affinis, A. rubrostigma, A. vittatus, Haplochilus lineatus, H. lineolatus, Panchax lineatus.*

Or.: Inde.

P.i.: 1909 par les «Vereinigte Zierfischzüchtereien Conradshöhe» près de Berlin.

D.s.: Mâle souvent plus grand et de livrée plus claire que la femelle, avec 6 à 8 bandes verticales sombres; chez les femelles le dessin noir est plus prononcé; les couleurs du mâle sont plus lumineuses.

C.s.: Poisson de surface, carnassier, souvent agressif envers ses congénères; faire cohabiter seulement avec des poissons de grande taille.

M.: Sol composé de sable ou de gravier; dense végétation périphérique, quelques plantes flottantes pour atténuer l'éclairage; racines pour caches et décoration; assez grand espace libre pour la nage; bien couvrir le bac (saute!); la qualité de l'eau ne joue pas un rôle important, pourvu qu'elle ne soit pas trop dure.

R.: 25–28° C; bac de ponte de 20–30 l.; plantes fines et plantes flottantes; faible hauteur d'eau (20 cm); eau douce à moyennement dure (jusqu'à 12° dGH) et légèrement acide (pH 6–6,8); couvrir éventuellement la vitre frontale; la ponte se déroule près ou dans les plantes fines ou dans un écheveau de fils en nylon introduit à cet effet; transférer les œufs dans un récipient plat pour incubation; interrompre la période du frai au bout de 8 jours sinon les reproducteurs seront trop affaiblis; les jeunes éclosent au bout de 12–14 jours, on les élève avec du zooplancton.

N.: Toutes sortes de nourritures vivantes (Insectes, *Tubifex*, petits Crustacés, Vers de terre, alevins).

T: 22–25° C, L: 10 cm, LA: 80 cm, Z: s, en partie m, D: 2

Aplocheilus panchax (HAMILTON, 1822)
Panchax

Syn.: *Esox panchax, Aplocheilus chrysostigmus, Haplochilus panchax, Panchax buchanani, P. kuhlii, P. melanopterus, P. panchax.*

Or.: Inde, Birmanie, Thailande, Péninsule malaise, grandes îles de la Sonde (Sumatra, Bornéo, Java) et quelques petites îles de l'Archipel Indo Australien.

P.i.: 1899 par Hans Stüve, Hambourg.

D.s.: Très peu différencié; chez les femelles la couleur orange des nageoires est souvent plus accentuée.

C.s.: Poisson de surface vivante, plutôt paisible; tendance prédatrice; les mâles rivalisent entre eux.

M.: Comme indiqué chez *Aplocheilus panchax; Aplocheilus lineatus*; le Panchax dépose ses œufs sur les tapis d'algues ou de mousse, ou sur les plantes à fines ramures; la durée du développement se situe entre 10 et 14 jours; l'élevage des jeunes ne pose pas de problèmes.

N.: C; principalement nourriture vivante, de tout genre, également des petits poissons; aliments en flocons.

P.: Morphologiquement *Aplocheilus panchax* ressemble à *Aplocheilus blockii* dont il n'est cependant pas un proche parent. On distingue les deux espèces par le nombre d'écailles dans la ligne latérale: A. panchax en a 30–33, alors que A. blockii n'en a que 24–29. De A. panchax on connait deux sous espèces: *A. panchax panchax* (HAMILTON, 1822) et *A. panchax siamensis* SCHEEL, 1968. Cette sous espèce apparait seulement en Thailande.

T: 20–25º C, L: 8 cm, LA: 60 cm, Z: s, D: 1–2

Aplocheilus lineatus

Aplocheilus panchax

Cynolebias bellottii STEINDACHNER, 1881

Perle d'Argentine, Poisson éventail bleu

Syn.: *Cynolobias maculatus, C. gibberosus, C. robustus.*

Or.: Amérique du sud: embouchure du Rio de la Plata.

P.i.: 1906.

D.s.: Mâle plus grand que la femelle, gris foncé ou gris bleu, presque noir durant la période du frai; femelle jaune gris à olive.

C.s.: Poisson saisonnier, vivace, souvent asocial; en période de ponte le mâle est agressif envers la femelle.

M.: Sable mou, faible hauteur d'eau (30 cm), plantation allégée constituée de *Myriophyllum* et *Elodea*; eau douce (5° dGH) et légèrement acide (pH 6,5); fréquent changement partiel d'eau; à maintenir de préférence en aquarium spécifique.

R.: 18–25° C; un petit bac suffit; couche de 5 cm de tourbe bouillie au fond; paramètres de l'eau comme ci dessus; opérer avec 1 mâle et 2 femelles, ils frayent dans la tourbe; retirer les reproducteurs après la ponte sinon le mâle épuise la femelle par ses poursuites; la tourbe contenant les œufs peut être asséchée; inonder la tourbe au bout de 3–4 mois pour provoquer les éclosions des alevins que l'on élève ensuite avec des Nauplius d'*Artemia*.

N.: C, O; principalement nourriture vivante; les aliments en flocons sont également acceptés.

P.: La durée de vie est courte (10 mois). Dans l'aquarium *Cynolebias bellottii* pond même sur un fond en sable dur ou en verre nu.

T: 18–22° C, égal. 4° C, pas plus de 25° C, **L**: 7 cm, **LA**: 60 cm, **Z**: i et m, **D**: 3

Cynolebias alexandri CASTELLO & LOPEZ, 197)

Syn.: Aucun.

Or.: Amérique du sud: Argentine, province de Entre Rios, près de Gualeguaychu.

P.i.: 1974.

D.s.: Mâle gris vert à bleu vert, tout le corps présente des bandes transversales brunâtres, les nageoires sont colorées; la femelle est brun clair, parsemée de nombreuses taches irrégulières; nageoires plus ou moins incolores.

C.s.: Poisson saisonnier relativement paisible; en période de frai les mâles sont moins agressifs envers les femelles que ceux d'autres espèces du genre *Cynolebias*.

M.: Comme indiqué chez *C. bellottii*; on n'a pas de renseignements sur les paramètres de l'eau dans la nature. VAN DEN NIEUWENHUIZEN indique: dureté moyenne (env. 8° dGH) et légère acidité à neutralité (pH 6,5–7) de l'eau (DATZ 30, 364–369, 1977); fréquent changement partiel d'eau.

R.: 23–24° C; voir *C. bellottii*; couche de tourbe d'au moins 7 cm d'épaisseur; opérer avec 1 mâle et 1 femelle; égoutter la tourbe à la fin de la ponte et l'introduire dans des sachets en plastique qu'il faudra ouvrir toutes les trois semaines et bien secouer le contenu; refermer ensuite hermétiquement les sachets et stocker à 22–24° C. Au bout d'env. 3 mois inonder la tourbe dans un bac d'élevage (hauteur d'eau 10 cm).

N.: C; toutes sortes de nourritures vivantes telles que *Tubifex*, Larves de Moustiques, petits Crustacés, Enchytrées, petits Insectes aquatiques.

P.: L'introduction de nourriture en flocons dans le bac d'élevage peut déclencher les éclosions, car on provoque ainsi des processus de décomposition consommant de l'oxygène. D'après les connaissances actuelles il est prouvé que les larves percent les membranes dès qu'il n'arrive plus à travers ces dernières suffisamment d'oxygène jusqu'à l'embryon.

T: 22–28° C, **L**: 9 cm, **LA**: 60 cm, **Z**: i et m, **D**: 3

Cynolebias bellottii

Cynolebias alexandri

Cynolebias nigripinnis nigripinnis REGAN, 1912
Poisson éventail noir

Syn.: Aucun.

Or.: Amérique du sud: Parana, près de Rosario de Santa Fé.

P.i.: 1908 par la firme Wilhelm Eimeke, Hambourg.

D.s.: Les mâles matures sont bleu noir à noir charbon avec des points brillants verts ou bleus sur le corps et les nageoires; les femelles présentent une robe gris clair à ocre.

C.s.: Killi vivace, souvent agressif.

M.: Comme indiqué chez Cynolebias bellottii. Eau douce (env. 4° dGH) et légèrement acide (pH 6). Il est recommandé d'effectuer un régulier changement d'eau. Aquarium spécifique.

R.: Voir chez *C. bellottii*; pondeur au sol, donc couche de tourbe comme substrat de ponte au fond du bac; inonder tourbe et œufs au plus tôt au bout de 3 mois.

P.: Les œufs de *Cynolebias nigripinnis* restent viables jusqu'à un délai de 3 ans s'ils sont conservés dans un récipient fermé, logés dans de la vase humide. L'espèce est très sensible à l'Oodinium.

T: 20–22° C, **L**: 4,5 cm, **LA**: 50 cm, **Z**: i, **D**: 3

Cynolebias whitei MYERS, 1942
Poisson éventail de White

Syn.: *Pterolebias elegans.*

Or.: Brésil, environs de Rio de Janeiro; dans des petites pièces d'eau périodiquement asséchées.

P.i.: 1958.

D.s.: Mâle plus grand que la femelle, ses flancs ont un reflet métallique verdâtre; les nageoires de la femelle sont plus petites et arrondies, ses couleurs sont plus mates.

C.s.: Poisson très alerte; le mâle prend des attitudes d'imposition; des morsures endommageant les nageoires peuvent se produire, mais les blessures ne sont jamais sérieuses.

M.: Comme indiqué chez *Cynolebias bellottii.* Aquarium spécifique.

R.: Voir chez *C. bellottii;* pondeur au sol; espèce annuelle.

N.: C; nourritures vivantes (Larves de Moustiques rouges), Puces d'eau; réticent envers les aliments en flocons.

P.: Si on inonde les œufs avec de l'eau d'une température trop élevée on obtient facilement un haut pourcentage d'alevins qui n'arrivent pas à atteindre la nage libre en position normale («glisseurs sur le ventre»). Une eau d'une température de 19° C amène de bons résultats. Ne pas maintenir *Cynolebias withei* dans un bac à température constante, les variations de température lui sont salutaires.

T: 20–2° C, **L**: mâle 8 cm, femelle 5,5 cm, **LA**: 60 cm, **Z**: i, **D**: 3

Cynolebias nigripinnis nigripinnis

Cynolebias whitei

Cynopoecilus ladigesi (FOERSCH, 1958)
Gaucho de Ladiges
Sous-fam.: Rivulinae

Syn.: *Cynolebias ladigesi.*

Or.: Amérique du sud: Brésil, environs de Rio de Janeiro, dans des pièces d'eau temporaires.

P.i.: 1955 par «Aquarium Hamburg».

D.s.: Mâle multicolore, vert émeraude à bandes transversales rouge foncé; femelle brunâtre.

C.s.: Poisson saisonnier à vie courte, très paisible.

M.: Sol mou, sombre; dense végétation périphérique avec espace libre; décor par racines faisant fonction de caches; aération et filtration ne sont pas nécessaires; eau douce à moyennement dure (jusqu'à 10° dGH) et légèrement acide (pH env. 6).

R.: 22° C; bac d'élevage de petit format convient; sol; couche de 1 à 2 cm de tourbe, c'est un pondeur au sol; la surface des œufs est «bosselée»; stocker la tourbe contenant les œufs dans des sachets en plastique où elle peut presque assécher; inonder au bout de 2–3 mois, parfois il faut répéter l'opération car cela peut durer jusqu'à 8 mois avant que tous les alevins soient éclos; nourrir les alevins avec du plancton très fin.

N.: Principalement nourritures vivantes, ils acceptent aussi des proies congelées, parfois même les aliments lyophilisés.

P.: L'espèce est très prolifique. FOERSCH (1975) signale que chez lui une femelle a pondu en 5 mois 2140 œufs, une autre en moins de 12 mois même 3346 œufs (Aquarienmagazin 9, 404–409).

T: 20–22° C, L: 4 cm, LA: 40–50 cm, Z: i, D: 3

Cyprinodon macularius BAIRD et GIRARD, 1853
Poisson bleu du désert
Sous-fam.: Cyprinodontinae

Syn.: Aucun.

Or.: Du sud des USA jusqu'au nord du Mexique, du sud du Nevada et Californie jusqu'à la province de Sonora au Mexique.

D.s.: En période de frai le mâle présente une livrée brillante bleue; la femelle est brunâtre et tachetée.

C.s.: Poisson plus ou moins solitaire; le mâle occupe un lieu de repos, en eau profonde, d'où il chasse tout intrus (formation de territoire); ces lieux de repos sont des cuvettes en forme de cratère qu'il a creusé lui même.

M.: Sol sablonneux; végétation composé d'algues (Chara) et de roseaux; faible hauteur d'eau (20 cm); eau dure (plus de 15° dGH) et assez alcaline (pH 8); un ajout de sel marin est salutaire (2–3 cuillerées à café pour 10 l. d'eau); demande une température élevée; à maintenir en aquarium spécifique ou en compagnie d'autres Poissons du désert des genres *Cyprinodon* et *Empetrichthys.*

R.: Elle est facile, un petit bac suffit; eau avec ajout de sel marin; un écheveau de fils en nylon convient bien comme substrat de ponte, car il gêne les reproducteurs lorsqu'ils veulent dévorer les œufs; séparer les reproducteurs 2 à 3 jours avant de les réunir dans le bac de ponte préparé à l'avance, où ils séjourneront environ 1 heure; la ponte se déroule au milieu des fils en nylon, il faut retirer le couple sitôt qu'elle est terminée, sinon il dévore les œufs; après la ponte le mâle devient très agressif; on transfère le substrat contenant les œufs dans une cuve d'incubation; les œufs ne sont pas délicats; les jeunes éclosent au bout de 6 à 10 jours et ne posent pas de difficultés d'élevage.

N.: C; se nourrit principalement d'algues, de Larves de Moustiques, petits Crustacés, Insectes, *Tubifex*; accepte les aliments en flocons et congelés.

P.: Ces poissons vivent dans des sources chaudes et dans des trous d'eau dont la température peut atteindre jusqu'à 45° C et dont la salinité peut être six fois plus élevée que celle de l'eau de mer (jusqu'à 20% de salinité).

T: 25–35° C, L: 6,5 cm, LA: 50 cm, Z: s et m, D: 3

Cynopoecilus ladigesi

Cyprinodon macularius

Cyprinodon nevadensis
EIGENMANN, 1889
Cyprinodon Nevada, Amargosa
Sous-fam.: Cyprinodontinae

Syn.: Aucun.

Or.: Amérique du nord, ouest des USA (Californie).

P.i.: 1963.

D.s.: Durant la période de frai le mâle présente une livrée chatoyante; la femelle a une coloration brunâtre.

C.s.: Très similaire à celui de *Cyprinodon macularius.*

M.: Voir *C. macularius.*

R.: Comme indiqué chez *C. macularius.*

N.: O; principalement nourriture végétale (algues); ce poisson mange également des petits Crustacés, des Larves de Moustiques, *Tubifex*, ainsi que les aliments en flocons.

T: 25–32° C, **L:** 6 cm, **LA:** 50 cm, **Z:** s et m, **D:** 3

P.: Jusqu'à présent 7 sous espèces de *Cyprinodon nevadensis* ont été décrites.

Diapteron cyanostictum
(LAMBERT et GÉRY, 1967)
Sous-fam.: Aplocheilinae

Syn.: *Aphyosemion cyanostictum.*

Or.: Afrique, Gabon.

P.i.: 1972 par Herzog et Bochtler, Stuttgart.

D.s.: La coloration du mâle est plus vive et plus sombre, la ponctuation est plus prononcée.

C.s.: Killi très paisible.

M.: Comme indiqué chez *Aphyosemion striatum*; fréquent changement d'eau; éclairage artificiel complémentaire sont recommandés pour *Diapteron cyanostictum.* A maintenir dans un aquarium spécifique.

R.: Ne pose pas de difficultés; similaire à celle de *A. striatum.* Les premiers alevins éclosent déjà au bout de six jours; l'élevage des jeunes est sans problèmes.

N.: C; composée en grande partie de petites proies vivantes (petits Crustacés, Larves de Moustiques, *Tubifex*, etc.); ces poissons acceptent également des proies lyophilisées.

T: 21–24° C, **L:** 3 cm, **LA:** 40 cm, **Z:** i et m, **D:** 2

P.: *Diapteron cyanostictum* se distingue par le fait que sa nageoire dorsale débute toujours en avant de la nageoire anale, alors que chez les autres espèces du genre *Aphyosemion* le début de la caudale est le plus souvent situé plus en arrière.

Cyprinodon nevadensis mionectes

Diapteron cyanostictum

Pseudepiplatys annulatus (BOULENGER, 1915)
Killi clown

Syn.: *Haplochilus annulatus, Epiplatys annulatus.*

Or.: Afrique occidentale: de la Guinée au Niger.

P.i.: 1955 en Belgique, 1965 en Allemagne par Mlle Kretschmer, MMrs. E. Roloff et Clausen.

D.s.: Mâle plus grand que la femelle, toutes ses nageoires sont colorées, chez la femelle seule la caudale est colorée, de plus sa livrée ne présente pas de couleur rouge.

C.s.: Killi très calme; à maintenir en compagnie d'autres petites espèces paisibles ou dans un aquarium spécifique.

M.: Sol composé d'une couche de tourbe; plantes flottantes; eau douce (5° dGH) et légèrement acide (pH 6,5); ajouter fréquemment de l'eau fraiche.

R.: 25–26° C; reproduction très difficile; eau très douce (1–3° dGH) et moyennement acide (pH 5–5,5); acidité par tourbe; plantes fines ou fils en nylon comme substrat de ponte; les œufs adhèrent au substrat, ils ont un diamètre de 1 mm; le développement embryonnaire dure 8 à 10 jours; les reproducteurs ne dévorent pas les œufs, on peut donc les laisser en présence du frai; nourrir les alevins avec des Infusoires, leur croissance est très lente.

N.: C; Petites proies vivantes (*Cyclops*, petites Puces d'eau, Vers Grindal, Rotifères, etc.).

P.: Selon STERBA, *Pseudepiplatys annulatus* représente vraisemblablement une relique limitée à certaines accumulations d'eau de la forêt vierge et des savannes; ces poissons sont rares dans la nature.

T: env. 24° C, **L:** 4 cm, **LA:** 40–50 cm, **Z:** s, **D:** 4

Epiplatys chevalieri (PELLEGRIN, 1904)
Epiplatys de Chevalier

Syn.: *Haplochilus chevalieri, Panchax chevalieri.*

Or.: Afrique; Zaïre dans les environs du Stanley Pool.

P.i.: 1950 par «Aquarium Hamburg».

D.s.: Le mâle présente une plus belle livrée, avec de plus grandes taches rouges; sa nageoire anale est pointue au centre; la femelle est moins colorée, ses taches rouges sont plus petites, la nageoire anale est arrondie.

C.s.: Bon nageur, relativement paisible; aquarium densément planté; faire cohabiter de préférence avec des espèces paisibles et de taille similaire.

M.: Comme indiqué pour *Epiplatys dageti;* bac densément planté; eau de dureté moyenne (7–10° dGH) et légèrement acide (pH 6,5); une adjonction de sel marin et un régulier changement d'eau sont salutaires.

R.: 24–26° C; similaire à celle de *E. dageti;* les œufs adhèrent au substrat; les jeunes éclosent au bout d'environ 14 jours; on peut laisser les parents dans le bac de ponte, car ils ne dévorent pas le frai; employer de l'eau douce (3–5° dGH) pour la reproduction.

N.: C; nourritures vivantes (Larves d'Insectes); nourriture en flocons.

P.: *Epiplatys chevalieri* est très sensible aux Infusoires.

T: 24–26° C, **L:** 6 cm, **LA:** 50 cm, **Z:** s et m, **D:** 2

Pseudepiplatys annulatus

Epiplatys chevalieri

Epiplatys dageti POLL, 1953
Epiplatys rayé

Syn.: Aucun.

Or.: Afrique occidentale: Sierra Leone, Libéria, sud-est de la Côte d'Ivoire et sud ouest du Ghana.

P.i.: 1908 par C. Siggelkow, Hambourg.

D.s.: Mâle souvent plus grand, sa coloration est très variable; la femelle est brun rouge; la nageoire anale du mâle est pointue, celle de la femelle est arrondie.

C.s.: Les juvéniles sont vivaces et socials, en prenant de l'âge ils deviennent de plus en plus asocials et agressifs; carnassier; en période du frai les mâles se combattent; faire cohabiter avec des poissons de taille similaire.

M.: Sol sombre, sablonneux; dense végétation périphérique avec espace libre pour la nage; surface de l'eau couverte de plantes flottantes; Racines pour décor; eau pas trop dure (jusqu'à 10° dGH) et légèrement acide (pH 6–6,5); eau vieille, ne pas changer trop souvent.

R.: Facile; 24–26° C; assombrir le bac d'élevage; du *Riccia* à la surface de l'eau; plantes fines au sol; opérer avec 1 mâle et plusieurs femelles; les œufs adhésifs sont pondus, parmi les plantes, au nombre de 200 à 300; retirer les plantes après la ponte et les remplacer par de nouvelles; celles portant les œufs sont introduits dans un bac d'élevage où les éclosions auront lieu au bout de 8 à 10 jours; la période de frai s'étend sur plusieurs semaines durant lesquelles on peut régulièrement prélever des œufs et leur substrat.

N.: C, O; principalement proies vivantes (petits Crustacés, Insectes, Larves de Moustiques, Enchytrées, petits Poissons); accepte volontiers les aliments en flocons.

P.: De cette espèce, deux sous espèces sont connues: *Epiplatys dageti dageti* POLL, 1953 et *E. dageti monroviae* DAGET & ARNOULT, 1964. Cette dernière, désignée depuis 1908 comme *Epiplatys chaperi*, est mieux connue en aquariophilie.

T: 21–23° C, L: 7 cm, LA: 60 cm, Z: m et s, D: 2

Epiplatys lamottei DAGET, 1954

Syn.: *Epiplatys fasciolatus lamottei.*

Or.: Afrique occidentale: Libéria, Guinée.

P.i.: 1971 par Erhard Roloff, Karlsruhe.

D.s.: Le mâle est multicolore, la robe de la femelle est plus modeste; chez le mâle les ventrales sont plus longues.

C.s.: Paisible envers ses congénères et les autres espèces; la maintenance dans un aquarium trop petit et l'arrivée de nouveaux congénères peut déclencher des bagarres; territorial.

M.: Le sol ne doit pas être trop clair; caches constituées par des racines; arrière plan densément planté; lumière du jour, pas d'éclairage artificiel; obscurcir les parois latérales et la paroi arrière du bac; n'est pas très exigeant envers la qualité de l'eau; eau dure (3–5° dGH) et neutre à légèrement alcaline (pH 6–7,8); changer toutes les deux à trois semaines la moitié du volume d'eau; ne pas ajouter de tourbe.

R.: Possible dans de très petits bacs (10 l.); la Mousse de Java peut servir de caches et de substrat de ponte; eau moyennement dure (8° dGH) et légèrement alcaline (pH 7,5); temp. 23° C; la période de ponte dure env. 1 semaine et produit jusqu'à 70 œufs; les jeunes éclosent au bout de deux semaines; l'élevage des jeunes n'est pas difficile (toutes les indications d'après BÖHM: DATZ 27, 223–225, 1974).

N.: C; Principalement des Insectes (Fourmis!), également des aliments en flocons.

P.: Les couleurs de ces poissons pâlissent si l'aquarium est trop éclairé.

T: 21–23° C, L: 7 cm, LA: 60 cm, Z: m, D: 4 (C)

Epiplatys dageti

Epiplatys lamottei

Epiplatys sexfasciatus (BOULENGER, 1899)
Epiplatys à six bandes Sous-fam.: Rivulinae

Syn.: *Aplocheilus sexfasciatus, Lycocyprinus sexfasciatus, Panchax sexfasciatus.*

Or.: Afrique occidentale: du Togo au Zaïre (embouchure du Zaïre).

P.i.: 1905 par H. Schroot, Hambourg.

D.s.: Les flancs du mâle ont un reflet métallique que l'on observe pas chez la femelle; la nageoire anale du mâle est pointue, les ventrales sont prolongées et également pointues; chez la femelle ces nageoires sont arrondies, les ventrales sont plus courtes.

C.s.: Poisson de surface carnassier; cohabitation seulement avec des poissons de même taille.

M.: Comme indiqué chez *Epiplatys dageti.*

R.: 24–26° C; comme chez *E. dageti;* les alevins de *Epiplatys sexfasciatus* sont facilement atteints de pourriture bactérienne des nageoires; hauteur d'eau dans le bac d'élevage: env. 20 cm.

N.: Principalement nourritures vivantes, mais accepte aussi les proies congelées et les aliments en flocons.

P.: *Epiplatys sexfasciatus* est représenté par un grand nombre de variétés dues à la vaste aire de distribution de cette espèce. Ces variétés diffèrent en partie par leur morphologie, mais également par le patron de coloration du corps et des nageoires.

T: 22–28° C, **L:** 11 cm, **LA:** 60 cm, **Z:** s, **D:** 2

Epiplatys singa (BOULENGER, 1911)
Epiplatys pointillé Sous-fam.: Rivulinae

Syn.: *Haplochilus macrostigma, Epiplatys chinchoxcanus, Haplochilus senegalensis* (pas STEINDACHNER), *Panchax macrostigma, Epiplatys macrostigma.*

Or.: Afrique, région du Zaïre inférieur.

P.i.: 1911 par la firme Kropac, Hambourg.

D.s.: Les flancs du mâle ont un reflet métallique bleu, les couleurs sont plus vives, la dorsale et l'anale ont des extrémités pointues blanches; la femelle n'a pas de reflet métallique, la dorsale et l'anale sont arrondies.

C.s.: Poisson très farouche, à mœrs carnassières; cette espèce n'apprécie pas la compagnie de poissons trop remuants, si c'est le cas elle se retire dans un coin abrité de l'aquarium et ses couleurs s'estompent.

M.: Comme indiqué chez *Epiplatys dageti,* mais la plantation de l'aquarium peut être encore plus dense; *E. singa* préfère une vieille eau douce pauvre en Infusoires (5° dGH, pH 6); cette espèce ne convient pas pour l'aquarium communautaire, il faut lui réserver un aquarium spécifique.

R.: 23–24° C; comme pour *E. dageti;* hauteur d'eau dans le bac d'élevage env. 20 cm; les œufs sont sensibles à la lumière; ils sont lâchés librement sur les plantes; le développement embryonnaire dure env. 10 jours; une ponte produit 80–100 œufs; la croissance des alevins est très lente.

N.: C; nourritures vivantes, de préférence des Larves de Moustiques blanches et noires; les aliments en flocons sont acceptés avec réticence.

P.: *Epiplatys singa* supporte très mal tout changement d'eau.

T: 23–25° C; **L:** 5,5 cm, **LA:** 60 cm, **Z:** m et s, **D:** 4 (C)

Epiplatys sexfasciatus

Epiplatys singa

Fundulosoma thierryi

AHL, 1924
Sous-fam.: Aplocheilinae

Syn.: Est parfois proposé par le commerce aquariophile sous le nom de: *Aphysemion walkeri, Aphysemion spurrelli* et *Nothobranchius walkeri.*

Or.: Afrique occidentale: Guinée, sud du Ghana, Haute Volta, nord du Togo, sud ouest du Niger.

P.i.: 1959 par Klaus Klugo.

D.s.: Les flancs du mâle ont un reflet métallique bleu; la femelle a une robe grise.

C.s.: Poisson vivace, parfois agressif envers ses congénères. A maintenir dans un aquarium spécifique.

M.: Bac sombre à faible hauteur d'eau; sol sombre (tourbe, moulme); dense végétation périphérique, espace libre pour la nage; lumière diffuse; eau moyennement dure (8–10° dGH) et neutre (pH 7); fréquents changements partiels d'eau.

R.: Très facile; offrir aux reproducteurs une alimentation variée et consistante; petits bacs d'élevage (par ex. boite en plastique); comme substrat de ponte une couche de 1 cm de tourbe bien rincée; paramètres de l'eau comme indiqué ci dessus; la ponte se déroule près du sol, les œufs tombent sur ou dans le substrat; limiter la durée à 4 heures afin de ménager la femelle; conserver la tourbe avec les œufs durant env. 4 semaines dans la même boite jusqu'à ce qu'elle commence par assécher, puis la stocker dans un sachet en plastique durant 3 à 4 mois; élever les alevins avec des Infusoires.

N.: C, O; nourritures vivantes (Larves de Moustiques, Puces d'eau, *Tubifex*); aliments en flocons.

P.: Le genre Fundulosoma a été établi en 1924 par l'ichthyologiste AHL. Le genre sert de lien entre les genres *Aphyosemion* MYERS, 1924 et *Nothobranchius* PETERS, 1868. *Fundulosoma thierryi* est très sensible à l'ectoparasite *Oodinium pillularis*; on lutte contre ce dernier à l'aide de Trypaflavine (0,6 g pour 100 l. d'eau).

T: env. 22° C, **L:** 3,5 cm, **LA:** 50 cm, **Z:** i et m, **D:** 1–2

Jordanella floridae
Jordanelle de Floride

GOODE et BEAN, 1879
Sous-fam.: Cyprinodontinae

Syn.: *Cyprinodon floridae.*

Or.: Amérique du nord: de la Floride jusqu'à Yucatan au Mexique; habite les marais, mares, lacs et eaux à courant lent.

P.i.: 1914 par F. Kurich, Berlin.

D.s.: Femelle généralement plus grande et plus épaisse; mâle couleur olive à brun vert, femelle plutôt jaunâtre. Une tache noire se trouve sur la dorsale et au dessus des pectorales de la femelle.

C.s.: Souvent très asocial envers les congénères et les autres espèces, surtout valable pour les mâles en période de frai, tout en étant craintif; soigne la ponte (famille paternelle).

M.: Aquarium bien éclairé; sol sombre, sablonneux; dense végétation périphérique avec espace libre pour la nage; il est recommandé de laisser les algues envahir les vitres latérales et arrière; l'espèce n'est pas très exigeante envers la qualité de l'eau, ils apprécient cependant un occasionnel apport d'eau fraiche.

R.: 23–25° C; réussit dans de petits bacs; plantation dense par plantes fines, plantes flottantes à la surface; sol composé de sable; la ponte se déroule parmi les racines des plantes flottantes et parmi les plantes fines, parfois dans une excavation du sol; la période de ponte dure une semaine durant laquelle jusqu'à 70 œufs sont pondus; le mâle s'occupe des œufs et ensuite des alevins; il faut enlever la femelle lorsque la ponte est terminée; le développement embryonnaire dure de 5 à 6 jours; on nourrit les jeunes avec du plancton.

N.: O; mange tout: toutes sortes de nourritures vivantes, algues, fragments de végétaux en décomposition, épinards; également aliments en flocons, aliments lyophilisés et congelés.

P.: *Jordanella floridae* aime se déplacer par petits bonds.

T: env. 20° C, **L:** 6 cm, **LA:** 40 cm, **Z:** i et m, **D:** 1–2

Fundulosoma thierryi

Jordanella floridae

Lamprichthys tanganicanus (BOULENGER, 1898)
Lamprichthys du Tanganyika
Sous-fam.: Aplocheilichtyinae

Syn.: *Haplochilus tanganicanus, Lamprichthys curtianalis, Mohanga tanganicana.*

Or.: Afrique; endémique du lac Tanganyika. Cette espèce apparait exclusivement près des côtes rocheuses. Contrairement à ce que l'on croyait jusqu'à présent, L. tanganicanus n'apparait pas au large du lac; l'espèce n'a encore jamais été rencontrée au dessus d'une zone sablonneuse (cf. SEEGERS, 1983; DATZ 36 [1]: 5–9).

P.i.: 1959.

D.s.: Mâle plus grand que la femelle; sa livrée présente des points brillants bleus sur les flancs, chez la femelle ils sont argentés.

C.s.: Poisson grégaire assez farouche; un mâle dominant à grandes nageoires défend un territoire au centre duquel se trouve souvent un grand bloc rocheux ou une grande pierre. Ce territoire est également fréquenté par plusieurs mâles de rang inférieur; on ignore encore s'ils réclament également un territoire ou s'ils vagabondent simplement dans les environs.

M.: Bac à grande surface; sol pierreux, édifices rocheux avec failles et angles; végétation inutile; eau moyennement dure à dure (à partir de 12° dGH) et d'alcalinité modérée (pH env. 8,5); à maintenir de préférence en aquarium spécifique.

R.: Déjà réussie en captivité par «Aquarium Hamburg»; ne semble pas poser de difficultés particulières si les conditions sont optimales. Il existe un rapport détaillé sur le comportement de reproduction dans la nature, SEEGERS (1983); DATZ 36 [1]: 5–9.

(suite du texte page 576)

T: 23–25° C, L: fem. jusqu'à 15 cm, LA: 80–100 cm, Z: s et m, D: 3

Luciana goodei JORDAN, 1879
Luciana à queue rouge
Sous-fam.: Fundulinae

Syn.: *Chriopeops goodei, Fundulus goodei.*

Or.: Amérique du nord: USA, Floride, sud de la Georgie. L'espèce se rencontre dans les rivières calmes, fleuves et lacs.

P.i.: 1928 par la «Aquarienfisch Import und Export Companie» Wandsbek.

D.s.: Mâle plus beau, plus coloré, surtout les nageoires; dorsale à base orange et zone bleue en forme de croissant; la base de la caudale est rouge; la dorsale de la femelle est jaunâtre, la base de la caudale est blanchâtre; le mâle est plus svelte, sa dorsale et l'anale sont plus grandes.

C.s.: Poisson vivace, robuste, très paisible envers ses congénères; quelquefois belliqueux envers les autres espèces. Faire cohabiter de préférence avec d'autres poissons vifs et alertes.

M.: Sol couvert d'une couche de moulme; végétation périphérique dense, espace dégagé pour nager librement; employer de l'eau vieille (15° dGH et pH 6,5–6,8); inutile d'équiper l'aquarium d'un chauffage; quelques caches constituées par des racines sont indispensables.

R.: 20–24° C; plantes fines et plantes flottantes; la ponte est précédée d'une parade nuptiale très mouvementée; la ponte se déroule près du sommet des plantes; la période de ponte dure env. 5 semaines durant lesquelles la femelle pond de 3 à 5 œufs par jour, avec un total d'env. 200 œufs qui restent suspendus aux plantes par de courts filaments; à 22° C le développement embryonnaire dure environ 1 semaine; retirer les reproducteurs sitôt la ponte terminée, car ils dévorent les œufs; bien les nourrir durant toute la durée de la période du frai (tous les renseignements d'après BREITFELD, Aquarien Terrarien 24, 344–349 1977).

N.: Toutes les proies vivantes, principalement Larves de Moustiques rouges et noires; accepte cependant aussi les aliments en flocons.

P.: Maintenu à des températures hivernales trop élevées et/ou à des températures permanentes trop élevées, *Luciana goodei* devient très craintif; cette espèce est très sensible à tout changement de milieu, même à température normale; l'adjonction d'eau fraiche favorise l'envie de pondre.

T: 16–22° C, en hiver 12–16° C, L: 6 cm, LA: 60 cm, Z: toutes, D: 1–2

Lamprichthys tanganicanus

Luciana goodei

Nothobranchius guentheri (PFEFFER, 1893)
Notobranche de Guenther

Syn.: *Fundulus guentheri, Adiniops guentheri.*

Or.: Afrique: île de Zanzibar.

P.i.: 1913 par C. Siggelkow, Hambourg.

D.s.: Mâle plus grand et plus coloré.

C.s.: Relativement agressif; poisson saisonnier à courte durée de vie.

M.: Comme indiqué chez *Nothobranchius rachovii*; eau jusqu'à 10° dGH et neutre à légèrement acide (7,0–6,5); bac spécifique.

R.: 22–24° C; comme indiqué chez *N. rachovii*; pondeur au sol; durée du développement embryonnaire 3 à 4 mois.

N.: Proies vivantes: Larves d'Insectes, petits Crustacés, *Tubifex*, aliments en flocons.

P.: La nageoire caudale est bordée de noir.

T: 22–25° C, L: 4,5 cm, LA: 60 cm, Z: i et m, D: 3

Nothobranchius kirki JUBB, 1969
Nothobranche de Kirk

Syn.: Nothobranchius schoenbrodti.

Or.: Afrique orientale: Malawi, à proximité du lac Chilwa.

P.i.: Date exacte inconnue.

D.s.: Mâle beaucoup plus coloré que la femelle.

C.s.: Poisson saisonnier, vivace, un peu belliqueux.

M.: Comme indiqué chez *Nothobranchius rachovii*; à maintenir en aquarium spécifique.

R.: 21–23° C; autres conditions comme indiquées chez *N. rachovii.*

N.: Principalement proies vivantes: Larves de Moustiques, *Tubifex*, Enchytrées, petits Crustacés, également aliments en flocons, etc.

P.: Selon les observations faites jusqu'à ce jour, la diapause de *N. kirki* semble être la plus longue de toutes les espèce du genre *Nothobranchius* (7 mois).

T: 20–23° C, L: 5 cm, LA: 50 cm, Z: i et m, D: 3

Nothobranchius korthausae MEINKEN, 1973
Nothobranche de Korthaus

Syn.: Aucun.

Or.: Afrique orientale, île Mafia (Tanzanie), dans des marais à eau courante.

P.i.: 1972 par Edith Korthaus, Dahl.

D.s.: Mâle plus coloré, toutes les nageoires sont bordées de bleu ciel, la caudale présente six à huit bandes transversales irrégulières; la femelle est gris olive, les flancs ont une brillance cannelle, toutes les nageoires sont incolores.

C.s.: Poisson saisonnier vivace, très agressif; le mâle poursuit assidûment la femelle.

M.: Comme indiqué chez *Nothobranchius rachovii*; pour *N. korthausae* l'eau doit être douce (env. 5° dGH) et assez acide (pH 5,8–6,4); un pH de 6,8 provoque la mort au bout de quelque temps; aquarium spécifique.

R.: Comme les autres *Nothobranchius*; opérer avec 1 mâle et plusieurs femelles.

N.: En priorité nourritures vivantes de toutes sortes: petits Crustacés, Larves de Moustiques rouges et noires, *Tubifex*.

P.: Chez *N. korthausae* le mâle glisse sa caudale beaucoup plus loin sous la femelle que les autres mâles du genre *Nothobranchius*.

Z: 23–26° C, L: 6 cm, LA: 60 cm, Z: i et m, D: 3

Nothobranchius guentheri

Nothobranchius kirki

Nothobranchius korthausae

Nothobranchius palmqvisti (LÖNNBERG, 1907)
Nothobranche de Palmqvist

Syn.: *Fundulus palmqvisti, Adiniops palmqvisti.*

Or.: Afrique orientale, dans les eaux près des côtes du sud du Kenia et de Tanzanie.

P.i.: 1957 par le «Tropicarium Frankfurt/M.»

D.s.: Le mâle est nettement plus coloré, ses couleurs plus vives, il présente un dessin réticulé; la robe de la femelle est unicolore gris ou brun, sans dessin réticulé,sa taille est plus petite; la ligne dorsale du mâle est voûtée, la ligne abdominale est plate alors que chez la femelle ces deux parties sont voûtées de façon égale.

C.s.: Poisson saisonnier à courte durée de vie, très agressif; les mâles poursuivent inlassablement les femelles et se livrent des combats de rivalité.

M.: Comme indiqué chez *Nothobranchius rochovii*; l'eau ne doit pas dépasser 10° dGH, ni un pH de 7; aquarium spécifique.

R.: 22–24° C; peut être réalisée dans de petits bacs; sol composé de tourbe, c'est un pondeur au sol; les œufs, au nombre de 200, sont «lancés» un par un dans le sol; *N. palmqvisti* est un pondeur permanent; les œufs sont conservés dans la tourbe qui sera inondée au bout d'environ 3 mois; pour l'élevage des jeunes il faut changer toutes les deux semaines 1/3 de l'eau.

N.: C; principalement nourritures vivantes, est particulièrement friand de Larves d'Insectes.

T: 18–20° C, **L**: 5 cm, **LA**: 60 cm, **Z**: i et m, **D**: 3

Nothobranchius rachovii AHL, 1926
Nothonranche de Rachow

Syn.: *Adiniops rachovii.*

Or.: Afrique: du Mozambique jusqu'en Afrique du sud, dans des eaux de la savanne humide périodiquement asséchées.

P.i.: 1925; réintroduction en 1958 par Erhard Roloff, Karlsruhe.

D.s.: Le mâle est plus grand et plus coloré; la femelle est plus petite et présente une robe unicolore gris à brunâtre.

C.s.: Poisson saisonnier, relativement calme et paisible; parfois belliqueux envers ses congénères; les mâles défendent souvent un territoire.

M.: Sol mou et sombre; végétation allégée, assez d'espace pour nager librement; décor constitué de racines de tourbières; faible hauteur d'eau (20 cm); éviter de créer un fort courant d'eau dans le bac; eau douce (4–6° dGH) et légèrement acide (pH 6,5); fréquent changement partiel d'eau; bac spécifique.

R.: 21–23° C; pondeur au sol, dans la tourbe ou du sable fin; prélever la tourbe contenant les œufs, la stocker dans un sachet en plastique, le moment venu l'inonder d'eau douce; une eau très douce (2° dGH) améliore le rendement d'éclosions; l'élevage des jeunes n'est pas difficile, mais ils sont très sensibles à l'*Oodinium* qui les infeste souvent immédiatement sprès la naissance; la maturité est atteinte au bout de 12 semaines.

N.: C; nourritures vivantes, principalement Larves d'Insectes; petits Crustacés, *Tubifex* et aliments en flocons sont également acceptés.

P.: En cas d'alimentation trop pauvre en vitamines les femelles présentent des difficultés de croissance au bout de quelques générations.

T: 20–24° C, **L**: 5 cm, **LA**: 60 cm, **Z**: i et m, **D**: 3

Nothobranchius palmqvisti

Nothobranchius rachovii

Oryzias celebensis (WEBER, 1894)
Killi de Célèbes

Syn.: *Haplochilus celebensis, Aplocheilus celebensis.*

Or.: Indonésie: sud de Célèbes (Sulawesi), dans des eaux stagnantes et eaux courantes.

P.i.: 1912.

D.s.: Mâle gris vert, nageoires dorsale et anale pointues; la femelle est grise, dorsale et anale sont arrondies; le mâle est souvent plus grand.

C.s.: Poisson grégaire, très calme et paisible; faire cohabiter avec des espèces de taille similaire.

M.: Comme indiqué chez *Oryzias melastigmus,* mais *O. celebensis* peut également être maintenu dans un aquarium communautaire.

R.: Voir *O. melastigmus.*

N.: C, O; proies vivantes de petite taille; accepte aussi les aliments en flocons.

P.: On a très peu de renseignements sur des observations faites en aquarium. *O. celebensis* est une rareté dans nos aquariums.

T: 22–30° C, L: 5 cm, LA: 40 cm, Z: s et m, D: 3

Oryzias melastigmus (Mc CLELLAND, 1839)
Killi de Java

Syn.: *Aplocheilus melastigmus, Panchax argenteus, P. cyanophthalmus, Aplocheilus javanicus, Oryzias javanicus.*

Or.: Sud de l'Asie: à partir de Sri Lanka (Ceylan) et Inde vers l'Est à travers la Birmanie, la Thailande, la Malaisie jusqu'à Java.

P.i.: Novembre 1910 par SCHOLZE et POETZSCHKE, Berlin.

D.s.: L'avant du corps des femelles est plus grand rond et parfois on distingue les œufs par transparence. La nageoire anale des mâles est plus effrangée et la nageoire dorsale est souvent plus grande.

C.s.: C'est un poisson paisible qui affectionne vivre en groupes ou en bancs.

M.: Ce poisson convient bien pour l'aquarium communautaire, d'autant plus que les grands mâles sont très attractifs. Pour la maintenance un aquarium assez spacieux est recommandé. Son pourtour sera bien planté, mais il offrira un espace dégagé suffisant pour la nage libre aisée. Chez *O. melastigmus* les paramètres de l'eau n'ont pas un caractère déterminant, une légère salinité est même tolérée, vu que ces poissons ont été trouvé à proximité de la côté, bien que ce fut en eau douce.

R.: Les œufs agglutinés en forme de grappe fixée sur la femelle, sont transportés par cette dernière durant un certain temps avant de rester accrochés aux plantes.

N.: O, C; toutes sortes de nourritures vivantes; aliments en flocons et aliments congelés.

P.: *O. melastigmus* est très largement répandu dans le Sud-est asiatique et présente de ce fait différentes variétés de colorations qui peuvent être facilement confondues. Elles peuvent être fortement marbrées de noir, alors que dans d'autres régions elles sont plutôt jaunâtres avec peu de dessin noir. On admet en général que le genre *Oryzias* n'a pas encore été très bien étudié et que seulement très peu d'espèces sont bien connues et déterminées. *O. melastigmus* ne figure pas parmi ces dernières.

T: 22–26° C, L: 5 cm, LA: 60 cm, Z: s et m, D: 2–3

Oryzias celebensis

Oryzias melastigmus

Pachypanchax playfairii (GÜNTHER, 1866)
Panchax pointillé Sous-fam.: Aplocheilinae

9**Syn.**: *Haplochilus playfairii, Panchax playfairii.*

Or.: Îles de l'Afrique orientale: Seychelles, Zanzibar, Madagascar.

P.i.: 1924 par August Schlüter, Altona.

D.s.: Femelle moins colorée; les nageoires du mâle sont pointillées de rouge, la caudale a un bord noir; une tache noire se trouve à la base de la dorsale de la femelle.

C.s.: Poisson agressif, mordant; mâle et femelle délimitent des territoires; mange des petits poissons.

M.: Sol sablonneux sombre; végétation dense; nombreuses caches sous forme de racines, roches ou plantes à larges feuilles; eau moyennement dure (8–15° dGH) et légèrement acide à neutre (pH 6,5–7); bien couvrir l'aquarium, car c'est un bon sauteur.

R.: 24–26° C; bac de ponte à partir de 10 l.; paramètres de l'eau comme indiqué ci dessus; comme substrat de ponte: Fougère aquatique, Mousse de Java, plantes fines ou fils en nylon; opérer avec 1 couple; la période de ponte dure env. 1 semaine et produit de 50 à 200 œufs qui adhèrent au substrat; les reproducteurs dévorent œufs et alevins, la densité du substrat permet de limiter le cannibalisme; à 24° C les jeunes éclosent au bout de 12 jours, on les nourrit avec des Nauplius d'*Artemia* et autres petites proies appropriées.

N.: C; principalement proies vivantes (petits Crustacés, Insectes, Larves d'Insectes, *Tubifex*, petits poissons); accepte les aliments en flocons et similaires.

P.: En période du frai les écailles du mâle sont en peu hérissées, elles le sont encore davantage lors de la parade nuptiale et des accouplements.

T: 22–24° C, **L**: 10 cm, **LA**: 60 cm, **Z**: i, **D**: 1

Procatopus nototaenia BOULENGER, 1904
Procatopus à dos rouge Sous-fam.: Aplocheilichtyinae

Syn.: Aucun (?).

Or.: Afrique occidentale: sud du Cameroun.

P.i.: 1960.

D.s.: Mâle plus grand, reflet bleu mat mais intense sur les flancs, caudale droite; femelle plus petite, le reflet bleu est moins prononcé, la caudale est arrondie.

C.s.: Poisson grégaire calme et paisible; convient pour l'aquarium communautaire, mais pas en compagnie de poissons agressifs; toujours maintenir par groupe.

M.: Sol sablonneux; végétation périphérique allégée composée de plantes fines et plantes flottantes; espace libre pour la nage; décor par racines; eau très douce (1–3° dGH) et légèrement acide (pH 6); créer un courant dans lequel les poissons se tiendront pratiquement en permanence.

R.: 22–24° C; paramètre comme indiqué ci dessus; ajouter un peu de Trypaflavine à l'eau pour protéger les œufs des champignons; les œufs sont adhésifs, ils ont un diamètre d'env. 1,5 mm et sont jaunâtres; le développement dure près de 3 semaines, ajouter de l'eau active l'éclosion des jeunes; nourrir les alevins avec des Infusoires et des Rotifères.

N.: C; en priorité nourritures vivantes de toutes sortes; accepte parfois des aliments en flocons.

P.: On peut aisément distinguer le genre *Procatopus* du genre *Aplocheilichthys* du fait qu'il présente une prolongation membraneuse, triangulaire, légèrement pliée, apparaissant par le côté intérieur de l'opercule.

T: 20–25° C, **L**: 5 cm, **LA**: 50 cm, **Z**: s, **D**: 2–3

Pachypanchax playfairii

Procatopus nototaenia

Pseudepiplatys annulatus voir p. 558

Pterolebias longipinnis GARMAN, 1895
Rivulus voilé

Syn.: *Rivulus macrurus.*

Or.: Amérique du sud: Brésil, Amazone; Argentine: cours moyen et inférieur du Rio Paraguay, cours moyen du Rio Parana.

P.i.: 1930.

D.s.: Le mâle est plus grand que la femelle, ses nageoires sont plus longues et pointues alors que celles de la femelle sont arrondies; le mâle présente un patron de coloration qui manque chez la femelle.

C.s.: Les juvéniles sont relativement agressifs, mais en âge avancé ils deviennent de plus en plus indolents. Ne jamais maintenir en permanence que deux mâles, car dans ces conditions ils se combattent sans arrêt; par contre s'il y en a plusieurs les attentions sont détournées et il n'en résulte aucune altercation sérieuse. Aquarium spécifique.

M.: Comme indiqué chez *Cynolebias bellottii.*

R.: 20–22° C; comme pour *C. bellottii. Pterolebias longipinnis* est un pondeur au sol.

N.: C, O; principalement nourritures vivantes de toutes sortes; aliments congelés et aliments en flocons; l'espèce est très gloutonne.

P.: *P. longipinnis* est très sensible aux brusques changements de la dureté de l'eau et de la composition de l'eau.

T: 17–22° C, **L**: 10 cm, **LA**: 80 cm, **Z**: i et m, **D**: 3

Pterolebias zonatus MYERS, 1935

Syn.: Aucun.

Or.: Amérique du sud: Venezuela; dans des accumulations temporaires d'eau.

P.i.: 1963 aux USA.

D.s.: Femelle plus petite que le mâle, ses nageoires sont arrondies; les nageoires du mâle sont plus longues et pointues.

C.s.: Similaire à celui de Pterolebias longipinnis.

M.: Comme indiqué chez *Cynolebias bellottii.*

R.: 21–23° C; voir chez C. bellottii; la reproduction de Pterolebias zonatus est difficile à obtenir et peu rentable.

N.: C; toutes sortes de proies vivantes; Larves de Moustiques, *Tubifex*, Enchytrées, petits Crustacés, Insectes, etc.

P.: *Pterolebias zonatus* diffère de *P. longipinnis* par le nombre d'écailles de la ligne latérale: *P. zonatus* en a 34, *P. longipinnis* seulement 31–32.

T: 18–23° C, **L**: 9 cm, **LA**: 70 cm, **Z**: i et m, **D**: 3–4

suite de la page 566

Un mâle dominant attire l'attention des femelles qui traversent son territoire. La ponte est déposée sur une pierre. *L. tanganicanus* est un pondeur sur substrat et non pas, ainsi qu'on l'a cru jusqu'à présent, un pondeur en eau libre. Dans la nature les pontes sont fortement décimées par des Cichlidés (*Lamprologus, Telmatochromis* et *Julidochromis. L. tanganicanus* est un pondeur permanent, c. à d. que les œufs sont pondus durant une période prolongée.

N.: C; nourritures vivantes (petits Crustacés, Insectes, etc.) et écailles de poissons!

P.: *Lamprichthys tanganicanus* est le plus grand Killi africain.

Pterolebias longipinnis

Pterolebias zonatus

Rivulus cylindraceus POEY, 1861
Rivulus de Cuba

Syn.: *Rivulus marmoratus* (pas POEY, 1880).

Or.: Amérique centrale: Cuba.

P.i.: 1930 par la firme Fritz Mayer, Hambourg.

D.s.: La coloration du mâle est plus vive, la dorsale et la caudale du mâle ont un liséré bleuâtre; la femelle présente une tache noire à la base de la caudale; toutes ses nageoires sont arrondies.

C.s.: Poisson vivace, relativement social; à faire cohabiter avec des poissons paisibles et de taille similaire; les mâles se combattent impitoyablement, les femelles sont plus tolérantes entre elles.

M.: Sol sombre constitué de gravier; bac densément planté, plantes flottantes couvrant la surface de l'eau; quelques racines comme décor; *Rivulus cylindraceus* n'est pas exigeant envers les qualités physico chimiques de l'eau. Eau moyennement dure (env. 8° dGH) et neutre (pH 7); cette espèce apprécie qu'on mette des cavernes sous forme de moitiés de noix de coco à sa disposition.

R.: 23–24° C; peut être réalisé dans des petits bacs de trois à cinq litres; reproduction facile; séparer les partenaires avant le frai; comme substrat on peut employer de la tourbe fibreuse ou des plantes fines (*Myriophyllum*); opérer avec 1 mâle et 2 femelles; retirer les reproducteurs lorsque la ponte est terminée; les jeunes éclosent au bout de 12–14 jours, on les nourrit avec des Nauplius d'*Artemia*. Les alevins présentent un dessin caractéristique: une fine ligne noire s'étend de la bouche à la nageoire caudale.

N.: C, O; nourritures vivantes (Larves de Moustiques, *Tubifex*, Enchytrées, Drosophiles, aliments en flocons.

P.: Pour assurer une bonne croissance des jeunes il faut effectuer tous les 14 jours un changement partiel de l'eau. Les espèces du genre *Rivulus* se reconnaissent bien par leur corps plus ou moins cylindrique.

T: 22–24° C, **L**: 5,5 cm, **LA**: 50 cm, **Z**: m et i, **D**: 1–2

Rivulus xanthonotus AHL, 1926
Rivulus jaune

Syn.: Aucun.

Or.: Amérique du sud: Amazone (?); on n'a pas d'indication précise.

P.i.: 1926 par J. Wolmer, Hambourg.

D.s.: Mâle brun foncé, ses flancs présentent quelques rangées de points rouges; la femelle est de couleur ocre.

C.s.: Killi remarquablement paisible, actif nageur.

M.: Comme indiqué chez *Rivulus cylindraceus*; bien couvrir l'aquarium car c'est un excellent sauteur. Eau douce à moyennement dure (5–9° dGH) et légèrement acide (pH 6,5).

R.: Similaire à celle de *R. cylindraceus.*

N.: C, O; proies vivantes, aliments en flocons.

P.: Certains Ichthyologistes considèrent *Rivulus xanthonotus* seulement comme variété de *Rivulus urophthalmus* GUENTHER, 1866.

T: 22–25° C, **L**: 7 cm, **LA**: 60 cm, **Z**: m et i, **D**: 2

Rivulus cylindraceus

Rivulus xanthonotus

Aphyosemion bertholdi (ROLOFF, 1965)
Roloffia de Berthold

Syn.: *Roloffiabertholdi, «Aphyosemion mülleri».*

Or.: Afrique occidentale: Sierra Leone, Guinée et Liberia; dans les eaux ombragées des forêts pluviales tropicales.

P.i.: 1962 par Erhard Roloff, Karlsruhe.

D.s.: Le mâle est plus grand et plus coloré; la femelle est plus petite et brun clair à vert olive; durant le frai la gorge du mâle devient noire.

C.s.: Poisson vivace et paisible; peut cohabiter avec d'autres *Aphyosemion* ou espèces similaires.

M.: Comme indiqué chez *Aphyosemion chaytori;* sol composé d'une couche de 1 à 2 cm de tourbe bien bouillie; un fréquent renouvellement partiel d'eau est important.

R.: 23–24° C; petit bac à faible hauteur d'eau; couche de tourbe peu épaisse; eau douce (env. 4° dGH) et légèrement acide (pH 6,5). C'est un pseudo pondeur au sol; après une parade nuptiale modérée, les œufs sont déposés sur la tourbe et non enfouis dans celle ci, généralement entre 10 et 30; retirer les reproducteurs lorsque la ponte est terminée et baisser le niveau de l'eau à une hauteur de 3 cm; les jeunes éclosent au bout de 14–18 jours et seront nourris avec des Nauplius d'*Artemia*; un fréquent renouvellement d'eau durant l'élevage est indispensable sinon la croissance est trop handicapée.

N.: C; toutes sortes de nourritures vivantes: Larves de Moustiques, Insectes, petits Crustacés, *Tubifex*, etc.

P.: *A. bertholdi* est un excellent sauteur, l'aquarium doit donc toujours être bien couvert, car une petite fente lui suffit pour s'échapper. La durée de vie de cette espèce peut être prolongée en isolant les deux sexes. Réunir mâle et femelle seulement durant quelques jours pour frayer.

T: 22–24° C, **L**: 5 cm, **LA**: 50 cm, **Z**: m et i, **D**: 3

Aphyosemion roloffi AHL, 1937
Roloffia de Bruening

Syn.: *Roloffia brueningi.*

Or.: Afrique occidentale: Sierra Leone; dans le district de Kenema près de Giema.

P.i.: 1963 par Erhard Roloff, Karlsruhe.

D.s.: Mâle vert bleu à bleu foncé, nageoires pectorales rouges; femelle brun olive à brun rouge, les pectorales ne sont pas rouges.

C.s.: Poisson vivace, le plus souvent paisible; maintenir de préférence en aquarium spécifique ou en compagnie d'espèce similaires.

M.: Comme indiqué chez *A. chaytori.*

R.: 22–24° C; comme chez *A. chaytori. Aphyosemion roloffi* est spécifiquement pondeur au sol.

N.: Principalement toutes sortes de nourritures vivantes, surtout des Larves de Moustiques blanches et noires, ainsi que des petits Crustacés, *Tubifex* et Enchytrées.

P.: Quelques chercheurs considèrent que *"Roloffia" brueningi* est une espèce valide.

T: 22–24° C, **L**: 5 cm, **LA**: 50 cm, **Z**: i et s, **D**: 2–3

Aphyosemion bertholdi

Aphyosemion roloffi

Aphyosemion chaytori ROLOFF, 1971
Roloffia de Chaytor

Syn.: *"Roloffia" chaytori.*

Or.: Afrique occidentale: Sierra Leone; habite les eaux courantes, à proximité des sources et évite les eaux libres à température élevée.

P.i.: 1963 par Erhard Roloff, Karlsruhe.

D.s.: Mâle beaucoup plus coloré que la femelle; corps et nageoires de la femelle sont brun olive parsemées de nombreux points rouges.

C.s.: Poisson vivace, le plus souvent paisible; à maintenir en aquarium spécifique ou en compagnie d'espèces du genre *Epiplatys* de taille similaire.

M.: Sol mou (tourbe bouillie); plantation périphérique par plantes fines; décor par racines; plantes flottantes pour lumière diffuse, pas d'éclairage par en haut; il est avantageux que seule la vitre frontale de l'aquarium soit éclairée, les autres devant être obscurcies en y collant du papier; sous une lumière trop vive les couleurs de ces poissons s'estompent et ils se sentent mal à l'aise. Eau très douce à douce (1–6° dGH) et légèrement acide à neutre (pH 6,3–7).

R.: 23–24° C; paramètres de l'eau comme indiqués ci dessus; végétation composée d'espèces fines; les œufs sont pondus parmi les plantes à proximité de la surface, il faudrait les prélever de temps en temps; les jeunes éclosent au bout de 12–14 jours, on les nourrit avec des Nauplius d'*Artemia*; ajouter de la Trypaflavine provoque chez *A. chaytori* une éclosion prématurée qui amène la mort des alevins.

N.: C; nourritures vivantes variées (Larves de Moustiques, Insectes, petits Crustacés, *Tubifex*, Enchytrées, etc.).

P.: Bien couvrir l'aquarium, c'est un bon sauteur; à température pas trop élevée (22–24° C), une eau pas trop dure et sous faible éclairage, ces poissons vivent deux à deux ans et demi durant lesquels ils restent capables de reproduire.

T: 22–24° C, **L**: 6 cm, **LA**: 60 cm, **Z**: i et m, **D**: 1–2

Aphyosemion liberiensis (BOULENGER, 1908)
Roloffia du Liberia

Syn.: *Haplochilus liberiensis, Aphyosemion calabaricus, A. liberiense, Roloffia calabarica, "R." liberiensis.*

Or.: Afrique occidentale, ouest du Liberia, Nigeria (?); dans des trous d'eau.

P.i.: 1908 par la firme O. Winkelmann, Hambourg.

D.s.: Les flancs du mâle ont un reflet métallique vert, idem sur les nageoires; durant la période du frai sa tête est très foncée; la femelle est brun à vert olive.

C.s.: Killi vivace, principalement paisible; à maintenir de préférence avec d'autres espèces des genres *Roloffia* et *Aphyosemion.*

M.: Comme indiqué chez *Aphyosemion australe*; eau douce (env. 5° dGH) et légèrement acide (pH 6–6,5); filtration sur tourbe; ne pas ajouter de sel marin.

R.: Similaire à celle de *Aphyosemion puerzli*; espèce semi annuelle reproduction facile; eau douce (4–7° dGH) et légèrement acide (pH 6,2).

N.: C, O; nourritures vivantes, aliments en flocons.

P.: ROLOFF (1970) soutient que *A. liberiensis* et *A. calabaricus* (AHL, 1935) sont deux espèces valides et que l'existance des deux est justifiée (The Aquarium 12/1870: 9–12, 46).

T: 22–24° C, **L**: 6 cm, **LA**: 60 cm, **Z**: i et m, **D**: 1–2

Aphyosemion chaytori

Aphyosemion liberiensis

Callopanchax occidentalis (CLAUSEN, 1965)
Faisan doré
Sous-fam.: Aplocheilinae

Syn.: *Aphyosemion occidentalis, Roloffia occidentalis.*

Or.: Afrique occidentale: Sierra Leone; dans des eaux des forêts vierges et des Savannes.

P.i.: 1911.

D.s.: Mâle multicolore, chez les vieux mâles la nageoire anale est prolongée, frangée et blanche dans sa partie arrière; des prolongations similaires mais plus courtes s'observent également sur la caudale; la femelle est rouge brun, en période de ponte elle présente une tache sombre dans la région jugulaire.

C.s.: Poisson saisonnier, vivace, relativement agressif.

M.: Comme indiqué chez *C. chaytori.*

R.: 23–24° C; *C. occidentalis* typique pondeur au sol, pour cette raison il faut une couche de tourbe au sol; les œufs sont déposés dans le sol, ils ont un diamètre d'env. 1,5 mm; le développement est discontinu, ce n'est qu'au bout de quelques mois que l'embryon est complètement formé; traitement des œufs contenus dans la tourbe comme chez les autres poissons saisonniers.

N.: C; toutes sortes de nourritures vivantes; Larves de Moustiques, petits Crustacés, *Tubifex*, Insectes (Drosophiles); les aliments en flocons ne sont acceptés qu'exceptionnellement.

P.: Les exemplaires adultes de *C. occidentalis* sont très sensibles à la tuberculose des poissons.

T: 20–24° C, L: 9 cm, LA: 70 cm, Z: m et i, D: 2–3

Callopanchax toddi voir page 540

Terranatus dolichopterus (WEITZMAN et WOURMS, 1967)
Killi sabre, Killi ailé
Sous-fam.: Rivulinae

Syn.: *Austrofundulus dolichopterus, Cynolebias dolichopterus.*

Or.: Amérique du sud: Venezuela, dans des mares temporaires.

P.i.: 1967.

D.s.: La dorsale et l'anale du mâle sont très longues, en forme de sabre ou de faucille, sa coloration est plus vive; la coloration de la femelle est plus modeste, ses nageoires ne sont pas aussi longues.

C.s.: Poisson paisible, très craintif.

M.: Sol mou, sombre; végétation dense avec espace libre; décor et caches constitués de racines et de roches; lumière diffuse; eau douce (4–6° dGH) et légèrement acide (pH 6–6,5); ajouts occasionnels d'eau neuve; maintenir de préférence en aquarium spécifique.

R.: Env. 26° C; bac de ponte d'un minimum de 15 l. d'eau; eau très douce (2–3° dGH) et légèrement acide (pH 6); c'est un pondeur au sol, donc employer de la tourbe bouillie et rincée comme sol et substrat de ponte; opérer avec 1 mâle et 2 femelles ou par groupe constitué en majorité de femelles; les œufs sont déposés dans la tourbe; enlever toutes les 3 à 5 semaines la tourbe contenant des œufs et la conserver hors eau jusqu'à la fin du développement; à 22–23° C elle sera inondée d'eau douce au bout de 5 à 6 semaines pour déclencher les éclosions.

N.: C; nourritures vivantes, les aliments en flocons ne sont acceptés qu'exceptionnellement.

P.: La durée de vie se situe entre 1 et 2 ans. Bien couvrir l'aquarium car c'est un très bon sauteur.

T: 20–25° C, L: fem. 5 cm, mâle 3,5 cm, LA: 50 cm, Z: m et i, D: 3

Callopanchax occidentalis

Terranatus dolichopterus

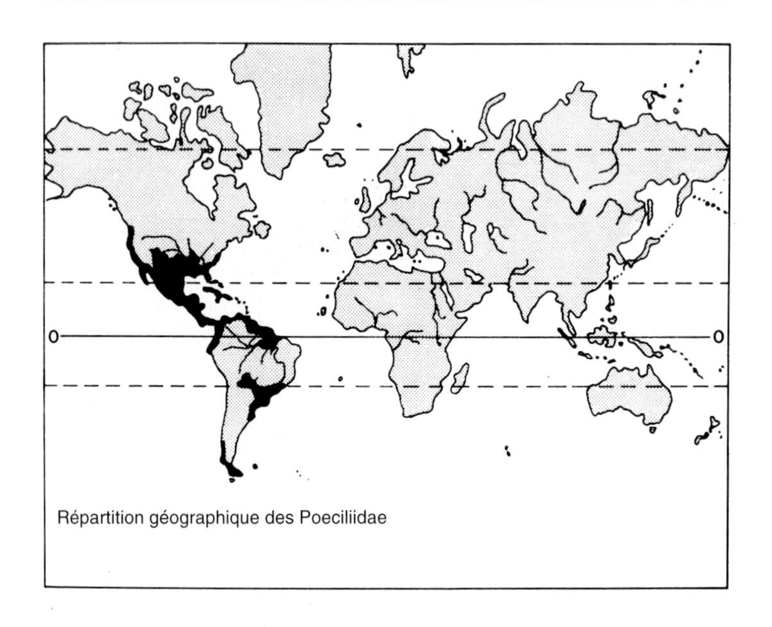

Répartition géographique des Poeciliidae

La famille des Poeciliidae

La nature a toujours «inventé» de nouvelles variations pour la conservation et la reproduction des espèces. De même que les Mammifères sont apparus après les Reptiles ovipares, les Cyprinodontidés ovovivipares sont apparus également très tard à l'oligocène (44–38,5 millions d'années) et au miocène (28,5 millions d'années). Jusqu'à la nage libre des alevins, les œufs des poissons sont continuellement exposés au danger d'être dévorés. Par contre, les jeunes qui naissent vivants peuvent immédiatement s'abriter dans des interstices, touffes de plantes ou gazons alguaires où leurs prédateurs ne pourront pas pénétrer en raison de leur taille. Cela implique que le degré de prolifération doit être beaucoup plus élevé chez les ovipares que chez les ovovivipares.

Les femelles produisent 20 à 40, rarement jusqu'à 150 jeunes. Chez les ovipares qui ne pratiquent pas le soin du frai le nombre d'œufs pondus peut atteindre plusieurs milliers à millions.

Chez la plupart des Characidés la nageoire adipeuse est un caractère d'identification, chez les Cyprinodontidés ovovivipares c'est le gonopode des mâles qui remplit ce rôle.

Poecilia velifera, description v. p. 604

Cet organe de copulation (c'est la nageoire anale transformée) introduit des spermatophores dans la femelle. Chez de nombreuses espèces les ♀♀ sont inlassablement poursuivies par les ♂♂. Les œufs mûrissent à l'intérieur de la ♀, les membranes éclatent juste avant la naissance et les alevins vivants quittent la femelle. Ils peuvent s'alimenter de suite. Si elles sont efficacement protégés des ennemis, certaines espèces prolifèrent en peu de temps. Il est intéressant de savoir qu'après une seule copulation la semence du mâle peut assurer la fécondation de plusieurs portées. Des aquariophiles ont souvent été étonnés de voir naître des jeunes, alors qu'ils possédaient seulement une ♀ dans leur aquarium.
Les poissons ovovivipares ont déjà rendu de grands services dans la lutte contre les Moustiques vecteurs du paludisme dans de nombreux pays tropicaux et subtropicaux.
La reproduction facile, la faculté de s'adapter même à des eaux défavorables, par ex. à une haute alcalinité, la grande variété et les possibilités de croisements, ont rendu certaines espèces très populaires. Parmi les environ 10 millions d'aquariophiles du monde il y en a peu qui n'ont pas élevé au moins une fois des Guppies, Porte épées ou Platies.
Actuellement encore l'Organisation Mondiale de la Santé introduit des Gambusies et des Guppies. Dans les pays tropicaux et subtropicaux on introduit ces espèces même dans les réservoirs d'eau potable, les puits et dans presque toutes les pièces d'eaux stagnantes pour lutter contre les «Mosquitos». Chez certaines l'adaptation à l'eau dure saumâtre est si prononcée qu'après acclimatation elles peuvent même survivre dans l'eau de mer ou l'eau très saumâtre des lagunes, telles par ex. les *Mollinesia* et certaines espèces de *Gambusia*.
Les conditions pour la maintenance en aquarium étant les mêmes pour presque tous les ovovivipares, elles sont résumées ci dessous:
La longueur requise de l'aquarium (LA) est indiquée individuellement pour chaque espèce.
Le sol, si l'aquarium est peuplé exclusivement d'ovovivipares, devrait se composer comme suit: sable normal et gravier de rivière, ou quartz concassé, selon l'option de l'amateur. Ces poissons sont très accommodants. Même le gravier calcaire (marbre) est supporté, malgré l'augmentation constante de la dureté de l'eau. Mais il vaut mieux y renoncer si les ovovivipares cohabitent avec des espèces n'appréciant pas l'eau dure.
Végétation: des plantes «dures» pouvant supporter une eau très dure, par ex. la Mousse de Java, la Fougère de Java, les Sagittaires et les Vallisnéries.
En ce qui concerne l'oxygène et la filtration, ces espèces ne sont pas très exigeantes.

La reproduction des Cyprinodontidés ovovivipares

La reproduction se fait «toute seule». Les ovovivipares se reproduisent «comme des lapins». Mais l'élevage des jeunes n'est pas si aisée qu'il peut paraitre. Les parents et les cohabitants pourchassent les alevins dès leur naissance.
Pour pratiquer l'élevage, il faut isoler les femelles gravides dans un «pondoir». On les reconnait à leur ventre gonflé bien rond. Chez certaines espèces on peut distinguer les yeux des alevins à travers le ventre maternel. Les jeunes tombent dans un des compartiments du pondoir où ils sont à l'abri de leur mère cannibale.
On élève les jeunes à l'aide d'*Artemia salina,* de mouture d'aliments en flocons et de jaune d'œuf dur. Leur croissance est rapide.
Pour un élevage sélectif des Guppies il faut séparer mâles et femelles déjà au bout de trois semaines pour éviter que des mâles tarés inséminent les femelles. Seuls les spécialistes peuvent discerner les sexes à cet âge précoce. On maintient la séparation des sexes jusqu'au moment de sélectionner les reproducteurs. Pour un élevage ciblé de Guppies de concours et d'autres Cyprinodontidés ovovivipares il faut une nutrition variée. Nourrir seulement avec des aliments en flocons ne suffit pas. Ainsi, les mâles Porte-épées atteignent leur pleine taille que s'ils sont nourris avec de la nourriture vivante consistante, la préférence allant aux larves noirs de Moustiques. Des aliments lyophilisés, tels que le foie, des larves de Chironomes et des *Artemia* adultes sont très valables. Les Tetra-Tips FD bien connus contiennent toutes ces substances.
Il faut toujours compléter le menu par de la nourriture en flocons, car elle est riche en substances végétales et en calcaire.
Celui qui veut actuellement produire par sélection des nouvelles races de certaines espèces (Porte-épées, Platies, Black Mollies, Guppies) aura fort à faire, car toutes les combinaisons de formes et couleurs imaginables existent déjà. Suite à une sélection trop intensive, certaines variétés ne peuvent plus se reproduire (par ex. des gonopodes démesurés chez les ♂♂).
Toutes les espèces décrites plus loin appartiennent à la sous-famille des *Poeciliinae.*

Belonesox belizanus KNER, 1860
Vairon brochet

Syn.: Aucun.

Or.: Est de l'Amérique centrale (sud du Mexique jusqu'au Honduras.

P.i.: 1909 par Carl Siggelkow, Hambourg.

D.s.: Mâle beaucoup plus grand, la base de sa nageoire anale est jaune, plus rarement orange.

C.s.: Poisson carnassier qu'on ne peut faire cohabiter qu'avec des poissons robustes et de grande taille; seule les juvéniles ont un comportement social, les vieux sont belliqueux en permanence.

M.: Grands bacs densément plantés (Vallisnéries géantes supportant l'eau dure); racines en décor et bonne filtration; ajouter un peu de sel à l'eau; pH 7,5–8,2; dureté au delà de 25° dGH.

R.: La reproduction peut se réaliser sans difficultés dans un bac d'eau moins 1 m 20 de long; ajouter 1 cuillerée à soupe de sel de cuisine pour 10 l. d'eau; les jeunes mesurent 2 à 3 cm à la naissance (ovovipares) et sont rapidement dévorés par la femelle; il faut donc les retirer dès qu'ils sont nés; bien nourrir de proies vivantes, leur croissance est rapide; une femelle peut produire jusqu'à 100 jeunes.

N.: C; poissons et toutes les nourritures vivantes de bonne taille.

P.: C'est l'unique espèce du genre. De même que *Esox lucius, B. belizanus* appartient au type des carnassiers qui attaquent en bondissant sur leur victime après avoir stationné à l'affût parmi les plantes aquatiques.

T: 26–32° C, L: mâle 12 cm, fem. 20 cm, LA: 100 cm, Z: s, D: 3

Gambusia holbrooki GIRARD, 1859
Gambusie du Texas

Syn.: *Gambusia patruelis holbrooki, Haplochilus melanops, Heterandria holbrooki, H. uninotata, Schizophallus holbrooki, Zygonectes atrilatus, Z. melanops.*

Or.: Nord du Mexique, USA de la Floride au Texas entre le 20ème et 30ème degré de latitude nord, en eau douce et eau saumâtre.

P.i.: 1898 par Hans Stüve, Hambourg et Paul Nitsche, Berlin.

D.s.: Le mâle porte un gonopode, il est beaucoup mieux coloré.

C.s.: Pas trop paisible, convient pour tout aquarium communautaire hébergeant des espèces robustes.

M.: C'est une des plus résistante espèce qui existe, elle n'a aucune exigence envers la qualité de l'eau; pH 6,0–8,8; dureté jusqu'à 40° dGH.

R.: Sa reproduction n'est cependant pas évidente; n'employer que des femelles adultes à partir de 6 cm de longueur comme reproductrices. On introduit quelques femelles en compagnie d'un ou plusieurs mâles dans un grand pondoir suspendu dans un aquarium densément planté (plantes flottantes), peu profond, contenant une eau d'une température de 20–24° C; attention, les femelles dévorent leurs jeunes; sous bonnes conditions (nourries avec des Larves de Moustiques) environ 40 à 60 jeunes naissent toutes les 5 à 8 semaines.

N.: C, O; Larves d'Insectes, algues et aliments en flocons de toute nature.

P.: Ce sont les Gambusies qui, avec les Guppys, sont employées dans le monde entier pour lutter contre les Moustiques dans les bassins et dans les mares. Le genre *Gambusia* apparait également en Europe. Actuellement on ne peut pratiquement plus distinguer les formes d'élevage des formes sauvages; on les trouve même dans les canaux de Bangkok. Il semblerait que la sous espèce *Gambusia affinis* n'apparait qu'au Texas.

T: 15–35° C, L: mâle 3,5 cm, fem. 8 cm, LA: 60 cm, Z: m et s, D: 1

Belonesox belizanus

Gambusia holbrooki

Girardinus metallicus POEY, 1854
Girardinus métal

Syn.: *Girardinus garmani, G. pygmaeus, Heterandria cubensis, H. metallica, Poecilia metallica.*

Or.: Cuba, endémique.

P.i.: 1906 par W. Schroot, Hambourg.

D.s.: Les bandes transversales à reflet métallique sont nettement plus prononcées chez le mâle, le gonopode est noir.

C.s.: Poisson paisible, vivace, convient bien pour l'aquarium communautaire.

M.: Cette espèce préfère l'eau limpide, à faible courant; une bonne filtration contribue donc à son bien-être. pH 6,5–7,5; dureté 10–25° dGH; le bac doit être bien planté et une partie de la surface de l'eau couverte de plantes flottantes.

R.: À 24–26° C, entre 10 et 100 alevins naissent tous les 28 à 30 jours; ils sont relativement petits (6–7 mm) et doivent être élevés hors de la présence de la mère qui les dévorerait; l'emploi d'un pondoir est conseillé ou alors une épaisse couche de plantes flottantes composée de *Pistia, Ceratopteris.*

N.: C, O; mange tout; aliments en flocons et en comprimés, algues, petites proies vivantes adaptées à sa bouche.

P.: Très belle espèce, hélas trop rarement reproduite. Il existe également une variété tachetée.

T: 22–25° C, **L**: mâle 5 cm, fem. 9 cm, **LA**: 70 cm, **Z**: m et s, **D**: 1–2

Heterandria formosa AGASSIZ, 1853
Poisson-moustique

Syn.: *Girardinus formosus, Gambusia formosa, Heterandria ommata, Hydrargyra formosa, Rivulus ommatus, Zygonectes manni.*

Or.: Caroline du sud, Floride/USA.

P.i.: 1912 par Carl Siggelkow, Hambourg.

D.s.: Mâle beaucoup plus petit, avec gonopode.

C.s.: Poisson paisible, peut cohabiter avec d'autres petites espèces.

M.: Possible dans de très petits aquariums densément plantés.

R.: Les jeunes naissent durant une période de 10 à 14, maximum 77 jours; leur élevage est facile.

N.: Puces d'eau tamisées, *Artemia,* très fine nourriture lyophilisée et en flocons.

P.: C'est un des plus petits poissons, il figure au rang 7 de la «liste»; seulement pour connaisseurs. Il est joliment coloré; sa durée de vie est courte: de 1 an $^1/_2$ à 2 ans. Nous ne pouvons pas confirmer l'opinion largement répandue dans la littérature aquariophile selon laquelle *H. formosa* serait fortement cannibale.

T: 20–26° C, **L**: mâle 2 cm, fem. 3,5 cm, **LA**: à partir de 30 cm, **Z**: s et m, **D**: 1

Girardinus metallicus

Heterandria formosa

Phallichthys amates amates (MILLER, 1907)
Guatemalien

Syn.: *Poecilia amates, Poeciliopsis amates.*

Or.: Guatemala, de Panama au Honduras.

P.i.: 1937 par Fritz Mayer, Hambourg.

D.s.: Mâle plus petit, avec gonopode.

C.s.: Très paisible mais dévorant sa progéniture; convient pour cohabiter avec des espèces pas trop voraces.

M.: À maintenir comme les autres ovovivipares dans des bacs bien plantés; cette espèce est plus délicate que les «ordinaires» Guppies, Platies, Mollies; pH 6,5–7,5; dureté 10–25° dGH.

R.: 10 à 80 jeunes naissent tous les 28 jours; isoler les jeunes des parents, éventl. employer un pondoir; on peut découvrir régulièrement quelques jeunes dans une épaisse couche de plantes flottantes.

N.: O, H; aliments en flocons, proies vivantes, nourritures lyophilisées, algues.

P.: La maturité des mâles apparait au bout de 6 mois, celle des femelles seulement au bout de 12 mois; une seule fécondation suffit aux femelles pour plusieurs mises bas. Il existe encore une sous-espèce: *P. a. pittieri* (MEEK, 1912).

T: 22–28° C, L: mâle 3 cm, fem. 6 cm, LA: 60 cm, Z: m et s, D: 2

Phalloceros caudimaculatus (HENSEL, 1868)
Caudi tacheté

Syn.: *G. caudimaculatus, Poecilia caudomaculatus, Glaridichthys caudimaculatus, Phalloceros caudomaculatus.*

Or.: Brésil central, Paraguay, Uruguay.

P.i.: 1905 par Köppe et Siggelkow, Hambourg.

D.s.: La dorsale du mâle est bordée de noir, ses opercules sont plus colorés que ceux de la femelle.

C.s.: Espèce paisible, mais sujet au cannibalisme; convient pour l'aquarium communautaire.

M.: Comme tous les ovovivipares, une eau dure convient mieux qu'une eau douce; les aquariums communautaires contiennent en général plutôt une eau dure, cette espèce peut donc y être très durable; pH 6,8–8,0; dureté 15–30° dGH.

R.: Dans une eau moyennement dure d'env. 15–20° dGH, en petits aquariums bien plantés, 10 à 40 jeunes naissent périodiquement; ils mesurent env. 7 mm et nagent librement au bout d'une heure; le sol ne doit pas être couvert de moulme.

N.: C, O; aliments en flocons, aliments lyophilisés, toutes sortes de fines nourritures vivantes.

P.: Les naissances sont rarement normales; souvent les alevins quittent le ventre de la mère sous forme enroulée, coulent au fond où ils reposent durant env. 1 heure avant de nager librement.

T: 20–24° C, L: mâle 3,5 cm, fem. 4,5 cm, LA: 60 cm, Z: m et s, D: 1

Phallichthys amates amates

Phalloceros caudimaculatus

Limia melanogaster GÜNTHER, 1866
Poecilla tricolore

Syn.: *Poecilia melanogaster, L. caudofasciata tricolor, L. tricolor.*

Or.: Jamaïque et Haïti.

P.i.: 1908 par Carl Siggelkow, Hambourg.

D.s.: Le mâle a un gonopode; la femelle est moins colorée; tache embryonnaire.

C.s.: Poisson grégaire paisible.

M.: La présence d'algues est salutaire; eau dure: 20–30° dGH; pH 7,5–8,5; tout bac à partir de 50 cm convient; espace libre pour la nage; plantes aquatiques favorables à l'eau dure: Mousse de Java, Sagittaires, Fougères de Java; décor imitant le lit d'une rivière; ne pas faire cohabiter avec des poissons carnassiers.

R.: Simple mais peu pratiquée; l'espèce n'est pas très populaire parmi les aquariophiles en raison de leur goût prononcé pour les algues et les plantes tendres.

N.: Algues, nourriture végétale, petits crustacés (*Artemia*), aliments en flocons.

P.: L'espèce se rencontre rarement en aquarium, elle est très sensible à l'eau douce et dégénère si elle n'a pas beaucoup d'algues à disposition.

T: 22–28° C, **L:** mâle 4 cm, fem. 6,5 cm, **LA:** 50 cm, **Z:** m, **D:** 2

Limia nigrofasciata (REGAN, 1913)
Poecilia à raies noires

Syn.: *Poecilia nigrofasciata, L. arnoldi.*

Or.: Haïti, dans tous les types d'eau.

P.i.: 1912 par Carl Siggelkow, Hambourg.

D.s.: Mâle avec gonopode, dos haut, le prédoncule caudal est courbé vers le haut, chez la femelle il est droit.

C.s.: Espèce paisible mais qui dévore parfois sa progéniture; convient très bien pour l'aquarium communautaire à eau dure.

M.: L'espèce apparait en eau douce et en eau saumâtre; en eau douce (sans dureté) elle dégénère; pH 7,5–8,2; dureté à partir de 25° dGH; lors des changements d'eau on ajoute un produit pour le traitement de l'eau ainsi qu'une cuillerée à café de sel de cuisine pour 10 l. d'eau; végétation composée de Vallisnéries et autres plantes d'eau dure.

R.: Une portée produit 20 à 30 jeunes; leur élevage est facile; mettre les jeunes à l'abri de la voracité des parents, notamment de la femelle particulièrement avide.

N.: H, O; nourriture végétale, algues, Daphnies, aliments en comprimés, par ex. TabiMin.

P.: Avec l'âge, le dos des mâles devient de plus en plus haut.

T: 22–26° C, **L:** mâle 6 cm, fem. 7 cm, **LA:** 60 cm, **Z:** m et s, **D:** 2–3

Limia melanogaster

Limia nigrofasciata x *L. dominicensis*

Poecilia reticulata PETERS, 1859
Guppy

Syn.: *Lebistes reticulatus, Acanthocephalus guppii, A. reticulatus, Girardinus guppii, G. petersi, G. poeciloides, G. reticulatus, Haridichthys reticulatus, Heterandria guppyi, Lebistes poecilioides, Poecilia poeciloides, Poecilioides reticulatus.*

Or.: Amérique centrale jusqu'au Brésil, actuellement principalement des sujets d'élevage provenant de l'Asie (Singapour).

P.i.: 1908 par C. Siggelkow, Hambourg.

D.s.: Mâle plus petit, multicolore, avec gonopode; femelle avec tache embryonnaire.

C.s.: Ovovivipare; certains couples ont tendance à dévorer les jeunes dans les premiers instants de la naissance; espèce très paisible.

M.: Le Guppy étant très robuste, il peut être maintenu pratiquement dans n'importe quel genre d'aquarium; les sujets résultants d'élevages sélectifs sont délicats; pH 5,5–8,5 (7,0); dureté 5–25° dGH (15°); tout aquarium bien planté convient.

R.: Les plantes de surface offrent des refuges aux alevins qui naissent dans tout aquarium habité par des Guppies; pour un élevage ciblé les pondoirs sont indispensables; 20 à 40 jeunes par portée; une fécondation suffit pour plusieurs portées; les femelles sont matures à l'âge de 3 mois, les mâles plus tôt; élever les jeunes avec des *Artemia*, du plancton et des aliments en flocons pulvérisés.

N.: O; mange tout, préfère les Larves de Moustiques, aliments en flocons.

P.: Sa prolifération rapide, sa variabilité en forme et couleurs et sa robustesse font du Guppy le plus populaire des poissons d'aquarium pour débutants.

T: 18–28° C, L: jusqu'à 6 cm, LA: 40 cm, Z: s et m, D: 1

Queue en éventail

Queue en éventail

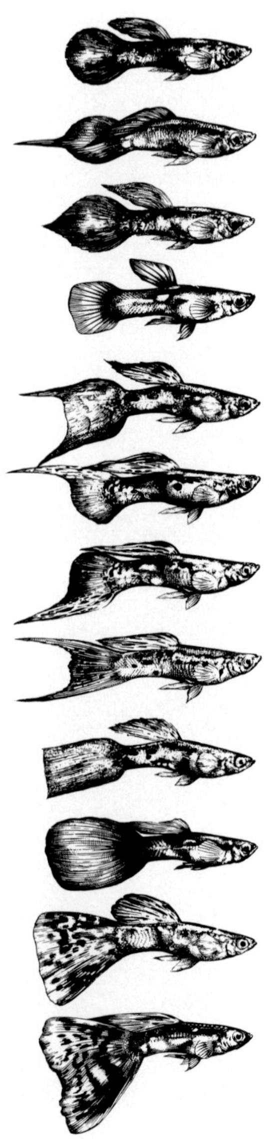

Les photos de la page suivante montrent:

à gauche de haut en bas

Queue ronde

Queue en épingle

Epée basse

Queue en éventail de Vienne

à droite de haut en bas

Guppy sauvage

Queue fer de lance

Epée haute

Double épée

Ci-contre à gauche, diverses formes standards d'élevage:

Queue ronde

Queue en épingle

Queue fer de lance

Queue en bêche

Queue de lyre

Epée haute

Epée basse

Double épée

Queue en drapeau

Queue de voile

Queue en éventail

Queue en triangle

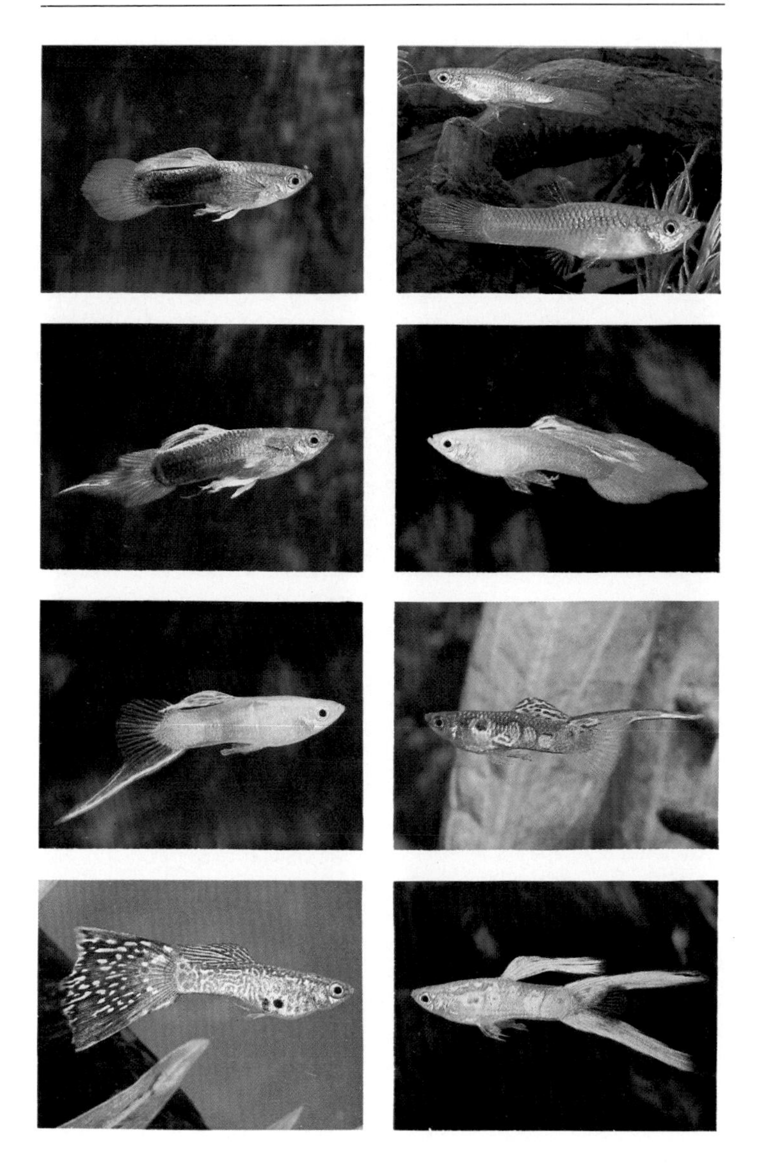

Poecilia sphenops VALENCIENNES, 1846
Forme sauvage: Molly sauvage
Forme d'élevage: Black Molly

Syn.: *Mollienesia sphenops, Gambusia modesta, G. plumbea, Girardinus vandepolli, Lembesseia parvianatis, Platypoecilus mentalis, P. spilonotus, P. tropicus.*

Or.: Du Mexique jusqu'en Colombie(?)!

P.i.: 1809 par Umlauff, Hambourg. La variété d'élevage noire (Black Molly) est apparue pour la première fois en 1909.

D.s.: Mâle plus svelte, avec gonopode; femelle plus grande et plus trapue.

C.s.: Très paisible; bon mangeur d'algues; pas très durable en aquarium communautaire, les formes d'élevage sont sensibles aux maladies.

M.: La forme d'élevage demande une température élevée, la forme sauvage supporte à partir de 18° C; végétation composée de plantes à croissance rapide, beaucoup de plantes flottantes; offrir des caches; ajouter un peu de sel (0,1%); pH 7,5–8,2; dureté 18–30° dGH.

R.: Très prolifique; des parents noirs peuvent produire des jeunes tachetés; formes d'élevage: Molly lyre, Molly lune, Molly drapeau.

N.: Algues, nourriture végétale, aliments en flocons et en comprimés.

P.: Durée de vie assez courte, celle des formes d'élevage ne dépasse pas trois ans. Les nombreux synonymes sont dus à la large palette de variétés de cette espèce.
Les photos montrent en haut la forme sauvage, en haut à droite le Black Molly normal et en bas à droite le Molly lune noir.

T: 18–28° C, L: 6 cm, LA: 40 cm, Z: s et m, D: 1–2

P. sphenops («Black Molly»)

Poecilia latipinna, forme noire

Poecilia velifera (REGAN, 1914)
Molly voile, Velifera

Syn.: *Mollienesia velifera.*

Or.: Yucatan, Mexique.

P.i.: 1913 par Josef Kropac, Hambourg.

D.s.: Mâle avec très haute nageoire dorsale.

C.s.: Paisible; spectaculaires attitudes d'imposition par les mâles.

M.: Cette espèce préfère une eau dure de 25–35° dGH; pH 7,5–8,5; on peut faire cohabiter ce poisson avec des poissons marins (après acclimatation); beaucoup d'espace libre pour la nage; algues; ajouter du sel marin (2 à 3 g pour 1 l. d'eau).

R.: Difficile; en captivité les mâles développent rarement des nageoires dorsales aussi grandes que dans la nature; élever les jeunes avec des algues, nourriture végétale en poudre, *Artemia.*

N.: Algues, épinards cuits et finement hachuré, salade, Larves d'Insectes et Insectes, aliments en flocons.

P.: Dans l'aquarium communautaire il lui faut des compagnons aimant eux aussi une eau très dure et du sel, par ex. avec des *Argus,* mais également d'autres ovovivipares. Les variétés d'élevage rouges et noires sont plus robustes que la forme sauvage de couleur verte. Les exemplaires proposés par le commerce sont probablement des croisements de *P. latipinna* x *P. velifera.* Seul les formes sauvages importées permettent de déterminer exactement l'espèce. La dorsale de *P. velifera* a 18 à 19 rayons, celle de *P. latipinna* en a seulement 14.

T: 25–28° C, **L**: mâle 10–15 cm, fem. jusqu'à 18 cm, **LA**: 80 cm, **Z**: m et s, **D**: 2–3

Limia vittata GUICHENOT, 1853
Cubain

Syn.: *Gambusia vittata, Limia cubensis, Limia pavonina, Poecilia cubensis, Gambusia cubensis, Poecilia pavonina, Poecilia vittata.*

Or.: Cuba.

P.i.: 1907 par P. Schwarzer, Berlin.

D.s.: Le mâle porte un gonopode, sa nageoire dorsale et la caudale sont plus colorées que chez la femelle.

C.s.: Poisson vivace et paisible; convient pour l'aquarium communautaire à eau dure.

M.: Ce poisson a la réputation d'être robuste dans une eau dure de plus de 25° dGH; le pH doit se situer entre 7;5 et 8,2; on peut traiter la dureté de l'eau à l'aide d'environ 0,3% de sel marin (30 g pour 10 l. d'eau); ce poisson supporte cependant durant un certain temps une eau pauvre en sels.

R.: La femelle produit toutes les 3 à 5 semaines 20 à 50 jeunes, à une température de 24–26° C; les alevins ne sont pas, ou rarement, dévorés.

N.: H, O; algues, nourriture végétale, aliments en comprimés, proies vivantes, aliments lyophilisés.

P.: Un poisson particulièrement remuant; il est sensible à l'eau neuve, lors des changements d'eau il faut donc ajouter un bon produit pour le traitement de l'eau.

T: 18–24° C, **L**: 12 cm, **LA**: 70 cm, **Z**: m et s, **D**: 2

Poecilia velifera

Limia vittata

Priapella intermedia ALVAREZ, 1952
Priape aux yeux brillants

Syn.: Aucun.

Or.: Mexique, dans le Rio Coatzacoalcos; eaux courantes claires.

P.i.: 1964 par l'Institut National de Zoologie, Hambourg.

D.s.: Le gonopode du mâle apparait vers l'âge de 5 mois.

C.s.: Paisible; se prête moins bien pour la maintenance dans un aquarium communautaire; poisson grégaire.

M.: Cette espèce est très sensible aux variations de température, vu que dans son habitat naturel, des eaux larges et profondes, la température ne varie pratiquement pas; ce poisson a besoin d'une eau claire, d'un certain courant et d'un fréquent renouvellement d'eau avec adjonction d'un bon produit de traitement de l'eau; il stationne de préférence sous une épaisse couche de plantes flottantes; le sol doit être sombre pour faire contraste avec la luminosité de la livrée; réagit craintivement à l'allumage et à l'extinction de l'éclairage. Eau: pH 7–7,5; dureté 10–20° dGH.

R.: Peu prolifique; les jeunes femelles ne produisent qu'env. 6 jeunes, mais par la suite 20 et plus; les naissances ont lieu toutes les 4 à 6 semaines; les jeunes mesurent env. 10 mm et mangent des *Artemia* et des animalcules qu'ils trouvent dans le gazon alguaire.

N.: C, O; fine nourriture vivante, aliments en flocons et lyophilisés.

P.: C'est une espèce d'apparence sobre que seul un éclairage d'ambiance met en valeur. Les yeux et la tache sur les opercules ont une magnifique brillance métallique.

T: 24–26° C, **L:** mâle 5 cm, fem. 7 cm, **LA:** 70 cm, **Z:** m et s, **D:** 3

Xiphophorus helleri HECKEL, 1848
Porte-épée, Xipho

Syn.: *Mollienisia helleri, Xiphophorus jalapae, X. rachovii, X. strigatus, X. brevis, X. h. helleri, X. h. brevis, X. h. strigatus.*

Or.: Amérique centrale entre le 12ème et le 26ème degré de latitude nord.

P.i.: 1909 par W. Schroot, Hambourg.

D.s.: Le mâle présente une caudale dont la partie inférieure est prolongée en forme d'épée dont la longueur est égale à $^1/_3$ de la longueur du corps et porte un gonopode; la femelle est plus trapue, plus ronde, chez les matures on distingue la tache embryonnaire.

C.s.: Paisible; parfois tendance au cannibalisme envers les alevins, les siens et d'autres; convient bien pour l'aquarium communautaire.

M.: Aquarium bien planté mais avec grand espace dégagé pour la nage; eau: pH 7–7,3; dureté 12–30° dGH.

R.: Vivipare; les grandes femelles produisent jusqu'à 80 jeunes par portée; une épaisse couche de plantes flottantes ou un pondoir sont indispensables pour la sécurité des alevins; on trouve des formes d'élevage de nombreuses couleurs: rouge, vert, berlinois (bleu-noir) wagtail (caudale noire), tuxedo (tacheté noir-rouge ou noir-jaune), Simpson (très grande dorsale), queue en lyre.

N.: O; aliments en flocons avec une teneur élevée en nourritures vivantes (lyophilisées), *Artemia*, algues.

P.: Un vrai changement de sexe (= mâle fonctionnel en femelle fonctionnelle) n'a pas encore pu être prouvé chez *Xiphophorus*; il s'agit dans la plupart des cas, soit de mâles tardifs, soit de femelles arrhenoïdes. Arrhenoïde = qui présente des caractères mâles.

T: 18–28° C, **L:** mâle 10 cm, fem. 12 cm, **LA:** 60 cm, **Z:** m et s, **D:** 1

Priapella intermedia

En haut: Porte-épée néon, en bas: Portes-épée rouges

Porte épée rouge Simpson

Porte épée rouge Lyratail

Xiphophorus helleri HECKEL, 1848
Porte épée tacheté

Syn.: *X. brevis, X. guentheri, X. helleri guentheri.*

Or.: Sud du Mexique jusqu'au Guatemala, en eaux courantes.

P.i.: 1864 en Angleterre.

D.s.: Le mâle porte une «épée», la femelle présente une tache embryonnaire.

C.s.: Poisson paisible, convient pour tout aquarium communautaire.

M.: Aquarium bien planté, eau claire, un peu de courant, plantes flottantes parmi lesquelles les alevins peuvent s'abriter, en présence de prédateur dans l'aquarium les alevins n'ont aucune chance de survivre, il est donc préférable d'isoler les femelles gestantes dans un pondoir. Eau: pH 7,2–8,4; dureté 15–30° dGH.

R.: Voir *Xiphophorus helleri.*

N.: C, O; mange tout, en particulier des Larves de Mosquitos; en cas de carence alimentaire les femelles dégénèrent; sous régime alimentaire varié composé de nourritures vivantes ou de comprimés lyophilisés aucune dégénérescence ne se manifeste.

P.: La photo montre un couple élevé en aquarium; la forme sauvage présente beaucoup moins de rouge sur le corps et les nageoires.

T: 20–28° C, **L**: mâle 7 cm, fem. 10 cm, **LA**: 80 cm, **Z**: met s, **D**: 1–2

Platy corail

Xiphophorus maculatus (GÜNTHER, 1866)

Platy; Platy miroir; variétés d'élevage à nombreuses appellations

Syn.: *Platypoecilus maculatus, P. nigra, P. pulchra, P. rubra, Poecilia maculata.*

Or.: Côté Atlantique du Mexique et Guatemala, eaux du nord du Honduras.

P.i.: 1907 par les Vereinigte Zierfischzüchtereien de Berlin-Conradshöhe, par Madame Bertha Kuhnt.

D.s.: Le mâle est plus petit et porte un gonopode, il est parfois plus vivement coloré que la femelle (chez les espèces proches de la forme sauvage).

C.s.: Paisible, également envers ses congénères; convient très bien pour l'aquarium communautaire.

M.: Aquariums de toutes tailles hébergeant des espèces calmes et paisibles; végétation composée principalement de plantes d'eau dure: Vallisnéries, Sagittaires, Fougère- et Mousse de Java. Eau: pH 7–8,2; dureté 10–25° dGH.

R.: Peut reproduire à l'âge de trois à quatre mois; les jeunes peuvent naître et grandir dans l'aquarium; moins prolifique que *X. helleri.*

N.: O; mange tout; aliments en flocons, algues.

P.: Du fait de leur bon contraste de couleur (rouge), les Platies sont un complément idéal dans l'aquarium communautaire.
Xiphophorus maculatus est le représentant du genre qui apparait le plus au sud.

T: 18–25° C, L: mâle 3,5 cm, fem. 6 cm, LA: à partir de 40 cm, Z: m, D: 1

Platy-wagtail

Platy-miroir bleu

Platy-lune doré

Platy-tuxedo Simpson

Platy-corail Simpson

Xiphophorus montezumae JORDAN et SNYDER, 1900
Porte-épée de Montezuma

Syn.: *Xiphophorus m. montezumae.*

Or.: Est du Mexique central.

P.i.: 1913 (une femelle); 1933 par Fritz Mayer, Hambourg.

D.s.: Le mâle a un gonopode, une grande dorsale et une courte épée; certaines populations présentent une longue épée.

C.s.: Espèce paisible.

M.: Est un peu plus délicat que *X. helleri*; grand aquarium bien éclairé, avec grand espace dégagé pour nager librement et quelques caches; convient pour l'aquarium communautaire mais avec réserves; sensible aux nitrates; effectuer régulièrement un changement partiel d'eau; eau: pH 7–8; dureté 10–20° dGH; bonne aération.

R.: Peut être croisé avec *X. helleri*; les hybrides deviennent plus grands et plus robustes, leur corps est parsemé de taches noires irrégulières.

N.: O; mange tout, préfère les Insectes, aliments lyophilisés, *Artemia.*

P.: Est rarement importé; sujets nés en captivité ne sont pas très prolifiques.

T: 20–26° C, **L**: mâle 5,5 cm, fem. 6,5 cm, **LA**: 50 cm, **Z**: m et s, **D**: 2

Xiphophorus pygmaeus HUBBS et GORDON, 1943
Porte-épée nain

Syn.: *Xiphophorus p. pygmaeus.*

Or.: Mexique, Rio Axtla.

P.i.: 1959.

D.s.: Le mâle porte un gonopode; la femelle est plus ronde, voir également sous P.

C.s.: Espèce paisible, convient pour la cohabitation avec des espèces délicates ayant les mêmes exigences envers les qualités physico-chimiques de l'eau.

M.: Eau «chaude», limpide, riche en oxygène, courant assuré par une bonne filtration, sont indispensables à cette espèce; elle doit disposer de caches parmi les racines enchevêtrées et le décor rocheux.

R.: Pas très productive; employer des pondoirs car les parents dévorent les jeunes; une épaisse couche de plantes flottantes, dans un bac individuel, permet de sauver et d'élever les minuscules alevins qui seront nourris avec des *Artemia.*

N.: C, O; fine nourriture vivante (Larves de Moustiques noires, *Artemia*, Cyclops); proies lyophilisées (FD-Menu), TetraTips.

P.: Deux sous-espèces ont été décrites: *X. pygmaeus pygmaeus* (le mâle ne porte pas d'épée), *X. pygmaeus nigrensis* (le mâle a une épée assez courte qui peut mesurer $^1/_5$ à $^1/_3$ de la longueur du corps).

T: 24–28° C, **L**: 4 cm, **LA**: 50 cm, **Z**: toutes, **D**: 2

Xiphophorus montezumae

Xiphophorus pygmaeus

Xiphophorus variatus (MEEK, 1904)
Platy perroquet

Syn.: *Platypoecilus variatus, P. maculatus dorsalis, P. variegatus, Xiphophorus variegata* (nom de fantaisie).

Or.: Sud du Mexique.

P.i.: 1931 par le marin Conrad, Hambourg.

D.s.: Le mâle porte un gonopode, la femelle présente une tache embryonnaire.

C.s.: Espèce paisible; convient très bien pour l'aquarium communautaire.

M.: Aquarium densément planté avec également des algues sur la vitre arrière. Eau: pH 7–8,3; dureté 15–30° dGH.

R.: Isoler les femelles gestantes dans un pondoir; élever les alevins avec de la poudre d'aliments en flocons et des *Artemia*.

N.: H, O; algues, toutes sortes de nourritures vivantes, nourriture végétale en flocons.

P.: Après acclimatation, peut être maintenu également dans un aquarium non chauffé, jusqu'à 12° C, ses couleurs sont alors particulièrement belles; peut se nourrir durant des moins exclusivement d'algues; apparait dans différents patrons de coloration.

T: 15–25° C, **L**: mâle 5,5 cm, fem. 7 cm, **LA**: 40 cm, **Z**: s et m, **D**: 1

Xiphophorus xiphidium (HUBBS et GORDON, 1932)
Platy épée

Syn.: *Platypoecilus xiphidium.*

Or.: Mexique.

P.i.: 1933 par Fritz Mayer, Hambourg.

D.s.: Le mâle présente une courte épée.

C.s.: Espèce paisible, à maintenir par petit groupe dans un aquarium spécifique.

M.: Est moins conseillé pour l'aquarium communautaire; en été cette espèce peut vivre dans le bassin de jardin; en aquarium, effectuer des changements d'eau afin de maintenir la teneur en nitrates endessous de 20 mg/l.; favoriser le développement des algues vertes par un éclairage intense; eau: pH 7,2–8,2; dureté 15–25° dGH.

R.: Pas très prolifique; le nombre d'alevins dépasse rarement 24; pour la reproduction un régime alimentaire composé d'algues et de nourriture vivante (Larves de Moustiques) est indispensable.

N.: C, O; Larves de Moustiques, *Artemia*, matières lyophilisées; aliments en flocons, algues.

P.: Espèce délicate, rarement proposée par le commerce spécialisé et peu maintenue en aquarium.

T: 18–25° C, **L**: mâle 4 cm, fem. 5 cm, **LA**: 50 cm, **Z**: m, **D**: 2–3

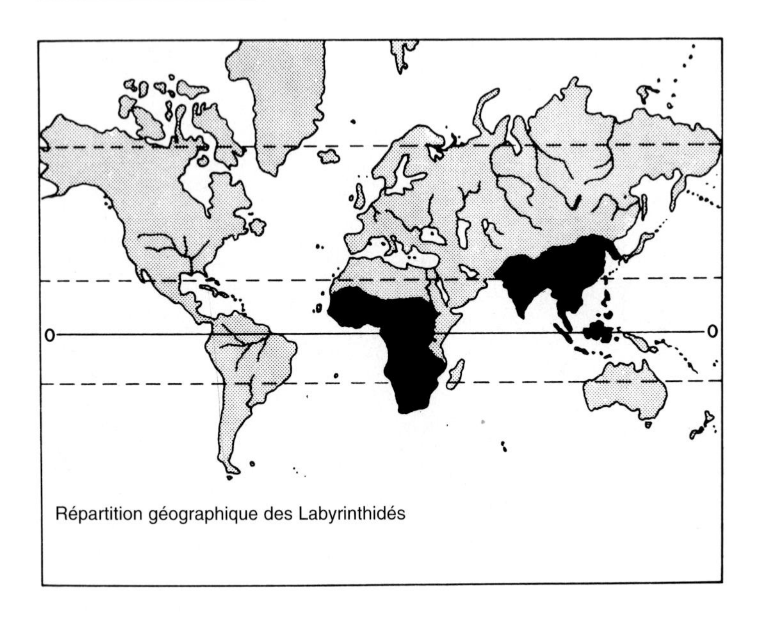

Répartition géographique des Labyrinthidés

Le sous ordre des Anabantoidei

Ils sont probablement apparus au cénozoïque, il y a 50–60 millions d'années. Ils font partie des Perciformes. On connait des fossiles de Gouramis découverts à Sumatra mais on ignore si des trouvailles similaires ont été faites en Afrique. Des couches fossiles du pliocène (7,5–28,5 millions d'années) sur l'île de Java contiennent des fossiles de *Channa*.

Les Labyrinthidés représentent donc un groupe relativement jeune dans l'histoire de l'évolution des poissons. Il est intéressant de savoir que les poissons de ce groupe possèdent un organe respiratoire accessoire qui les distingue des autres poissons. Les Labyrinthidés peuvent respirer l'air atmosphérique et vivre hors de l'eau durant plusieurs heures s'ils sont maintenus humides. (Il existe même une espèce dont on dit qu'elle grimpe aux arbres: *Anabas testudineus*). Cet organe respiratoire appelé labyrinthe permet à ces poissons de survivre plus longtemps que d'autres espèces dans des pièces d'eau en voie d'assèchement et de se rendre dans un nouveau milieu aquatique. Ils peuvent alors se déplacer sur la terre ferme à l'aide de leurs nageoires pectorales. Le labyrinthe permet à ces poissons de vivre également dans des régions biologiquement défavorables.

Ctenopoma acutirostre, description v. p. 619

Quelques Labyrinthidés sont d'excellents poissons d'aquarium pour les aquariophiles débutants. Ils supportent pratiquement tout ce qu'on exige d'eux, mais l'air au-dessus de l'aquarium ne doit pas être trop froid, sinon ils «s'enrhument».
Maintenance et reproduction sont expliqués plus loin dans les descriptions des espèces.

Le sous-ordre des Anabantoidei contient 4 familles:

Anabantidae
Belontidae
Helostomatidae
Osphronemidae

L'appartenance aux différentes familles et sous-familles est indiquée plus loin pour chaque espèce décrite.

Anabas testudineus

Anabas testudineus (BLOCH, 1795)
Poisson grimpeur, Perche grimpeuse

Syn.: *Amphiprion scansor, A. testudineus, Anabas elongatus, A. macrocephalus, A. microcephalus, A. scandens, A. spinosus, A. trifoliatus, A. variegatus, Anthias testudineus, Cojus cobujius, Lutjanus scandens, L. testudo, Perca scandens, Sparus scandens, S. testudineus.*

Or.: Très répandu aux Indes, sud de la Chine, Indonésie, Archipel malais, pratiquement dans toutes les eaux, même en eau saumâtre.

P.i.: 1891 par le Dr. Schad Treptow.

D.s.: La nageoire anale du mâle est plus longue.

C.s.: Son comportement farouche mais agressif le rend inapte pour l'aquarium communautaire; peut seulement cohabiter avec de grands poissons robustes.

M.: L'espèce est extrêmement robuste, à la fin du siècle dernier elle a supporté les difficiles transports en bateau d'Asie en Europe. L'aquarium public de Londres en exposait déjà vers 1870. Celui qui a l'intention d'élever cette espèce doit lui offrir un grand bac avec un niveau d'eau de 20 à 30 cm; lumière diffuse par plantes flottantes; aménager des caches; bien couvrir l'aquarium car c'est un bon sauteur!

R.: Réalisable dans des bacs à partir de 1,20 m de longueur; sous régime alimentaire composé de nourritures vivantes, la maturité est atteinte à une taille d'env. 12 cm de long; les œufs flottent et montent à la surface; à température élevée les jeunes éclosent au bout d'env. 24 heures, il leur faut des Infusoires comme première nourriture.

N.: O; mange tout, même du riz non cuit; nourriture végétale; nourriture vivante consistante.

P.: Cette espèce figure parmi les premiers poissons maintenus en aquarium; on lui doit le nom de Poisson grimpeur qui à l'origine fut employé pour toute la famille; ce poisson se déplace sur terre à l'aide de ses nageoires pectorales, on dit même qu'il grimpe aux arbres; par temps humide il peut rester deux jours à terre et vivre hors de l'eau; en périodes sèches il s'enfouit dans la vase; on le dit excellent poisson comestible.

T: 22–30° C, L: 10–23 cm, L: 80 cm, Z: toutes, D: 1

Photo page 617

Ctenopoma acutirostre PELLEGRIN, 1899
Ctenopoma léopard

Syn.: Aucun.

Or.: Zaïre (Congo), de Lisala jusqu'à Kinshasa; affluents et rivières profondes.

P.i.: 1955.

D.s.: Le corps du mâle présente des zones couvertes de piquants; les nageoires de la femelle sont parfois moins tachetées.

C.s.: N'est pas recommandé pour l'aquarium communautaire; ne s'accorde qu'avec des poissons calmes d'assez grande taille et des poissons de fond.

M.: Dans les petits bacs il mène une vie cachée; s'il a des compagnons de grande taille et calmes il devient plus hardi, même familier; espace dégagé, quelques abris, racines, sol sombre et lumière diffuse lui conviennent.

R.: Jusqu'à présent seulement réussie dans l'aquarium du Zoo de Bâle.

N.: C; proies vivantes: Larves de Moustiques, petits vers de terre, *Tubifex*, proies lyophilisées.

P.: Son comportement ressemble beaucoup à celui de *Nandus nandus* (p. 806).

T: 23–28° C, L: 10–15 cm, LA: 80 cm, Z: m et s, D: 3

Microctenopoma ansorgii (BOULENGER, 1912)
Ctenopoma orange

Syn.: *Anabas ansorgii, Ctenopoma ansorgii.*

Or.: Zaïre (Kinshasa), Afrique occidentale tropicale.

P.i.: 1955.

D.s.: Les couleurs du mâle sont plus prononcées.

C.s.: Pas très agressif, mais prédateur envers les très petits poissons.

M.: Eau douce, changement d'eau avec adjonction d'extrait de tourbe et de produit de traitement de l'eau; pH 6,5–7,5; dureté 3–20° dGH; bonne végétation avec espace dégagé au centre du bac; faire cohabiter avec des espèces calmes et des poissons de fond (*Corydoras*).

R.: Peu connue; nid de bulles allégé à la surface de l'eau dont le niveau doit être d'env. 12 cm; eau douce; élever les alevins avec des Paramécies et au bout de 8 jours on peut distribuer des *Artemia*.

N.: C; nourriture vivante consistante, les aliments en flocons sont rarement acceptés; un peu d'aliments lyophilisés; distribuer parcimonieusement.

P.: Patron de coloration très variable allant du turquoise à l'orange; en raison des difficultés d'importations en provenance du Congo l'espèce est rarement commercialisée.

T: 26–28° C, L: 8 cm, LA: 60 cm, Z: m et i, D: 2–3

Ctenopoma argentoventer (SCHREITMÜLLER et AHL, 1922)
Ctenopoma argenté

Syn.: *Anabas africanus, A. argentoventer, A. peterici, Ctenopoma peterici.*

Or.: Niger (Afrique occidentale).

P.i.: 1912 par Kuntzschmann, Hambourg.

D.s.: Le mâle subadulte présente deux bandes jaunes.

C.s.: Ne peut cohabiter qu'avec des grands poissons robustes.

M.: Un grand bac, bien planté mais pas trop exposé à la lumière du jour, avec des racines parmi la dense végétation, convient comme milieu spécifique pour ce poisson.

R.: Construit un nid, le mâle soigne la ponte à la manière de *M. opercularis* et ne dévore pas les alevins. Pond à une température de 25° C, pH 6–7 en eau douce. Une phase de la ponte produit plus de 100 œufs. Exlosions au bout d'env. 2 jours, puis encore 3 jours jusqu'à la nage libre.

N.: C; nourriture vivante consistante; peut s'habituer également aux aliments en flocons (grands flocons).

P.: Est très rarement importé; seulement pour amateurs spécialisés.

T: 22–27° C, **L**: jusqu'à 15 cm, **LA**: 100 cm, **Z**: m, **D**: 3

Microctenopoma fasciolatum (BOULENGER, 1899)
Ctenopoma rayé

Syn.: *Anabas fasciolatus, A. fasciatus, Ctenopoma fasciolatum.*

Or.: Stanley Pool, Zaïre, près Kinshasa.

P.i.: 1912 par Siggelkow, Hambourg.

D.s.: Dorsale et anale du mâle prolongées en pointe; couleurs plus ternes chez la femelle.

C.s.: Généralement paisible.

M.: Espèce durable qui peut enchanter par sa familiarité; végétation dense mais avec espace dégagé; fréquent changement d'eau conseillé; pH 6,5–7,5; dureté 4–20° dGH.

R.: Inconnue à ce jour; température probablement au delà de 28° C, pH env. 6,5 et dureté 2–4° dGH.

N.: O; aliments en flocons et aliments lyophilisés, nourriture végétale, proies vivantes.

P.: Magnifique livrée très variable. La photo montre un jeune mâle.

T: 24–28° C, **L**: 8 cm, **LA**: 80 cm, **Z**: m et i, **D**: 2

Ctenopoma kingsleyae GÜNTHER, 1896
Ctenopoma de kingsley

Syn.: Voir sous P.

Or.: Afrique occidentale du Zaïre au Gambia.

P.i.: 1933.

D.s.: Zones épineuses derrière les yeux et sur le pédoncule caudal sont plus importantes chez le mâle; pas d'autres signes distinctifs identifiables.

C.s.: Souvent craintif, à ne pas faire cohabiter avec des poissons grossiers, mais non plus avec de trop petites espèces; aquarium spécifique est conseillé.

M.: Nécessite un aquarium spacieux à surface d'eau recouverte de plantes flottantes et végétation dense composée de plantes robustes; sol sombre est avantageux; des racines pour offrir des caches individuelles; filtration puissante indispensable; eau: pH 6,5–7,5; dureté jusqu'à 15° dGH.

R.: Réalisable dans de grands bacs; jusqu'à 20000 œufs par ponte; ils montent à la surface où il faut les prélever; à une température de 29° C les larves éclosent déjà au bout de 24 heures et nagent librement 48 h. après l'éclosion; elles peuvent avaler immédiatement des Nauplius d'*Artemia*.

N.: C, O; mange tout, en priorité des poissons et des proies vivantes consistantes (vers de terre, Larves d'Insectes aquatiques, etc.); aliments en flocons (de grande taille) et en comprimés.

P.: Le nom de l'espèce n'est pas confirmé.Selon DAGET cette espèce pourrait être une variété de coloration de *Ctenopoma petherici*. Dans ce cas *C. kingsleyae* serait un synonyme.

T: 25–28° C, **L**: 19 cm, **LA**: 100 cm, **Z**: m et i, **D**: 3

Ctenopoma maculatum THOMINOT, 1886
Ctenopoma tacheté

Syn.: *Anabas pleurostigena, A. maculatus, Ctenopoma weeksii, C. multifasciata.*

Or.: Sud du Cameroun, Zaïre supérieur (Afrique).

P.i.: 1954.

D.s.: Écailles épineuses chez le mâle.

C.s.: Relativement social envers d'autres grands poissons.

M.: Comme *C. kingsleyae*.

R.: Pas de soins à la ponte.

N.: C, O; nourriture vivante consistante, grands flocons, comprimés.

P.: Les juvéniles présentent une autre livrée que les adultes; ils portent deux bandes brun foncé derrière les yeux; les ventrales sont encore noires.

T: 22–28° C, L: 20 cm, LA: 120 cm, Z: m, D: 3

Ctenopoma muriei (BOULENGER, 1906)
Ctenopoma du Nil

Syn.: *Anabas muriei, A. houyi.*

Or.: Nil, Lac Albert, Lac Edouard, Bassin du Tschad (Afrique), dans des régions marécageuses et eaux à courant lent.

P.i.: ?

D.s.: Les écailles épineuses du mâle comme décrits chez *C. kingsleyae.*

C.s.: Espèce alerte et enjouée qui peut cohabiter avec des poissons robustes d'une taille de 6 cm et plus.

M.: Plus facile que celle des *Ctenopoma* de grande taille, elle demande un grand espace pour nager, est plus vivace et assez sociale; eau: pH 6,0–7,5; dureté jusqu'à 20° dGH; au moins une partie de la surface de l'eau doit être couverte de plantes flottantes.

R.: La parade nuptiale a lieu le plus souvent au cours de la nuit; le mâle enlace la femelle durant quelques secondes pendant lesquelles souvent 10 à 30 œufs sont explusés; à une température de 27° C les larves éclosent en 24 h.; elles seront nourries avec des Infusoires et au bout d'une semaine avec des *Artemia*; pas de soins de la ponte.

N.: C, O; nourriture vivante, aliments en flocons.

P.: Une sous espèce a été décrite: *Microctenopoma muriei ocellifer*, originaire des marais du Nil au Soudan.

T: 23–28° C, L: 8,5 cm, LA: 80 cm, Z: m, D: 2

Microctenopoma nanum (GÜNTHER, 1896)
Ctenopoma nain

Syn.: *Anabas maculatus, A. nanus, Microctenopoma nanum.*

Or.: Du Cameroun au Zaïre (Afrique).

P.i.: 1933.

D.s.: L'anale et la dorsale du mâle sont plus pointues; couleurs de la femelle plus pâles.

R.: Le mâle construit un nid sous la couche de plantes flottantes; après l'accouplement le couple coule vers le fond, tandis que les œufs montent; le mâle soigne la ponte; les larves éclosent après 24 h. et nagent librement à partir du troisième jour qui suit l'éclosion; les nourrir avec des Infusoires et au bout de quelques jours avec des *Artemia*.

C.s.: Forme un territoire qui est plus âprement défendu en période de frai.

M.: Température 20° C, max. 22° C. Parmi les *Ctenopoma*, c'est l'espèce qui convient le mieux pour cohabiter avec d'autres poissons; elle apprécie les bacs densément plantés avec un espace libre à l'avant plan; plantes flottantes; eau claire: pH 6,0–7,2; dureté jusqu'à 15° dGH.

N.: C; petites proies vivantes, peut s'habituer aux flocons de bonne qualité.

P.: C'est le plus petit *Ctenopoma*.

T: 18–24° C, L: 7,5 cm, LA: 60 cm, Z: m, D: 2–3

Ctenopoma ocellatum — PELLEGRIN, 1899

Ctenopoma à ocelle

Syn.: *Anabas ocellatus, A. weeksii, Ctenopoma acutirostre, C. denticulatum, C. petherici* (pas GÜNTHER).

Or.: Zaïre: Stanley Pool, Chutes Stanley, Province de Kasai.

P.i.: Env. 1957.

D.s.: L'ocelle à la base du pédoncule caudal est plus foncée chez le mâle; le dos de la femelle est plus haut.

C.s.: Devient familier en compagnie de poissons de taille similaire; maintenu par individus isolés ce poisson devient peureux; les alevins sont parfois considérés comme faisant partie du régime alimentaire.

M.: Semble ne pas supporter un fort courant d'eau; il se sent alors mal à l'aise; préfère une eau légèrement acide (sol constitué de tourbe ou filtration sur tourbe): pH 6,2–7,2; dureté 4–15° dGH; fréquents changements d'eau.

R.: Une reproduction réussie a été signalée en 1987 dans DATZ 1989, p. 140–142.

N.: O; mange tout; Larves de Moustiques, aliments en flocons.

T: 24–28° C, L: 10 cm, LA: 80 cm, Z: m et i, D: 2

Ctenopoma maculatum — THOMINOT, 1886

Ctenopoma ‘il de paon

Syn.: *Anabas oxyrhynchus, Ctenopoma weeksi.*

Or.: Zaïre: Stanley Pool (Afrique).

P.i.: 1952.

D.s.: Les couleurs du mâle sont plus vives.

C.s.: Généralement paisible, mais prédateur envers les petits poissons; à déconseiller pour l'aquarium communautaire.

M.: Aquarium bien planté avec espace dégagé pour la nage; caches sous forme de racines, lumière diffuse; filtration sur tourbe; eau: pH 6,2–7,2; dureté 4–15° dGH.

R.: Les petits œufs huileux flottent et montent à la surface de l'eau; les jeunes éclosent au bout de trois à quatre jours; on les élève comme ceux des autres Labyrinthidés.

N.: C; nourriture vivante, aliments lyophilisés, aliments en flocons.

P.: Le patron de coloration des juvéniles diffère de celui des adultes. D'après LADIGES l'arrière du corps est presque noir.

T: 24–28° C, L: 10 cm, LA: 80 cm, Z: m et i, D: 2–3

Ctenopoma ocellatum

Ctenopoma maculatum

Belontia hasselti (CUVIER et VALENCIENNES, 1831)

Syn.: *Polyacanthus einthovenii, P. hasseltii, P. helfrichii, P. kuhli, P. olivaceus.*

Or.: Java, Sumatra, Bornéo, Singapour, Malacca.

P.i.: 1968; en 1970 première reproduction par Verfürth.

D.s.: En période de frai, le dessin alvéolé disparait sur les nageoires de la femelle.

C.s.: Paisible; après la ponte il faut cependant éloigner la femelle car le mâle devient agressif; il attaque même un doigt plongé dans l'eau.

M.: Bac bien éclairé, à végétation dense; eau: pH 6,5–8,0; dureté jusqu'à 35° dGH.

R.: 28–30° C; la ponte se déroule à une faible hauteur d'eau (12–15 cm); certains mâles construisent un nid de bulles sommaire, d'autres n'en construisent pas; les jeunes éclosent au bout de 24–48 h. et nagent librement au troisième jour; très prolifique: 500 à 700 alevins; on les élève avec des Infusoires, au bout d'une semaine avec des *Artemia* et des *Cyclops*; l'air au-dessus de la surface de l'eau doit avoir la même température que l'eau sinon les poissons «prennent froid»; ne pond pas en présence d'autres espèces.

N.: C, O; aliments en flocons et végétaux en complément; toutes sortes de proies vivantes.

P.: L'espèce est rarement importée, donc peu maintenue et reproduite en aquarium et c'est bien dommage.

T: 25–30° C, **L**: 19 cm, **LA**: 80 cm, **Z**: toutes s, **D**: 2

Belontia signata (GÜNTHER, 1861)
Macropode de Ceylan Sous-fam.: Belontiinae

Syn.: *Polyacanthus signatus.*

Or.: Sri Lanka (Ceylan), dans des eaux stagnantes.

P.i.: 1933.

D.s.: Sexes difficiles à distinguer. La nageoire dorsale du mâle est un peu plus longue.

C.s.: Parfois rustre, à tenir seulement en compagnie de grands poissons; mordant, souvent farouche; les juvéniles sont familiers.

M.: Bac densément planté mais avec espace libre pour nager; caches parmi les racines constituant le décor; plantes robustes; peut cohabiter avec *Helostoma temminckii* et des Cichlidés.

R.: Similaire à celle des Macropodes; les œufs sont déposés en agglomérats sous une large feuille; pas de nid de bulles, le plus souvent seulement une grande bulle d'air; ce n'est qu'au sixième jour que les alevins nagent librement et peuvent de suite manger des *Artemia* et des aliments en flocons pulvérisés.

N.: O; mange tout; proies vivantes, aliments en flocons, nourriture végétale en flocons.

P.: Seuls les juvéniles sont à conseiller pour l'aquarium communautaire. Récemment la sous-espèce *Belontia signata jonklaasi* a été décrite.

T: 24–28° C, **L**: 13 cm, **LA**: 80 cm, **Z**: m et s, **D**: 2

Belontia hasselti

Belontia signata

Betta coccina
Combattant rouge

VIERKE, 1979
Sous-fam.: Macropodinae

Syn.: Aucun.

Or.: Centre de Sumatra, Sud de la Malaisie.

P.i.: Inconnue.

D.s.: La nageoire dorsale et l'anale sont plus longues et plus développées chez le mâle. En parade nuptiale la femelle se comporte comme *B. splendens* et présente des rayures verticales.

C.s.: Poisson farouche qui se «perd» dans l'aquarium communautaire; on ignore encore si l'espèce est belliqueuse; quelques douzaines d'exemplaires se sont bien comportés dans les bacs d'un commercant.

M.: Petit aquarium hébergeant des poissons calmes; offrir des caches; la végétation doit effleurer la surface de l'eau; légère filtration; lumière diffuse; eau douce jusqu'à 4° dGH (supporte également 18° dGH); pH 6,0–7,5.

R.: Construit un nid de bulles. Le mâle soigne le frai, les larves éclosent au bout d'env. 2 jours et nagent librement 2 autres jours plus tard. Température 25° C, eau légèrement acide et extrêmement douce. Elevage des jeunes comme pour les autres Labyrinthidés.

N.: C; petites proies vivantes telles que *Artemia*, *Cyclops*; aliments en flocons broyés.

P.: L'espèce *B. tussyae* décrite en 1985 n'est pas identique avec *B. coccina*.

T: 24–27° C, L: 4,5 cm, LA: 50 cm, Z: m et s, D: 2

Betta bellica
Combattant rayé

REGAN, 1909
Sous-fam.: Macropodinae

Syn.: *Betta fasciata.*

Or.: Sumatra.

P.i.: 1906.

D.s.: Les ventrales et l'anale du mâle sont plus allongées, ses couleurs sont plus prononcées.

C.s.: Moins belliqueux que *B. splendens*; plusieurs couples peuvent cohabiter dans le même aquarium, mais il faut les séparer en période du frai.

M.: Comme les autres *Betta*; eau: pH 6,5–7,5, dureté jusqu'à 15° dGH.

R.: Cette espèce construit un nid de bulles, sa reproduction pourrait être similaire à celle de *B. splendens,* mais rien n'a encore été publié à ce sujet jusqu'à présent.

N.: C; proies vivantes de différentes tailles, proies lyophilisées, peu d'aliments en flocons.

P.: Les bandes horizontales n'apparaissent pratiquement que chez les spécimens conservés.

T: 24–30° C, L: 10 cm, LA: 80 cm, Z: m, D: 2–3

Betta coccina

Betta bellica

Betta rubra LADIGES, 1975
Combattant pacifique

Syn.: «*Betta splendens*», *Betta imbellis*.

Or.: Sud Malaisie, Kuala Lumpur.

P.i.: 1970 par Dietrich Schaller.

D.s.: Mâle nettement mieux coloré, ses nageoires sont plus grandes.

C.s.: Les mâles ne se livrent pas des combats à mort comme c'est le cas chez *B. splendens*; les joutes et les attitudes d'imposition (toutes sans gravité) confèrent un charme particulier à cette espèce.

M.: Comme indiqué chez *B. splendens*; eau: pH 7, dureté 6–8° dGH.

R.: Similaire à celle de *B. splendens* mais pas aussi fréquente.

N.: C, O; nourriture vivante, aliments en flocons et nourritures lyophilisées.

P.: L'espèce mérite une plus large diffusion par le commerce et une plus grande popularité parmi les amateurs. En cinq ans Roloff a élevé six générations.

T: 24–28° C, **L**: 4,5 cm, **LA**: 20 cm, **Z**: s et m, **D**: 2

Betta pugnax (CANTOR, 1850)
Combattant couve gueule

Syn.: *Macropodus pugnax*.

Or.: Malaisie.

P.i.: 1905 par Reichelt, Berlin.

D.s.: Les nageoires du mâle sont plus longues, ses couleurs sont plus vives.

C.s.: En milieu restreint et lors de la parade nuptiale les mâles peuvent devenir très agressifs entre congénères. Dans un aquarium communautaire calme on peut maintenir un couple seul, mais il est préférable de maintenir plus de mâles que de femelles.

M.: Eau claire, fort courant d'eau produit par un puissant filtre extérieur; un éclairage modéré et une eau douce contribuent au bien être de ce poisson; pH 6,0–7,2, dureté jusqu'à 12° dGH.

R.: Le mâle conserve les œufs dans sa bouche (incubateur buccal); lors de chaque accouplement plus de 100 œufs sont émis par paquets de 10 à 20; le mâle les cueille avec sa nageoire anale d'où la femelle les ramasse et les recrache devant la bouche du mâle; nourris avec des Nauplius d'*Artemia*, les jeunes grandissent rapidement.

N.: C; toutes sortes de nourritures vivantes.

P.: *B. pugnax* est moins populaire parce qu'il n'offre pas la diversité de couleurs que *B. splendens*. La photo montre la variété atypique de l'île de Penang qui se remarque par la couleur rouge brun du corps et la bouche en forme de selle.

T: 22–28° C, **L**: 10 cm, **LA**: 80 cm, **Z**: m et s, **D**: 3

Betta rubra

Betta pugnax, Penang

Betta smaragdina LADIGES, 1972
Combattant émeraude

Syn.: Aucun.

Or.: Nord-est de la Thailande.

P.i.: 1970 par Dietrich Schaller.

D.s.: Les ventrales du mâle sont plus longues; durant la ponte la femelle présente quelques bandes transversales qui sont plus sombres en temps normal, la teinte claire étant à peine différenciée.

C.s.: On le dit moins belliqueux que *B. splendens*; d'après les indications de LINKE cette espèce serait également employée dans son pays d'origine pour des combats organisés se déroulant dans de petits bocaux; elle peut cependant cohabiter sans inconvénients avec des poissons calmes et paisibles.

M.: Comme *B. splendens*; plusieurs juvéniles peuvent vivre dans le même aquarium où ils se supporteront également à l'âge adulte vu qu'ils sont habitués l'un à l'autre.

R.: Construit un nid de bulles; changement d'eau; température 28° C; placer un couple reproducteur dans un bac de 50 cm et plus, dont au moins un coin doit être densément planté, y compris des plantes flottantes; certains couples frayent exclusivement dans des grottes!

N.: C; petites proies vivantes, nourriture naturelle lyophilisée, occasionnellement des flocons.

P.: Un poisson à belle coloration qui mériterait une plus grande popularité.

T: 24–27° C, **L**: 7 cm, **LA**: 70 cm, **Z**: m et s, **D**: 2–3

Betta splendens REGAN, 1910
Combattant

Syn.: *Betta trifasciata, Betta pugnax, "Betta rubra".*

Or.: Thailande, Cambodge, Laos (?).

P.i.: 1892 en France; 1896 en Allemagne: dix couples, en provenance de Moscou, par Paul Matte de Berlin Lankwitz.

D.s.: Le mâle est plus coloré, ses nageoires sont plus grandes.

C.s.: Ne pas réunir deux mâles, ils se combattent et se déchirent les nageoires; plusieurs femelles peuvent vivre dans le même aquarium sans aucun problème.

M.: Tenir les mâles individuellement dans des bocaux de 1 litre peut être qualifié de torture; de toute manière il faudrait dans ce cas changer l'eau plusieurs fois par semaine et assurer en permanence la propreté de la surface; les Betta exigent des températures élevées; un mâle peut vivre seul dans un aquarium communautaire; eau: pH 6,0–8,0, dureté jusqu'à 25° dGH.

R.: Le mâle construit un nid; le niveau de l'eau ne doit pas dépasser 15 cm au maximum; débrancher le filtre et l'aérateur, car le courant d'eau détruit le nid; les jeunes éclosent au bout d'env. 24 heures, il faut alors leur distribuer du plancton et des aliments en flocons pulvérisés, également du jaune d'œuf dur.

N.: Toutes les proies vivantes, aliments en flocons et aliments lyophilisés.

P.: L'espèce est sensible aux basses températures; on ne trouve pratiquement plus de souche sauvage dans le commerce; la variété d'élevage «Combattant voilé» existe en de nombreuses couleurs: rouge, bleu, vert turquoise, blanc, noir et multicolores.

T: 24–30° C, **L**: 6–7 cm, **LA**: à partir de 10 cm, **Z**: s, **D**: 2

Betta smaragdina

Betta splendens

Colisa chuna (HAMILTON, 1822)
Gourami miel

Syn.: *Trichopodus chuna, T. sota, Trichogaster chuna, Colisa sota.*

Or.: Nord-est des Indes et Assam, Bangladesh.

P.i.: 1962.

D.s.: Le mâle est de couleur miel à ocre, à gorge bleue, l'avant de l'anale est noir; la femelle est brunâtre; en dehors de la période de ponte les deux sexes diffèrent peu.

C.s.: Paisible et farouche; défend un territoire en période du frai.

M.: Aquarium densément planté, à surface d'eau partiellement couverte de plantes flottantes; à ne faire cohabiter qu'avec des espèces calmes et paisibles, de taille similaire; eau pH 6,0–7,5, dureté jusqu'à 15° dGH.

R.: En période de ponte chaque couple défend un territoire d'env. 50 cm2 envers ses congénères; le mâle construit un nid de bulles pas très solide, des pontes hors la présence d'un nid ont déjà été observées; les larves éclosent au bout de 24–36 h. selon la température et nagent librement le lendemain; on les nourrit d'Infusoires d'abord, ensuite d'*Artemia* et d'aliments en poudre; les comprimés lyophilisés broyés conviennent également.

N.: C, O; petites proies vivantes, aliments en flocons, nourriture végétale, comprimés lyophilisés.

P.: Un Labyrinthidé dont la maintenance n'est pas sans problèmes et qui n'est pas tellement conseillé pour l'aquarium communautaire; cette espèce est sensible à *Oodinium pillularis*. Sur la photo: mâle en haut, femelle en bas.

T: 22–28° C, **L**: 5 cm, **LA**: 40 cm, **Z**: s et m, **D**: 2–3

Colisa fasciata (BLOCH et SCHNEIDER, 1801)
Colisa rayé, Colisa géant

Syn.: *Trichogaster fasciatus, Trichopodus colisa, T. bejeus, T. cotra; Colisa vulgaris, Polyacanthus fasciatus, Colisa bejeus, C. ponticeriana.*

Or.: Indes, Bangladesh, Assam, Birmanie.

P.i.: 1897 par Paul Matte, Berlin Lankwitz (40 exemplaires en provenance de Calcutta.

D.s.: La livrée du mâle est plus foncée, en période de ponte presque noire; sa dorsale est prolongée et pointue.

C.s.: Paisible – sauf en période du frai; convient pour l'aquarium communautaire.

M.: Préfère un sol sombre; dense végétation périphérique avec espace libre au centre; eau: pH 6,0–7,5; dureté 4–15° dGH.

R.: Faible hauteur d'eau: jusqu'à 20 cm; température 28° C; pH 6,5 pour une eau très douce; construit un grand nid de bulles; lors de l'accouplement, avec émission de 20 à 50 œufs, le mâle enlace la femelle et la retourne, de sorte que le ventre est dirigé vers la surface; les œufs flottent et montent à la surface; env. 10 à 20 accouplements ont lieu toutes les 15–20 minutes et produisent env. 500 à 600 œufs, les larves éclosent au bout de 24 h.; le mâle surveille le nid, il est conseillé de retirer la femelle.

N.: O; mange tout; aliments en flocons; nourriture végétale, comprimés lyophilisés.

P.: Aux Indes *C. fasciata* figure parmi les poissons comestibles, on le sèche avant de le consommer.

T: 22–28° C, **L**: 10 cm, **LA**: 60 cm, **Z**: s et m, **D**: 2

Colisa chuna

Colisa fasciata

Colisa labiosa (DAY, 1878)

Syn.: *Trichogaster labiosus.*

Or.: Birmanie, nord des Indes.

P.i.: 1 exemplaire en 1904; il semblerait que Scholze et Pötzschke de Berlin auraient introduits quelques *C. fasciata* en 1911.

D.s.: Bien identifiable chez les adultes: la dorsale du mâle est prolongée en pointe.

C.s.: Calme et paisible; convient pour l'aquarium communautaire; pour l'élevage ciblé il est préférable de les tenir par couple dans un bac de 60 cm.

M.: Comme pour les autres Labyrinthidés, l'aquarium ne doit pas être trop haut (max. 40 cm); sol sombre, bonne plantation et eau légèrement acide sont salutaires; eau: pH 6,0–7,5, dureté 4–10° dGH.

R.: Le nid est construit à la manière de *C. lalia* mais sans fragments de végétaux incorporés; il est donc très fragile et se désagrège facilement; le nid est très grand et peut occuper la moitié de la surface de l'aquarium; environ 500 à 600 œufs sont pondus au cours de plusieurs accouplements, les œufs flottent et montent à la surface où ils restent accrochés au nid; les premières éclosions ont lieu au bout de 24 h., mais ce n'est que deux jours plus tard que les alevins quittent le nid.

N.: O; mange tout, aliments en flocons, nourriture végétale, comprimés lyophilisés.

P.: Est souvent confondu avec *C. fasciata*; de plus, il existe des croisements entre ces deux espèces ce qui ne facilite pas l'identification.

T: 22–28° C, **L:** 9 cm, **LA:** 50 cm, **Z:** s et m, **D:** 1

Colisa lalia (HAMILTON, 1822)

Colisa nain, Gourami nain

Syn.: *Colisa unicolor, Trichogaster lalius, Trichopodus lalius, Trichopsis lalius, Trichogaster unicolor, C. cotra.*

Or.: Système fluvial du Gange, Jumna, Bramaputra.

P.i.: 1903 par H. Stüve, Hambourg.

D.s.: Le mâle est plus coloré, v. photo.

C.s.: Espèce paisible et farouche; un couple nage le plus souvent ensemble.

M.: Aquarium de petite à moyenne dimension, bien planté, surface de l'eau partiellement couverte de plantes flottantes; à tenir seulement en compagnie de poissons calmes et délicats; un sol sombre met la coloration en évidence; éventuellement filtration sur tourbe; un régulier changement d'eau est indispensable, car cette espèce est sensible à la qualité de l'eau.

R.: Construit un nid solide et haut en y incorporant des fragments de végétaux et des algues; en période de ponte la hauteur d'eau ne doit pas dépasser 20 cm; les jeunes éclosent au bout de 24 h. et sont soignés et surveillés par le mâle; élevage des jeunes comme ceux de *Colisa sota.*

N.: O; mange tout, nourriture végétale, algues, comprimés lyophilisés.

P.: C'est un des plus beaux poissons d'aquarium; à recommander à tout aquariophile ayant dépassé le stade de débutant; sujet aux maladies si l'eau est de mauvaise qualité.

T: 22–28° C, **L:** 5 cm, **LA:** 40 cm, **Z:** s et m, **D:** 2

Colisa labiosa

Colisa lalia

Macropodus concolor AHL, 1937
Macropode noir

Syn.: *Macropodus opercularis concolor, Macropodus opercularis var. spechti.*

Or.: Sud de la Chine, Vietnam.

P.i.: 1935.

D.s.: La dorsale et l'anale du mâle sont prolongées et pointues; chez la femelle ces nageoires sont plus courtes.

C.s.: Le plus souvent paisible, convient mieux pour l'aquarium communautaire que *M. opercularis*; les femelles sont cependant assez agressives en période de ponte.

M.: Comme les autres Labyrinthidés, par ex. *Trichogaster leeri*; n'est pas très exigeant envers la qualité de l'eau; eau: pH 6,5–7,8, dureté jusqu'à 20° dGH.

R.: En eau très douce (jusqu'à 4° KH) et d'une température de 26–30° C les couples matures pondent volontiers.

N.: C, O; aliments en flocons, petites proies vivantes, pour les mâles adultes également des Larves de Moustiques et des petits vers de terre.

P.: Cette espèce est plus pacifique que *M. opercularis* et mérite que les aquariophiles lui accordent davantage d'intérêt.

T: 20–26° C, **L**: mâle 12 cm, fem. jusqu'à 8 cm, **LA**: 70 cm, **Z**: m et s, **D**: 1

Macropodus opercularis (LINNAEUS, 1758)
Macropode, Poisson paradis

Syn.: *Labrus opercularis, Macropodus viridi auratus, Polyacanthus opercularis, Macropodus concolor, Platypodus gurca, Macropodus filamentosus, M. venustus, M. opercularis var. viridi auratus, M. chinensis.*

Or.: Est de l'Asie, dans des rivières en Chine, Corée, Taiwan, îles Riou Kiou, Malacca.

P.i.: 1869 en France (premier poisson d'aquarium des Tropiques après le Poisson rouge!); 1876 par Sasse à Berlin.

D.s.: Les extrémités des nageoires du mâle sont plus étirées et il est souvent mieux coloré que la femelle.

C.s.: Les juvéniles peuvent cohabiter sans problèmes; les mâles adultes se combattent presque autant que les Combattants (*Betta splendens*).

M.: Aquarium assez volumineux avec grand espace libre pour la nage, plus quelques abris pour les femelles; il est conseillé de cultiver de préférence des plantes robustes, car les ébats amoureux, parades nuptiales et combats entre congénères sont assez tumultueux; eau: pH 6,0–8,0, dureté jusqu'à 30° dGH.

R.: Relativement facile; construit un nid sous une grande feuille; produit jusqu'à 500 jeunes par ponte; pour le frai, baisser le niveau de l'eau et élever la température; les alevins seront nourris d'abord avec des Infusoires et ensuite avec des *Artemia*.

N.: O; mange tout, nourriture vivante consistante, aliments en flocons (grands flocons), comprimés lyophilisés.

P.: Il existe une variété noire et une variété albinos (rose à raies rouges); ce poisson est un excellent dévoreur de Planaires si on ne le suralimente pas par ailleurs; bien couvrir l'aquarium car il saute bien!

T: 16–26° C, **L**: 10 cm, **LA**: 70 cm, **Z**: m et s, **D**: 1

Macropodus concolor

Macropodus opercularis

Malpulutta kretseri
Macropode à queue pointue

DERANIYAGALA, 1937
Sous-fam.: Macropodinae

Syn.: Aucun.

Or.: Sri Lanka, apparait en deux races ou sous-espèces.

P.i.: 1966 par Geissler et Bader, 1979 par D. Schaller.

D.s.: Mâle plus grand, sa dorsale et l'anale sont longues et pointues.

C.s.: Poisson paisible, peureux, peu remuant, qui ne se prête que pour la cohabitation avec quelques espèces délicates, de préférence avec des Labyrinthidés de petite taille.

M.: Bien couvrir l'aquarium car c'est un excellent sauteur; le mieux c'est de lui réserver un aquarium spécifique; il faut qu'il dispose de nombreuses caches sous forme de roches et de racines; le sol doit être sombre et planté de Cryptocorynes; une mince couche de plantes flottantes est également favorable; eau: pH 5,5–7,5, dureté jusqu'à 20° dGH.

R.: Elle réussit dans une eau douce (faible dureté) et si les reproducteurs reçoivent de la nourriture vivante en abondance; la ponte a lieu dans des petites grottes à proximité du sol; les parents mangent rarement les larves, ces dernières montent à la surface et dès qu'elles nagent librement on peut leur distribuer des Nauplius d'*Artemia*.

N.: C; principalement des proies vivantes; les aliments en flocons sont acceptés avec réticence.

P.: Cette espèce est également rare dans la nature, elle n'est pratiquement jamais proposée dans le commerce aquariophile; seuls les amateurs spécialisés ont quelque chance de réussir l'élevage.

T: 24–26° C, L: mâle 9 cm, fem. 4 cm, LA: 60 cm, Z: m et s, D: 4

Parosphromenus deissneri

(BLEEKER, 1859)
Sous-fam.: Macropodinae

Syn.: *Osphronemus deissneri.*

Or.: Malaisie, Singapour, dans des eaux à courant faible et à courant fort.

P.i.: Avant 1914.

D.s.: Mâle mieux coloré, surtout en période du frai.

C.s.: Espèce délicate, paisible, à déconseiller pour l'aquarium communautaire.

M.: Un petit aquarium spécifique bien planté, une bonne filtration et une eau douce légèrement acide sont les conditions primordiales pour la maintenance de cette espèce; si on ne veut pas pratiquer d'élevage dans ce même aquarium, on peut lui choisir *Malpulutta kretseri* comme compagnie; eau: pH 5,6–7,2, dureté jusqu'à 10° dGH.

R.: Pondeur en caverne; après la ponte le mâle s'occupe seul des soins du frai et chasse la femelle; à 25° C les larves éclosent au bout d'environ 72 heures, mais ce n'est que 6 jours plus tard qu'elles nagent librement; la croissance des alevins est lente, il faut que leur eau soit extrêmement pure; on les nourrit avec des Infusoires et des *Artemia.*

N.: Fine nourriture vivante; peut être habitué aux aliments en flocons.

P.: Un des plus beaux et des plus petits Labyrinthidés, un bijou pour le connaisseur; l'espèce peut respirer à l'aide des branchies, donc sans prendre de l'air à la surface de l'eau.

T: 24–28° C, L: 3,5 cm, LA: 40 cm, Z: m et s, D: 4

Malpulutta kretseri

Parosphromenus deissneri

Pseudosphromenus cupanus (CUVIER et VALENCIENNES, 1831)
Macropode «noir» à queue pointue Sous-fam.: Macropodinae

Syn.: *Polyacanthus cupanus, Macropodus cupanus.*

Or.: Sud des Indes, Sri Lanka.

P.i.: 1903 par Stüve, Hambourg.

D.s.: Surtout reconnaissable en période de ponte: le mâle est alors rouge, la femelle presque noire; en temps normal difficile à distinguer; la dorsale du mâle est le plus souvent un peu plus pointue.

C.s.: Poisson paisible, à maintenir de préférence par couple dans un bac spécifique ou en compagnie de petites espèces calmes.

M.: Bac de faible hauteur, bien planté et offrant des grottes (noix de coco); cette espèce est avide de lumière; sol sombre à faible granulométrie et légère filtration; eau: pH 6,5–7,8; dureté jusqu'à 15° dGH.

R.: Construit un nid de bulles sous du bois ou de la roche à proximité de la surface de l'eau; température 28° C; sol sablonneux; le bac d'élevage ne doit pas être stérilisé mais plutôt envahi de courtes algues vertes; le mâle soigne la ponte; à 27° C les larves éclosent au bout de 48 heures et nagent librement 2 jours plus tard; on peut laisser les parents dans le bac d'élevage.

N.: C, O; fine nourriture vivante, aliments en flocons contenant des éléments lyophilisés.

P.: Maintenu en conditions inadaptées les couleurs de ce poisson s'estomptent et lui confèrent un aspect triste; maintenu de manière adéquate c'est un poisson joliment coloré.

T: 24–27° C, L: 6 cm, LA: 60 cm, Z: m et s, D: 2–3

Pseudosphromenus dayi (KÖHLER, 1909)
Macropode rouge à queue pointue Sous-fam.: Macropodinae

Syn.: *Polyacanthus cupanus* var. *dayi, Macropodus dayi, Polyacanthus dayi, Pseudosphromenus cupanus dayi.*

Or.: Indes occidentales dans des fossés et des marais.

P.i.: 1908 par Scholze et Pötzschke, Berlin.

D.s.: La nageoire caudale du mâle termine en pointe.

C.s.: Paisible; les deux partenaires soignent la ponte; ne pas faire cohabiter avec des espèces grossières et trop remuantes.

M.: Lumière diffuse; sol sombre et bonne végétation mettent les couleurs en évidence; eau: pH 6,5–7,5; dureté 4–15° dGH; filtration sur tourbe et régulier changement d'eau.

R.: Fraye sous un nid de bulles, parfois aussi dans une caverne; les deux parents surveillent le nid et recrachent dans le nid les œufs ou les jeunes en train de couler; baisser le niveau d'eau à 10 cm environ; les jeunes éclosent au bout d'env. 30 heures, à une température de 28° C; l'espèce est prolifique; on élève les jeunes sans difficultés avec des Infusoires, *Artemia* et des aliments en petits flocons.

N.: O; mange tout, aliments en flocons, nourriture vivante, *Artemia.*

P.: Espèce intéressante, hélas rarement importée.

T: 25–28° C, L: 7,5 cm, LA: 60 cm, Z: m et s, D: 2

Pseudosphromenus cupanus

Pseudosphromenus dayi

Sphaerichthys osphromenoides osphromenoides CANESTRINI, 1860
Gourami chocolat

Syn.: *Osphromenus malayanus, O. notatus.*

Or.: Malacca, Péninsule Malaise, Sumatra près de Djambi, Bornéo.

P.i.: 1905 par J. Reichelt (tous les exemplaires moururent); réintroduit en 1934; régulièrement importé à partir de 1950.

D.s.: La nageoire anale et la caudale du mâle ont un fin liséré jaune.

C.s.: Paisible, peureux; ne pas faire cohabiter avec des espèces grossières; maintenir de préférence par couples isolés.

M.: Espèce délicate; nécessite toute l'attention de l'amateur en ce qui concerne la qualité de l'eau; extrait de tourbe; eau d'une dureté de 2–4° dGH et d'un pH de 6–7; végétation dense; un fréquent renouvellement partiel de l'eau favorise la durée de vie; cette espèce est très sensible aux maladies (infestation bactérienne, parasites de la peau).

R.: Incubateur buccal et/ou pondeur au sol; pas très prolifique, seulement 20 à 40 jeunes; fraye au sol; la femelle prend les œufs dans la bouche où elle les garde en incubation pendant env. 14 jours.

N.: Nourriture vivante (Larves de Moustiques rouges et noires, *Artemia*); aliments en flocons, éventl. avec des éléments lyophilisés.

P.: Une espèce dont la reproduction fait appel au savoir faire de l'amateur spécialisé.

T: 25–30° C, **L:** 5 cm, **LA:** 60 cm, **Z:** m et i, **D:** 3–4

Trichogaster leeri (BLEEKER, 1852)
Gourami perlé, Leeri

Syn.: *Trichopodus leeri, Osphromenus trichopterus, Trichopus leeri.*

Or.: Malaisie, Bornéo et Sumatra; dans des rivières à végétation dense.

P.i.: 1933.

D.s.: Davantage de rouge dans la livrée du mâle, sa nageoire dorsale et l'anale sont prolongées en pointes.

C.s.: Très paisible; deux mâles peuvent cependant s'affronter fréquemment.

M.: Niveau d'eau jusqu'à 30 cm; offrir des abris à la surface de l'eau (Fougères flottantes); ne pas faire cohabiter avec des poissons bagarreurs (certains Cichlidés par ex.), sinon *T. leeri* perd ses belles couleurs et stationne peureusement dans un coin du bac et n'ose même plus approcher lors des distributions de nourriture; la température ambiante de la pièce dans laquelle se trouve l'aquarium ne doit pas descendre en dessous de 20–22° C sinon ce poisson peut subir un refroidissement (en happant de l'air) eau: pH 6,5–8,5; dureté 5–30° dGH.

R.: Baisser le niveau de l'eau à env. 12 cm; construit un grand nid de bulles parmi les plantes; après la ponte le mâle surveille et soigne seul; la femelle est chassée mais avec moins de brutalité que chez d'autres Labyrinthidés.

N.: O; aliments en flocons, nourriture végétale, nourriture vivante, aliments lyophilisés.

P.: Très durable, à part le Gourami bleu, c'est le plus robuste des Labyrinthidés; peut vivre environ huit ans.

T: 24–28° C, **L:** 12 cm, **LA:** 60 cm, **Z:** s et m, **D:** 1

Sphaerichthys osphromenoides osphromenoides

Trichogaster leeri

Trichogaster microlepis (GÜNTHER, 1861)
Gourami clair de lune

Syn.: *Osphromenus microlepis, Trichopsis microlepis, Trichopodus microlepis, Trichopus microlepis, T. parbipinnis, Deschauenseeia chryseus.*

Or.: Thailande, Cambodge; eaux stagnantes et à courant lent.

P.i.: 1952.

D.s.: Les ventrales filamenteuses du mâle sont orange à rouge, chez la femelle elles sont jaunâtres; chez les adultes en bonne santé l'iris est rouge.

C.s.: Paisible; comme *T. leeri,* assez farouche.

M.: Aquarium spacieux d'une hauteur jusqu'à 40 cm; bien planté de Vallisneries géantes, Fougère de Java; les plantes fines et délicates seront le plus souvent abimées et déchiquetées, les fragments servent lors de la construction du nid; eau: pH 6,0–7; dureté 2–25° dGH.

R.: Baisser le niveau d'eau; la ponte se déroule sous le nid, elle produit 500 à 1000 œufs; on élève les jeunes avec des Infusoires cultivés à l'aide de salade et de peaux de bananes.

N.: O; mange tout; aliments en flocons, nourriture végétale, aliments lyophilisés.

P.: Dans son pays d'origine ce poisson est très apprécié comme poisson comestible.

T: 26–30° C, L: 15 cm, LA: 80 cm, Z: m et s, D: 2

Trichogaster pectoralis (REGAN, 1910)
Gourami peau de serpent

Syn.: *Trichopodus pectoralis, Osphromenus trichopterus* var. *cantoris.*

Or.: Thailande, Cambodge, Péninsule Malaise; dans des eaux courantes peu profondes, également dans les rivières.

P.i.: 1896 par J. F. G. Umlauff, Hambourg.

D.s.: La dorsale du mâle est allongée et pointue, les ventrales filamenteuses sont rouge orange; chez la femelle elles sont jaunes.

C.s.: Très paisible, même durant la période du frai.

M.: Aquarium plat, jusqu'à environ 30 cm de hauteur; la végétation ne pose pas de problèmes, elle peut être adaptée à la qualité de l'eau; offrir quelques caches; eau: pH 6,0–8,3; dureté 2 à 30° dGH.

R.: Baisser le niveau de l'eau; pond sous le nid de bulles; élevage similaire à *T. leeri.*

N.: O; mange tout.

P.: Est hélas rarement importé, probablement en raison de sa livrée sobre.

T: 23–28° C, L: 20 cm, LA: 60 cm, Z: m et i, D: 1

Trichogaster microlepis

Trichogaster pectoralis

Trichogaster trichopterus (PALLAS, 1777)
Gourami bleu

Syn.: *Trichopodus trichopterus, Osphromenus trichopterus var. koelreuteri, Labrus trichopterus, Trichopus trichopterus, T. sepat, T. cantoris, T. siamensis, Osphromenus saigonnensis, O. siamensis, O. trichopterus.*

Or.: Sud-est de l'Asie (Malaisie, Thaïlande, Birmanie, Vietnam), îles de l'Archipel Indo Australien.

P.i.: 1896 par J. F. G. Umlauff, Hambourg.

D.s.: La dorsale du mâle est allongée et pointue.

C.s.: Paisible, presque ennuyeux en âge avancé; les juvéniles sont très burlesques; il est préférable de ne pas faire cohabiter plusieurs mâles dans le même aquarium.

M.: Tout genre d'aménagement de l'aquarium convient; en compagnie d'espèces grandes et grossières cette espèce se retire dans un coin du bac; ce poisson est très résistant, il devient cependant très craintif lorsqu'à l'âge adulte il est transféré dans un aquarium étranger dont l'environnement lui est inconnu; eau: pH 6–8,8; dureté 5–35° dGH.

R.: Baisser le niveau d'eau à 15 cm; construit un nid de bulles; il faut enlever la femelle lorsque la ponte est terminée car le mâle la brutalise.

N.: O; mange tout; toute nourriture artificielle est acceptée, depuis les flocons d'avoine jusqu'aux Puces d'eau séchées (c'est la raison pour laquelle il est encore toujours le poisson d'aquarium No 1 dans les pays dans lesquels l'aquariophilie n'est pas encore très développée.)

P.: C'est un des plus robustes poissons d'aquarium; il mange aussi des Planaires (vers blancs sur les vitres). La photo en haut à droite montre la variété d'élevage *T. trichopterus «cosby»* (Gourami marbré) et en dessous un exemplaire à coloration normale (Gourami bleu); la photo en bas à droite montre la variété albinos de couleur jaune rose que l'on trouve de plus en plus fréquemment dans le commerce.

T: 22–28° C, L: 10 cm, LA: 50 cm, Z: s et m, D: 1

T. trichopterus «cosby» en haut, Gourami bleu normal en bas

T. trichopterus, forme albinos

Trichopsis pumila (ARNOLD, 1936)
Gourami nain grogneur

Syn.: *Ctenops pumilus.*

Or.: Vietnam, Thailande, Sumatra.

P.i.: 1913.

D.s.: Chez la femelle on peut distinguer les œufs jaunâtres dans la cavité abdominale; la dorsale du mâle est plus longue et plus pointue.

C.s.: Paisible, délicat; un peu belliqueux en période de ponte.

M.: Cohabitants calmes; un sol composé de tourbe et une eau acide d'un pH 5,8–7 et d'une dureté de 2–10° dGH sont indispensables pour cette espèce; végétation composée de Cryptocorynes et de plantes fines.

R.: Construit un nid de bulles, non renforcé par des fragments de plantes et tellement insignifiant qu'il passe souvent inaperçu; il construit le plus souvent sous une large feuille à proximité de la surface de l'eau, parfois aussi dans une caverne; le mâle ne change pas de couleur durant le frai; émet des grognements durant la brève parade nuptiale; le mâle enlace presque entièrement la femelle à proximité de la gorge, 1 à 10 œufs (VIERKE) sont pondus lors de cette phase, ils seront entre 100 et 170 à la fin de la ponte; le mâle crache les œufs dans le nid et les surveille; à 27° C les larves éclosent en l'espace de deux jours et nagent librement au bout de deux autres jours; leur croissance est rapide si elles sont bien nourries de plancton animal.

N.: C, O; aliments en flocons d'une taille de 4 mm, petites proies vivantes, aliments lyophilisés.

P.: Émet des grognements bien audibles durant la parade nuptiale et lorsqu'il est excité.

T: 25–28° C, L: 3,5 cm, LA: 40 cm, Z: m, D: 2

Trichopsis vittata (CUVIER et VALENCIENNES, 1831)
Gourami grogneur

Syn.: *Osphromenus vittatus, Trichopus striatus, Ctenops nobilis (pas McCLELLAND), Ctenops vittatus, Osphromenus striatus, Trichopsis harrisi, T. striata.*

Or.: Indochine, Thailande, Sud Vietnam, Malaisie, Indonésie.

P.i.: 1899 par H. Stüve, Hambourg; 1903 première reproduction en captivité.

D.s.: Les couleurs du mâle sont plus vives, sa dorsale pointue est bordée de rouge.

C.s.: Paisible, alerte, son comportement dépend du genre de ses cohabitants.

M.: Faire cohabiter avec des Characidés délicats, petits Ciprinidés et Labyrinthidés de petite taille; eau: 6,5–7,5; durete 3–15° dGH.

R.: Assez difficile; construit un nid de bulles; niveau d'eau de 10 cm; température stable de 30° C; une eau douce neuve traitée avec AquaSafe peut déclencher la ponte.

N.: O; mange tout; petites proies vivantes, flocons tamisés; nourriture lyophilisée.

P.: Mâle et femelle émettent des grognements. La petite photo montre l'espèce qui fut décrite comme *T. schalleri.*

T: 22–28° C, L: 6,5 cm, LA: 50 cm, Z: m, D: 2–3

T. pumila

T. vittata

Fam.: Helostomatidae

Helostoma temminckii CUVIER et VALENCIENNES, 1831
Gourami embrasseur

Syn.: *Helostoma oligacanthum, Helostoma rudolfi, Helostoma servus, Helostoma tambakkan.*

Or.: Java.

P.i.: Env. 1950 en provenance de piscicultures en Floride.

D.s.: Difficilement identifiable. Femelle plus rondelette.

C.s.: Social; les mâles se combattent en pressant leur bouche l'une contre l'autre (embrassade) et le moins vigoureux doit céder.

M.: Aquarium spacieux décoré de roches, Fougère de Java et Mousse de Java, ainsi que des plantes en matière plastique; pratiquement toutes les autres sont considérées comme nourriture et dévorées; eau: pH 6,8–8,5; dureté 5–30° dGH; laisser les algues envahir les vitres (côtés et arrière), elles seront broutées par *H. temminckii*; sol assez grossier car il sera fouillé.

R.: Eau douce; faire flotter des feuilles de salade à la surface comme substrat de ponte; pas de nid de bulles; les œufs montent à la surface; les feuilles de salade produisent des bactéries, puis des Infusoires dont se nourissent les jeunes; ce sont les femelles qui incitent les mâles à frayer.

N.: O; mange tout; végétaux; salade ébouillantée; toutes les proies vivantes.

P.: Les branchies de cette espèce peuvent être employées pour filtrer le plancton animal.

T: 22–28° C, **L**: 15 (30 cm), **LA**: à partir de 80 cm, **Z**: m et s, **D**: 3

Fam.: Osphronemidae

Osphronemus gorami (LACÉPÈDE, 1802)
Gourami comestible, Gourami géant

Syn.: *Osphronemus olfax, O. notatus, O. satyrus, O. gourami.*

Or.: Chine, Java, Malaisie, Indochine, souvent introduit en tant que poisson comestible.

P.i.: 1895.

D.s.: La dorsale et l'anale du mâle sont pointues.

C.s.: Solitaire; les petits exemplaires conviennent pour l'aquarium communautaire; les juvéniles attaquent souvent leurs congénères, les adultes sont plus calmes et paisibles.

M.: Ne pose pas de problèmes pour des juvéniles d'une taille d'env. 10 cm; mais vu leur croissance rapide il faut s'attendre à voir disparaitre les cohabitants ayant la taille d'une proie; l'aquarium doit être densément planté avec une partie de la surface de l'eau couverte de plantes flottantes; eau: pH 6,5–8; dureté jusqu'à 25° dGH; bonne filtration.

R.: Problématique, mais réalisable, en aquarium en raison de la taille des exemplaires adultes, certains semblent atteindre la maturité déjà à l'âge de 6 mois; construit un nid de bulles en forme de boule en y incorporant des fragments de végétaux; les grands œufs (2,7 à 2,9 mm de diamètre) flottent et seront introduits dans le nid, puis surveillés; les larves quittent le nid au bout d'env. deux semaines et demi.

N.: O; mange tout, depuis les flocons d'avoine jusqu'aux proies vivantes, y compris des poissons!

P.: Apprécié comme poisson comestible dans son pays d'origine; est parfois confondu avec le Gourami chocolat auquel il ressemble tant qu'il porte sa livrée juvénile.

T: 20–30° C, **L**: 70 cm?, **LA**: 150 cm, **Z**: m et s, **D**: 4 (T)

Helostoma temminckii

Osphronemus gorami, juv.

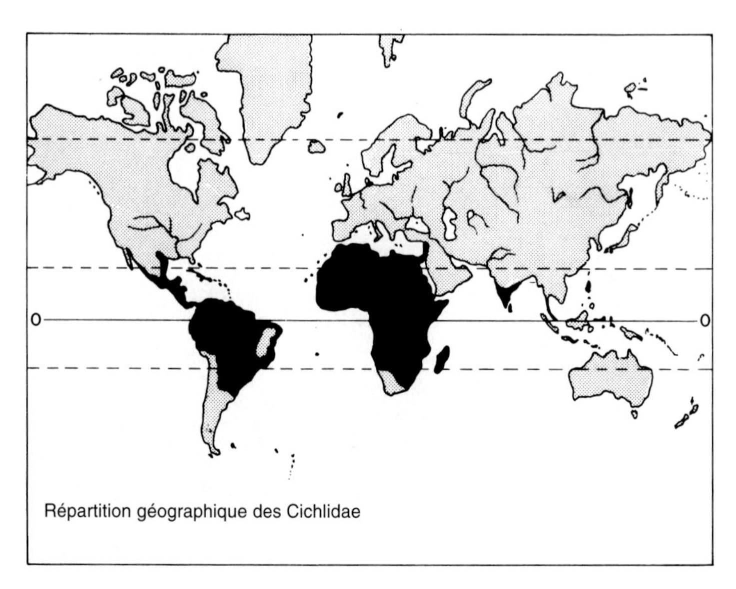

Répartition géographique des Cichlidae

La famille des Cichlidae Cichlidés

Avec environ 160 genres et plus de 900 espèces décrites, les Cichlidés représentent l'une des plus importantes familles de poissons. Près de la moitié des Cichlidés appartiennent au genre *Haplochromis.* Suite aux récents travaux de GREENWOOD (1979, 1980) le genre devra être divisé en plusieurs genres. En plus des trois grands genres *Haplochromis, Cichlasoma* et *Tilapia (Sarotherodon)* il existe un certain nombre de genres qui ne contiennent qu'une seule espèce (genres monotypiques).
L'aire de répartition des Cichlidés s'étend à travers l'Afrique, l'Amérique du sud et centrale et certaines régions de l'Asie. En Afrique on les trouve partout sauf à l'extrême nord-est et au sud. Quelques espèces vivent à Madagascar. En Amérique on les trouve depuis le sud du Texas, en passant par l'Amérique centrale y compris Cuba et Haïti, jusqu'en Argentine. En Terre de feu, au sud du Chili et de l'Argentine il n'y a pas de Cichlidés. En Asie on les trouve seulement au sud de l'Inde et à Skri Lanka (Ceylan). Le nombre d'espèces est très variable sur les trois continents: env. 700 espèces en Afrique, plus de 200 en Amérique, mais en Asie seulement un seul genre (*Etroplus*) avec trois espèces.

«Haplochromis» spec.

La carte de répartition géographique des Cichlidés montre que ces trois grandes régions sont totalement isolées l'une de l'autre. Ce n'est que grâce à la théorie de la dérive des continents du géophysicien Alfred Wegener et de son corollaire, la tectonique des plaques que l'on trouva une solution à ce phénomène.

Il y a 200 millions d'années environ il n'existait que deux immenses continents: un sur l'hémisphère nord et un sur l'hémisphère sud. Celui de l'hémisphère nord comprenait l'actuelle Amérique du nord, l'Europe et l'Asie, celui de l'hémisphère sud l'Afrique, l'Amérique du sud, l'Australie et l'Antarctique, dénommé Continent de Gondwana. Il faut préciser que l'Inde actuelle était une partie de l'Afrique et appartenait donc également au Gondwana. Ce continent se divisait en séparant entre autre l'Inde de l'Afrique. L'Afrique et l'Amérique du sud apparaissaient dans leur forme actuelle du fait qu'elles dérivaient continuellement pendant près de 60 millions d'années. Vu que les ancêtres des Cichlidés colonisaient déjà le Gondwana, on peut interpréter les aires de répartition des Cichlidés, à première vue sans relations, en se basant sur la théorie de la dérive des continents.

La famille des Cichlidés contient des poissons de petite à moyenne taille, qui présentent en majorité la forme typique des Perches. Mais il existe aussi des Cichlidés au corps très allongé ou très haut et aplati latéralement. Parmi les premiers on peut citer comme exemples les représentants des genres *Cichla, Crenicichla, Julidochromis* et *Teleogramma,* pour les seconds: *Symphysodon* et *Pterophyllum.* Les Cichlidés se distinguent des familles apparentées, par ex.: les Nandidae (Poissons-feuilles), les Percidae (vraies Perches), les Centrarchidae (Perches-soleils), par la présence d'une seule narine de chaque côté de la tête et par des os pharyngés plus ou moins unis.

Les Cichlidés n'ont qu'une seule nageoire dorsale composée d'une partie antérieure épineuse et d'une partie postérieure à rayons mous. La ligne latérale est le plus souvent en deux parties. La tête est toujours grande, le front des vieux mâles porte parfois une bosse adipeuse. Dans de nombreux cas la morphologie des Cichlidés permet de faire des déductions (limitées) sur leur mode de vie. Traiter en détail toutes les adaptations écologiques des Cichlidés dépasserait le cadre de cet ouvrage. Elles sont traitées dans la littérature spécialisée (STAECK, 1974, 1978; FRYER & ILES 1972).

Les Cichlidés vivent dans des milieux très différents. Rares sont les familles de poissons qui ont su aussi bien s'adapter aux conditions de l'environnement et aux particularités écologiques que les Cichlidés. Dans les grands lacs africains (Tanganyika, Malawi) les Cichlidés ont tout particulièrement réussi à occuper les niches écologiques les plus bizarres et à s'imposer face à la concurrence. Certains Cichlidés peuvent vivre dans des conditions extrêmes. Ces facteurs défavorables peuvent être des eaux salées, eaux thermales, eaux pauvres en oxygène, eaux de grottes et eaux courantes avec rapides. Il existe des Cichlidés pouvant supporter des salinités élevées et même un séjour en eau de mer, tels par ex. *Etroplus suratensis, Etroplus maculatus, Hemichromis bimaculatus, Hemichromis fasciatus, Chromidotilapia guentheri* et quelques espèces de *Tilapia* (*Sarotherodon*). Des exemples très extrêmes sont: *Sarotherodon alcalicus grahami* et *Sarotherodon alcalicus alcalicus.* Ces poissons vivent dans des lacs dont l'eau à une haute teneur en carbonate de sodium, au pH très alcalin de 10,5! Quant à *Sarotherodon alcalicus grahami,* il vit dans des eaux thermales (par ex. lac Magadi) à une température de 40° C. Des eaux pauvres en oxygène sont également habitées ou au moins fréquentées temporairement par des Cichlidés. *Sarotherodon aureus* affectionne les bords plats et très échauffés du lac Victoria. Des analyses ont révélées que ces poissons peuvent même vivre dans une eau qui ne contient pratiquement plus d'oxygène. Le seul Cichlidé actuellement connu vivant dans des grottes est une sous-espèce de *Cichlasoma urophthalmus,* originaire des eaux caverneuses de la presqu'ile du Yucatan. Les rapides de certains fleuves africains sont également des biotopes défavorables où seules des espèces extrêmement adaptées peuvent survivre. Les habitants des rapides sont des représentants des genres *Steatocranus, Teleogramma* et quelques *Lamprologus* (*L. congoensis, L. werneri*).

L'alimentation des Cichlidés est très variée. En général on peut dire que tous les Cichlidés sont plus ou moins des carnivores qui se nourrissent dans la nature surtout d'insectes, de vers et de poissons, exception faite pour quelques espèces des genres *Tilapia* et *Geophagus* qui sont presque exclusivement herbivores. Quelques espèces mangent seulement des poissons, par ex. *Cichla ocellaris, Boulengerochromis microlepis* ou certains *Crenicichla.*

La plupart des Cichlidés atteignent une longueur de 5 à 30 cm. Le plus grand Cichlidé connu est *Boulengerochromis microlepis* d'une longueur de 80 cm et d'un poids de 3 kg. Autres grands Cichlidés: *Cichlasoma managuense* (jusqu'à 70 cm), *Cichla ocellaris* (jusqu'à 60 cm), *Cichlasoma dovii* (jusqu'à 50 cm) et *Sarotherodon esculentum* jusqu'à 50 cm. Ces quatre espèces sont très appréciées comme poissons comestibles et constituent une importante source de protéines pour la population indigène. Dans de nombreux pays, également en Asie, *Sarotherodon esculentum* est élevé dans des piscicultures comme poisson comestible.

Les Cichlidés présentent un grand nombre de comportements intéressants. Pour cette raison de nombreuses espèces occupent

une place importante dans la recherche scientifique, particulièrement en éthologie. La littérature spécialisée fournit des détails sur les processus appris et le comportement inné, communication et rituel, comportement territorial, combats intraspécifiques et ordre hiérarchique, parade nuptiale et formation du couple. Les comportements lors des pontes, voir les soins de la ponte, sont décrits ci-dessous.
Presque tous les Cichlidés déposent leurs œufs sur un substrat quelconque (roches, feuilles, bois, sable). Peu d'espèces pondent en eau libre, le genre *Tropheus* en fait partie. Actuellement on désigne les Cichlidés, selon leur mode de soigner la ponte, comme pondeurs sur substrat découvert et pondeurs sur substrat caché, les incubateurs buccaux et les pondeurs dans grottes étant des cas particuliers de pontes sur substrat caché (WICKLER, 1966: Zool. Ib. Syst. **93**, 127–138). Au sein des incubateurs buccaux on peut encore distinguer les incubateurs buccaux ovophiles (par ex. *Haplochromis, Pseudotropheus*) et les incubateurs buccaux larvophiles, tels que quelques *Geophagus* et *Gymnogeophagus*. Chez les i. b. ovophiles les œufs sont pris dans la bouche immédiatement après la ponte, tandis que chez les i. b. larvophiles les œufs sont d'abord déposés sur une pierre, à la manière des pondeurs sur substrat découvert, et ce sont les larves qui viennent d'éclore ou dont l'éclosion est imminente qui sont prises en bouche. Il apparait donc les formes de soins à la ponte suivantes:

I Pondeurs sur substrat découvert
II Pondeurs sur substrat caché
  1. Pondeurs dans abri (caverne)
  2. Incubateurs buccaux
     a. Incubateurs buccaux ovophiles
     b. Incubateurs buccaux larvophiles.

Les pondeurs sur substrat découvert et les pondeurs sur substrat caché diffèrent comme suit:
Pondeurs sur substrat découvert: œufs souvent petits et peu colorés, ovales, se fixant du côté longitudinal, leur nombre est toujours élevé, jusqu'à 10000 unités. Dimorphisme sexuel très variable d'une espèce à l'autre. Quelques pondeurs sur substrat découvert présentent un dimorphisme sexuel à peine apparent (par ex. *Symphysodon, Pterophyllum* ou *Cichlasoma managuense*).

Pondeurs sur substrat caché: Les œufs des pondeurs dans abri sont le plus souvent de taille moyenne et riches en vitellus, souvent colorés, se fixant à un des pôles ou longitudinalement, peu nombreux: souvent au max. 200 unités. Dimorphisme ou dichroïsme sexuel bien apparents chez mâles et femelles. ♂ plus coloré et plus grand. Les œufs des incubateurs buccaux **ovophiles** sont grands et souvent très colorés. Petit à très petit nombre, à peine plus de 15 chez *Tropheus,* sinon le plus souvent moins de 100. Filaments de fixation réduits ou inexistants. En général important dimorphisme sexuel. Les ♂♂ sont très colorés, les ♀♀ plus modestement.
La classification qui consiste à répartir les Cichlidés selon leur mode de conservation des œufs semble à première vue logique et claire. Mais elle ne permet pas d'expliquer toutes les possibilités individuelles qui apparaissent chez les différents genres et espèces. Ces possibilités individuelles nécessitent que l'on tient compte de la répartition du rôle qui incombe au mâle et à la femelle lors des affectifs soins à la ponte. Selon PETERS, 1948, il en résulte cinq formes de familles:

1. **La famille parentale:**
large répartition des rôles entre mâle et femelle, la défense du territoire incombant principalement au mâle. Dès la nage libre des alevins le groupe est conduit à part égale par les parents. De nombreux Cichlidés pondeurs sur substrat découvert, classés comme monogames, semblent être «occasionnellement» polygames. On a observé chez *Cichlasoma maculicauda* que le couple reste seulement uni en présence des descendants. Ensuite, en l'espace de très peu de temps (1 à 2 jours), le mâle peut s'accoupler avec une autre femelle. Le dimorphisme sexuel est à peine apparent.

2. **La famille père-mère:**
elle se distingue de la précédente seulement par les soins prodigués aux œufs et aux larves. La mère s'occupe exclusivement de ces soins, tandis que le père assure la défense du territoire. Lorsque les alevins nagent librement, les deux parents conduisent le groupe. Les partenaires sont également monogames, mais pas forcément indéfiniment. Un dimorphisme sexuel et chromatique apparait.

Exemples: espèces du genre *Pelvicachromis, Cichlasoma nigrofasciatum.*

3. La famille mâle-mère:
le mâle revendique un grand territoire qui comprend les petits territoires individuels d'incubation occupés par les femelles. Le mâle se charge de la défense de tous ces territoires, mais ne participe pas aux soins à la ponte. Le mâle est polygame. Le dimorphisme sexuel est prononcé: les ♂♂ sont plus grands et présentent souvent une autre coloration.

Exemples: espèces du genre *Apistogramma* et *Nannacara.*

Apistogramma agassizii

Cichla ocellaris

4. La famille maternelle:

la femelle seule soigne la ponte, mais cela se passe en dehors du territoire du mâle. Il n'y a plus aucune relation entre les partenaires sexuels, mâle et femelle sont agames. Ils frayent avec plusieurs partenaires. Dimorphisme sexuel et dichroïsme sont très développés. La cellule familiale du type maternel apparait exclusivement chez les incubateurs buccaux.
Exemples: espèces des genres *Haplochromis* et *Pseudotropheus*.

5. La famille paternelle:

une vraie famille paternelle apparait seulement chez l'incubateur buccal *Sarotherodon melanotheron*. C'est le mâle qui porte les œufs et les larves dans sa bouche. Mais on a observé que chez 10% des pontes la femelle prend également le frai dans sa bouche. Si deux partenaires se sont réunis, ils resteront monogames au moins durant une période de frai. Morphologiquement mâle et femelle diffèrent peu (pas de dimorphisme sexuel ou dichroïsme). Chez les *Crenicichla* il arrive que les mâles soignent également la ponte. De nombreux auteurs, également STAECK (1974), considèrent la famille père mère comme valable pour les espèces du genre *Crenicichla*.

La méthode des ocelles:

Les Cichlidés présentent parfois des patrons de coloration très particuliers qui assument une fonction de signalisation déterminée et qui déclenchent chez les représentants de la même espèce des réactions innées («instinctives») déterminées. De tels déclencheurs au service de la communication, ou mieux au service de la reproduction, sont représentés chez de nombreux Cichlidés par une ou plusieurs taches, le plus souvent jaunâtres, situées sur la nageoire anale, dénommées ocelles. Elles ont la taille, la forme et la couleur proches de celle des œufs de l'espèce concernée. Ces ocelles assurent la fécondation des œufs. Chez les incubateurs buccaux de nombreuses femelles prennent les œufs dans la bouche immédiatement après l'émission. Leur fécondation s'avère donc difficile. C'est là qu'interviennent les ocelles situées sur l'anale des mâles et qui ressemblent aux œufs. Le mâle déploie sa nageoire anale devant la femelle et les ocelles sont bien visibles. La femelle croit ramasser des œufs et c'est à ce moment que le mâle libère son sperme. Ce dernier pénètre dans la bouche de la femelle et féconde les œufs. La présentation de l'anale garnie d'ocelles joue un rôle important lors de la parade nuptiale des incubateurs buccaux.

Acarichthys geayi, page 666

Laetacara curviceps (AHL, 1924)
Acara pointillé

Syn.: *Acara curviceps, Aequidens curviceps.*

Or.: Amérique du sud, région fluviale de l'Amazone; dans des zones calmes et abritées à courant faible. Le commerce propose des spécimens d'élevage, quelques souches sauvages ont été importées au cours des dernières années.

P.i.: 1909 par la firme Siggelkow, Hambourg.

D.s.: Mâle plus grand, sa dorsale et l'anale sont étirées.

C.s.: Par couples; paisible en dehors de la période du frai, belliqueux durant cette période; famille parentale; ne détériore pas les plantes; peut être maintenu dans l'aquarium communautaire sauf en période de reproduction.

M.: Décor: roches, racines et plantes; caches et espace libre pour nager sont indispensables; sol composé de gravier à fine granulométrie; eau: pH 7, dureté jusqu'à 20° dGH.

R.: 25–30° C; eau douce à moyennement dure (2–14° dGH, optimum 2–6° dGH) et légèrement acide (pH 6,0–6,8); renouveler régulièrement une partie de l'eau car dans une eau vieille ce poisson est très réceptif aux maladies (par ex. exophthalmie = yeux exorbités entrainant la cécité); pondeur sur substrat ouvert, 300 œufs par ponte déposée sur des galets plats ou des racines; dès la nage libre, nourrir les alevins avec des Nauplius d'*Artemia.*

N.: C, O; toutes sortes de nourritures vivantes, aliments lyophilisés, en comprimés ou en flocons.

P.: Les premières pontes sont souvent dévorées au bout de 1–2 jours, les suivantes sont par contre soignées et élevées avec grande application. Parfois deux femelles se comportent en vrai couple, l'une d'elles joue alors le rôle du mâle, mais les œufs ne seront évidemment pas fécondés.

T: 22–26° C, L: 8 cm, LA: 60 cm, Z: m et i, D: 2

Laetacara dorsigera (HECKEL, 1840)

Syn.: *Acara dorsigera, Aequidens dorsigera.*

Or.: Amérique du sud: Bolivie (Rio Paraguay, Villa Maria et Puerto Suarez).

P.i.: Inconnue.

D.s.: Mâle plus grand, son dos est plus élevé, ses nageoires plus développés; les deux sexes peuvent présenter une tache noire sur la dorsale.

C.s.: Petit *Laetacara* de la parenté Curviceps à caractère de Cichlidé nain; ne détériore pas les plantes; l'espèce est paisible et discrète.

M.: Décor composé de roches, racines et plantes; caches et espace libre pour nager indispensables; gravier de fine granulométrie (mélange gravier sable) comme sol; eau; pH env. 7; dureté jusqu'à 20° dGH.

R.: 25–30° C; eau douce à moyennement dure; cette espèce dépose ses petits œufs sur des substrats horizontaux; les alevins sont délicats et surtout sensibles aux fréquents changements d'eau; les parents transfèrent de nombreuses fois les larves encore incapables de nager.

N.: C, O; petites proies vivantes, toutes sortes d'aliments en flocons.

P.: La distribution des rôles lors des soins de la ponte n'est pas définitivement élucidée. Selon certaines communications c'est la femelle qui domine auprès du frai ou qui a les mêmes droits que le mâle, alors que selon d'autres observations c'est le mâle qui est le plus actif lors des soins de la ponte et que la femelle est chargée d'assurer la sécurité dans les alentours. Dans tous les cas, cette cas, cette espèce peut enthousiasmer l'amateur par son changement de couleur en rouge noir total.

T: 23–26° C, L: 6–8 (10 cm), LA: 60 cm, Z: i et m, D: 3–4

Laetacara curviceps, ♀ avec œufs

Laetacara dorsigera, ♀ avec œufs

Aequidens pallidus HECKEL, 1840
Acara à deux taches

Syn.: *Aequidens duopunctatus.*

Or.: Amérique du sud; Amazone dans la région de Manaus.

D.s.: Difficile à reconnaitre, seul indice certain, la forme de la papille génitale: elle est pointue chez le mâle et obtuse chez la femelle.

C.s.: Territorial; par couples (famille parentale); incubateur buccal avec grandes similitudes du modèle de comportement propre aux pondeurs sur substrat ouvert; très paisible en dehors de la période de reproduction; *A. duopunctatus* peut cohabiter avec des espèces calmes du genre *Cichlasoma.*

M.: Comme indiqué chez d'autres espèces appartenant au genre *Cichlasoma* et chez *Cichlasoma meeki;* eau jusqu'à 10° dGH et voisin de la neutralité (pH 7).

R.: Env. 25° C; paramètres de l'eau comme ci dessus; les œufs (jusqu'à 300) sont déposés sur une pierre qui fut auparavant nettoyée; deux jours après la ponte les œufs sont pris en bouche, les parents se les transmettent plusieurs fois de sorte que c'est alternativement le mâle ou la femelle qui porte les larves en bouche; au bout d'environ huit jours les alevins nagent librement; en cas de danger ils sont repris en bouche mais déjà avec quelques réticences de la part des parents, ces derniers sont des soigneurs relativement bons.

N.: C, O; toutes sortes de nourritures vivantes, aliments lyophilisés, aliments en flocons.

P.: Quelques ichthyologistes considèrent *Aequidens duopunctatus* comme synonyme de *Aequidens tetramerus* (HECKEL, 1840), mais *A. duopunctatus* est plus vraisemblablement synonyme de *A. diadema.*

T: 22–24° C, **L**: ♂ 30 cm, ♀ 20 cm, **LA**: 150 cm, **Z**: i et m, **D**: 3

Laetacara thayeri (STEINDACHNER, 1875)
Acara à lèvres jaunes

Syn.: *Acata thayeri, Aequidens thayeri.*

Or.: Amérique du sud: Pérou, région fluviale de l'Amazone supérieur.

P.i.: 1981 par Sven Kullander, Stockholm.

D.s.: Difficile à reconnaitre vu que les deux sexes présentent pratiquement la même coloration; chez le mâle la partie molle de la nageoire dorsale est étirée en une courte pointe alors qu'elle est plus arrondie chez la femelle.

C.s.: Territorial; les qualificatifs désignant la sociabilité de ce poisson sont contradictoires: de relativement paisible à très belliqueux; par couple (famille parentale); bons soigneurs de la ponte.

M.: Comme indiqué chez *Laetacara curviceps.*

R.: Env. 25° C; voir chez *Aequidens tetramerus*; pondeur sur substrat ouvert.

N.: C; nourriture vivante consistante; aliments lyophilisés ou congelés; viande de bœuf.

P.: Tous les spécimens introduits jusqu'en 1980 sous le nom de *Laetacara flavilabris* sont vraisemblablement *L. thayeri.*

T: 22–26° C, **L**: 15 cm, **LA**: 80 cm, **Z**: m et i, **D**: 2

Aequidens pallidus

Laetacara thayeri

Acarichthys geayi (PELLEGRIN, 1902)
Acara à selle

Syn.: *Acara geayi, Aequidens geayi.*

Or.: Amérique du sud, Guyana, nord du Brésil; souches sauvages rarement importées.

P.i.: ?

D.s.: Mâle plus grand, son front est plus raide; la femelle présente souvent une coloration plus contrastée, c. à d. que les zones noires ressortent davantage du fond clair; la forme de la papille génitale est un caractère d'identification sûr; elle est pointue et dirigée vers l'arrière chez le mâle, obtuse et légèrement dirigée vers l'avant chez la femelle.

C.s.: Territorial; par couples; relativement paisible, belliqueux seulement durant la période de reproduction, époque à laquelle l'espèce déploie une intense activité pour creuser le sol; famille père mère.

M.: Plantation périphérique; pots à fleurs et cavernes rocheuses constituent des caches, les roches doivent reposer sur le fond de l'aquarium, le sol étant composé de sable fin.

R.: 25–27° C; paramètres de l'eau pas importants; pondeur en cavernes, les œufs sont déposés contre une paroi verticale; jusqu'à 600 œufs; après la ponte la femelle surveille la caverne dont l'entrée est désormais interdite au mâle, ce dernier devant assurer maintenant la surveillance du territoire; lorsque les alevins quittent la caverne ils seront soignés et conduits intensivement durant env. 30 jours par le mâle et la femelle.

N.: C, O; toutes sortes de nourritures vivantes (Daphnies, *Cyclops*, Larves de Moustiques, *Tubifex*, etc.); aliments en flocons.

P.: La structure familiale de Aequidens geayi ressemble à celle des espèces du genre Pelvicachromis (famille père mère); elle diffère fondamentalement de la famille parentale des *Aequidens* pondeurs sur substrat ouvert et des *Aequidens* incubateurs buccaux. Cette structure familiale, la divergence des signes corporels et la structure corporelle très différente indiquent que *A. geayi* fait vraisemblablement partie d'un autre genre.

T: 22–25° C, L: mâle 15 cm, femelle 13 cm, LA: 80 cm, Z: i, D: 2

Krobia guianensis (REGAN, 1905)
Acara dauphin

Syn.: *Aequidens guianensis, Acara guianensis.*

Or.: Amérique du sud: Guyane française, affluents du Rio Itanyi; le commerce propose rarement des spécimens d'élevage.

P.i.: 1963.

D.s.: Mâle plus grand et plus coloré que la femelle, sa dorsale et l'anale sont plus longues; les ventrales du mâle se prolongent jusqu'à la partie molle de l'anale, chez la femelle les ventrales n'atteignent que la base de l'anale; par ailleurs grande ressemblance entre les deux sexes.

C.s.: Territorial; souvent assez agressif, surtout en période de reproduction; creuse le sol, pas trop, et n'abime généralement pas les plantes; famille parentale.

M.: Sol composé de gravier; roches et racines formant des caches; plantes robustes; espace libre pour nager.

R.: 25–26° C; eau douce à moyennement dure (5–14° dGH) et légèrement acide (pH 6–7); eau pure riche en oxygène, donc un fréquent renouvellement est important (un tiers par semaine); pondeur sur substrat ouvert, dépose jusqu'à 600 œufs sur des pierres préalablement nettoyées; les deux parents soignent.

N.: C, O; nourritures vivantes (*Tubifex*, Vers de terre, Larves de Moustiques, etc.); aliments lyophilisés.

P.: La nageoire caudale de cette espèce est coupée en légère asymétrie; la partie supérieure est plus longue et termine en pointe, tandis que la partie inférieure est arrondie.

T: 23–25° C, L: 15 cm, LA: 80 cm, Z: m et i, D: 3

Acarichthys geayi

Krobia guianensis

Aequidens mariae EIGENMANN, 1922

Syn.: *Geophagus vittatus.*

Or.: Amérique du sud: Colombie, ouest et nord du Brésil.

P.i.: 1973.

D.s.: Mâle d'un tiers plus grand que la femelle; un court tube de ponte apparait chez la femelle durant la période de reproduction; les nageoires du mâle sont plus étirées.

C.s.: Territorial; par couples (famille parentale); incubateur buccal larvophile; étant Cichlidé, peut être considéré comme très paisible.

M.: Comme indiqué chez *Cleithracara maronii* ou *Acarichthys geayi.*

R.: 25–28° C; eau douce à moyennement dure (5–12° dGH) et légèrement acide (pH 6,5); pond sur un substrat (feuille par ex.) à la manière des pondeurs sur substrat ouvert; les 100 à 400 œufs sont pris en bouche au bout de deux jours par un ou les deux parents; après la nage libre les alevins ne sont repris en bouche qu'en cas de danger et durant la nuit; les soins sont appliqués durant quatre à six semaines.

N.: C, O; toutes sortes de nourritures vivantes (Insectes, Larves d'Insectes, Vers de terre, petits Crustacés, *Tubifex*, etc.); aliments congelés et aliments lyophilisés.

P.: *Aequidens mariae* peut être identifié avec certitude par la bande longitudinale noire: elle débute directement sous les derniers rayons de la caudale et longe le flanc jusqu'au bord supérieur de l'opercule d'où elle bifurque vers le haut jusqu'à la nuque et rejoint la bande qui se trouve sur l'autre côté.

T: 24–26° C, L: 15 cm, LA: 120 cm, Z: m et i, D: 2

Cleithracara maronii (STEINDACHNER, 1881)

Maroni

Syn.: *Acara maronii, Aequidens maronii.*

Or.: Amérique du sud, Guyana; actuellement le commerce propose presque exclusivement des spécimens d'élevage; tendance au nanisme par dégénération dûe aux élevages.

P.i.: 1936.

D.s.: Difficile à reconnaitre; dorsale et anale du mâle en général plus étirées que chez la femelle, cette dernière est souvent plus petite; la papille génitale de la femelle est le seul caractère d'identification sûre.

C.s.: Par couples; un des plus paisibles Cichlidés; creuse peu et endommage très rarement les plantes; famille parentale; l'espèce soigne la ponte durant fort longtemps, les jeunes accompagnent les parents souvent durant plus de six mois.

M.: Sol: gravier et sable; caches: roches et racines; espace libre pour nager; plantes robustes; eau: pH 6–8, dureté jusqu'à 20° dGH.

R.: 23–26° C; eau douce à moyennement dure (4–12° dGH) et légèrement acide (pH env. 6,5); pondeur sur substrat ouvert; dépose les œufs (jusqu'à 350) sur des pierres préalablement nettoyées; la ponte est surveillée et approvisionnée en eau fraiche par agitation des nageoires.

N.: C, O; toutes sortes de nourritures vivantes; aliments lyophilisés, en flocons ou en comprimés.

P.: Présente une remarquable coloration de frayeur: en cas de forte incommodation le corps prend une teinte irrégulière brun foncé; l'espèce est assez craintive.

T: 22–25° C, L: 10–15 cm, LA: 60 cm, Z: m et i, D: 1–2

Aequidens mariae

Cleithracara maronii

Cichlasoma portalegrense (HENSEL, 1870)

Acara minute, Acara noir

Syn.: *Acara minuta, Acara portalegrensis, Aequidens portalegrensis.*

Or.: Amérique du sud; sud du Brésil, Bolivie, Paraguay; vit dans les zones peu profondes des fleuves, rivières et lacs; actuellement le commerce propose pratiquement que des sujets d'élevages, plus rarement des souches sauvages.

P.i.: 1913 par C. Siggelkow, Hambourg.

D.s.: Peu de différences, seul la papille génitale permet, en période de reproduction. d'identifier les sexes avec certitude; la couleur fondamentale du mâle est parfois plus verdâtre, celle de la femelle plus brun à rougeâtre.

C.s.: Territorial; par couples; Cichlidés très paisible, mais qui creuse beaucoup; les congénères du même sexe sont très insociables; famille parentale, les deux sexes soignent la ponte.

M.: Roches et racines formant des caches; un espace libre pour nager est important; plantes robustes, de préférence plantes flottantes; gros gravier comme sol.

R.: 23–26° C; eau douce à moyennement dure (3–10° dGH) et neutre à légèrement acide (pH 6,5–7); renouveler chaque semaine 1/3 de l'eau, c'est important; pondeur sur substrat ouvert; les œufs, jusqu'à 500, sont déposés sur des pierres préalablement nettoyées; œufs et alevins sont surveillés et soignés avec grand dévouement.

N.: C; toutes sortes de nourritures vivantes; aliments lyophilisés, également aliments en flocons ou en comprimés.

P.: Est plus difficile dans le choix de la nourriture que les autres *Cichlasoma*; les juvéniles sont assez belliqueux; en période du frai les deux sexes présentent une robe presque noire; on assiste souvent aux tiraillements par la bouche durant lesquels les vaincus affichent pour leur protection une attitude d'infériorité bien prononcée.

T: 16–24° C, L: 15 cm, LA: 100 cm, Z: i, D: 2

Aequidens pulcher (GILL, 1858)

Acara bleu

Syn.: *Aquidens latifrons, Cychlasoma pulchrum.*

Or.: Amérique du sud: Trinidad, Panama, nord du Venezuela, Colombie; le commerce propose presque exclusivement des sujets d'élevage; des exemplaires sauvages de toute beauté ont été importé ces dernières années.

P.i.: 1906 par Hans Stüve, Hambourg.

D.s.: Difficile d'identifier les sexes; les nageoires du mâle sont plus longues, les rayons prolongés de la dorsale et de l'anale peuvent entourer la caudale.

C.s.: Territorial; par couples; relativement paisible, même entre congénères; creuse peu et ne détruit pas les plantes; famille parentale; excellent soigneur de la ponte.

M.: Gros sable ou gravier; caches sous forme de racines et roches; plantes robustes (*Vallisneria* géantes, *Sagittaria*); eau: pH 6,5–8,0; dureté jusqu'à 25° dGH.

R.: 26–28° C; paramètres de l'eau comme pour *Cichlasoma portalegrense*; pondeur sur substrat ouvert, les œufs sont déposés sur des galets; œufs et alevins sont très attentivement surveillés et soignés; l'élevage de cette espèce est facile; un couple en parfaite harmonie pond plusieurs fois dans l'année; l'espèce est mature à partir d'une taille de 7 cm.

N.: C; toutes sortes de nourritures vivantes; aliments lyophilisés, les aliments en flocons sont rarement acceptés.

P.: Les excréments de ces poissons troublent fortement l'eau, un fréquent changement d'eau (1 à 2 fois par semaine 1/3 du volume) est conseillé; dans une eau vieille l'Acara bleu est très sensible aux maladies.

T: 18–23° C, L: jusqu'à 20 cm, LA: 80 cm, Z: i et m, D: 1

Cichlasoma portalegrense

Aequidens pulcher

Aequidens rivulatus (GÜNTHER, 1859)
Acara à bandes blanches

Syn.: *Chromis rivulatus, Acara aequinoctialis, Acara rivulata.*

Or.: Amérique du sud: ouest de l'Equateur, centre du Pérou.

P.i.: 1971, déjà antérieurement mais sous le nom de «*Aequidens pulcher.*»

D.s.: La femelle tend vers une coloration sombre (coloration contrastée); le mâle est souvent plus grand, âgé il présente une bosse sur la tête.

C.s.: Territorial; par couples (famille parentale); soigne la ponte, moins intensivement lors de premières pontes, par contre très intensivement lors des suivantes; poisson rustre et asocial à faire cohabiter qu'avec des espèces capables de lui riposter; cette asociabilité ne s'observe cependant pas chez tous les exemplaires.

M.: Comme indiqué chez *Aequidens maronii* ou *A. pulcher*; mettre de nombreuses caches à sa disposition!

R.: 25–26° C; comme pour *Aequidens maronii* ou *A. tetramerus*; les jeunes éclosent au bout de trois à quatre jours et c'est généralement au onzième jour après la ponte qu'ils nagent librement; nourrir avec des *Artemia*; un fréquent changement d'eau est indispensable pour la croissance des alevins; jusqu'à une taille de 2 cm la croissance est relativement lente mais ensuite très rapide.

N.: C; distribuer principalement des nourritures vivantes; accepte également les aliments en flocons, lyophilisés ou congelés; cœur de bœuf.

P.: *Aequidens rivulatus* était déjà maintenu en aquarium durant une certaine époque sous de faux noms (par ex. *A. pulcher*) avant d'être reconnu comme espèce valide.

T: 20–24° C, **L**: 20 cm, **LA**: 100 cm, **Z**: m et i, **D**: 2–3

Aequidens tetramerus (HECKEL, 1840)
Acara vert

Syn.: *Acara dimerus, Acara pallidus, Acara tetramerus, Acara viridis, Chromis punctatus, Chromis uniocellatus, Pomotis bono.*

Or.: Centre et nord-est de l'Amérique du sud; zones calmes et abritées des fleuves et eaux stagnantes; dans le commerce on trouve, rarement, pratiquement que des sujets d'élevage; de nouvelles importations seraient souhaitables.

P.i.: 1910 par C. Siggelkow, Hambourg.

D.s.: En général il est difficile de reconnaitre les sexes; la nageoire dorsale et l'anale très longues chez le mâle, peu allongées chez la femelle; les couleurs du mâle sont plus prononcées.

C.s.: Territorial; par couples; âgé il est très asocial et mordant; n'abime pas les plantes; famille parentale; les juvéniles sont beaucoup plus paisibles que les vieux.

M.: Comme pour *Aequidens curviceps.*

R.: 28–30° C; eau douce à moyennement dure (5–12° dGH) et légèrement acide (pH 6,5); fréquents changements d'eau; pond sur substrat ouvert, les œufs, jusqu'à plus de 1000, sont déposés sur des galets ou des racines; les deux parents soignent les œufs et les alevins avec beaucoup de dévouement.

N.: C; toutes sortes de nourritures vivantes; aliments lyophilisés.

P.: Dans son pays d'origine il est très apprécié comme poisson comestible.

T: 24–26° C, **L**: 15–25 cm, **LA**: 100 cm, **Z**: m et i, **D**: 2–3

Aequidens rivulatus

Aequidens tetramerus

Apistogramma agassizii (STEINDACHNER, 1875)
Agassizi

Syn.: *Biotodoma agassizii, Geophagus agassizii, Mesops agassizii.*

Or.: Amérique du sud, bassin de l'Amazone avec ses affluents du sud, Brésil.

P.i.: 1909 par C. Siggelkow, Hambourg.

D.s.: Mâle plus grand et plus coloré, ses nageoires dorsale, anale et caudale sont très étirées; la queue du mâle est pointue; la nageoire caudale de la femelle est arrondie.

C.s.: Territorial; paisible, ne creuse pas; un mâle se réserve toujours plusieurs femelles; famille mâle-mère (v. page 660); «répartition du travail» lors des soins de la ponte: la femelle assure la protection, tandis que le mâle défend le territoire; dans ce territoire un mâle peut frayer avec plusieurs femelles; chaque femelle défendra après la ponte un petit territoire-femelle, le mâle défend l'ensemble des territoires de ses partenaires; le mâle a libre accès à tous les territoires-femelles.

M.: Végétation dense, caches sous forme de roches et racines; sol sombre de préférence; eau limpide pauvre en nitrates; un fréquent changement d'eau avec adjonction d'un bon produit de traitement est conseillé.

R.: 25–28° C; eau douce à moyennement dure (5–10° dGH) et légèrement acide (pH 6–6,5); fréquent apport d'eau neuve indispensable; pondeur sur substrat caché, les œufs sont déposés sur la voûte d'un abri; le frai, environ 150 œufs, est éventé par la femelle; après éclosion, les jeunes sont logés dans des cuvettes; le mâle conduit le groupe d'alevins lorsqu'ils nagent librement; la femelle communique avec les alevins par des signaux mobiles qu'elle effectue.

N.: C, O; nourriture vivante consistante et variée; aliments en flocons, lyophilisés (FD-Menu) et en comprimés (FD-comprimés).

P.: Sensible aux médicaments, toxines et manque d'oxygène, il faut donc être prudent lors des traitements de maladies et en cas de lutte contre les Hydres; les œufs succombent facilement aux attaques mycologiques; parmi les descendants on dénombre souvent davantage de mâles que de femelles.

T: 22–24° C, L: 8 cm, LA: 60 cm, Z: m et i, D: 3

Apistogramma bitaeniata PELLEGRIN, 1936
Apisto à deux bandes

Syn.: *Apistogramma klausewitzi, A. kleei, A. pertense* var. *bitaeniata.*

Or.: Amazone au Pérou et Brésil.

P.i.: 1961.

D.s.: Mâle plus grand que la femelle, les rayons de sa dorsale sont plus étirés, sa coloration est plus vive et plus variée.

C.s.: Territorial; espèce sociale, ne creuse pas; mâle polygame (forme un harem), donc toujours réunir 1 mâle avec au moins 3 femelles; le mâle possède un territoire principal qui englobe plusieurs sous-territoires; famille mâle-mère.

M.: Prévoir un bac d'une longueur d'au moins 50 cm pour 1 mâle et plusieurs femelles; végétation dense; caches: racines et roches, les aménager de préférence à proximité du sol; un espace libre pour nager est important; sol sombre.

R.: 25–27° C; eau douce à moyennement dure (2–6° dGH, max. 10° dGH) et acide (pH 5–6); ajouter de la tourbe et de l'eau fraiche est avantageux; pondeur en caverne qui fixe ses œufs, 40–60, en général sous la voûte; les femelles surveillent œufs et alevins, le mâle surveille les territoires de ses femelles; la femelle conduit les alevins.

N.: C; toutes sortes de nourritures vivantes (Daphnies, *Tubifex*, Larves de Moustiques); on ignore si les aliments en flocons sont également acceptés.

P.: Quelques points rouges sur le bord arrière des opercules sont typiques pour cette espèce; ces points rouges ne sont pas présentés en intensité égale par tous les mâles.

T: 23–25° C, L: mâle 6 cm, femelle 4 cm, LA: 50 cm, Z: i, D: 3

Apistogramma agassizii

Apistogramma bitaeniata

Apistogramma borellii (REGAN, 1906)
Borelli

Syn.: *Heterogramma borellii, Apistogramma ritense, Apistogramma reitzigi, A. aequipinnis, A. rondoni.*

Or.: Amérique du sud, région du Matto-Grosso et bassin du Rio Paraguay; le commerce fournit à la fois des sujets d'élevage et des souches sauvages.

P.i.: 1936.

D.s.: Dimorphisme sexuel évident; le mâle est plus grand; dorsale et anale sont plus longues chez le mâle, aucune prolongation chez celles de la femelle; les couleurs du mâle sont plus vives.

C.s.: Territorial; Cichlidé paisible, creuse peu; mâle polygame, réunir toujours 1 mâle et plusieurs femelles; le mâle se réserve un territoire principal, les femelles un territoire secondaire; famille mâle-mère.

M.: Comme indiqué chez *Apistogramma agassizii.*

R.: 25–28° C; eau douce à moyennement dure (2–15° dGH, optimum 3–5° dGH) et légèrement acide (pH 6–6,5); pondeur sur substrat caché; les œufs, de 50 à 70, sont généralement fixés à la voûte d'une grotte; souvent la ponte est mal soignée, après l'éclosion les larves sont attentivement surveillés par la femelle et conduites lorsqu'elles nagent librement.

N.: C; nourritures vivantes de toutes sortes; n'acceptent presque jamais les aliments en flocons.

P.: L'espèce est très sensible à la pollution de l'eau et aux médicaments. Selon VIERKE, on découvre parfois dans un harem des femelles qui ne pondent jamais; ce sont des jeunes mâles qui ont pris la coloration propre aux femelles qui soignent, de sorte que le mâle du territoire n'a pas su les identifier, il est donc conseillé d'acheter toujours plusieurs femelles afin de ne pas découvrir par la suite qu'on ne possède que des «Pseudofemelles».

T: 24–25° C, L: mâle 8 cm, femelle 4–5 cm, LA: 50 cm, Z: i, D: 3–4

Apistogramma cacatuoides HOEDEMAN, 1951
Apisto cacatois

Syn.: *Apistogramma U* [2].

Or.: Amérique du sud, bassin de l'Amazone entre 69° et 71° ouest; ce poisson avait été identifié par erreur en 1961 par H. Meinken comme *Apistogramma borellii* (REGAN, 1906) et fut vendu presque régulièrement sous ce nom.

P.i.: 1950.

D.s.: Mâle nettement plus grand que la femelle, ses nageoires sont étirées, celles de la femelle ne le sont pas; la caudale du mâle a deux extrémités pointues; pendant qu'elle soigne la ponte la femelle prend une coloration jaune.

C.s.: Territorial; mâle très polygame: 1 mâle pour 5–6 femelles; le mâle se réserve un territoire principal qui englobe les territoires d'incubation des femelles.

M.: Sol sombre en sable fin; placer une cavité au centre du territoire d'une femelle, pour ce territoire il faut prévoir un diamètre de 25 cm.

R.: 25–26° C; eau moyennement dure (jusqu'à 10° dGH) et neutre (pH env. 7); pondeur sur substrat caché, les œufs, jusqu'à 80, sont fixés à la voûte de la cavité; la femelle surveille et soigne œufs et alevins, le mâle ne participe pas mais défend l'ensemble du territoire; souvent les jeunes se font adopter par une autre femelle.

N.: C; proies vivantes (Puces d'eau, *Cyclops,* Larves de Moustiques, *Tubifex*).

P.: Sensible à la pollution de l'eau et aux médicaments; il est préférable de ne pas employer de fongicide pour protéger les œufs; il existe plusieurs variétés de couleurs de cette espèce.

T: 24–25° C, L: mâle 9 cm, femelle 5 cm, LA: 80 cm, Z: i, D: 3

Apistogramma borellii

Apistogramma cacatuoides

Apistogramma macmasteri KULLANDER, 1979
Macmaster

Syn.: Aucun.

Or.: Amérique du sud: bassin de l'Orinoco, Rio Meta dans les environs de la ville de Villavicencio.

P.i.: Probablement au début des années 70 sous le nom de *Apistogramma ornatipinnis.*

D.s.: Le mâle est plus grand, sa nageoire dorsale est plus longue, sa caudale à bord supérieur et inférieur bordés de rouge est typique pour l'espèce; chez la plupart des mâles la nageoire caudale est arrondie ou raccourcie; certains exemplaires développent cependant une caudale à deux extrémités pointues; la caudale de la femelle est ronde.

C.s.: Cichlidé nain paisible, territorial, creuse peu; tendance polygame; dans des petits bacs *A. macmasteri* peut également être maintenu par couples, mais dans ce cas la présence d'espèces «ennemies» par exemple des Characidés occupant la zone supérieure, est indispensable afin qu'après la ponte le mâle puisse se charger de la défense du territoire extérieur; famille mâle-mère.

M.: Végétation dense, caches sous forme de cavernes rocheuses, fragments de pots à fleurs ou de racines; sol d'un sédiment à granulométrie moyenne; eau douce (2–4° dGH) et légèrement acide 6pH 6,0–6,5); les descendants nés en captivité se sentent, par contre, également à l'aise dans une eau moyennement dure et légèrement alcaline.

R.: 23–30° C; eau douce et légèrement acide; pondeur sur substrat caché qui fixe en général ses œufs sous la voûte d'une cavité (env. 60–120 œufs); œufs et larves sont surveillés que par la femelle durant ce temps le mâle surveille le territoire extérieur; environ 1 semaine après la nage libre des alevins le mâle participe parfois aux soins directs et au bout d'env. 2 semaines il peut même se charger de tout le groupe tandis que la femelle pond une nouvelle fois et soigne.

N.: C; nourriture vivante consistante et variée; difficile à habituer aux aliments en flocons.

P.: Dans la littérature aquariophile cette espèce a été parfois présentée comme *Apistogramma ornatipinnis*; ce nom est cependant un synonyme de *Apistogramma steindachneri*; *A. taeniatum* et *A. pleurotaenia* sont d'autres noms fréquemment employés.

T: 23–30° C, L: jusqu'à 8 cm, LA: 50 cm, Z: i, D: 3

Apistogramma steindachneri (REGAN, 1908)

Syn.: *Heterogramma steindachneri, Apistogramma wickleri, A. ornatipinnis.*

Or.: Guyanes; le commerce propose rarement des spécimens d'élevage.

P.i.: Inconnue.

D.s.: Mâle plus grand, sa nageoire caudale a deux extrémités pointues, en haut c'est le deuxième, en bas c'est le troisième rayon qui est prolongé; la caudale de la femelle est arrondie.

C.s.: Territorial; paisible envers les autres espèces mais agressif en période de reproduction; l'espèce ne creuse pas le sol; réunir 1 mâle avec plusieurs femelles (forme un harem); famille mâle-mère; soigne intensivement la ponte.

M.: Sol sombre, végétation dense; caches: roches et racines aménagées à proximité du sol; espace libre pour nager.

R.: 24–27° C; eau douce (3–5° dGH, max. 10° dGH) et légèrement acide (pH 6,2–6,8); tourbe recommandée; fréquentes adjonctions d'eau neuve; pond dans des cavités; la femelle accapare un territoire d'incubation le mâle surveille tous les territoires.

N.: C; presque exclusivement de la nourriture vivante, accepte rarement les aliments en flocons.

P.: Même dans un bac de grande dimension c'est un seul mâle qui revendique toute la surface comme son territoire au sein duquel il fraye avec plusieurs femelles; les alevins restent longtemps dans la caverne.

T: 23–25° C, L: mâle 10 cm, femelle 7 cm, LA: 50 cm, Z: i, D: 3

Apistogramma macmasteri

Apistogramma steindachneri

Apistogramma trifasciata (EIGENMANN et KENNEDY, 1903)
Apisto à trois bandes

Syn.: *Biotodoma trifasciatum, Heterogramma trifasciatum.*

Or.: Amérique du sud, nord du Rio Paraguay, Rio Guapore; fréquente en particulier les zones de certaines lagunes où la végétation est très dense; dans le commerce on trouve, rarement, que des souches sauvages.

P.i.: 1959.

D.s.: Dimorphisme et dichroïsme sexuels prononcés; du troisième au cinquième les rayons durs de la dorsale sont très longs chez les vieux mâles.

C.s.: Territorial; mâle polygame, toujours réunir 1 mâle et plusieurs femelles; le mâle accapare le territoire principal, la femelle un territoire secondaire; espèce paisible, creuse surtout en période de reproduction; famille mâle-mère.

M.: Ce n'est que dans des bacs assez spacieux que l'intéressante structure sociale et familiale se manifeste pleinement; à partir d'une longueur de 80 cm pour par ex. 1 mâle et 3–4 femelles, la revendication territoriale d'un mâle se situe dans un rayon de 25–30 cm; bien planter le bac; ériger des limites de territoire à l'aide de roches, plantes ou racines; aménager une caverne au centre du territoire de la femelle; sol composé de sable.

R.: 28–30° C; eau douce (2–5° dGH) et légèrement acide (pH env. 6,5); 1 mâle et au moins 3 femelles; pond jusqu'à 100 œufs sur substrat caché; soins intensifs des alevins prodigués durant plusieurs semaines par la mère.

N.: C; exclusivement proies vivantes (Daphnies, *Cyclops,* Larves de Moustiques, etc.).

P.: Très sensible au changement d'eau; une femelle kidnappe avec plaisir les alevins d'une autre; souvent leur instinct est si fort qu'elles «soignent» même des Puces d'eau ou des *Tubifex.*

T: 26–29° C, L: mâle 6 cm, femelle 4,5 cm, LA: 80 cm, Z: i, D: 3

Astatotilapia burtoni (GÜNTHER, 1893)
Burtoni

Syn.: *Chromis burtoni, Haplochromis burtoni.*

Or.: Afrique orientale et Afrique centrale, lac Tanganyika, lac Kivu; actuellement tous les spécimens vendus par le commerce sont nés en captivité.

P.i.: Date incertaine.

D.s.: Le mâle est plus grand et plus vivement coloré que la femelle; il présente des ocelles bien distinctes sur la nageoire anale, elles sont plus prononcées que chez la femelle; la dorsale du mâle a un liséré rouge qui est absent chez la femelle.

C.s.: Territorial; souvent très agressif envers ses congénères mais paisible envers les autres espèces; mâle polygame, toujours réunir 1 mâle et plusieurs femelles, famille maternelle.

M.: Dense végétation périphérique, caches sous forme de roches, espace libre pour nager; sol composé de gravier avec des plages de sable.

R.: 26–28° C; eau moyennement dure (12–16° dGH) et alcaline (pH 8,5–9); 1 mâle pour 3–5 femelles; incubateur buccal, les œufs sont déposés dans une cuvette creusée dans le sable puis pris en bouche par la femelle (jusqu'à 35 œufs); fécondation des œufs selon la «méthode des ocelles»; 4 à 6 jours après leur première sortie de la bouche les alevins peuvent y retourner en cas de danger ou durant la nuit.

N.: C, O; nourritures vivantes, végétaux en complément (Salade, Algues) ceux nés en captivité acceptent aussi les aliments en flocons.

P.: Un régulier changement d'eau est salutaire (1 fois par mois $^1/_3$ du volume total). Des études récentes ont révélées que *Astatotilapia burtoni, Astatotilapia desfontainesii* et *Thoracochromis wingatii* sont des espèces valides.

T: 20–25° C, L: mâle 12 cm, femelle 7 cm, L: 80 cm, Z: m et i, D: 2

Apistogramma trifasciata

Astatotilapia burtoni

Astronotus ocellatus (AGASSIZ, 1829)
Osca

Syn.: *Acara ocellatus, Acara crassipinnis, Cychla rubroocellata, Hygrogonus ocellatus, Lobotes ocellatus.*

Or.: Amérique du sud, Amazone, Parana, Rio Paraguay, Rio Negro; dans le commerce on trouve surtout des exemplaires nés en captivité; des spécimens sauvages de toute beauté ont été importés ces dernières années.

P.i.: 1929 par la firme Scholze et Pötzschke de Berlin.

D.s.: Très difficile à reconnaitre; femelle avec papille génitale en période du frai.

C.s.: À maintenir par couples; paisible malgré sa taille mais souvent rustre en période de reproduction; creuse beaucoup durant la parade nuptiale et en soignant la ponte; famille parentale.

M.: Profonde couche de sable, roches lourdes; plantes de préférence cultivées en pots, leurs pieds étant protégés par du gravier ou plantes flottantes.

R.: 26–30° C; cette espèce peut être maintenue et reproduite tant en eau douce qu'en eau dure, les paramètres ne sont pas importants, pourvu qu'elle soit propre; mature dès la taille de 12 cm; pondeur sur substrat découvert, env. 1000 à 2000 œufs sont déposés sur une roche bien nettoyée au préalable; œufs et alevins sont très bien soignés et gardés; les alevins sont logés dans des cuvettes creusées dans le sable et plusieurs fois changés de place; dès qu'ils nagent librement ils peuvent avaler des *Cyclops*; pour l'élevage prendre des bacs de 500 l.

N.: C; toutes les proies vivantes, de préférence poissons et vers de terre; gros mangeur et prédateur.

P.: Il a été observé que les alevins se fixent sur le corps des parents; à la ponte les œufs sont opaques, ils deviennent transparents au bout de 24 h.

T: 22–25° C, **L:** 33 cm, **LA:** 100 cm, **Z:** i, **D:** 4 (C)

Aulonocara hansbaenschi MEYER, RIEHL & ZETZSCHE, 1987
Cichlidé empereur

Syn.: Aucun.

Or.: Afrique, lac Malawi (endémique), dans la zone intermédiaire entre la zone rocheuse et la zone sablonneuse; rare dans la nature, rarement importé.

P.i.: 1973 par Bibau, Hambourg.

D.s.: La robe de la femelle est très modeste alors que le mâle fait partie des plus beau Cichlidés; à partir d'une taille de 8 cm le mâle présente un large bord blanc ou bleu clair sur la dorsale, la tête et le corps sont bleu encre.

C.s.: Territorial; paisible; combats de rivalités; on ignore s'il creuse beaucoup; famille maternelle.

M.: Aménager un décor de terrasses rocheuses avec de nombreuses failles et grottes.

R.: 26–28° C; eau moyennement dure (10–15° dGH) et légèrement alcaline (pH env. 8), incubateur buccal; pond sur substrat rocheux, la femelle prend immédiatement les œufs en bouche (jusqu'à 60 œufs); fécondation des œufs selon la «méthode des ocelles».

N.: C; Proies vivantes (Insectes, Larves d'Insectes, petits Crustacés); aliments congelés, lyophilisés ou en flocons.

P.: Le genre *Aulonocara* est caractérisé par un certain nombre de petits canaux répartis sur la région céphalique des poissons; il existe encore deux autres espèces du genre *Aulonocara: A. rostrata* TREWAVAS, 1935 et *A. macrochir* TRAWAVAS, 1935.

T: 25–26° C, **L:** 18 cm, **LA:** 100 cm, **Z:** m et i, **D:** 2–3

A. hansbaenschi ♀

Astronotus ocellatus

Aulonocara hansbaenschi ♂

Biotodoma cupido (HECKEL, 1840)
Cupido

Syn.: *Geophagus cupido, Acara subocularis, Mesops cupido.*

Or.: Amérique du sud, Amazone central, ouest de Guyana (anct. Guyane Britannique); l'espèce n'est pratiquement plus commercialisée et disparait peu à peu des aquariums d'amateurs.

P.i.: 1935 par la firme Härtel de Dresde.

D.s.: Pas de signes extérieurs irréfutables connus; chez le mâle la dorsale et l'anale sont plus pointues, chez la femelle elles sont plus arrondies.

C.s.: Territorial; par couples (monogame); c'est un poisson agressif et insociable; grand «terrassier» qui creuse énormément; famille parentale.

M.: Aménager un décor rocheux devant la face arrière du bac, offrant des cavités et des failles; végétation composée de plantes robustes; plage de sable avec quelques galets en avant plan.

R.: 24–27° C; paramètres de l'eau comme indiqués chez *Geophagus surinamensis*; pondeur sur substrat caché et non incubateur buccal comme indiqué dans la littérature plus reculée; les deux parents participent aux soins de la ponte qui peut comporter jusqu'à 400 œufs.

N.: C; toutes sortes de proies vivantes (Puces d'eau, *Tubifex*, Larves de Moustiques, Vers de terre); aliments en flocons.

P.: Il semble qu'il existe trois espèces différentes du genre *Biotodoma*; l'une d'elles a pour nom *B. wavrini* (GOSSE, 1963).

T: 23–25° C, L: 13 cm, LA: 80 cm, Z: m et i, D: 3

Chromidotilapia finleyi TREWAVAS, 1974

Syn.: Aucun.

Or.: Afrique occidentale; sud-ouest du Cameroun, embouchure du Lobe-River près de Rio Muni; région de la forêt pluviale de la Campo Reservation.

P.i.: 1972 (?).

D.s.: Le mâle est généralement plus grand, sa nageoire dorsale a un bord rouge; le ventre de la femelle est rouge, ce qui n'est pas le cas chez le mâle.

C.s.: Voir chez *Chromidotilapia guentheri*; *C. finleyi* est également incubateur buccal; cette espèce présente une forme singulière de famille parentale.

M.: Comme indiqué chez *C. guentheri*; voir les paramètres de l'eau sous R.

R.: 25° C; similaire à celle de *C. guentheri,* mais varie dans le comportement; eau très douce (1–7° dGH) et légèrement acide (pH 4,5–7).

N.: Nourritures vivantes; aliments lyophilisés, congelés ou en flocons.

P.: *Chromidotilapia finleyi* présente une forme singulière d'incubation buccale qui ne s'observe chez aucun autre Cichlidé; les individus matures forment un couple et se réservent un territoire qu'ils défendront énergiquement contre tout intrus; les couples se forment déjà quelques temps avant le frai; ils ne sont spécialisés à aucun substrat de ponte particulier et s'adaptent dans le choix aux conditions rencontrées dans l'aquarium; lorsque tous les œufs ont été pondus, c'est toujours la femelle qui les prend en bouche; contrairement à la majorité des incubateurs buccaux africains, le couple de *C. finleyi* reste uni lorsque débutent les soins de la ponte; le mâle surveille le territoire, la femelle garde les œufs en bouche; au bout d'une journée il y a inversement des rôles: la femelle transmet les œufs au mâle et c'est elle qui défend maintenant le territoire et a l'occasion de s'alimenter; cet échange des rôles est répété plusieurs fois, les œufs et ensuite les larves sont transférés d'un parent à l'autre; soignés et gardés jusqu'à la nage libre par les deux parents.

T: 23–25° C, L: 12 cm, LA: 80 cm, Z: i, D: 2

Biotodoma cupido

Chromidotilapia finleyi

Chromidotilapia guentheri (SAUVAGE, 1882)
Guentheri

Syn.: *Hemichromis guentheri, Hemichromis tersquamatus, Hemichromis voltae, Pelmatochromis guentheri, Pelmatochromis pellegrini.*

Or.: Région occidentale de l'Afrique, de Sierra Leone au Cameroun, récement également au Gabon; dans les fleuves et lagunes proches des côtes; actuellement le commerce propose des spécimens nés en captivité.

P.i.: 1913 par Christian Brüning, Hambourg.

D.s.: Le mâle est toujours plus grand que la femelle; la partie dure de la dorsale de la femelle présente une large bande brillante argent ou nacre, absente chez le mâle; les couleurs du mâle sont plus vives.

C.s.: Territorial; par couples; très agressif envers ses congénères vu qu'un rang hiérarchique est instauré dans l'aquarium; creuse beaucoup; famille parentale resp. famille père-mère; bien que incubateur buccal, forme des couples solides, le mâle n'est pas polygame; les différences entre mâle et femelle sont moins prononcées que chez d'autres incubateurs buccaux; soins intensifs de la ponte effectués par les deux parents.

M.: Sol: sable fin; caches: roches et racines; plantes cultivées en pots couverts; maintenir de préférence *C. guentheri* dans un bac spécifique.

R.: 25–28° C; eau moyennement dure (10° dGH) et voisine du point neutre (pH 7); incubateur buccal, pond sur substrat découvert, les œufs, jusqu'à 150, sont pris en bouche par le mâle; dès la nage libre, les alevins sont soignés par les deux parents et maintenant la femelle prend également les alevins en bouche en cas de danger et durant la nuit.

N.: C, O; nourritures vivantes, accepte aussi des aliments lyophilisés ou congelés; très vorace.

P.: Ce poisson peut modifier très rapidement sa coloration; nombreuses teintes d'humeur; il existe deux sous-espèces; *Ch. guentheri guentheri* SAUVAGE, 1882 et *Ch. guentheri loennbergi* TREWAVAS, 1962.

T: 23–25° C, L: 16–20 cm, LA: 80 cm, Z: i, D: 2–3

Cichlasoma cyanoguttatum page 724

Hypselecara temporalis (GÜNTHER, 1862)
Cichlidé émeraude

Syn.: *Heros temporalis, Acara crassa, Astronotus crassa, Cichlasoma crassa, C. hellabrunni, C. temporale, Heros crassa, H. goeldii.*

Or.: Amérique du sud; Brésil, dans le bassin de l'Amazone supérieur et central, entre Tefe et Obidos, Lago Hyanuary, Lago Saraca, Rio Hyutay.

D.s.: Les vieux mâles sont plus grands, souvent avec une nette bosse adipeuse sur la tête; la plupart des femelles n'ont pas cette bosse; les nageoires prolongées ne sont pas un critère sûr pour différencier les sexes.

C.s.: Territorial; grand Cichlidé discret; très paisible, de conduite majestueuse et élégante; l'aquarium peut être garni de plantes robustes.

M.: Bac grand et haut à décor solide constitué de racines et de roches, sans omettre des structures verticales; eau: jusqu'à 20° dGH, pH env. 7; température 25–28° C.

R.: Pondeur sur substrat découvert qui dépose ses œufs sur un substrat vertical; les larves sont ensuite déposées de préférence dans des cavités déjà existantes (par ex. creux d'une racine); bien que les couples restent unis également en dehors de la période du frai, ils sont généralement très maladroits lors de la reproduction et doivent faire plusieurs «essais» avant d'arriver à élever une ponte avec succès.

N.: *H. temporalis* est d'orientation superficielle et semble spécialisé dans la nourriture volante (Mouches, Teignes, Sauterelles) tombée à l'eau; saute aussi hors de l'eau pour happer les proies; accepte également les aliments de remplacement offerts par l'amateur.

T: 25–28° C, L: 30 cm, LA: 120 cm, Z: i, m et s, D: 2–3

Chromidotilapia guentheri

Hypselecara temporalis

«Cichlasoma» facetum (JENYNS, 1842)
Chanchito

Syn.: *Acara faceta, Chromis facetus, Heros acaroides, Heros facetus, Heros jenynsii.*

Or.: Amérique du sud, sud du Brésil, nord de l'Argentine, Paraguay et Uruguay; dans les eaux stagnantes et eaux à courant lent, pénètre aussi en eau saumâtre; dans le commerce on ne trouve pratiquement plus que des individus nés en captivité; a cependant été à nouveau importé sporadiquement durant ces dernières années.

P.i.: 1894 par P. Nitsche, Berlin; première reproduction réussie en 1894 par la Pisciculture Matte de Lankwitz (près de Berlin).

D.s.: Il est difficile de reconnaitre les sexes, les grandes nageoires du mâle ne sont pas un signe distinctif sûr; pendant la période du frai on peut très bien distinguer la forme des papilles génitales: celle du mâle est pointue et dirigée vers l'arrière, celle de la femelle est dirigée vers le bas et arrondie.

C.s.: Territorial; par couples; insociable envers les autres poissons et très agressif en période du frai; creuse beaucoup; famille parentale avec comportement très prononcé pour les soins de la ponte.

M.: Sol composé de gravier; grands fragments de roches aménagés de manière à former des cavités (grottes, failles); les roches doivent reposer sur le fond du bac et pas sur le gravier; plantes robustes ou plantes flottantes.

R.: 25–27° C; eau moyennement dure (5–12° dGH) et légèrement acide à neutre (pH 6,5–7); pondeur sur substrat découvert, dépose entre 300 et 1000 œufs sur un substrat rocheux nettoyé au préalable; les alevins sont ensuite accrochés aux racines des plantes flottantes et autres supports similaires; les deux parents participent aux soins de la ponte, puis des alevins qu'ils conduiront ensuite en groupe; les soins sont prodigués durant 6–8 semaines.

N.: C, O; nourritures vivantes (*Tubifex*, Larves de Moustiques, Vers de terre, Poissons, Viande); accepte aussi les aliments en flocons ou en comprimés.

P.: C'est un poisson très intelligent qui sait rapidement reconnaitre son soigneur et accepte de prendre la nourriture entre les doigts de ce dernier; cette espèce demande des températures relativement élevées mais est cependant résistante envers les basses températures.

T: 27–30° C, L: 70 cm, en aquar. max. 25 cm, LA: 120–150 cm, Z: i et m, D: 2

Parapetaenia managuensis (GÜNTHER, 1866)
Cichlidé de Managua

Syn.: *Heros managuense, Cichlasoma managuense, «Cichlasoma» managuense.*

Or.: Amérique centrale: est du Honduras, Nicaragua (Lacs Managua et Nicaragua), Costa Rica.

P.i.: 1971.

D.s.: Signes extérieurs à peine reconnaissable; mâle en général plus grand que la femelle, sa dorsale et l'anale sont étirées en pointes; les couleurs du mâle sont plus vives.

C.s.: Territorial; insociable et belliqueux entre congénères; l'espèce creuse le sol; famille parentale; bon soigneur de ponte.

M.: Aquarium spacieux offrant un grand espace dégagé; caches composées de roches; le décor rocheux doit reposer sur le fond du bac, sinon en creusant le sol les poissons pourraient le déséquilibrer; sol composé de gros gravier; pas de plantes, elles seraient déchiquetées; eau moyennement dure (10–15° dGH) et neutre à modérément alcaline (pH 7–8,7).

R.: Encore peu de réussites en aquarium; l'espèce est très prolifique, une ponte produit jusqu'à 5000 œufs d'une teinte jaunâtre; œufs et alevins sont soignés par les parents, la femelle se charge du $^2/_3$ du travail (d'après DI PIRRO, 1975: Tropical Fish Hobbyist 23, 227: 58–62).

N.: C, O; principalement proies vivantes de grande taille: Insectes, Vers de terre, Poissons, Têtards; les poissons constituent la nourriture principale; accepte également des aliments lyophilisés ou en flocons.

P.: *Parapetaenia managuensis* ainsi que *Boulengerochromis microlepis* (jusqu'à 80 cm) et *Cichlasoma dovii* (jusqu'à 60 cm) font partie des plus grands Cichlidés connus. Dans son pays d'origine *P. managuensis* est un des principaux poissons comestibles d'eau douce.

T: 23–25° C, L: 50 cm, LA: 200 cm, Z: i, D: 2

«Cichlasoma» facetum

«Parapetaenia» managuensis

Thorichthys meeki (BRIND, 1918)
Meeki

Syn.: *Cichlasoma meeki, Thorichthys helleri meeki.*

Or.: Amérique centrale, Guatemala, Yucatan; dans le commerce on trouve principalement des individus nés en captivité; depuis 1972 de très beaux spécimens sauvages ont été importés de temps à autre.

P.i.: 1937 par H. Röse, Hambourg.

D.s.: La dorsale et l'anale du mâle sont très allongées en pointes, chez la femelle ce n'est pas le cas; les couleurs du mâle sont plus vives; la papille génitale du mâle est pointue, celle de la femelle est obtuse.

C.s.: Territorial; par couples; creuse beaucoup; en dehors de la période du frai il n'endommage pas les plantes et n'est pas agressif envers les autres espèces, par contre envers ses congénères; certains ont un caractère belliqueux très prononcé; famille parentale, excellent soigneur de ponte.

M.: Sol composé de sable fin, quelques caches constituées par des racines et de roches; plantes dures (Sagittaria), de préférence cultivées en pots, le pied étant protégé par du gravier; il est important de réserver un espace libre pour nager.

R.: 24–26° C; eau de dureté max. moyenne (10° dGH) et proche du point neutre (pH 7); pondeur sur substrat découvert, dépose de 100 à 500 œufs sur un substrat rocheux nettoyé au préalable; creuse des cuvettes dans le sol pour y loger les alevins; les parents peuvent élever plusieurs pontes dans l'année.

N.: C, O; nourritures vivantes de toutes sortes, aliments lyophilisés, en comprimés ou en flocons.

P.: Les mâles adoptent souvent une attitude d'intimidation envers leurs congénères en écartant leurs opercules avec gonflement simultané du sac gulaire.

T: 21–24° C, **L**: 15 cm, **LA**: 80 cm, **Z**: i, **D**: 2

«Cichlasoma» nigrofasciatum (GÜNTHER, 1866)
Nigro, Cichlidé zèbre

Syn.: *Heros nigrofasciatus, Astronotus nigrofasciatum.*

Or.: Amérique centrale: Guatemala, El Salvador, NW-Honduras, Nicaragua, Costa Rica, Panama; actuellement le commerce n'offre pratiquement plus que des spécimens nés en captivité; chez ces derniers il se manifeste souvent des signes de dégénération (comportement déréglé lors des soins de la ponte, absence de couleur verte dans le bord des nageoires, taille réduite).

P.i.: 1934 par J. P. Arnold, Hambourg.

D.s.: Mâle moins coloré, front plus abrupt; les nageoires du mâle sont plus longues, il est nettement plus grand; les mâles âgés présentent l'amorce d'une bosse adipeuse sur le front; chez la femelle on observe des écailles oranges sur la base de la dorsale et sur la région abdominale; ces écailles sont absentes chez le mâle.

C.s.: Par couples; insociable car très mordant; dévore les plantes; famille père-mère, les deux sexes assument différentes fonctions lors des soins de la ponte, premiers signes d'une répartition du travail; à déconseiller pour l'aquarium communautaire.

M.: Sol composé de gravier; caches; grands fragments de roches ou pots à fleurs retournés; les abris ont une importance vitale; plantes flottantes.

R.: 24–26° C; pas exigeant envers la qualité de l'eau, fraye pratiquement dans toute eau; pondeur sur substrat caché resp. intermédiaire entre pondeur sur substrat découvert et pondeur en caverne; soins intensifs des œufs et des alevins; les jeunes réagissent à des signaux transmis par les parents (par ex. réaction d'accompagnement).

N.: O; proies vivantes; aliments lyophilisés, en flocons, en comprimés; nourriture végétale en complément est indispensable (Salade, Algues, Tetra Phyll).

P.: Il existe depuis quelques années une race d'élevage albinos; les mâles ont une coloration uniforme blanc ou rose-blanc, tandis que les femelles présentent dans la région abdominale une grande zone de couleur orange.

T: 20–23° C, **L**: 15 cm, **LA**: 60 cm, **Z**: m et i, **D**: 3

Thorichthys meeki

«Cichlasoma» nigrofasciatum

«Cichlasoma» octofasciatum (REGAN, 1903)
Cichlidé à huit bandes, Jack Dempsey

Syn.: *Heros octofasciatus, Cichlasoma hedricki, «C. biocellatum».*

Or.: Amérique centrale, sud du Mexique, Guatemala, Yucatan et Honduras, dans des marécages et eaux à courant lent.

P.i.: 1904 par le commerce d'objects d'histoire naturelle Umlauff, Hambourg.

D.s.: Difficile à distinguer; la robe de la femelle est généralement plus claire; la dorsale et l'anale du mâle sont plus longues et plus pointues; chez le mâle le bord supérieur de la dorsale est rouge foncé, chez la femelle il est rouge pâle; la forme de la papille est un caractère confirmé:celle du mâle est pointue, celle de la femelle est ronde.

C.s.: Territorial, par couples; très insociable et mordant; creuse le sol et dévore les plantes; famille parentale soignant intensivement la ponte.

M.: Sol composé de sable fin en couche épaisse; cavernes et abris sous forme de roches et racines; plantes flottantes de préférence.

R.: 26–28° C; eau moyennement dure (8–12° dGH) et légèrement acide à neutre (pH 6,5–7); pondeur sur substrat découvert, dépose de 500 à 800 œufs sur un substrat rocheux nettoyé au préalable; les alevins sont logés dans des excavations puis soignés et surveillés par les parents.

N.: O; toutes sortes de nourritures vivantes consistantes; nourriture végétale complémentaire (Algues, Elodées, Lentilles d'eau, Salade).

P.: *Cichlasoma octofasciatum* vivait durant des décennies dans les aquariums des amateurs européens sous le nom de *Cichlasoma biocellatum*; ce n'est qu'en 1975 que KULLANDER (Akvariet p. 379) signala cette erreur.

T: 22–25° C, L: jusqu'à 20 cm, LA: 90 cm, Z: m et i, D: 3

«Cichlasoma» salvini (GÜNTHER, 1862)
Salvini

Syn.: *Heros salvini, Heros triagramma.*

Or.: Amérique centrale, sud du Mexique, Guatemala et Honduras; dans les lacs et fleuves; déjà reproduit en captivité et commercialisé.

P.i.: 1913 par C. Siggelkow, Hambourg.

D.s.: Bien prononcé, les nageoires du mâle sont plus longues et ses couleurs sont plus vives; le reflet bleu est peu prononcé chez la femelle, par contre chez elle c'est le contraste noir-jaune qui est plus prononcé; en outre la femelle présente une tache au centre de la dorsale et une tache sombre sur le bord inférieur de l'opercule.

C.s.: Territorial, par couples; insociable et mordant; ne creuse pas le sol et ne dévore pas les plantes; prédateur; famille parentale, les deux sexes soignent intensivement la ponte.

M.: Sol composé de sable ou de gravier; caches constituées par des roches; plantes robustes bien enracinées; espace libre pour nager.

R.: 24–28° C; paramètres de l'eau comme pour *Thorichthys meeki*; pondeur sur substrat découvert qui dépose jusqu'à 500 œufs sur un substrat rocheux préalablement nettoyé; les deux parents soignent et protègent œufs puis alevins avec grand dévouement.

N.: C. O; nourriture vivante; aliments lyophilisés, congelés, parfois aussi en flocons.

P.: MILLER (1907) signale quelques exemplaires qu'il a capturé à une température de 32° C dans la rivière sulfurique à proximité d'une source chaude.

T: 22–26° C, L: 15 cm, LA: 90 cm, Z: m et i, D: 2

«Cichlasoma» octofasciatum

«Cichlasoma» salvini

Heros severus HECKEL, 1840
Severum, Cichlidé ocellé

Syn.: *Acara spuria, Astronotus severus, Heros coryphaeus, Heros efasciatus, Heros modestus, Cichlasoma severum, Heros spurius.*

Or.: Nord de l'Amérique du sud jusqu'au bassin de l'Amazone; dans des lacs et fleuves riches en végétation; absent dans le Rio Magdalena; des spécimens nés en captivité sont apparus sur le marché durant ces dernières années.

P.i.: 1909 par C. Siggelkow, Hambourg.

D.s.: Seul caractère irréfutable: la papille génitale; moins évident: les nageoires du mâle sont plus longues, la tête présente un pointillé rouge-brun et un dessin vermiforme, ce dernier est absent chez la femelle; une tache sombre se trouve sur la dorsale de la femelle.

C.s.: Territorial, par couples; poisson calme et paisible; creuse peu; agressif en période du frai; famille parentale.

M.: Comme pour les espèces du genre *Symphysodon*.

R.: 25–28° C; eau douce (env. 5° dGH) et légèrement acide (pH 6–6,5); pondeur sur substrat découvert, dépose jusqu'à 1000 œufs sur un substrat rocheux; les deux parents soignent la ponte.

N.: C; nourritures vivantes; aliments congelés parfois acceptés, plus rarement les aliments en flocons.

P.: *H. severus* est très difficile dans le choix du partenaire, cela rend la reproduction plus difficile que celle d'autres *Cichlasoma*; devient très familier, jusqu'à prendre la nourriture entre les doigts du soigneur.

T: 23–25° C, L: jusqu'à 20 cm, LA: 100 cm, Z: i, D: 2

H. severus juv.

«Cichlasoma» spilurum (GÜNTHER, 1862)
Spilurum

Syn.: *Heros spilurus.*

Or.: Amérique centrale, Guatemala; le commerce propose actuellement des spécimens nés en captivité.

P.i.: Date incertaine, probablement 1964.

D.s.: Différenciation aisée: la dorsale et l'anale sont plus longues chez le mâle, ce dernier est en général plus grand que la femelle; bosse adipeuse sur le front des mâles adultes.

C.s.: Territorial, par couples; relativement paisible, n'arrache pas les plantes, creuse seulement durant la période du frai; famille parentale.

M.: Décor constitué par des roches aménagées en forme de cavernes isolées l'une de l'autre sinon le mâle le plus fort les revendique toutes; sol composé de gravier; plantes dures (Sagittaires, Vallisnéries) ou plantes flottantes.

R.: 26–27° C; les paramètres de l'eau ne jouent qu'un rôle secondaire; pondeur sur substrat caché (jusqu'à 300 œufs); en général c'est la femelle seule qui transfère les alevins éclos dans une excavation du sol, ensuite les parents soignent en commun.

N.: C, O; toutes sortes de nourritures vivantes, viande de bœuf; aliments lyophilisés, congelés ou en flocons; un complément de nourriture végétale est indispensable pour les juvéniles.

P.: *Cichlasoma spilurum* est également (comme *C. nigrofasciatum*) à «mi-chemin» entre pondeur sur substrat découvert et pondeur sur substrat caché (en caverne).

T: 22–25° C, L: mâle 12 cm, femelle 8 cm, LA: 60 cm, Z: m et i, D: 2

Heros severus

«Cichlasoma» spilurum

Crenicara filamentosa LADIGES, 1958

Syn.: Aucun.

Or.: Amérique du sud, Rio Negro et embouchure de l'Orinoco; rarement disponible dans le commerce.

P.i.: 1951.

D.s.: Le mâle est beaucoup plus grand que la femelle; la caudale du mâle présente deux longues extrémités pointues; ses nageoires sont rouges, bleues et noires, celles de la femelle sont incolores.

C.s.: Territorial, généralement paisible mais plus agressive en période de ponte; ne creuse pas et ne détériore pas les plantes; famille mâle-mère, réunir 1 mâle et plusieurs femelles; structure sociale à la manière des *Apistogramma* mais défense d'un territoire principal.

M.: Bac densément planté, sol composé de sable fin; roches plates, quelques caches; à maintenir de préférence en compagnie de quelques vivipares ou Characidés, car seul dans un bac spécifique *C. filamentosa* devient très craintif.

R.: 26–27° C; eau très douce (0,1–2° dGH, max. 10° dGH) et acide (pH env. 5,5); tourbe recommandée; pondeur sur substrat découvert, dépose 60 à 120 œufs sur des plantes ou des roches; le mâle surveille œufs et alevins.

N.: C; presque exclusivement des proies vivantes, exceptionnellement des aliments en flocons; distribuer fréquemment des *Artemia*!

P.: Cette espèce est assez délicate et nécessite quelque doigté de la part de l'aquariophile; elle est très sensible à toute altération de la qualité de l'eau; si l'eau n'est pas assez douce les œufs sont victimes des mycoses.

T: 23–25° C, L: mâle 9 cm, femelle 6 cm, LA: 60 cm, Z: i, D: 2–3

Crenicara punctulata (GÜNTHER, 1863)
Acara hercule, Acara élégant

Syn.: *Acara punctulata, Aequidens hercules, Aequidens madeirae, Crenicara elegans.*

Or.: Amérique du sud: Guyana (anc. Guyane britannique), nord du Brésil, Equateur et Pérou.

P.i.: 1975.

D.s.: Les ventrales du mâle sont bleues, celles de la femelle sont rouges; la caudale de la femelle est également rougeâtre, celle du mâle présente des traits bleus clairs et brillants parallèles aux rayons; les couleurs du mâle sont plus vives.

C.s.: Territorial; généralement paisible, seulement agressif en période de ponte; la structure sociale de *C. punctulata* est similaire à celle des espèces du genre *Apistogramma*; famille mâle-mère.

M.: Comme indiqué chez *Crenicara filamentosa.*

R.: Les reproductions réussies en captivité ne sont pas nombreuses; la reproduction ressemble à celle de *C. filamentosa*; pondeur sur substrat découvert.

N.: C; se nourrit presque exclusivement de proies vivantes et n'accepte que rarement les aliments en flocons.

P.: Cette espèce a été commercialisé sous le nom de «*Aequidens hercules*»; ce n'est qu'ultérieurement qu'on a découvert que ce nom est un synonyme plus récent de *Crenicara punctulata.* Un changement de sexe s'effectue au cours du développement de *C. punctulata*; OHM (1980), DCG-Information **11** (9); 161–170, donne des détails.

T: 23–25° C, L: 12 cm, LA: 80 cm, Z: i, D: 3

Crenicara filamentosa

Crenicara punctulata

Crenicichla notophthalmus REGAN, 1913
Crenicichla à ocelles dorsales

Syn.: *Crenicichla dorsocellatus.*

Or.: Amérique du sud: Amazone (Manus/Santarem).

P.i.: Inconnue.

D.s.: Espèce intéressante par sa polychromie: la femelle présente à l'arrière de la partie dure de sa nageoire dorsale des taches noires à forme variable, cerclées de blanc, parfois avec une plage rouge; le ventre de la femelle, de couleur crème, est nettement arrondi; le mâle parait plus svelte et ne présente pas de dessin dans la nageoire dorsale; chez certains mâles les premiers rayons de la dorsale sont prolongés (similaire à *Mikrogeophagus ramirezi*).

C.s.: Cette espèce fait partie des petits *Crenicichla*, même les exemplaires d'une taille de 15 cm ont une apparence gracieuse et font penser à un Cichlidé nain; il s'agit certes d'un poisson territorial mais en compagnie d'autres Cichlidés de taille moyenne il est inoffensif.

M.: *Crenicichla notophthalmus* se complait dans un décor riche en caches et autres abris; il ne détériore pas les plantes; eau jusqu'à 20° dGH, pH env. 7.

R.: Le comportement des femelles lors de la parade nuptiale rappelle celui des Pelvicachromis de l'Afrique occidentale: elles courbent leur corps de manière à mettre leur ventre rouge en évidence; c'est la femelle qui guide le mâle et cherche à le faire pénétrer dans une caverne; on peut supposer que les soins directs de la ponte incombent à la femelle pendant que le mâle surveille les alentours.

N.: C; nourritures vivantes: Larves de Moustiques, Vers de terre, petits Poissons, cœr de bœuf.

P.: L'espèce est très proche de *Crenicichla wallacii* et *C. nanus*, mais une identification confirmée ne semble pas possible à l'heure actuelle.

T: 24–27° C, **L:** jusqu'à 16 cm, **LA:** 80 cm, **Z:** i et m, **D:** 3–4 (C)

Crenicichla strigata (GÜNTHER, 1862)
Crenicichla strié

Syn.: *Crenicichla johanna* var. *strigata, C. johanna* var. *vittata, C. brasiliensis* var. *strigata, C. brasiliensis* var. *vittata.*

Or.: Amérique du sud: Amazone (Guyana, nord du Brésil).

P.i.: Inconnue.

D.s.: Ce n'est qu'à partir d'une taille de 30 cm env. que l'on peut reconnaitre le mâle à son ventre rouge violet.

C.s.: Territorial, se complait dans des abris spacieux, mais a tendance à la formation de groupe, ce qui l'oppose aux autres espèces du genre *Crenicichla* du groupe *Saxatilis* au comportement intraspécifique déplorable; on peut donc élever communément dans le même bac plusieurs juvéniles jusqu'à leur maturité.

M.: Aquarium spacieux offrant de grandes caches dont la base solide est constituée de dalles et de racines; plantes robustes, éclairage diffus; eau: jusqu'à 20° dGH; pH env. 7.

R.: Probablement pas encore réalisée en captivité; pondeur en caverne, on suppose que les deux partenaires se partagent le travail lors des soins de la ponte.

N.: *C. strigata* est un carnassier, en captivité il faut donc absolument lui offrir des proies vivantes consistantes (Poissons, Vers de terre ou similaires) bien qu'il accepte volontiers des fragments de chair de poissons, de cœr de bœuf et des aliments en comprimés.

P.: *Crenicichla strigata* (= strié) doit son nom d'espèce à sa coloration juvénile durant laquelle il présente des stries et des pointillés sombres sur la tête (front et co¼tés); il se peut que cette espèce a également été décrite dans sa coloration d'adulte comme *Crenicichla lenticulata* et/ou *Crenicichla johanna.*

T: 23–27° C, **L:** plus de 40 cm, **LA:** 150 cm et plus, **Z:** i et m, **D:** 4 (C, T)

Crenicichla notophthalmus

Crenicichla strigata

Cyphotilapia frontosa (BOULENGER, 1906)
Bossu du Tanganyika

Syn.: *Paratilapia frontosa, Pelmatochromis frontosus.*

Or.: Afrique, endémique du lac Tanganyika où il vit de préférence à une profondeur de 20 à 30 m; il est rarement disponible dans le commerce.

P.i.: 1958.

D.s.: Très difficile à reconnaitre; seul leur comportement permet d'identifier les sexes, la bosse frontale est souvent plus grande chez le mâle, ce dernier est presque toujours plus grand que la femelle.

C.s.: Territorial; calme et relativement sociable, creuse peu et ne détériore pas les plantes; famille maternelle.

M.: Aménager une paroi rocheuse offrant de nombreuses failles et cavernes; sol composé de sable fin, végétation pas obligatoire.

R.: 25–28° C; eau moyennement dure (env. 10° dGH) et alcaline (pH 8); incubateur buccal, les œufs sont déposés dans une grotte puis pris en bouche par la femelle; œufs peu nombreux par rapport à la taille de cette espèce: jusqu'à 50 max.: la femelle soigne les alevins durant six semaines et les prend en bouche en cas de danger et durant la nuit.

N.: C; nourritures vivantes, de préférence Mollusques, Crustacés et Poissons.

P.: Dans son pays d'origine il est apprécié comme poisson comestible. La bosse frontale n'est pas un caractère sexuel secondaire mais apparait chez le mâle et chez la femelle.

T: 24–26° C, L: 35 cm, LA: 120 cm, Z: i, D: 4

Cyprichromis leptosoma (BOULENGER, 1898)

Syn.: *Paratilapia leptosoma, Limnochromis leptosoma.*

Or.: Afrique, endémique du lac Tanganyika, dans les environs de Kigoma à l'extrémité sud du lac.

P.i.: 1975.

D.s.: Le mâle a une couleur brunâtre dominante; les pelviennes ont des points jaunes, dorsale et anale sont soit bleu-noir, bleu encre ou bleu clair; la caudale est jaune citron ou bleu-violet; la femelle présente des flancs argentés, le reste du corps est gris.

C.s.: Poisson grégaire paisible; ne forme pas de territoire; incubateur buccal, famille maternelle.

M.: Un grand aquarium est primordial pour la maintenance de *C. leptosoma*: il demande un grand espace libre pour nager. Vu qu'il occupe de préférence le tiers supérieur du bac, on peut le faire cohabiter avec d'autres Cichlidés généralement sans problèmes; il est important de le faire vivre en groupe; bien couvrir l'aquarium, lors de la parade nuptiale les mâles ont tendance à sauter hors du bac; eau: mêmes paramètres que pour les autres Cichlidés du lac Tanganyika.

R.: Déjà réussie; les observations faites en aquarium ont révélées que *C. leptosoma* présente une particularité dans son comportement de ponte: ce sont de vrais pondeurs en eau libre; parade nuptiale et ponte ont lieu à proximité de la surface de l'eau; dès qu'un œuf est pondu la femelle se retourne rapidement et le prend dans sa bouche; les œufs seront fécondés dans la bouche de la femelle; l'incubation dure environ 3 semaines; on peut observer le développement embryonnaire à travers la gorge transparente de la femelle; après avoir quitté la bouche de leur mère les alevins restent à proximité de la surface de l'eau et non pas au-dessus du sol comme les alevins d'autres Cichlidés; à partir de ce moment la femelle ne s'en occupe plus. A noter que cette espèce ne dévore pas ses propres alevins.

N.: C, O; nourritures vivantes (*Cyclops, Daphnies*), aliments en flocons.

Cyphotilapia frontosa

Cyprichromis leptosoma

P.: Les mâles de cette espèce apparaissent en deux robes distinctes: la caudale est jaune brillant chez les uns et bleu-violet à bleu-noir chez les autres.

T: 23–25° C, L: 14 cm, LA: à partir de 100 cm, Z: s, D: 2–3

Eretmodus cyanostictus BOULENGER, 1898
Clown du Tanganyika

Syn.: Aucun.

Or.: Afrique, endémique du lac Tanganyika, habite les zones peu profondes près des berges, dans le littoral supérieur à éboulis; quelques cas exceptionnels de reproduction réussis en aquarium.

P.i.: 1958.

D.s.: Très difficile à reconnaitre, les nageoires pelviennes du mâle sont un peu plus longues.

C.s.: Territorial, par couples; asocial envers ses congénères; incubateur buccal monogame, formation d'une famille parentale ce qui est très rare chez les espèces pratiquant l'incubation buccale: mâle et femelle prennent les œufs et les alevins en bouche; le mâle ne présente pas d'ocelles sur la nageoire anale.

M.: Paroi rocheuse avec de nombreuses grottes et failles servant de caches; ne pas employer de racines de tourbières qui acidifient l'eau.

R.: Très difficile; 26–28° C; eau moyennement dure à dure (14–20° dGH) et alcaline (pH 9); incubateur buccal; la femelle dépose les œufs sur un substrat rocheux où ils seront fécondés par le mâle et ensuite pris en bouche par la femelle; 20 à 25 œufs par ponte; les deux parents soignent œufs et alevins.

N.: Toutes les nourritures vivantes.

P.: C'est le plus problématique de tous les Cichlidés du lac Tanganyika; il est très exigeant envers la pureté de l'eau; un fréquent changement partiel de l'eau est vital (chaque semaine le tiers de la contenance du bac), une bonne aération et filtration sont également indispensables. La bouche est presque entièrement dirigée vers le bas.

T: 24–26° C, L: 8 cm, LA: 80 cm, Z: i, D: 3

Etroplus maculatus (BLOCH, 1795)
Chromide orange, Cichlidé des Indes

Syn.: *Chaetodon maculatus, Etroplus coruchi, Glyphisodon kakaitsel.*

Or.: Asie, Inde et Sri Lanka; vit en eau douce et en eau saumâtre.

P.i.: 1905 par Reichelt, Berlin.

D.s.: Les sexes sont difficiles à reconnaitre; en général la coloration de la femelle est plus mate et ses nageoires ne sont pas bordées de rouge.

C.s.: Très paisible, ne creuse pas; famille parentale, mâle et femelle soignent intensivement les œufs et les alevins.

M.: Sol sablonneux; aquarium densément planté; caches sous formes de racines et de roches.

R.: 25–28° C; ajouter 5% d'eau de mer à l'eau de l'aquarium, car dans l'eau douce pure les juvéniles sont souvent atteints de mycoses; pond sur substrat découvert, roches ou racines, préalablement soigneusement nettoyées; les œufs, entre 200 et 300, sont fixés par de minuscules pédoncules; après l'éclosion les alevins seront transférés dans des excavations du sol et soignés durant fort longtemps par les parents.

N.: C, O; proies vivantes, aliments lyophilisés, algues, accepte également les flocons et les comprimés.

P.: Changement d'eau et eau neuve sont mal supportés; ajouter du sel marin à l'eau du bac (1–2 cuillerée à café pour 10 l. d'eau) cela favorise sa résistance; les alevins picorent parfois sur les flancs des parents, ils prennent alors vraisemblablement un mucus secrété par les parents et qui représente une nourriture complémentaire.

T: 20–25° C, L: 8 cm, LA: 50 cm, Z: m, i, D: 2–3

Eretmodus cyanostictus

Etroplus maculatus

Geophagus brasiliensis (QUOY et GAIMARD, 1824)
Geophagus perlé du Brésil

Syn.: *Acara brasiliensis, Chromis brasiliensis, Geophagus bucephalus, G. labiatus, G. obscura, G. pygmaeus, G. rhabdotus, G. scymnophilus.*

Or.: Amérique du sud, est du Brésil, dans tous les fleuves côtiers, eaux stagnantes et en eau saumâtre; se complait à proximité des berges raides où ils trouvent de nombreuses grottes. Les spécimens commercialisés sont presque tous nés en captivité.

P.i.: 1899 par P. Matte en provenance de l'Argentine.

D.s.: Très difficile à reconnaitre, la papille génitale est le seul indice sûr: elle est pointue chez le mâle et cylindrique chez la femelle; chez les vieux mâles la dorsale et l'anale sont parfois prolongées; le mâle présente une ébauche de bosse frontale.

C.s.: Territorial par couple; creuse beaucoup; plus sociable que d'autres *Geophagus*; famille parentale, la femelle s'occupe des œufs et des alevins pendant que le mâle défend le territoire.

M.: Sol composé de gros gravier avec des plages sablonneuses; caches sous forme de racines et de roches; les plantes doivent être cultivées en pots ou flotter; supporte une baisse temporaire de la température jusqu'à 10° C.

R.: 24–27° C; eau douce à moyennement dure (5–10° dGH) et neutre à légèrement acide (pH 6,5–7); pond sur substrat découvert, de préférence à des endroits sombres ou dans des failles; le frai (env. 600–800 œufs) et les alevins sont intensivement soignés et surveillés.

N.: C, O; toutes les nourritures vivantes, aliments lyophilisés, flocons, adore les comprimés, le cœur de bœuf, la chair de poisson.

P.: Il est souvent difficile de constituer un couple harmonisant, si ce n'est pas le cas les parents dévorent souvent œufs et alevins sans raison apparente.

T: 20–23° C, **L**: 10–28 cm, **LA**: 100 cm, **Z**: i, **D**: 3

Satanoperca jurupari (HECKEL, 1840)
Démon, Poisson diable

Syn.: *Geophagus jurupari, Geophagus leucostictus, Geophagus pappaterra, Satanoperca jurupari, Satanoperca leucosticta, Satanoperca macrolepis.*

Or.: Nord-est de l'Amérique du sud, Brésil, Guyana (anct. Guyane); dans le commerce on trouve pratiquement que des sujets d'élevage, mais quelques spécimens ont été importés ces derniers temps.

P.i.: 1909 par C. Siggelkow, Hambourg; la première reproduction fut réussie par H. Härtel de Dresde en 1936.

D.s.: Difficile à identifier, pas de différence dans la coloration; le mâle est un peu plus svelte que la femelle; la papille génitale du mâle est pointue, celle de la femelle est plus courte et obtuse.

C.s.: Territorial par couple; très paisible; *S. jurupari* est l'espèce la plus sociable du genre; incubateur buccal, famille parentale, intensifs soins de la ponte.

M.: Sol composé de sable fin; plantes robustes bien enracinées; roches pour substrats de ponte, quelques abris (cavernes).

R.: 27–29° C; eau douce à moyennement dure (5–10° dGH) et légèrement acide à neutre (pH 6,3–7); incubateur buccal, dépose d'abord les œufs sur un substrat nettoyé où il les surveille puis, au bout de 24 heures, il les prend en bouche; les deux parents prennent les 150 à 400 œufs en bouche et soignent et surveillent ensemble les alevins auxquels ils offrent également leur bouche comme refuge en cas de danger et durant la nuit.

N.: C, O; nourritures vivantes, aliments lyophilisés ou congelés, également en flocons et en comprimés.

P.: Chez *S. jurupari* les œufs pris en bouche ne sont pas logés dans la gorge comme chez d'autres incubateurs buccaux, mais à l'avant, en haut au palais; cette espèce ne supporte pas les basses températures.

T: 24–26° C, **L**: 10–25 cm, **LA**: 100 cm, **Z**: i, m, **D**: 2–3

Geophagus brasiliensis

Satanoperca jurupari

Geophagus hondae REGAN, 1912
Cichlidé à bosse rouge

Syn.: Aucun.

Or.: Amérique du sud: Colombie, cours supérieur du Rio Magdalena et affluents.

P.i.: 1972.

D.s.: Les mâles âgés présentent une bosse frontale; la papille génitale du mâle apparait déjà env. 10 jours avant la ponte, celle de la femelle n'est visible que quelques heures avant le frai.

C.s.: Comportement territorial pas très prononcé; paisible envers les autres espèces et entre congénères; seulement agressif en période du frai; creuse beaucoup; incubateur buccal, famille maternelle.

M.: Sol composé d'une épaisse couche de sable (5–8 cm); plantes dures, cultivées dans des pots; abris sous forme de roches et de racines, quelques roches plates comme substrat de ponte; eau légèrement acide à neutre (pH 6,5–7) et douce à moyennement dure (5–15° dGH).

R.: 26–28° C; paramètres comme ci dessus; pond à la manière des pondeurs sur substrat découvert (roches, etc.); les œufs ont une teinte jaune orange, ils sont immédiatement pris en bouche par la femelle, ensuite les deux partenaires se séparent; il ne faut pas offrir de la nourriture à la femelle incubante sinon elle avale également les œufs; les alevins quittent la bouche au bout de 20 jours environ.

N.: C, O; nourritures vivantes, aliments en flocons, en comprimés, lyophilisés et congelés.

P.: *Geophagus hondae* est actuellement le seul incubateur buccal sud américain connu qui prend les œufs en bouche immédiatement après leur émission; pour cette raison il faut le compter parmi les incubateurs buccaux hautement spécialisés; le mâle présente une tache orange aux commissures des lèvres; elle joue un rôle similaire à celui des ocelles chez les *Haplochromis*; simultanément ces taches permettent une prise en bouche des œufs plus rapide par la mère.

T: 24–26° C, **L**: 25 cm, mature à part. de 7,5 cm, **LA**: 100 cm, **Z**: i, **D**: 2

Geophagus proximus (BLOCH, 1791)
Perle du Surinam

Syn.: *Sparus surinamensis, Chromis proxima, Geophagus altifrons, G. megasema, G. surinamensis, , Satanoperca proxima.*

Or.: Amérique du sud, Guyana jusqu'à l'Amazone; en eaux stagnantes ou eaux à courant lent à fond rocailleux ou sablonneux; le commerce propose principalement des sujets d'élevage; nouvelles importations seulement depuis 1970.

P.i.: 1914 par la firme MAZATIS, Berlin.

D.s.: Très difficile à reconnaitre; il semblerait que la femelle soit plus argentée; les nageoires prolongées du mâle ne sont pas un caractère confirmé.

C.s.: Territorial par couple; agressif et insociable; creuse beaucoup («mangeur de terre»); incubateur buccal larvophile, famille parentale, soigne intensivement les alevins; peut cohabiter avec de grands Siluridés.

M.: Décor arrière en paroi rocheuse, cavernes et racines; végétation périphérique, plantes bien enracinées (*Sagittaria, Vallisneria*, grandes Cryptocorynes), cultivées en pots; sol composé de sable fin, quelques roches plates.

R.: 25–28° C; eau moyennement dure (env. 10° dGH) et neutre (pH 7); incubateur buccal partiel; les œufs, jusqu'à 250, sont déposés sur une roche; juste avant ou pendant que les larves éclosent elles sont prises en bouche par les deux parents et sont à l'abri en cas de danger et pendant la nuit.

N.: C, O; toutes sortes de nourritures vivantes, accepte également les aliments en flocons ou lyophilisés.

P.: Diverses espèces sont commercialisées sous le nom de *Geophagus surinamensis*, il en est de même pour *Satanoperca jurupari*.

T: 22–25° C, **L**: 30 cm, **LA**: 100 cm, **Z**: i, **D**: 3

Geophagus hondae

Geophagus proximus

Gymnogeophagus australis (EIGENMANN, 1907)
Géophage de la Plata

Syn.: *Geophagus australe, G. australis.*

Or.: Amérique du sud; Argentine, dans la région de La Plata.

P.i.: 1936.

D.s.: Pas de dimorphisme sexuel, se référer à la papille génitale lors du frai: elle est pointue et dirigée vers l'arrière chez le mâle, arrondie et épaisse de 2 mm chez la femelle.

C.s.: Territorial par couple, n'est pas craintif mais se laisse dominer par les cohabitants aussi grands ou plus grands que lui; il creuse moins le sol que d'autres Géophages et n'endommage pas les plantes; pond sur substrat découvert, famille parentale.

M.: Sol composé de sable fin; plantes dures cultivées en pots; caches sous forme de roches et racines, quelques galets plats pour frayer; n'a aucune exigence envers les qualités physico-chimiques de l'eau; demande des températures pas trop élevées, durant l'hiver environ 18 à 20° C; peut cohabiter avec des Cichlidés non agressifs ou des poissons ayant le même mode de vie.

R.: Env. 24° C; la reproduction n'est pas difficile; la ponte est précédée d'une parade nuptiale très vive; les deux partenaires nettoient le substrat et creusent une ou plusieurs cuvettes dans le sol; c'est plus particulièrement la femelle qui s'occupe des œufs et des alevins, elle est relayée de temps en temps par le mâle, car la femelle ne le chasse pas lorsqu'il s'approche des œufs ou de la cuvette où sont logés les alevins; une ponte produit plusieurs centaines d'œufs; les éclosions ont lieu, à 25° C, au bout de 64 heures et au sixième jour les alevins nagent librement (WERNER [1978]: Das Aquarium **12**: 475–479); les deux parents conduisent le groupe d'alevins auxquels on distribue des Artémias.

N.: O; toutes sortes de nourritures vivantes, aliments lyophilisés, en flocons ou en comprimés.

P.: Étant très robuste et se contentant de températures peu élevées, ce Cichlidé peut vivre durant l'été dans un bassin de jardin; selon STERBA il supporte des températures de 12–15° C.

T: 22–24° C, **L**: jusqu'à 18 cm, en aquar. env. 12 cm, **LA**: 100 cm, **Z**: i et m, **D**: 2

Gymnogeophagus balzanii (PERUGIA, 1891)
Géophage ballon, Géophage du Paraguay

Syn.: *Geophagus balzanii, Geophagus duodecimspinosus.*

Or.: Amérique du sud, Paraguay, Rio Parana; rarement disponible dans le commerce; a déjà été reproduit en captivité.

P.i.: 1972 par Heiko Bleher, Francfort et Thomas Horeman, Londres.

D.s.: Chez les vieux mâles la dorsale et l'anale sont très longues et ils présentent une bosse frontale; la partie arrière des opercules du mâle est pointillée de vert brillant, tandis que la partie inférieure des opercules de la femelle est rouge-orange.

C.s.: Territorial, très paisible, creuse beaucoup mais n'endommage pas les plantes; famille maternelle.

M.: Sol composé de sable fin; quelques caches formées par des roches; plantes dures cultivées en pots.

R.: 25–28° C; eau moyennement dure (8–13° dGH) et neutre (pH 7); incubateur buccal, les œufs sont déposés sur des pierres et pris en bouche par la femelle au bout de 24 à 36 h. (env. 500 œufs); le mâle s'éloigne lorsque la ponte est terminée, la femelle s'occupe seule des soins de la ponte; en cas d'alerte elle les prend dans la bouche; certains signaux produits par les nageoires de la mère déclenchent la réaction de fuite des alevins.

N.: C, O; nourritures vivantes, aliments lyophilisés et congelés, flocons et comprimés.

P.: Le front de *Gymnogeophagus balzanii* est presque droit.

T: 22–26° C, **L**: 20 cm, **LA**: 100 cm, **Z**: i, **D**: 3

Gymnogeophagus australis

Gymnogeophagus balzanii

Copadichromis chrysonotus (BOULENGER, 1908)

Syn.: *Paratilapia chrysonota, Haplochromis chrysonotus, Cyrtocara crysonota.*

Or.: Afrique, endémique du lac Malawi, dans la Nkata Bay et Monkey Bay; cette espèce se tient de préférence dans les couches supérieures à proximité de la côte.

P.i.: 1975.

D.s.: Dimorphisme sexuel bien apparent; les mâles sont beaucoup plus colorés, ils sont en général plus grands et leur nageoire anale présente des ocelles bien nets.

C.s.: Espèce calme et paisible; on peut faire cohabiter sans problèmes plusieurs mâles dans le même aquarium; endommage les plantes; un mâle peut frayer avec plusieurs femelles et accapare un territoire seulement durant la période du frai; incubateur buccal, famille maternelle.

M.: Comme indiqué chez *Nimbochromis polystigma*; paramètres de l'eau comme pour les autres Cichlidés du lac Malawi (10–15° dGH et pH 8–8,5).

R.: Pas difficile à réaliser, elle se déroule comme chez les autres espèces du genre *Copadichchromis* originaires du lac Malawi; dans la nature les mâles fréquentent de préférence les zones sablonneuses à proximité des berges où ils paradent en colonies et établissent leurs territoires, assez rapprochés l'un de l'autre, en creusant des cuvettes peu profondes pour le frai.

N.: C, O; nourritures vivantes, aliments lyophilisés ou en flocons.

P.: *C. chrysonotus* fait partie des «Utaka». Environ 15 espèces du genre *Copadichromis* sont regroupés sous cette dénomination, presque toutes mènent une vie pélagique (en eau libre) et se nourrissent d'organismes animals (végétals) planctoniques.

T: 23–26° C, L: 15 cm, LA: 100 cm, Z: m, s, D: 2–3

Dimidiochromis compressiceps (BOULENGER, 1908)

Syn.: *Paratilapia compressiceps, Haplochromis compressiceps, Cyrtocara compressiceps.*

Or.: Afrique, endémique du lac Malawi; vit au dessus de zones sablonneuses parsemées d'îlots constitués par des amoncellements rocheux et de champs de *Vallisneria*; dans cette zone intermédiaire entre la zone sablonneuse et la zone rocheuse il n'y a pratiquement pas de ressac.

P.i.: 1964 par Walter Griem, Hambourg.

D.s.: La nageoire anale du mâle porte des ocelles; chez les mâles matures la tête brille en tons bleus et verts, chez les femelles les tons sont dorés.

C.s.: Le comportement social de cette espèce est pratiquement inconnu; c'est un prédateur; famille maternelle, la femelle pratique l'incubation buccale.

M.: Aquarium spacieux, épaisse couche de sable, roches et amoncellements rocailleux éparpillés; dense végétation périphérique composée de Vallisnéries ou cannaie.

R.: Température et paramètres de l'eau comme pour les autres *Dimidiochromis* du lac Malawi; a déjà été reproduit en captivité.

N.: C, O; nourritures vivantes, principalement poissons et insectes aquatiques, mange également des algues et aliments en comprimés.

P.: Chasse ses proies à la manière du brochet; c'est le seul prédateur actuellement connu qui avale ses proies dans le sens contraire, c. à d. en commençant par la queue; des pêcheurs indigènes ont observé que *D. compressiceps* arrache les yeux aux autres poissons pour les manger; des expériences effectuées à ce sujet ont confirmé le fait, c'est la mâchoire inférieure proéminente garnie de dents qui joue un rôle important dans le procédé.

T: 22–28° C, L: 15–25 cm, LA: 100 cm, Z: m, i, D: 3

Copadichromis crysonotus

Dimidiochromis compressiceps

Maravichromis epichorialis (TREWAVAS, 1935)

Syn.: *Haplochromis epicorialis, Cyrtocara epichorialis.*

Or.: Afrique, endémique du lac Malawi.

P.i.: 1978.

D.s.: Les couleurs du mâle sont plus vives, les ocelles de sa nageoire anale sont plus nets.

M.: Comme indiqué chez *Cheilochromis euchilus.*

R.: On n'a aucun renseignement sur une reproduction réussie en aquarium; elle est probablement similaire à celle d'autres espèces du genre *Maravichromis* du lac Malawi.

N.: Toutes les nourritures vivantes, végétaux en complément, aliments en flocons ou lyophilisés.

P.: Chez *M. epichorialis* l'os inférieur du pharynx est très grand et porte quelques dents assez obtuses mais pas en forme de mollaires.

En automne 1989 paraissait le livre «Malawian Cichlid Fishes – the classification of some Haplochromine genera» par D. H. ECCLES et E. TREWAVAS, dans lequel les deux auteurs font une révision des genres *Cyrtocara* (autrefois *Haplochromis*) et *Lethrinops*. Leurs représentants ont été classés dans plus de 20 genres nouvellement établis.

T: 24–26° C, L: 20 cm, LA: 100 cm, Z: m, i, D: 2

Cheilochromis euchilus (TREWAVAS, 1935)

Couve gueule à grosses lèvres

Syn.: *Haplochromis euchilus, Cyrtochara euchila.*

Or.: Afrique, endémique du lac Malawi, dans le littoral rocheux; très rarement le commerce propose également des sujets nés en captivité.

P.i.: 1964 (?)

D.s.: Net dimorphisme sexuel, le mâle est beaucoup mieux coloré que la femelle.

C.s.: Pas ou peu territorial; très paisible, présente souvent un comportement grégaire; un mâle peut frayer avec plusieurs femelles; famille maternelle.

M.: Aménager des édifices rocheux contenant de nombreuses failles, surplombs et cavernes; végétation pas indispensable.

R.: 26–27° C; eau moyennement dure (10–15° dGH) et légèrement alcaline (pH 8–8,5); réunir 1 mâle et au moins 3 femelles; incubateur buccal, les œufs sont déposés sur un substrat rocheux, ensuite la femelle prend les œufs, env. 150, en bouche; fécondation selon la «méthode des ocelles»; creuse des nids dans le sable, avant la parade nuptiale, ce qui est en opposition à d'autres *Cheilochromis* ; la femelle soigne les alevins durant quelques jours et les prend en bouche en cas d'alerte ou durant la nuit.

N.: L, O; nourritures vivantes, algues, aliments lyophilisés, congelés, en flocons, en comprimés.

P.: *C. euchilus* est un mangeur hautement spécialisé; il broute les gazons alguaires croissant sur les roches et contenant une riche microfaune (Larves de Moustiques, Rotifères, etc.).

T: 24–26° C, L: jusqu'à 35 cm, LA: 100 cm, Z: m, i, D: 3

Maravichromis epichorialis ♂

Cheilochromis euchilus

Labidochromis lividus LEVIS, 1982

Syn.: Aucun.

Or.: Afrique, Lac Malawi, endémique dans le littoral rocheux. Cette espèce a été jusqu'à présent constatée qu'au long des côtes nord et ouest de Likoma Island où elle colonise au dessus de roches de toutes tailles à des profondeurs allant jusqu'à 6 m; le plus fréquent à 3 m, rarement au delà de 6 m.

P.i.: 1978.

D.s.: Chez le mâle en parade nuptiale la couleur du corps est bleu noir avec 5–6 fines bandes verticales sous la dorsale. La partie inférieure du corps est vert olive foncé à bleu noir; bande oculaire foncée et 2 raies interorbitales. La nageoire dorsale est noire avec bord blanc ou bleu clair avec quelques taches brun orange. Les femelles ont une couleur brun olive.

C.s.: Incubateur buccal ovophile maternel. Durant la parade nuptiale les mâles sont agressifs envers leurs congénères et les autres occupants du bac (territoriaux).

M.: Edifices rocheux offrant de nombreuses caches. Assurer une eau propre et riche en oxygène (régulier changement d'eau!). Eau: pH 7,7–8,3; dGH 7–20° C. La communauté avec d'autres Cichlidés Mbuna est recommandée.

R.: Facile; incubateur buccal, famille maternelle. Pour élever la totalité de la ponte il est conseillé d'isoler la femelle qui incube. Les alevins quittent en moyenne au bout de 3 semaines la bouche de la femelle. Ils ont alors une longeur de 1 cm et peuvent être nourris sans problèmes avec des proies vivantes telles que *Artemia* et des aliments en fines paillettes.

N.: C, O; mange du «Aufwuchs» dans la nature; omnivore dans l'aquarium, il apprécie les Larves de Moustiques, Crustacés, les aliments en flocons, ainsi que les comprimés FD.

P.: Les mâles de Labidochromis lividus présentent une bande oculaire foncée et 2 raies interorbitales. Ce patron de coloration se trouve aussi chez quelques autres genres de Mbuna, par ex. des espèces du genre Melanochromis et Pseudotropheus (convergence des couleurs).

T: 24–26° C; L: 7 cm, LA: 80 cm, Z: m, i, D: 2

Melanochromis labrosus (TREWAVAS, 1935)

Syn.: *Cyrtocara labrosa, Haplochromis labrosus.*

Or.: Afrique, endémique du lac Malawi.

P.i.: 1973 (?)

D.s.: Les ocelles de la nageoire anale du mâle sont plus prononcées.

C.s.: On n'a pas de renseignements à ce sujet, probablement similaire à celui des autres *Melanochromis* du lac Malawi.

M.: Comme indiqué chez les autres *Melanochromis.*

R.: Typique incubateur buccal *Melanochromis.*

N.: O; nourritures vivantes consistantes; broute les gazons alguaires, aliments en flocons et en comprimés.

P.: On ignore encore la signification exacte des grosses lèvres, mais on suppose qu'elles font fonction d'organes sensoriels et facilitent la découverte de nourriture.

T: 23–26° C, L: 13 cm, LA: 90 cm, Z: m, i, D: 2

Labidochromis lividus

Melanochromis labrosus variété noire

Nimbochromis linni BURGESS & AXELROD, 1975

Syn.: *Haplochromis linni, Cyrtocara linni.*

Or.: Afrique, endémique du lac Malawi.

P.i.: 1973.

D.s.: La dorsale du mâle a un bord rouge jaune blanc, celle de la femelle est bordée de blanc jaune; ocelles sur la nageoire anale du mâle; les couleurs de la femelle sont moins vives.

C.s.: Similaire à celui de *N. polystigma*, jusque dans les détails; c'est un prédateur, à ne faire cohabiter qu'avec des grands poissons robustes.

M.: Voir *N. polystigma.*

R.: Comme indiqué chez *N. polystigma.*

N.: C, O; toutes sortes de nourritures vivantes consistantes, principalement des poissons; fragments de viande de bœuf, cœr de bœuf, foie, aliments en comprimés ou congelés.

P.: La validité de cette espèce est controversée; la première description par BURGESS et AXELROD est basée sur un seul exemplaire pas encore mature. *Nimbochromis linni* et *N. polystigma* sont de proches parents. Il est possible que *N. linni* ne soit qu'une variété de couleur de *N. polystigma.*

T: 23–25° C, L: 25 cm, LA: 100 cm, Z: m, i, D: 2

Nimbochromis livingstonii (GÜNTHER, 1893)

Ronfleur, Dormeur

Syn.: *Hemichromis livingstonii, Haplochromis livingstonii, Cyrtocara livingstonii.*

Or.: Afrique, endémique du lac Malawi; habite exclusivement les zones près des berges où le fond est sablonneux et à larges champs de *Vallisneria.*

P.i.: 1972 (?)

D.s.: Ocelles dans l'anale du mâle qui est aussi beaucoup plus coloré que la femelle.

C.s.: Territorial; prédateur confirmé; assez paisible entre congénères; le mâle est polygame, toujours réunir 1 mâle et plusieurs femelles; famille maternelle, la femelle pratique l'incubation buccale.

M.: Sol composé de sable fin, végétation dense (Vallisnéries), espace libre pour nager; aménager des caches; ne pas faire reposer les édifices rocheux sur le sable mais sur le fond du bac! Qualités physico chimiques de l'eau comme pour d'autres *Nimbochromis* du lac Malawi.

R.: 26–27° C; comme par ex. pour *Cheilochromis euchilus* ou *Nimbochromis polystigma;* les œufs sont petits et relativement nombreux pour un incubateur buccal (jusqu'à 100).

N.: C, O; nourritures vivantes, surtout poissons; grandes Puces d'eau, Larves de Moustiques, Vers de terre, cœr de veau, chair de Moules, accepte aussi les aliments en grands flocons; épinard et salade en complément.

P.: *N. livingstonii* présente un comportement particulier: il a l'habitude de se coucher de temps en temps à plat sur le sol, restant ainsi durant un temps prolongé,faisant le mort; les petits poissons qui s'approchent alors de ce «cadavre» sont rapidement happés et dévorés. Ce comportement a été observé dans la nature et en aquarium.

T: 24–26° C, L: 20 cm, LA: 100 cm, Z: i, D: 2

Nimbochromis linni

Nimbochromis livingstonii

Cyrtocara moorii BOULENGER, 1902

Haplo bossu

Syn.: *Haplochromis moorii.*

Or.: Afrique, endémique du lac Malawi, dans les zones côtières sablonneuses; des spécimens nés en captivité sont rarement disponibles dans le commerce.

P.i.: 1968 (?).

D.s.: Très difficile de distinguer les sexes; le mâle est souvent plus grand et sa robe est plus claire; la bosse apparait chez les deux sexes, on ne peut donc pas s'y fier.

C.s.: Territorial; nage souvent en groupe dans la zone libre; le mâle est polygame, toujours réunir 1 mâle et au moins 3 femelles; paisible; creuse parfois mais n'endommage généralement pas les plantes; famille maternelle.

M.: Décor par édifices rocheux, avec cavernes, installé à l'arrière du bac, plage sablonneuse à l'avant plan; grand espace libre pour nager est indispensable.

R.: 25–26° C; eau moyennement dure à dure (10–18° dGH) et légèrement alcaline (pH 7,2–7,8); fréquent changement d'eau est important pour la croissance (changer 1 à 2 fois par semaine de 1 tiers à la moitié du volume total); incubateur buccal; les œufs, entre 20 et 90, sont déposés sur un substrat rocheux et immédiatement pris en bouche par la femelle; fécondation des œufs comme chez d'autres *Cyrtocara*, mais soigne plus intensivement les alevins.

N.: C, O; nourritures vivantes, cœr de bœuf, aliments en comprimés.

P.: Un fréquent changement d'eau est un facteur déterminant pour la croissance des alevins; si les changements d'eau ne sont pas effectués la croissance est mauvaise. Cette espèce reste dans le genre *Cyrtocara*.

T: 24–26° C, L: 25 cm, LA: 100 cm, Z: m, i, D: 3

Nimbochromis polystigma (REGAN, 1921)

Haplo tacheté

Syn.: *Haplochromis polystigma, Cyrtocara polystigma.*

Or.: Afrique, endémique du lac Malawi, dans le littoral rocheux; actuellement le commerce propose des spécimens nés en captivité.

P.i.: ?

D.s.: Ocelles bien prononcées dans l'anale du mâle, ceux de la femelle sont à peine visibles; les couleurs du mâle sont plus vives.

C.s.: Territorial; ne creuse pas et n'abime pas les plantes; mâle très agressif envers les femelles, relativement paisible envers les autres espèces, à condition qu'elles soient de même taille ou plus grandes; toujours réunir 1 mâle et plusieurs femelles; famille maternelle, la femelle pratique l'incubation buccale.

M.: Caches sous forme de galets ou fragments de roches; dense végétation périphérique, grand espace libre pour nager est important!

R.: 26–28° C; eau moyennement dure à dure (10–18° dGH) et légèrement alcaline (pH 7,5–8,5); la femelle prend les œufs en bouche (env. 20); fécondation selon la «méthode des ocelles»; soins très intensifs de la part de la femelle durant la première semaine; les alevins s'abritent durant la nuit dans la bouche de leur mère.

N.: C; nourritures vivantes (*Tubifex*, Vers de terre, cœr de bœuf, chair de poissons, aliments en flocons.

P.: Prédateur très vorace, ne jamais faire cohabiter avec des poissons de petite taille.

T: 23–25° C, L: jusqu'à 23 cm, LA: 100 cm, Z: m, i, D: 2–3

Cyrtocara moorii

Nimbochromis polystigma, en haut ♀, en bas ♂

*Fossorochromis rostrata** (BOULENGER, 1899)
Haplo à cinq taches

Syn.: *Tilapia rostrata, Haplochromis macrorhynchus, H. rostratus, Cyrtocara rostrata.*

Or.: Afrique, endémique du lac Malawi; dans les zones côtières sablonneuses.

P.i.: 1968 (?).

D.s.: Dimorphisme sexuel apparent (dichromatisme sexuel); les couleurs du mâle diffèrent de celles de la femelle et sont plus vives.

C.s.: Territorial; souvent très agressif envers ses congénères; incubateur buccal, famille maternelle.

M.: Comme pour *Nimbochromis venustus.*

R.: Aucune réussite de reproduction en aquarium est connue; se déroule probablement comme chez d'autres *Fossorochromis* du lac Malawi.

N.: C, O; toutes sortes de nourritures vivantes, aliments lyophilisés en flocons ou congelés; nourriture végétale en complément; cœr de bœuf; la nourriture est prise au sol.

P.: En cas de danger *Fossorochromis rostratus* s'enterre rapidement, pour cette raison il est rarement capturé au filet; il existe un genre de communauté alimentaire entre *F. rostratus* et *Cyrtocara moorii. F. rostratu* fouille le sol pour trouver de quoi manger. *C. moorii* se tient à proximité et explore alors le sable tourbillonnant pour y découvrir de la nourriture.

T: 24–28° C, **L**: 25 cm, **LA**: 100 cm, **Z**: i, m, **D**: 2–3

Nimbochromis venustus (BOULENGER, 1908)
Haplo paon

Syn.: *Haplochromis simulans, H. venustus, Cyrtocara venusta.*

Or.: Afrique, endémique du lac Malawi où il vit dans la zone côtière sablonneuse; dans le commerce on trouve, rarement, que des spécimens capturés dans la nature.

P.i.: 1970.

D.s.: Dimorphisme sexuel bien net (dichromatisme) chez les sujets matures; les couleurs du mâle sont plus vives et plus belles; en général la femelle est plus petite que le mâle.

C.s.: Territorial; 1 mâle fraye toutours avec plusieurs femelles; agressif et d'un comportement asocial envers ses congénères; creuse le sol, sans trop, mais en général il n'abime pas les plantes; famille maternelle.

M.: Aquarium spacieux d'une contenance d'au moins 200 litres; aménager des édifices rocheux avec de nombreuses failles et grottes; prévoir une large zone sablonneuse à l'avant plan; végétation périphérique.

R.: 26–29° C; paramètres de l'eau comme pour *Cyrtocara moorii*; incubateur buccal, la femelle prend les œufs en bouche (jusqu'à 120 œufs); soins plus intensifs des alevins que chez d'autres *Nimbochromis*, la femelle soigne environ 10 jours et prend les alevins en bouche durant la nuit.

N.: C, O; toutes sortes de nourritures vivantes, cœr de bœuf, nourriture végétale complémentaire (salade, épinard), accepte également les aliments en flocons.

P.: Ne pas effrayer une femelle ayant des œufs en bouche sinon elle les recrache; changer une fois par semaine environ 1 tiers du volume d'eau est avantageux. *Nimbochromis venustus* est un prédateur.

T: 25–27° C, **L**: jusqu'à 25 cm, **LA**: 120 cm, **Z**: i, m, **D**: 3

Fossorochomis rostratus ♂

Nimbochromis venustus

Hemichromis bimaculatus GILL, 1862
Acara rouge

Syn.: *Hemichromis fugax.*

Or.: Afrique, dans les bassins côtiers du sud de la Guinée jusqu'au centre du Liberia; dans les grands fleuves et leurs bras. Des études de Payne et Trewavas ont démontré que cette espèce est étroitement associée à des biotopes forestiers.

P.i.: 1907 par les «Vereinigte Zierfischzüchtereien Conradshöhe».

D.s.: Très difficile d'identifier les sexes; la papille génitale est un caractère sûr; les taches basales de la dorsale et de l'anale sont moins prononcées chez la femelle; le dessin réticulé de la caudale du mâle est absent chez la femelle.

C.s.: Territorial, par couple; relativement paisible en dehors de la période du frai, très agressif durant cette période; creuse beaucoup, surtout à l'époque de la ponte; famille parentale, soins intensifs du frai.

M.: Végétation composée de plantes robustes (Sagittaria, Vallisneria); disposer quelques roches derrière lesquelles les poissons peuvent creuser des nids pour le frai; protéger les endroits où on veut éviter qu'ils creusent.

R.: 23–26° C; n'est pas exigeant envers la qualité de l'eau (4–16° dGH; pH env. 7); pond sur substrat découvert, de 200 à 500 œufs sont déposés sur un substrat nettoyé;œufs et alevins seront logés dans les nids creusés à cet effet et plusieurs fois changés de place; les deux parents conduisent le groupe d'alevins.

N.: C, O; nourritures vivantes, aliments lyophilisés, accepte aussi les flocons et comprimés.

P.: Très difficile dans le choix du partenaire, la non concordance se solde par la mort de l'un des deux; les parents reconnaissent leurs jeunes surtout visuellement, mais il semblerait que des caractères chimiques y contribuent en partie.

T: 21–23° C, **L**: 7–15 cm, **LA**: 70 cm, **Z**: i, **D**: 3

Hemichromis lifalili LOISELLE, 1979

Syn.: Aucun.

Or.: Centre de l'Afrique: Bassin du Zaïre (Zaïre River, Ruki River; Lake Tumba, Lake Yandja) et République Centrafricaine (cours supérieur du Ubangi River); est absent dans les eaux pauvres en oxygène.

P.i.: Vers la fin des années 60.

D.s.: En dehors de toute activité sexuelle mâle et femelle ont des couleurs similaires, mais la couleur rouge-orange des flancs et du ventre de la femelle est plus soutenue; la photo ci-contre montre la coloration d'un couple lors du frai.

C.s.: Similaire à celui de *Hemichromis bimaculatus.*

M.: Voir *H. bimaculatus*, mais plus exigeant du point de vue oxygène.

R.: Similaire à *H. bimaculatus*; eau douce à moyennement dure (2–12° dGH) et proche du point neutre (pH env. 7); pondeur sur substrat découvert; soigne très bien le frai.

N.: C, O; nourritures vivantes (Insectes, Vers, *Artemia*, Gammares); aliments lyophilisés, accepte aussi les flocons et les comprimés.

P.: *Hemichromis lifalili* est un proche parent de *H. letourneauxi*; il diffère de *H. bimaculatus* par la longueur de la bouche (3,6–4,6 fois dans la longueur de la tête chez *lifalili*, pour 3,0–3,7 chez *bimaculatus*), par la forme de l'os inférieur du pharynx et par la coloration.

T: 22–24° C, **L**: jusqu'à 10 cm, **LA**: 70 cm, **Z**: i, **D**: 3

Hemichromis bimaculatus

Hemichromis lifalili, avant ♂, arrière ♀

Cichlasoma cyanoguttatum (BAIRD et GIRARD, 1854)
Cichlidé perlé

Syn.: *Herichthys cyanoguttatum, Heros cyanoguttatus, Heros temporalis, Neetroplus carpintis.*

Or.: Amérique du nord et Amérique centrale, nord-est du Mexique et Texas, dans des fleuves et des lacs; parmi tous les Cichlidés néotropicaux c'est l'espèce qui monte le plus au nord; les spécimens d'élevage sont de plus en plus rarement proposés par le commerce.

P.i.: 1902 par C. von dem Borne-Berneuchen.

D.s.: Très difficile à identifier les sexes; les couleurs de la femelle sont moins vives; en général elle est plus petite que le mâle; à l'âge avancé le mâle présente une bosse frontale.

C.s.: Territorial par couple; comportement asocial; creuse beaucoup et détériore les plantes; famille parentale.

M.: Caches composées de roches et de racines, disposées de manière à diviser le bac en territoires individuels; plantation inutile, éventuellement des plantes flottantes; sable fin; 15–18° C durant l'hiver.

R.: 25–28° C; eau douce à moyennement dure (5–10° dGH) et neutre (pH env. 7); pondeur sur substrat découvert, jusqu'à 500 œufs sont déposés sur une roche nettoyée; les alevins sont accrochés aux racines des plantes flottantes, surveillés et ensuite conduits en groupe par les deux parents; les soins du frai ne sont pas moins intensifs que chez *Cichlasoma facetum.*

N.: C, O; nourritures vivantes, végétaux en compléments; grands flocons.

P.: Sensible à l'eau vieille, donc effectuer de fréquents changements d'eau (chaque semaine 1 tiers à la moitié du volume total); dévore souvent le frai.

T: 20–24° C, L: 10–30 cm, LA: 100 cm, Z: i, D: 3

juv.

Herotilapia multispinosa (GÜNTHER, 1866)
Cichlidé arc-en-ciel

Syn.: *Heros multispinosus.*

Or.: Amérique centrale, Panama jusqu'au Nicaragua, Lac Managua; le commerce propose des sujets d'élevage en provenance du Canada.

P.i.: 1969 par W. Foersch, Munich.

D.s.: Le mâle est en général un peu plus grand, sa dorsale et l'anale sont plus longues et plus pointues que celles de la femelle.

C.s.: Territorial, par couple; pas très agressif, sauf en période de ponte; creuse sans exagération; famille parentale; en général soins intensifs du frai, mais il arrive parfois que les parents dévorent une partie des alevins.

M.: Sol composé de gravier à petite granulométrie; quelques caches sous forme de roches et de racines, également pots à fleurs et noix de coco; plantes robustes bien enracinées.

R.: 26–27° C; nourritures vivantes; offrir de la nourriture végétale en complément (salade, épinard ébouillantés); accepte aussi les aliments en grands flocons.

P.: Selon l'humeur, ce poisson peut rapidement changer de couleur; le genre *Herotilapia* est monotypique, c. à d. qu'il ne contient qu'une seule espèce; il est apparenté au genre *Cichlasoma* et diffère de ce dernier que par ses dents tricuspides.

T: 22–25° C, L: 7–13 cm, LA: 70 cm, Z: m, i, D: 2

Cichlasoma cyanoguttatum

Herotilapia multispinosa

Julidochromis dickfeldi STAECK, 1975
Cichlidé de Dickfeld

Syn.: Aucun.

Or.: Afrique, endémique du lac Tanganyika; dans la zone intermédiaire entre le littoral d'éboulis et le littoral rocheux de la côte sud-ouest qui fait partie de la Zambie.

P.i.: 1975 par le Dr. Wolfgang Staeck, Berlin.

D.s.: Encore incertain, la femelle est probablement plus grande que le mâle.

C.s.: Voir *Julidochromis ornatus.*

M.: Comme indiqué chez *Julidochromis regani.*

R.: Similaire à celle de *J. regani*; à 28° C les jeunes de *J. dickfeldi* éclosent au bout d'env. 60 heures.

N.: C, O; toutes sortes de nourritures vivantes; aliments lyophilisés, congelés ou en flocons.

P.: *Julidochromis dickfeldi* se distingue des autres *Julidochromis* par sa couleur fondamentale brun clair.

T: 22–25° C, **L**: 8 cm, **LA**: 60 cm, **Z**: m, i, **D**: 2

Julidochromis marlieri POLL, 1956
Cichlidé damier

Syn.: Aucun.

Or.: Afrique, endémique du lac Tanganyika, côte rocheuse; des sujets d'élevage sont fréquemment proposés par le commerce.

P.i.: 1958.

D.s.: Les sexes sont difficiles à distinguer; les mâles adultes présentent une légère bosse sur la nuque, en général ils sont plus petits que les femelles.

C.s.: Par couple; souvent insociable envers ses congénères; famille parentale, les parents surveillent le frai; ne détériore pas les plantes.

M.: Aménager des édifices rocheux avec de nombreuses caches; végétation pas absolument nécessaire.

R.: 24–26° C; eau moyennement dure (12° dGH) et légèrement alcaline (pH 7,5–9): pondeur sur substrat caché (grottes) où il dépose 70 à 100 œufs, au maximum 360.

N.: C, O; nourriture vivante, aliments lyophilisés, flocons ou comprimés.

P.: Peut être croisé avec *Julidochromis ornatus* mais les jeunes sont alors stériles.

T: 22–25° C, **L**: 10–15 cm, **LA**: 70 cm, **Z**: m, i, **D**: 2

Julidochromis ornatus BOULENGER, 1898
Cichlidé bretteur

Syn.: Aucun.

Or.: Afrique, endémique du lac Tanganyika, zone côtière rocheuse.

P.i.: 1958.

D.s.: En général on ne peut identifier la femelle qu'à sa papille génitale; le mâle est souvent plus petit; dans leur taille commerciale il est pratiquement impossible de distinguer les sexes.

C.s.: Par couple; souvent insociable envers les congénères; famille parentale; les parents ne s'occupent pas des alevins mais il y a une protection indirecte par le comportement territorial des reproducteurs, vu que les alevins restent durant plusieurs semaines à proximité de la caverne où ils sont nés.

Julidochromis dickfeldi

Julidochromis marlieri

M.: Édifices rocheux avec de nombreuses caches; quelques plantes dures (Vallisnéries).

R.: 24–26° C; eau moyennement dure à dure (11–20° dGH) et alcaline (pH 8–9); pond sur substrat caché, 20 à 50, maximum 100 œufs sont déposés dans une grotte.

N.: C, O; nourritures vivantes, aliments lyophilisés, flocons, comprimés.

P.: Les œufs sont fixés à la voûte de la grotte; lorsque les alevins nagent librement ils cherchent à rester en contact par le ventre avec la voûte ou la paroi de la grotte.

T: 22–24° C, L: 8 cm, LA: 50 cm, Z: m, i, D: 2

Julidochromis regani POLL, 1942
Regani

Syn.: Aucun.

Or.: Afrique, endémique du lac Tanganyika, dans le littoral rocheux; l'espèce est très populaire parmi les aquariophiles, elle est régulièrement proposée par le commerce.

P.i.: 1958.

D.s.: En général la femelle est plus grande que le mâle, son gros ventre à l'époque du frai permet de l'identifier; la papille génitale du mâle est pointue.

C.s.: Territorial, par couple; c'est le plus sociable des *Julidochromis,* seulement agressif en période de ponte, époque à laquelle il creuse le sol; famille parentale.

M.: Édifices rocheux avec de nombreuses failles, grottes et autres abris; quelques plantes dures (*Sagittaria, Vallisneria*); sable fin; si les édifices rocheux atteignent la surface de l'eau tous les étages seront habités.

R.: 25–27° C; eau moyennement dure (8–14° dGH) et alcaline (pH 8,5–9,2); jusqu'à 300 œufs sont déposés contre la voûte d'une caverne; les parents ne s'occupent pratiquement pas des alevins mais défendent âprement le territoire que les alevins ne quittent pas durant les premiers temps, ce qui leur offre une protection indirecte.

N.: C, O; nourritures vivantes, aliments lyophilisés, congelés, nourriture végétale en complément; accepte les flocons.

P.: Est très sensible à toutes combinaisons sulfureuses dans l'eau. On a observé que certaines femelles se chargent des fonctions du mâle (défense du territoire).

T: 22–25° C, L: jusqu'à 30 cm, LA: 80 cm, Z: toutes, D: 2

Julidochromis transcriptus MATTHES, 1959
Cichlidé noir et blanc

Syn.: Aucun.

Or.: Afrique, endémique du lac Tanganyika, dans le littoral rocheux.

P.i.: 1964 (?)

D.s.: La papille génitale plus longue chez la femelle est le seul indice valable pour distinguer les sexes; en général elle est plus grande et son ventre est plus rond.

C.s.: Similaire à *Julidochromis marlieri.*

M.: Comme indiqué chez *Julidochromis regani.*

R.: Comme *J. regani,* mais *J. transcriptus* est moins prolifique, une ponte est souvent composée que de 30 œufs.

N.: C, O; nourritures vivantes, aliments lyophilisés et congelés, aliments en flocons.

P.: Le front de *J. transcriptus* est plus plat et pas bosselé comme chez *J. marlieri*; c'est le plus petit représentant du genre; *J. transcriptus* diffère de *J. marlieri* par la présence de deux rangées de taches blanches (*J. marlieri* en a trois).

T: 22–25° C, L: 7 cm, LA: 60 cm, Z: m, i, D: 2

Julidochromis ornatus

Julidochromis regani

Julidochromis transcriptus

Labeotropheus fuelleborni AHL, 1927

Syn.: *Labeotropheus curvirostris.*

Or.: Afrique, endémique du lac Malawi, dans le littoral d'éboulis et de roches.

P.i.: 1964.

D.s.: Net dimorphisme sexuel; la femelle est polychrome; des ocelles jaunes se trouvent sur l'anale du mâle, l'anale de la femelle en est dépourvue.

C.s.: Territorial; un couple se forme seulement durant le frai; réunir toujours 1 mâle et plusieurs femelles.

M.: Édifices rocheux avec de nombreuses grottes et caches; racines; plantes robustes; bien éclairer l'aquarium pour favoriser la croissance d'algues (mangeur de «Aufwuchs» = couche d'algues gluantes, d'une épaisseur de 1 cm, recouvrant la surface des roches).

R.: 24–28° C; eau moyennement dure (12° dGH) et alcaline (pH 7,5–8,5); les œufs sont déposés sur une roche bien nettoyée puis immédiatement pris en bouche par la femelle; fécondation à l'intérieur de la bouche selon la «méthode des ocelles».

N.: L, O; nourritures vivantes, algues, aliments en flocons et en comprimés.

P.: Les femelles apparaissent en plusieurs variétés de couleurs qui sont liées au sexe, principalement aux femelles; en plus de la forme normale très ressemblante au mâle, il apparait surtout encore une variété tachetée (v. petite photo).

T: 22–25° C, L: 15 cm, LA: 70 cm, Z: m, i, D: 2

Labeotropheus trewavasae FRYER, 1956

Syn.: Aucun.

Or.: Afrique, endémique du lac Malawi, dans le littoral rocheux et à éboulis; le commerce propose également des spécimens nés en captivité.

P.i.: 1964.

D.s.: Dimorphisme sexuel bien net (dichromie sexuelle); les taches ocellées sur l'anale du mâle sont plus prononcées; l'anale de la femelle est dépourvue d'ocelles ou ceux-ci sont à peine visibles.

C.s.: Territorial; très agressif et insociable; mâle polygame, toujours réunir 1 mâle et plusieurs femelles; famille maternelle.

M.: Décor composé d'édifices rocheux avec de nombreuses caches sous forme de failles et de grottes; quelques plantes robustes (Vallisnéries, Sagittaires); éclairage intense pour la croissance d'algues, étant donné qu'il s'agit d'un Mbuna.

R.: 24–27° C; eau moyennement dure à dure (10–15° dGH) et neutre à légèrement alcaline (pH 7–8); incubateur buccal; ponte, environ 40 œufs, et fécondation comme chez *Labeotropheus fuelleborni*; éloigner la femelle après la ponte.

N.: L, O; nourritures vivantes, algues; accepte aussi les aliments congelés ou lyophilisés.

P.: L'espèce apparait en plusieurs races géographiques (ce qui est également le cas pour *Labeotropheus fuelleborni*) qui diffèrent nettement par leur coloration; il existe également des exemplaires blancs; on a observé un mâle en livrée de femelle ayant des œufs en bouche.

T: 21–24° C, L: 12 cm, LA: 70 cm, Z: m, i, D: 2

Labeotropheus fuelleborni

Labeotropheus trewavasae

Neolamprologus brichardi (POLL, 1974)
Cichlidé queue de lyre

Syn.: *Lamprologus savoryi elongatus, L. brichardi.*

Or.: Afrique, lac Tanganyika (endémique), dans la zone rocheuse.

P.i.: 1958.

D.s.: Les sexes sont difficiles à reconnaitre; la nageoire dorsale et les deux extrémités de la nageoire caudale sont très prolongées chez le mâle; la dorsale est obtuse chez la femelle.

C.s.: Vit en groupe en temps normal, par couples seulement durant la période du frai; famille parentale; les soins de la ponte ne sont pas très intensifs.

M.: Édifices rocheux avec de nombreuses grottes et autres caches; une plantation n'est pas absolument nécessaire.

R.: 25–30° C; eau moyennement dure à dure (10–20° dGH) et légèrement alcaline (pH 7,5–8,5); pond sur substrat caché, dans des grottes où il dépose environ 200 œufs sur le substrat préalablement nettoyé;la femelle surveille le frai.

N.: C, O; toutes sortes de nourritures vivantes, aliments en flocons, menu lyophilisé.

P.: Lorsqu'ils frayent, les parents se désintéressent des alevins issus d'une ponte précédente, de sorte que l'on trouve des jeunes de tous âges («reproduction étagée»); les juvéniles de *N. brichardi* défendent leurs frères et sœurs plus jeunes et participent aux soins de la ponte.

T: 22–25° C, L: 10 cm, LA: 60 cm, Z: m, i, D: 2

Altolamprologus compressiceps (BOULENGER, 1898)

Syn.: *Lamprologus compressiceps.*

Or.: Afrique, lac Tanganyika (endémique), au-dessus des fonds rocheux ou d'éboulis; le commerce propose presque exclusivement des spécimens importés.

P.i.: 1958.

D.s.: Inconnu jusqu'à présent.

C.s.: Territorial; paisible envers d'autres poissons de grande taille; ne détériore pas les plantes et ne creuse pas; famille mâle-mère (?).

M.: Aquarium spacieux avec des édifices rocheux offrant de nombreuses failles et grottes.

R.: 24–26° C; eau moyennement dure (env. 10° dGH) et neutre (pH env. 7); pond sur substrat caché, les œufs, jusqu'à 300, sont déposés dans des grottes; œufs et alevins sont soignés par la femelle, le mâle surveille probablement le territoire.

N.: C; nourritures vivantes; dévore volontiers des petits poissons.

P.: Cette espèce présente un dos très haut, son corps est extrêmement aplati; c'est une adaptation à sa manière de se nourrir; cette forme permet à ce poisson de capturer ses proies, petits crustacés et alevins, également dans les failles très étroites.

T: 23–25° C, L: 15 cm, LA: 80 cm, Z: m, i, D: 3

Neolamprologus brichardi

Altolamprologus compressiceps

Neolamprologus leleupi (POLL, 1956)
Lamprologus citron

Syn.: *Lamprologus leleupi.*

Or.: Afrique, lac Tanganyika (endémique), dans le littotal rocheux; cette espèce est régulièrement proposée par le commerce.

P.i.: 1958.

D.s.: Pas aisé à distinguer des sexes; la tête du mâle est plus massive, il est un peu plus grand que la femelle et porte souvent une légère bosse frontale ainsi que des pelviennes allongées; chez la femelle le front est plus raide.

C.s.: Par couple; relativement paisible; le mâle est assez grossier envers les femelles en surnombre; ne creuse pas le sol; monogame; pondeur sur substrat caché (cavernes) formant une famille parentale durant les soins de la ponte; la femelle surveille les œufs puis les alevins, le mâle se charge de la défense des alentours.

M.: Sol composé de sable fin; édifices rocheux avec de nombreuses failles et grottes; racines.

R.: 25–30° C; eau moyennement dure à dure (12–15° dGH) et légèrement alcaline (pH 7,5–8); pond sur substrat caché, les œufs sont fixés à la voûte d'une grotte (50 à 150 œufs).

N.: C; exclusivement nourritures vivantes.

P.: Les alevins sont sensibles aux accumulations bactériennes dans l'eau de l'aquarium.

T: 24–26° C, L: 10 cm, LA: 60 cm, Z: m, i, D: 3–4

Neolamprologus tetracanthus (BOULENGER, 1899)
Lamprologus perlé

Syn.: *Lamprologus brevianalis, L. marginatus, L. tetracanthus.*

Or.: Afrique, lac Tanganyika (endémique); fréquent dans la zone côtière.

P.i.: 1972.

D.s.: Mâle plus grand que la femelle, une légère bosse frontale apparait chez les exemplaires âgés.

C.s.: Territorial; vit par couples; relativement paisible mais vorace envers les poissons de petite taille; pondeur sur substrat caché, monogame, formant une famille parentale durant la période du frai; les deux parents défendent la ponte et les alevins.

M.: Comme indiqué chez *Neolamprologus leleupi.*

R.: 25–28° C; voir *N. leleupi*; pond sur substrat caché, la ponte se déroule à l'intérieur d'une grotte; œufs et alevins sont intensivement défendus.

N.: L; principalement nourritures vivantes (petits crustacés, larves d'insectes, alevins, mollusques).

P.: *Neolamprologus tetracanthus* est une espèce qui fait partie des Cichlidés, peu nombreux, qui vivent plus particulièrement dans la zone intermédiaire entre le littoral rocailleux et le littoral sablonneux; ce poisson se nourrit de préférence d'escargots qui se trouvent dans la couche supérieure du sable.

T: 23–25° C, L: 19 cm, LA: 80 cm, Z: m, i, D: 2–3

Neolamprologus leleupi

Neolamprologus tetracanthus

Neolamprologus tretocephalus (BOULENGER, 1899)
Lamprologus à cinq bandes

Syn.: *Lamprologus tretocephalus.*

Or.: Afrique, lac Tanganyika (endémique); apparait dans le littoral d'éboulis et rocheux.

P.i.: 1974.

D.s.: Difficile à distinger; il semble que les nageoires du mâle soient plus sombres et plus grandes, la dorsale et l'anale sont un peu plus étirées que chez la femelle; lors de la parade nuptiale le mâle est plus actif.

C.s.: Territorial, par couple, famille parentale; le mâle défend énergiquement le grand territoire.

M.: Comme indiqué chez *Neolamprologus brichardi*; eau moyennement dure (10° dGH) et légèrement alcaline (pH 7,6–8,0).

R.: 25–28° C; la reproduction en aquarium n'a que rarement réussit jusqu'à présent; *Neolamprologus tretocephalus* est relativement prolifique (jusqu'à 400 œufs), l'élevage est similaire à celui de *Neolamprologus brichardi*; c'est un pondeur sur substrat caché; la durée du développement des œufs est de 48 heures.

N.: L, O; omnivore: nourritures vivantes, principalement Larves d'Insectes; aliments lyophilisés, congelés, en flocons; nourriture végétale en complément.

P.: À première vue on peut confondre *Neolamprologus tretocephalus* avec *Neolamprologus sexfasciatus* et *Cyphotilapia frontosa*; il diffère de ces derniers par seulement cinq bandes transversales alors que les deux autres espèces en ont six.

T: 24–26° C, **L**: 15 cm, **LA**: à partir de 100 cm, **Z**: m, i, **D**: 2–3

Lamprologus werneri POLL, 1959
Lamprologus de Werner

Syn.: Aucun.

Or.: Afrique, région des rapides du Zaïre, près de Kinshasa et dans le Stanley Pool.

P.i.: 1957.

D.s.: Encore inconnu.

C.s.: Territorial; très agressif envers ses congénères et d'autres poissons; mâle polygame, toujours réunir 1 mâle et plusieurs femelles; vraisemblablement famille mâle-mère.

M.: Gravier avec roches disposées de manière à former des grottes et autres caches; à faire cohabiter avec des poissons de surface de grande taille; éventuellement créer un courant d'eau dans le bac à l'aide d'une Turbelle; maintenance en aquarium à grande surface au sol et faible hauteur d'eau.

R.: *L. werneri* pond sur substrat caché (grotte).

N.: nourritures vivantes (*Tubifex*, Puces d'eau, Larves de Moustiques, Vers de terre, etc.); accepte volontiers les aliments en flocons.

P.: *Lamprologus werneri* s'est largement adapté à la vie dans les rapides et les chutes.

T: 22–25° C, **L**: 12 cm, **LA**: 80 cm, **Z**: i, **D**: 2–3

Neolamprologus tretocephalus

Lamprologus werneri

Lobochilotes labiatus (BOULENGER, 1898)
Cichlidé zèbre du Tanganyika

Syn.: *Tilapia labiata.*

Or.: Afrique, lac Tanganyika (endémique).

P.i.: 1970 (?)

D.s.: Les bandes transversales sur le corps sont généralement plus prononcées chez la femelle; la nageoire anale du mâle porte des ocelles cerclées de noir.

C.s.: Territorial; très agressif et belliqueux; creuse parfois; l'espèce pratique probablement l'incubation buccale vu la présence d'ocelles sur l'anale (famille maternelle?).

M.: Aquarium spacieux avec de nombreuses caches; édifices rocheux, à l'arrière plan, avec des failles et des grottes; sol sablonneux; des plantes ne sont pas indispensables; eau moyennement dure (env. 15° dGH) et légèrement alcaline (pH env. 8).

R.: Aucune reproduction réussie en aquarium n'a été signalée jusqu'à présent dans la littérature aquariophile.

N.: C; nourritures vivantes de toutes sortes; nourriture végétale en complément; aliments lyophilisés ou congelés, accepte parfois aussi les aliments en flocons.

P.: De même que *Cyrtocara labrosa* et *Cyrtocara euchila,* les adultes de *Lobochilotes labiatus* ont des lèvres très développées à l'aide desuzelles ils détectent leur nourriture.

T: 24–27° C, L: 37 cm, LA: 100 cm, Z: m, i, D: 2–3

Melanochromis auratus (BOULENGER, 1897)
Cichlidé turquoise doré

Syn.: *Tilapia aurata, Pseudotropheus auratus.*

Or.: Afrique, lac Malawi (endémique), zone côtière rocheuse.

P.i.: 1958.

D.s.: Dimorphisme sexuel prononcé (dichromisme sexuel); la coloration du mâle diffère nettement de celle de la femelle; les ocelles sur l'anale du mâle sont cerclés de jaune, la région ventrale est très noire.

C.s.: Territorial; mâle polygame, toujours maintenir 1 mâle en compagnie de plusieurs femelles; très asocial; ne creuse pas et ne détériore pas les plantes; incubateur buccal, famille maternelle.

M.: Édifices rocheux avec de nombreuses caches.

R.: 25–28° C; eau moyennement dure (10–15° dGH) et neutre à légèrement alcaline (pH 7–8,5); 1 mâle pour au moins 4 femelles; les femelles pratiquent l'incubation buccale, fécondation des œufs selon la «méthode des ocelles»; environ 20–30, au maximum 40 œufs; soins des alevins durant environ 1 semaine après qu'ils aient quittés la bouche.

N.: L, O; nourritures vivantes, également des aliments lyophilisés; les sujets nés en captivité accepte aussi les flocons; cette espèce mange les algues bleues.

P.: Cette espèce fait partie des Mbunas mangeurs de «Aufwuchs» (v. p. 730); des exemplaires dénommés «Cichlidé turquoise doré blanc-bleu» ont été importés de l'île de Likoma située à la côte est du lac Malawi; morphologiquement ils ont une grande ressemblance avec *Melanochromis auratus* mais leur coloration est totalement différente.

T: 22–26° C, L: mâle 11 cm, femelle 9 cm, LA: 80 cm, Z: toutes, D: 2–3

Lobochilotes labiatus

Melanochromis auratus, en haut ♂, en bas ♀

Melanochromis joanjohnsonae (JOHNSON, 1974)
Perle de Likoma

Syn.: *«Labidochromis caeruleus likomae», Labidochromis joanjohnsonae, Pseudotropheus joanjohnsonae, Melanochromis exasperatus.*

Or.: Afrique, lac Malawi (endémique); apparait dans le littoral rocailleux de l'île Likoma.

P.i.: 1972.

D.s.: Dichromisme sexuel; le mâle présente des ocelles bien visibles, de couleur jaune, sur l'anale, sa dorsale présente une large bande noire submarginale sur la dorsale,

C.s.: Identique à celui de *Melanochromis auratus* ou *M. johannii.*

R.: Comme indiqué chez *M. auratus.*

N.: L, O; toutes sortes de nourritures vivantes, accepte également les aliments en flocons ou lyophilisés; végétaux en complément (salade, épinard, algues).

T: 24–26° C, **L**: 10 cm, **LA**: 80 cm, **Z**: toutes si les édifices rocheux touchent la surface de l'eau; **D**: 2

P.: Comme tous les *Melanochromis,* ce Mbuna est également un mangeur de «Aufwuchs» (couche d'algues gluantes sur les roches); chez la Perle de Likoma les soins de la ponte ne se terminent pas avec la délivrance (sortie de la bouche) des alevins, ces derniers sont repris en bouche encore durant 1 ou 2 jours en cas de danger; ce comportement distingue cette espèce de la plupart des autres Mbunas.

♂

Melanochromis johannii (ECCLES, 1973)
Cichlidé cobalt

Syn.: *Pseudotropheus johannii, «Pseudotropheus daviese».*

Or.: Afrique, lac Malawi (endémique), dans le littoral rocheux.

P.i.: 1972.

D.s.: Dichromisme sexuel; ocelles sur la nageoire anale du mâle, ce dernier est en général plus grand que la femelle dont la couleur est orange; la photo montre un mâle.

C.s.: Territorial; mâle polygame, maintenir toujours 1 mâle et plusieurs femelles; très insociable entre congénères, ne creuse pas et ne détériore pas les plantes; famille maternelle.

M.: Décor par édifices rocheux avec de nombreuses grottes et failles en guise de caches.

R.: 26–27° C; eau moyennement dure à dure (12–18° dGH) et légèrement alcaline (pH env. 8,5); toujours réunir 1 mâle avec au moins 3 femelles; incubateur buccal; la femelle prend les œufs, env. 35, en bouche; fécondation selon la «méthode des ocelles»; les soins sont prodigués par la femelle encore durant une semaine après qu'ils aient quittés la bouche.

N.: L, O; préfère les nourritures vivantes; les exemplaires nés en captivité acceptent également les aliments en flocons ou lyophilisés.

P.: L'espèce fait partie des Mbunas; les juvéniles présentent la coloration des femelles, à partir d'une taille de 5 cm leur livrée change; si l'eau est de mauvaise qualité les couleurs pâlissent.

T: 22–25° C, **L**: 12 cm, **LA**: 80 cm, **Z**: toutes, **D**: 2

Melanochromis joanjohnsonae

Melanochromis johannii

Melanochromis vermivorus TREWAVAS, 1935
Couve gueule bleu

Syn.: Aucun.

Or.: Afrique, lac Malawi (endémique), dans le littoral rocheux; rarement importé.

P.i.: Probablement 1958.

D.s.: Dichromisme sexuel; ocelles sur l'anale du mâle.

C.s.: Territorial; maintenir toujours 1 mâle en compagnie de plusieurs femelles; c'est un des Mbunas relativement paisible; il est agressif et asocial seulement durant la période du frai, envers ses congénères et envers les autres poissons; incubateur buccal; famille maternelle.

M.: Aquarium à partir de 90 cm de long pour 1 mâle et 3–4 femelles; édifices rocheux avec de nombreuses failles et grottes; sol composé de sable fin, espace dégagé pour nager librement.

R.: Comme indiqué chez *Melanochromis auratus.*

N.: Nourritures vivantes (Daphnies, *Tubifex*, Larves de Moustiques, etc.); nourriture végétale en complément (algues, salade), accepte également les aliments en flocons et lyophilisés.

P.: À première vue *Melanochromis vermivorus* peut être facilement confondu avec Melanochromis auratus, mais la tête de M. vermivorus est beaucoup plus allongée, sa bouche est plus grande et plus pointue que celle de *M. auratus*; les femelles de ces deux espèces ont une coloration totalement différente.

T: 22–26° C, L: 15 cm, LA: 90 cm, Z: m, i, D: 2

Mesonauta festivus (HECKEL, 1840)
Cichlidé drapeau

Syn.: *Acara festiva, Chromys acora, Cichlasoma insigne, Cichlasoma insignis, Heros festivus, Cichlasoma festivum.*

Or.: Amérique du sud tropicale, ouest de Guyana et système fluvial de l'Amazone; près des berges à des endroits calmes et abrités, à végétation dense offrant des refuges; actuellement le commerce propose principalement des exemplaires nés en captivité, ils présentent parfois des signes de dégénérescence (nanisme, nageoires raccourcies, etc.).

P.i.: 1908 par E. Reichelt, Berlin; l'espèce a été reproduite en aquarium la première fois par Weinhausen à Braunschweig.

D.s.: Seulement identifiable en période du frai; les nageoires du mâle sont un peu plus longues; la papille génitale est l'indice le plus sûr: elle est courte et pointue chez le mâle, plus longue et obtuse chez la femelle.

M.: Végétation dense, plantes robustes (*Sagittaria, Vallisneria, Cryptocoryne*); caches sous forme de grottes aménagées à l'aide de roches et de racines; quelque galets plats comme substrat de ponte.

R.: Plus difficile que celle des autres *Mesonauta*; 25–28° C; pas très exigeant envers la qualité de l'eau qui doit être de préférence douce (env. 5° dGH) et légèrement acide (pH 6,5); pond sur substrat découvert, feuilles solides ou pierres nettoyées, entre 200 et 500 œufs; les alevins seront suspendus (cf. SCHMETTKAMP 1979: DCG Info 10 [1]: 10); les deux parents soignent méticuleusement les œufs et les alevins; le groupe d'alevins est conduit par les deux parents.

N.: C, O; nourritures vivantes (*Tubifex*, Puces d'eau, Larves de Moustiques), aliments en flocons, nourriture végétale complémentaire (salade, flocons d'avoine) est important.

P.: Très sensible aux produits chiniques et aux nitrites; ne pas faire cohabiter avec des Néons qui pourraient être rapidement dévorés par *M. festivus.* Convient très bien pour vivre en compagnie de *Pterophyllum scalare.* C'est un des plus fréquents Cichlidés dans la région centrale de l'Amazone.

T: 23–25° C, L: 15 cm, LA: 100 cm, Z: m, i, D: 2–3

Melanochromis vermivorus

Mesonauta festivus

Nannacara anomala REGAN, 1905
Cichlidé nain brillant

Syn.: *Acara punctulata, Nannacara taenia.*

Or.: Amérique du sud, ouest de Guyana (anct. Guyane Britannique); le commerce propose actuellement pratiquement que des sujets d'élevage.

P.i.: 1934 par Fritz Mayer, Hambourg.

D.s.: Dimorphisme sexuel bien net; le mâle est plus grand (jusqu'à 9 cm) ses couleurs sont plus vives; la femelle est plus petite (jusqu'à 5 cm).

C.s.: Par couple jusqu'au frai; en dehors de la période de ponte il est très social, mais insociable envers ses congénères durant cette période; lorsque la ponte est terminée il faut enlever le mâle sinon il sera impitoyablement poursuivi par la femelle; par contre dans un grand aquarium le mâle défend les alentours du territoire, surveillant ainsi indirectement le frai, tandis que la femelle effectue les soins directs; ne creuse pas.

M.: Aquarium bien planté et offrant de nombreux abris constitués par des roches et des racines.

R.: 26–28° C; eau moyennement dure (10° dGH) et légèrement acide (pH 6,2–6,5); pondeur sur substrat caché, entre 50 et 300 œufs sont déposés dans une grotte; durant la ponte la femelle se pare d'une livrée maternelle.

N.: C; se nourrit exclusivement de toutes sortes de nourritures vivantes et accepte très rarement les aliments en flocons.

P.: Des expériences faites à l'aide de leurres ont démontré que le dessin noir et blanc et la nage saccadée de la mère sont les facteurs qui déclenchent le comportement de fuite les alevins.

T: 22–25° C, L: mâle 9 cm, femelle 5 cm, LA: 60 cm, Z: i, D: 2

Nanochromis dimidiatus (PELLEGRIN, 1900)
Cichlidé rouge du Congo

Syn.: *Pelmatochromis dimidiatus.*

Or.: Afrique, dans l'Ubanghi (bras du Zaïre), région de Banghi.

P.i.: 1952.

D.s.: Mâle généralement plus grand que la femelle, il présente un dessin réticulé sur la dorsale, l'anale et la caudale; ce dessin manque chez la femelle; une écaille brillante argentée se trouve au dessus de l'anus du mâle; la femelle a une couleur violette intensive et une tache noire sur le dernier tiers de la dorsale.

C.s.: Territorial; relativement agressif; creuse le sol mais ne détériore pas les plantes; famille parentale.

M.: Roches formant des grottes; dense végétation périphérique du bac; pots à fleurs couchés pour frayer; sol composé de gravier.

R.: 25–28° C; eau douce (5–8° dGH) et légèrement acide; jusqu'à présent la reproduction n'a réussie qu'en eau douce; apport périodique d'eau neuve est conseillé;pond sur substrat caché, env. 60 œufs sont déposés dans une grotte; lorsque les alevins nagent librement les deux parents s'en occupent.

N.: C, O; toutes sortes de nourritures vivantes; accepte également les aliments lyophilisés ou en flocons.

P.: Contrairement à *Nanochromis nudiceps*, la papille génitale de *N. dimidiatus* n'apparait que quelques heures avant la ponte. Cette espèce peut changer très rapidement sa coloration.

T: 23–25° C, L: mâle 8 cm, femelle 6 cm; LA: 50 cm, Z: i, m, D: 3

Nannacara anomala

Nanochromis dimidiatus

Nanochromis parilus ROBERTS et STEWART, 1976
Cichlidé bleu du Congo

Syn.: *Nanochromis nudiceps.*

Or.: Afrique, système fluvial du Zaïre, principalement dans le Stanley Pool.

P.i.: 1952.

D.s.: Mâle en général plus grand, sa dorsale et l'anale sont étirées en pointe; les femelles prêtes à pondre ont un très gros ventre; chez la femelle mature la papille génitale est visible même en dehors de la période du frai.

C.s.: Territorial; les mâles sont belliqueux entre eux mais pacifiques envers les femelles; ne détériore pas les plantes mais creuse; famille mâle-mère (famille parentale).

M.: Bac bien planté, offrant de nombreux abris composés de roches et de racines; sol composé de gros gravier.

R.: 25–28° C; eau douce (5–8° dGH) et légèrement acide (pH 6,5); l'eau devrait être légèrement tourbeuse; pond sur substrat caché, de 80 à 120, au maximum 250 œufs sont déposés dans une grotte; la femelle soigne les œufs et les alevins, le mâle défend le territoire; lorsque les alevins nagent librement les deux parents conduisent le groupe.

N.: C; toutes sortes de nourritures vivantes.

P.: Les œufs reposent sur de minuscules pédoncules. Le genre *Nanochromis* est un proche parent du genre *Pelvicachromis. N. parilus* est la dénomination scientifique correcte pour ce Cichlidé connu depuis de longues années sous le nom de *N. nudiceps*; en réalité *N. nudiceps* est à considérer comme variété de couleur de *N. parilus.*

T: 22–25° C, L: mâle 8 cm, femelle 7 cm, LA: 50 cm, Z: i, D: 2–3

Ophthalmotilapia ventralis (BOULENGER, 1898)
Couve-gueule à ventre bleu

Syn.: *Paratilapia ventralis, Ophthalmochromis ventralis.*

Or.: Afrique, lac Tanganyika (endémique), vit dans la zone rocheuse, de préférence dans la zone intermédiaire vers le fond sablonneux, où se trouvent de nombreuses petites plages sableuses entre les grands blocs rocheux et les éboulis; depuis environ cinq ans on trouve régulièrement dans le commerce des spécimens d'importations.

P.i.: Probablement 1958.

D.s.: Net dimorphisme sexuel; les pelviennes du mâle sont beaucoup plus longues que chez la femelle; le mâle est plus grand, sa dorsale et l'anale sont longues et pointues, ses couleurs sont plus vives; la femelle présente une robe grise.

C.s.: Comportement territorial seulement durant la période du frai, en temps normal ils vivent en groupes allégés; en période de ponte il est insociable envers ses congénères et les autres poissons; creuse parfois lors du frai; maintenir 1 mâle et plusieurs femelles; famille maternelle.

M.: Sol composé de sable fin, avec quelques îlots rocailleux disposés de çi de là; paroi rocheuse à l'arrière plan; grand espace libre pour nager.

R.: 25–27° C; eau moyennement dure (10° dGH) et légèrement alcaline (pH au-dessus de 7,5); incubateur buccal, la femelle prend les œufs, jusqu'à 60, en bouche; fécondation selon une «méthode des ocelles» modifiée: ce ne sont pas des ocelles qui fonctionnent en leurres, mais les extrémités épaissies, de couleur jaune, des pelviennes du mâle; le frai a lieu dans des cuvettes plates creusées dans le sable par les parents.

N.: C, O; toutes sortes de nourritures vivantes, algues.

P.: Apparait en deux sous-espèces: *O. ventralis ventralis* (BOULENGER, 1898) et *O. ventralis heterodontus* POLL et MATTHES, 1962. Ces deux sous-espèces diffèrent par leur dentition.

T: 23–25° C, L: mâle jusqu'à 15 cm, LA: 90 cm, Z: m, i, D: 2–3

Nanochromis parilus

Ophthalmotilapia ventralis

Mikrogeophagus ramirezi (MYERS & HARRY, 1948)
Ramirezi

Syn.: *Apistogramma ramirezi, Microgeophagus ramirezi, Papiliochromis ramirezi.*

Or.: Ouest du Vénézuela, Colombie; est reproduit couramment en aquarium; on constate fréquemment des signes de dégénérescence (taille réduite, couleurs pâles); des souches sauvage ont été à nouveau importées durant ces dernières années.

P.i.: 1948.

D.s.: La femelle se reconnait à son tube de ponte qui apparait peu avant le frai; le deuxième rayon de la dorsale du mâle est très long; chez la femelle ce rayon est plus court, elle est plus petite et son ventre est souvent rougeâtre.

C.s.: Par couple; social; famille parentale sans distribution des rôles entre les sexes.

M.: Plusieurs buissons de plantes denses, espace libre pour nager, quelques caches (grottes); lors des changements d'eau ajouter toujours un bon produit d'assainissement.

R.: 27–29° C; eau douce (jusqu'à 10° dGH, optimum 3° dGH); pH env. 7; adjonction de tourbe est salutaire; pond sur substrat découvert, 150 à 200 œufs sont déposés sur des pierres ou dans des cuvettes.

N.: C, O; nourritures vivantes, aliments lyophilisés, en flocons, en comprimés.

P.: Très sensible envers les produits chimiques, les transferts et la tuberculose des poissons; durée de vie relativement courte (2–3 ans).

Les nageoires des exemplaires nés en captivité sont souvent moins développées.

T: 22–26° C, **L**: 7 cm, **LA**: 50 cm, **Z**: m, i, **D**: 3

Anomalochromis thomasi (BOULENGER, 1915)
Cichlidé de Thomas

Syn.: *Paratilapia thomasi, Hemichromis thomasi, Pelmatochromis thomasi.*

Or.: Afrique, Sierra Leone, sud-est de la Guinée et ouest du Liberia; les spécimens proposés par le commerce sont en général de souches sauvages.

P.i.: 1966.

D.s.: Les sexes sont difficiles à reconnaitre; les femelles adultes ont en général un ventre plus rond, leur dessin noir est plus prononcé que chez les mâles.

C.s.: Territorial, par couple; très paisible, ne creuse pas; famille parentale, les deux parents soignent et surveillent œufs et alevins.

M.: Végétation dense, grottes composées de roches et de racines; pierres plates comme substrat de ponte; espace libre pour nager; peut être maintenu dans un aquarium communautaire.

R.: 26–27° C; eau douce (7-9° dGH) et légèrement acide (pH 6,5); pond sur substrat découvert, jusqu'à 500 œufs sont déposés sur des pierres ou des plantes nettoyées au préalable; les alevins seront logés dans des cuvettes et attentivement soignés et surveillés par les deux parents.

N.: C, O; nourritures vivantes, végétaux en complément, accepte aussi les aliments en flocons ou lyophilisés.

P.: Grâce au travail de GREENWOOD (1985): Bull. Br. Mus. nat. Hist. (Zool.) 49, 257–272, on sait enfin à quel genre appartient ce poisson, du fait que GREENWOOD a établi pour lui le genre monotypique *Anomalochromis.*

T: 23–27° C, **L**: mâle 10 cm, femelle 7 cm, **LA**: 70 cm, **Z**: i, **D**: 1

Mikrogeophagus ramirezi

Anomalochromis thomasi

Pelvicachromis pulcher (BOULENGER, 1901)
Pulcher, Cichlidé pourpre, Cichlidé royal

Syn.: *Pelmatochromis pulcher.*

Or.: Afrique, sud du Nigeria; pénètre aussi dans l'eau saumâtre; dans les bacs des amateurs et des commerçants on ne rencontre pratiquement que des exemplaires nés en captivité.

P.i.: 1913 par Christian Brüning, Hambourg.

D.s.: En général le mâle est plus grand, sa dorsale et l'anale sont plus pointues, chez la femelle elles sont arrondies; les rayons du centre de la caudale sont prolongés chez le mâle; souvent les couleurs de la femelle sont plus vives.

C.s.: Territorial, par couple; relativement paisible et social; creuse beaucoup mais n'abime pas les plantes; famille père-mère.

M.: Bonne plantation; grottes et abris composés de racines et de roches, espace libre pour nager.

R.: 26–27° C; eau moyennement dure (8–12° dGH) et légèrement acide (pH 6,5); pondeur sur substrat caché, 200 à 300 œufs sont fixés contre la voûte d'une grotte; la femelle soigne et surveille œufs et alevins, le mâle défend le territoire; père et mère conduisent le groupe d'alevins dès leur nage libre.

N.: C, O; aliments en flocons, nourritures vivantes (Daphnies, Cyclops, Larves de Moustiques).

P.: Parmi un groupe de juvéniles le comportement territorial se manifeste en premier chez les mâles; lors de la parade nuptiale les femelles sont plus actives. Il est préférable de laisser les alevins en compagnie des parents jusqu'à ce que ces derniers préparent une nouvelle ponte; si on les enlève trop tôt le mâle peut entrer prématurément en phase de reproduction et reporter son agressivité sur la femelle alors qu'elle n'est pas encore prête pour une nouvelle ponte.

T: 24–25° C, L: 8–10 cm, LA: 60 cm, Z: i, D: 1

Pelvicachromis subocellatus (GÜNTHER, 1871)
Cichlidé violet

Syn.: *Hemichromis subocellatus, Pelmatochromis subocellatus.*

Or.: Afrique occidentale, du Gabon jusqu'à l'embouchure du Zaïre (Congo); pénètre jusque dans l'eau saumâtre des estuaires; on trouve de moins en moins de souches sauvages dans le commerce.

P.i.: 1907 par W. Schroot, Hambourg.

D.s.: Dorsale et anale sont pointues chez le mâle et arrondies chez la femelle; cette dernière est plus active lors de la parade nuptiale et présente une plus belle livrée de noces; les pelviennes du mâle sont beaucoup plus longues.

C.s.: Territorial, par couple; relativement paisible, seulement belliqueux en période du frai; creuse mais en général sans détériorer les plantes; famille père-mère.

N.: Hauteur préférentielle du bac: entre 20 et 50 cm; végétation dense, grottes formées par des roches et des racines; espace dégagé pour nager; sol composé de sable fin; convient pour l'aquarium communautaire.

R.: 25–28° C; paramètres de l'eau comme pour *Pelvicachromis pulcher*; forte aération; pour les spécimens d'importation récente il est conseillé d'ajouter du sel (1 cuillerée à café pour 1–5 l.); pond entre 60 et 200 œufs sur substrat caché; les alevins sont transférés dans des cuvettes et surveillés par la femelle pendant que le mâle défend le territoire; mâle et femelle conduisent le groupe dès la nage libre.

N.: C, O; principalement nourritures vivantes, accepte aussi les aliments lyophilisés, congelés ou en flocons.

P.: Les œufs sont suspendus à un filament d'env. 5 mm de longueur. D'après THUMM, *P. subocellatus* émet des grognements durant la nuit.

T: 22–26° C, L: 10 cm, LA: 80 cm, Z: i, D: 2

Pelvicachromis pulcher

Pelvicachromis subocellatus

Pelvicachromis taeniatus (BOULENGER, 1901)
Cichlidé émeraude

Syn.: *Pelmatochromis taeniatus, Pelmatochromis klugei, Pelmatochromis kribensis, Pelmatochromis kribensis klugei.*

Or.: Afrique, sud du Nigeria et Cameroun, également dans les zones d'eau saumâtre; rarement disponible dans le commerce, sauf quelques exemplaires sporadiquement importés.

P.i.: 1911 par Christian Brüning, Hambourg.

D.s.: Mâle plus grand que la femelle et à plus belle coloration; la caudale est angulaire chez le mâle, arrondie chez la femelle; dorsale et anale sont étirées en pointe chez le mâle.

C.s.: Territorial, par couple; paisible envers ses congénères et les autres poissons, assez belliqueux en période du frai; creuse mais n'endommage pas les plantes; famille père mère.

M.: Végétation dense; grottes et autres caches composées de roches et de racines; espace libre pour nager; sol composé de sable fin.

R.: 25–28° C; eau douce à moyennement dure (5–10° dGH) et légèrement acide (pH 6,2–6,8); bonne oxygénation; pond entre 40 et 150 œufs sur substral caché; la femelle surveille œufs et alevins, le mâle surveille le territoire; lors de la nage libre mâle et femelle conduisent le groupe d'alevins.

N.: C, O; aliments en flocons, toutes sortes de nourritures vivantes.

P.: L'élevage des alevins est souvent difficile car ils sont très sensibles aux Infusoires. Parmi les sujets nés en captivité on trouve le plus souvent en majorité des femelles. Cette espèce forme plusieurs races de couleurs d'origines diverses.

T: 22–25° C, L: mâle 9 cm, femelle 7 cm, LA: 60 cm, Z: i, D: 1

Petrotilapia tridentiger TREWAVAS, 1935
Couve gueule à poitrine jaune

Syn.: Aucun.

Or.: Afrique, lac Malawi (endémique), dans la zone rocheuse.

P.i.: Pas connue.

D.s.: Dimorphisme sexuel prononcé (dichromisme sexuel) entre mâle et femelle; les ocelles se distinguent mieux sur la nageoire anale du mâle que sur celle de la femelle.

C.s.: Territorial; comportement asocial et belliqueux envers ses congénères et d'autres Cichlidés; ne creuse pas; famille maternelle.

M.: Sol composé de sable et de gravier; édifices rocheux avec de nombreuses grottes et autres caches; éclairage intensif de l'aquarium pour favoriser la croissance d'algues.

R.: 26–27° C; eau moyennement dure (10–15° dGH) et légèrement alcaline (pH 8,5), riche en oxygène; incubateur buccal, la femelle prend les œufs en bouche (jusqu'à 35 œufs); fécondation selon la «méthode des ocelles»; la femelle soigne la ponte durant un temps relativement court.

N.: L, O; toutes sortes de nourritures vivantes, algues, salade ébouillantée.

P.: Le genre *Petrotilapia* est monotypique, c. à d. il ne contient qu'une seule espèce, *P. tridentiger,* qui fait partie des Mbunas dont il est le plus grand représentant: longueur 25 cm. Cette espèce apparait en plusieurs races géographiques qui diffèrent par leur coloration.

T: 24–26° C, L: 25 cm, LA: 100 cm, Z: m, i, D: 3

Pelvicachromis taeniatus

Petrotilapia tridentiger

Pseudocrenilabrus multicolor (SCHOELLER, 1903)
Couve-gueule multicolor

Syn.: *Paratilapia multicolor, Haplochromis multicolor, Hemihaplochromis multicolor.*

Or.: Nord-est de l'Afrique, du Nil inférieur jusqu'en Uganda et Tanzanie; actuellement le commerce ne propose pratiquement plus que des spécimens nés en captivité.

P.i.: 1902 par le Dr. C. H. Schoeller.

D.s.: Le mâle prend une livrée de noce durant la période du frai; les couleurs de la femelle sont plus pâles, sa nageoire anale n'a pas de taches rouges.

C.s.: Par couple (au moins durant la période du frai); souvent belliqueux; famille maternelle.

M.: Bac bien planté offrant des caches; espaces libres pour nager; sol composé de sable fin.

R.: 25–26° C; eau moyennement dure (12° dGH) et neutre (pH env. 7); incubateur buccal; la femelle dépose les œufs, entre 30 et 80, dans une cuvette creusée dans le sable puis, après que le mâle les a fécondés; elle les prend en bouche, les jeunes éclosent au bout d'env. 10 jours.

N.: C, O; toutes sortes de nourritures vivantes, aliments lyophilisés, en flocons ou en comprimés.

P.: Durant environ 1 semaine la femelle offre refuge aux alevins en cas de danger et durant la nuit; suite à certains signaux émis par la mère, tous les alevins se réfugient dans la bouche ouverte. Le mâle ne présente pas de vrais ocelles sur la nageoire anale; il faut le retirer lorsque la ponte est terminée sinon il poursuit inlassablement la femelle.

T: 20–24° C, **L**: 8 cm, **LA**: 40 cm, **Z**: i, m, **D**: 2

Pseudocrenilabrus philander dispersus (TRAWAVAS, 1936)
Couve-gueule laiton, Couve-gueule cuivre

Syn.: *Haplochromis philander dispersus, Hemihaplochromis philander dispersus, Tilapia philander.*

Or.: Afrique, Afrique du sud, Namibie, Zambie, Mozambique, Rhodésie, Angola, sud du Zaïre; n'est pas fréquemment disponible dans le commerce.

P.i.: 1911 par les «Vereinigte Zierfischzüchtereien Conradshöhe», Berlin. Nouvelle introduction en 1969 sous le nom de *«Haplochromis kirawira»*.

D.s.: Le mâle est beaucoup plus coloré que la femelle dont la robe est très modeste; la nageoire anale du mâle présente une tache lumineuse rouge, tout son corps a une brillance dorée.

C.s.: Territorial; très agressif et belliqueux; creuse beaucoup durant la période du frai; famille maternelle.

M.: Plantes dures, cultivées de préférence en pots; quelques gros cailloux, grottes ou pots à fleurs couchés comme caches; sol composé de sable fin; espace libre pour nager.

R.: 24–27° C; paramètres de l'eau comme pour *Pseudocrenilabrus multicolor*; incubateur buccal; les œufs, jusqu'à 100, sont déposés dans des cuvettes creusées dans le sol par le mâle, puis, après fécondation, pris en bouche par la femelle; par la suite elle prend les alevins en bouche en cas de danger et pendant la nuit.

N.: C, O; nourritures vivantes, aliments lyophilisés ou en flocons.

P.: Ce poisson apparait en diverses formes qui varient par leur taille, leur coloration et leur origine; une grande forme originaire de Beira (Mozambique): jusqu'à 11 cm; une petite forme originaire de Beira: jusqu'à 8 cm; une petite forme originaire du lac Otjikoto (Namibie); jusqu'à 8 cm.

T: 20–24° C, **L**: 11 cm, **LA**: 60 cm, **Z**: i, **D**: 2–3

Pseudocrenilabrus multicolor

Pseudocrenilabrus philander dispersus

Pseudotropheus aurora BURGESS, 1976

Syn.: *Pseudotropheus lucerna.*

Or.: Afrique, lac Malawi (endémique), littoral de l'île Likoma; il vit dans la zone intermédiaire entre la zone sablonneuse et la zone rocheuse.

P.i.: 1964 (?) sous le nom de *Pseudotropheus lucerna.*

D.s.: Dichromisme sexuel; les couleurs du mâle sont plus vives, les ocelles de sa nageoire anale sont plus prononcées.

C.s.: Territorial; comportement insociable envers ses congénères et les autres espèces; toujours maintenir 1 mâle en compagnie de plusieurs femelles; incubateur buccal, famille maternelle.

M.: Comme indiqué chez *Pseudotropheus tropheops*; eau: dureté 12–30° dGH, pH 7,5–8,5.

R.: 26–28° C; paramètres de l'eau comme ci-dessus; 1 mâle avec au moins 3 femelles; immédiatement après la ponte la femelle prend les œufs (40–70) en bouche; fécondation selon la «méthode des ocelles»; l'incubation dure env. 18 à 21 jours; l'élevage des jeunes ne pose pas de problèmes, on les nourrit avec des *Artemia salina.*

T: 24–26° C, L: 11 cm, LA: 120 cm, Z: m, i, D: 1–2

N.: C, O; nourritures vivantes, petits fragments de cœur de bœuf, aliments en flocons (grands flocons).

P.: *Pseudotropheus aurora* a été longtemps confondu avec *Pseudotropheus lucerna* TREWAVAS, 1935. *P. aurora* se distingue de tous les autres *Pseudotropheus* par ses grands yeux. L'index «diamètre de l'œil dans la longueur de la tête» est de 2,6–3,2 fois, c'est le plus petit relevé jusqu'à présent chez des Cichlidés.

♀

Pseudotropheus elongatus FRYER, 1956

Syn.: Aucun.

Or.: Afrique, lac Malawi (endémique), vit dans la zone rocheuse; on trouve parfois dans le commerce des exemplaires nés en captivité.

P.i.: 1964.

D.s.: Dichromisme sexuel; la couleur des ocelles sur la nageoire anale du mâle est plus vive; en général le mâle est plus grand que la femelle.

C.s.: Territorial; c'est l'un des plus agressifs de ce genre; insociable envers les congénères et les autres poissons; le mâle est polygame, en raison de son agressivité il faut lui adjoindre de nombreuses femelles (pas moins de 5); famille maternelle.

M.: Une paroi rocheuse avec de nombreuses grottes est indispensable, pour le reste du bac des plantes dures suffisent pour délimiter les territoires.

R.: 26–27° C; eau moyennement dure à dure (10–18° dGH) et alcaline (pH 8,5); incubateur buccal; la femelle prend les œufs en bouche; nombre d'œufs: jusqu'à 37, le plus souvent env. 20; fécondation selon la «méthode des ocelles»; les soins des alevins sont pratiqués au maximum durant 2 jours après leur sortie de bouche; par la suite ils ne quittent pas le territoire de la mère et bénéficient ainsi d'une protection indirecte.

N.: L, O; toutes sortes de nourritures vivantes, végétaux en complément (algues, salade ébouillantée, épinard).

P.: Cette espèce apparait en plusieurs variétés de couleurs. *Pseudotropheus elongatus* fait partie des Mbunas.

T: 22–25° C, L: 13 cm, LA: 100 cm, Z: i, D: 2–3

Pseudotropheus aurora

Pseudotropheus elongatus

Pseudotropheus fainzilberi STAECK, 1976

Syn.: Aucun.

Or.: Afrique, lac Malawi (endémique), côte nord-est, près de Makonde.

P.i.: 1976 par le Dr. Wolfgang Staeck, Berlin.

D.s.: Dimorphisme sexuel prononcé, dichromisme sexuel; la livrée du mâle est plus intense et plus resplendissante, les ocelles de la nageoire anale sont bien en évidence.

C.s.: Territorial; très mauvais comportement intra et interspécifique, très vivace; mâle polygame, toujours maintenir 1 mâle en compagnie de plusieurs femelles; incubateur buccal, cellule familiale de type maternelle.

M.: Comme indiqué chez *Pseudotropheus zebra.*

R.: Voir *P. zebra.*

N.: C, O; nourritures vivantes, algues, aliments en flocons et aliments lyophilisés.

P.: Par sa dentition, *Pseudotropheus fainzilberi* diffère de toutes les autres espèces du genre *Pseudotropheus*: il a cinq à sept rangées de dents, donc une ou deux rangées complémentaires sur chaque mâchoire; une autre caractéristique remarquable; chez lui les dents bicuspides ne sont pas limitées aux rangées extérieures. C'est un proche parent de *Pseudotropheus zebra.*

T: 22–26° C, L: 13 cm, LA: 80 cm, Z: i, m, D: 2

Pseudotropheus lanisticola BURGESS, 1976
Petit Cichlidé mollusque

Syn.: Aucun.

Or.: Afrique, lac Malawi (endémique); vit au-dessus du fond sablonneux.

P.i.: 1964 (?).

D.s.: Dimorphisme sexuel évident, dichromisme sexuel; les ocelles sur la nageoire anale du mâle sont bien visibles.

C.s.: Similaire à celui de *Pseudotropheus macrophthalmus* (voir page suivante).

M.: Édifices rocheux avec de nombreuses caches à l'arrière-plan du bac; à l'avant-plan une couche de 5 à 7 cm de sable fin; laisser un espace libre pour la nage; végétation périphérique composée de plantes dures; quelques grandes coquilles d'escargots vides; eau modérément alcaline (pH 8–8,5) et moyennement dure à dure (12–20° dGH).

R.: Comme indiqué chez *Pseudotropheus zebra.*

N.: O; mange tout: toutes sortes de nourritures vivantes, végétaux (salade, épinard, algues); aliments lyophilisés, congelés, en flocons et en comprimés.

P.: *Pseudotropheus lanisticola* figure parmi les plus petits Cichlidés du lac Malawi; il utilise les coquilles vides des escargots du genre *Lanistes* comme abris; il se distingue de *Pseudotropheus livingstonii,* qui occupe la même niche écologique, par la forme différente de ses dents et la nageoire anale de couleur jaune-or.

T: 23–25° C, L: 7 cm, LA: 70 cm, Z: m, i, D: 2

Pseudotropheus fainzilberi

Pseudotropheus lanisticola

Pseudotropheus macrophthalmus AHL, 1927
Couve-gueule à grands yeux

Syn.: Aucun.

Or.: Afrique, lac Malawi (endémique), dans le littoral rocheux; le commerce propose régulièrement des exemplaires de souches sauvages.

P.i.: 1964.

D.s.: Dichromisme sexuel; les ocelles de la nageoire anale sont plus visibles chez le mâle.

C.s.: Territorial; maintenir 1 mâle et plusieurs femelles; semble être l'un des plus paisibles Mbunas car la plupart des mâles sont peu agressifs envers leurs congénères et d'autres espèces; famille maternelle.

M.: Édifices rocheux avec de nombreuses failles et cavernes offrant abris; sol composé de sable ou de gravier.

R.: 25–28° C; eau moyennement dure (12–18° dGH) et modérément alcaline (pH env. 8,5); 1 mâle avec au moins 3–4 femelles; incubateur buccal, la femelle prend les œufs (entre 40 et 70) en bouche; fécondation selon la «méthode des ocelles»; la mère soigne les alevins seulement durant quelques jours après leur sortie de la bouche.

N.: L, O; nourritures vivantes; aliments lyophilisés et congelés, végétaux en complément (salade ébouillantée, algues, épinard); aliments en flocons, Tetra Tips.

P.: L'autonomie de *Pseudotropheus macrophthalmus* et de l'espèce apparentée *Pseudotropheus microstoma* TREWAVAS, 1935 est contestée par FRYER qui considère aussi bien *P. macrophthalmus* que *P. microstoma* comme sous-espèces de *Pseudotropheus tropheops* REGAN, 1921.

T: 23–25° C, **L**: 15 cm, **LA**: 100 cm, **Z**: m, i, **D**: 2

Pseudotropheus tropheops REGAN, 1921
Couve-gueule jaune

Syn.: Aucun.

Or.: Afrique, lac Malawi (endémique), dans le littoral rocheux; on trouve dans le commerce des spécimens d'importations et d'élevages.

P.i.: 1964.

D.s.: Dichromisme sexuel; le mâle est en général plus grand que la femelle, il présente des ocelles sur la nageoire anale.

C.s.: Territorial; le mâle fraye avec plusieurs femelles; très mauvais comportement inter et intraspécifique; famille maternelle.

M.: Édifices rocheux avec de nombreuses failles et cavernes; sol composé de sable fin; quelques plantes pour délimiter des territoires.

R.: 26–27° C; eau moyennement dure à dure (10–20° dGH) et légèrement alcaline (pH 8–8,5); 1 mâle avec au moins 3–4 femelles; incubateur buccal; la femelle prend les œufs en bouche (env. 40 œufs); fécondation selon la «méthode des ocelles»; la mère surveille les œufs seulement pendant quelques jours.

N.: C, O; toutes sortes de nourritures vivantes, végétaux (algues, salade, épinard); cœur de bœuf, aliments en flocons.

P.: Espèce polymorphe; la diversité de *Pseudotropheus tropheops* ne réside pas seulement dans les variations de couleurs, mais dans les différences de taille et les proportions des caractères anatomiques et morphologiques. Cette espèce apparait en deux sous-espèces: *Ps. tropheops tropheops* REGAN, 1921 et *Ps. tropheops gracilior* TREWAVAS, 1935. Actuellement ces deux sous-espèces sont considérées comme variétés de couleurs de l'espèce très diversifiée *P. tropheops.*

T: 24–26° C, **L**: jusqu'à 20 cm, **LA**: 100 cm, **Z**: m, i, **D**: 2–3

Pseudotropheus macrophthalmus

Pseudotropheus tropheops

Pseudotropheus zebra (BOULENGER, 1899)
Cichlidé bleu du Malawi

Syn.: *Tilapia zebra.*

Or.: Afrique, lac Malawi (endémique), dans le littoral rocheux; on trouve actuellement couramment dans le commerce des spécimens nés en captivité.

P.i.: 1964.

D.s.: Dichromisme sexuel; les ocelles sur l'anale du mâle sont très développés; les femelles nagent souvent en groupes (groupes dans le sens des éthologistes); agressif et insociable envers ses congénères et les autres poissons; très vif; mâle polygame, toujours réunir 1 mâle et plusieurs femelles; famille maternelle.

M.: Bac à partir de 80 cm de long pour 1 mâle et plusieurs femelles; édifices rocheux avec de nombreuses cavernes et failles servant d'abris; plantes robustes pour délimiter les territoires.

R.: 25–28° C; eau moyennement dure à dure (10–18° dGH) et modérément alcaline à alcaline (pH 8–9); incubateur buccal; la femelle prend les œufs (jusqu'à 60) en bouche; fécondation des œufs selon la «méthode des ocelles»; soins des alevins assez brefs, au maximum durant huit jours après qu'ils aient quitté la bouche de la mère.

N.: L, O; aliments en flocons, nourritures vivantes, végétaux (algues, salade, épinard); Lentilles d'eau!

P.: Cette espèce apparait dans un grand nombre de variétés de couleurs. *Pseudotropheus zebra* fait partie des Mbunas. Le poisson commercialisé sous le nom de «Zèbre rouge» est assurément une espèce non encore décrite. Les poissons importés sous le nom de «Zèbre nain» ont été décrits en 1974 par JOHNSON comme *Microchromis zebroides.*

T: 22–28° C, L: 12 cm, LA: 80 cm, Z: m, i, D: 1–2

Pseudotropheus estherae (en haut ♂, en bas ♀)

Cet incubateur buccal orange bleu *Pseudotropheus estherae* KONINGS (1995) est souvent considéré comme variété de *P. zebra*, mais il s'agit d'une espèce valide qui n'a pas encore été décrite. Le plus souvent les mâles sont bleus, les femelles oranges à rouges. On connait également des livrées tachetées. Une autre espèce est nommée «bright blue».

Pseudotropheus estherae ♂

Pseudotropheus estherae ♀

Pterophyllum altum

Pterophyllum altum PELLEGRIN, 1903
Scalaire

Syn.: Aucun.

Or.: Amérique du sud, Orinoco et affluents; cette espèce est rarement disponible dans le commerce.

P.i.: 1950 par «Aquarium Hamburg», nouvelle introduction en 1972 par Heiko Bleher, «Aquarium Rio».

D.s.: Pas de signes distinctifs en dehors de la période du frai, durant cette période la femelle a un gros ventre (œufs); d'après MEIER-BÖKE le dos de la femelle est plus plat.

C.s.: Territorial; poisson grégaire paisible; famille parentale.

M.: Aménagement de l'aquarium comme pour *Pterophyllum scalare*.

R.: 30–31° C; eau douce (1–5° dGH) et acide (pH 5,8–6,2); élevage comme indiqué chez *Pterophyllum scalare*; on ne connait pas de reproduction réussie en aquarium; les souches issues de croisements *P. altum* x *P. scalare* ne sont pas sensibles à la pourriture bactérienne des nageoires et ont de très belles nageoires hautes et pointues; conditionner les reproducteurs en les nourrissant de proies vivantes et de TetraRubin.

N.: Nourritures vivantes, végétaux en complément (salade, épinard, flocons d'avoine); accepte les aliments en flocons.

P.: Diffère de *Pterophyllum scalare* par sa ligne céphalique-dorsale très raide et incurvée en forme de selle au-dessus du museau; ne pas faire cohabiter avec des Néons car ces derniers seraient dévorés. *Pterophyllum altum* est sensible à *Ichthyosporidium* cela explique la maintenance à températures élevées.

T: 28–30° C, **L**: 18 cm, **LA**: 80 cm, **HA**: 50 cm, **Z**: m, **D**: 3

Pterophyllum scalare, variété dorée

Pterophyllum scalare

Scalaire marbré

Pterophyllum scalare (LICHTENSTEIN, 1823)
Scalaire

Syn.: *Platax scalaris, Zeus scalaris, Pterophyllum eimekei.*

Or.: Amérique du sud, moyen Amazone et affluents jusqu'au Pérou et est de l'Equateur, où il vit en compagnie de *Mesonauta festiva.* Dans le commerce on trouve pratiquement que des spécimens d'élevage qui présentent souvent des signes de dégénérescence telles que nanisme, couleurs pâles, troubles du comportement lors des soins de la ponte, etc.

P.i.: 1909 par C. Siggelkow, Hambourg.

D.s.: Pas de signes extérieurs en dehors de la période de ponte; identification sûre d'après la forme de la papille génitale; elle est pointue chez le mâle et arrondie chez la femelle.

C.s.: Territorial; à l'état juvénile il vit en groupe, ensuite par couple; espèce paisible, ne creuse pas; famille parentale avec fidélité prononcée entre les partenaires.

M.: Aquarium bien planté, végétation périphérique composée de plantes robustes (Sagittaires, Vallisnéries); espace libre pour nager, quelques roches et racines.

R.: 26–28° C; paramètres de l'eau comme pour *Mesonauta festiva*; un couple se forme au sein d'un groupe de juvénils; pond sur substrat découvert, de préférence sur des feuilles nettoyées au préalable; jusqu'à 1000 œufs par ponte; surveillance et soins intensifs du frai et des alevins; les deux parents conduisent le banc d'alevins.

N.: C, O; toutes sortes de nourritures vivantes; nourriture végétale complémentaire (salade, épinard); apprécie les aliments lyophilisés et les flocons.

P.: Les Larves de Moustiques sont à distribuer parcimonieusement car *P. scalare* a tendance de s'en gaver, ce qui entraine souvent sa mort. Ne pas faire cohabiter avec des Néons car il les dévore avec délice. Ne pas maintenir à trop basse température sinon il végète. *Pterophyllum scalare* apparait en de nombreuses variétés d'élevages fantaisistes. Des mâles en rivalité ou en parade nuptiale peuvent émettre des sons grinçants bien audibles qu'ils produisent à l'aide de leurs mâchoires.

T: 24–28° C, **L:** 15 cm, **LA:** 80 cm, **Z:** m, **D:** 2

Scalaire voile

Scalaire demi-noir

Oreochromis mossambicus (PETERS, 1852)

Syn.: *Chromis mossambicus, Chromis dumerili, Tilapia dumerili, Tilapia mossambica, Tilapia natalensis, Sarotherodon mossambicus.*

Or.: Afrique orientale, dans des eaux courantes et eaux stagnantes, également en eau saumâtre; l'espèce est rarement proposée par le commerce, car en raison de sa taille elle convient mal pour les aquariums des amateurs.

P.i.: 1925 par A. Dietz, Hambourg.

D.s.: Dichromisme sexuel apparent durant la période du frai; mâle riche en couleurs, femelle uniformément gris-vert.

C.s.: Territorial seulement en période de ponte, par ailleurs très agressif envers ses congénères; paisible envers les autres espèces; creuse beaucoup, surtout en période de frai et dévore les plantes; famille maternelle.

M.: Épaisse couche de sable, grandes pierres, elles doivent reposer sur le fond de l'aquarium; pas de plantes.

R.: 24–26° C; pour cette espèce les paramètres de l'eau n'ont pas d'importance; le frai se déroule dans une cuvette creusée par le mâle; la femelle prend les œufs en bouche (jusqu'à 300), c'est elle qui soigne les œufs et les alevins lorsqu'ils ont quittés la bouche, et leur offre refuge en cas de danger ou durant la nuit.

N.: C, O; nourriture vivante consistante (Larves de Moustiques, Larves de Libellules, Vers de terre, *Tubifex*); nourriture végétale (algues, salade, épinard, flocons d'avoine), cœur de bœuf, aliments en flocons.

P.: Dans son pays d'origine cette espèce est très appréciée comme poisson comestible. Les mâles matures forment des colonies; sur 1 mètre carré, jusqu'à huit mâles d'une taille de 10 cm peuvent creuser des cuvettes de ponte.

T: 20–24° C, L: 10–40 cm, LA: 100 cm, Z: i, D: 3–4

Steatocranus casuarius POLL, 1939

Tête bossue, Cichlidé à bosse frontale

Syn.: *Steatocranus elongatus.*

Or.: Afrique, bas et moyen Zaïre, dans les zones calmes des rapides; dans le commerce on trouve des spécimens nés en captivité.

P.i.: 1956.

D.s.: Le mâle présente une grande bosse adipeuse sur le front, chez la femelle cette bosse est plus petite; la femelle reste plus petite que le mâle.

C.s.: Par couple; monogame, si l'un des partenaires meurt le survivant reste seul et n'accepte plus d'autre compagnon; insociable et belliqueux, surtout en période du frai; les exemplaires de souche sauvage imposent par la taille de leur bosse frontale et leur taille générale.

M.: Édifices rocheux avec de nombreuses caches; pots à fleurs couchés ou noix de coco comme chambre nuptiale; quelques plantes dures.

R.: 26–29° C; eau moyennement dure (15–17° dGH), neutre à légèrement acide (pH 6,5–7); pond sur substrat caché; cellule familiale du type père-mère; peut pondre jusqu'à 150 œufs, mais le plus souvent 20–60.

N.: O; mange tout, nourritures vivantes, aliments lyophilisés, en comprimés, en flocons.

P.: On suppose que le groupe d'alevins est conduit par la mère. La vésicule natatoire de cette espèce est fortement réduite, c'est une adaptation à la vie dans des rapides, car ainsi ces poissons ne peuvent plus flotter dans l'eau et se déplacent par saccades.

T: 24–28° C, L: mâle 11 cm, femelle 8 cm, LA: 60 cm, Z: i, D: 2

Oreochromis mossambicus

Steatocranus casuarius

Symphysodon aequifasciatus aequifasciatus PELLEGRIN, 1903
Discus vert

Syn.: Aucun.

Or.: Amérique du sud, Amazone près de Santarem et Tefé; dans le commerce on trouve principalement des spécimens de souche sauvage.

P.i.: 1921.

D.s.: Sexes difficiles à identifier en dehors de la période du frai, pendant cette période on se réfère à la papille génitale qui est pointue chez le mâle et ronde chez la femelle.

C.s.: Territorial seulement en période de ponte, en temps normal comportement grégaire; très paisible; ne creuse pas, famille parentale.

M.: Comme indiqué chez *Symphysodon discus*.

R.: 28–31° C; eau douce (2–3° dGH) et légèrement acide (pH env. 6,5); les changements d'eau sont importants, toutes les trois semaines environ $^1/_4$ du volume total; pond sur substrat découvert; le substrat de ponte, pierres ou feuilles, est au préalable soigneusement nettoyé; une ponte se compose de quelques centaines d'œufs; durant les premiers temps, après la nage libre, les alevins se nourrissent d'un mucus sécrété par les parents; les deux parents conduisent le groupe d'alevins.

N.: C; nourritures vivantes (Larves de Moustiques, Puces d'eau, Insectes aquatiques, *Artemia, Tubifex*).

P.: À part le Discus vert *Symphysodon aequifasciatus aequifasciatus* PELLEGRIN, 1903 il existe encore deux autres sous-espèces: *S. aequifasciatus axelrodi* SCHULTZ, 1960, le Discus brun, et *S. aequifasciatus haraldi* le Discus bleu. Ces trois sous-espèces diffèrent par leur coloration mais pas par leur comportement social et de soins à la ponte.

T: 26–30° C, **L**: jusqu'à 15 cm, **LA**: 100 cm, **Z**: m, i, **D**: 4

Symphysodon aequifasciatus axelrodi

Symphysodon aequifasciatus haraldi «Royal Blue»

Symphysodon discus HECKEL, 1840
Vrai Discus, Pompadour

Syn.: Aucun.

Or.: Amérique du sud, exclusivement Rio Negro, dans des baies calmes et riches en végétation; le commerce propose des exemplaires de souches sauvages et d'autres nés en captivité.

P.i.: 1921 par W. Eimeke, Hambourg.

D.s.: Souvent difficile à identifier les sexes, se référer à la papille génitale lors de la période du frai: elle est pointue chez le mâle et obtuse chez la femelle.

C.s.: Poisson grégaire, mais comportement territorial en période de ponte; très paisible envers les autres poissons; ne creuse pas; famille parentale.

M.: Selon possibilité, employer des bacs spacieux et hauts, ayant au moins 100–120 cm de longueur et 50 cm de hauteur; sol mou, plantation allégée, quelques racines ou souches, quelques blocs de roches de nature à ne pas alcaliniser l'eau; espace libre pour nager, lumière diffuse; température 26–28° C, durant l'hiver 23° C; occupe de préférence les zones moyennes et inférieures de l'eau.

R.: 28–31° C; eau douce (1–3° dGH) et légèrement acide; un régulier changement partiel d'eau est important, voir *Symphysodon aequifasciatus*; pondeur sur substrat découvert, les œufs, quelques centaines, sont déposés sur des pierres ou des feuilles; les deux parents surveillent et soignent les alevins; durant les premiers jours les alevins se nourissent d'un mucus sécrété par les parents; l'élevage de cette espèce est plus difficile que celui de *S. aequifasciatus.*

N.: C; toutes sortes de nourritures vivantes; les aliments en flocons ne sont pas toujours acceptés; les juvéniles peuvent être amenés à manger des Tetra Tips (aliments lyophilisés en comprimés).

P.: Des analyses ont révélé que le mucus nourricier est sécrété par les parents principalement au dos; il est produit par de nombreuses cellules à mucus et contient quelquefois des algues unicellulaires et des Protozoaires. *Symphysodon discus willischwartzi* peut être croisé avec *S. aequifasciatus*. Vraisemblablement tous les Discus appartiennent à une seule espèce (cf. ALLGAYER et TETON [1981]: Aquarama **15** (57): 17–21, 58–59; (57): 21–24). En 1981 BOURGESS a décrit une nouvelle sous-espèce: *Symphysodon discus willischwartzi*.

T: 26–30° C, **L**: 20 cm, **LA**: 100 cm, **Z**: m, i, **D**: 4

Symphysodon aequifasciatus haraldi avec alevins

Teleogramma brichardi POLL, 1959
Cichlidé-lotte

Syn.: Aucun.

Or.: Afrique, cours inférieur du Zaïre entre Kinshasa et Matadi, dans les rapides; le commerce propose que des spécimens d'importation.

P.i.: 1957.

D.s.: Chez le mâle on observe un large bord blanc sur la dorsale et la partie supérieure de la caudale; ce bord blanc est moins large chez la femelle; en période de ponte il apparait chez la femelle une large bande rouge des pectorales jusqu'à l'anus.

C.s.: Territorial; insociable entre congénères; ne creuse pas et n'abime pas les plantes; famille mâle-mère.

M.: Aquarium spacieux car cette espèce veut accaparer un grand territoire; une faible hauteur d'eau (20 cm) est suffisante; édifices rocheux avec de nombreuses failles et cavernes formant abris; chaque caverne doit être soustraite à la vue des occupants d'une autre; plantes pour délimiter les territoires.

R.: 23–25° C; eau moyennement dure (7–10° dGH) et légèrement acide (pH 6,5); bonne oxygénation; pondeur sur substrat caché; entre 10 et 30 œufs; après avoir fécondé les œufs, le mâle n'est plus toléré à l'intérieur de la caverne par la femelle, c'est elle seule qui surveille la ponte dans la caverne, le mâle surveille les environs; les parents s'occupent peu des alevins qui sont déjà assez insociables et se combattent pour se réserver des territoires.

N.: C, O; nourritures vivantes (Larves de Moustiques, *Tubifex*), aliments en flocons et en comprimés.

P.: Excellente adaptation à la vie dans les rapides: corps très allongé cylindrique, nageoires pelviennes situées loin en avant du corps (poitrine), grande nageoire caudale, yeux situés presque sur le haut de la tête et vessie natatoire plus en état de fonctionner; la ligne latérale non divisée s'étire jusqu'à la caudale.

T: 20–23° C, L: mâle 12 cm, femelle 9 cm, LA: 80 cm, Z: i, D: 2–3

Telmatochromis bifrenatus MYERS, 1936
Cichlidé à deux bandes

Syn.: Aucun.

Or.: Afrique, lac Tanganyika (endémique), près de Kigoma dans la zone rocheuse.

P.i.: 1972 (?).

D.s.: Le mâle est plus grand, ses nageoires sont plus longues, en particulier les pelviennes (nageoires ventrales); le ventre de la femelle est presque toujours plus rond.

C.s.: Territorial; très paisible; monogame, il arrive cependant qu'un mâle se réserve deux familles; pond sur substrat caché; famille père-mère.

M.: Édifices rocheux avec de nombreuses grottes et autres caches; végétation pas nécessaire; eau moyennement dure (10–15° dGH) et modérément alcaline (pH env. 9).

R.: 26–28° C; la ponte se déroule dans une caverne (pot à fleurs couché, moitié de noix de coco); les œufs, jusqu'à 80, sont jaunâtre à orange et ont un diamètre d'env. 1 mm; la femelle surveille à l'intérieur de la caverne; l'incubation dure environ 10 jours, huit jours après l'éclosion les alevins nagent librement; à partir de là le mâle s'occupe principalement de la surveillance du territoire et moins des soins des alevins, idem pour la femelle.

N.: C, O; nourritures vivantes, aliments en flocons, en comprimés, lyophilisés et congelés.

P.: Par sa longueur de 6 cm *Telmatochromis bifrenatus* fait partie des plus petits Cichlidés connus.

T: 24–26° C, L: 6 cm, LA: 60 cm, Z: i, D: 2–3

Teleogramma brichardi

Telmatochromis bifrenatus

Telmatochromis dhonti (BOULENGER, 1919)
Cichlidé chien

Syn.: *Lamprologus dhonti, Telmatochromis caninus.*

Or.: Afrique, lac Tanganyika (endémique), dans la zone du littoral.

P.i.: Probablement 1958.

D.s.: Le mâle est plus grand que la femelle, son front est plus bombé, ses nageoires pelviennes sont plus longues.

C.s.: Territorial; souvent très agressif envers ses congénères mâles et d'autres Cichlidés, principalement durant la période du frai; pondeur sur substrat caché, cellule familiale du type mâle père mère.

M.: Comme indiqué chez *Telmatochromis bifrenatus;* eau moyennement dure (10–15° dGH) et modérément alcaline (pH 8,5–9).

R.: 26–28° C; paramètres de l'eau voir ci dessus: pondeur sur substrat caché (cavernes rocheuses, pots à fleurs couchés); réunir 1 mâle avec plusieurs femelles; l'espèce est assez prolifique (jusqu'à 500 œufs); l'incubation dure de 4 à 7 jours; la femelle surveille les œufs et les alevins, après la nage libre de ces derniers les soins ne sont plus très intensifs.

N.: C, O; préfère les nourritures vivantes mais accepte également les aliments lyophilisés ainsi que ceux en flocons.

P.: *Telmatochromis donti* est le plus grand représentant du genre. La photo montre un mâle.

T: 24–26° C, **L**: 12 cm, **LA**: 90 cm, **Z**: i, **D**: 2–3

Telmatochromis vittatus BOULENGER, 1898

Syn.: Aucun.

Or.: Afrique, lac Tanganyika (endémique), Mbity Rocks.

P.i.: 1973.

D.s.: En général le mâle est plus grand et plus svelte que la femelle, cette dernière a souvent plus d'embonpoint.

C.s.: Territorial; *T. vittatus* n'est pas aussi paisible que *Telmatochromis bifrenatus*. *T. vittatus* est généralement monogame; pondeur sur substrat caché, cellule familiale du type père mère.

M.: Comme indiqué chez *Telmatochromis bifrenatus*; eau moyennement dure à dure (10–20° dGH) et modérément alcaline (pH 8,5–9).

R.: Similaire à celle de *Telmatochromis bifrenatus.*

N.: Nourritures vivantes, aliments lyophilisés, congelés, en flocons.

P.: On reconnait *Telmatochromis vittatus* à son front courbé en pente raide.

T: 24–26° C, **L**: 9 cm, **LA**: 90 cm, **Z**: m, i, **D**: 2–3

Telmatochromis dhonti

Telmatochromis vittatus

Tilapia mariae BOULENGER, 1899

Tilapia à cinq taches

Syn.: *Tilapia dubia, Tilapia mariae dubia, Tilapia meeki.*

Or.: Afrique occidentale, de la Côte d'Ivoire jusqu'au Cameroun, principalement dans le delta du Niger; les spécimens d'élevage se sont rarifiés dans le commerce mais l'espèce est régulièrement importée.

P.i.: 1962.

D.s.: La dorsale et l'anale du mâle sont garnies de nombreux points blancs scintillants, ils sont absents chez la femelle; le mâle est beaucoup plus grand, sa dorsale et l'anale sont plus longues; le front du mâle est plus droit que chez la femelle.

C.s.: Territorial, par couple; est souvent agressif et belliqueux envers ses congénères et d'autres espèces; creuse beaucoup, surtout en période de ponte; famille père-mère.

M.: Sol composé de sable fin, pas de gravier; quelques galets plats, pas de plantes car c'est un herbivore; quelques racines.

R.: 25–27° C; eau douce à moyennement dure (6–10° dGH) et neutre à légèrement acide (pH 6,5–7); pond sur substrat découvert, parfois sur substrat caché; les œufs sont déposés dans une cuvette creusée sous une pierre par le mâle; les nombreux œufs, jusqu'à 2000, sont transportés par la femelle dans une autre cuvette, deux jours après la ponte; là ils seront intensivement surveillés et soignés par les deux parents.

N.: L, O; herbivore (algues, plantes aquatiques, salade, épinard) également nourriture vivante et en flocons.

P.: Dans l'intestin des individus sauvages on trouve toujours 15 à 25% de sable qui joue un rôle dans le broyage des aliments.

T. mariae juv.

T: 20–25° C, **L**: jusqu'à 35 cm, **LA**: 100 cm, **Z**: i, **D**: 3–4

Tilapia zillii (GERVAIS, 1848)

Tilapia de Zille

Syn.: *Acerina zillii, Chromis andreae, Chromis busumanus, Chromis tristrami, Chromis zillii, Glyphisodon zillii, Haligenes tristrami, Coptodon zillii, Tilapia tristrami, Tilapia menzalensis.*

Or.: Toute l'Afrique au nord de l'Equateur, Jordanie, Syrie, dans le Jourdain et ses bras, dans le lac de Tibériade. L'espèce pénètre en eau saumâtre, on la trouve également dans les points d'eau du Sahara. Au cours de ces dernières années elle a presque totalement disparue des aquariums des amateurs et des commerçants.

P.i.: 1903 par le Dr. Schoeller, Alexandrie.

D.s.: Les couleurs de la femelle sont plus pâles, à la base de sa dorsale se trouvent deux taches blanches; sur les premiers rayons de la dorsale molle du mâle on remarque un ocelle; la papille génitale est pointue chez le mâle et ronde chez la femelle.

C.s.: Territorial; très bagarreur entre congénères; creuse beaucoup et dévore les plantes; famille parentale.

M.: Sol composé de sable fin en couche épaisse, grands cailloux, pas de plantes.

R.: 25–28° C; pas exigeant envers les qualités physico-chimiques de l'eau; pond sur substrat découvert, les œufs, jusqu'à 1000, sont déposés sur un substrat nettoyé;après l'éclosion les alevins sont transférés dans une cuvette peu profonde et intensivement soignés et conduits par les parents.

N.: O; nourritures vivantes consistantes, nourriture végétale indispensable (*Elodea*, Lentilles d'eau, algues, salade); les flocons sont souvent refusés.

P.: Bien couvrir l'aquarium, c'est un bon sauteur.

T: 20–24° C, **L**: 15–30 cm, **LA**: 100 cm, **Z**: i, **D**: 4 (T)

Tilapia mariae ♂

Tilapia zillii

Aulonocara jacobfreibergi (JOHNSON, 1974)
Cichlidé-fée

Syn.: «*Trematocranus trevori*», *Trematocranus jacobfreibergi.*

Or.: Afrique, lac Malawi (endémique); dans le littoral rocheux, habitant spécifiquement des cavernes.

P.i.: 1973.

D.s.: Dichromisme sexuel chez les adultes; le mâle est en général plus grand, ses pelviennes sont un peu plus longues, la dorsale et l'anale sont pointues; chez la femelle la dorsale est bordée de rouge.

C.s.: Dans la nature ce poisson vit en groupes pouvant rassembler jusqu'à 100 individus; dans chaque groupe il n'y a qu'un seul mâle à coloration complète; incubateur buccal, famille maternelle.

M.: Comme indiqué chez *Aulonocara nyassae*; eau moyennement dure à dure (10–20° dGH) et modérément alcaline (pH 7,5–8,2); voir p. 682.

R.: 25–27° C; paramètres de l'eau comme ci-dessus; les œufs, environ 50, sont pris en bouche par la femelle; fécondation des œufs selon la «méthode des ocelles», bien que la femelle de *Aulonocara jacobfreibergi* n'a pas d'ocelles sur l'anale; l'élevage des alevins est facile.

N.: C; nourritures vivantes (Insectes, Larves d'Insectes, petits Crustacés, *Tubifex*); aliments en flocons, lyophilisés, cœur de bœuf.

P.: Les représentants du genre *Trematocranus* sont caractérisés par la présence d'un certain nombre de petits canaux sur la tête; il s'agit de canaux sensoriels faisant partie du système de la ligne latérale; on les trouve également chez le genre *Aulonocara.*

T: 24–26° C, L: 15 cm, LA: 80 cm, Z: m, i, D: 2

Triglachromis otostigma (REGAN, 1920)
Grognon du Tanganyika

Syn.: *Limnochromis otostigma.*

Or.: Afrique, lac Tanganyika (endémique); vit au-dessus des fonds vaseux et sablonneux du sublittoral de Benthal (à une profondeur de 20–60 m).

P.i.: 1973 (?)

D.s.: Inconnu.

C.s.: Relativement paisible; territorial, ne défend pas son territoire aussi énergiquement que beaucoup d'autres Cichlidés; ils menacent en ouvrant largement leur très grande bouche.

M.: Paroi rocheuse aménagée à l'arrière du bac, les pierres ou blocs de lave doivent toucher la surface de l'eau; nombreuses grottes et niches indispensables; aménager une large plage sablonneuse à l'avant-plan; eau moyennement dure (10–15° dGH) et modérément alcaline (pH 8,5–9); réguliers changements d'eau ($^1/_3$ toutes les 3 semaines).

R.: La reproduction en aquarium n'a réussie jusqu'à présent que dans quelques cas exceptionnels; probablement incubateur buccal, on n'a pas de renseignements sur l'élevage de ce poisson.

N.: C, O; nourritures vivantes (*Gammarus,* Larves de Moustiques et de mouches); cœur de bœuf, aliments en flocons.

P.: Le nom du genre *Triglachromis* a été choisi par THYS van den AUDENAERDE parce qu'il existe des similitudes avec les Grognons marins (Fam. des Triglidae) du point de vue structure des pelviennes et de certains comportements.

T: 24–26° C, L: 12 cm, LA: 80 cm, Z: i, m, D: 2

Aulonocara jacobfreibergi

Triglachromis otostigma

Tropheus duboisi MARLIER, 1959

Duboisi, Tropheus à raie blanche

Syn.: Aucun.

Or.: Afrique, lac Tanganyika (endémique), au-dessus des fonds rocheux, à des profondeurs entre 3 et 15 mètres; des spécimens nés en captivité sont couramment disponibles dans le commerce.

P.i.: 1958.

D.s.: Pas de différence dans la coloration des deux sexes; le mâle est plus grand, ses pelviennes sont plus longues; les femelles adultes ont des taches blanches sur le dos, elles sont absentes chez les mâles.

C.s.: Territorial; paisible envers les autres espèces, parfois agressif envers les congénères; ne vit pas en groupes comme *T. moorii*; mais seul ou par couple; famille maternelle.

M.: Comme pour *Tropheus moorii.*

R.: 26–27° C; eau moyennement dure (10–12° dGH) et modérément alcaline (pH 8,5–9); incubateur buccal, fraye dans des niches; la femelle prend les œufs en bouche (5 à 15 œufs); elle soigne les alevins durant environ une semaine après leur première sortie de la bouche.

N.: L, O; nourritures vivantes; mangeur de «Aufwuchs» hautement spécialisé, il faut donc lui offrir beaucoup de nourriture végétale (algues, salade, épinard, flocons d'avoine); les *Tubifex* sont à distribuer seulement en petites quantités.

P.: Les juvéniles de *T. duboisi* présentent des taches bleues-blanches sur fond bleu-noir (v. petite photo).

T: 24–26° C, **L**: 12 cm, **LA**: 80 cm, **Z**: m, i, **D**: 3

T. duboisi juv.

Tropheus moorii BOULENGER, 1898

Moori

Syn.: *Tropheus annectens.*

Or.: Afrique, lac Tanganyika (endémique), dans le littoral rocheux; le commerce propose également des individus nés en captivité.

P.i.: 1958 par Walter Griem.

D.s.: Sexes difficiles à reconnaitre, étant incubateur buccal il n'a pas de dimorphisme sexuel; il semble que les couleurs du mâle soient plus vives et qu'il est plus petit que la femelle; ses nageoires pelviennes sont plus longues; pas d'ocelles sur l'anale, ni chez le mâle, ni chez la femelle.

C.s.: Territorial; souvent insociable entre congénères, ignore totalement les autres espèces; les sexes vivent en groupes permanents; il y a tendance vers la famille parentale mais sans formation de couple comme chez les pondeurs sur substrat découvert.

M.: Édifices rocheux avec de nombreuses grottes et failles; éclairage intense pour activer la croissance des algues; espace libre pour nager indispensable.

R.: 27–28° C; eau moyennement dure (10–15° dGH) et neutre à alcaline (pH 7–9); incubateur buccal hautement spécialisé;les œufs sont pondus en eau libre (5–17 œufs) et pris en bouche par la femelle avant qu'ils aient touché le sol; malgré cela un substrat est nettoyé et le creusement d'une cuvette est amorcé; la femelle soigne les alevins durant environ 1 semaine après les avoir libérés de la bouche.

N.: O; toutes sortes de nourritures vivantes, un complément de nourriture végétale est indispensable (salade ébouillantée, épinard, flocons d'avoine), TetraPhyll.

P.: *Tropheus moorii* apparait en de nombreuses variétés de coloration (races géographiques).

T: 24–26° C, **L**: 15 cm, **LA**: 100 cm, **Z**: m, i, **D**: 4

Tropheus duboisi ♂

Tropheus moorii

Tropheus polli G. AXELROD, 1977
Tropheus à queue fourchue

Syn.: Aucun.

Or.: Afrique, lac Tanganyika (endémique); a été trouvé jusqu'à présent seulement à la côte sud de l'île Bulu et près de Bulu-Point dans le district de Kigoma; vit au-dessus des fonds rocheux.

P.i.: 1976.

D.s.: Il est très difficile de reconnaitre les sexes; la «queue fourchue» du mâle est plus prononcée.

C.s.: Territorial; belliqueux et agressif entre congénères, le plus souvent paisible envers les autres espèces; le comportement social de cette espèce n'a pas encore été étudié dans son fond.

M.: Comme indiqué chez *Tropheus moorii.*

R.: 26–28° C; par ailleurs comme indiqué chez *Tropheus moorii* et *Tropheus duboisi.*

N.: O; toutes sortes de nourritures vivantes; nourriture végétale en complément (algues, salade, épinard, flocons d'avoine).

P.: *Tropheus polli* se distingue des autres espèces du genre *Tropheus* par sa nageoire caudale profondément fourchue, on peut facilement le reconnaitre.

T: 24–26° C, L: 16 cm, LA: 120 cm, Z: m, i, D: 3–4

Uaru amphiacanthoides HECKEL, 1840
Uaru

Syn.: *Acara amphiacanthoides, Pomotis fasciatus, Uaru imperialis, Uaru obscurus.*

Or.: Amérique du sud, Amazone et Guyana (anc. Guyane Britannique); le commerce propose rarement des spécimens nés en captivité.

P.i.: 1913 par C. Siggelkow, Hambourg.

D.s.: La forme de la papille génitale est le seul indice valable: elle est pointue chez le mâle, obtuse chez la femelle.

C.s.: Poisson grégaire, par couple seulement en période de ponte; excellent comportement intra et interspécifique; mâle parfois belliqueux durant la période du frai; famille parentale.

M.: Sol composé de gravier; édifices rocheux avec de nombreuses cavernes; lumière diffuse; quelques plantes dures; filtration sur tourbe, eau douce; pH entre 5,8 et 7,5.

R.: 27–30° C; figure avec les espèces du genre *Symphysodon* parmi les Cichlidés les plus exigeants, sa reproduction n'est pas facile; eau douce (2–5° dGH) et légèrement acide (pH 6); tourbe conseillée; pond sur substrat découvert; dépose env. 300 œufs sur un substrat rocheux ou des plantes (de préférence aux endroits sombres); durant les premiers jours qui suivent l'éclosion les alevins sont très vulnérables; les nourrir copieusement de plancton animal.

N.: C; toutes sortes de nourritures vivantes.

P.: *U. amphiacanthoides* est un proche parent de *Cichlasoma psittacum* dont il diffère essentiellement par sa dentition et sa coloration. Une bosse adipeuse apparait sur la nuque des *U. amphiacanthoides* adultes; dans la nature il vit en compagnie de *Pterophyllum* et *Symphysodon*; les jeunes Uarus broutent le mucus sécrété par les parents.

T: 26–28° C, L: jusqu'à 30 cm, LA: 120 cm, Z: m, i, D: 3–4

Tropheus polli

Uaru amphiacanthoides

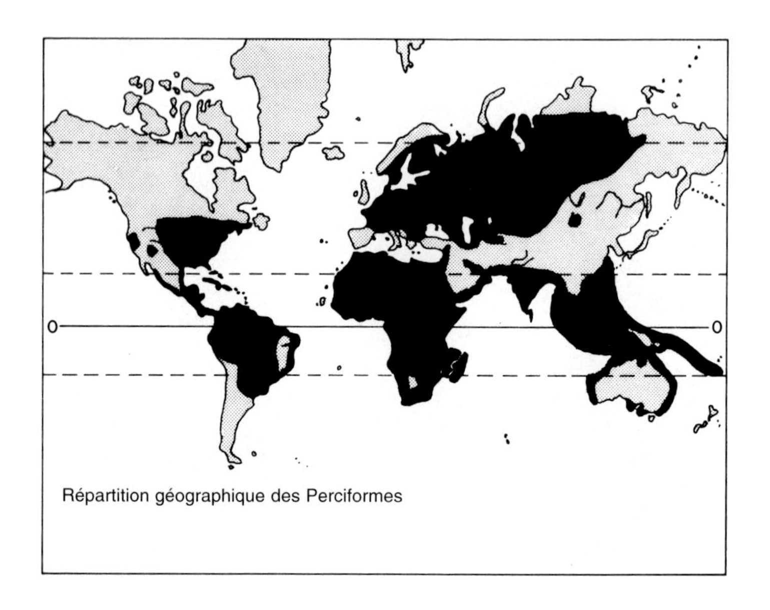

Répartition géographique des Perciformes

Le sous ordre des Percoidei (Perches)

Les Perches n'ont pas été inclues dans le chapitre des vrais poissons osseux afin de mieux mettre en évidence leur parenté. Les Labyrinthidés (Groupe 7) et les Cichlidés (Groupe 8) devraient en réalité figurer dans le présent groupe (Sous ordre des Percoidei). On s'en est abstenu afin que l'aquariophile puisse s'orienter plus facilement.

Fam.: Badidae (Perches bleues)

La famille des Badidae a été établie récemment. Elle ne contient qu'un seul genre avec une espèce: *Badis badis*, qui se distingue des Nandidae par sa très petite bouche et sa polychromie. En outre, des différences dans les valeurs morphométriques et dans le comportement justifient l'établissement d'une famille valide. *Badis badis* n'a pas de labyrinthe.

Fam.: Centrarchidae (Perches soleils)

La plupart des Perches soleils ont une forme ovoïde et sont aplatis latéralement. Quelques espèces sont allongées. Les nageoires dorsale et anale sont longues et composées d'une partie antérieure à rayons durs et d'une partie postérieure à rayons mous. Les subadultes

Scatophagus argus, adulte, v. p. 810

présentent souvent des couleurs plus vives, elles pâlissent avec l'âge. Toutes les espèces pratiquent les soins de la ponte principalement effectués par le mâle (famille paternelle). Chez quelques espèces (genre *Micropterus*) mâle et femelle soignent ensemble les œufs (famille parentale).

Fam.: Chandidae (Perches de verre)

Le corps de ces poissons est transparent comme du verre. On distingue bien la colonne vertébrale et la vessie natatoire. La dorsale est en deux parties. Quelques espèces ont des écailles finement dentelées, les autres présentent des écailles cycloïdes. La ligne latérale atteint la caudale. La plupart des espèces vivent en eau de mer ou en eau saumâtre.

Fam.: Coiidae

Les représentants de la famille des Coiidae, peu nombreux, vivent principalement dans l'eau saumâtre des grands estuaires. Leur aire de répartition se situe au sud-est asiatique. Ils pénètrent aussi en eau douce. Leur corps est haut et très plat sur les côtés. La ligne latérale complète est courbée vers le haut. Le corps est couvert d'écailles cténoïdes. La nageoire dorsale est composée d'une partie antérieure à rayons durs et d'une partie postérieure à rayons mous. Les mâchoires portent des dents, mais il n'y en a pas sur le vomer, ni sur l'os palatin.

Fam.: Monodactylidae (Poissons lunes)

Ce sont des poissons à corps haut, circulaire, très aplati latéralement. La tête et la bouche sont relativement petites. La dorsale et l'anale ont à peu près la même forme. Les premières épines de la nageoire dorsale sont petites et souvent indépendantes. Le corps de ces poissons est couvert de petites écailles cténoïdes. Ce sont des poissons grégaires. Ils vivent dans les eaux saumâtres et dans l'eau de mer en Afrique, au sud de l'Asie et en Australie. Temporairement ils pénètrent aussi en eau douce pure à l'intérieur des terres.

Fam.: Nandidae (Poissons feuilles)

Les Nandidés apparaissent en Amérique du sud, à l'ouest de l'Afrique et au sud-est asiatique. Il s'agit le plus souvent de petits poissons ayant une grande tête et une grande bouche. Les rayons épineux de la nageoire dorsale sont très développés. En général la bouche est très protractile. Le corps est couvert d'écailles cténoïdes. La ligne latérale est incomplète ou totalement absente. Tous les Nandidés sont carnivores. A l'exception d'une, toutes les espèces soignent la ponte (le plus souvent cellule familiale du type paternel).

Fam.: Percidae (Perches)

Les Perches vivent dans les eaux douces de l'hémisphère nord (Europe, Asie, Amérique du nord). Ce sout tous des carnassiers. Deux larges nageoires dorsales, généralement séparées, sont caractéristiques pour cette famille. La première dorsale est composée de rayons épineux, la deuxième, postérieure, est composée principalement de rayons mous. La tête est grande et dotée d'une bouche à grande ouverture. Les Percidés présentent deux narines sur chaque côté de la tête. Ils portent des écailles cténoïdes. En général la ligne latérale est incomplète.

Fam.: Scatophagidae (Scatophages)

Les Scatophages, également appelés Scats ou Argus, vivent sur les côtes du sud-est asiatique et de l'Australie. On les rencontre dans l'eau de mer et dans l'eau saumâtre, mais également en eau douce. Leur corps en forme de disque est très plat sur les côtés. La tête, le corps et certaines parties à rayons mous de la nageoire dorsale et de l'anale sont couverts par de petites écailles cténoïdes. La ligne latérale est complète. La nageoire anale est précédée de 4 rayons durs. Chez les jeunes des espèces du genre *Scatophagus* il apparait un stade larvaire appelé *Tholichthys*.

Fam.: Toxotidae (Poissons archers)

Les Poissons archers vivent dans les eaux saumâtres des côtes de l'ouest, du sud et du sud-est de l'Asie, ainsi que du nord de l'Australie. Ils se distinguent par un dos rectiligne, une tête pointue, de grands yeux, une large bouche et des nageoires dorsale et anale situées loin en arrière du corps. On les nomme «archers» parce qu'ils sont capables de lancer des gouttes d'eau sur les Insectes posés au dessus de la surface des plantes et de les faire ainsi tomber à portée de leur bouche. Sur le corps de ces Poissons se trouvent des taches jaunes lumineuses qui reflètent fortement la lumière. Ces taches leur permettent de garder contact entre eux. Ces taches disparaissent chez les individus âgés qui vivent en solitaires. Cinq espèces appartenant au genre Toxotes composent cette famille. Toutes ces espèces sont des poissons de surface.

Badis badis (HAMILTON, 1822)
Badis badis, Perche bleue

Syn.: *Labrus badis, Badis buchanani.*

Or.: Asie: eaux stagnantes de l'Inde.

P.i.: 1904 par H. Stüve, Hambourg.

D.s.: Mâle plus coloré, sa ligne ventrale est concave alors qu'elle est convexe chez la femelle.

C.s.: Très paisible; en aquarium spécifique *Badis badis* défend un territoire et entre congénères ils se combattent; dans l'aquarium communautaire ils se supportent; l'espèce pratique les soins de la ponte (famille paternelle).

M.: Sol sablonneux; végétation dense, nombreuses caches sous forme de racines et de roches; aménager des grottes (moitiés de noix de coco, pots à fleurs); n'est pas exigeant envers la qualité de l'eau.

R.: 26–30° C; facile et réalisable même dans de très petits bacs; caches et grottes indispensables; mâle et femelle s'enlacent, le plus souvent ils frayent dans une grotte et produisent de 30 à 100 œufs qui seront soignés par le mâle; les jeunes éclosent au bout de 3 jours et sont maintenus en groupe par le mâle jusqu'à résorbtion du sac vitellin; retirer les parents dès la nage libre; élever les alevins avec du plancton.

N.: toutes les nourritures vivantes, accepte aussi de la viande ou du foie râpés.

P.: Deux sous-espèces sont connues: *Badis badis badis,* identique à celui présenté ci-dessus, et *Badis badis burmanicus* AHL, 1936 qui est rouge-brun pointillé de noir et originaire de Birmanie.

T: 23–26° C, L: 8 cm, LA: 70 cm, Z: m et i, D: 4 (C)

Centrarchus macropterus (LACÉPÈDE, 1802)

Perche soleil à œil de paon

Syn.: *Labrus macropterus, Labrus irideus, Centrarchus irideus, Centrarchus sparoides.*

Or.: Amérique du nord; est des USA, de la Caroline du nord et Illinois jusqu'en Floride au sud; le Missisipi constitue la limite du côté ouest.

P.i.: 1906 par Otto Preusse, Pisciculture de Thalmühle près de Francfort-sur-l'Oder.

D.s.: L'anale du mâle a un bord noir, celle de la femelle un bord blanc; la vésicule natatoire, visible à contre jour, est pointue à l'arrière chez le mâle et arrondie chez la femelle; durant la période du frai l'ocelle disparait presque totalement chez le mâle mais apparait davantage chez la femelle.

C.s.: Le plus souvent social et très «joueur», mais ne «joue» qu'avec ses congénères sans laisser les autres espèces participer au «jeu».

M.: Sol composé de sable fin; végétation périphérique: *Cabomba, Myriophyllum, Egeria,* etc., avec espace libre au centre, sinon ce poisson devient farouche et manque d'énergie; caches (racines et roches).

R.: 20–22° C; niveau d'eau max. 15 cm; eau moyennement dure à dure (à partir de 10° dGH; pH 7; le mâle creuse une cuvette dans le sable, ensuite quelques accouplements fictifs précèdent la ponte réelle; environ 200 œufs sont déposés dans la cuvette; retirer la femelle lorsque la ponte est terminée, le mâle seul soigne le frai.

N.: C, O; toutes les nourritures vivantes; aliments en flocons, en comprimés et lyophilisés.

P.: Après acclimatation ce poisson devient très familier et reconnait son soigneur à quelques mètres de distance; supporte mal les changements d'eau et les variations du pH; une mycose peut exploser en une nuit et envahir toute la surface du corps; le plus souvent elle résiste aux traitements médicamenteux.

T: 12–22° C, **L**: 16 cm, **LA**: 60 cm, **Z**: m à i, **D**: 2

Leponis gulosus (CUVIER et VALENCIENNES, 1829)

Syn.: *Pomotis gulosus, Centrarchus viridis, Calliurus floridensis, C. melanops, C. punctulatus, Chaenobryttus antistius, C. coronarius, C. gulosus, Lepomis charybdis, L. gillii.*

Or.: Amérique du nord; est des USA, depuis les grands lacs du nord jusqu'en Caroline et Texas au sud; la limite de l'aire de distribution ouest se trouve au Iowa et Kansas.

P.i.: 1896.

D.s.: Les couleurs du mâle sont plus vives, il est plus svelte; la femelle est plus trapue et plus grosse, notamment en période de ponte.

C.s.: Similaire à celui des espèces du genre Lepomis. *Lepomis gulosus* ne forme pas d'écoles.

M.: Mêmes conditions que pour *Lepomis gibbosus.*

R.: Similaire à celle de *L. gibbosus.*

N.: C, O; toutes les nourritures vivantes, aliments en flocons, congelés et lyophilisés.

P.: *Lepomis gulosus* se distingue des espèces du genre *Lepomis* par sa langue couverte de nombreuses dents minuscules.

T: 10–20° C (poisson d'eau froide), L: 20 cm, LA: 80 cm, Z: i et m, D: 2

Elassoma evergladei JORDAN, 1884

Perche naine, Perche noire

Syn.: Aucun.

Or.: Amérique du nord; USA, de la Caroline du nord jusqu'en Floride.

P.i.: 1925 par Arthur Rachow, Hambourg.

D.s.: En période du frai les nageoires du mâle sont noires; les nageoires de la femelle sont incolores; le corps des femelles adultes est plus haut.

C.s.: Poisson paisible, souvent farouche; défend un territoire; faire cohabiter seulement avec des petits poissons d'eau froide.

M.: Sol composé de sable fin; végétation dense, plantes d'eau froide; quelques roches pour délimiter le territoire; espace libre pour nager; la présence d'algues est avantageuse; préfère une eau vieille, moyennement dure (env. 10° dGH) et neutre à légèrement alcaline (pH 7–7,5); aquarium spécifique.

R.: Réalisable sans difficultés dans l'aquarium spécifique; température 15–25° C; une intéressante parade nuptiale précède la ponte qui se déroule auprès des plantes; pas très prolifique, en général 40 à 60 œufs; le développement des œufs dure deux à trois jours; on peut laisser les parents en présence des alevins, car ils ne les pourchassent pas; nourrir les alevins avec du plancton.

N.: C, O; toutes les nourritures vivantes (Daphnies, *Cyclops*, *Artemia*, *Tubifex*); mange également des algues et les aliments en flocons.

P.: Si on a l'intention de faire reproduire *Elassoma evergladei* il faut qu'il passe l'hiver à basse température (8–12° C); la Perche naine est relativement résistante aux importantes variations de température; ce poisson a une manière particulière de se déplacer sur le sol: il «marche» pratiquement sur ses nageoires pectorales.

T: 10–30° C, L: 3,5 cm, LA: 40 cm, Z: i et m, D: 2

Lepomis gulosus

Elassoma evergladei

Enneacanthus chaetodon (BAIRD, 1854)
Perche disque

Syn.: *Pomotis chaetodon, Bryttus chaetodon, Apomotis chaetodon, Mesogonistus chaetodon.*

Or.: Amérique du nord: seulement dans les états de new York, Maryland et New Jersey; vit dans des lacs et eaux courantes calmes.

P.i.: 1897 par W. Geyer, Regensburg.

D.s.: Difficilement identifiable; les femelles sont souvent plus grosses et plus colorées; un spécialiste peut les distinguer par leur comportement.

C.s.: Poisson calme et paisible; pratique les soins de la ponte (famille paternelle); ne pas faire cohabiter avec des poissons trop remuants.

M.: Sol composé de sable fin; végétation périphérique par *Egeria, Myriophyllum*, etc.; espace libre pour nager; eau moyennement dure à dure (10–20° dGH) et neutre (pH 7); forte aération.

R.: 15–25° C; paramètres de l'eau comme indiqué ci dessus; le mâle aménage une cuvette dans le sol, abritée par des plantes, et la défend envers les autres mâles; la ponte a lieu dans la cuvette, les œufs forment un agglomérat; retirer la femelle lorsque la ponte est terminée, le mâle surveille et soigne les œufs, ensuite les larves; retirer le mâle dès que les alevins nagent librement.

N.: C; nourriture vivante de toute sorte (*Tubifex*, Larves de Moustiques, *Cyclops*, Daphnies, *Artemia*, etc.).

P.: La Perche disque est très sensible aux variations de température, aux changements d'eau et aux produits chimiques; elle réagit négativement à toute dégradation de la qualité de l'eau; la croissance des alevins est rapide, au bout de six semaines ils présentent déjà leur coloration complète.

T: 4–22° C (poisson d'eau froide); **L**: 10 cm, mature à partir de 5 cm, **LA**: 80 cm, **Z**: m et i, **D**: 3

Enneacanthus gloriosus (HOLBROOK, 1855)

Syn.: *Bryttus gloriosus, Enneacanthus margarotis, E. pinniger, Hemioplites simulans.*

Or.: Est de l'Amérique du nord, de l'état de New York jusqu'en Floride.

P.i.: Date incertaine, probablement déjà au début de ce siècle.

D.s.: Difficile à reconnaitre; en général les mâles matures ont un dos plus élevé et des nageoires plus longues que les femelles.

C.s.: En dehors de la période du frai il vit en petits groupes; en période de ponte le mâle délimite un territoire qu'il défend envers ses congénères et les autres espèces; cette espèce pratique les soins de la ponte (famille paternelle).

M.: Comme indiqué chez *Enneacanthus obesus*.

R.: Similaire à celle de *E. obesus*.

N.: C; comme *E. obesus*.

P.: *E. gloriosus* présente une petite tache noire sur l'opercule, cette dernière est absente chez *E. obesus*; en outre les *E. gloriosus* d'âge avancé ne présentent pas les raies verticales qui apparaissent chez *E. obesus*.

T: 10–22° C (poisson d'eau froide), **L**: 8 cm, **LA**: 70 cm, **Z**: m et i, **D**: 2

Enneacanthus chaetodon

Enneacanthus gloriosus

Enneacanthus obesus (GIRARD, 1854)
Perche diamant

Syn.: *Pomotis obesus, Apomotis obesus, Bryttus fasciatus, B. obesus, Copelandia eriarcha, Enneacanthus eriarchus, E. margarotis, E. pinniger, E. simulans, E. guttatus, Hemioplites simulans, Pomotis guttatus.*

Or.: Est de l'Amérique du nord; limite nord: Massachusetts et New Jersey, limite sud; Floride; l'espèce n'apparait pas dans les «grands lacs».

P.i.: 1895.

D.s.: Difficile à reconnaitre en dehors de la période du frai; mâle plus coloré, avec des taches plus ou moins brillantes, l'arrière de sa dorsale et de l'anale est un peu plus large; la vessie natatoire est pointue à l'arrière chez le mâle et arrondie chez la femelle (visible à contre jour).

C.s.: Poisson grégaire craintif; le mâle défend un territoire durant la période du frai; soigne la ponte (famille paternelle).

M.: Sable grossier ou gravier fin; végétation dense: *Elodea, Myriophyllum* et *Cabomba*; abris constitués de racines et de roches; eau moyennement dure (env. 10° dGH) et neutre à légèrement alcaline (pH 7–7,5).

R.: 18–22° C; niveau d'eau durant le frai: 15 cm; basses températures durant l'hiver; souvent le mâle aménage une cuvette dans le sol, en général au pied d'une plante touffue; lors de la ponte le mâle crée un courant d'eau à l'aide de ses nageoires pour diriger les œufs adhésifs vers les plantes où ils restent accrochés; une ponte peut produire jusqu'à 500 œufs; le mâle surveille et soigne les œufs et les larves.

N.: C, O; principalement nourriture vivante, de tous genres; il accepte cependant également les aliments en flocons et des flocons d'avoine.

P.: La Perche diamant est sensible aux importantes variations du pH, il faut donc être prudent lors des renouvellements d'eau ou en cas de transfert; transférés d'une eau acide dans une eau alcaline (pH 7,5 et plus), des sujets sains peuvent être atteints rapidement de mycoses entrainant leur mort; parfois ces poissons s'enfouissent dans le sol et ne laissent dépasser que les yeux et la bouche.

T: 10–22° C (poisson d'eau froide), **L**: 10 cm, **LA**: 70 cm, **Z**: m et i, **D**: 2

Lepomis cyanellus RAFINESQUE, 1819
Perche soleil verte

Syn.: *Apomotis cyanellus, Bryttus longulus, B. melanops, B. mineopas, B. murinus, B. signifer, Calliurus diaphanus, C. melanops, Icthelis cyanella, I. melanops, Chaenobryttus cyanellus, Lepidomus cyanellus, Lepomis lirus, L. melanops, L. microps, L. mineopas, L. murinus, Pomotis longulus, P. pallidus, Telipomis cyanellus.*

Or.: Amérique du nord, du Canada au Mexique à l'est des Rocky Mountains.

P.i.: 1906 par H. Stüve, Hambourg.

D.s.: Difficile à reconnaitre; la femelle est plus grosse en période de ponte; le corps du mâle est moins haut.

C.s.: Similaire à *Lepomis gibbosus.*

M.: Comme indiqué chez *L. gibbosus.*

R.: Similaire à celle de *L. gibbosus* mais température 20–22° C.

N.: C, O; nourriture vivante, aliments en flocons, lyophilisés et congelés.

P.: *Lepomis cyanellus* demande des températures plus élevées que les autres espèces du genre *Lepomis,* malgré cela on peut les maintenir à 10–12° C durant l'hiver; ne pas laisser descendre la température en-dessous de 4° C.

T: 18–22° C (poisson d'eau froide), **L**: 20 cm, **Z**: m et i, **D**: 2

Enneacanthus obesus

Lepomis cyanellus

Lepomis gibbosus (LINNAEUS, 1758)
Perche soleil commune

Syn.: *Perca gibbosa, Eupomotis aureus, E. gibbosus, Pomotis gibbosus, P. ravenelli, P. vulgaris, Sparus aureus.*

Or.: Amérique du nord; USA, du Maine et les Grands Lacs à travers tout l'est de l'Amérique jusqu'en Floride et Texas.

P.i.: 1877 par M. Beck, Paris.

D.s.: Difficile à reconnaitre; la livrée du mâle est souvent plus brillante; la femelle est plus trapue; il semblerait que chez la femelle la tache rouge à l'extrémité de «l'oreille» soit plus petite et moins colorée («oreille = prolongation du bord arrière de l'opercule).

C.s.: Paisible entre congénères mais devient belliqueux pour défendre le territoire en période du frai; soigne la ponte (famille paternelle); faire cohabiter de préférence avec des poissons de surface calmes.

M.: Sol composé de gravier fin; plantes fines cultivées en pots; grand espace libre pour nager; bonne aération produisant simultanément un léger courant d'eau dans l'aquarium; pas de chauffage; eau moyennement dure (10–15° dGH) et neutre à légèrement alcaline (pH 7–7,5).

R.: 18–20° C; eau de dureté moyenne (pas moins de 10° dGH); à l'aide de sa caudale le mâle aménage une cuvette (nid) d'env. 30 cm de diamètre qu'il défend contre toute intrusion de congénères ou d'autres espèces; une intense parade nuptiale et des accouplements fictifs précèdent la ponte proprement dite; la femelle pond ensuite jusqu'à 1000 œufs en plusieurs étapes, il faut la retirer lorsqu'elle a terminé, car à partir de ce moment le mâle pourrait la tuer; ce dernier surveille et soigne intensivement les œufs et ensuite les jeunes, mais ne les conduira pas en groupe comme le font certains Cichlidés.

N.: C; toutes sortes de nourritures vivantes, proies lyophilisées, aliments en flocons.

P.: Si ces poissons sont maintenus durant l'hiver à une température trop élevée ils ne conviennent plus que difficilement, voir plus du tout, comme reproducteurs; un repos hivernal à une température d'env. 12° C leur est indispensable. *L. gibbosus* peut même rester dans le bassin de jardin jusqu'à ce que l'eau gèle.

T: 4–22° C (poisson d'eau froide); **L**: 20 cm, **LA**: 80 cm, **Z**: m et i, **D**: 1–2

Lepomis macrochirus RAFINESQUE, 1819
Perche soleil bleue

Syn.: *Eupomotis macrochirus, Lepomis nephelus.*

Or.: Amérique du nord: USA, Ohio-Valley et vers le sud jusqu'en Arkansas et Kentucky; l'espèce est rare.

P.i.: Date incertaine, probablement seulement après 1975.

D.s.: Très difficile à reconnaitre.

C.s.: Similaire à celui de *Lepomis gibbosus.*

M.: Comme indiqué chez *L. gibbosus.*

R.: On n'a pas de renseignements sur la reproduction en aquarium de *Lepomis macrochirus*, tout au moins en Europe.

N.: C; toutes les nourritures vivantes: Larves de Moustiques, petits Crustacés, *Tubifex*, Vers de terre, Insectes; les aliments en flocons sont acceptés avec réticence.

P.: Cette espèce présente une robe de couleur bleu acier lumineux.

T: 4–22° C (poisson d'eau froide), **L**: 13 cm, **LA**: 70 cm, **Z**: m et i, **D**: 2

Lepomis gibbosus

Lepomis macrochirus

Chanda ranga (HAMILTON, 1822)
Perche de verre

Syn.: *Ambassis lala, Ambassis ranga, Chanda lala, Pseudambassis lala.*

Or.: Sud-est de l'Asie: Inde, Birmanie et Thailande; l'espèce apparait en eau douce et en eau saumâtre.

P.i.: 1905 par Paul Matte, Lankwitz.

D.s.: La robe de la femelle est plus terne; de couleur jaunâtre; sa vessie natatoire est arrondie à l'arrière; le mâle présente un bord bleu sur la dorsale et l'anale; sa vessie natatoire est pointue.

C.s.: Poisson grégaire calme, avec tendance à la craintivité; à ne faire cohabiter qu'avec des espèces calmes; *Chanda ranga* se tient toujours dans des zones déterminées.

M.: Sol sombre (Lavalit, basalte concassé); végétation dense; caches sous forme de roches et de racines; l'aquarium doit recevoir les rayons du soleil et contenir une eau vieille; une adjonction de sel marin favorise le bien être (1–2 cuillerée à soupe pour 10 l. d'eau).

R.: Facilement réalisable; la disposition au frai peut être positivement influencée par une élevation de la température, adjonction d'eau neuve, séparation des partenaires et insolation matinale; les œufs sont pondus dans les plantes fines où ils adhèrent immédiatement; lors de chaque phase 4 à 6 œufs sont émis, jusqu'à un total de 150 par ponte; les jeunes éclosent au bout d'env. 24 h. et nagent librement le lendemain; l'élevage des jeunes est assez délicat.

N.: Toutes les proies vivantes, accepte également les aliments en flocons mais dépérit sans compléments vivants.

P.: Les œufs de *Chanda ranga* sont minuscules; étant facilement envahis de champignons, il faut ajouter de la Trypaflavine à l'eau d'incubation, à une concentration de 1 : 100000 (1 g pour 100 l. d'eau).

T: 20–26° C, **L**: 8 cm, **LA**: 70 cm, **Z**: m, **D**: 3

Chanda wolffii (BLEEKER, 1851)
Perche de verre de Wolff

Syn.: *Ambassis wolffii, Acanthoperca wolfii.*

Or.: Sud-est de l'Asie: Thailande, Sumatra, Bornéo.

P.i.: 1955.

D.s.: Inconnu à ce jour.

C.s.: Poisson grégaire calme, territorial; choisir des cohabitants calmes.

M.: Comme indiqué chez *Chanda ranga.*

R.: N'a pas encore été reproduit en aquarium.

N.: C; toutes sortes de nourritures vivantes; nourri exclusivement avec des aliments en flocons ce poisson dépérit et meure.

P.: En aquarium, même s'il est très bien nourri, *Chanda wolffii* ne dépasse pas une taille de 7 cm; s'il se sent à l'aise, sa bouche prend un reflet rougeâtre.

T: 18–25° C, **L**: 20 cm, **LA**: 80 cm, **Z**: m, **D**: 3–4

Chanda ranga

Chanda wolffii

Coius microlepis (BLEEKER, 1853)
Perche tigre, Poisson tigre, Lobote tigre

Syn.: *Datnioides microlepis.*

Or.: Asie: Thailande, Cambodge, Bornéo, Sumatra, principalement en eau saumâtre.

P.i.: Vraisemblablement 1969.

D.s.: Inconnu à ce jour.

C.s.: Social entre congénères; en cas d'attaques par d'autres poissons il se défend énergiquement.

M.: Aquarium densément planté d'espèces supportant l'eau saumâtre; ajout de sel marin (2–3 cuillerées à soupe pour 100 l. d'eau); caches sous forme de roches, racines ou noix de coco; ne pas trop éclairer le bac, ce poisson préfère une lumière diffuse.

R.: Aucune reproduction réussie en aquarium n'a encore été signalée à ce jour.

N.: C; nourriture vivante (poissons, *Tubifex*, foie cru, viande; n'accepte que très rarement les aliments en flocons; c'est un prédateur.

P.: *Coius microlepis* diffère de *C. quadrifasciatus* par: l'absence d'une tache noire sur l'opercule; la première bande noire entoure la gorge, ce qui n'est pas le cas chez *C. quadrifasciatus;* la troisième bande corporelle (compte non tenu de la bande angulaire qui traverse l''il) prend fin au centre de la nageoire anale chez *C. microlepis*, alors que chez *C. quadrifasciatus* elle n'atteint que la base de l'anale.

T: 22–26° C, L: 40 cm, reste nettement plus petit en aquarium, LA: 90 cm, Z: i, D: 3–4

Coius quadrifasciatus (SEVASTIANOV, 1809)
Poisson tigre à quatre bandes

Syn.: *Chaetodon quadrifasciatus, Coius polota, D. quadrifasciatus.*

Or.: Asie: de l'Inde (Gange) jusqu'en Birmanie, Thailande, Archipel Malais et Archipel Indo Australien; l'espèce vit en eau saumâtre (embouchures, lacs proches des côtes) mais pénètre occasionnellement en eau douce.

P.i.: 1955.

D.s.: Inconnu.

C.s.: Similaire à celui de *C. micropepis.*

M.: Comme indiqué chez *C. microlepis.*

R.: Pas encore réussie en aquarium.

N.: C; nourriture vivante, en priorité des poissons; accepte également de la viande ou du foie; *C. quadrifasciatus* est un prédateur vorace.

P.: On reconnait les juvéniles à la tache noire qu'ils portent sur les opercules, ainsi qu'aux trois bandes qui rayonnent à partir de l''il.

T: 22–26° C, L: 30 cm, LA: à partir de 80 cm, Z: i, D: 3–4 (C)

Coius microlepis

Coius quadrifasciatus

Monodactylus argenteus (LINNAEUS, 1758)
Poisson lune argenté

Syn.: *Chaetodon argenteus, Acanthopodus argenteus, Centrogaster rhombeus, Centropodus rhombeus, Monodactylus rhombeus, Psettus argenteus, P. rhombeus, Scomber rhombeus.*

Or.: Afrique et Asie: de la côte est de l'Afrique jusqu'en Indonésie; cette espèce apparait en eau saumâtre et en eau de mer; cette espèce fait des séjours passagers en eau douce pure.

P.i.: 1908.

D.s.: Inconnu.

C.s.: Poisson grégaire paisible, vivace; en captivité souvent farouche et peureux; mange des petits poissons cohabitants de l'aquarium.

M.: Sol composé de sable de corail; plantes marines; grand espace libre pour nager; décor constitué par des roches et des racines résistant à l'eau de mer; maintenir en eau de mer ou eau saumâtre, l'eau douce pure n'est pas supporté à long terme; bonne aération et écumage.

R.: Pas encore réussie en aquarium.

N.: O; mange tout: toutes sortes de nourritures vivantes, aliments en flocons, nourriture végétale (salade, épinard); très vorace.

P.: Au fur et à mesure qu'ils avancent en âge, ces poissons perdent leur teinte jaune et noire, de sorte que tout le corps est argenté.

T: 24–28° C, **L**: 25 cm, **LA**: 100 cm, **Z**: toutes, **D**: 3–4

Monocirrhus polyacanthus HECKEL, 1840

Poisson feuille

Syn.: *Monocirrhus mimophyllus.*

Or.: Amérique du sud, Amazonie, Pérou; eaux à courant lent et eaux stagnantes.

P.i.: 1912 par les «Vereinigte Zierfischzüchtereien» et par Kuntzschmann, Hambourg.

D.s.: Pas connu avec certitude; le ventre des femelles est parfois plus rond.

C.s.: Prédateur qui ne peut cohabiter qu'avec des espèces de grande taille.

M.: Végétation dense, plantes à grandes feuilles; préfère les aquariums rodés; parfois délicat en cours d'acclimatation; offrir des caches sous forme de racines.

R.: 25–28° C; eau très douce (2–4° dGH) et légèrement acide (pH 6–6,5); le substrat de ponte (grandes feuilles, pierres, vitres de l'aquarium, etc.) est intensément nettoyé avant le frai; la ponte (jusqu'à 300 œufs) est surveillée et soignée par le mâle (famille paternelle); il est conseillé de retirer la femelle après la ponte; les jeunes éclosent au bout d'env. 4 jours, à une température de 25° C.

N.: C; mange exclusivement des proies vivantes (poissons, Larves de Moustiques, etc.); prédateur vorace; mange par jour une quantité à peu près équivalente à son propre poids.

P.: Se tient toujours en position oblique, la tête dirigée vers le bas, parmi les plantes; sa forme et sa teinte brunâtre imite une feuille morte flottant dans l'eau; il se laisse flotter pour s'approcher très lentement des petits poissons et lorsqu'il est assez près il ouvre largement sa bouche immense et aspire littéralement sa proie.

T: 22–25° C, **L:** jusqu'à 10 cm, **LA:** à partir de 80 cm, **Z:** m, **D:** 3–4

Nandus nandus (HAMILTON, 1822)
Nandus gueule

Syn.: *Coius nandus, Bedula hamiltonii, Nandus marmoratus.*

Or.: Sud-est de l'Asie: Inde, Birmanie, Thailande; en eau douce et en eau saumâtre.

P.i.: 1904 par H. Stüve, Hambourg.

D.s.: Difficile à reconnaitre; mâle plus foncé, ses nageoires sont plus grandes.

C.s.: Prédateur d'activité crépusculaire; souvent solitaire; ne pas faire cohabiter avec des petits poissons.

M.: Sol composé de gravier ou de sable; dense végétation périphérique et plantes flottantes; caches sous forme de roches et racines; eau limpide et dure (plus de 10° dGH), de préférence avec ajout de sel marin (1–2 cuillerée à café pour 10 l. d'eau); lumière diffuse.

R.: Déjà réussie en aquarium, a été signalée par RUCKS (DATZ 26, 158–160, 1973); 25° C, eau douce à moyennement dure (6–8° dGH) et neutre (pH env. 7); RUCKS considère qu'un ajout de sel marin est préjudiciable; une parade nuptiale précède la ponte; les œufs sont éparpillés à travers le bac, ils ont la taille d'une tête d'épingle et sont translucides, jusqu'à 300 pièces; le développement dure 48 h.; on élève les jeunes avec du plancton; les parents ne s'occupent ni des œufs ni des alevins et ne pratiquent aucun soin.

N.: C; exclusivement proies vivantes (vers de terre, Larves de Moustiques, Larves de Libellules, Têtards, Poissons).

P.: La bouche de *Nandus nandus* est très extensible, ce qui lui permet d'avaler des proies dont la dimension atteint presque la moitié de sa propre taille. Nandus nandus est le seul Nandidé actuellement connu qui ne pratique pas les soins de la ponte.

T: 22–26° C, L: 20 cm, LA: 80 cm, Z: m et i, D: 2–3

Polycentrus punctatus (LINNAEUS, 1758)
Poisson épineux sud américain

Syn.: *Polycentrus tricolor, P. schomburgki, Mesonauta surinamensis.*

Or.: Nord-est de l'Amérique du sud: Guyane, Vénézuéla, Trinidad.

P.i.: 1907 en Angleterre par le capitaine Vipan, 1909 en Allemagne par J. P. Arnold.

D.s.: Mâle plus foncé, totalement noir en période du frai, sinon brun; la femelle est brunâtre, même brun clair en période du frai, de plus elle est plus grosse.

C.s.: Solitaire menant une vie cachée; faire cohabiter avec des poissons calmes de même taille; mange des petits poissons; famille paternelle.

M.: Sol composé de sable fin; plantation périphérique; caches (grottes) constituées de roches et de racines, pots à fleurs couchés, moitiés de noix de coco; lumière diffuse vu qu'il est d'activité crépusculaire et nocturne.

R.: 28–30° C; eau dure (18–20° dGH) et neutre à légèrement acide (pH 6–7); pondeur en caverne, mais également contre la surface inférieure d'une grande feuille; jusqu'à 600 œufs qui restent suspendus à des filaments de 0,5 mm env.; le mâle chasse la femelle lorsque la ponte est terminée, il faut donc l'enlever; le mâle seul soigne la ponte; à 27° C les jeunes éclosent au bout d'env. 3 jours et nagent librement le septième ou huitième jour.

N.: C; exclusivement proies vivantes (Poissons, Larves de Moustiques, *Tubifex*, Daphnies et petits Vers de terre); c'est un prédateur vorace.

P.: *P. punctatus* peut modifier brusquement sa coloration.

T: 22–26° C, L: 10 cm, LA: 50 cm, Z: m, D: 2

Nandus nandus

Polycentrus punctatus

Gymnocephalus cernuus (LINNAEUS, 1758)
Gremille

Syn.: *Perca cernua, Acerina cernua, A. czekanowskii, A. fischeri, A. vulgaris.*

Or.: Europe et Asie: de l'Angleterre et nord-est de la France jusqu'aux affluents de la Mer blanche et jusqu'à la Kolyma; l'espèce est absente en Irlande, Ecosse, grandes parties de la Norvège, péninsule du Balkan et des Pyrénées (excepté la région du Danube), en Italie et sur la Crimée.

P.i.: Espèce indigène.

D.s.: Pas identifiable, à part le gros ventre de la femelle en période du frai.

C.s.: Poisson de fond social, en général paisible envers les poissons de même taille mais qui dévore les plus petits.

M.: Comme pour *Perca fluviatilis;* la Gremille a un grand besoin d'oxygène (bonne aération); convient pour l'aquarium communautaire d'eau froide mais avec réserves.

R.: Pas encore réussie en aquarium; dans la nature le frai a lieu de mars à mai; les œufs sont déposés sur des plantes et des roches à proximité des berges; le développement dure env. 12 à 14 jours.

N.: C; toutes sortes de proies vivantes (*Tubifex*, Gammares, Larves d'Insectes, chair de poisson); l'espèce se laisse difficilement, voir pas du tout, habituer aux aliments en flocons.

P.: On connait à ce jour quatre espèces du genre *Gymnocephalus*; l'espèce est indésirable dans les piscicultures où elle cause des pertes en dévorant les alevins.

T: 10–20° C (poisson d'eau froide), L: 25 cm, LA: 80 cm, Z: i, D: 2–3

Perca fluviatilis LINNAEUS, 1758
Perche

Syn.: Aucun.

Or.: Toute l'Europe jusqu'à la Kolyma en Sibérie; l'espèce est absente en Ecosse, Norvège, au nord du 68ème degré de latitude, sur la péninsule des Pyrénées, au centre et au sud de l'Italie, à l'ouest de la péninsule du Balkan, le Péloponnèse et la Crimée.

P.i.: Espèce indigène.

D.s.: Les couleurs du mâle sont plus vives, la femelle est plus grosse en période du frai, pas d'autres caractères visibles.

C.s.: Les juvéniles vivent en groupes, les adultes vivent en solitaires et sont carnassiers; faire cohabiter avec des poissons de taille identique.

M.: Sol composé de sable fin; végétation dense par plantes d'eau froide (Elodea, *Myriophyllum*, etc.); quelques abris sous forme de roches et de moitiés de noix de coco; racines pour décor; eau limpide et froide, neutre à légèrement alcaline (pH 7–7,5) et moyennement dure (env. 10° dGH); régulier changement d'eau.

R.: Ne peut pas être reproduit en aquarium; dans la nature le frai a lieu de mars à juin; les œufs sont fixés sur tous genres de substrats et sur les plantes, alignés en rangées comme des colliers de perles; les jeunes éclosent au bout de 18–20 jours.

N.: C; toutes sortes de proies vivantes; les juvéniles mangent principalement des Invertébrés, les adultes presque exclusivement des poissons.

P.: La croissance de la Perche est influencée par le facteur volume de l'environnement qui joue un rôle important; dans un petit bac la croissance est mauvaise, un peu meilleure dans un grand bac, mais en captivité la Perche n'atteint jamais la taille qu'elle peut atteindre dans la nature.

T: 10–22° C (poisson d'eau froide); L: 45 cm, mature à partir de 17 cm; LA: 80–100 cm, Z: toutes, D: 4 (C)

Gymnocephalus cernuus

Perca fluviatilis

Scatophagus argus argus (LINNAEUS, 1766)
Argus, Argus vert, Scatophage

Syn.: *Chaetodon argus, Ch. atromaculatus, Ch. pairatalis, Cacodoxus argus, Ephippus argus, Sargus maculatus, Scatophagus macronotus, S. ornatus.*

Or.: Régions tropicales de l'Indo Pacifique, principalement Indonésie et Philippines; Tahiti est la limite Est de l'aire de distribution; cette espèce apparait en eau de mer, eau saumâtre et en eau douce.

P.i.: 1906.

D.s.: Inconnu.

C.s.: Très social entre congénères et envers d'autres espèces; c'est un poisson grégaire.

M.: Végétation périphérique composée de plantes supportant l'eau salée; décor par roches et racines; grand espace libre pour nager; adjonction de sel marin (3–4 cuillerées à café pour 10 l. d'eau).

R.: Pas encore réussie en aquarium; on n'a pas de renseignements sur son mode de reproduction dans la nature.

N.: O; toutes sortes de nourritures vivantes, plantes fines, algues, salade, flocons d'avoine et aliments en flocons.

P.: Cette espèce est très sensible aux nitrites; on peut maintenir les juvéniles en eau saumâtre ou en eau douce, les adultes de préférence en eau de mer; ce poisson subit une métamorphose: sa larve, le stade Tholichthys, est caractérisée par une grande tête avec de puissantes plaques osseuses; à ce stade il ressemble beaucoup aux Poissons papillons marins, les Chaetodontidae; au fur et à mesure le stade Tholichthys passe au stade adulte par régression de la cuirasse céphalique; *S. argus atromaculatus* BENNET, 1828 est à considérer comme sous espèce, il est commercialisé sous le nom de *S. «rubrifrons»*, Argus à front rouge (petite photo); cette sous espèce n'apparait qu'à Sri Lanka et Nouvelle Guinée jusqu'en Australie.

T: 20–28° C, **L:** 30 cm, **LA:** 100 cm, **Z:** m, **D:** 4 (C)

S. a. atromaculatus, adult

Scatophagus tetracanthus (LACÉPÈDE, 1850)
Argus africain

Syn.: *Chaetodon tetracanthus, C. striatus, Ephippus multifasciatus, Scatophagus fasciatus, S. multifasciatus.*

Or.: Côtes de l'est de l'Afrique.

P.i.: 1932 par la firme Scholze & Plötzschke, Berlin.

D.s.: Inconnu.

C.s.: Poisson grégaire alerte et paisible; ignore ses congénères et les autres espèces.

M.: Comme pour *Scatophagus argus.*

R.: N'a pas encore été reproduit en captivité.

N.: O; mange tout: proies vivantes, nourriture végétale (plantes aquatiques, algues, salade), flocons d'avoine, aliments en flocons.

P.: *Scatophagus tetracanthus* subit la même métamorphose que Scatophagus argus au cours de son développement, pour les détails voir *S. argus;* cette espèce est rarement importée.

T: 22–30° C, **L:** 40 cm, **LA:** 100 cm, **Z:** m, **D:** 3

Scatophagus argus argus, juv.; spécimens adultes voir p. 787

Scatophagus tetracanthus

Toxotes chatareus (HAMILTON, 1822)

Syn.: *Coius chatareus.*

Or.: Asie: Indes orientales, Thailande, Presqu'île malaise, Vietnam, Archipel malais, Philippines, Australie (excepté à l'est); ce poisson vit principalement dans l'eau saumâtre des embouchures.

P.i.: 1949.

D.s.: Inconnu.

C.s.: Généralement sociable entre congénères, sauf s'il s'agit d'individus d'une trop grande différence de taille; peut vivre en compagnie d'autres espèces de poissons; vit en général par petits groupes.

M.: Comme indiqué chez *Toxotes jaculatrix.*

R.: Pas encore réussie en aquarium; on n'a pratiquement pas de renseignements sur le mode de reproduction du genre *Toxotes* dans la nature.

N.: C; exclusivement nourriture vivante, principalement Mouches, Grillons, Blattes, Sauterelles; la nourriture est happée à la surface de l'eau.

P.: *Toxotes chatareus* se distingue de *Toxotes jaculatrix* par les caractères suivants: la dorsale de *T. chatareus* a 5 rayons durs, celle de *T. jaculatrix* en a seulement 4; la ligne latérale de *T. chatareus* a 30 (29) écailles, celle de *T. jaculatrix* a 34–35 (33) écailles; dessin: si on numérote les bandes verticales noires, en partant de la tête, de 1 à 6, on trouve chez *T. chatareus* entre les bandes 3 et 4 une tache intermédiaire noire; une tache identique peut apparaitre également entre les bandes 2 et 3, 4 et 5, ainsi que 5 et 6; chez *T. jaculatrix* ces taches intermédiaires sont absentes.

T: 25–30° C, L: 27 cm, LA: à partir de 100 cm, Z: s, D: 3–4

Toxotes jaculatrix (PALLAS, 1766)
Poisson archer

Syn.: *Sciaena jaculatrix, Labrus jaculatrix, Toxotes jaculator.*

Or.: Asie: Golfe d'Aden à travers les régions côtières de l'Inde et du sud-est asiatique jusqu'au nord de l'Australie; il semblerait que l'espèce apparait également en quelques lieux de la côte sud de l'Australie; on la trouve en eau de mer, eau saumâtre et eau douce.

P.i.: 1899 par P. Nitsche.

D.s.: Inconnu.

C.s.: Poisson grégaire calme; les individus de taille égale cohabitent en paix mais ils sont agressifs envers les congénères de petite taille.

M.: Aquarium spacieux densément planté, avec grand espace dégagé pour nager librement; le niveau de l'eau peut être assez bas (20–30 cm); eau pas trop neuve ni trop dure (ajouter du sel marin: 2–3 cuillerée à café pour 10 l. d'eau); demande des températures élevées.

R.: Pas encore reproduit en captivité.

N.: C; nourriture vivante, de préférence Insectes (Mouches, Sauterelles, Blattes, etc.); la nourriture est happée à la surface de l'eau.

P.: Les Poissons archers peuvent tirer les Insectes qu'ils aperçoivent en dehors de l'eau, posés sur les plantes par ex., en leur crachant un puissant jet d'eau qui les fait tomber; la distance maximum du tir est d'environ 1,50 m.

T: 25–30° C, L: 24 cm, LA: à partir de 100 cm, Z: s, D: 3–4

Toxotes chatareus

Toxotes jaculatrix

Groupe 10

On a réuni dans ce groupe toutes les espèces et familles qui n'ont pu être rangées dans aucun des groupes précédents. La systématique, pp. 148–153, renseigne sur leur appartenance.

Fam.: Anablepidae (Quatre yeux)

Ces poissons se distinguent principalement par leurs grands yeux globuleux situés sur le haut de la tête et qui sont divisés par une cloison épithéliale (voir*O* p. 820). Cette famille contient un seul genre avec 3 espèces, toutes ovovivipares. L'anale du ? est transformée en gonopode.

Fam.: Apteronotidae (Poissons couteaux américains)

Tous les représentants de cette famille ont une petite nageoire caudale et une dorsale très réduite. La cavité abdominale est située très en avant. L'anus se trouve sous la tête. Le corps est très aplati latéralement.

Fam.: Atherinidae (Athérines)

Les Athérines vivent principalement près du littoral, en zones peu profondes des mers tempérées et tropicales. Certaines espèces sont inféodées aux eaux douces. Ces poissons présentent deux dorsales bien séparées. Les pectorales sont situées très haut et loin en avant du corps. Les œufs de nombreuses espèces portent des filaments de fixation.

Fam.: Belonidae (Aiguillettes)

Ces poissons ont un corps très allongé, à peine aplati sur les côtés. La mâchoire inférieure à extrémité pointue est plus longue que la supérieure. Les deux mâchoires portent une importante denture. Les nageoires n'ont que des rayons mous. La dorsale et l'anale sont opposées et loin en arrière du corps. La ligne latérale se trouve au bord du ventre. Le squelette est de couleur vert clair. La majorité des Bélonidés vivent dans les eaux marines, au large ou près des côtes.

Fam.: Blenniidae (Blennies ou Baveuses)

Les Blennies ont un corps étiré qui peut être nu ou recouvert de petites écailles. La peau est riche en glandes. Il n'y a pas de vessie natatoire. De nombreuses espèces portent des tentacules sur la tête. Elles sont souvent vivement colorées. On les rencontre dans les zones littorales des mers tropicales ou subtropicales. Peu d'espèces habitent en eau douce. Certaines peuvent quitter temporairement l'eau.

Fam.: Channidae (Tête de serpent)

Leur corps est allongé, de section circulaire à l'avant et légèrement aplati à l'arrière. La bouche est très protractile (carnassier!). La narine antérieure présente un prolongement tubulaire.

Grande Epinoche près de son nid

La dorsale et l'anale, seulement à rayons mous, sont très longues. Ces poissons peuvent respirer l'air atmosphérique grâce à des organes respiratoires annexes.

Fam.: Electrophoridae (Anguilles électriques)

Cette famille ne contient qu'une seule espèce anguilliforme. Sa nageoire anale est très longue. La dorsale et les pelviennes sont absentes, la caudale est insignifiante. Anale et caudale sont unies et forment une bordure voilée.

Fam.: Gasterosteidae (Epinoches)

Les poissons de cette famille sont de petite taille. Ils habitent le nord de la zone tempérée. On les trouve dans l'eau douce, eau saumâtre et eau de mer. Ils ont une forme aérodynamique. La bouche est généralement légèrement supère, les mâchoires portent des dents, mais on n'en trouve pas sur le vomer et le palatin. La peau est nue ou couverte de plaques osseuses. De nombreuses espèces construisent un nid en période de frai et soignent la ponte (famille paternelle).

Fam.: Gobiidae (Gobies)

Les pelviennes totalement unies par leur base sont la principale caractéristique de cette famille. Il n'y a que quelques espèces qui présentent des pelviennes seulement partiellement unies. Ces nageoires forment un disque adhésif qui permet au poisson de se fixer à un substrat solide. Présence de deux dorsales, la caudale est arrondie. Certaines espèces présentent un dimorphisme et dichroïsme sexuel. La plupart des Gobies soignent la ponte, c'est le mâle qui surveille les œufs (famille paternelle).

Fam.: Gymnotidae (Gymnotes ou Anguilles couteau)

Ces espèces vivent dans les eaux douces de l'Amérique centrale et Amérique du sud. Leur queue s'étire en pointe (pas de nageoire caudale) elle est nue ou couverte de minuscules écailles. La tête ainsi que les yeux et la bouche sont petits. Les mâchoires sont garnies de dents. L'anale est très longue. La cavité abdominale est située loin en avant du corps, l'anus se trouve près du menton. La dorsale est réduite ou filiforme.

Fam.: Hemiramphidae (Demi becs)

Les représentants de cette famille sont cosmopolites, on les rencontre en eau de mer et en eau saumâtre, quelques espèces vivent en eau douce. Ils ont un corps allongé. Chez la plupart des espèces, la mandibule est plus ou moins allongée. L'adhérence de la mâchoire supérieure et de l'os intermaxillaire est un caractère particulier des Demi becs. Ces poissons incarnent souvent le type de prédateurs attaquants par bonds chez lesquels dorsale et anale sont implantées près du pédoncule caudal. Ils sont en majorité ovipares, quelques espèces sont ovovivipares. La transmission du sperme se fait à l'aide de l'anale modifiée en organe d'intromission (andropode).

Fam.: Kneriidae

Pour les particularités concernant cette famille, voir la description du genre, page 844.

Fam.: Luciocephalidae (Tête de brochet)

Cette famille ne contient qu'un seul genre avec une seule espèce (*Luciocephalus pulcher*). Le corps est très allongé et présente la forme d'un brochet. Il n'y a pas de vessie natatoire. La nageoire caudale est profondément incurvée et semble être en deux parties. Ces poissons possèdent un labyrinthe comme organe respiratoire annexe.

Fam.: Mastacembelidae (Anguilles épineuses)

Le corps est allongé, anguilliforme. Ces poissons vivent dans les eaux douces et eaux saumâtres du sud-est asiatique et de l'Afrique tropicale. Leur museau est allongé en une trompe préhensile, les narines antérieures de chaque côté de la tête apparaissent en forme tubulaire à proximité de cette trompe. La dorsale et l'anale sont jointes à la caudale, sauf chez le genre *Macrognathus*. La fente branchiale est petite, elle se trouve près de la gorge.

Fam.: Melanotaeniidae (Poissons arc en ciel)

Cette famille se rencontre à l'est de l'Australie, aux îles Arn, Waigeu et en Nouvelle Guinée. Elle a été retirée récemment de la famille des Atherinidae par ROSEN et traitée comme famille établie. Le corps est allongé, oval et aplati sur les côtés. Avec l'âge, la courbure du dos s'accentue. Il y a deux nageoires dorsales séparées, ce qui distingue les Melanotaeniidae des Atherinidae. Dans leur pays d'origine les Poissons arc en ciel contribuent à la lutte contre les Moustiques.

Fam.: Mormyridae (Mormyres)

Ces poissons vivent dans les eaux douces de l'Afrique. Leur morphologie diffère beaucoup de l'habituelle forme des poissons. Chez certaines espèces le museau est allongé en forme de trompe, chez d'autres seule la mâchoire inférieure est allongée et sert d'organe tactile. La peau de ces poissons est très épaisse et riche en glandes. De nombreuses espèces présentent un faible organe électrique dans la région du pédoncule caudal. Il sert principalement à la délimitation du territoire. La dorsale et l'anale sont implantées loin en arrière du corps, la caudale est profondément fourchue.

Fam.: Notopteridae (Poissons couteaux)

Cette famille comprend en majorité des poissons d'assez grande taille, allongés et très aplatis latéralement, qui vivent exclusivement dans l'eau douce à l'ouest de l'Afrique et au sud-est de l'Asie. L'anus se trouve à l'avant du corps. La longue nageoire anale est soudée à la petite nageoire caudale. Les pectorales sont bien développées, les pelviennes sont très réduites ou inexistantes.

Fam.: Osteoglossidae (Poissons à langue osseuse)

Cette famille comprend des poissons d'eau douce de grande à très grande taille. L'Arapaima (*Arapaima gigas*) est l'un des plus grands poissons d'eau douce. Ces poissons présentent un certain nombre de caractères primitifs. Les écailles sont grandes et solides, les yeux sont également très grands, la tête est couverte de plaques osseuses. Le quatrième arc branchial porte un organe respiratoire accessoire. Ces poissons apparaissent au nord de l'Amérique du sud, à l'ouest de l'Afrique, au sud-est de l'Asie (Archipel malais) et au nord de l'Australie. La famille est composée de 4 genres avec 6 espèces. Quelques espèces pratiquent l'incubation buccale.

Fam.: Pantodontidae (Poissons papillons)

Cette famille est représentée par une seule espèce: *Pantodon buchholzi*. Le Poisson papillon occupe une position assez isolée, on lui trouve une relation parentale avec la famille des Osteoglossidae. Ses pelviennes sont implantées dans la région pectorale, alors que celles des Osteoglossidae sont situées dans la région ventrale. Chez cette espèce la fécondation s'effectue à l'intérieur, de sorte que l'anale du mâle est transformée en organe de copulation. *P. buchholzi* vit dans les eaux douces de l'Afrique tropicale.

Fam.: Phractolaemidae (Poissons boue africains)

Cette famille est composée d'une seule espèce: *Phractolaemus ansorgei*. C'est un poisson primitif d'eau douce dont l'aire de répartition en Afrique est limitée (Delta du Niger, fleuve Ethiope, Zaïre supérieur). Les familles des Kneriidae et des Channidae sont les plus proches parents. La bouche édentée est extensible en forme de rostre, elle est bordée par les minces os de la mâchoire supérieure. Ces poissons peuvent respirer accessoirement l'air atmosphérique.

Fam.: Rhamphichthyidae (Poissons couteaux américians)

Ces poissons vivent au nord et au centre de l'Amérique du sud. Ils se distinguent des Aptéronotidés (p. 814) par l'absence d'une nageoire caudale et des Gymnotidés par la denture, car les Rhamphichthyidés n'ont pas de dents ou seulement de minuscules.

Fam.: Syngnathidae (Syngnathes, Aiguilles de mer)

Ces poissons sont protégés par une cuirasse osseuse composée de grandes plaques osseuses. Autres particularités de ces espèces: le museau tubulaire, l'absence de nageoires pelviennes, les yeux mobiles, les branchies plumeuses et quelquefois présence d'une poche incubatrice. La femelle dépose les œufs sous le ventre ou la queue du mâle, simultanément fécondés. Les œufs sont protégés par les plis du ventre ou dans une poche marsupiale. Cette méthode d'incubation (famille paternelle) est unique parmi la faune ichthyologique. Les Syngnathes ou Aiguilles de mer représentent une grande famille qui vit dans la mer. Très peu d'espèces sont inféodées à l'eau douce.

Fam.: Tetraodontidae (Tétrodons ou Poissons ballons)

Les Poissons ballons se remarquent par leur morphologie particulière. Leur corps est le plus souvent en forme de massue et non cuirassé. La tête est grande à très grande et porte des yeux mobiles très écartés. Souvent leur corps est garni d'épines ou de plaquettes. Ils n'ont pas de nageoires pelviennes, les autres nageoires n'ont pas d'épines. Les dents sont serrées et forment un bec. Les Tétrodons ont la faculté de gonfler leur corps d'air ou d'eau, de sorte qu'ils prennent l'apparence d'un ballon dont la taille dépasse celle de la bouche de leurs prédateurs. Ils vivent dans l'eau de mer et dans l'eau saumâtre, mais également en eau douce. Leur chair est très toxique (Tetrodotoxine).

Fam.: Umbridae (Poissons chiens)

Cette famille se compose de petits poissons qui vivent dans le Danube et à l'ouest de l'Amérique du nord. On connait 2 genres (*Umbra, Novumbra*). Les Esocidés sont leurs plus proches parents. Ces deux familles sont apparues au moyen âge de la terre d'une forme primitive commune. Les Umbridés s'enfoncent en cas de danger dans les sédiments du fond. Leur tête est relativement ronde, à peine aplati sur les côtés. Tête et corps sont couverts de grandes écailles cycloïdes. Ils respirent l'air atmosphérique à l'aide de la vessie natatoire. Ainsi *Umbra limi* peut survivre à l'assèchement temporaire de son habitat en s'enfonçant dans la vase humide. Ces poissons soignent la ponte (cellule familiale de type maternelle).

Anableps anableps (LINNAEUS, 1756)
Anableps, Quatre yeux

Syn.: *Anableps anonymus, A. gronovii, A. lineatus, A. surinamensis, A. tetrophthalmus, Cobitis anableps.*

Or.: Côtes tropicales de l'Amérique centrale et du nord de l'Amérique du sud; l'espèce apparait en eau saumâtre et en eau douce.

P.i.: 1938 par la firme «Aquarium Hamburg».

D.s.: L'anale du mâle est transformée en organe de copulation (gonopode).

C.s.: Poisson grégaire orienté vers la surface; ovovivipare.

M.: De préférence dans un aquaterrarium à faible hauteur s'eau; eau saumâtre, sol sablonneux; espace libre à la surface; une hauteur d'eau de 20 à 30 cm suffit; plantation périphérique composée de plantes supportant l'eau saumâtre.

R.: 26–30° C; bac à faible hauteur d'eau (10–15 cm); sol vaseux, bonne oxygénation; employer exclusivement de l'eau de mer pure; à la naissance les jeunes mesurent déjà 3 à 4 cm de long.

N.: C; nourriture vivante, principalement Insectes volants; accepte également les aliments en flocons.

P.: La fécondation ne peut se faire que par le côté, vu que le gonopode n'est dirigeable que latéralement. Le nombre d'écailles du centre de la ligne latérale permet de faire aisément la distinction entre *Anableps anableps* et *Anableps dovii* et *A. microlepis:* (*A. anableps* 11, *A. dovii* 14–15, *A. microlepis* 17–18). Bien couvrir l'aquarium car le Quatre yeux est un excellent sauteur; les yeux des *Anableps* sont proéminents, chaque 'il est divisé par une cloison épithéliale en deux portions, supérieure et inférieure, de sorte que les yeux de ce poisson fonctionnent comme quatre; les parties supérieures émergent et observent les alentours (ennemis, insectes se posant sur l'eau), les parties inférieures observent ce qui se passe dans l'eau.

T: 24–28° C, L: 30 cm, mature à part. de 15 cm, LA: 100 cm, Z: s, D: 3

Apteronotus albifrons (LINNAEUS, 1766)
Poisson couteau américain

Syn.: *Sternarchus albifrons, Sternarchus maximiliani, Gymnotus albifrons.*

Or.: Amazone, Rio Paraguay, Brésil, Pérou, Ecuateur, Vénézuéla, Guyane.

P.i.: 1934.

D.s.: Encore inconnu.

C.s.: Très mordant entre congénères.

M.: De préférence dans un aquarium obscurci; avec de nombreuses caches (racines), vu qu'au début ce poisson est très craintif; mais, correctement soigné, il devient souvent très familier; cette espèce peut cohabiter avec des grands poissons calmes; sol fin et riche végétation.

R.: Pas encore réussie, on ignore encore tout sur son mode de reproduction.

N.: C, O; toutes sortes de nourritures vivantes; petits fragments de viande, Vers de terre coupés en rondelles; accepte parfois des flocons d'avoine!!

P.: Devient trop grand pour l'aquarium à l'échelle de l'amateur; intéressant pour les aquariums publics ou vivariums des jardins zoologiques; cette espèce est très sensible à l'eau neuve; on connait le cas d'un exemplaire ayant vécu 16 ans en passant d'une longueur de 15 cm à plus de 40 cm; il avait été nourri exclusivement avec une nourriture en tube (BioMin) qui n'est actuellement plus fabriquée. Ce poisson possède un faible organe électrique avec lequel il détecte la nourriture, son pédoncule caudal étant alors dirigé vers l'avant.

T: 23–28° C, L: jusqu'à 50 cm, LA: 100 cm, Z: m, D: 3

Fam.: Bedotiidae

Bedotia madagascariensis REGAN, 1903
Bedotia

Syn.: Aucun.

Or.: Madagascar, dans les eaux douces des montagnes.

P.i.: 1958 par «Aquarium Westhandel», Amsterdam.

D.s.: Mâle plus grand, couleurs des nageoires impaires plus contrastées, première dorsale plus pointue; femelle plus jaunâtre, première dorsale arrondie.

C.s.: Poisson grégaire paisible, nageur actif, souvent plutôt délicat; peut cohabiter pratiquement avec toutes les espèces calmes.

M.: Bacs longs offrant beaucoup d'espace libre pour nager; végétation périphérique; eau moyennement dure à dure (à partir de 10° dGH) et neutre (pH env. 7); fréquents renouvellements d'eau ($^1/_4$ à $^1/_3$ par semaine); à tenir par groupe.

R.: 22–24° C; capacité minimum du bac: 50 l.; plantes fines; eau limpide et pas trop dure (au dessus de 10° dGH); l'espèce est très sensible à l'eau trouble causée par des Infusoires; les œufs sont pondus parmi les plantes où ils restent suspendus à un filament comme c'est le cas chez les *Melanotaenia*; les jeunes éclosent au bout d'env. 1 semaine; les parents ne dévorent ni les œufs ni les alevins; l'élevage des jeunes est assez délicat.

N.: C, O; toutes sortes de proies vivantes; aliments en flocons; ne prend pas de nourriture reposant au sol.

P.: Après l'éclosion les jeunes ne se fixent pas aux plantes mais nagent pendant quelques jours en position oblique, la tête dirigée vers le haut; ce n'est qu'ensuite qu'ils nagent en position normale.

T: 20–24° C, L: 15 cm, LA: 80–100 cm, Z: m et s, D: 2

Fam.: Melanotaeniidae

Pseudomugil signifer KNER, 1864
Athérine papillon, Athérine de Célèbes

Syn.: *Atherina signata, Pseudomugil signatus.*

Or.: Australie: nord et est de Queensland.

P.i.: 1936 par Fritz Mayer, Hambourg.

D.s.: Durant la période du frai le mâle présente une nageoire anale rouge, de plus il est généralement plus grand et ses couleurs sont plus vives.

C.s.: Poisson grégaire, paisible, actif nageur.

M.: Comme indiqué chez *Telmatherina ladigesi*; paramètres de l'eau pour *Pseudomugil signifer*: pH env. 7; dureté 12 à 15° dGH.

R.: Déjà réussie, elle ne pose pas de difficultés particulières et se pratique comme pour les autres Atherinidés; ne pas employer une eau trop douce; les œufs sont assez grands; le développement dure, selon la température, de 12 à 18 jours; les parents peuvent rester dans le bac de ponte car ils ne dévorent ni les œufs ni les alevins.

N.: C, O; toutes sortes de proies vivantes; aliments en flocons, mais ces derniers ne doivent pas être distribués exclusivement.

P.: *Pseudomugil signifer* est sensible à l'eau trouble causée par des Infusoires.

T: 23–28° C, L: 4,5 cm, LA: 60 cm, Z: m et s, D: 2

Bedotia madagascariensis

Pseudomugil signifer

Telmatherina ladigesi AHL, 1936
Athérine rayons de soleil

Syn.: Aucun.

Or.: Indonésie, Célèbes, «arrière pays de Makassar».

P.i.: 1937 par Otto Winkelmann, Altona.

D.s.: Chez le mâle les rayons prolongés de la deuxième dorsale et de la deuxième anale sont plus vivement colorés.

C.s.: Poisson grégaire, paisible, alerte; faire cohabiter de préférence avec *Aplocheilichthys macrophthalmus*.

M.: Sol composé de sable fin; végétation périphérique allégée avec espace dégagé au centre; l'aquarium doit recevoir les rayons du soleil matinal; eau dure (au-dessus de 12° dGH) et neutre pH 7); régulier renouvellement d'eau (25% par semaine); ajouter du sel marin (1 à 2 cuillerée à soupe pour 10 l. d'eau). Peut être maintenu dans l'aquarium communautaire.

R.: 22–24° C; paramètres de l'eau comme indiqué ci-dessus; bac de ponte pas trop petit; plantes fines et plantes flottantes; la ponte se déroule parmi les plantes ou les racines des plantes qui flottent à la surface; la période du frai s'étend sur quelques mois; retirer les parents après la ponte, ils dévorent les œufs; le développement dure 8 à 11 jours; élever les jeunes avec du plancton.

N.: C, O; toutes sortes de proies vivantes; aliments en flocons.

P.: *T. ladigesi* est un peu sensible au transfert d'un aquarium dans un autre dont l'eau n'est pas de même qualité; il supporte mieux d'être transféré d'une eau douce dans une eau dure que l'inverse.

T: 22–28° C, **L**: 7,5 cm, **LA**: 80 cm, **Z**: m et s, **D**: 2–3

Salaria fluviatilis (ASSO, 1801)
Blennie fluviatile, Baveuse

Syn.: *Blennius fluviatilis, B. alpestris, B. anticolus, B. frater, B. lupulus, Salaria varus.*

Or.: Région méditerranéenne, en eau douce: sud-est de l'Espagne, sud-ouest et sud-est de la France, Corse, Sardaigne, Sicile, Italie vers le nord jusqu'au Po, lac de Garde, Yougoslavie (lac Vrana), Chypre, Asie mineure, Maroc, Algérie.

P.i.: ?

D.s.: La crête du mâle est plus développée.

C.s.: Poisson de fond territorial; mâle polygame, il faut donc toujours réunir un mâle et plusieurs (3–4) femelles; pratique les soins de la ponte (famille paternelle).

M.: Bac de grande surface et faible niveau d'eau (30 cm); sol composé de gros sable ou gravier; caches sous forme de roches, racines ou moitiés de noix de coco; eau claire, neutre (pH 7) et moyennement dure (env. 10° dGH); forte aération car grand consommateur d'oxygène; à maintenir de préférence en aquarium spécifique.

R.: Minimum 18° C; eau de dureté moyenne (10° dGH) et neutre (pH 7); le mâle occupe une grotte qu'il défend contre tout intrus; la femelle pénètre dans la grotte lors du frai; les œufs sont déposés en rangs serrés contre une paroi ou la voûte de la grotte; une femelle pond plusieurs fois en l'espace de 10 à 15 jours, entre 200 et 300 œufs, ensuite elle quitte la grotte et le mâle surveille les œufs jusqu'aux éclosions.

N.: C, O; nourritures vivantes; Cloportes aquatiques; Gammares, Larves d'Insectes aquatiques, *Tubifex*; aliments en flocons et en comprimés.

P.: Le nombre d'œufs de la première ponte est plus élevé (200–300) que celui de la dernière (10–100); vu que plusieurs femelles frayent avec un seul mâle, les œufs qui garnissent l'intérieur de la grotte sont souvent à de très différents stades de développement.

T: 18–24° C, **L:** 15 cm, **LA:** 90 cm, **Z:** i, **D:** 2–3

Xenentodon cancila (HAMILTON, 1822)

Syn.: *Esox cancila, Belone cancila, Mastemcembalus cancila.*

Or.: Asie: Inde, Sri Lanka, Thailande, Birmanie, Péninsule Malaise; exclusivement en eau douce.

P.i.: 1910.

D.s.: La dorsale et l'anale du mâle ont un bord noir.

C.s.: Poisson grégaire, relativement craintif; faire cohabiter avec des poissons de taille égale (Silures); prédateur!

M.: Bac de grande surface et faible hauteur d'eau (30 cm); sol fin; végétation périphérique, pas de plantes flottantes; grand espace libre pour la nage est indispensable; remplir le bac seulement aux $^2/_3$ pour prévenir contre les sauts de cette espèce!; eau dure (à partir de 20° dGH) et neutre (pH env. 7); supporte également une adjonction de sel marin (1 g pour 1 l. d'eau); aquarium spécifique.

R.: Un récit détaillé de la reproduction de *X. cancila* fut publié par SCHMIED (1986) dans Aquarienmagazin 20 (7): 280–283. Elle eut lieu dans de grands bacs (140 x 45 x 30 cm) contenant des racines de tourbières sur lesquelles étaient fixées des Mousses de Java. Les paramètres de l'eau étaient: pH 6,4; 13° dGH; température de l'eau: 25° C. Les œufs transparents furent pondus à raison de 7 à 15 par jour, ils avaient un diamètre de 3,5 mm et étaient suspendus aux feuilles par des filaments longs de 20 mm. A 25° C le développement dure une dizaine de jours au bout desquels les larves de 12 mm de long éclosent. Les jeunes *Xenentodon* furent nourris avec des alevins de *Macropodus opercularis* et *Betta splendens* âgés de huit jours et qu'ils avalaient sans difficulté.

N.: C; proies vivantes, n'est pas difficile dans le choix; mange principalement des poissons et des grenouilles.

P.: Excellent sauteur, donc bien couvrir l'aquarium; *Xenentodon cancila* est sensible aux brusques changements d'éclairage: noir-clair et inverse; il bondit alors de manière incontrôlée et peut se blesser gravement auprès du couvercle du bac.

T: 22–28° C, **L**: 32 cm, **LA**: à partir de 100 cm, **Z**: s, **D**: 4 (C)

Channa micropeltes (CUVIER & VALENCIENNES, 1831)
Tête de serpent

Syn.: *Ophiocephalus micropeltes, O. serpentinus, Ophicephalus micropeltes, O. stevensi.*

Or.: Inde, Indochine, Thailande, Birmanie, Vietnam, ouest de la Malaisie.

P.i.: 1969 (?)

D.s.: Pas de caractères précis connus; femelle vraisemblablement plus grosse en période de ponte.

C.s.: Comme indiqué chez *Channa obscura.*

M.: Comme pour *C. obscura.*

R.: 27–32° C; seulement réalisable dans de très grands bacs; pour les détails voir *Channa obscura.*

N.: C; proies vivantes, principalement poissons.

P.: Très apprécié comme poisson comestible; c'est le plus grand des poissons à tête de serpent, la photo montre un jeune exemplaire.

T: 25–28° C, L: 60 (100) cm, LA: à partir de 120 cm, Z: toutes, D: 4 (C)

Parachanna obscura (GÜNTHER, 1861)
Tête de serpent à ventre noir

Description page suivante.

Parachanna obscura, juvénile

Parachanna obscura (GÜNTHER, 1861)

Syn.: *Channa obscura, Ophicephalus obscurus, Parophiocephalus obscurus.*

Or.: Afrique: Afrique occidentale (Sénégal) jusqu'au Nil blanc, Afrique centrale.

P.i.: 1908.

D.s.: Inconnu; en période de ponte la femelle a vraisemblablement un plus gros ventre.

C.s.: Solitaire prédateur; à maintenir isolément; le mâle pratique les soins de la ponte (famille paternelle).

M.: Sol composé de sable fin; végétation dense; quelques caches sous forme de racines ou de roches; espace libre pour nager; n'est pas exigeant envers les qualités physico chimiques de l'eau; demande des températures élevées.

R.: Des détails sont décrits par ARMBRUST, (1963): DATZ 16, 298–301; la ponte de *Channa obscura* produit 2000 à 3000 œufs; œufs et alevins sont soignés et surveillés par le mâle, durant trois à quatre jours; le cannibalisme règne entre les jeunes.

N.: C; toutes sortes de nourritures vivantes, les adultes se nourrissent presque exclusivement de poissons; la viande est rarement acceptée par cette espèce.

P.: ARMBRUST a observé que des alevins de *C. obscura* se sont groupés pour former un bloc de défense contre un grand Tête de serpent; ce bloc était censé représenter un Tête de serpent encore plus grande que l'attaquant (Aquarien Terrarien 18, 229, 1971). Les Têtes de Serpent africains ont été séparés du genre Channa et placés dans le genre *Parachanna*. Très ressemblant: *Parachanna insignis.*

T: 26–28° C, **L:** 35 cm, **LA:** 100 cm, **Z:** toutes, **D:** 4 (C)

Channa orientalis BLOCH et SCHNEIDER, 1801

Channa oriental

Syn.: *Ophicephalus kelaartii.*

Or.: Sri Lanka.

P.i.: 1929.

D.s.: Mâle plus massif que la femelle.

C.s.: Peut être tenu individuellement dans un aquarium spécifique; s'apprivoise facilement et prend la nourriture entre les doigts du soigneur; vit dans de très petites mares et sautillent sur terre lorsque ces dernières assèchent ou sont vidées à des fins de pêche.

M.: Bac obscurci et densément planté: eau: pH 6,4–7,5, dureté jusqu'à 20° dGH; bon sauteur, donc bien couvrir le bac.

R.: Mature à partir d'une taille de 10 cm; on n'a pas de renseignements sur la reproduction en aquarium, elle devrait cependant être réalisable mais a certainement échouée jusqu'à présent par manque de couples reproducteurs (en raison de la maintenance individuelle).

N.: C; toutes sortes de nourritures vivantes, vers, poissons.

P.: *Channa orientalis* n'a pas de nageoires pelviennes. Dans le passé *Channa gachua* (avec pelviennes) était rangé chez *C. orientalis.*

T: 23–26° C, **L:** jusqu'à 30 cm, souvent seulement 10–20 cm, **LA:** 70 cm, **Z:** i, **D:** 4

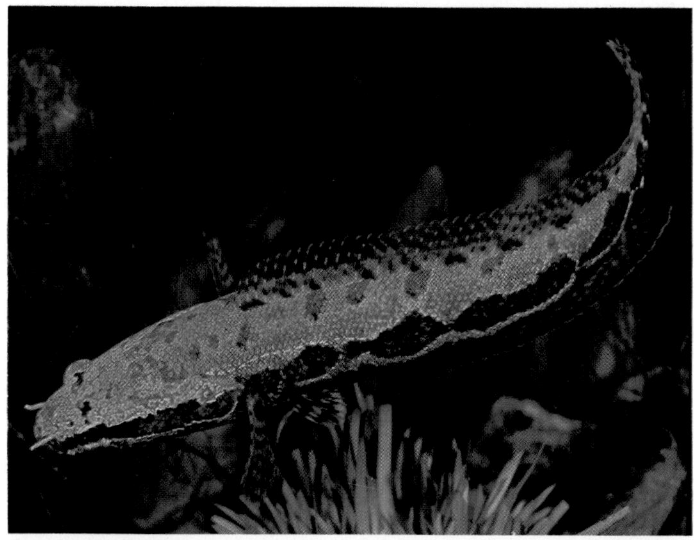

Parachanna obscura

Channa orientalis

Channa striata (BLOCH, 1793)
Channa strié

Syn.: *Ophicephalus striatus, Ophiocephalus striatus, O. vagus.*

Or.: Sri Lanka, Inde, Chine, Thailande à travers les Philippines jusqu'aux Moluques; introduit à Hawaï.

P.i.: Douteuse.

D.s.: Inconnu.

C.s.: Prédateur dévorant peu à peu tous les autres occupants de l'aquarium.

M.: Aquarium densément planté; sol mou; filtration puissante car grande production d'excréments; eau: pH 7,0–8,0; dureté jusqu'à 20° dGH.

R.: Dans la nature: les parents éliminent toutes les plantes situées à l'endroit choisi pour frayer; le mâle surveille les œufs qui flottent à la surface de l'eau et ensuite durant quatre à six semaines les alevins; à partir de là ces derniers pourront cependant être dévorés par les parents; les éclosions ont lieu au bout de 1 à 3 jours; au bout de 9 semaines les alevins ont déjà une longueur de 17 à 20 mm (d'après SMITH).

N.: C; toutes sortes de nourritures vivantes.

P.: Dans le sud-est asiatique ce poisson joue un rôle important en tant que poisson comestible; les jeunes sont très familiers et curieux; cette espèce peut survivre durant des mois dans des trous «creusés» dans la vase, et ce aussi longtemps que la peau reste humide, même si la pièce d'eau est déjà presque asséchée. Est ce l'explication pour la large répartition de cette espèce?

T: 23–27° C, L: 90 cm, LA: 120 cm, Z: i et m, D: 4

Electrophorus electricus (LINNAEUS, 1766)
Anguille électrique

Syn.: *Electrophorus multivalvulus, Gymnotus electricus, Gymnotus regius.*

Or.: Amazone, Brésil, Pérou, Vénézuéla, Guyane.

P.i.: 1913 par la firme Siggelkow, Hambourg.

D.s.: Pas connu avec certitude.

C.s.: Les adultes sont généralement paisibles entre congénères, mais les juvéniles se mordent entre eux; ils sont actifs au crépuscule et durant la nuit.

M.: Ne pas éclairer trop vivement l'aquarium; sol composé d'un gravier à granulométrie moyenne (3–5 mm); aménager des caches sous forme de racines ou de roches; végétation composée de plantes robustes; à maintenir de préférence dans un aquarium spécifique.

R.: N'a pas encore été reproduit en captivité.

N.: C; les adultes se nourrissent principalement de poissons, les juvéniles mangent des Vers et des Larves d'Insectes.

P.: Ce poisson possède un grand organe électrique qui occupe à peu près 80% des flancs, cet organe est composé de plusieurs milliers d'élements individuels; le poisson émet des impulsions d'orientation d'une fréquence de 50 Hz, mais peut également lancer des décharges d'une force de 1 ampère et de tensions jusqu'à 600 Volts qui peuvent étourdir des poissons et des grands mammifères (chevaux).

T: 23–28° C, L: jusqu'à 230 cm, LA: 120 cm, Z: i et m, D: 3

Dormitator maculatus (BLOCH, 1785)
Dormeur tacheté

Syn.: *Dormitator lineatus, Eleotris grandisquama, E. gundlaichi, E. mugiloides, E. omocyaneus, E. sima, E. somnolentus, Sciaena maculata.*

Or.: Côte atlantique de l'Amérique tropicale; vit principalement en eau de mer et eau saumâtre, mais pénètre parfois aussi en eau douce.

P.i.: 1901.

D.s.: Chez le mâle les derniers rayons de la deuxième dorsale et de l'anale sont prolongés et il présente parfois une bosse sur la tête. La papille génitale est très longue et plate chez le mâle, plus courte et obtuse chez la femelle.

C.s.: Faire cohabiter de préférence avec des poissons pas trop petits et habiles nageurs. Les mâles sont territoriaux en période de frai.

M.: Eau saumâtre, temporairement également en eau douce.

R.: Pond principalement après adjonction d'eau fraiche. S'il est vrai que la croissance des jeunes est rapide, leur élevage en aquarium n'est cependant pas facile!

N.: Herbivore; se nourrit principalement de plantes supérieures (par ex. racines de Jacinthes d'eau) et d'algues, ainsi que de détritus végétal. Mange également des Larves d'Insectes et des petits Crustacés (cf. Nordlie, 1981, J. Fish. Biol. 18: 99–101). Dans l'aquarium toutes les nourritures usuelles sont acceptées, qu'elles soient en paillettes, vivantes ou congelées (Larves de Moustiques, *Tubifex*, *Mysis*, etc.), les légumes et fruits mous (tomates, bananes) et des nouilles sont également acceptées. Dévore les plantes aquatiques tendres. Fougère de Java et Cornifle peuvent être plantés dans l'aquarium.

P.: Pas connues.

T: 22–24° C, **L**: 25 cm, mature à partir de 10 cm, **LA**: 80 cm, **Z**: i, **D**: 3–4

Oxyeleotris marmoratus (BLEEKER, 1853)
Dormeur marbré

Syn.: *Eleotris marmorata, Callieleotris platycephalus.*

Or.: Sud-est asiatique; Indonésie (Bornéo, Sumatra), Péninsule Malaise, Thailande; l'espèce apparait en eau douce, elle habite les eaux calmes à courant lent.

P.i.: 1905 par J. Reichelt, Berlin.

D.s.: Chez le mâle la deuxième dorsale est plus haute et l'anale plus longue, sa coloration est plus irrégulière, la papille est conique; la coloration de la femelle est plus régulière, la papille génitale est cylindrique.

C.s.: Poisson de fond carnassier, d'activité crépusculaire et nocturne; défend parfois un territoire.

M.: Sol mou composé de sable fin et sombre dans lequel il aime s'enfouir; caches et grottes formées par des roches; végétation dense, plantes cultivées en pots; lumière diffuse car il préfère une ambiance de pénombre; eau moyennement dure (10–15° dGH) et neutre (pH 7); durant l'acclimatation une faible adjonction de sel marin peut être avantageux (1–2 cuillerée à café pour 10 l. d'eau).

R.: Pas encore réussie en captivité.

N.: C, O; mange tout mais préfère les nourritures vivantes (Vers, Larves de Chironomes); très vorace, peu manger tous les jours l'équivalent de son propre poids.

P.: *Oxyeleotris marmoratus* est un des plus grands Dormeurs et en général un des plus grands Gobies.

T: 22–28° C, **L**: 50 cm, **LA**: 100 cm, **Z**: i, **D**: 4 (T)

Dormitator maculatus

Oxyeleotris marmoratus

Gasterosteus aculeatus LINNAEUS, 1758
Grande Epinoche, Epinoche à trois épines

Syn.: *Gasterosteus argyropomus, G. biaculeatus, G. brachycentrus, G. bispinosus, G. cataphractus, G. cuvieri, G. gymnurus, G. leiurus, G. niger, G. noveboracensis, G. obolarius, G. ponticus, G. semiamatus, G. semiloricatus, G. spinulosus, G. teraculeatus, G. tetracanthus, G. trachurus, Leiurus aculeatus.*

Or.: Toute l'Europe, absent dans la région du Danube, Groenland, Islande, Algérie, nord de l'Asie et Amérique du nord; l'espèce apparait en eau douce et en eau saumâtre.

P.i.: Espèce indigène.

D.s.: Très net en période du frai; le mâle prend alors de très belles couleurs (rouge, bleu) tandis que la femelle présente une robe gris-verdâtre.

C.s.: Ce poisson vit en bancs; durant la période du frai les mâles se réservent des territoires et les défendent âprement contre d'autres mâles intrus; le mâle Epinoche est polygame (1 mâle pour 3–4 femelles); pratique les soins de la ponte avec grand dévouement (famille paternelle).

M.: Bacs en situation ensoleillée, plantés d'espèces indigènes; bonne oxygénation; abris (pierres, racines); sol sablonneux.

R.: 10–20° C; eau douce exempte de calcaire; 1 mâle et plusieurs femelles; le mâle délimite son territoire et commence à bâtir un nid à l'aide de brindilles; une substance produite par les capsules surrénales sert de mastic; le mâle attire une femelle dans le nid; la ponte terminée, la femelle quitte le nid par la sortie opposée et s'éloigne; le mâle féconde ensuite les œufs, le processus se répète avec plusieurs femelles; il faut retirer ces dernières lorsqu'aucune ne pond plus; 20 à 50 œufs se trouvent alors dans le nid et sont soignés par le mâle qui s'occupera également des alevins durant quelque temps.

N.: C; proies vivantes (*Tubifex*, Daphnies, *Cyclops*, Larves d'Insectes); accepte rarement les aliments en flocons.

P.: Maintenir à une température de 5 à 8° C durant l'hiver sinon ils ne frayent pas au printemps suivant; très sensible à l'*Ichthyophthirius* et au sporozoaire *Glugea*; en eau calcaire l'Epinoche meurt à plus ou moins long terme.

T: 4–20° C (poisson d'eau froide), L: 12 cm, LA: 70 cm, Z: m et i, D: 2

Pungitius pungitius (LINNAEUS, 1758)
Petite Epinoche, Epinoche naine

Syn.: *Gasterosteus pungitius, Gasterostea pungitius, Gasterosteus bussei, G. occidentalis, Pygosteus occidentalis, P. pungitius.*

Or.: Comme *Gasterosteus aculeatus* mais pas si loin au sud; la petite Epinoche manque dans la région méditerranéenne; on ignore encore des détails sur l'aire de distribution de cette espèce.

P.i.: Espèce indigène.

D.s.: En période de ponte la gorge du mâle est noire, idem pour la poitrine, les ventrales sont orange.

C.s.: Similaire à *Gasterosteus aculeatus*, mais les jeunes ne forment pas de groupes aussi importants.

M.: Comme indiqué chez *G. aculeatus.*

R.: Même conditions que pour *G. aculeatus*, sauf que le nid n'est pas construit au sol mais à quelque distance de ce dernier.

N.: C; toutes sortes de proies vivantes; exceptionnellement des aliments en flocons.

P.: *Pungitius pungitius* est moins enclin au cannibalisme que *Gasterosteus aculeatus.* Il existe deux sous-espèces: *Pungitius pungitius pungitius* (LINNE, 1758) dont l'aire de distribution est similaire, et *P. pungitius sinensis* (GUICHENOT, 1869) qui n'apparait qu'à l'est de l'Asie.

T: 10–20° C (poisson d'eau froide); L: 7 cm, LA: 50 cm, Z: i et m, D: 2

Gasterosteus aculeatus

Pungitius pungitius

Brachygobius doriae (GÜNTHER, 1868)
Bourdon, Poisson bourdon

Syn.: *Gobius doriae, Brachygobius nunus.*

Or.: Indochine, Thailande, Péninsule Malaise, Bornéo, Sumatra, Java; vit en eau douce et en eau saumâtre.

P.i.: 1905.

D.s.: Les couleurs du mâle sont plus prononcées; en période de ponte la femelle est plus grosse; environ deux jours avant la ponte on reconnait la femelle à son tube de ponte apparent.

C.s.: Poisson très calme et paisible; chaque individu se réserve un petit territoire dans lequel aucun congénère n'est toléré.

M.: L'aquarium doit comporter de nombreuses caches (roches, racines, pots à fleurs couchés); sol composé de sable sombre et fin; maintenir de préférence en aquarium spécifique; eau: pH 7,5–8,5; dureté 20–30 ° dGH.

R.: 26–29° C; eau dure (à partir de 15° dGH); ajouter du sel marin; fraye seulement s'il reçoit une alimentation variée; l'eau neuve favorise l'envie de pondre; la ponte a lieu sous des roches ou dans des pots à fleurs et produit env. 150 à 200 œufs; les jeunes éclosent au bout d'env. 4 jours et sont soignés par le mâle.

N.: C; petites proies vivantes (*Tubifex*, Enchytrées, Larves de Moustiques, Daphnies, *Cyclops*, etc.).

P.: En eau douce l'espèce est très sensible; l'adjonction de sel marin est vivement conseillée (1–2 cuillerée à soupe par 10 l. d'eau); au début les alevins de B. doriae nagent durant quelque temps dans la couche inférieure de l'eau, ce n'est qu'au bout d'un certain âge qu'ils passent à la vie permanente au sol.

B. doriae, coloration normale

T: 22–29° C, **L**: 4,2 cm, **LA**: 60 cm, **Z**: inférieure, sol, **D**: 3

Hypogymbnogobius xanthozona (BLEEKER, 1849)
Gobie à anneau d'or

Syn.: *Gobius xanthozona, Thaigobiella sua, Brachygobius xanthozona.*

Or.: Sud-est asiatique: Thailande, Sud-vietnam, Péninsule Malaise et Grandes Iles de la Sonde; en eau douce et eau saumâtre.

P.i.: 1905 par J. Reichelt, Berlin.

D.s.: Femelle nettement plus grosse en période de ponte, ses couleurs sont plus pâles, son tube de ponte apparait lorsque la ponte est imminente.

C.s.: Poisson calme, paisible, territorial; aucun congénère n'est toléré au sein du territoire; le mâle soigne la ponte (famille paternelle).

M.: Comme indiqué chez *B. nunus*; ajouter 1–2 cuillerée à soupe de sel marin pour 10 l. d'eau.

R.: Voir *B. doriae*.

N.: C; toutes sortes de proies vivantes (Enchytrées, *Tubifex*, petits Crustacés, Larves de Moustiques); s'habitue rarement aux aliments en flocons.

P.: Les alevins de *H. xanthozona* présentent le même comportement que ceux de *B. doriae:* ce n'est qu'à partir d'un certain âge qu'ils adoptent la vie au sol.

T: 25–30° C, **L**: 4,5 cm, **LA**: 60 cm, **Z**: i, **D**: 3

Brachygobius doriae en parure de noce

Hypogymnogobius xanthozona

Periophthalmus barbarus (LINNAEUS, 1766)
Périophthalme

Syn.: *Gobius barbarus, Euchosistopus koelreuteri, Gobiomorus koelreuteri, Periophthalmus argentilineatus, P. dipus, P. juscatus, P. kalolo, P. koelreuteri, P. modestus.*

Or.: Afrique, de la Mer Rouge jusqu'à Madagascar, sud-est asiatique, Australie, Mer du Sud; dans l'eau saumâtre des embouchures.

P.i.: 1896.

C.s.: Poisson territorial, partiellement amphibie.

M.: La maintenance n'est pas facile vu que les conditions écologiques de leur milieu de vie sont difficilement imitables en aquarium; il faut un bac de grande surface avec reconstitution d'une plage, le sable étant consolidé par des branches et des galets; remplir la partie aquatique avec de l'eau saumâtre; bien couvrir le bac, haute humidité de l'air entre couvercle et plage, la température de l'air doit être identique à celle de l'eau; forte filtration; eau: pH 8,0–8,5; ajouter 1–2% de sel marin.

R.: Pas encore réussie en captivité.

N.: C; principalement nourriture vivante, surtout des Vers; mange des Grillons, souvent aussi des aliments en flocons.

P.: Poisson typique de la zone des marées des mers tropicales; habite tout particulièrement les marais mangroviens et vit à la limite eau terre; lorsque le niveau de l'eau baisse il s'enfouit dans le sable après avoir creusé une cuvette plate; peut devenir très familier.

T: 25–30° C, L: 15 cm, LA: 80–100 cm, Z: s et terre, D: 4

Stigmatogobius sadanundio (HAMILTON, 1822)
Gobie tacheté, Gobie chevallière

Syn.: *Gobius sadanundio, Gobius apogonius, Vaimosa spilopleura.*

Or.: Sud-est asiatique, Bornéo, Sumatra, Java; vit principalement en eau douce.

P.i.: 1905.

D.s.: Les nageoires du mâle sont souvent plus grandes que celles de la femelle qui est aussi plus petite et plus jaunâtre.

C.s.: Poisson paisible; faire cohabiter de préférence avec des poissons qui occupent la couche moyenne de l'eau. Les mâles sont territoriaux en période du frai.

M.: Aquarium offrant une grande surface, la hauteur n'a aucune importance, sol mou, sablonneux, caches (grottes) composées de roches ou de moitiés de pots à fleurs; quelques plantes supportant l'eau saumâtre; un aquarium spécifique est conseillé.

R.: 24–28° C; eau dure (ajouter du sel marin); les œufs sont le plus souvent déposés sur la voûte d'une grotte; les œufs, jusqu'à 1000 pièces, sont fixés solidement par des filaments ou pédicules; après l'éclosion les parents soignent les alevins.

N.: C, H; toutes sortes de proies vivantes (Vers, Larves de Moustiques, etc.), parfois également des algues (fort éclairage).

P.: Dans une eau contenant 1–2 cuillerées à soupe de sel marin pour 10 l. d'eau, ces poissons sont plus résistants; ne pas vouloir les habituer à l'eau douce (sans dureté); il est salutaire de faire varier la température de quelques degrés (un peu plus élevé le jour, un peu plus basse durant la nuit) et de ne pas la maintenir constante.

T: 20–26° C, L: 8,5 cm, LA: 70 cm, Z: i, D: 3

Periophthalmus barbarus

Stigmatogobius sadanundio

Gymnotus carapo LINNAEUS, 1758
Gymnote rayé

Syn.: *Carapus inaequilabiatus, Carapus fasciatus, Giton fasciatus, Gymnotus brachiurus, Gymnotus carapus, Gymnotus fasciatus, Gymnotus putaol, Sternopygus carapo, Sternopygus carapus.*

Or.: Amérique centrale et Amérique du sud du Guatemala à travers l'Amazonie, Equateur, Pérou, Guyane, Paraguay jusqu'au Rio de la Plata au sud, et à l'ouest jusqu'aux Andes.

P.i.: 1910 par les «Vereinigte Zierfischzüchtereien» de Conradshöhe près de Berlin.

D.s.: Encore inconnu.

C.s.: Asocial entre congénères mais généralement paisible envers les autres espèces de grande taille.

M.: Espèce robuste; aménager de nombreuses caches sous forme de racines et de roches; c'est un poisson d'activité nocturne; végétation dense composée de plantes aquatiques robustes; eau: pH 6,0–7,5; dureté jusqu'à 15° dGH.

R.: Encore inconnue.

N.: C; toutes sortes de nourritures vivantes, fragments de Vers de terre; les aliments en flocons sont acceptés avec réticence.

P.: On a observé que des spécimens d'importation récente se tiennent parfois en position verticale, la tête en bas. Il s'agit alors vraisemblablement d'exemplaires ayant subis des lésions de la vessie natatoire.

T: 22–28° C, L: 60 cm, LA: à partir de 100 cm, Z: m et i, D: 2–3

Dermogenys pusilla VAN HASSELT, 1823
Demi bec

Syn.: *Hemirhamphus fluviatilis.*

Or.: Sud-est asiatique: Thailande, Péninsule Malaise, Singapour, Indonésie (Grandes Iles de la Sonde); en eau douce et eau saumâtre.

P.i.: 1905 par J. Reichelt, Dresde.

D.s.: Le mâle est plus petit que la femelle, sa dorsale a une tache rouge et sa nageoire anale est transformée en organe de copulation (Andropode).

C.s.: Poisson de surface, souvent belliqueux entre congénères; les mâles se livrent des combats acharnés entrainant parfois des blessures; très peureux en période d'acclimatation.

M.: Bac de grande surface mais faible hauteur d'eau (20 cm); sol composé de gravier ou de sable; plantation périphérique allégée, quelques plantes flottantes à la surface; grand espace libre pour la nage; les vitres latérales, ainsi que l'arrière, envahies d'algues atténuent la craintivité de ce poisson; il supporte certes des températures jusqu'à 18° C et en dessous, mais n'est actif qu'à des températures élevées; *D. pusilla* apprécie une adjonction de sel marin (2–3 cuillerées à café pour 10 l. d'eau); après acclimatation, l'eau peut avoir une dureté jusqu'à 10° dGH et un pH d'env. 7; aquarium spécifique.

R.: 24–28° C; *D. pusilla* est vivipare; les mort nés sont fréquents, en général naissent une ou deux générations viables, les générations suivantes ne produisent souvent que des alevins morts; la parade nuptiale de cette espèce est fort intéressante; la fécondation se fait à l'aide de l'andropode du mâle; les femelles sont gestantes durant 20 à 60 jours et accouchent de 10 à 30 jeunes que l'on élève avec du plancton animal.

N.: C; principalement proies vivantes: Drosophiles, autres Mouches, Larves de Moustiques, petits Crustacés, *Tubifex*, également aliments en flocons.

P.: Éviter d'effrayer ces poissons car dans ce cas ils exécutent des bonds incontrôlés et peuvent endommager leur «bec»; ces blessures entrainent souvent la mort du blessé; bien couvrir l'aquarium car ce sont d'excellents sauteurs.

T: 18–30° C, L: 7 cm, LA: 70 cm, Z: s, D: 3

Nomorhamphus liemi liemi VOGT, 1978

Syn.: Aucun.

Or.: Indonésie; centre de l'île de Célèbes (Sulawesi) dans le lac Posso et dans une rivière près de Lappa Kanru.

P.i.: ?

D.s.: L'anale du mâle est transformée en organe de copulation (Andropode); le mâle est toujours plus petit et présente un appendice carné sur la mâchoire inférieure, épais et noir, alors que chez la femelle cet appendice est plus petit, rouge ou incolore.

C.s.: Poisson de surface vivant en groupes allégés; faire cohabiter qu'avec des poissons calmes et paisibles.

M.: Bac long à grande surface et faible niveau d'eau (20 cm); il est recommandé d'installer une pompe puissante pour animer l'eau et créer un fort courant; végétation allégée, abris sous forme de roches; eau douce à moyennement dure (5–12° dGH) et très peu acide à légèrement alcaline (pH 6,9–7,5).

R.: 25° C; paramètres de l'eau: 5° dGH, pH 6,5; couche de plantes flottantes; réussit mieux en eau douce; l'élevage prolongé est assez problèmatique; les mâles paradent pratiquement sans interruption; il y a fécondation intérieure, c'est un ovovivipare, les œufs fécondés se développent dans une poche de l'ovaire et dans laquelle les embryons grandissent en l'espace de six à huit semaines; à la naissance les alevins ont déjà une longueur de 18 mm; chaque mise bas produit 9 à 11 alevins qu'il faut isoler immédiatement après leur naissance si on veut éviter qu'ils soient dévorés par la femelle.

N.: C; proies vivantes, principalement des Insectes volants tombés à la surface de l'eau (Fourmis ailées, Mouches), Larves de Moustiques, *Tubifex*, aliments en flocons.

P.: Les espèces du genre *Nomorhamphus* diffèrent de celles du genre *Dermogenys* par leur mâchoire inférieure non étirée en forme de bec. Chez *Nomorhamphus*, seul un appendice carné sur la mâchoire inférieure dépasse la mâchoire supérieure. Le genre *Nomorhamphus* est endémique de l'île de Célèbes (actuellement Sulawesi). Il faut bien couvrir l'aquarium car ils sont bon sauteur.

T: 24–26° C, **L**: mâle 6 cm, femelle 9 cm, **LA**: 70 cm, **Z**: s, **D**: 3

Nomorhamphus liemi snijdersi VOGT, 1978

Syn.: Aucun.

Or.: Indonésie: Sulawesi (centre de Célèbes) à l'est de la ville de Maros.

P.i.: 1977 par Dieter Vogt, Stuttgart.

D.s.: La nageoire du mâle est transformée en organe de copulation (Andropode).

C.s.: Similaire à celui de Nomorhamphus liemi liemi.

M.: Comme indiqué chez *N. liemi liemi.*

R.: Voir *N. liemi liemi.*

N.: C; toutes sortes de proies vivantes, de préférence des Insectes volants, aliments en flocons.

T: 23–28° C, **L**: 9 cm, **LA**: 70 cm, **Z**: s, **D**: 3

P.: Deux sous espèces de *Nomorhamphus liemi* ont été décrits: *N. liemi liemi* qui est identique au poisson présenté ci dessus, et *N. liemi snijdersi* VOGT, 1978. Cette sous espèce apparait dans les hautes terres de Maros (sud de Célèbes). Elle diffère de la forme primitive par sa coloration.

Nomorhamphus liemi liemi

Nomorhamphus liemi snijdersi

Kneria sp.

Or.: Angola jusqu'en Afrique orientale; dix espèces ont été décrites jusqu'à présent.

P.i.: 1963 par «Aquarium Hamburg».

D.s.: Voir P.

C.s.: Poisson paisible, social, convenant très bien pour un aquarium communautaire en compagnie d'espèces ayant les mêmes exigences du point de vue température et nourriture alguaire.

M.: Ce poisson apparait dans les rivières claires de la «zone des truites»; une maintenance conforme aux conditions naturelles implique donc une eau riche en oxygène, une puissante filtration créant un fort courant et une basse température. Eau très douce (jusqu'à 3° dGH); dans l'aquarium ce poisson supporte cependant une dureté plus élevée (jusqu'env. 18° dGH).

R.: Pas difficile; après un bref accolement des corps des partenaires, les œufs sont émis sans discernement et coulent au fond de l'aquarium; les larves éclosent au bout de 4 jours; les parents ne s'occupent pas du frai.

N.: O; mange tout; nourriture vivante; dans la nature: animalcules contenus dans les gazons alguaires.

P.: Les mâles ont à hauteur de «l'oreille» sur et derrière l'opercule un organe de fixation garni de lamelles (organe occipital) qui sert à la reproduction (fixation du mâle à la femelle). Cet organe est considéré comme premier degré de l'appareil de Weber (v. page 212). Pour cette raison, entre autres, les Kneriidae figurent parmi les précurseurs des Cyprinidés.

T: 18–22° C, **L**: 7 cm, **LA**: 60 cm, **Z**: i, **D**: 1–2

Luciocephalus pulcher (GRAY, 1830)

Tête de brochet

Syn.: *Diplopterus pulcher.*

Or.: Sud-est asiatique: Péninsule Malaise, Singapour, Sumatra, Bornéo, Bangka, Belitung.

P.i.: 1905 par J. Reichelt, Berlin.

D.s.: Femelles plus dodue. Chez les mâles qui dominent ou paradent, les rayures se transforment en pointillés.

C.s.: Prédateur mais à comportent paisible envers les poissons de même taille. On peut maintenir les Têtes de brochet en aquarium par petits groupes, ils sont très conciliants entre eux.

M.: Aquarium spécifique spacieux et bien planté. Contrairement à ce que l'on croyait dans le passé, ils ne sont pas exigeants envers les paramètres de l'eau: une eau moyennement dure, d'un pH jusqu'à 7,5 est bien supportée. Mais, vu que ces poissons vivent dans la nature dans une eau très douce et acide, donc relativement pauvre en bactéries, dans l'aquarium ils sont souvent victimes d'infections causées par les poissons offerts comme nourriture.

R.: Réussie en 1987 (Kokoscha 1988, DATZ: 34–35, 80–81). Lors de la parade le mâle gonfle sa gorge et inverse le mouvement des nageoires pelviennes. Incubateur buccal dans le sexe mâle. Après une incubation d'au moins 28 jours, jusqu'à 90 alevins d'une longueur de 12–13 mm sont libérés. Comme première nourriture on distribue des Larves de Moustiques noires tamisées, ainsi que des Larves de Labyrinthidés qui viennent d'éclore dans le nid de bulles qui peut être transféré entièrement dans le bac d'élevage des *L. pulcher.*

N.: Exclusivement nourriture vivante, surtout poissons, crevettes et Larves d'Insectes qui seront capturées en pleine eau. A cette occasion la bouche est avancée à la manière du Poisson-feuille sud-américain (Monocirrhus). Prendre de la nourriture au sol est difficile car du gravier entre dans la bouche. aucune nourriture n'est prise à la surface de l'eau.

P.: Les Têtes de brochet possèdent un organe de respiration complémentaire (Labyrinthe). Par la forme de la vessie natatoire ainsi que par l'organe de l'ouïe spéciale (tympan sur le trou exoccipital) il y a des concordances avec les Labyrinthidés, de sorte qu'il est fort probable que *L. pulcher* soit apparenté à ces derniers. La caudale est profondément incurvée et donne l'impression de deux lobes (pour cette raison aussi *Diplopterus* en sysonyme).

T: 18–22° C, L: 7 cm, LA: 60 cm, Z: i, D: 1–2

Mastacembelus armatus (LACÉPÈDE, 1800)
Anguille épineuse géante

Syn.: *Macrognathus armatus.*

Or.: Sud-est asiatique: Inde, Sri Lanka, Thailande, sud de la Chine, Sumatra.

P.i.: 1922.

D.s.: Femelle plus grosse durant la période du frai.

C.s.: Similaire à celui de *Mastacembelus erythrotaenia.*

M.: Comme indiqué chez *M. erythrotaenia*; pour *M. armatus* adjonction de sel marin (2–3 cuillerées à café pour 10 l. d'eau); régulier apport d'eau neuve; aménager suffisamment de caches dans l'aquarium.

R.: Pas encore réussie en aquarium.

N.: C; proies vivantes telles que petits Crustacés, Vers, Larves de Moustiques et Poissons; s'habitue difficilement aux aliments en flocons; les proies lyophilisées et aliments en comprimés sont en général bien acceptés.

P.: De même que d'autres espèces du genre *Mastacembelus*, l'Anguille épineuse s'enfouit dans le sol; dans ses pays d'origine elle est appréciée comme poisson comestible.

T: 22–28° C, **L**: 75 cm, **LA**: 100 cm, **Z**: i, **D**: 3

Macrognathus circumcinctus (HORA, 1924)
Anguille épineuse à ceinture

Syn.: *Mastacembelus circumcinctus.*

Or.: Sud-est de Thailande.

P.i.: Douteuse.

D.s.: Inconnu.

C.s.: Agressif envers ses congénères; mange les petits poissons mais peut cohabiter avec des espèces d'autres genres ayant une grande taille.

M.: Un sol mou composé de sable et de tourbe est important, car en cas de danger cette Anguille s'enfouit dans le sol; bac densément planté; une lumière diffuse grâce à une couche de plantes flottantes contribue à atténuer sa craintivité. *Macrognathus circumcinctus* mène une vie cachée; parfois il reste invisible durant plusieurs jours ou on n'aperçoit que la tête qui dépasse du sable; paramètres de l'eau comme pour l'espèce précédente.

R.: Pas encore réussie.

N.: C; proies vivantes comme l'espèce précédente; s'alimente presque exclusivement durant la nuit (même les petits poissons), il faut donc distribuer la nourriture à la tombée de la nuit.

P.: Lorsque l'extinction de l'éclairage est commandée par un rhéostat, *M. circumcinctus* sort de sa cachette, cela a également été observé chez d'autres *Macrognathus.*

T: 24–27° C, **L**: 16 cm, **LA**: 80 cm, **Z**: i, **D**: 3

Mastacembelus armatus

Macrognathus circumcinctus

Macrognathus aculeatus (BLOCH, 1788)
Anguille épineuse à ocelle

Syn.: *Macrognathus maculatus.*

Or.: Sud-est asiatique: Thailande, Sumatra, Moluques, Bornéo, Java, apparait en eau douce et en eau saumâtre.

P.i.: Inconnu.

D.s.: Encore inconnu.

C.s.: Comme *Mastacembelus erythrotaenia.*

M.: Comme indiqué chez *M. erythrotaenia.*

R.: On n'a aucun renseignement sur une reproduction réussie en aquarium.

N.: C; proies vivantes, Larves de Moustiques, Enchytrées, *Tubifex*, petits Crustacés, Vers de terre, Poissons.

P.: Cette espèce est facile à distinguer des *Mastacembelus* par son patron caractéristique; le genre *Macrognathus* diffère du genre *Mastacembelus* entre autre par sa gorge cannelée.

T: 23–28° C, **L**: 35 cm, **LA**: 80 cm, **Z**: i, **D**: 3

Mastacembelus erythrotaenia BLEEKER, 1850
Anguille épineuse à bandes rouges

Syn.: *Macrognathus erythrotaenia.*

Or.: Sud-est asiatique: Thailande, Birmanie, Sumatra, Bornéo.

P.i.: Incertain, probablement qu'après 1970.

D.s.: Les femelles matures sont plus grosses que les mâles.

C.s.: Asocial entre congénères, à maintenir individuellement; actif au crépuscule et durant la nuit; faire cohabiter avec des grands poissons car il mange les petits.

M.: Sol mou (sable très fin); plantes robustes; caches et grottes sous forme de roches, pots à fleurs couchés ou cylindres creux en terre glaise; lumière diffuse, plantes flottantes; eau douce à moyennement dure (jusqu'à 15° dGH) et neutre (pH 7); ajouter du sel marin (1–2 cuillerées à café pour 10 l. d'eau) et bien aérer.

R.: Pas encore réussie en aquarium.

N.: C; toutes les proies vivantes (*Tubifex*, Daphnies, *Cyclops, Artemia*, Larves de Moustiques); les grands exemplaires mangent des poissons.

P.: Selon les connaissances actuelles, *M. erythrotaenia* semble être le plus délicat parmi les représentants de la famille; il est également sensible aux ectoparasites (Ciliés qui troublent la peau) ainsi qu'aux blessures.

T: 24–28° C, **L**: 100 cm, **LA**: à partir de 100 cm, **Z**: i, **D**: 3

Mastacembelus zebrinus BLYTH, 1848
Anguille épineuse rayée

Syn.: Aucun.

Or.: Indochine; Thailande, dans une rivière à chutes à proximité de Trang.

P.i.: Inconnue.

D.s.: Inconnu.

C.s.: Encore inconnu.

M.: Comme indiqué chez *Mastacembelus erythrotaenia.*

R.: Pas encore reproduit en aquarium.

N.: C; toutes les proies vivantes, Larves de Moustiques, petits Crustacés, *Tubifex*, petits Vers de terre.

P.: *Mastacembelus paucispinis* diffère des autres *Mastacembelus* par un nombre inférieur de rayons épineux dans la dorsale (16).

T: 24–28° C, **L**: 9 cm, **LA**: 50 cm, **Z**: i, **D**: 3

Macrognathus aculeatus

Mastacembelus erythrotaenia

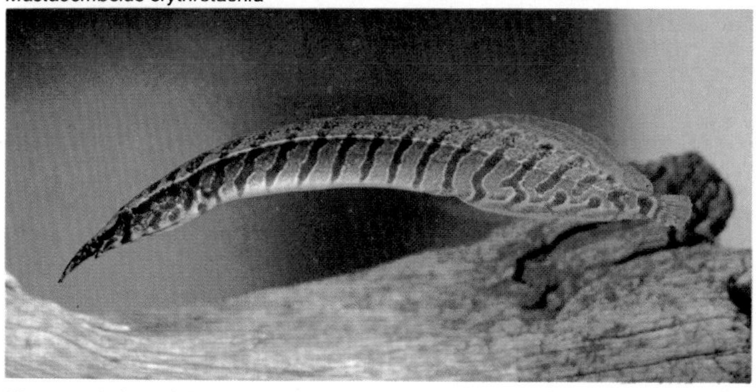

Mastacembelus zebrinus

Glossolepis incisus WEBER, 1908

Arc-en-ciel saumon, Arc-en-ciel rouge de Guinée

Syn.: Aucun.

Or.: Nord de la Nouvelle Guinée dans les environs du lac Sentani et dans le lac même.

P.i.: 1973 par A. Werner et Frech.

D.s.: Dimorphisme sexuel très net; le dos du mâle est très haut en forme de bosse, corps et nageoires sont rouge-saumon brillant; le corps de la femelle est plus étiré, de couleur jaune-olive avec des écailles brillantes jaune-or, les nageoires sont jaune transparent.

C.s.: Poisson grégaire paisible, très craintif.

M.: Comme pour les espèces du genre *Melanotaenia*; eau dure (18–25° dGH) et neutre à légèrement alcaline (pH 7–7,5).

R.: 24–26° C; reproduction facile; parade nuptiale et ponte se déroulant comme chez les *Melanotaenia*; offrir de la Mousse de Java comme substrat de ponte; les œufs sont adhésifs, transparents au début, leur développement dure sept à huit jours; les jeunes nagent librement dès leur éclosion et cherchent leur nourriture à la surface de l'eau, il faut leur distribuer des Rotifères et du jaune d'œuf en poudre; au début leur croissance est très lente.

N.: C; toutes sortes de nourritures vivantes; viande de bœuf râpée.

P.: Ne pas distribuer de Nauplies de *Cyclops* aux alevins de *Glossolepis incisus,* car après leur transformation en *Cyclops* ces derniers peuvent attaquer et tuer les alevins. Les belles couleurs du mâle n'apparaissent qu'à une taille de cinq à sept centimètres, jusque là il présente une livrée peu attrayante.

T: 22–40° C, **L**: 15 cm, **LA**: 80 cm, **Z**: m et s, **D**: 2

Melanotaenia fluviatilis (CASTELNAU, 1878)

Arc-en-ciel australien

Syn.: *Aristeus fluvatilis, Melanotaenie splendida, Nematocentris fluviatilis.*

Or.: Australie: New South Wales et Queensland, dans le système du Murray-Darling.

P.i.: 1927 (*M. nigrans*).

D.s.: Les couleurs du mâle sont plus vives, des raies rouges garnissent le pédoncule caudal; les couleurs de la femelle sont plus mates, pas de raies rouges sur le pédoncule caudal.

C.s.: Voir *Melanotaenia maccullochi.*

M.: Comme les autres espèces du genre *Melanotaenia*; eau moyennement dure (env. 10° dGH), limpide, riche en oxygène.

R.: Comme indiqué chez *Melanotaenia maccullochi*; la reproduction de *M. fluviatilis* est facile.

N.: C, O; toutes sortes de nourritures vivantes, aliments en flocons.

P.: *M. dubaulayi* (Castelnau, 1873) ressemble beaucoup à l'espèce décrite. On rencontre cette espèce près des côtes de New South Wales et Sud de Queensland.

T: 22–25° C, **L**: 10 cm, **LA**: 80 cm, **Z**: m, **D**: 2

Glossolepis incisus ♂

Melanotaenia fluviatilis

Melanotaenia maccullochi OGILBY, 1915
Poisson arc-en-ciel nain

Syn.: *Nematocentris maccullochi.*

Or.: Eaux douces du nord-est de l'Australie, au sud jusqu'à Sydney.

P.i.: 1934 par «Aquarium Hamburg».

D.s.: Les couleurs du mâle sont plus vives; la deuxième nageoire dorsale ainsi que l'anale sont plus pointues chez le mâle.

C.s.: Poisson grégaire paisible et vivace.

M.: Plantation allégée composée de plantes fines, de préférence seulement sur les côtés et l'arrière, avec grand espace dégagé au centre; sol fin; placer l'aquarium en situation de recevoir les rayons du soleil matinal (est).

R.: 24–26° C; eau de préférence moyennement dure à dure (à partir de 10° dGH); la ponte se déroule au milieu des plantes fines, généralement le matin, et produit de 150 à 200 œufs qui ont de courts filaments servant à la fixation; à 25° C le développement des œufs dure environ 7 jours; les parents ne mangent pas les œufs s'ils ont été abondamment nourris auparavant.

N.: Toutes sortes de nourritures vivantes; accepte également des aliments en flocons (TetraMenu) et autres.

P.: Apprécie l'apport d'eau neuve; les œufs sont très sensibles à la lumière.

T: 20–25° C, L: 7 cm, LA: 70 cm, Z: m et s, D: 1

Melanotaenia splendida splendida PETERS, 1866
Poisson arc-en-ciel de Cap York

Syn.: *Nematocentris splendida, Strabo nigrofasciatus, Aristeus fitzroyensis, A. rufescens.*

Or.: Australie: est de Queensland, péninsule du Cap York.

P.i.: 1968 (?), 1970 en provenance des USA.

D.s.: Le corps du mâle est plus haut, plus coloré, la nageoire anale et la dorsale sont pointues.

C.s.: Similaire à celui de *Melanotaenia maccullochi.*

M.: Comme pour *M. maccullochi.*

R.: Similaire aux autres *Melanotaenia*; mature à partir d'une taille de 5 cm; durant la parade nuptiale et le frai les mâles sont très excités.

N.: C; toutes sortes de nourritures vivantes; *Tubifex*, Daphnies, *Cyclops*, *Artemia*, Larves de Moustiques; aliments en flocons.

P.: *M. splendida* subit une transformation morphologique; les juvéniles sont très sveltes, tandis que les adultes ont un dos extraordinairement élevé, tout particulièrement les mâles; les œufs de cette espèce peuvent être transportés ou expédiés en état humide.

T: 20–25° C, L: 15 cm, LA: 90 cm, Z: i, surtout les vieux, D: 2

Melanotaenia maccullochi

Melanotaenia splendida splendida

Gnathonemus petersii (GÜNTHER, 1862)
Poisson éléphant, Poisson tapir

Syn.: *Mormyrus petersii, Gnathonemus pictus.*

Or.: Afrique occidentale et centrale: Nigeria, Cameroun et région du Zaïre.

P.i.: 1950.

D.s.: Voir dessin.

C.s.: Paisible envers les autres espèces; les congénères plus faibles sont dominés; territorial.

M.: Végétation dense avec aménagement de zones ombreuses (activité crépusculaire et nocturne); grottes et autres caches sous forme de racines et de roches; sable mou composé de sable très fin car il aime fouiller dans le sol pour chercher de la nourriture; un apport d'eau neuve de temps à autre est salutaire, ajouter à cette occasion un bon produit pour le traitement de l'eau.

R.: Pas encore réussie en aquarium.

N.: C, O; proies vivantes (*Tubifex*, Enchytrées, Daphnies, *Cyclops*, Larves de Moustiques); accepte également des aliments en flocons et des aliments lyophilisés.

P.: Ce poisson possède un organe électrique. Le rapport entre le poids du cerveau et le poids du corps est plus favorable chez G. petersii que chez l'être humain, mais contrairement à l'humain, c'est le cervelet qui est très développé.

Dans l'usine des eaux de Göppingen (R.F.A.) ce poisson est employé comme auxiliaire dans le contrôle de l'eau potable. Sous conditions normales on peut mesurer jusqu'à 800 décharges électriques par minute.

T: 22–28° C, L: 23 cm, LA: 80 cm, Z: i, D: 3

Campylomormyrus tamandua (GÜNTHER, 1864)

Syn.: *Mormyrus tamandua, Gnathonemus tamandua.*

Or.: Afrique, Niger, Volta et Zaïre.

P.i.: Inconnu; arrive parmi des importations de G. petersii, souvent sans être identifié.

D.s.: Voir dessin.

C.s.: Solitaire relativement paisible; un groupe d'individus ayant tous la même taille peuvent cohabiter, s'il y a des différences de taille les plus grands poursuivent les plus faibles et les empêchent même de s'alimenter; peut vivre dans un aquarium communautaire en compagnie de grands poissons calmes.

M.: Grand bac de moyenne hauteur, sol composé de sable, filtration sur tourbe, produit pour le traitement de l'eau; fort brassage de l'eau; dense végétation périphérique; eau: pH 6,0–7,8; dureté jusqu'à 20° dGH.

R.: Inconnue.

N.: C; proies vivantes, en priorité des Vers.

P.: L'espèce est rarement importée; pour amateurs spécialisés.

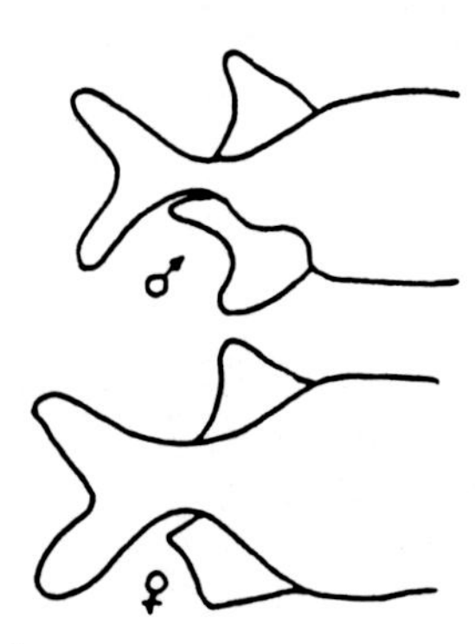

T: 23–27° C, L: 43 cm, LA: 120 cm, Z: i, D: 4 (T)

Gnathonemus petersii

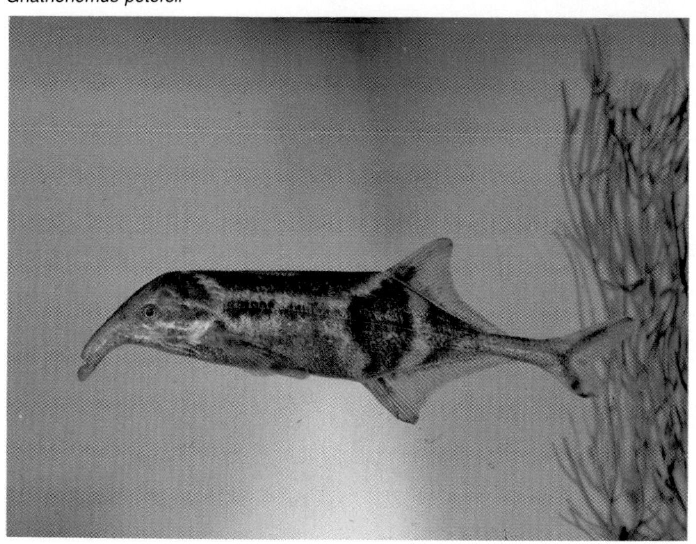

Campylomormyrus tamandua

Notopterus notopterus (PALLAS, 1769)
Poisson couteau à fanion

Syn.: *Gymnotus notopterus, Notopterus kapirat.*

Or.: Inde, Birmanie, Thailande, Malaisie, Sumatra et Java.

P.i.: 1933.

D.s.: Inconnu.

C.s.: Poisson asocial d'activité crépusculaire et nocturne; vit en solitaire et doit être maintenu en aquarium par exemplaire isolé;soigne la ponte (famille paternelle).

M.: Comme indiqué chez *Xenomystus nigri.*

R.: VAN PINXTEREN (1974) signale une reproduction réussie en aquarium. DATZ 27, 364–369; la ponte avait eu lieu durant la nuit, les œufs étaient répartis sur le sol et sur des roches; le mâle les surveillait il chassait les autres poissons qui s'approchaient et créait un courant d'eau sur les œufs à l'aide de ses nageoires pectorales; le développement durait environ deux semaines; les nouveaux-nés sont sensibles à toutes manipulations; ils ont été nourris avec des Nauplies d'*Artemia.*

N.: C; mange exclusivement de la nourriture vivante (petits Crustacés, Larves d'Insectes aquatiques, Mollusques, Vers, Poissons).

P.: La famille des Notopteridae se compose des genres *Notopterus* LACÉPÈDE, 1800 et *Xenomystus* GÜNTHER, 1868. La nageoire dorsale permet de distinguer sans difficultés les deux genres: les espèces du genre *Xenomystus* n'en ont pas.

T: 24–28° C, **L**: 35 cm, **LA**: 100 cm, **Z**: i, **D**: 3

Xenomystus nigri (GÜNTHER, 1868)
Poisson-couteau africain

Syn.: *Notopterus nigri.*

Or.: Afrique, cours supérieur du Nil, Zaïre, Gabon, Niger, Liberia.

P.i.: 1909 par K. Siggelkow, Hambourg.

D.s.: Pas connu avec certitude.

C.s.: Les juvéniles sont grégaires tandis que les adultes sont des solitaires; l'entente entre congénères est alors plutôt mauvaise, les autres espèces sont ignorées.

M.: Dense végétation périphérique, espace libre pour nager (important); quelques caches sous forme de racines ou roches; prévoir des zones d'ombre, l'espèce est active au crépuscule et durant la nuit; à maintenir de préférence dans un aquarium spécifique; eau douce (env. 5° dGH) et légèrement acide (pH 6–6,5).

R.: Aucune réussite de reproduction en aquarium n'a été signalée jusqu'à présent; dans la nature *Xenomystus nigri* pond environ 150 à 200 œufs, ils ont un diamètre d'env. 2 mm.

N.: C; prédateur vorace se nourrissant de toutes sortes de proies vivantes (*Tubifex*, Enchytrées, Insectes, Larves d'Insectes, Mollusques, Poissons, Vers de terre, etc.); on peut aussi lui offrir des petits fragments de viande de bœuf.

P.: *Xenomystus nigri* peut émettre des sons rappelant un aboiement; ces sons sont produits par le passage d'air de la vessie natatoire dans l'intestin; il diffère des autres Poissons-couteaux par l'absence de nageoire dorsale.

T: 22–28° C, **L**: 30 cm, **LA**: 90 cm, **Z**: m, **D**: 2–3

Notopterus notopterus

Xenomystus nigri

Osteoglossum bicirrhosum (CUVIER, 1829)
Arawana

Syn.: *Ischnosoma bicirrhosum, Osteoglossum vandelli.*

Or.: Région fluviale de l'Amazone.

P.i.: 1912 par Arthur Rachow.

D.s.: Les femelles matures sont plus grosses que les mâles; chez les mâles adultes la mâchoire inférieure est plus longue que la mâchoire supérieure et leur nageoire anale est un peu plus longue.

C.s.: Prédateur, carnassier, comportement asocial entre congénères; faire cohabiter qu'avec des grands poissons.

M.: Eau douce à fond de tourbe, plantation allégée composée de plantes robustes à très robustes; espace libre pour nager dans les couches supérieures; sol fin.

R.: Pas réalisable à l'échelle amateur en raison de la taille de cette espèce, mais a déjà réussie en captivité; la ponte est précédée d'une parade nuptiale peu prononcée; les œufs sont très grands, ils ont un diamètre de 1,6 cm!; le mâle les prend dans sa bouche pour l'incubation qui dure 50–60 jours; lorsqu'il les laisse sortir de la bouche, les alevins ont une longueur de 8–10 cm et ont déjà résorbé leur vésicule vitelline.

N.: C; les grands spécimens mangent principalement des poissons, sinon des Puces d'eau, Larves de Moustiques, etc.; accepte parfois des aliments en flocons ou en comprimés.

P.: Bien couvrir l'aquarium car c'est un excellent sauteur; ce poisson peut respirer l'air atmosphérique à l'aide de sa vessie natatoire qui remplit les fonctions d'un poumon.

T: 24–30° C, L: jusqu'à120 cm, LA: à partir de 100 cm, Z: s, D: 4 (C)

Osteoglossum ferreirai KANAZAEA, 1966
Ostéo noir

Syn.: Aucun.

Or.: Amérique du sud, Rio Negro.

P.i.: 1968.

D.s.: Pas connu avec certitude.

C.s.: Similaire à celui de Osteoglossum bicirrhosum.

M.: Comme indiqué chez *O. bicirrhosum*; eau jusqu'à 10° dGH et légèrement acide (pH 6,5); adjonction de tourbe.

R.: Déjà réussie en captivité, mais seulement dans de très grands bacs, par manque de place elle n'est pas à l'échelle de l'amateur; ce poisson pratique l'incubation buccale; les œufs ont la taille d'une petite cerise, leur développement dure six à huit semaines; lorsque les alevins quittent la bouche du mâle ils ont déjà une longueur moyenne d'env. 9 cm.

N.: C; principalement proies vivantes, en priorité des poissons; mange également des Têtards, grands Insectes et Larves d'Insectes.

P.: Bien couvrir l'aquarium car c'est un bon sauteur.

T: 24–30° C, L: 100 cm, LA: à partir de 100 cm, Z: s; D: 4 (C)

Osteoglossum bicirrhosum

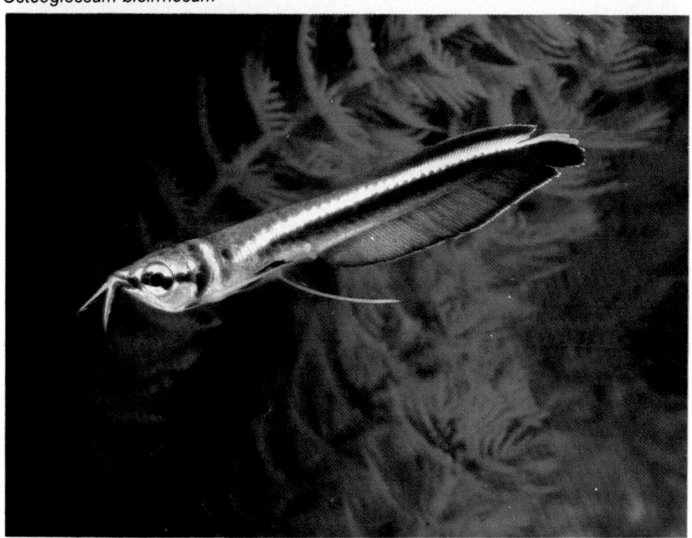

Osteoglossum ferreirai

Pantodon buchholzi PETERS, 1876
Pantodon, Poisson papillon

Syn.: Aucun.

Or.: Afrique occidentale, Nigeria, Cameroun, Zaïre.

P.i.: 1905 par W. Schroot, Hambourg.

D.s.: Chez le mâle l'arrière de la nageoire anale est très arqué, les rayons centraux formant un tube; chez la femelle l'arrière de l'anale forme une ligne droite.

C.s.: Poisson de surface, souvent asocial; faire cohabiter de préférence avec des poissons qui occupent la couche du milieu et la couche inférieure; dévorent les très petits poissons.

M.: Bac à grande surface mais pas très haut, un niveau d'eau de 20 cm suffit; le genre de végétation ne joue aucun rôle mais devrait toujours comporter des plantes flottantes; paramètres de l'eau comme indiqué sous R.

R.: 25–28° C; eau douce à moyennement dure (jusqu'à 10° dGH) et légèrement acide (pH env. 6,5); adjonction de tourbe; volume minimum du bac: 50 l.; opérer par couple; une alimentation riche et variée est primordiale pour le conditionnement des reproducteurs et la réussite de la reproduction; lors de la parade nuptiale le mâle poursuit assidument la femelle; trois à sept œufs sont pondus lors de chaque accouplement, ils sont plus légers que l'eau et montent à la surface; le frai s'étend sur un temps prolongé (80–220 œufs en fin de période) durant lequel une ponte a lieu tous les jours; pour cette raison il faut prélever précautionneusement les œufs à l'aide d'une cuillère à soupe et les transférer dans un bac d'incubation; à 25° C les jeunes éclosent au bout d'env. 36 h.; l'élevage des alevins est difficile et nécessite la consultation d'ouvrages spécialisés.

N.: C; proies vivantes (Mouches, Larves de Moustiques, Grillons, Vers de farine et Poissons; aliments en flocons de grande taille.

P.: À la ponte les œufs sont transparents mais prennent une teinte brun foncé à noir au bout de 8 à 10 heures; bien couvrir l'aquarium car *P. buchholzi* est un bon sauteur.

T: 23–30° C, **L**: 10 cm, **LA**: 60 cm, **Z**: s, **D**: 3

Phractolaemus ansorgei BOULENGER, 1901

Poisson limicole africain

Syn.: Aucun.

Or.: Afrique occidentale: delta du Niger, rivière Ethiope, cours supérieur du Zaïre; vit dans les eaux vaseuses et très herbeuses, poisson d'eau douce.

P.i.: 1906 par la firme Siggelkow, Hambourg.

D.s.: Les mâles matures présentent des nodosités blanches sur la tête et deux rangées de piquants sur le pédoncule caudal.

C.s.: Poisson de fond paisible, à grande activité fouissante.

M.: Sol mou, vaseux; végétation très dense; lumière diffuse; caches constituées de racines; n'est pas exigeant envers les qualités physico-chimiques de l'eau mais demande des températures élevées; eau: pH 6,0–8,0; dureté jusqu'à 25° dGH.

R.: Pas encore réussie en aquarium.

T: 25–30° C, L: 15 cm, LA: 80 cm, Z: i, D: 2

N.: Toutes sortes de proies vivantes, viande de bœuf râpée, aliments en flocons, aliments en comprimés.

P.: Ce poisson a une bouche minuscule, on la distingue à peine; elle est extensible et prend la forme d'un rostre lorsque le poisson cherche de la nourriture; doté d'une respiration atmosphérique accessoire.

Eigenmannia virescens (VALENCIENNES, 1849)
Poisson-couteau vert

Syn.: *Sternarchus virescens, Cryptops humboldtii, C. lineatus, C. virescens, Eigenmannia humboldtii, Sternopygus humboldtii, S. limbatus, S. lineatus, S. microstomus, S. tumifrons.*

Or.: Amérique du sud tropicale: de la région fluviale du Rio Magdalena jusqu'au Rio de la Plata; l'espèce vit exclusivement en eau douce.

P.i.: 1909.

D.s.: Le mâle est beaucoup plus grand que la femelle.

C.s.: Poisson assez social, très craintif, d'activité nocturne; un groupe forme une structure sociale solide; il existe des individus dominants et d'autres moins agressifs; on n'observe cependant jamais de blessures graves; les poissons se reconnaissent individuellement.

M.: Sol en gravier pas trop gros; quelques plantes flottantes pour créer des zones d'ombre; caches sous forme de racines, roches ou cylindres creux en terre glaise; il semble que cette espèce ne soit pas exigeante envers les qualités physico-chimiques de l'eau mais préfère une eau vieille; bonne filtration et lumière diffuse; à maintenir de préférence dans un aquarium spécifique; eau: pH 6,0–7,0; dureté 2–15° dGH; cette espèce aime vivre dans un bac où elle peut stationner en plein courant au milieu d'une végétation dense.

R.: Réussie récemment en aquarium par KIRSCHBAUM (1982) qui fournit toutes les informations dans Aquarienmagazin **16** (12): 738–742. Selon KIRSCHBAUM quatre facteurs d'environnement déclenchent la maturation des organes sexuels: 1. une conductivité en baisse continuelle. 2. une baisse de la valeur du pH. 3. une élevation du niveau de l'eau et 4. imiter une pluie. La ponte a lieu au cours de la deuxième moitié de la nuit. C'est toujours le mâle dominant du groupe, généralement le plus grand au sein du groupe, qui fraye avec celle des femelles qui est prête à pondre. Les œufs sont adhésifs et déposés par petites quantités, de préférence sur les plantes. Selon la taille de la femelle, 100 à 200 œufs sont produits lors d'une ponte qui dure plusieurs heures.

N.: C; toutes sortes de proies vivantes (*Tubifex*, Larves de Moustiques, petits Crustacés, Mollusques, petits Poissons).

P.: Absence de nageoire dorsale et de caudale; la nageoire anale contient env. 240 rayons. *E. virescens* est sensible à l'eau neuve, donc toujours ajouter un bon produit de traitement lors des changements d'eau.

T: 22–28° C, **L**: mâle 45 cm, femelle 20 cm, LA 100 cm, **Z**: m et i, **D**: 2–3

Steatogenes elegans (STEINDACHNER, 1880)

Syn.: *Rhamphichthys elegans, R. mirabilis, Brachyrhamphichthys elegans.*

Or.: Nord-est de l'Amérique du sud: Pérou, Guyane, Brésil (Amazonie), vit en eau douce.

P.i.: 1912 par M. Zeller.

D.s.: Inconnu.

C.s.: Cette espèce est absolument inoffensive mais cependant évitée par les cohabitants de l'aquarium; choisir des compagnons calmes et de taille égale.

M.: Aquarium ombreux avec de nombreuses caches sous forme de racines et roches; végétation dense; eau vieille, légèrement acide (pH 6–6,5) et douce à moyennement dure (jusqu'à 12° dGH).

R.: Pas encore réussie en aquarium.

N.: C; petites proies vivantes (Daphnies, *Cyclops*, Larves de Moustiques, *Tubifex*).

P.: Contrairement à d'autres Poissons-couteaux, les mâchoires de *S. elegans* sont édentées; il est sensible à l'adjonction d'eau neuve.

T: 22–26° C, **L**: 20 cm, **LA**: 80 cm, **Z**: m et i, **D**: 3

Eigenmannia virescens

Steatogenes elegans

Enneacampus ansorgii (BOULENGER, 1915)
Petite Aiguille d'eau douce

Syn.: *Syngnathus ansorgii, S. pulchellus.*

Or.: Afrique occidentale: du Cameroun au Gabon, dans les fleuves Zaïre et Ogowe; vit en eau douce et en eau saumâtre.

P.i.: 1973.

D.s.: Mâle avec sillon abdominal apparent, ce dernier est transformé en poche d'incubation lors de la période du frai.

C.s.: Poissons calmes et inoffensifs; pratique les soins de la ponte; à maintenir avec des espèces calmes ou en aquarium spécifique.

M.: Sol composé de sable fin; végétation éparse par Vallisnéries et similaires; bac en situation ensoleillée, faible aération; eau moyennement dure à dure (10–18° dGH) et neutre (pH 7); ajouter du sel marin (1–2 cuillerées de sel marin pour 10 l. d'eau); meurt en eau douce et acide!

R.: Pas encore réussie en aquarium; la femelle pond au-dessus de la poche incubatrice du mâle; les œufs sont fixés à l'arrière de l'anus, puis recouvert par deux plis latéraux qui forment la poche incubatrice.

N.: C; exclusivement proies vivantes: petits Crustacés (Daphnies, *Bosmina, Cyclops, Diaptomus, Artemia*), Larves de Moustiques blanches, très petits alevins (Guppies).

P.: Les proies ne sont pas happées mais littéralement aspirées. Dans la bouche, à peu près au niveau des yeux, se trouve une membrane extensible dans laquelle est logée l'os hyoïde; pour capturer une proie, cet os est pressé vers le bas, ce qui exercę une tension sur la membrane, tandis que opercules et bouche sont fermés simultanément; cela crée un vide qui sera équilibré par un fort courant d'eau lors de l'ouverture de la bouche et ce courant entraine la proie.

T: 24–28° C, L: 15 cm, LA: 80 cm, Z: m et i, D: 4

Microphis KAUP, 1856
(Oostethus) brachyurus aculeatus
Grande Aiguille d'eau douce

Syn.: *Doryichthys juillerati, D. lineatus (partim), D. macropterus, Microphis aculeatus, M. (Dorichthys) aculeat, M. brachyurus, M. (D.) smithii, M smithii, Oostethus brachyurus aculeatus, Syngnathus pulchellus.*

Or.: Afrique, cours inférieur du Niger et du Zaïre; vit dans les zones riveraines très herbeuses.

P.i.: 1954.

D.s.: Le mâle présente sur le ventre deux arêtes longitudinales saillantes formant un sillon; après la ponte les œufs sont promenés par le mâle, fixés sur son ventre; le ventre de la femelle est arrondi.

C.s.: Poisson très paisible qui pratique les soins de la ponte (famille paternelle).

M.: Sol composé de gravier fin ou de sable; végétation allégée, de préférence composée d'espèces du genre *Vallisneria*; espace libre pour nager; aquarium placé en situation ensoleillée, légère aération; préfère une eau (au dessus de 10° dGH) avec adjonction de sel marin (2–3 cuillerées pour 10 l. d'eau); à maintenir dans un aquarium spécifique.

R.: Pas encore réussie.

N.: C; exclusivement nourriture vivante: petits Crustacés (Daphnies, *Bosmina, Cyclops, Diaptomus, Artemia*, etc.).

P.: Lors de la ponte les œufs sont fixés sur le ventre du mâle; cette plage d'œufs est protégée latéralement par deux arêtes longitudinales saillantes.

T: 22–26° C, **L**: 20 cm, **LA**: 100 cm, **Z**: m, **D**: 4

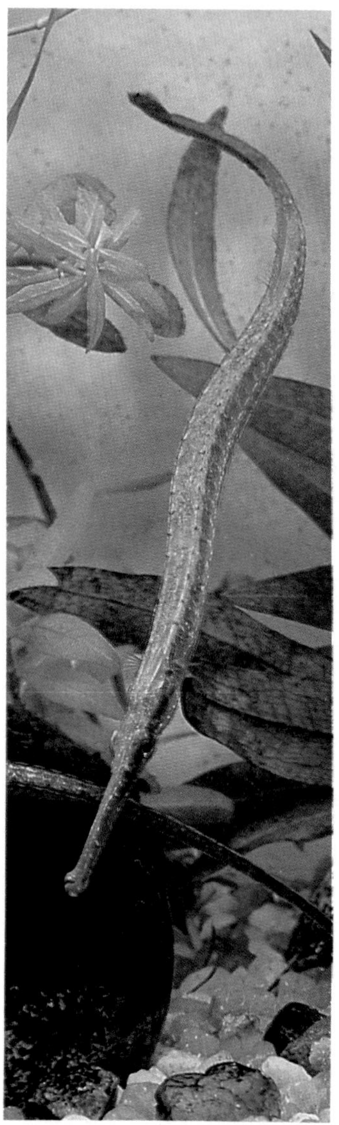

Carinotetraodon lorteti (TIRANT, 1885)

Syn.: *Tetraodon somphongsi, T. lorteti, Carinotetraodon chlupatyi, C. somphongsi.*

Or.: Thailande, dans la zone fluviale du Tachin (= Nakornchaisri); vit exclusivement en eau douce.

P.i.: 1957 par la firme Tropicarium, Francfort s/M.

D.s.: La dorsale du mâle est rouge rouille avec un bord gris bleu en haut et un bord blanc en bas, son ventre est rougeâtre; le ventre de la femelle est gris clair avec des points et des tirets foncés.

C.s.: Mène une vie cachée en se réservant un territoire qu'il défend énergiquement contre ses congénères; comportement asocial entre congénères et parfois aussi envers d'autres poissons; selon HOLLY les mâles présentent une «attitude d'imposition» c. à d. qu'une carène apparait sur le ventre et une crête est simultanément dressée sur le dos.

M.: Comme indiqué chez *Tetraodon biocellatus*; également inutile d'ajouter du sel pour *C. lorteti;* eau: dureté max. 10° dGH, mieux 5° dGH et pH 6,5.

R.: Possible et déjà réussie dans quelques cas isolés; température env. 26° C; eau douce (5° dGH) et légèrement acide (pH 6,5); le bac de reproduction doit contenir de la Mousse de Java; la ponte est précédée d'une parade nuptiale très mouvementée au cours de laquelle le mâle s'agrippe à la femelle à l'aide de ses dents; les œufs env. 350, sont lachés dans la Mousse de Java; enlever les parents après la ponte; le développement dure 30 heures; l'élevage des alevins est très difficile, ils meurent le plus souvent par manque de nourriture adéquate.

N.: C; proies vivantes (Gastéropodes, chair de Moules, Vers de terre); accepte parfois des aliments en comprimés (TetraTips).

P.: *C. lorteti* peut effectuer un important changement de couleur physiologique. Le dos du poisson peut s'éclaircir ou s'assombrir. Le changement de couleur est surtout en relation avec l'environnement dans lequel le poisson se trouve momentanément. Dans un milieu clair sa robe s'éclaircit, dans un milieu sombre elle fonce.

T: 24–28° C, L: 6,5 cm, LA: 60 cm, Z: m et i, D: 3

Tetraodon nigroviridis DE PROCÉ, 1822

Tétrodon vert

Syn.: *Tetrodon simulans.*

Or.: Sud-est asiatique: Inde, Sri Lanka, Bangladesh, Birmanie, Thailande, Péninsule Malaise, Indonésie et Philippines; vit en eau douce et en eau saumâtre.

P.i.: 1905 par Julius Reichelt, Berlin.

D.s.: Pas connu avec certitude.

C.s.: Poisson alerte mais asocial, les juvéniles sont relativement paisibles, les adultes sont agressifs envers leurs congénères et d'autres espèces; à maintenir de préférence individuellement ou réunir que des exemplaires de taille égale; le mâle soigne la ponte; a tendance à détériorer les plantes.

M.: Sol composé de sable ou de gravier; dense végétation périphérique grand espace libre pour la nage; caches sous forme de racines, roches ou pots à fleurs couchés; eau dure (à partir de 10° dGH) et neutre (pH 7); supporte bien l'eau douce mais se sent plus à l'aise dans l'eau saumâtre; dans l'eau de mer pure il meurt.

R.: A déjà été reproduit en captivité; l'élevage réussit seulement en eau saumâtre; c'est un pondeur sur substrat, le mâle soigne la ponte.

N.: C, O; Gastéropodes, chair de Moules, Vers de terre, *Tubifex*, Puces d'eau, Larves de Moustiques, Salade, aliments en comprimés (TetraTips).

P.: La chair de *Tetraodon nigroviridi* est très toxique pour l'Homme et les animaux domestiques (Porc, Chat, Chien, Canard); sa toxicité est conservée même après cuisson de la chair.

T: 24–28° C, L: 17 cm, LA: 80 cm, Z: toutes, D: 3

Carinotetraodon lorteti, en haut ♀ en bas ♂

Tetraodon fluviatilis

Tetraodon biocellatus TIRANT, 1885

Syn.: Aucun.

Or.: Sud-est asiatique: Thailande, Péninsule Malaise, Bornéo, Sumatra; apparait exclusivement en eau douce.

P.i.: 1953 par la firme Mühlhäuser de Schopfheim/Baden (RFA).

D.s.: Difficile à reconnaitre et seulement possible chez les adultes; la femelle atteint une plus grande taille, son corps est plus trapu.

C.s.: Asocial entre congénères; détériore parfois les plantes et mord des trous dans les feuilles (si des Escargots rampent sur l'autre face). Voir la photo page 895.

M.: Sol sablonneux; dense végétation périphérique, espace libre pour nager; caches constituées de roches, racines et pots à fleurs couchés; eau douce, ni eau saumâtre, ni eau de mer!; eau douce à moyennement dure (5–12° dGH) et neutre (pH 7); à maintenir individuellement.

R.: Aucune réussite de reproduction n'a encore été signalée.

N.: C; nourriture vivante, principalement des Invertébrés (Gastéropodes, chair de Moules); accepte également du foie et de la salade.

P.: *T. biocellatus* peut être facilement identifié à son fin dessin réticulé en lignes noires qui couvrent l'ensemble du corps et de la tête.

T: 22–26° C, **L:** 6 cm, **LA:** 70 cm, **Z:** m et i, **D:** 2–3

Tetraodon schoutedeni PELLEGRIN, 1926

Tétrodon du Congo, Tétrodon léopard

Syn.: *Arthrodon schoutedeni.*

Or.: Afrique centrale, Zaïre inférieur, Stanley Pool; apparait exclusivement en eau douce.

P.i.: 1953 par la firme A. Werner, Munich.

D.s.: Le mâle est beaucoup plus petit que la femelle.

C.s.: *T. schoutedeni* figure parmi les plus paisibles Tétrodons, il est d'un comportement très social envers les autres espèces; entre congénères il y a des combats de rivalité au cours desquels toutes les nageoires sont déployées et les contractants se tamponnent; le mâle soigne la ponte; détériore parfois les plantes mais sans les manger.

M.: Comme pour *Tetraodon fluviatilis.*

R.: Réussie déjà plusieurs fois en captivité; température env. 25° C; eau moyennement dure à dure (10–20° dGH) et neutre (pH 7); bac d'élevage densément planté; *T. schoutedeni* pond en eau libre; le mâle s'agrippe au ventre de la femelle, toujours plus grande que lui, à l'aide de ses dents et féconde les œufs dès leur émission; parfois les œufs sont déposés sur une feuille et surveillés par le mâle; l'élevage des jeunes est très difficile, le plus souent par manque de nourriture adéquate.

N.: C; exclusivement nourriture vivante (*Tubifex*, Enchytrées, Escargots à coquille mince et Moules, Vers de terre).

P.: La peau de *T. schoutedeni* est garnie de minuscules piquants, à l'exception de la bouche et de la zone caudale.

T: 22–26° C, **L:** 10 cm, **LA:** 70 cm, **Z:** toutes, **D:** 3

Tetraodon biocellatus

Tetraodon schoutedeni

Umbra limi (KIRTLAND, 1840)
Poisson-chien américain (Central Mudminnow)

Syn.: *Hydrargyra limi, H. fusca, Hydragira atricauda.*

Or.: Amérique du Nord: Canada et USA, du Québec au Minnesota et au sud jusqu'au Ohio-River; apparait également dans la région des Grands Lacs.

P.i.: 1901.

D.s.: Mâle nettement plus petit, prend une livrée jaune citron à rouge orange en période du frai.

C.s.: Poisson calme et paisible qui défend un territoire lors de la période de ponte et devient alors très asocial; la femelle soigne la ponte (famille maternelle).

M.: Sol mou (sable fin); dense végétation périphérique par plantes d'eau froide, laisser un espace libre pour nager; bac pas trop éclairé; préfère une eau douce tourbeuse (env. 5° dGH) et légèrement acide (pH 6–6,5); aération pas indispensable.

R.: *Umbra limi* est un typique pondeur au printemps; le développement des œufs dure env. 12 jours; par ailleurs procéder comme *U. pygmaea.*

N.: Toutes sortes de proies vivantes, différentes Larves de Moustiques, Cloportes d'eau, petits Crustacés, *Tubifex*; se régale aussi d'alevins.

P.: Comme tous les Umbridae, *Umbra limi* peut respirer complémentairement à l'aide de sa vessie natatoire; chez cette espèce la respiration de l'air a cependant une importance vitale: si on l'empêche de prendre de l'air à la surface ce poisson meurt, même dans une eau très riche en oxygène. *Umbra krameri,* souvent mentionné dans la littérature ichthyologique européenne, semble être en voie de disparition.

T: 17–22° C (poisson d'eau froide); **L**: mâle 11,5 cm, femelle 15 cm, **LA**: 80 cm, **Z**: i, **D**: 2

Umbra pygmaea (DE KAY, 1842)
Poisson-chien américain (Eastern Mudminnow)

Syn.: *Leuciscus pygmaeus, Fundulus fuscus, Melanura annulata, Umbra limi pygmaea.*

Or.: Amérique du nord: USA, de Long Island au Neuse-River; dans les rivières des plaines et dans des marais.

P.i.: 1901 (?)

D.s.: Le mâle est plus petit.

C.s.: Poisson grégaire robuste et calme; territorial en période de reproduction; la femelle soigne la ponte (famille maternelle).

M.: Comme indiqué chez *Umbra limi,* mais *Umbra pygmaea* convient mieux pour l'aquarium communautaire d'eau froide.

R.: 19–23° C; à 23° C les jeunes de *U. pygmaea* éclosent au bout d'env. 6 jours; la femelle creuse une cuvette-nid dans le sol et la défend énergiquement; durant la ponte la femelle perd son agressivité, mais lorsque les œufs sont déposés cette dernière ne fait qu'augmenter; la femelle surveille et entretient la ponte (env. 200–300 œufs) jusqu'à l'éclosion des jeunes; l'élevage des jeunes ne pose pas de difficultés mais il faut savoir qu'ils sont extrêmement cannibales.

N.: Toutes sortes de nourritures vivantes, également des aliments en flocons.

P.: *Umbra pygmaea* se distingue de *U. krameri* par le nombre de rayons épineux dans la dorsale: *U. pygmaea* en a trois, *U. krameri* seulement 1 rayon; en captivité *U. pygmaea* devient très familier et sait reconnaitre son soigneur. Les Umbridés peuvent respirer à l'aide de leur vessie natatoire (= respiration accessoire) et peuvent de cette manière satisfaire presque 100% de leur besoin d'oxygène.

T: 17–23° C (poisson d'eau froide), **L**: mâle 12 cm, femelle 15 cm, **LA**: 60 cm, **Z**: i, **D**: 2

Umbra limi

Umbra pygmaea

L'alimentation des poissons d'ornement

La signification des nourritures en flocons pour l'aquariophilie

Actuellement 80% des aquariophiles nourrissent leurs poissons d'ornement avec des nourritures en flocons* ou en comprimés.
Environ 15% des aquariophiles distribuent régulièrement env. une fois par semaine en complément des nourritures vivantes, telles que Tubifex, larves de Moustiques ou Daphnies, qu'ils récoltent eux-mêmes ou qu'ils achètent.
Seulement 5% des aquariophiles nourrissent du printemps à l'automne avec des nourritures vivantes et en hiver, lorsque les récoltes dans la nature ne sont plus possibles, avec des aliments en flocons. Souvent ces aquariophiles produisent eux-mêmes la nourriture vivante en élevant des Drosophiles, Enchytrées ou vers Grindals pour les reproducteurs ou pour les espèces difficiles à nourrir.
Presque tous les ouvrages sur l'aquariophilie répètent des avis négatifs sur la nourriture* sèche ou nourriture artificielle*. Les nouveaux produits modernes en flocons sont souvent ignorés ou présentés comme étant trop uniformes, ce qui ne doit pas forcément être leur cas.
Sans les différentes nourritures en flocons pour poissons d'ornement, l'aquariophilie actuelle ne serait pas ce qu'elle est. Rien qu'en Allemagne 1 million d'aquariophiles possèdent env. 36 millions de poissons d'ornement. Pour ces derniers, env. 3000 tonnes de nourriture vivante seraient nécessaires. Où la prendre? La majorité des amateurs renonceraient à leurs aquariums et leurs poissons s'ils étaient obligés de les nourrir exclusivement avec de la nourriture vivante. Encore quelques chiffres pour mieux comprendre:
Un poisson d'aquarium consomme en moyenne 0,038 g de nourriture en flocons par jour (pour comparaison: un Néon 0,014 g). Cela représente 13,88 g de nourriture par an et par poisson. Pour 36 millions de poissons cela fait tout de même 500 tonnes ou 500.000 kg de nourriture en flocons!

Nourrir avec des aliments en flocons

La nourriture en flocons gonfle en quelques secondes au triple à quadruple de son volume original. Un gonflement secondaire dans l'estomac et l'intestin du poisson est indésirable et se produit seulement lorsque les poissons avalent trop vite les flocons encore secs, ce que par ex. les Barbus de Sumatra font souvent. Ils stationnent ensuite avec leur ventre gonflé en position oblique, la tête dirigée

* Dans ce livre on n'emploie ni le terme nourriture sèche, ni celui de nourriture artificielle. Ces dénominations désignaient dans le passé des aliments de substitution tels que flocons d'avoine, Daphnies séchées, lait écrémé, levure, etc. Ces matières étaient en effet des nourritures artificielles et ne sont pas comparables aux actuelles nourritures en flocons scientifiquement développées.

vers le bas. Pour ces mangeurs goulus on trempe les flocons du bout des doigts environ 10 secondes dans l'eau. Normalement il suffit cependant de répandre les flocons sur la surface de l'eau. L'emploi d'un anneau à nourriture est déconseillé, car sur une surface étroite les flocons n'ont ni la place, ni le temps pour gonfler rapidement. De plus, dans ce cas, les poissons farouches auraient à souffrir de la concurrence alimentaire.

A quelle fréquence faut-il distribuer la nourriture en flocons?
Dans l'aquarium communautaire deux à quatre distributions par jour suffisent. Il ne faut plus distribuer de flocons une demi-heure avant d'éteindre la lumière. Les poissons actifs la nuit, tels par ex. de nombreux Silures, recevront cependant leur ration qu'au moment de l'extinction de l'éclairage: il faut compter env. ½ à 1 comprimé-TabiMin par 5 cm de «longueur-silure» ou ½ TetraTips ou autres comprimés similaires. Les alevins jusqu'à env. 2 cm de longueur doivent être nourris 4 à 6 fois par jour. Dans les piscicultures on nourrit même jusqu'à 8 fois par jour.

Analyse de la nourriture

Graisse
La teneur en graisse joue un rôle essentiel pour la qualité d'une nourriture. Dans la nourriture pour poissons cette teneur devrait être très faible! Pour les poissons carnivores l'optimum est de 3 à 6%. Une teneur plus élevée est nocive et peut amener une dégénérescence graisseuse du foie et des lésions des organes génitaux. Pour les herbivores la teneur ne devrait pas dépasser 3%.

Cellulose
Contrairement à la graisse, la cellulose doit être contenue en quantité suffisante dans la nourriture. La teneur minimale devrait être de 2%, davantage serait préférable afin de stimuler les contractions de l'intestin.

Albumine ou Protéine
La teneur requise en albumine dans la nourriture dépend essentiellement des espèces de poissons que l'on veut nourrir:
Pour les poissons qui sont signalés dans les descriptions par un C (= carnivore) dans le chapitre N (= nourriture), la nourriture devrait contenir 45% d'albumine et plus.
Pour les poissons signalés dans les descriptions par un H (= herbivore) il faut offrir une nourriture dont la teneur en protéine se situe en-dessous de 30% (entre 15 et 30%).

Hydrates de carbone

Qu'est-ce que les hydrates de carbone?
Les hydrates de carbone (ou glucides) sont des combinaisons organiques composées de carbone, d'hydrogène et d'oxygène. Sucre et amidon sont des représentants typiques. Ils sont contenus dans les pommes de terre, les céréales et les légumineuses. Certains auteurs indiquent que les hydrates de carbone dans les aliments pour poissons seraient nocifs pour certains groupes de poissons. Par exemple chez les Labyrinthidés et les Characidés les glucides provoqueraient la dégénérescence graisseuse du foie et des organes sexuels (stérilité), etc. Un foie gras en tant que modification pathologique par ingestion de quelques sortes d'aliments en flocons n'est pas forcément dû aux hydrates de carbone. Les Labyrinthidés peuvent être nourris durant des années avec des nourritures en flocons sans qu'un foie gras se manifeste. Ce dernier se forme plutôt par une mauvaise composition des protéines et une trop haute teneur en graisse, alors qu'un excédent d'hydrates de carbone n'intervient qu'à moindre degré. Certains poissons, par ex. les Cyprinidés, H (= herbivore) sont en mesure de produire leur propre graisse par les hydrates de carbone. Les voraces C (= carnivore) par contre ne peuvent pas le faire. Pour cette raison ces espèces éliminent les hydrates de carbone en grande partie non digérés.

Eau

La nourriture en flocons contient entre 6 et 12% d'eau. Au-dessus de ces valeurs la nourriture risque de se gâter. Vu qu'elle est hygroscopique (attire l'eau), il faut toujours conserver les boites hermétiquement fermées et ne pas les stocker au-delà de 1 an. Si l'humidité pénètre dans la nourriture, la formation de bactéries augmente. Ces bactéries décomposent parfois une vieille nourriture jusqu'à ce qu'elle soit réduite en poudre et prend une désagréable odeur d'ammoniac. La fermeture hermétique du conditionnement laisse pénétrer très peu d'oxygène, ce qui évite l'oxydation précoce des vitamines.

Vitamines

La qualité d'une nourriture est déterminée par sa teneur en vitamines et leur corrélation équilibrée. Vu que le conditionnement ne renseigne généralement pas sur la teneur en vitamines, l'aquariophile ne sait pas combien il en distribue. Il manque également de publications qui l'informent sur la quantité de vitamines indispensable à telle ou telle espèce de poissons. Par les élevages de poissons comestibles on connait certes les besoins des Carpes et des Truites, mais peut-on les appliquer par exemple aux Néons et autres poissons d'aquarium?

Quelles vitamines interviennent?

a) les vitamines liposolubles: A, D_3, E, K.
b) les vitamines hydrosolubles: B_1 (thiamine), B_2 (riboflavine), B_3 (acide nicotinique), B_5 (acide pantothémique), B_6 (pyridoxine), B_{12} (cyanocobalamine), C (acide ascorbique), acide folique.

Les fonctions des vitamines et leur efficacité

La **vitamine A** est importante pour la croissance des cellules, particulièrement chez les alevins. Son influence sur les yeux des poissons n'est pas encore bien connue.

En cas de carence: mauvaise croissance, atrophie de la colonne vertébrale et des nageoires. Vu que la vitamine A est liposoluble, elle ne peut pas être administrée par l'eau, mais seulement par intermédiaire des aliments. Elle est instable et sensible à l'air et à la lumière.

La **vitamine D_3** joue un rôle prépondérant pour la construction des os des poissons. Vu que la plupart des aliments pour poissons contiennent une grande quantité de farine de poissons et que cette dernière contient beaucoup de foie de poissons d'une haute teneur en vitamine D_3, les effets de la carence sont inconnues.

La **vitamine E** ou vitamine de fertlité est particulièrement importante pour les reproducteurs lors du développement des organes sexuels. La teneur en vitamine A et E doit toujours se trouver en relation déterminée. Sans vitamine E la vitamine A ne peut par ex. pas agir et inversement.

La **vitamine K** est importante pour la formation du sang et la coagulation. La carence peut amener l'anémie et ses suites, ainsi que la mort en cas de blessures.

La **vitamine B_1** est importante pour le métabolisme des glucides. Elle est également nécessaire pour maintenir la fonction normale du système nerveux. De plus, elle active la croissance et la fécondité et joue un rôle essentiel dans la digestion.

La carence rend les poissons apathiques, ils ne s'alimentent pas ou peu, ont une mauvaise croissance et sont craintifs.

La **vitamine B_2** est nécessaire pour régler dans le corps divers enzymes de la digestion et d'autres. Elle est également nécessaire pour la synthèse des protéines.

Là aussi une mauvaise croissance et un manque d'appétit sont les signes extérieurs en cas de carence. Cette dernière peut en outre provoquer un trouble des yeux.

La **vitamine B_3** est indispensable au corps pour prélever dans la nourriture divers éléments des acides aminés pour sa propre albumine. Elle est donc très importante pour l'assimilation des aliments. Si cette vitamine manque, faiblesse, mauvaise digestion et ultérieurement abcès se manifestent.

La **vitamine** B_5 règle la production hormonale des surrénales et le métabolisme. La carence peut provoquer une dégénérescence des cellules, des branchies collées et une panasthénie (faiblesse générale).
La **vitamine** B_6 joue un rôle important dans le système enzymatique du corps des poissons. Elle est également nécessaire pour le métabolisme des protéines. La carence peut provoquer une respiration accélérée, anorexie (perte de l'appétit), trouble de croissance et craintivité.
La **vitamine** B_{12} est également importante pour le métabolisme.
La **vitamine C** est nécessaire pour la formation normale des dents et des os. Elle influence positivement la cicatrisation des plaies, est indispensable dans le système enzymatique pour la digestion et favorise la formation du cartilage. La carence entraine des modifications de la peau, du foie, des reins et du tissu musculaire. L'importance de la vitamine C pour les poissons n'est pas encore totalement connue.
La **vitamine H** (= biotine) est nécessaire dans chaque cellule vivante en tant que facteur de croissance. La carence provoque une mauvaise sanguification, en particulier des globules rouges.
La **choline** est importante pour une bonne croissance et l'oxydation des matières nutritives, en particulier la graisse. La carence peut entrainer des troubles rénaux et l'hypertrophie du foie.
La **vitamine M** (acide folique) joue également un rôle dans la sanguification et le métabolisme. Elle règle le glucose contenu dans le sang. L'absence ou l'insuffusance se manifeste par une pigmentation sombre de la peau, insuffisance ou modification des reins et d'autres organes.
Inositol (inosite) joue un rôle essentiel dans la perméabilité des membranes cellulaires. En cas d'absence les aliments sont mal assimilés ce qui amène l'anorexie, mauvaise croissance et parfois des abcès.
Acide aminobenzoïque: c'est un stimulateur de croissance. Jusqu'à présent la nécessité de cette vitamine pour les poissons n'a pas encore été confirmée.

Les nourritures vivantes ou congelées ne contiennent pas nécessairement plus de vitamines que les aliments en flocons. Les marques indiquant sur le conditionnement la date de fabrication et le délai de consommation devraient être utilisées de préférence, car elles offrent une garantie de fraîcheur lors de l'achat. Cette fraîcheur est importante en raison de la teneur en vitamines suffisamment élevée et équilibrée. Si on n'emploie qu'une sorte d'aliments, ces derniers doivent contenir toutes les vitamines indispensables, ainsi que toutes les autres matières, en quantité suffisante aux besoins des poissons.

Substances minérales et oligo-éléments

Le calcium et le phosphore sont particulièrement importants pour la formation des os des poissons. Dans la nourriture pour poissons ces substances sont contenues de manière naturelle dans les farines de poissons dans lesquelles les arêtes d'autres poissons ont été traitées.
Etant donné que les matières premières naturelles employées dans la fabrication des aliments pour poissons, en particulier celles d'origine végétale, contiennent ces oligo-éléments en quantité suffisante, ces derniers ne manquent donc pas dans les nourritures en flocons proposées par le commerce. Cela serait plutôt le cas chez les proies vivantes ou séchées, mais cette absence peut être favorablement compensé par une régulière distribution de nourriture en flocons.
A noter que la teneur en substances minérales et oligo-éléments n'est pas influencée défavorablement lors d'un stockage prolongé, ce qui n'est pas le cas pour la teneur en vitamines.
Les valeurs indicatives suivantes s'appliquent aux principales dates de l'analyse d'un aliment pour poissons de bonne qualité:

Poissons du groupe	Protéine (albumine)	Lipides	Cellulose
C	plus de 45%	min. 3%, max. 6%	min. 2%, max. 4%
H	15–30%	min. 1%, max. 3%	min. 5%, max. 10%
L	30–40%	min. 2%, max. 5%	min. 2%, max. 6%
O	35–42%	min. 2%, max 5%	min. 3%, max. 8%

Ces valeurs limites devraient être des directives pour le fabricant. Pour le produit de marque individuel ces fluctuations ne peuvent être qu'infimes.

Nourriture vivante

Avec la nourriture vivante en provenance de pièces d'eaux naturelles on risque pratiquement toujours d'introduire des agents pathogènes qui pourront se multiplier rapidement dans l'eau tempérée de l'aquarium tropical. *Ichthyophthirius multifilis* qui provoque la «maladie des points blancs» en fait partie.
De plus, on peut introduire des Hydres, Poux des poissons, Hirudinées (Sangsues) et d'autres ectoparasites. La nourriture vivante qui provient de mares garanties non habitées par des poissons contient moins de risques de transmission de maladies. L'idéal serait cependant d'élever la nourriture vivante dans son propre bassin de jardin (sans poissons!), dans une vieille baignoire ou autres récipients adéquats.

Les différentes espèces de nourritures vivantes:

1. Crustacés

a) Puces d'eau (*Daphnia pulex, Daphnia magna, Cyclops* etc.)
Distribuée en alternance une fois par semaine, ces Puces d'eau constituent un complément appréciable. Leur carapace chitineuse, ainsi que l'intestin rempli d'algues unicellulaires, constituent un précieux aliment de lest pour de nombreuses espèces de poissons (C, L, O dans la rubrique nourriture), afin de stimuler l'intestin pour une saine digestion. De nombreux poissons crachent cependant les Puces d'eau s'ils en reçoivent trop souvent, ou ils les sucent et les mâchonnent pour éjecter ensuite les carapaces vides. Quelques espèces seulement acceptent d'être nourris exclusivement avec des Puces d'eau, les autres présentent rapidement des signes de carence. On devrait pourtant s'offrir de temps en temps le plaisir d'observer les poissons poursuivant des Puces d'eau. L'instinct de prédation des poissons se manifeste pleinement en l'espace de quelques secondes (alors qu'il est à peine prononcé lors des distributions de nourriture en flocons) et tous les habitants de l'aquarium participent à la chasse.
b) Cyclops. Très bonne nourriture pour les alevins d'une longueur d'env. 15 mm, surtout si les *Cyclops* sont bien rouges. Ils peuvent cependant être dangereux pour les très jeunes alevins, car ces minuscules crustacés peuvent s'ancrer dans leur corps à l'aide de leurs appendices et s'en nourrir.
c) Gammares (espèces du genre *Gammarus*). Une nourriture appréciée par les grands Cichlidés. On les trouve dans les petits ruisseaux propres entre les racines des plantes où ils se nourrissent des particules en décomposition. La plupart des poissons refusent cependant les Gammares à cause de leur carapace dure. Dans l'aquarium ces

proies meurent rapidement en raison du manque d'oxygène et de la température élevée. Donc, attention lors des distributions!
Les Gammares constituent la nourriture principale des Truites de nos rivières et ont certainement une haute valeur nutritive, mais ne conviennent pas très bien pour la majorité de nos poissons exotiques. De plus, leur capture n'est pas facile.
d) **Artémies,** Brine-Shrimps (*Artemia salina*). Ce crustacé s'est imposé comme proie vivante dans les piscicultures exotiques du monde entier. Il vit dans les lacs salés de l'Utah, de la baie de San Francisco et dans d'autres répartis dans le monde. Aucun poisson ne peut vivre dans ces eaux très salées, il n'y a donc pas de risque de transmission de maladies. Les œufs des Artémies sont rassemblés en automne par tonnes sur les plages, puis séchés et nettoyés pour être conditionnés sous vide. Des traitements spéciaux appliqués dans cette production assurent une quote part élevée d'éclosions dans les années à bonnes récoltes. Les années à mauvaises récoltes produisent un grand nombre d'œufs non fécondés. Dans ce cas les coquilles sont vides ou les Nauplies (Larves) meurent à l'intérieur. La meilleure solution est d'acheter seulement des produits à éclosion garantie.
Les œufs des Artémies peuvent se conserver plus de dix ans s'ils sont stockés au frais, au sec et sous vide.
Ces Nauplies sont une excellente première nourriture pour la plupart des alevins, par ex. pour ceux des espèces vivipares, mais également pour ceux des espèces ovipares de taille adéquate. Les Nauplies de la qualité San Francisco sont un peu plus petites que celles de l'Utah, fraîchement écloses. Pour cette raison les piscicultures préfèrent les premières. Cette nourriture facile à produire soi-même permet de nourrir les alevins durant quelque temps.

Méthode de culture d'Artémias

Si on introduit les œufs dans une eau légèrement salée (1 à 2% de sel de cuisine, désiodé, ou une cuillère à café bien remplie, pour 1 litre d'eau), d'une température d'env. 24° C., les Nauplies éclosent au bout de 24 à 36 heures.

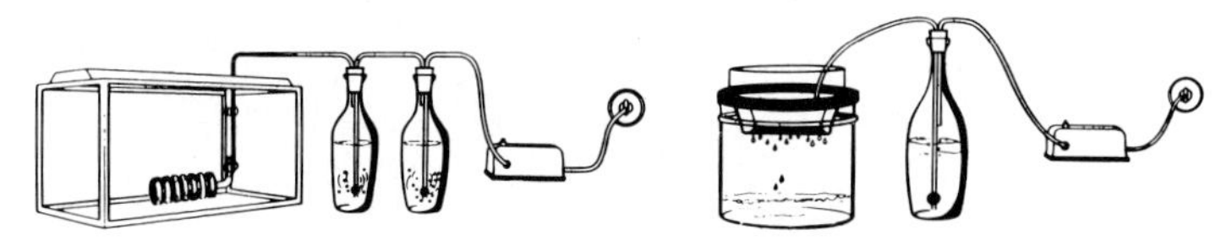

Une seule pompe à air permet d'alimenter simultanément les cultures d'Artémias et le filtre de l'aquarium si l'ensemble est correctement disposé.

Pour prélever des Nauplies d'Artémias il faut modifier la position des tuyaux d'air. Le tuyau de pression se place sur la plus courte extrémité du tuyau de l'éclosoir. Les Nauplies sont retenues par un tamis spécial.

On peut élever les Artémias jusqu'au stade adulte dans une eau saumâtre d'une concentration d'env. 3% de sel spécial et en les nourissant d'algues unicellulaires. Elles atteignent une taille de 8 à 10 mm. C'est peu rentable en aquariophilie d'eau douce, mais les amateurs d'aquariums marins assument volontiers ce travail fastidieux qui leur permet de disposer en permanence d'une bonne nourriture vivante. Nourrir durant un temps prolongé exclusivement avec des nauplies d'Artémias convient que pour quelques semaines, même pour des alevins, car des signes de carence se manifestent ultérieurement. Pour cette raison l'éleveur expérimenté distribue toujours en complément aux Artémies soit du zooplancton, soit de la nourriture en flocons, pilée et vitaminisée.

2. Vers

a) Vers oligochètes d'eau douce (*Tubifex*).

Le fait que ces vers vivent dans des eaux tellement polluées qu'elles ne peuvent héberger aucun poisson vivant, suffit à lui seul pour déconseiller l'emploi de cette nourriture vivante. Les *Tubifex* sont à considérer comme nourriture de secours pour les espèces qui se désintéressent de toute nourriture immobile. Leur haute teneur en albumine qui provoque des excréments mucilagineux chez les poissons, ainsi que le grand danger d'avoir assimilé les substances toxiques des eaux polluées dans lesquelles ils vivent, sont d'autres raisons pour ne pas les employer comme nourriture pour les poissons d'aquarium. Dans les cas inévitables, il faut les nettoyer avant l'emploi en les plaçant durant quelques jours sous un filet d'eau courante ou dans un seau d'eau en faisant flotter les *Tubifex* à la surface dans un tamis spécial très fin.
Les *Tubifex* doivent être distribués parcimonieusement et par petites quantités. Les poissons doivent avaler rapidement les vers, ils mesurent 3 à 5 cm de long et 1 mm de diamètre, sinon ces derniers coulent au fond et pénètrent immédiatement dans le sol où ils peuvent périr et se décomposer par la suite.

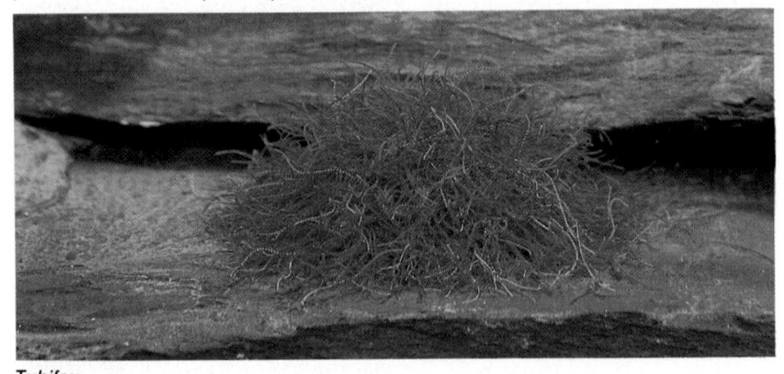

Tubifex

b) Enchytrées

Ces vers blancs d'une longueur de 10 à 30 mm vivent dans les tas de compost sous les feuilles mortes humides, mais également au bord de la mer parmi le varech. Ils sont très gras et en cas de distribution permanente ils provoquent la constipation et l'adiposité du foie. Au début de nombreux poissons les mangent avidement. Mais il faut toujours les employer parcimonieusement comme nourriture complémentaire. On peut les cultiver dans une cave fraiche (à env. 15° C) comme suit:
Un bac à fleurs en plastique ou un récipient en styropore, sera rempli de terreau mélangé à ⅓ de sable et ⅓ de tourbe (sans engrais) et légèrement humidifié. Les souches de cultures sont proposées dans les revues aquariophiles et par le commerce spécialisé. On nourrit à l'aide de TetraPhyll ou de bouillie d'avoine que l'on refroidit après cuisson avec ⅓ de lait et ⅔ d'eau.
Environ mille Enchytrées nécessitent tous les deux jours une cuillerée à café de nourriture. Dès que les restes de nourriture sont acidulés il faut les enlever.
Il faut poser une vitre sur la bouillie pour éviter que le terreau dessèche, car dans la nature ces vers vivent toujours dans l'humidité. Au bord de la mer ils sont même temporairement submergés.
Les cultures sont souvent infestés d'acariens qui handicapent le développement des Enchytrées. Il faut donc prélever de temps en temps la totalité des vers et les transférer sur un nouveau terreau. La culture doit toujours être abritée de la lumière.

c) Vers Grindal

On peut aisément les cultiver sur de la mousse synthétique posée dans une coupole. Cela évite le désagrément de l'emploi du terreau et des infestations d'acariens. La conduite de la culture se pratique comme pour les Enchytrées.
Les «Grindals» peuvent être distribués aux alevins jusqu'à env. 2 cm de longueur, à raison de 5 à 10 vers par distribution et par alevin. Les alevins ont cependant tendance à se gaver de cette nourriture savoureuse appréciée par tous les poissons.

d) Vers de terre

Les grands Cichlidés ainsi que d'autres poissons voraces peuvent être nourris avec des vers de terre. Ces derniers ne devraient plus contenir leurs excréments et s'être débarrassés de la couche de mucus qui recouvre leur corps (les faire tremper dans de l'herbe humide).

Le Lombric rouge que les pêcheurs emploient préférentiellement comme esche se prête très bien pour les grands poissons d'aquarium. Le Lombric gris est moins apprécié par les poissons.
Les vers de terre sont riches en protéine dont la composition semble être salutaire pour les poissons, car leur distribution permanente ne provoque ni carence, ni adiposité.
L'élevage des vers de terre est fastidieux et nécessite beaucoup de place. Si on possède un jardin potager on peut tenter l'élevage dans un tas de compost. Une terre grasse mais meuble est préférée par les vers de terre. On peut la mélanger à des copeaux de bois. Il faut nourrir les vers avec des déchets végétaux du jardin, mauvaises herbes, gazon, etc.

3. Larves de Moustiques

a) Larves rouges de Moustiques (*Chironomus*). Ces larves sont très appréciées par les poissons. Le pigment rouge de leur sang ressemble étrangement à l'hémoglobine du sang humain. Ces larves, également appelées «vers de vase», sont difficiles à récolter. Elles vivent sur le fond des eaux claires où elles se fabriquent une demeure tubulaire composée de mucus, de terre et de minuscules particules végétales. Pour les récolter il faut prélever un amas de feuilles mortes et de vase qu'il faudra rincer à l'eau courante. De l'automne au printemps il y a une période d'envol, lors de la métamorphose en insecte parfait, par essaims de quelques centaines à quelques millions d'individus. Un essaim peut avoir l'aspect d'un nuage noir. L'accouplement a lieu en vol, bientôt suivie de la ponte d'œufs et la vie du ver de vase recommence sur le fond de l'eau. Les *Chironomus* sont des Moustiques non piqueurs.

b) Larves noires de Moustiques. Toutes ces larves appartiennent aux différentes espèces de Moustiques piqueurs. Les mâles portent des antennes plumeuses, tandis que les femelles sont dotées d'un appareil buccal piqueur à l'aide duquel elles doivent se nourrir de sang de mammifères afin de pouvoir se reproduire. Ces moustiques maintiennent toujours leurs deux pattes postérieures dirigées vers le haut, alors que les *Chironomus* posent leurs six pattes.
Les larves de Moustiques sont une excellente nourriture pour les poissons d'aquarium. Elles contiennent des substances, par ex. des vitamines et des protéines favorables aux poissons qui stimulent le frai chez de nombreuses espèces. Leur capture est plus aisée que celle des Chironomes, car elles vivent à la surface de l'eau. Elles respirent à l'aide d'un tube respiratoire qui ressemble à un aiguillon.

Larves de Moustiques

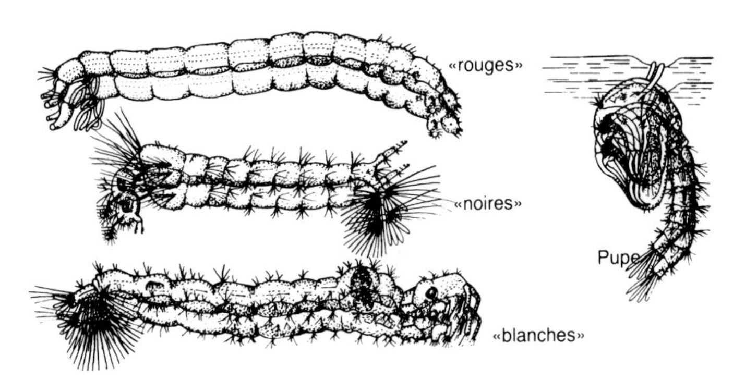

Ce tube dépasse l'extrémité postérieure de l'abdomen.
Ultérieurement la pupe présente deux petits tubes respiratoires sur la tête.
Si une perturbation se produit à la surface de l'eau, larves et pupes disparaissent en direction du fond en exécutant des mouvements saccadés. Il faut donc plonger très vite l'épuisette afin de les capturer en pleine eau. Après la distribution il faut couvrir hermétiquement l'aquarium pour que les larves ou les pupes non consommées ne puissent se transformer en Moustiques. On peut retarder la métamorphose des larves noires de Moustiques en les conservant dans une eau contenant 0,5% de sel de cuisine. L'éclosion est alors retardée de 1 à 3 jours, même si les températures sont plus élevées. Si on a la chance de pouvoir capturer une grande quantité de larves de Moustiques, on peut conserver l'excédent en les plaçant dans le freezer du réfrigérateur.

c) **Larves blanches de Moustiques.** Elles vivent également exclusivement dans les eaux pures et, comme ces dernières, elles sont devenues plutôt rares. Elles n'interviennent pratiquement plus dans l'alimentation des poissons d'aquarium. Ces larves appartiennent au genre *Corethra**, qui sont également des Moustiques non piqueurs. Elles vivent en pleine eau à toutes les profondeurs, nagent le plus souvent en position horizontale et sont des prédateurs qui se nourrissent de différents animalcules. Certains éleveurs affirment qu'elles attaquent même les alevins. Elles constituent cependant une excellente nourriture pour tous les poissons à partir de 5 cm de longueur.

* actuellement *Chaoborus*

4. Nourritures congelées

Les larves rouges ou noires de Moustiques, divers petits crustacés et des Brine-Shrimps (*Artemia*) adultes sont proposés par les commerçants spécialisés sous forme de nourritures congelées, conditionnées par portions dans des sachets ou boites. Ce genre de nourriture pour poissons est plus répandu aux U.S.A. que chez nous. Dans les années 1960–1970 ces nourritures représentaient jusqu'à 15% des ventes d'aliments pour poissons. En raison de la progression du développement de bonnes nourritures en flocons cette méthode de conservation par congélation a cependant fortement régressée.
L'apparition des nourritures lyophilisées est certainement une des causes principales de cette régression, car les frais de la congélation et du stockage, ainsi que la manipulation de la nourriture congelée, ne conviennent pas toujours à l'aquariophile qui doit, en outre, souvent lutter pour que la maitresse de maison accepte de leur réserver une place dans le congélateur parmi les produits alimentaires de la famille.
La valeur nutritive de la nourriture congelée est sensiblement égale à celle de la nourriture vivante, à condition d'avoir été congelée instantanément et ultérieurement correctement stockée, au minimum à moins 20° C. Le délai de stockage est de un, maximum deux ans. De nos jours la nourriture congelée n'est pratiquement encore valable que pour les aquariophiles qui désirent conserver sous cette forme un excédent de nourriture vivante.

5. Nourritures lyophilisées

Parmi elles figurent les *Tubifex*, larves rouges de Moustiques (vers de vase), *Artemia*, divers autres crustacés, chair de Moules, *Calanus* (plancton marin norvégien), pour ne citer que les principales. Tout ce qui a été dit sur les nourritures vivantes est ici également valable. Les nourritures lyophilisées ont l'indiscutable avantage de pouvoir être stockées presque indéfiniment pour peu qu'elles soient entreposées au frais et au sec. Une lyophilisation correctement effectuée conserve toutes les substances nutritives contenues dans la nourriture vivante.
Une distribution uniforme de ces nourritures lyophilisées est à déconseiller, en particulier lorsqu'il s'agit de *Tubifex*, *Artemia* et *Calanus* qui peuvent amener des carences, voir même des lésions. Principalement *Calanus* est à employer avec prudence, car il est très riche en graisse. Dans la nature il sert de nourriture aux Harengs et autres mangeurs de plancton. Une distribution prolongée entraine des

modifications des organes intérieurs des poissons, en particulier du foie (foie gras) et des reins.
Les Artémies (Brine-Shrimps) comportent un risque en raison de leur haute teneur en sel. Si cette dernière dépasse 1 à 2%, le sel, à temps prolongé, peut devenir nocif pour les poissons. Les vers de vase se prêtent le mieux aux besoins aquariophiles. Actuellement ils sont même élevés commercialement pour être lyophilisés.
Durant la lyophilisation les nourritures, préalablement congelées, sont déshydratées sans qu'elles puissent une nouvelle fois, décongeler. L'eau passe directement de l'état congelé à la phase gazeuse. Ce processus se déroule à des températures d'env. moins 10° C à plus 20° C. Pour cette raison toutes les vitamines et autres substances essentielles sont pleinement conservées.
Les aliments lyophilisés ont la même teneur en substances nutritives que les nourritures vivantes, mais sont préférables, car il ne peut y avoir de transmission de maladies. Par contre, on peut lui reprocher l'inertie, la mobilité de la nourriture vivante étant importante pour certains poissons. Les nourritures lyophilisées ne sont pas plus avantageuses que les nourritures en flocons, mais leur prix est plus élevé et elles ne sont pas aussi variées que la composition d'une bonne nourriture en flocons. Par contre, dans leur présentation vermiforme, par ex. des vers de vase, certaines espèces de poissons les préfèrent aux nourritures en flocons.

L'entretien courant de l'aquarium

Lorsque l'aquarium est aménagé,que les plantes poussent, que les poissons mangent et que la technique fonctionne, il ne faut plus y toucher pendant quelque temps. Le monde aquatique a maintenant besoin de repos. De même qu'il ne faut pas modifier la plantation durant quelques mois. Au bout de quelques semaines il faudra aspirer le premier moulme qui s'est formé par les excréments, feuilles mortes, algues, etc. Vous lutterez contre les algues par une bonne hygiène de l'eau et à l'aide de poissons mangeurs d'algues.

Le nettoyage de l'aquarium, à effectuer par intervalles réguliers de deux à six semaines, se déroule comme suit:

1. Débrancher les appareils électriques, chauffage, éclairage, en retirant la prise de courant.
2. Enlever la rampe d'éclairage et le couvercle et les nettoyer. Les taches de calcaire s'enlèvent à l'aide d'eau vinaigrée, de produits spéciaux (du ménage) ou d'acide chlorhydrique diluée. Rincer ensuite abondamment sous l'eau courante.
3. Débarrasser la vitre frontale des algues à l'aide d'un aimant à algues ou grattoir à lames de rasoir. Ne pas enlever les algues sur les vitres latérales si vous avez des poissons mangeurs d'algues, ils en ont besoin. Nettoyer la vitre arrière seulement si elle masque une paroi de décor extérieure.

Dans le cas où les vitres seraient couvertes d'algues bleues ou d'algues brunes il faut absolument nettoyer toutes les quatre vitres. Après un traitement de maladies à l'aide de médicaments, il faut également enlever toutes les algues, car elles pourraient éventuellement avoir assimilé et stocké des substances toxiques mal supportées par les poissons.

4. Agissons maintenant en aquiculteur: il faut enlever les feuilles mortes, couper à l'aide des ongles les tiges trop hautes, planter plus profondément les plantes dont les poissons fouisseurs ont dénudé les racines ou entourer la base de la plante de quelques cailloux.
5. A l'aide d'un tuyau ou d'un aspirateur nous enlevons le moulme qui s'est déposé sur le sol. Ce travail doit être effectué minutieusement, car le moulme consume fortement de l'oxygène. Et il ne faut pas oublier de bien nettoyer la crépine du filtre extérieur en la débarrassant des particules végétales qui y adhèrent. Durant ce nettoyage on aspire environ un tiers de l'eau de l'aquarium.

Si cela se fait à l'aide d'un tuyau (d'arrosage par ex.), il faut veiller à ne pas aspirer des petits poissons (les Black Mollies ont tendance à s'approcher trop près). Il est conseillé de ne pas laisser écouler l'eau directement (lavabo, WC), mais de tenir une épuisette sous le jet pour retenir les poissons éventuellement aspirés. Un aspirateur pour aquariums permet d'éviter ces inconvénients. Parfois on fait aussi couler l'eau aspirée dans un seau pendant que l'on promène l'autre extrémité du tuyau au-dessus du sol de l'aquarium, sans pouvoir éviter que des gravillons soient aspirés. Pour éviter cela on place un entonnoir sur le tuyau ou la crépine du filtre extérieur.

Il arrive souvent que le seau déborde. Il est donc utile de le placer dans une grande bassine, ainsi on est averti par le bruit de l'eau débordante.

6. Nous stoppons maintenant l'arrivée d'air au filtre ou, en cas de filtre à moteur, nous retirons la prise de courant. Attention, quelle que soit la source de courant électrique à interrompre, ne jamais toucher avec une main mouillée ou humide. Utiliser de préférence une serviette sèche.

Le nettoyage d'un filtre à pompe rotative est quelquefois un peu compliqué pour un débutant, de sorte que ce filtre n'est parfois pas nettoyé durant des mois, voire même une année, ce qui n'est pas salutaire pour l'aquarium. Les substances décomposantes dans le filtre consument de l'oxygène, l'eau prend une odeur de moisi et finalement les poissons deviennent malades.

Le nettoyage d'un filtre extérieur est pourtant très facile:

a) retirer le tube d'aspiration de l'aquarium; la pompe continue d'injecter une partie de l'eau contenue dans le tuyau et le filtre dans l'aquarium.

b) dès qu'il n'y a plus d'eau qui sort du tube d'écoulement on le retire également de l'aquarium et on le fait pendre dans un seau jusqu'à ce qu'il soit vide.

c) Si on pend maintenant l'extrémité du tube d'arrivée d'eau également dans le seau et plus bas que le fond du filtre (soulever le filtre), le filtre se vide. On peut, bien entendu, aussi prendre le filtre, tenir le tube d'aspiration et le tube d'écoulement en l'air et transporter le tout dans la baignoire.

d) Enlever le couvercle du pot du filtre n'est pas toujours aisé, surtout chez les anciens modèles. Un petit truc peut aider à soulever le couvercle: à l'aide du pouce on obstrue un des deux tuyaux ou l'embout qui se trouve soit sur la pompe, soit sur le pot du filtre. Il se crée alors une pression dans le pot du filtre qui permet de soulever le couvercle pratiquement sans effort.

7. Remplacement ou rincage de la masse filtrante. Il ne faut jamais employer d'eau chaude afin de ne pas tuer les bactéries biologiques utiles. Les cartouches en mousse synthétique de certains petits filtres intérieurs se nettoient sous l'eau courante en les pressant fortement. Pour le nettoyage d'autres matériaux filtrants il faut se référer au mode d'emploi indiqué sur l'emballage. Il faut veiller à ne pas employer une seconde fois un charbon activé ayant déjà servi. Il n'est plus efficace et un vieux charbon a souvent adsorbé des substances toxiques qui pourraient être à nouveau libérées ultérieurement.

En cas de filtration sur tourbe il ne faut pas réemployer la même tourbe devenue inefficace. De toute manière, pour adoucir l'eau il faut employer de la tourbe neuve.

8. Il faut maintenant réassembler le filtre et l'installer à nouveau auprès de l'aquarium. La remise en marche du moteur d'un filtre extérieur est également assez compliquée pour l'aquariophile inexpérimenté. On peut cependant simplifier les choses en procédant comme suit:

En premier lieu, remplir l'aquarium jusqu'à son niveau normal. Ajouter un produit pour le traitement de l'eau correspondant à la quantité d'eau aspirée au début du nettoyage. L'écoulement du filtre se trouve maintenant à nouveau en-dessous de la surface de l'eau. Aspirer l'eau à l'orifice d'entrée en tenant l'extrémité du tuyau juste au-dessus du niveau d'eau, mais à l'extérieur de l'aquarium. Le filtre se remplit rapidement d'eau. Dès que le niveau dans le tuyau d'entrée est égal à celui du niveau de l'eau dans l'aquarium, on raccorde le tuyau à l'embout d'aspiration.

Remettre maintenant le moteur du filtre en marche. Quelques bruits de meule produit au début par la pompe proviennent des bulles d'air contenues dans la masse filtrante, elles seront bien vite expulsées par le filtre. On peut d'ailleurs accélérer l'évacuation d'air en secouant un peu le filtre. Il faut veiller à ce que l'eau sorte à fort jet, cela confirme que le filtre travaille correctement. Le nettoyage d'un filtre extérieur à moteur dure dix minutes, mais il faudra presque 1 heure à l'amateur inexpérimenté. L'emploi de robinets et de pièces de raccordement facilite énormément le travail. Dans l'intérêt de la propreté dans l'aquarium et pour la commodité personnelle, on ne devrait pas renoncer à cette dépense. Il faut également rappeler que tous les raccords de tubes et de tuyaux doivent être munis de colliers de sécurité, sinon on risque de trouver un jour l'eau de l'aquarium sur le parquet. Celui qui n'a pas encore de trou de sécurité sur le tuyau d'aspiration de son filtre extérieur ne devrait pas hésiter à percer un trou de 2–3 mm diamètre à environ 5 cm en-dessous de la surface de l'eau.

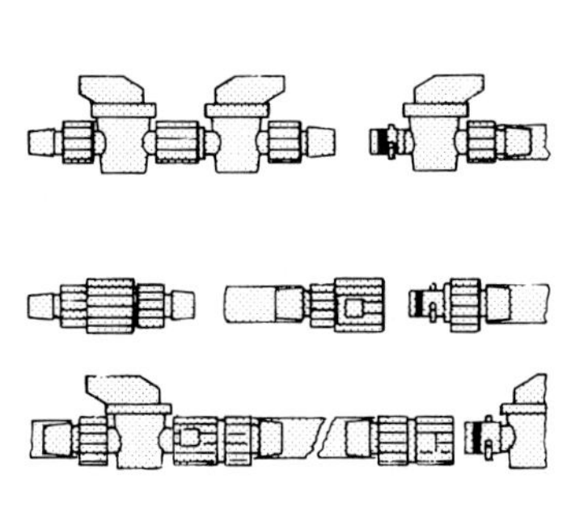

Ainsi, s'il arrivait qu'un tuyau se libère il s'écoulerait seulement au maximum 5 cm de hauteur d'eau au lieu de tout le contenu du bac.

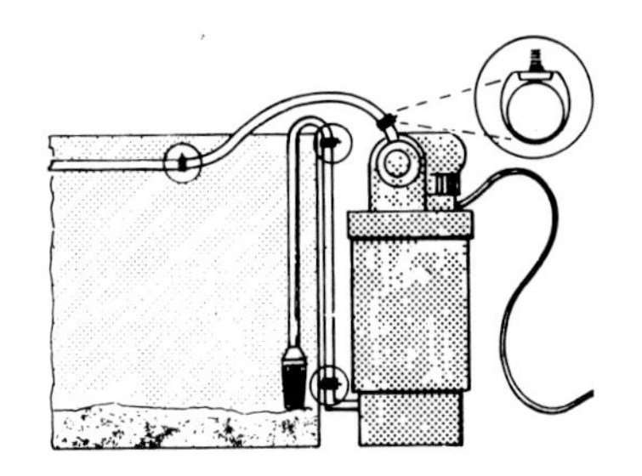

9. Le moment est venu de brancher à nouveau le chauffage. Une plaque chauffante ou un câble chauffant, peut rester branché durant les travaux de nettoyage.

10. Après avoir remis le couvercle en place et branché la rampe d'éclairage, on procède au net-

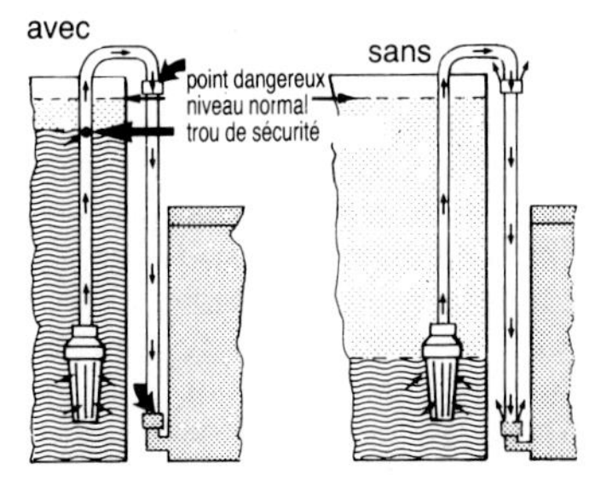

toyage de l'extérieur de l'aquarium. Le plus simple c'est d'employer un produit pour nettoyer les vitres, en ayant soin de ne pas projeter des gouttes de ce produit dans l'aquarium. Ce dernier pourrait intoxiquer les poissons.

Encore un mot à propos du renouvellement d'eau: certains

aquariophiles chevronnés sont d'avis que l'eau de l'aquarium devrait être aussi vieille que possible. Mais de nos jours cette théorie de la vieille eau n'est plus valable. Les substances toxiques et nocives, en particulier les substances de dégradation protéique provenant de la nourriture et des excréments doivent être éliminées de l'aquarium! La fréquence du renouvellement d'eau dépend de la végétation et de la population: plus il y a de plantes, moins il y aura d'eau à renouveler; plus il y a de poissons dans l'aquarium, plus souvent il faudra changer l'eau. Mais renouvellement d'eau ne signifie pas qu'il faut changer la totalité contenue dans l'aquarium. En règle générale on aspire seulement un quart à un tiers, à l'occasion du nettoyage du sol par exemple, et on la remplace par de l'eau fraiche de la conduite. L'eau du réseau contient cependant souvent du chlore et d'autres substances qui sont nocives pour les poissons. Si cette eau est trop dure, il faut la traiter à l'aide d'un échangeur d'ions (v. chapitre chimie, p. 37). Faire bouillir l'eau contribue également à baisser la teneur en calcaire. On peut lier le chlore à l'aide d'un déchlorant, par ex. du thiosulfate de sodium (fixateur). Il est cependant plus aisé d'employer un bon produit pour le traitement de l'eau pouvant lier le chlore et divers ions métalliques et stabiliser le pH.

On recommande souvent de porter l'eau fraiche à la même température que l'eau de l'aquarium avant de la verser. Ce processus peut être assez compliqué,à moins de disposer d'un chauffe-eau de ménage. Mais il s'avère qu'en pratique on peut verser sans crainte l'eau froide dans l'aquarium, pourvu qu'on la fait couler lentement et que la quantité renouvelée ne dépasse pas le tiers du volume total. Supposons que la température de l'eau sortant du robinet soit de 12° C et que celle de l'eau de l'aquarium soit de 26° C; une fois le mélange terminé, la température finale serait de 21° C, ce qui est encore très bien supporté par les poissons. Pour les espèces délicates, les Discus par ex., cela pourrait cependant être préjudiciable. Pour cette raison il faut procéder dans ces cas au remplissage par étapes, en attendant à chaque fois que le chauffe – eau de l'aquarium ait rétabli la température avant de verser une nouvelle quantité d'eau froide. Ou alors il faut effectivement leur verser que de l'eau tempérée à 20–22° C.

Si l'aquarium est très encrassé, il peut s'avérer nécessaire de changer plus que le tiers du volume d'eau. Dans ce cas il ne faut pas changer seulement la moitié de l'eau, mais les deux tiers. En effet, si l'eau a une haute teneur en ammonium, ce dernier pourrait se transformer en ammoniac toxique pour les poissons, la moitié d'eau fraiche ayant modifié le pH. Par contre, le syphonnage des deux tiers de l'eau aura éliminé suffisamment d'ammonium pour que le danger d'intoxication soit fortement réduit lors du nouveau remplissage.

S'il faut changer la totalité de l'eau, on transfère tous les poissons dans un seau ou tout autre récipient adéquat en plastique ou en verre, mais jamais en métal. Il faut aérer cette demeure provisoire à l'aide d'une pompe à air équipée d'un tuyau et d'un diffuseur. Et ne pas oublier de couvrir le récipient, une serviette peut faire l'affaire, pour éviter que les poissons sautent en dehors. Si le séjour dans ce bac de fortune devait se prolonger, il faut faire le nécessaire pour maintenir la température de l'eau conforme aux besoins des poissons, en tenant compte du fait qu'une petite quantité d'eau se refroidit plus vite, surtout si le récipient est posé sur un support froid, le carrelage par exemple.

Dès que l'aquarium est complètement nettoyé et à nouveau rempli d'eau, il faut adapter les paramètres de cette dernière, c. à d. température, pH et dureté, aux besoins des poissons qui y habitaient avant le nettoyage ou que l'on veut y faire habiter. Une baisse de la valeur du pH, par ex. de 8,0 à 7,0, ne cause aucun préjudice aux poissons. De même qu'une différence de la dureté de l'eau d'env. 10°all. ne devrait pas les incommoder outre mesure. Les variations de températures ne devraient cependant pas dépasser au maximum 3° C. Par contre, transférer des poissons d'une eau à pH 6,5 dans une autre à pH 8,0 pourrait provoquer de sérieux effets de chocs chez certaines espèces. En ajoutant Auqa Safe (Tetra) à l'eau on peut atténuer ces chocs (modification de l'osmose).

Fléaux dans l'aquarium

1. Algues
2. Lentilles d'eau
3. Hydres, Sangsues, Planaires
4. Escargots

1. Algues

a) Algues vertes (Chlorophycées)

Elles se développent le plus souvent en raison d'un excès de substances nutritives et d'une lumière trop intense. Une bonne méthode pour éviter l'apparition d'algues vertes consiste à introduire dans l'aquarium, dès le début, des poissons mangeurs d'algues, par ex. divers Silures tels que *Hypostomus, Ancistrus* et *Hemiancistrus, Pterigoplichthys,* ainsi que le Cyprinidé *Crossocheilus siamensis.* Certaines espèces du genre *Poecilia* (autrefois *Limia*), par ex. *Poecilia melanogaster,* sont également de bons mangeurs d'algues. Vu que certains sont actifs la nuit, ils ne s'alimentent pas durant le jour. Dans le cas où les algues venaient à manquer dans l'aquarium, il faut distribuer à ces poissons des comprimés de nourriture le soir, avant d'éteindre la lumière.
Vouloir endiguer les algues à l'aide d'un produit algicide signifie endiguer, sinon troubler simultanément la croissance des plantes aquatiques. Ainsi qu'il a déjà été mentionné dans le chapitre «Nettoyage de l'aquarium», les algues qui recouvrent les vitres et éventuellement les roches et autres éléments du décor, doivent être laissées à disposition des poissons mangeurs d'algues.
Les algues filamenteuses font également partie des algues vertes. Ainsi que leur nom l'indique, elles forment de longs filaments que l'on peut enlever aisément à l'aide d'une raclette ou d'une tige en bois.
De plus, des algues unicellulaires qui produisent ce que l'on nomme une «fleur d'eau» figurent également parmi les algues vertes. Suite à une lumière trop forte et à une surabondance d'éléments fertilisants, une prolifération explosive peut se produire, particulièrement au printemps. En l'espace de quelques jours l'eau devient verte et opaque. Un changement d'eau peut y remédier, mais doit obligatoirement être accompagné d'un obscurcissement de l'aquarium, sinon les algues se multiplieront à nouveau. Les meilleurs moyens pour lutter contre ce fléau seraient l'introduction de Puces d'eau (Daphnies) ou une puissante filtration fine en renouvelant quotidiennement la masse filtrante.

Algues vertes

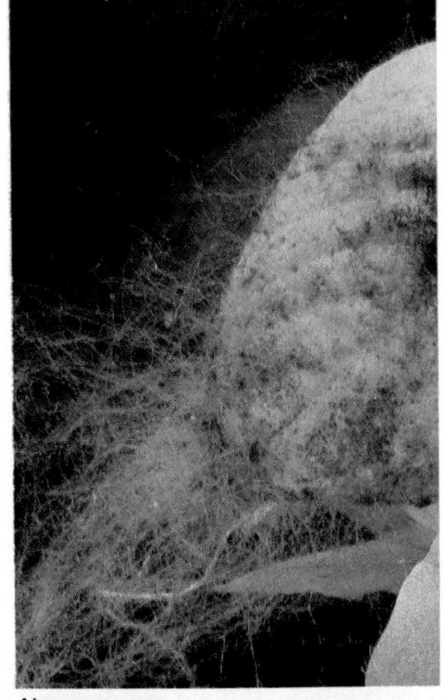
Algues rouges

Prolifération d'algues filamenteuses (Algues vertes)

b) Algues bleues (Cyanophycées)

Elles apparaissent souvent suite à une mauvaise qualité de l'eau due à une trop haute teneur en nitrites et nitrates. Lorsque les conditions sont trop mauvaises, les algues vertes ne se développent plus. Les algues bleues par contre poussent encore à des valeurs de nitrates allant jusqu'à env. 200 mg/l. (les algues vertes seulement jusqu'à 30 mg/l.). On peut éliminer les nitrates par des changements d'eau. Dans certains cas l'élimination des nitrates à l'aide de Lewatit M 600 est déconseillée, car cet échangeur d'ions échange des ions de nitrates contre des ions de chlorures (régénération par sel de cuisine). Une haute teneur en chlorures peut cependant être nocive pour certains poissons et plantes.
Les algues bleues sont mangées par les Silures *Ancistrus* et *Peckoltia*, par de nombreux vivipares et escargots, par ex. les *Ampullaria* (voir TI International, No 70, Juin 1985, p. 11 et s.).
Dans la pratique, un régulier changement d'eau s'effectue plus facilement puisqu'il faut, de toute manière, aspirer le moulme. Mais si on dispose d'une eau dont la teneur en nitrates dépasse 30 mg/litre (ainsi que c'est le cas dans certaines grandes villes) on a peu de chance de voir apparaitre des algues vertes dans l'aquarium, de même que les plantes ne se développeront jamais pleinement. Plus la teneur en nitrates contenus dans l'eau est élevée, plus les plantes auront besoin de lumière pour se développer, idem pour les algues. Plantes et algues assimilent seulement de très faibles quantités de nitrates sous forme de substances nutritives. Dans ce cas la dénitratation serait un grand avantage. Les poissons ne mangent pas d'algues bleues, seuls quelques crustacés marins en consomment.
On peut maîtriser la croissance des algues bleues à l'aide d'un algicide, mais il est préférable d'éliminer les causes en effectuant un changement d'eau.

c) Algues brunes (Groupe des Diatomées)

Ce sont des algues à carapace de silice et munies d'un pigment brun. Elles colorent les glaces de l'aquarium en brun, d'où leur nom commun.
Leur croissance signale une mauvaise qualité d'eau et un manque de lumière. Les Diatomées se forment le plus souvent dans une eau trop dure. Il est rare d'observer une bonne croissance des plantes dans un aquarium envahi d'algues brunes. Les glaces présentent une couleur brunâtre et sont couvertes d'une mince couche de calcaire. Les algues s'enlèvent facilement à l'aide d'une raclette à lame de rasoir. Si on constate que les plantes poussent peu ou pas du tout, un contrôle de l'eau s'avère indispensable. Remplacer une partie de l'eau

Algues bleues

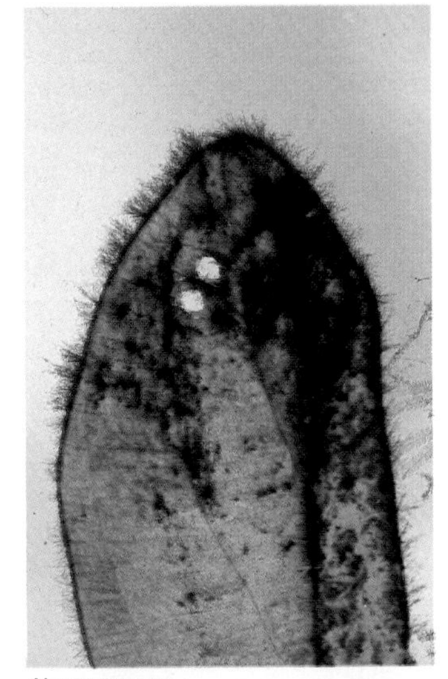

Algues rouges

Algues brunes (Diatomées)

de l'aquarium par de l'eau distillée. De plus, il faut au minimum doubler l'intensité de la lumière, ce qui peut s'effectuer en ajoutant complémentairement quelques tubes fluorescents.

d) Algues à barbe

Elles ressemblent beaucoup aux algues vertes, mais développent des filaments de l'épaisseur d'un fil à coudre et d'une couleur verte très foncée. Elles font partie des algues rouges.
Aucun poisson ne mange ces algues et pour elles il n'existe aucun algicide. L'élimination des plantes atteintes, ainsi que du matériel de décor envahi, est la seule méthode de lutte efficace. On peut enrouler les filaments sur un bâtonnet rugueux que l'on fait tourner entre les doigs et les arracher. La répétition de ce procédé permet d'éviter leur prolifération.
Ces algues se développent particulièrement bien dans le courant provoqué par le filtre. Si on ne veut pas renoncer aux pièces de décor, par ex. de belles racines ou roches, il faut les sortir de l'aquarium et les faire bouillir.

e) Algues pinceaux

Elles appartiennent également aux algues rouges et sont les plus nuisantes dans l'aquarium. Le plus souvent elles sont introduites par des plantes âgées que l'on vient d'acquérir. Elles se développent rarement sur les jeunes plantes. Il est très difficile de s'en débarrasser. On ne peut pas procéder comme pour les algues filamenteuses, car leurs filaments n'ont qu'une longueur de 2 à 10 mm et ne peuvent pas être enroulés sur un bâtonnet. Si vous en découvrez dans votre aquarium, il faut immédiatement entreprendre la lutte. Le mieux est de couper les feuilles atteintes. Ne pas employer d'algicide dans un aquarium à végétation normale.
Il existe encore d'autres algues, rares et difficiles à décrire. Par exemple des algues «visqueuses». Cette appellation désigne souvent des algues bleues en décomposition. (v. photo ci contre en haut).
L'algue rouge que l'on connait dans les aquariums marins ne se développe pas en eau douce parce que le pH y est trop bas. Mais elles peuvent apparaitre dans un aquarium spécifique à décor rocheux pour les Cichlidés africains qui supportent un pH jusqu'à 9,0. Pour s'en débarrasser il suffit de baisser le pH à 7,5, ce qui est encore bien supporté par ce genre de Cichlidés.

Photo ci contre en haut:
Aquarium à eau jaune, végétation envahie d'algues, idem pour la glace frontale, nécessitant d'urgence une réfection totale avec changement d'eau, faute de quoi la mort des plantes et des poissons ne saurait tarder.

Algues bleues

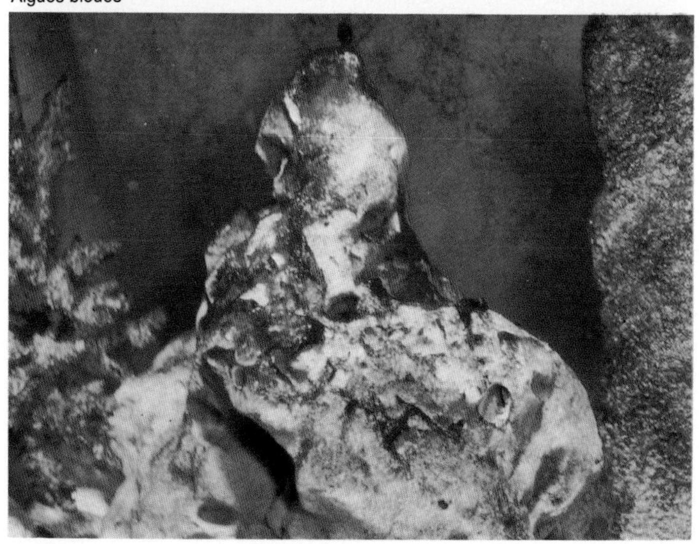

Algues rouges

2. Lentilles d'eau

Souvent on les introduit avec la nourriture vivante. Certains poissons herbivores les apprécient, par ex. les espèces des genres *Metynnis, Distichodus, Abramites* et *Leporinus*; quelques Cichlidés africains, par ex. *Pseudotropheus* aff. *zebra* les acceptent par temps de disette. Le bon développement des Lentilles d'eau témoigne d'une bonne qualité de l'eau, mais elles atténuent trop la lumière, de sorte que les plantes basses à proximité du sol risquent de périr.
Seule la pêche à l'épuisette fine promenée sur toute la surface permet d'éliminer les Lentilles d'eau dans l'aquarium.

3. Hydres, Sangsues, Planaires

Ces fléaux sont également introduits dans l'aquarium en distribuant des nourritures vivantes. Le sulfate de cuivre permet de combattre les Hydres. Mais étant donné que ce produit est toxique pour poissons et plantes, il est à employer avec une extrême prudence. Le dosage est de 0,5–0,8 ppm (parts per million). Attention: si on utilise Aqua Safe (de Tetra) le sulfate de cuivre est inefficace, car Aqua Safe neutralise les ions métalliques. Les Hydres ne sont pas dangereuses pour nos poissons d'aquarium. Ce petit polype d'eau douce peut cependant retenir et dévorer les minuscules alevins. L'Hydre est strictement carnivore; si on lui soustrait toute nourriture vivante elle meurt lentement, mais sûrement.
Les Sangsues se rencontrent rarement dans l'aquarium. On les remarque facilement en distribuant de la nourriture vivante, de sorte qu'on peut les éliminer à temps. Le mieux c'est de tamiser les proies vivantes.
Les Planaires sont inoffensives pour les poissons, mais en cas de suralimentation elles deviennent gênantes. Elles ont une couleur brun clair. On peut également les combattre en employant du sulfate de cuivre, mais c'est déconseillé. Il vaut mieux lutter à l'aide de grands Labyrinthidés tels que le Gourami bleu (*Trichogaster sumatranus*) et le Macropode. Pour lutter contre une réelle invasion de

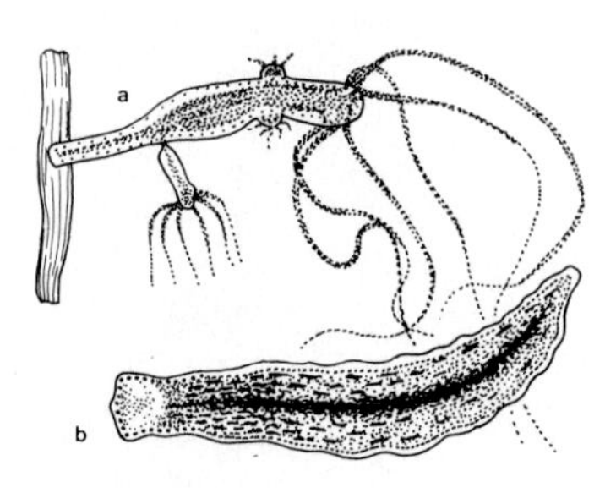

a) *Hydre*; b) Planaire

Planaires il faut vider entièrement l'aquarium et désinfecter le bac, le sol et le matériau du décor, par ex. à l'aide de lessive de soude. Bien entendu il faut ensuite rincer très soigneusement et abondamment à l'eau courante. On peut également combattre les Planaires en élevant la température de l'eau de l'aquarium à 32° C après avoir retiré préalablement les poissons. La plupart des plantes d'aquarium supportent à court terme une température aussi élevée.

4. Escargots

a) Malais

Ce Mollusque porteur d'une belle coquille très pointue n'est pas dangereux pour les poissons. Il est d'ailleurs très utile, car son fouissement inlassable aère et ameublit le sol, ce dernier étant en quelque sorte épuré en profondeur. La présence de cet Escargot dans l'aquarium doit donc nous réjouir. La nuit il quitte le sol et se rassemble avec ses congénères sous la surface de l'eau en rampant sur les glaces. C'est là qu'on peut aisément les capturer à l'aide d'une épuisette s'ils deviennent trop nombreux. Les Malais n'attaquent pratiquement jamais les plantes. Ils se nourrissent de restes de nourritures. On peut facilement maitriser leur prolifération.

Malais

Planorbe

Petite Lymnée

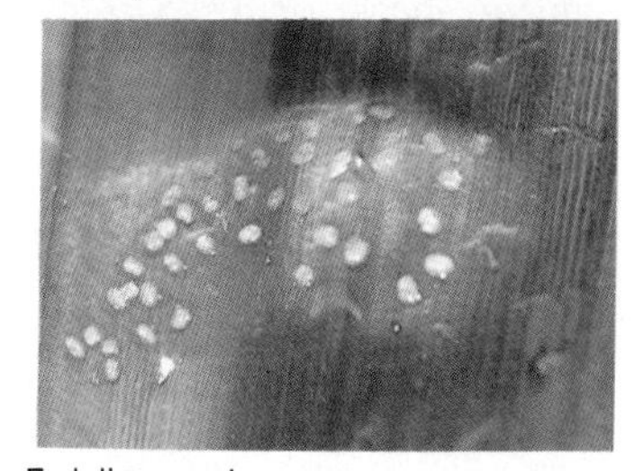

Frai d'escargot

b) Planorbes

Il en existe des rouges, des noirs et des pies. Ces Mollusques sont répandus dans nos eaux courantes, mais sont plutôt rares. Dans l'aquarium, en cas de prolifération, il arrive qu'ils attaquent les plantes aquatiques tendres. Dix à vingt exemplaires peuvent être tolérés dans l'aquarium. Lorsqu'ils se multiplient trop il faut intervenir par élimination.

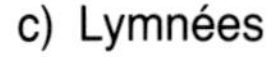

c) Lymnées

Ces petits escargots habitent nos eaux courantes, on les introduit souvent avec les nourritures vivantes. Il existe une espèce dont la spirale de la coquille s'enroule à gauche (senestre) et une chez laquelle elle s'enroule à droite (dextre). Ceux d'assez grande taille attaquent facilement les plantes, il faut endiguer la prolifération.
Voici deux méthodes valables:
1. Les Tétrodons les dévorent avec plaisir (les Planorbes aussi).
2. Le soir, avant d'éteindre la lumière, poser une soucoupe retournée sur le sol. Poser deux à trois comprimés de nourriture sur le fond creux de la soucoupe. Au bout de quelques heures une masse d'escargots se sera rassemblée et on pourra les retirer en même temps que la soucoupe. Cette méthode ne fonctionne cependant pas si l'aquarium héberge des Silures

d'activité nocturne, car ces derniers auront dévoré les comprimés avant l'arrivée des escargots. En nourrissant parcimonieusement la prolifération de ces escargots peut être maintenue dans des limites acceptables.

d) Ampullaires

Ce Mollusque, du genre *Ampullaria,* peut atteindre la taille d'une balle de ping-pong. La reproduction et l'élevage de cette espèce n'est pas à la portée de chaque aquariophile. Cet Escargot est exigeant envers la qualité de l'eau. Il ne faut pas le faire cohabiter avec des grands poissons qui pourraient endommager la trompe qui lui sert pour la respiration. Si un de ces Escargots meurt dans l'aquarium sa décomposition peut être toxique pour les poissons. L'aquariophile qui possède un ou plusieurs Ampullaires doit contrôler tous les jours s'ils sont bien vivants. Pour la reproduction de ce Mollusque il faut employer un bac individuel ne contenant pas de poissons. Les Ampullaires aiment

manger les flocons de nourriture qui flottent à la surface de l'eau. Le frai est déposé au-dessus de la surface, les œufs sont entourés d'alvéoles calcaires. On apprécie ces Escargots comme dévoreurs de restes de nourritures dans les bacs servant à l'élevage des alevins. Ils n'incommodent jamais les poissons vivants.
On ne doit jamais tuer les Escargots à l'aide de produits chimiques. La partie charnue, très riche en protéines, pollue rapidement l'eau. Il vaut mieux les éliminer naturellement en les capturant. De nombreux algicides contiennent des sels métalliques qui seront à leur tour neutralisés lors de l'emploi de produits pour le traitement de l'eau, c. à d. rendus inefficace. Il ne faut donc pas s'étonner si les Escargots continuent à bien se porter après l'emploi d'algicide.

Ampullaria

L'aquarium durant les vacances

Par rapport à d'autres animaux de compagnie, les poissons offrent l'indiscutable avantage de pouvoir être abandonnés à leur sort, sans aucun soin, durant une absence passagère. Un congé prolongé durant le week-end ne pose donc absolument pas de problèmes. Les poissons adultes, bien nourris, peuvent même supporter un jeûne de plusieurs semaines.

Par contre les alevins ne devraient être laissés sans nourriture plus d'une journée. Pour eux l'usage d'un distributeur automatique est conseillé. Ce qui est encore mieux, c'est de charger une tierce personne de les nourrir pendant vos vacances.

Il faut que les poissons soient sains, c'est la condition primordiale pour leur maintenance durant les vacances. Six semaines avant le départ on ne doit plus acquérir de nouveaux poissons et les introduire dans l'aquarium. Cela permet d'éviter que les anciens habitants du bac soient éventuellement contaminés par les nouveaux arrivants.

A l'approche de vos congés, nettoyez votre aquarium à fond et remplacez au moins un tiers du volume d'eau par de l'eau nouvelle. Vous traiterez l'eau fraiche du robinet à l'aide d'un bon produit. N'enlevez pas les algues, car elles peuvent constituer pour certains poissons une précieuse nourriture complémentaire. Le nettoyage du filtre de l'aquarium est particulièrement important afin d'éviter qu'en cas d'une éventuelle coupure de courant la faune bactérienne contenue dans le filtre dépérit.

Pour un aquarium communautaire normal, hébergeant que des poissons sans exigences, l'approvisionnement peut être maintenu sans difficultés par un distributeur automatique de nourriture. Certains de ces distributeurs peuvent complémentairement allumer la lumière le matin et l'éteindre le soir. Cela est important pour la continuité de la bonne croissance des plantes. Si vous laissez votre aquarium à l'obscurité jusqu'à votre retour de vacances il peut en résulter des troubles sensibles de la croissance de la végétation, même si l'aquarium reçoit la lumière du jour.

Régler le distributeur de manière à ce qu'il ne distribue qu'une fois, au maximum deux fois par jour. Cela dépend de la taille et du nombre de poissons dans l'aquarium. Souvent les rations prévues sont déjà trop importantes pour un petit aquarium. Il faut faire des essais et le mieux c'est de les faire au moins une semaine avant le départ. Vu dans son contexte, l'acquisition d'un distributeur automatique est non seulement très utile, mais aussi, vu sur plusieurs années, économique et rentable.

Celui qui ne veut pas faire cette dépense peut laisser jeûner ses poissons durant deux à trois semaines ou charger une tierce per-

sonne de les nourrir. Il ne faut pas longtemps pour expliquer à cette personne comment procéder. Dans tous les cas elle devra contrôler tous les jours la température.
Laissez un aide-mémoire écrit à sa disposition, en notant les consignes les plus importantes. Voulant trop bien faire, les non-initiés ont toujours tendance à suralimenter les poissons. Laissez à la disposition de votre remplaçant des petits récipients du volume d'une ration journalière, en le priant de ne pas dépasser la dose et insistez sur le fait que le trop est l'ennemi du bien. S'il respecte vos consignes et ne distribue qu'une ration journalière, qui peut d'ailleurs aussi inclure des comprimés de nourriture, il ne devrait en fait rien se passer d'anormal. Sauf peut être qu'à certains jours de canicule la température dans l'aquarium s'élève trop en raison de l'insolation, combinée avec la chaleur dégagée par l'éclairage du bac. Dans ce cas la pièce dans laquelle se trouve l'aquarium doit être obscurcie en baissant les stores ou en fermant les volets. Il faut poser transversalement deux lattes en bois d'une épaisseur de 3 cm entre le couvercle de l'aquarium et la rampe d'éclairage. Cela assure une certaine ventilation et la chaleur pénètre moins dans l'aquarium. Il est conseillé, si cela est possible, de faire exécuter en votre présence et durant quelques soirées avant votre départ les manipulations et contrôles que votre remplaçant aura à effectuer pendant votre absence. Ainsi il pourra déjà acquérir quelques notions élémentaires d'aquariophilie.
Il existe encore une autre possibilité pour soigner vos poissons en votre absence, c'est de les sortir de l'aquarium pour les donner en pension chez un ami aquariophile. Mais dans ce cas il faut tout de même laisser fonctionner l'éclairage et le chauffage de votre aquarium, ou les faire commander par une minuterie. Ces dernières, qui peuvent être individuelles c. à d. ne pas assurer simultanément la distribution de nourriture, sont également proposées à des prix abordables par le commerce spécialisé en aquariophilie. Vu qu'une minuterie peut assurer la survie de votre végétation, elle sera vite amortie. De toute manière le filtre doit toujours continuer à fonctionner afin de maintenir en vie la faune bactérienne indépendante de la lumière et pour que vous puissiez repeupler votre aquarium dès votre retour de vacances.
Quoiqu'il en soit, des vacances prolongées ne sauraient vous empêcher d'avoir un aquarium.

Pathologie des Poissons

De nombreux amateurs arrêtent leur hobby, l'aquariophilie, parce que leurs poissons, pour des raisons inexpliquées, deviennent malades et meurent. En plus, il n'est pas rare qu'un diagnostic erroné a pour conséquence un traitement inadéquat. Après les poissons, les plantes elles aussi disparaissent. L'aquariophile est alors découragé et n'ose pas repeupler de nouveau son aquarium.
Lorsqu'un occupant de l'aquarium présente un symptôme suspect, l'aquariophile ne doit pas craindre d'aller se renseigner auprès d'un revendeur d'animaux sérieux. De nombreux commerçants sont également aquariophiles et possèdent une vaste expérience et les connaissances nécéssaires pour savoir soigner les poissons malades. Dans la majorité des cas, après un coup d'œil sur la panoplie des médicaments disponibles, ils sont capables de recommander le médicament qui convient. Un commerçant sérieux ne vendra jamais à son client un remède s'il sait la maladie incurable mais ne manquera pas de l'éclairer sur le sérieux de la situation.
Les maladies des poissons sont aussi diverses que nombreuses de sorte qu'il n'est pas possible de donner dans un seul chapitre une revue complète ni même approximative des maladies. Pour cette raison, nous donnons ici une sélection des maladies les plus importantes. Chaque maladie est traitée, dans la mesure du possible, en cinq points: la symptômatologie qui est à l'origine du diagnostic, la technique d'étude, l'étiologie (cause, parasite), la pathogénicité et le traitement ou therapeutique. Le lecteur pourra ainsi, rapidement et avec une relative certitude, établir un diagnostic pour les maladies les plus courantes. Il apprendra ainsi à connaitre la cause et la gravité de la maladie et trouvera quelques indications sur son traitement.
Lorsqu'on est confronté au problème des maladies des poissons, il ne faut pas oublier d'envisager les facteurs qui peuvent être responsables d'une maladie et en être la cause déterminante. Souvent il s'agit d'erreurs commises par l'aquariophile lui même et qu'il oublie de prendre en compte lors de l'examen de la situation. Pour cette raison, nous allons traiter brièvement les principaux facteurs abiotiques (non vivants) et biotiques (vivants) néfastes dans l'aquarium.

Facteurs abiotiques et biotiques défavorables

Les poissons d'ornement ont un contact très intime avec ces deux facteurs de leur environnement dans l'aquarium. En cas de changement, ne serait ce que d'un seul de ces facteurs, l'équilibre est perturbé et la survie de l'écosystème «aquarium» est compromis ou même impossible.

Les facteurs abiotiques comprennent la température, la lumière, le pH, la qualité de l'eau, c. à d. la nature et la concentration des ions dans l'eau notamment la concentration en nitrites et nitrates ainsi que les carbonates et la dureté globale, etc. Les facteurs biotiques sont constitués de la nourriture, des plantes aquatiques, des êtres vivants, animaux ou végétaux introduits accidentellement (hydres d'eau douce, Planaires, algues bleues et vertes) et des poissons eux mêmes.
Dans de nombreux cas, les symptômes de maladies et les lésions chez les poissons d'aquarium résultent d'un empoisonnement. En aquarium, les empoisonnements sont le plus souvent provoqués par des facteurs abiotiques:

1. Métaux lourds (fer, plomb, cuivre, etc.). Se manifestent chez les poissons par une augmentation de la secrétion de mucus et par la destruction de l'épithélium branchial. Il en résulte des difficultés respiratoires allant jusqu'à l'arrêt de la respiration (mort). L'empoisonnement par le plomb provoque en outre de l'anémie. Il faudrait éviter en général que des parties métalliques entrent en contact avec l'eau.
2. Chlore à l'état libre: Le chlore à l'état libre est une substance très toxique. Une concentration de 0,1 mg par litre est le plus souvent déjà mortel. Le chlore attaque les branchies qui s'éclaircissent et qui sont détruites (mort par asphyxie). Le chlore peut être éliminé en grande partie si on porte l'eau à ébullition. De l'eau fortement chlorée peut également être neutralisée par du thiosulfate de sodium. La première méthode est la plus douce.
3. Phénol et dérivés du phénol: Ces composés organiques sont des poisons pour le système nerveux. De plus ils endommagent l'épithélium branchial, l'intestin et le tégument. Par l'intermédiaire de la circulation sanguine, le foie, la musculature et les ovaires sont également atteints. L'empoisonnement par le phénol est d'une importance faible pour l'aquariophile et il est, le plus souvent, incurable.
4. Hydrogène sulfuré: L'hydrogène sulfuré est un gaz dont l'odeur rappèle les œufs pourris et qui est considéré comme un des poisons les plus violents qui entraine la mort à des concentrations extrêmement faibles. L'hydrogène sulfuré se forme dans l'aquarium par fermentation du substrat (vase en décomposition). Le développement accru des algues est le premier indice de la pourriture de la vase. L'hydrogène sulfuré provoque la liaison de l'atome de fer de l'hémoglobine et empêche ainsi la fixation de l'oxygène par l'hémoglobine. Lors d'un empoisonnement par hydrogène sulfuré, les branchies deviennent violettes et les poissons sont essoufflés (ils viennent prendre l'air à la surface de l'eau). L'utilisation de gravier grossier et un nettoyage fréquent du sol peuvent empêcher la formation d'hydrogène sulfuré.

5. **Détergents**: Ces produits réduisent la tension superficielle de l'eau. Les détergents détruisent le mucus qui recouvre le corps des poissons, réduisent les échanges au niveau des branchies et détruisent les hématies. Il ne faut jamais utiliser des lessives ou des produits de nettoyage pour nettoyer les aquariums ou les accessoires.
6. **Composés azotés**: Des composés azotés se rencontrent dans tous les aquariums. Ils se développent toujours là où des protéines sont dégradées (par exemple produits du métabolisme des poissons, décomposition de plantes ou de nourriture en excès). Les composés azotés les plus importants et les plus fréquents dans les aquariums sont l'ammoniaque (NH_3), l'ammonium (NH_4^+), les nitrites NO_2^-), les nitrates (NO_3^-) et l'urée. La dégradation des matières azotées ne peut se faire qu'en présence d'oxygène. Un manque d'oxygène ralentit la formation des nitrites et des nitrates et provoque une accumulation d'ammoniaque hautement toxique. La dose mortelle est de 0,2 mg par litre pour l'ammoniaque, de 1 mg par litre pour les nitrites et de 200 à 300 mg par litre pour les nitrates. Les lésions dues aux composés azotés peuvent provoquer la mort des poissons. La nocivité de l'ammoniaque est influencée par le pH. Une eau alcaline favorise la formation de l'ammoniaque. Les quantités des produits azotés signalés ici peuvent actuellement être déterminées par des méthodes d'analyse simples (par exemple de Tetra) et on peut alors intervenir afin de corriger. En plus il est important d'assurer une bonne aération de l'aquarium (accélération de la dégradation des produits azotés). Un contrôle régulier du pH et de l'oxygénation est recommandé. D'autre part, il ne faut pas distribuer aux poissons plus de nourriture qu'ils ne peuvent immédiatement consommer.

Déficit en oxygène ou hypoxie

Symptômatologie: Les premiers symptômes sont une accélération de la respiration et une agitation des poissons qui viennent constamment happer de l'air à la surface. Leur coloration pâlit et leurs opercules sont écartés. Le stade ultime est la mort par asphixie. Le manque d'oxygène est une des causes les plus fréquentes de la mortalité des poissons.

Etiologie: La maladie a pour origine un déficit ou une absence totale d'oxygène de l'eau. L'oxygène est d'une importance vitale pour les réactions métaboliques. L'appauvrissement en oxygène peut être la conséquence de différents facteurs. De réactions de putréfaction d'abord (excès de nourriture, plantes mortes) mais également à la suite de la respiration nocturne des plantes ou d'une température de l'aquarium trop élevée.

Le pouvoir de dissolution de l'oxygène est plus faible dans une eau à température élevée. Mais il ne faut pas oublier que la consommation d'oxygène varie d'une espèce à l'autre. Ainsi, les poissons vivants dans les eaux courantes ont besoin de plus d'oxygène que ceux vivant dans les eaux stagnantes.

Pathogénicité: La mort des poissons intervient s'il n'est pas remédié au déficit en oxygène. Si le manque d'oxygène n'est qu'occasionnel, il favorise néanmoins l'apparition de diverses maladies car les animaux voient leur résistance à celles ci diminuer.

Traitement: Une bonne aération de l'aquarium et un bon fonctionnement du filtre évitent le déficit d'oxygène. D'autre part, on devrait toujours retirer de l'aquarium les fragments de plantes et les poissons morts qui favorisent le manque d'oxygène. Une végétation vigoureuse contribue à l'équilibre de la présence de l'oxygène. Enfin, les poissons doivent toujours être maintenus à leur température optimale. En cas de déficit brutal d'oxygène, seuls un renouvellement immédiat de l'eau et une augmentation de l'aération peuvent se montrer efficaces.

Embolie gazeuse

Symptômatologie: Des bulles se forment sous la peau et dans le corps. Ces bulles gazeuses se rencontrent principalement sur la tête à proximité des yeux ou dans les yeux eux mêmes. D'après SCHUBERT, de grands poissons devraient émettre un froissement lorsqu'on les retire de l'eau.

Technique d'étude: Une reconnaissance macroscopique est possible par observation des poissons malades.

Etiologie: Dans des conditions bien déterminées (pression, température) les liquides (eau, sang, etc.) libèrent une certaine quantité de gaz. Si dans des conditions données, trop de gaz sont dissous dans un liquide, il y a sursaturation. Cette situation est très instable. Un liquide sursaturé en gaz va immédiatement engendrer le rejet des gaz sous forme de bulles. Une sursaturation en oxygène s'observe, lorsque la lumière solaire est intense, dans des aquariums riches en plantes ou en algues qui produisent beaucoup d'oxygène au moment de l'assimilation chlorophylienne. La concentration en oxygène du sang des poissons est alors également élevée. Lors de la disparition de la lumière solaire, donc de l'arrêt du rejet important d'oxygène par les plantes, la sursaturation (pression gazeuse) diminue rapidement dans l'eau mais pas dans le sang des poissons. Des bulles gazeuses apparaissent pour cette raison dans le sang.

Pathogénicité: Dans les cas graves, la maladie des bulles gazeuses peut provoquer une nécrose et entrainer la mort par asphyxie (embolie gazeuse).

Maladie des bulles gazeuses chez une Demoiselle. Le gonflement des yeux est nettement visible.

Traitement: Un transfert dans une eau normale rend possible la guérison de poissons atteints de la maladie des bulles gazeuses. Une bonne aération de l'aquarium, obtenue grâce à un diffuseur, diminue le risque d'une sursaturation en oxygène. Enfin, il faut éviter qu'un aquarium riche en plantes soit exposé à une lumière solaire intense.

Acidose et alcalose

Symptômatologie: Les poissons atteints montrent un sécrétion trop abondante de mucus, une inflammation du tégument, une atteinte avec saignement des branchies. D'autre part, les poissons se déplacent par des mouvements très brusques. Souvent ils tentent de quitter l'eau en effectuant des sauts. Venir happer l'air à la surface de l'eau et augmenter le rythme respiratoire constituent des symptômes supplémentaires.

Etiologie: L'acidose et l'alcalose sont la conséquence d'une variation du pH (= concentration en ions hydrogène). Chaque espèce de poisson possède un pH optimal qui se situe pour la majorité des poissons d'aquarium entre 6 (légèrement acide) et 8 (légèrement alcalin). Mais entre ces valeurs extrêmes, les différentes espèces de poisson présentent une adaptation différente. Ainsi, certaines espèces supportent des variations importantes du pH alors que d'autres ne peuvent survivre qu'à un faible écart. La valeur optimale du pH est acide pour certains poissons (pH de 5–6 pour *Rasbora*) alors que pour d'autres l'optimum est alcalin (pH de 7–8,5 pour *Barbus*). Pour la grande majorité des poissons, un pH inférieur à 5,5 provoque une destruction du tégument (acidose) et un pH supérieur à 9 provoque un pourrissement du tégument et des branchies (alcalose). Une valeur trop basse du pH, comme une valeur trop élevée provoquent la mort du poisson. Une valeur trop faible du pH, en rapport avec une eau douce, est particulièrement dangereuse.

Traitement: Un contrôle régulier de la valeur du pH (1 à 2 fois par semaine) à l'aide d'indicateurs du commerce (tiges, papiers) constitue la meilleure prévention contre l'acidose et l'alcalose. Il faut veiller à ce que la valeur du pH de l'eau de l'aquarium ne tombe jamais en dessous de 5,5 ou ne dépasse 8,5. Certains Cichlidés du lac Malawi constituent une exception, ils ne se sentent vraiment à l'aise qu'avec un pH de 8,5–9,2. Le meilleur remède contre l'acidose ou l'alcalose aiguës consiste en un changement immédiat de l'eau ou le transfert des poissons dans une eau neutre. Eviter un développement trop important des plantes et un ensoleillement trop intense et prolongé constitue la meilleure prévention contre l'alcalinisation de l'eau.

Facteurs biotiques défavorables

Les hydres d'eau douce (*Hydra*) et les planaires (Turbellariés) peuvent être citées comme exemples de facteurs biotiques défavorables.
Hydra est un polype habitant les eaux douces (Cnidaires). Le corps de l'hydre est occupé par une cavité gastrique; autour de la bouche, sont inserrés plusieurs tentacules munis de cnidoblastes qui permettent à l'hydre de capturer sa proie. Les proies sont paralysées et maintenues. La multiplication des hydres peut être très importante en aquarium. Pour des poissons de grande taille, elles sont inoffensives mais elles consomment par contre les larves et les alevins. Enfin, lorsque les hydres pullulent, elles peuvent entrer en compétition alimentaire avec les poissons.
Traitement: La lutte contre les hydres peut être biologique par les Macropodes ou différentes espèces de Trichogaster qui les consomment, ou chimique par addition du sulfate de cuivre. Les hydres meurent au bout de quelques jours. La dose indiquée ne peut pas nuire aux poissons, elle sert même d'engrais aux plantes.
Les planaires, appelées également vers plats, sont le plus souvent introduites avec la nourriture vivante. Elles peuvent se multiplier rapidement si elles trouvent des conditions favorables. Les planaires sont carnivores. Elles aussi peuvent entrer en compétition alimentaire avec les poissons. Les planaires affectionnent se nourrir d'œufs de poissons et constituent donc un facteur limitatif pour le succès des reproductions. Lorsqu'elles pullulent, les planaires peuvent être observées sur des alevins.
Traitement: La lutte contre les Turbellariés est assez difficile. La méthode des appâts est celle qui convient le mieux. Un petit sac en gaze ou en toile contenant de la viande est suspendu le soir à proximité du sol de l'aquarium. Les vers flairent la viande et viennent se rassembler en grand nombre sur le sac. Celui ci sera retiré avant le lever du soleil et détruit (à l'eau bouillante). Les planaires sont consommées par les Macropodes et peuvent être combattues ainsi.

Maladies à manifestations (Parasitoses)

1. Unicellulaires

Maladie à *Oodinium* (Oodiniose)

Maladie du velours

Symptômatologie: Le corps des poissons est recouvert d'une couche farineuse grise ou bleutée. L'observation microscopique montre de très nombreuses cellules sphériques ou piriformes. Les parasites peuvent pénétrer parfois dans le derme et provoquer des inflammations en plaques. Des hémorragies, des inflammations et des nécroses des tissus sont observées lors d'atteintes des branchies. En cas d'atteinte grave, la peau peut se détacher en lambeaux. Les poissons se frottent contre un substrat et maigrissent. Lorsque la maladie atteint les branchies, les poissons viennent happer de l'air à la surface.
Technique d'étude: L'étude se fera à partir de matériel vivant. On réalise des frottis de tégument et de branchies. On peut également observer des fragments sectionnés aux branchies ou aux nageoires. Un grossissement de 120 à 600 est utilisé sur le microscope.
Parasite: Le parasite de la maladie du velours est un Péridinien (Dinoflagellés), *Oodinium pillularis* qui fut découvert sur *Colisa lalia* et décrit en 1951 par SCHAPERCLAUS. Cette espèce parasite principalement les poissons d'aquarium. *Oodinium pillularis* est sphérique ou piriforme. Sa taille varie entre 30 et 140 μm, avec une moyenne de 65 μm. La membrane cellulosique qui entoure l'animal est étirée d'un côté de la cellule en forme d'entonnoir. C'est au niveau de cet étranglement que le parasite s'implante sur le poisson en insinuant ses prolongements protoplasmiques entre les cellules épithéliales de l'hôte. Le cycle de l'*Oodinium pillularis* comporte trois stades: 1. un stade parasitaire, fixé sur la peau ou les branchies (stade de croissance), 2. un stade enkysté. Il se forme en dehors du poisson, lorsque le parasite a quitté son hôte. Des divisions répétées ont lieu à l'intérieur du kyste (stade de multiplication), 3. un stade de dispersion (= stade infectieux). Les spores (= dinospores) sont le résultat de la multiplication intervenant au stade précédent. Les dinospores ont une forme ellipsoidale. Elles possèdent deux flagelles dont l'un se trouve dans un sillon équatorial. Ce dernier et les deux flagelles disparaissent lors de la fixation du parasite sur un poisson. Les dinospores meurent si elles ne rencontrent pas un hôte dans un délai de 12–24 heures.
Pathogénicité: Le tégument et les branchies sont fortement endommagés lorsque le parasite pullule. La mort peut être due à une asphyxie. Cette parasitose est très contagieuse.

Dinoflagellé = Péridinien
Oodinium pillularis

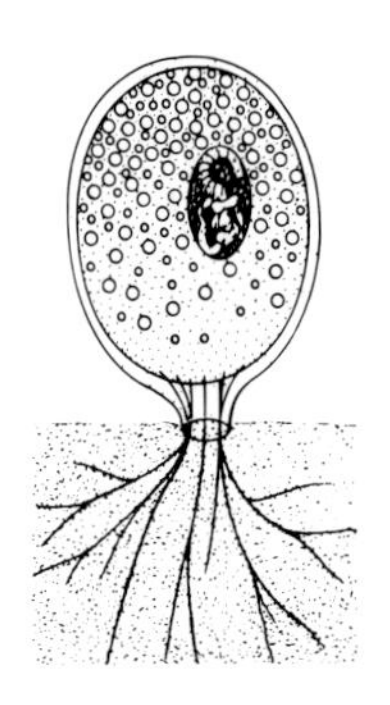

Traitement: Un bain prolongé de trypaflavine (1 g de trypoflavine pour 100 l d'eau) est recommandé pour lutter contre l'*Oodinium pillularis.* En même temps la température est élevée à 30° C. Pour les bains, on utilise un aquarium sans plantes, ni sol et également dépourvu d'éclairage. Les autres substances qui peuvent être utilisées contre ce parasite sont le sulfate de cuivre (0,3 g pour 1000 l d'eau), l'hydrochloride de quinine (1,5 g pour 1000 l d'eau) ou une solution à 3% de sel de cuisine. Des préparations efficaces sont en vente dans le commerce spécialisé.

Costiose (Costiasis)

Symptômatologie: La surface du corps et les branchies sont recouvertes d'un mucus grisâtre. Une atteinte plus forte se manifeste par des lésions rougeâtres et sanguinolentes. Souvent les poissons présentent un balancement en nageant. Les animaux viennent se frotter contre les objets durs constituant la décoration et d'autres symptômes sont le repli des nageoires, l'épuisement, l'inertie et l'amaigrissement des poissons atteints.
Technique d'étude: Seul du matériel vivant convient pour une étude. Les frottis frais, non fixés, de tissu branchial et de tégument sont observés à un grossissement de 100 à 200. Le parasite *Costia* est reconnaissable à sa mobilité frétillante.
Parasite: La maladie est provoquée par une Protomonadine (Zooflagellés) *Costia necatrix.* Son corps en forme de fève est peu déformable. Sa longueur est de 8 à 20 μm, son diamètre de 6 à 10 μm. Deux flagelles assurent la locomotion. Les parasites se fixent grâce à des prolongements protoplasmiques de la partie antérieure (partie pointue) sur l'épithélium du poisson. Cette partie antérieure se transforme alors en un disque adhésif. La reproduction se fait par bipartition longitudinale des animaux fixés. *Costia* ne survit qu'une demi-heure à une heure en l'absence d'hôte. Des formes de résistance viables ne sont pas connus.

Costia ne se développe que dans les aquariums surpeuplés. Le parasite n'affectionne pas les températures supérieures à 25° C et meurt à 30° C. L'expérimentation a montré que la multiplication de *Costia* est la plus active à 25° C et avec un pH compris entre 4,5 et 5,5 (légèrement acide).

Pathogénicité: Les parasites provoquent des lésions importantes lorsqu'ils arrivent à pulluler. Ils mettent particulièrement les jeunes poissons en danger. La transmission de la maladie est directe; elle est très contagieuse et souvent mortelle pour de petits poissons.

Traitement: Les parasites sont détruits par un bain de 20 minutes dans une solution de sel de cuisine à 1–2% ou de formol à 1 pour 2000 (1 ml pour 2 litres d'eau) pendant 15 minutes. En aquarium, la trypaflavine en bain prolongé s'est avérée efficace envers *Costia* (1 g de trypaflavine pour 100 l d'eau, 2 jours). Toutefois, les poissons sont isolés et baignés dans un aquarium hôpital. L'élèvement de la température à 30° C contribue à la destruction du parasite. Des préparations efficaces sont également en vente dans le commerce aquariophile.

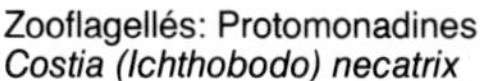
Zooflagellés: Protomonadines
Costia (Ichthobodo) necatrix

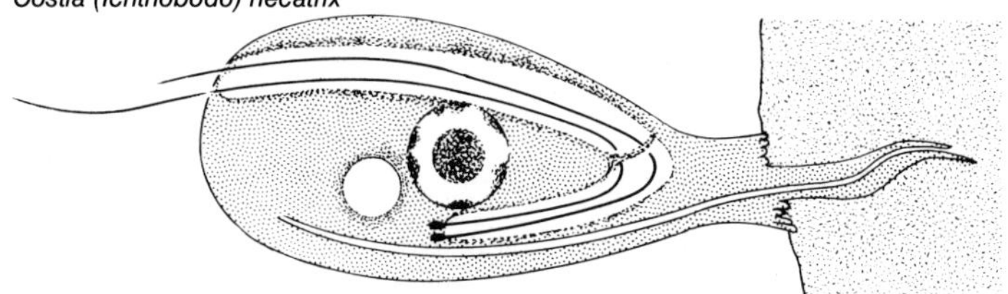

Ichthyophthiriose (Ichthyophthiriasis)

Maladie des points blancs

Symptômatologie: Des points blancs recouvrent l'ensemble du corps, les nageoires et les branchies. Lorsque les parasites pullulent, les points blancs peuvent confluer pour former des taches grises. La peau est alors surchargée en mucus et peut montrer une inflammation. Les poissons montrent un comportement typique qui consiste à serrer les nageoires, à se frotter intensément contre des substrats et deviennent finalement apathiques et maigrissent.

Technique d'étude: Il est préférable d'utiliser exclusivement des poissons vivants. Des frottis de peau et de branchies sont observés dans une goutte d'eau sous un grossissement de 50 à 120.

Parasite: La maladie des points blancs est provoquée par le Cilié *Ichthyophthirius multifilis*. Les unicellulaires sont piriformes ou sphériques; leur taille varie de 0,2 à 1 mm. Le noyau trophique (macronucleus) est en forme de fer-à-cheval, le petit noyau reproducteur (micronucleus) est sphérique.

Ichthyophthirius est un parasite des poissons chez lesquels il vit abrité dans des cavités qu'il creuse dans la peau et qui sont refermées vers l'extérieur. Le cycle parasitaire comporte trois stades: stade tégumentaire (stade de croissance), stade de sortie sur le sol (stade des kystes) et un stade d'essaimage (stade de l'infection). Les parasites mûrs quittent la peau de leur hôte, tombent sur le fond, s'entourent d'une enveloppe gélatineuse (= kyste) et se divisent pour donner jusqu'à 1000 ciliospores piriformes mesurant 30–50 µm et qui partent à la recherche d'un nouvel hôte; ils meurent s'ils ne rencontrent pas un poisson dans les 70 heures.

Pathogénicité: *Ichthyophthirius* est très pathogène en cas de pullulation. La maladie est très contagieuse et atteint toutes les espèces de poissons. Les poissons qui survivent à la maladie ont acquis une immunité envers *Ichthyophthirius*. De tels poissons sont particulièrement dangereux car ils peuvent transmettre le parasite sans montrer eux mêmes de signes de maladie.

Traitement: Le succès dans la lutte contre l'ichthyophthiriose suppose une bonne évaluation de l'importance de l'atteinte. A ce jour, l'expérience montre que l'Ichthyophthirius ne peut être éliminé par une action directe. La lutte doit être dirigée contre le stade infectieux libre. En aquarium, on utilise de préférence du vert de malachite, de la trypaflavine, de l'atebrine, de l'auréomycine ou des composés à base de quinine. Ces substances sont dissoutes dans l'eau pour y demeurer, selon la température, de 15 à 20 jours puisque les parasites restent enfermés dans le tégument de l'hôte pour une durée allant jusqu'à 20 jours. Des médicaments efficaces contre l'ichthyophthiriose sont en vente dans le commerce aquariophile.

Un poisson globe, *Colomesus psittacus,* atteint par *Ichthyophthirius multifilis*. Chaque point blanc nettement visible sur les nageoires abrite un parasite.

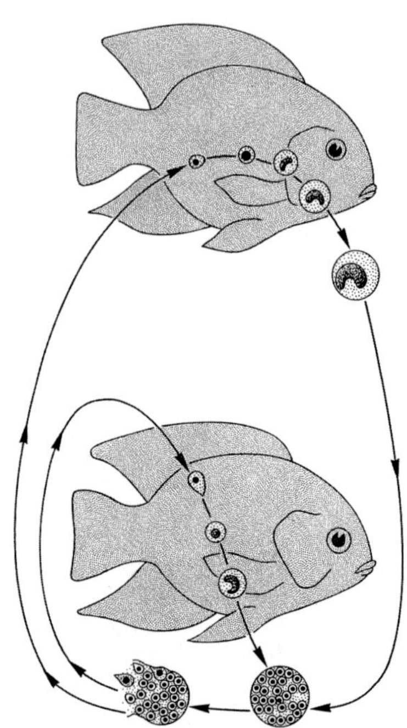

Ciliés = Infusoires
Cycle parasitaire de *Ichthyophthirius multifilis* (d'après AMLACHER).
Au dessus: Spore, en stade de croissance, se développant dans la peau du poisson.
En dessous: Stade libre, sur le sol, avec formation des spores dans le kyste (à droite) et leur essaimage (à gauche).

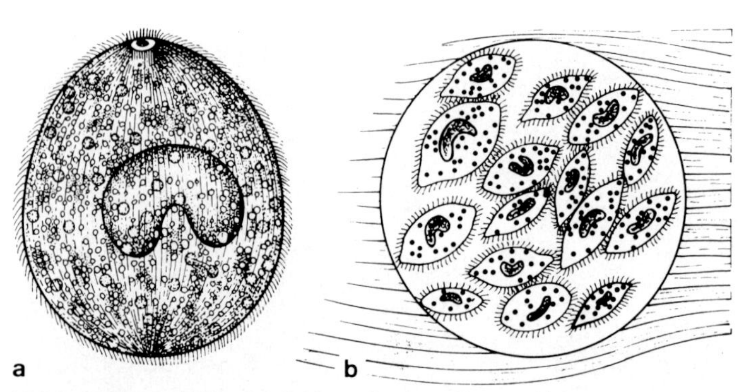

Ichthyophthirius multifilis: a) individu en fin de croissance, b) kyste, sur le sol et renfermant de nombreuses ciliospores.

Chilodonellose (Chilodonelliasis)

Symptômatologie: La peau et les branchies de poissons malades se couvrent d'un voile terne blanc bleuâtre à gris. La région nuchale, jusqu'à la base de la nageoire dorsale, est en général la plus atteinte. La peau peut se détacher en lambeaux. Les poissons viennent se frotter contre des substrats solides. Leurs déplacements sont lents.

Technique d'étude: L'observation se fait exclusivement sur poissons vivants car les *Chilodonella* abandonnent très vite les poissons morts. Des frottis de peau et de branchies peuvent être légèrement contrastés par de l'encre de chine. L'observation au microscope se fait sous un grossissement de 50 à 120.

Parasite: La maladie est provoquée par un Cilié holotriche du genre *Chilodonella*. *Chilodonella cyprini* présente une forme ovale et sa taille varie de 40 à 70 µm. Une invagination à la partie postérieure de la cellule a valu au parasite sa dénomination de «ternisseur de la peau en forme de cœur». Cette particularité doit néanmoins entrer avec quelques réserves dans les critères de détermination. Avec la taille du parasite, la présence de nombreuses petites vacuoles donnant au cytoplasme un aspect granuleux constitue une caractéristique importante pour la détermination. Le macronucleus est ovale et mesure environ le tiers de la longueur du parasite, le micronucleus est sphérique. La multiplication se fait par division transversale. Le mode d'alimentation de *Chilodonella* n'est pas encore connu. Des formes enkystées apparaissent lorsque les conditions de vie deviennent défavorables.

Pathogénicité: Lorsque les parasites pullulent, cette maladie a une issue fatale. Les lésions atteignant les poissons sont de deux types: 1. une atteinte des branchies se manifeste par la destruction de l'épithélium branchial et la réduction de la surface d'échange (mort par asphyxie), 2. la destruction du tégument qui a également des fonctions vitales à remplir.

Traitement: Les *Chilodonella* sont tués par le vert de malachite (0,15 mg/litre). Le même résultat est obtenu avec un bain de 10 minutes dans une solution à 1% de sel de cuisine ou un bain de 10 heures avec de la trypaflavine et en même temps une élévation de la température à 28° C. Prévention de la chilodonellose en aquarium: pas de surpeuplement (5 litres d'eau par poisson), oxygénation suffisante,

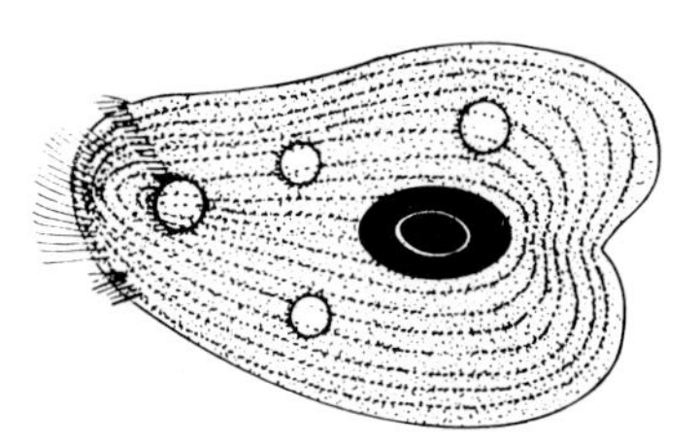

Cilié = Infusoire
Chilodonella spec.

respect du pH optimal pour l'espèce, ainsi que de la dureté de l'eau, température optimale, renouvellement régulier de l'eau et quarantaine pour les nouveaux poissons. Cette maladie peut être guérie avec des médicaments vendus dans le commerce aquariophile.

Trichodinose (Trichodiniasis)

Symptômatologie: La présence du parasite n'est pas visible à l'œil nu; seule une atteinte importante se manifeste par un voile sur la peau et les branchies. Les poissons atteints peuvent maigrir et venir happer l'air à la surface de l'eau. Le plus souvent, la trichodinose se manifeste en même temps qu'une ichthyophthiriose.
Technique d'étude: Des frottis du tégument et des branchies sont observés dans une goutte d'eau à un grossissement de 100 à 200.
Parasite: Des Ciliés péritriches des genres *Trichodina*, *Trichodinella* et *Tripartiella* sont à l'origine de cette maladie. La cellule de ces parasites est sphérique et présente un diamètre de 25 à 75 μm. Dans le cytoplasme, on reconnait un macronucleus en demi-lune, un micronucleus et des vacuoles digestives. Les animaux possèdent, sur leur face ventrale, un anneau adhésif muni de crochets. La multiplication s'effectue par bipartition transversale. Les différentes espèces de *Trichodina* survivent environ 24 heures à l'état libre et peuvent attaquer un nouveau poisson durant ce laps de temps. Avec de la nourriture vivante provenant d'un étang, on peut introduire dans l'aquarium *Trichodina pediculus* en même temps que *Hydra*.
Pathogénicité: Les *Trichodina* s'attaquent principalement aux poissons affaiblis. Les différentes espèces ne sont qu'exceptionnellement des pathogènes primaires et peuvent alors pénétrer dans le derme. Dans ce cas, la mortalité des poissons s'accroit rapidement.
Traitement: Des bains de courte durée, de 5 à 10 minutes, dans une solution de 1 à 3% de sel de cuisine, d'acide acétique à 1 pour 1500 (1 ml pour 5 litres d'eau), de formol à 1 pour 4000 (1 ml pour 4 l) ou de permanganate de potassium à 1 pour 500000 (0,1 g pour 50 l) se montrent efficaces contre la trichodinose. L'idéal est un bain prolongé dans une solution de trypaflavine ou de vert de malachite (1,5 mg pour 10 litres d'eau pendant 10 heures). Ces substances éliminent les parasites.

Cilié = Infusoire
Trichodina spec.
Vue ventrale

2. Métazoaires ou animaux pluricellulaires

Dactylogyrose (parasitose à Dactylogyrus)

Maladie des vers des branchies

Symptômatologie: Il n'existe pas de symptôme externe. La maladie n'est pas détectable à l'œil nu. Cette parasitose à *Dactylogyrus* est reconnaissable indirectement aux manifestations suivantes: lésions aux branchies, érythème des branchies, saignements aux branchies mais également adhérences, gonflement et sécrétion de mucus des branchies. Lorsque les parasites sont nombreux, les poissons maigrissent. L'analyse microscopique apporte la certitude quant à l'identité du parasite. Les vers se fixent principalement au bout des lames branchiales.
Technique d'étude: L'observation sera faite sous un grossissement de 50 à 120. Du matériel vivant mais également fixé au formol peut être utilisé. Une branchie est prélevée par section et observée dans une goutte d'eau entre lame et lamelle.
Parasite: Il s'agit de Plathelminthes Monogènes (anciennement Trématodes) du genre *Dactylogyrus* (*D. vastator, D. anchoratus, D. minutus, D. extensus, D. crassus, D. lamellatus, D. formosus*). Ces vers plats Monogènes ne présentent pas d'alternance de générations. Chez les poissons d'aquarium, la parasitose à *Dactylogyrus* est relativement rare, *Tetraonchus monenteron* et *Cichlidogyrus tilapiae* semblent par contre beaucoup plus fréquents en aquarium. *Tetraonchus* parasite principalement les Scalaires et les poissons de verre. La partie antérieure du corps présente quatre évaginations portant quatre yeux noirs et une ventouse buccale est visible. La fixation se par l'intermédiaire d'un Hapteur postérieur. Celui ci est un disque adhésif avec deux crochets médians. 14 petits crochets se trouvent sur le pourtour du disque. *Dactylogyrus* pond des œufs qui donnent naissance à une larve ciliée. Les larves grandissent pour donner des adultes. La taille des différentes espèces de *Dactylogyrus* varie de 0,5 à 2,3 mm.
Pathogénicité: Les *Dactylogyrus* sont très pathogènes lorsqu'ils pullulent et provoquent alors des lésions importantes aux poissons. Les jeunes poissons sont particulièrement mis en péril. Les *Dactylogyrus* déterminent la destruction de l'épithélium branchial et suite à des lésions du système vasculaire une réduction des échanges respiratoires pour finir par la mort des poissons par asphyxie.
Traitement: La réussite dans la lutte contre *Dactylogyrus* peut être espérée avec plusieurs types de bains: bain rapide, de 60 secondes (en aucun cas davantage) avec de l'hydroxide d'ammonium. 1 ml d'hydroxide d'ammonium à 25% (solution ammoniacale) est mélangé à 1 litre d'eau. Solution de sel de cuisine à 2,5% (15 minutes) et bain

de longue durée (plusieurs jours) de trypaflavine (1 g pour 100 l), d'hydrochloride de quinine (1 g pour 500 l) et de Rivanol (1 g pour 400 l).

Gyrodactylose

Symptômatologie: Contrairement à *Dactylogyrus*, *Gyrodactylus* se fixe principalement sur le tégument des poissons. *Gyrodactylus* n'est pas, en règle générale, visible macroscopiquement. Des parasites en grand nombre provoquent l'apparition d'un voile gris sur la peau et des plages rougeâtres par inflammation. Les vers privés d'yeux sont reconnaissables au microscope à leur armature typique de crochets.

Technique d'étude: Des frottis de peau de poisson vivant sont réalisés et observés entre lame et lamelle à un grossissement de 50 à 120. Pour l'observation, les poissons morts sont inutilisables car les parasites les abandonnent très vite. Du matériel fixé ne convient pas non plus.

Parasites: Il s'agit de Plathelminthes Monogènes (anciennement trématodes) du genre *Gyrodactylus* (*G. elegans, G. medius, G. cyprini, G. bullatarudis*). La longueur de ces espèces varie de 0,25 à 0,8 mm. Les espèces du genre *Gyrodactylus* ne possèdent pas d'yeux. Le hapteur postérieur comporte deux crochets médians et une couronne de 16 crochets périphériques. Les crochets médians sont plus petits que ceux de *Dactylogyrus*. *Gyrodactylus* ne pond pas d'œufs, il est vivipare. Dans le ver se développe un individu subadulte qui est pondu et qui renferme déjà un autre individu dans lequel l'individu de quatrième génération est déjà visible. Cet empoitement de quatre générations peut être considéré comme une pédogenèse extrêmement développée. Le développement de *Gyrodactylus* est souvent une conséquence de mauvaises conditions règnant dans l'aquarium.

Pathogénicité: Lorsque les *Gyrodactylus* pullulent, ils mettent en péril la santé des poissons, principalement celle de petits ou de jeunes poissons. *Gyrodactylus* se nourrit de cellules épithéliales mais seules les couches superficielles de l'épiderme sont détruites.

Traitement: Il est analogue à celui utilisé contre *Dactylogyrus*.

Une préparation adéquate peut également être obtenu du commerce aquariophile.

Diplozoonose

Parasitose à *Diplozoon* ou ver-double

Symptômatologie: Les *Diplozoon* adultes sont visibles à l'œil nu. On rencontre ces animaux gris brun et vermiformes entre les lames branchiales. On observe des adhérences et un gonflement des branchies lorsque les parasites pullulent. Un saignement peut également intervenir. Les poissons viennent alors happer l'air à la surface de l'eau.

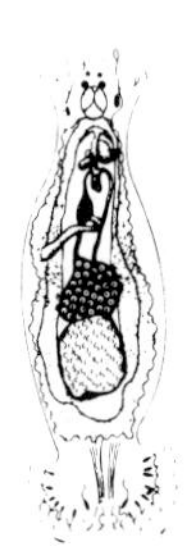

Plathelminthes = vers plats
Monogène
Dactylogyrus spec.

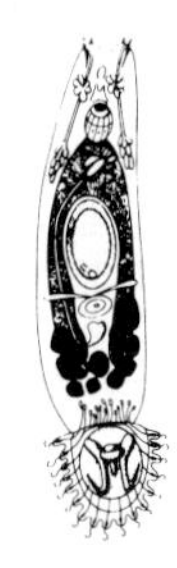

Monogène
Gyrodactylus spec.

Diplozoon paradoxum

Technique d'étude: Comme chez *Dactylogyrus* et *Gyrodactylus*.

Parasites: Cette parasitose est provoquée par des vers-doubles du genre *Diplozoon* (*D. paradoxum, D. barbi, D. tetragonopterini*). Les *Diplozoon* sont également des Plathelminthes Monogènes. Ils atteignent 1 à 5 mm. Ils ne possèdent pas d'yeux. Les deux parties antérieures montrent chacune une ventouse, les parties postérieures chacune quatre paires de pinces. Les œufs de ces animaux sont de grande taille et jaunâtres et sont pourvus d'un très long filament. Des œufs éclosent des oncomiracidiums qui nagent à la rencontre d'un poisson. Un petit bouton fait saillie sur la face dorsale de la larve. Lorsque deux larves se rencontrent, chacune saisit, au moyen de sa ventouse ventrale, le bouton dorsal de son partenaire. De cette façon les deux individus fusionnent et le ver-double a pris naissance. Chez *Diplozoon paradoxum* les deux individus fusionnent en forme de croix tandis qu'ils se soudent dans la partie moyenne plate du corps chez *D. barbi*.

Pathogénicité: Les parasites ne portent préjudice aux poissons que lorsqu'ils pullulent. La destruction de l'épithélium branchial provoque des difficultés respiratoires des poissons. *Diplozoon barbi* parasite principalement les Cyprinidés (espèces du genre *Puntius*) et *D. tetragonopterini* les Characidés (Characins).

Traitement: Les différentes espèces de *Diplozoon* sont plus résistantes que les espèces des genres *Gyrodactylus* et *Dactylogyrus*. Des bains de courte durée avec du sel de cuisine (15 g de sel de cuisine par litre d'eau) ainsi que des bains prolongés avec trypaflavine, rivanol ou atebrine (1 g de médicament pour 100 l d'eau pendant plusieurs jours) permettent d'espérer les meilleurs résultats. Quelques préparations commerciales sont moyennement actifs.

Cercarioses et métacercarioses

Symptômatologie: Les cercaires comme les métacercaires se présentent comme des boutons (kystes) jaunes et légèrement allongés, dans la peau des poissons. Elles se rencontrent également dans la musculature, les yeux, les branchies, le sang et les organes internes. Dans les yeux, leur présence provoque une opacification du cristallin (cataracte dûe au ver). Chez certaines espèces, les kystes sont colorés en noir (maladie des taches noires).

Technique d'étude: Des poissons fraichement tués sont utilisés pour des prélèvements dans la chambre aqueuse de l'œil et sur la musculature. L'observation est faite sous un grossissement de 50 à 120.

Parasites: Les larves (cercaires, métacercaires) de divers Plathelminthes Digéniens sont à l'origine de ces maladies. Les Trématodes Digéniens décrivent un cycle parasitaire à plusieurs générations. Les larves des espèces de *Diplostomum* et de *Clinostomum* sont à retenir en particulier. Les larves, repliées en forme de U, occupent l'intérieur d' un kyste. Le cycle parasitaire d'un Digénien est toujours accompagné d'un changement d'hôte. Les œufs arrivent à l'eau et là donnent naissance à une larve ciliée, le miracidium. Celui ci pénètre dans un gastéropode aquatique (= 1er hôte intermédiaire). Dans le foie du Mollusque, le miracidium se transforme en une deuxième forme larvaire, appelée sporocyste. Celui ci contient des cellules reproductrices qui donnent par parthénogenèse (reproductions sans fécondation) une troisième forme larvaire, la rédie. Les rédies se multiplient également par parthénogenèse pour former des larves à queue (cercaires) qui quittent le Mollusque et qui nagent à la rencontre d'un poisson (= 2e hôte intermédiaire). Ils se séparent de leur appendice caudal fourchu et pénètrent dans le poisson. Le poisson produit une enveloppe autour de la larve qui vient de pénétrer (= kyste). A partir de ce moment, la larve est appelée métacercaire. Lorsqu'un poisson porteur de métacercaires enkystées est avalé par un oiseau aquatique (= hôte définitif), le kyste se disloque dans son estomac et les métacercaires se développent en vers adultes qui vont atteindre leur maturité sexuelle. Ainsi, le cycle parasitaire est accompli. Les métacercaires de *Diplostomum spathaceum* mesurent 0,5 mm de long.

Pathogénicité: Lorsque les parasites pullulent, ils peuvent devenir considérablement préjudiciables à la santé des poissons. Ils provoquent la destruction de la musculature et des paralysies et la cécité en cas d'atteinte des yeux. En outre, des troubles du métabolisme général peuvent se manifester. Cette parasitose n'est pas contagieuse.

Traitement: La guérison de cette parasitose est impossible (le poisson étant un hôte intermédiaire, les parasites restent bloqués dans l'hôte). Une opération peut être tentée; elle consiste à retirer les parasites enkystés dans la peau avec une épingle stérile mais elle est extrêmement délicate à réaliser en raison de la petite taille de la majorité des poissons d'aquarium. Par contre, la prévention de l'infestation par des métacercaires consiste à

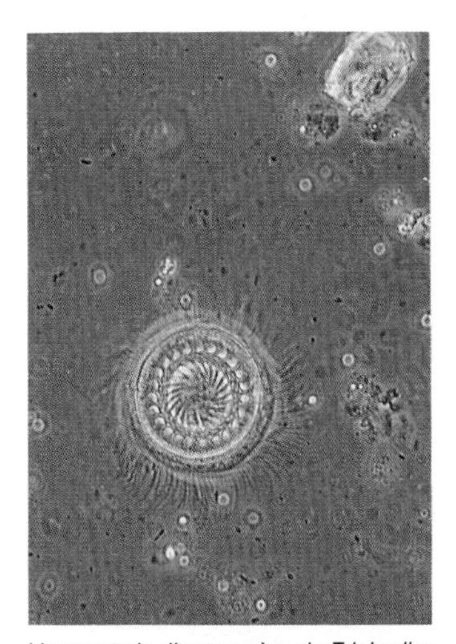

Vue ventrale d'une espèce de *Trichodina* (Infusoire cilié).

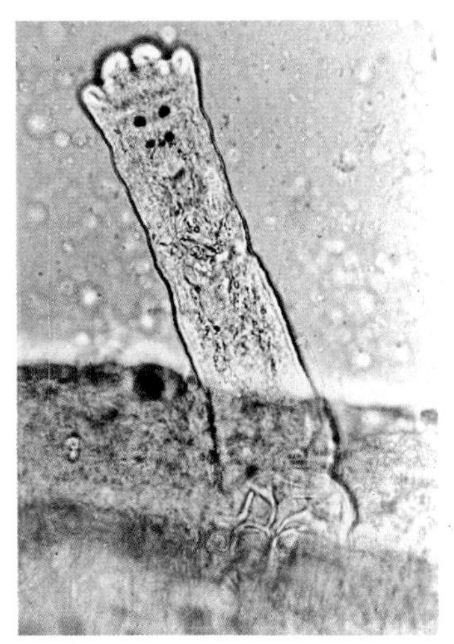

Dactylogyrus fixé sur le tégument. Les quatre évaginations antérieures sont caractéristiques, il n'en existe que deux chez *Gyrodactylus*.

Oodinium pillularis sur *Aphyosemion gardneri*.

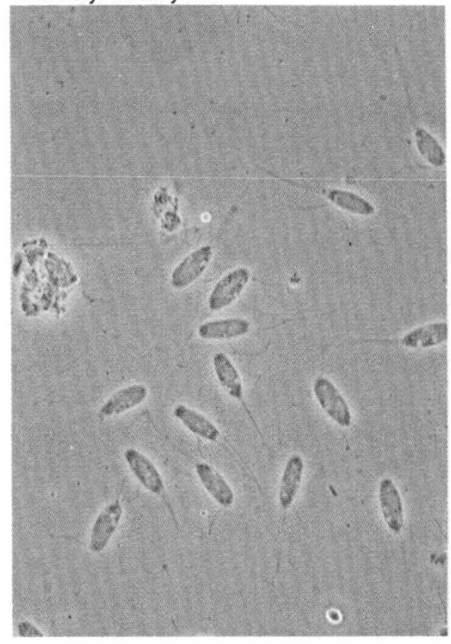

Spironucleus symphysodonis de Discus. Ces Flagellés sont étroitement apparentés à *Hexamita*.

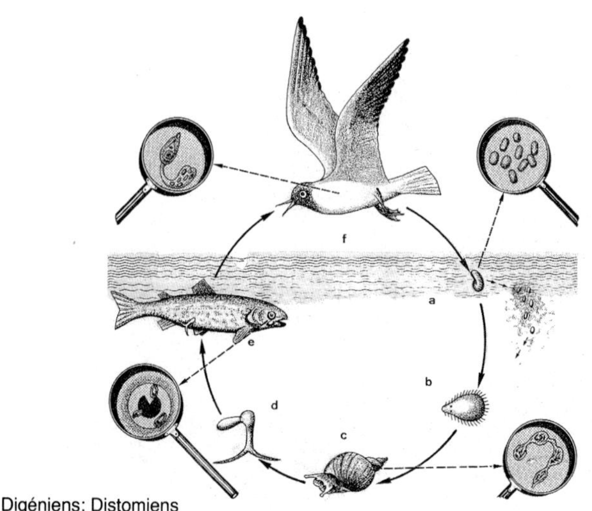

Digéniens: Distomiens
Cycle parasitaire de *Proalaria spathaceum* = ver de la cataracte des poissons: a) œuf, b) miracidium, c) sporocyste, d) cercaire, e) cataracte due au ver (*Diplostomum volveus*), f) ver à maturité sexuelle dans le tube digestif d'une mouette.

par des métacercaires consiste à éviter d'introduire dans l'aquarium des Mollusques récoltés dans la nature. Il est préférable de tenir éloignés de l'aquarium les Mollusques puisque ceux ci, lorsqu'ils sont porteurs de rédies, peuvent ultérieurement «fournir» des cercaires. Heureusement, la parasitose à métacercaires est rare en aquarium et le plus souvent n'est observée que chez des poissons récemment importés.

Ergasilose ou Parasitose à *Ergasilus*

Crustacé des branchies

Symptômatologie: Les poissons malades ne montrent aucun symptôme externe visible. Lorsque les parasites pullulent, le poisson atteint maigrit («dos en lame de couteau»). Lorsqu'on soulève l'opercule, on peut voir les parasites qui se présentent comme des points allongés et blancs sur les lames branchiales. De plus, les branchies sont pâles et recouvertes de mucus.

Technique d'étude: Lorsqu'une atteinte par *Ergasilus* est suspectée, l'opercule du poisson est soulevé grâce à des pinces. Avec un instrument émoussé, les lames branchiales sont alors écartées pour pouvoir rechercher *Ergasilus*. Pour une détermination certaine, quelques lames branchiales sont sectionnées sur un poisson fraichement tué et observées sous un grossissement de 50 à 120.

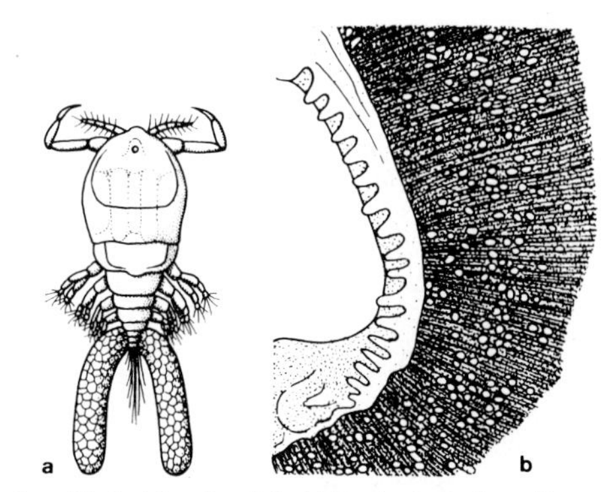

Crustacea = Crustacés
Copepode = Copépodes
Ergasilus sieboldii (Crustacé des branchies): a) femelle adulte, b) Crustacés des branchies (points blancs) sur les branchies d'un poisson.

Parasites: Le Crustacé le plus fréquent à infester les branchies est le Copépode *Ergasilus sieboldii.* Seules les femelles de ce Crustacé vivent en parasites tandis que les mâles sont libres et planctoniques. Les femelles ont une longueur de 1,3–1,7 mm et une largeur de 0,4 à 0,7 mm. Les antennes sont transformées chez elles en une paire de grands crochets qui servent à la fixation sur les branchies des poissons. Les animaux âgés sont reconnaissables à un pigment bleu. Des œufs pondus éclosent des larves (Nauplines) qui se développent en animaux sexuellement mûrs. Deux générations se succèdent au cours d'un été. C'est à proximité du sol que les poissons sont attaqués en eau libre.

Pathogénicité: La santé des poissons est fortement compromise lorsque *Ergasilus* pullule. *Ergasilus* se nourrit de l'épithélium branchial et de sang. La fixation par l'intermédiaire des crochets antennaires provoque la destruction de l'épithélium branchial et la constriction des capillaires sanguins avec pour conséquences, une diminution des échanges respiratoires et une anémie pour les poissons. Un amaigrissement intervient ensuite. D'autre part, une infection secondaire par des mycoses à Saprolegnia et *Achlya* peut venir compliquer l'atteinte par *Ergasilus.*

Traitement: Pour une lutte médicamenteuse contre *Ergasilus,* les substances suivantes peuvent être utilisées: bains de courte durée avec Masoten* (solution à 2,5%, 5–10 minutes), permanganate de potassium (1:100000 = 1 g pour 100 l, 5–10 minutes) et formol (1:4000 = 1 ml de formol à 37% pour 4 l d'eau, 1 heure). D'autre part, les parasites peuvent être tués par addition de doses faibles d'insecticides: D.D.T.*, lindane et gesarol en bain prolongé (plusieurs jours) à une concentration de 1:100 millions (1 mg pour 100 l d'eau).

* Attention dangereux! Ne peuvent être obtenus qu'avec une ordonnance d'un vétérinaire.

Lernaeose ou Parasitose à *Lernaea*

Symptômatologie: La présence d'une Lernaea est visible à l'œil nu car une partie de son corps ou du moins les sacs ovigères se trouvent hors du poissons. Les Lernaeidés parasitent principalement la peau, moins fréquemment les branchies. Lernaea peut également pénétrer dans les organes internes (foie).

Technique d'étude: Les poissons suspectés d'être parasités par *Lernaea* sont observés à la loupe. Pour une détermination plus précise, on observe au microscope, à un grossissement de 50 à 120, des préparations de fragments de musculature arrachés sur un poisson tué au préalable.

Parasites: Des Copépodes des genres *Lernaea* et *Lernaeocera* sont responsables de cette parasitose. *Lernaea cyprinacea* et *L. carassii* sont les espèces les plus fréquentes. Chez ces crustacés, la morphologie typique du Copépode est plus ou moins altérée. Ainsi, les femelles fixées ne sont plus segmentées. Leur corps est cylindrique et vermiforme. La région céphalique est caractérisée par des prolongements sclérifiés en forme d'ancre avec lesquels l'animal se fixe dans les tissus de l'hôte (musculature). Ces cornes céphaliques sont disposées autour de la bouche. Les antennes et les pièces buccales sont devenues rudimentaires. A maturité sexuelle, les segments génitaux sont fortement développés. Les paquets d'œufs (sacs ovigères) sont longs et fins. *Lernaea cyprinacea* mesure de 9 à 22 mm, tandis que les différentes espèces de *Lernaeocera* atteignent 4 cm. Le développement de ces Crustacés s'effectue sans changement d'hôte.

Pathogénicité: Les lésions provoquées par *Lernaea* et *Lernaeocera* sont importantes car les prolongements céphaliques sclérifiés pénètrent profondément dans la musculature et les vaisseaux sanguins des poissons, anémie et amaigrissement en sont les conséquences: les Poissons rouges, les Cichlidés et les Nandidés sont particulièrement exposés aux attaques de *Lernaea*.

Traitement: Les parasites sont tués par des bains de courte durée avec du sel de cuisine (20 g pour 1 litre d'eau, 10–20 minutes) ou du Masoten* (solution à 2,5%, 1–10 minutes) ainsi que des bains de longue durée avec du lindane (1 mg pour 100 l d'eau, plusieurs jours).

* Pas en vente libre. Attention poison.

Lernaea fixée à l'arrière de la nageoire dorsale.

Lernaea cyprinacea; observer les sacs ovigères à la partie postérieure du corps.

Argulose ou Parasitose à *Argulus*
Atteinte par poux des poissons

Symptômatologie: Les poissons atteints reserrent souvent les nageoires, sont très agités et exécutent des mouvements en se secouant. Le point de pénétration de l'appareil piqueur peut être rouge et être le siège d'une inflammation. On voit alors de petits points rouges entourés d'un liséré rose.

Technique d'étude: Les poux des poissons sont reconnaissables à l'œil nu sur la peau des poissons et peuvent être enlevés avec une paire de pinces.

Parasites: Ces parasites sont des Crustacés de la sous-classe des Branchioures. Les poux des poissons appartiennent tous au genre *Argulus*. L'espèce la plus commune est *Argulus foliaceus,* le pou de la carpe. Cette espèce atteint 6–7 mm de long et possède un abdomen arrondi et épineux. Les Argulidés présentent un bouclier aplati. Les appendices céphaliques sont bien adaptés à la vie parasitaire. Ainsi les antennes sont munies de crochets, les maxilles forment une trompe suceuse et les mandibules forment des stylets dentés en scie à leur extrémité. Les crochets et la trompe servent à la fixation sur l'hôte tandis que les parasites percent le tégument avec leurs mandibules pour sucer le sang de l'hôte. Les poux de la carpe quittent le poisson pour aller déposer les 20–250 œufs qui composent la ponte sur un substrat solide. Les œufs libèrent des animaux qui atteignent la maturité sexuelle après avoir passé par neuf stades larvaires.

Pathogénicité: Le poison sécrété par *Argulus* peut tuer les poissons d'aquarium ou du moins les paralyser. Les poissons dont le sang est sucé par les parasites, deviennent vite anémiques et maigrissent. D'autre part, la piqûre d'*Argulus* peut provoquer une hydropisie infectieuse ou du moins favoriser sa pénétration. L'inflammation des points de piqûre peut provoquer une infection secondaire par *Saprolegnia.*

Traitement: Les poissons atteints de poux de la carpe peuvent être soignés avec facilité. De plus, les espèces indigènes d'*Argulus* introduites ne se maintiennent pas longtemps en aquarium d'eau chaude. Les Argulidés peuvent être éliminés par les bains suivants: bain de courte durée avec Lysol (1 ml pour 5 litres d'eau, 15–60

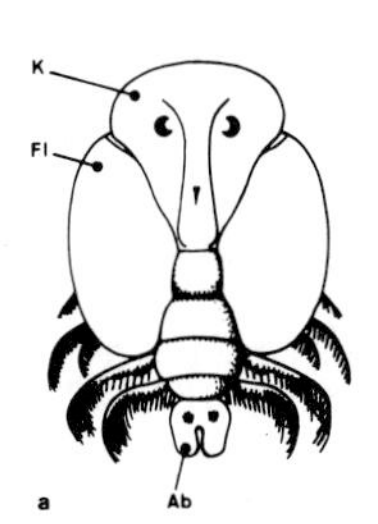

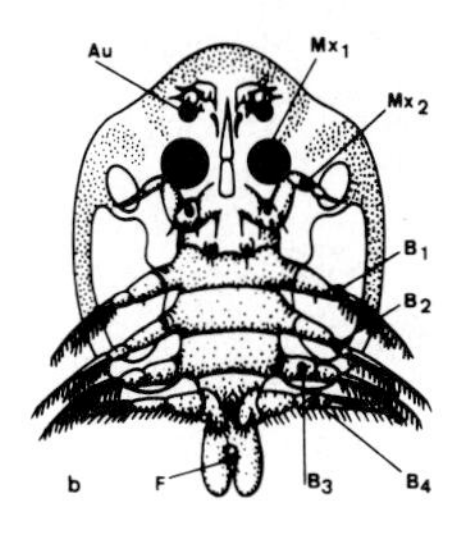

Argulus foliaceus = pou de la carpe
a) vue dorsale, b) vue ventrale; AB = Abdomen, AU = yeux composés; B_1–B_4 = péreiopodes (pattes thoraciques natatoires); F = furca; Fl = expansions latérales de la carapace; K = partie céphalique de la carapace.

secondes), permanganate de potassium (1 g pour 100 l, 90 minutes), Neguvon* (solution à 2–3%, 10–30 minutes) et Masoton* (solution à 2,5%, 1–10 minutes) ainsi que bain prolongé avec du DDT* ou du lindane* (pour les deux, 1 mg pour 100 l d'eau, quelques jours).

* Pas en vente libre. Attention poison!

3. *Mycoses ou Champignons*

Saprolégniose et Achlyose

Mousse – Moisissures

Symptômatologie: Les parties lésées du tégument sont couvertes d'un dépôt ressemblant à une boule de coton hydrophile qui se colore progressivement en brun. Ce phénomène correspond au développement des sporanges. Si les poissons malades sont sortis de l'eau, la boule de parasites s'effondre. La peau, les branchies, la bouche, les nageoires et les yeux peuvent être atteints.
Technique d'étude: Des frottis de peau, confectionnés avec du matériel frais sont observés sous un grossissement de 50–120. On peut observer des filaments fins et transparents (hyphes) avec des sporanges sombres.
Parasites: Il s'agit de champignons des genres *Saprolegnia* et *Achlya* qui appartiennent à l'ordre des Oomycètes. L'ensemble des

Saprolégniose chez un Barbus de Sumatra (*Barbus tetrazona*). Les nageoires surtout sont fortement atteintes.

divers filaments (hyphes) est appelé mycélium. Le mycélium des champignons cités plus haut est filiforme et polynucléé. Il ne possède de cloisons. La reproduction asexuée se réalise grâce à des zoospores qui se développent dans des sporocystes cylindriques. Après un changement de forme passager, les zoospores se fixent sur un substrat (cadavre d'insecte, poisson présentant une lésion) et développent de nouvelles hyphes.

Pathogénicité: Ces champignons de la peau ne sont que peu pathogènes. *Saprolegnia* et *Achlya* ne parasitent que des animaux affaiblis ou porteurs de lésions. Les poissons sains ne sont pas infestés. Les différentes espèces de *Saprolegnia* et d'*Achlya* ne peuvent parasiter un poisson qu'au cas où la fonction de défense de la muqueuse du poisson est amoindrie ou lorsque la muqueuse présente des lésions. Ces lésions provoquent une variation du pH de la muqueuse et permettent ainsi au champignon de rencontrer des conditions de vie optimales. Lors d'une attaque importante, le mycélium de *Saprolegnia* et *Achlya* pénètrent dans la musculature et provoquent là des dégats importants. L'infestation par *Saprolegnia* ou *Achlya* peut avoir plusieurs origines: 1. Blessures mécaniques de la muqueuse, 2. Température de l'eau trop basse pour l'espèce de poissons concernée. Elle représente la cause la plus fréquente de la maladie chez les poissons d'aquarium, 3. Dégénérescence de la muqueuse à la suite d'une acidose ou d'une alcalose. Ces lésions peuvent déjà se manifester à des concentrations très faibles, 4. Lésions provoquées par la pourriture bactérienne des nageoires ou des opercules, 5. Des abcès de la musculature qui s'ouvrent vers l'extérieur et sont envahis alors par les champignons.

Traitement: Souvent il sera suffisant d'augmenter la température de l'eau ou de transférer les poissons dans une eau vieillie mais propre. En plus, se sont avérés efficaces, des bains dans une solution de permanganate de potassium (1 g pour 100 l d'eau, 30 minutes) ou de barbouiller avec un pinceau les lésions avec du Rivanol.

Pour la prévention, on utilise du vert de malachite qui enraye le développement des *Saprolegnia* et *Achlya.* Le commerce aquariophile propose des préparations qui, sans détruire les moisissures, évitent une surinfection bactérienne et viennent ainsi en aide au poisson (Tetra General Tonic entre autres).

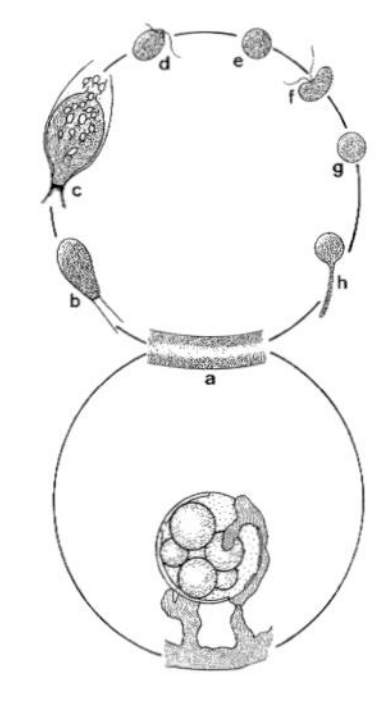

Cycle de développement de *Saprolegnia* spec.
Cycle supérieur: multiplication asexuée; cycle inférieur: phase de reproduction sexuée. Les poissons présentent, le plus souvent, la phase asexuée seulement. a) Hyphes, b) Formation du sporocyste, c) Sporocyste avec zoospores, d) Zoospores à deux flagelles (à insertion apicale), e) Spores (sans flagelle), f) Zoospores secondaires à deux flagelles (flagelles latéraux), g) Spore, h) Germination de la spore, f) et g) interviennent seulement si la nutrition des champignons est déficiente.

4. Bactéries et virus

Hydropysie infectieuse

Symptômatologie: La maladie se présente sous deux formes bien distinctes: l'hydropisie typique et une forme ulcéreuse. L'hydropisie typique se manifeste par les symptômes suivants: exophtalmie; yeux enfoncés dans les orbites, inflammation et prolapse de l'anus et branchies pâles. On peut observer également un érythème de la peau et une destruction importante des nageoires. La cavité abdominale contient un liquide purulent (ascite) qui distend l'abdomen des poissons. Des adhérences internes et un foie coloré de jaune à vert constituent également des symptômes caractéristiques. Les abcès de la forme ulcéreuse montrent une coloration typique. L'abcès lui même est rouge. Il est entouré d'un anneau blanc autour duquel la peau est noire. Des endroits de la peau proéminents, dépourvus d'écailles («bosses de castor») et des défauts de l'écaillure sont d'autres symptômes de la forme ulcéreuse.

Technique d'étude: L'aspect externe des poissons malades est suffisant pour la diagnose de cette infection. D'autre part, un poisson atteint peut être disséqué. L'attention sera portée sur le foie: une coloration du foie jaune, rouille ou bleue et des taches sont des signes infaillibles de l'hydropisie infectieuse.

Etiologie: L'identité du germe responsable de l'hydropisie infectieuse est encore discutée. De nombreux chercheurs pensent pouvoir incriminer l'hydropisie aux bactéries *Aeromonas punctata* et *Pseudomonas fluorescens. Aeromonas punctata* est un bâtonnet Gram-négatif de 1–2,2 μm de long et 0,5–0,8 μm de large et muni d'un flagelle. La bactérie meurt si elle est soumise durant deux heures à une température supérieure à 50° C. Sa mort peut également être provoquée par déssication.

Pathogénicité: La maladie est hautement contagieuse. Le plus souvent, l'hydropisie n'atteint que des poissons affaiblis, par exemple à la suite d'une autre maladie ou par des conditions défavorables de l'environnement. La maladie est redoutable pour les poissons à cause de la destruction de la muqueuse intestinale et de la formation d'abcès. Les hématies dégénèrent et sont détruites avec pour conséquence un changement dans la composition du sang. D'autre part, le foie montre des lésions et des destructions. Ces quelques exemples ne donnent qu'une vue approximative de l'action pathogène de l'hydropisie infectieuse. Les Cyprinidés sont les poissons les plus exposés. Heureusement cette maladie est assez rare en aquarium.

Traitement: L'hydropisie infectieuse est difficile à soigner avec des médicaments. Il est de loin plus important de prendre des mesures

Hérissement des écailles chez un Cichlidé (*Pseudotropheus estherae*). Les écailles s'écartent du corps. Le hérissement des écailles est le plus souvent la conséquence de l'hydropisie infectieuse mais il peut également survenir à la suite du gonflement des organes internes après absorption de larves de chironomes.

préventives qui passent de l'addition à la nourriture d'antibiotiques (chloramphenicol, streptomycine, leucomycine) à la distribution d'une nourriture variée. Une nourriture uniforme (alimentation) détériore le foie et peut avancer la manifestation de la maladie. Il est préférable de retirer de l'aquarium les poissons malades et de les détruire.

Syndrome typique de la tuberculose du poisson: saignement à proximité de l'insertion des écailles et des nageoires. Le même syndrome peut se manifester après un stress. Des bagarres provoquant des blessures de la peau et des nageoires peuvent déclencher l'apparition d'autres maladies. Pour cette raison, il faut retirer à temps de l'aquarium, les poissons affaiblis et malades.

Mycobactériose ou Tuberculose du poisson (Tuberculosis piscium)

Symptômatologie: Les symptômes de cette maladie sont extrêmement variés. Les animaux montrent souvent de l'inappetence suivie de l'amaigrissement des poissons («ventre creux», «dos en lame de couteau»). La coloration pâlit, il apparait des inflammations de la peau, une régression des nageoires, les organes internes montrent des nécroses et sur ou dans les organes apparaissent des nodules. D'autre part, les poissons atteints deviennent apathiques et montrent une altération de la nage. Le gonflement des yeux, l'exophtalmie, des défauts des écailles, la déformation des mâchoires et de la colonne vertébrale constituent d'autres symptômes de la maladie.

Technique d'étude: Seule la présence de bâtonnets résistants à l'acide, immobiles et Gram-positifs permet le diagnostic exact de la tuberculose du poisson. Il est difficile pour un profane d'apporter cette preuve. On confectionne des préparations en arrachant des fragments de l'intestin, du cœur, du rein et du foie et des frottis à partir des tissus du rein et de la rate. L'observation des préparations est faite sous un grossissement de 120–600 et celle des frottis est faite sous immersion (1300 fois).

Etiologie: Des bactéries du genre *Mycobacterium* sont probablement responsables de la tuberculose du poisson. Ces bactéries sont des bâtonnets rectilignes ou en forme de virgule, résistantes aux acides et Gram-positives. *Mycobacterium* peut se multiplier à des températures allant de 10 à 37° C. La température optimale est de 25° C. La longueur de la bactérie est de 1–6 μm. *Mycobacterium piscium* peut attaquer toutes les espèces de poissons d'aquarium d'eau douce.

Pathogénicité: La tuberculose est la maladie la plus grave pour les poissons d'aquarium. Elle est très contagieuse et transmise en général de poisson à poisson. La contagion peut s'effectuer également par l'intermédiaire du sol. La tuberculose des poissons peut se déclarer brusquement et tuer les poissons de façon épidémique sans manifestation externe visible. L'évolution de la maladie peut également être lente (latente) et les symptômes sont variables selon les organes atteints (voir symptômatologie). La gravité de cette maladie réside principalement dans le fait que les organes atteints se nécrosent.

Traitement: Un traitement médicamenteux de la tuberculose des poissons ne peut guère être envisagé qu'avec des antibiotiques (tetracycline). Tous nos efforts doivent porter sur la prévention; la tuberculose étant une maladie atteignant les poissons affaiblis, il faut l'éviter. Pour cette raison, la nourriture des poissons doit être variée. Les aquariums ne doivent pas être surpeuplés, il doit règner une relation correcte entre le volume de l'eau et le nombre de poissons maintenus dans l'aquarium (5 litres d'eau par poisson). De plus, il faut veiller à maintenir une propreté absolue dans l'aquarium.

Pourriture bactérienne des nageoires (Bacteriosis pimarum)

Symptômatologie: Les bords des nageoires deviennent légèrement ternes: c'est le premier symptôme qui passe facilement inaperçu. Plus la maladie s'aggrave, plus les lésions deviennent visibles. Les nageoires sont effilées, lacérées et se racourcissent de plus en plus. Le bord des nageoires est alors le plus souvent légèrement entaillé. Pour finir il ne subsistera qu'un moignon en pourriture. Des poissons présentant de telles lésions subissent souvent une attaque secondaire par des moisissures (*Saprolegnia, Achlya*). Ces champignons accélèrent encore la régression des nageoires.
Technique d'étude: Un frottis réalisé à partir d'une nageoire malade est observé au microscope sous un grossissement de 600 au minimum.
Etiologie: La pourriture bactérienne des nageoires peut être provoquée par les bactéries suivantes: *Pseudomonas fluorescens,* différentes espèces d'*Aeromonas* et *Haemophilus piscium.* La pourriture des branchies (*Branchiomycosis*) par contre est provoquée par un champignon Phycomycète du genre *Branchiomyces.* Cette maladie conduit à la destruction des branchies.
Pathogénicité: La majorité des auteurs donnent la pourriture bactérienne des nageoires comme très contagieuse. D'après STERBA, des conditions de l'environnement favorisent l'apparition de la pourriture bactérienne des nageoires. Un changement trop tardif de l'eau ou un maintien de poissons dans une eau trop froide peuvent également être responsables de l'apparition de la maladie. Les poissons atteints sont profondément déformés et leur liberté de mouvement très restreinte.
Traitement: D'après certains chercheurs le traitement médicamenteux de la pourriture bactérienne a peu de chance de succès. Néanmoins une amélioration semble pouvoir être obtenue avec un bain avec de la trypaflavine (1 g pour 100 litres) ou des sulfamides (Albucid, Globucid; 1 g par litre). Un maintien adéquat et une élévation de la température semblent avoir une action positive. Un bain de longue durée avec du chloramphenicol* (60 mg par litre pendant 6 jours) peut apporter une guérison définitive.

* N'est délivré que sur ordonnance.

Pourriture bactérienne des nageoires
a–d) Stades successifs de la maladie; e) nageoire caudale atteinte (à plus fort grossissement).

Columnariose ou Maladie à Columnaris

Moisissures de la bouche ou mousse aux lèvres.

Symptômatologie: Le symptôme extérieur caractéristique est la présence de taches gris-blanc à la tête, aux nageoires, aux branchies et sur le corps. Ce revêtement cotoneux apparait principalement dans là région buccale. Ces taches finissent par se transformer en des abcès.
Technique d'étude: Des plages infestées sont curetées et le matériel ainsi retiré est observé à fort grossissement (minimum 600 fois) au microscope. Mais pour une détermination exacte, la bactérie doit être cultivée *in vitro,* ce qui n'est pas possible pour un profane par manque de matériel.
Etiologie: La columnariose est provoquée par des bactéries Gram-négatives. La coloration de Gram est une technique spécifique de coloration des bactéries. Lorsque celles ci se colorent en violet, elles sont dites Gram-positives, si elles ne montrent pas cette coloration, elles sont dites Gram-négatives. Deux bactéries du groupe des Myxobactéries sont responsables de la columnariose: *Chondrococcus columnaris* et *Cytophaga columnaris.* La taille des deux bactéries varie entre 0,5 × 5 et 10 µm. Les bactéries pénètrent dans les poissons par des lésions du tégument.
Pathogénicité: La columnariose est une maladie très contagieuse et grave. Elle peut anéantir la totalité des occupants d'un aquarium. Les capillaires sanguins sont hyperhémiques (surabondance de sang) et peuvent être déchirés. L'inflammation de la musculature est fréquente.
Traitement: Une certaine prévention de la columnariose peut être obtenue si on évite le surpeuplement en poissons, par une aération suffisante et en retirant de suite les poissons malades. Traitement identique à celui mentionné pour la saprolégnose.

Lymphocystose (Lymphocystis)

Symptômatologie: Les poissons malades présentent des tumeurs en forme de mûres à divers endroits du corps. Les nageoires surtout sont souvent très atteintes. De petits nodules, alignés en rangée de perles peuvent également apparaitre.
Technique d'étude: L'étude de ces formations ne peut pas être entreprise par un profane car elle nécessite l'observation des lésions aux microscopes optique et électronique.

Etiologie: La lymphocystose est provoquée par un virus à ADN. Le virus est présent et se multiplie dans le cytoplasme. Il présente un diamètre de 180–220 nm (1 nm = 1 millionième de mm). Le virus de la *lymphocystose* est classé parmi les virus cubiques en raison de ses contours hexagonaux. A une température allant jusqu'à 25° C, le virus infeste en deux à trois jours la cellule. Des altérations cytoplasmiques peuvent être observées au sixième jour de l'infection qui atteint son point culminant au quinzième jour. Les cellules atteintes dégénèrent, éclatent et libèrent les virus infectieux. Le virus conserve son pouvoir infectieux durant deux mois.
Pathogénicité: La lymphocystose est contagieuse. Parfois elle peut devenir épidémique et détruire la totalité des poissons. Les tumeurs lymphocystiques sont formées de cellules conjonctives qui se gigantisent (cellules géantes). Les cellules atteintes sont détruites lentement durant la phase de multiplication virale. Il est à noter que les poissons atteints de lymphocystose ne sont pas handicapés dans leurs manifestations vitales.
Traitement: Il n'existe pas de médicament éfficace contre la lymphocystose. Lorsque l'atteinte se limite à des parties de nageoires, celles ci sont sectionnées avec des ciseaux. Les poissons atteints de lymphocystose doivent être retirés de l'aquarium et immédiatement détruits, les poissons qui ne semblent pas atteints sont transférés dans un autre aquarium où ils doivent séjourner deux mois au minimum. Après cette quarantaine seulement, ils peuvent être considérés comme sains. Quant à l'aquarium, il est vidé et désinfecté à l'acide chlorhydrique. On peut essayer de badigeonner les parties atteintes des nageoires avec de la teinture d'iode. Ce traitement a été couronné de succès dans certains cas.

Maladies sans manifestations externes

1. Unicellulaires

Cryptobiose ou Maladie à *Cryptobia*

«Maladie du sommeil» des poissons.

Symptômatologie: Les animaux malades prennent souvent une position oblique («position tête en bas») à proximité du sol. Ils deviennent inertes et en cas d'extrême peuvent être attrapés à la main, ils «dorment». Les mouvements natatoires des poissons peuvent être un tournoiement. Les yeux sont profondément enfoncés et les animaux maigrissent. Les branchies sont pâles (anémie).
Technique d'étude: Des tissus rénaux sont prélevés sur un poisson fraichement tué puis ouvert. Des préparations sont confectionnées avec des fragments arrachés. Les parasites sont encore présents dans le sang des poissons morts. Là des frottis sont réalisés. Les parasites sont visibles à partir d'un grossissement de 150.

Parasite: La maladie est provoquée par un Flagellé du genre *Cryptobia*. Il faut citer plus particulièrement *Cryptobia cyprini*. Cette espèce mesure de 20 à 25 μm de long. *Cryptobia cyprini* vit dans l'intestin de sangsues de poissons (*Piscicola*) et il est transmis au poisson lors de la morsure. *Cryptobia* peut être observé au bout de sept jours dans le sang des poissons. Ces unicellulaires possèdent deux flagelles.
Pathogénicité: Une atteinte importante par *Cryptobia* peut avoir pour conséquence la mort des poissons. La présence de *Cryptobia* réduit la teneur en hémoglobine du sang de 10% et le nombre des hématies même de 40%. Comme les sangsues des poissons ne sont guère tolérées en aquarium, la cryptobiose n'y apparait qu'exceptionnellement. Elle a été observée jusqu'à présent chez le poisson rouge et des Cichlidés récoltés dans le Lac Malawi.
Traitement: La maladie ne peut être guérie. Les animaux atteints sont retirés de l'aquarium et détruits. Les sangsues introduites dans l'aquarium sont également retirées.

Néon (*Paracheirodon innesi*) atteint de *Plistophora hyphessobryconis*.

Cryptobia spec.: 3 *Cryptobia* et 5 hématies nucléées.

Plistophorose (Sporozoasis myolytica)
Maladie du Néon

Symptômatologie: La maladie peut prendre des aspects différents car les symptômes ne sont pas toujours identiques. Chez les poissons atteints, la coloration corporelle pâlit et chez le Néon, la bande phosphorescente est interrompue. Cette interruption de la bande phosphorescente n'est toutefois pas un symptôme général. La musculature des poissons est souvent transparente, éclaircie ou apparait terne et laiteuse. Les animaux semblent épuisés et présentent des troubles de l'équilibre. Leur nage est difficile, la tête ou le ventre sont dirigés vers le haut. Par des mouvements brusques, de tels poissons tentent de se remettre dans une position normale. Des Néons atteints de plistophorose adoptent un comportement atypique. Ils s'isolent de leur groupe et se déplacent sans arrêt la nuit. Les Néons sains ont une position de sommeil caractéristique (ils se tiennent immobiles à quelques centimètres du sol). Amaigrissement et ventre creux constituent chez les poissons d'autres symptômes de cette maladie.

Technique d'étude: Pour une étude précise, des préparations sont confectionnées avec des fragments de muscles frais arrachés et écrasés. On peut alors observer, à un grossissement de 150 à 200, les oocystes caractéristiques qui se présentent comme des éléments sphériques, denses à la lumière (d'apparence sombre).
Parasite: La maladie a pour principal responsable le Sporozoaire *Plistophora hyphessobryconis* mais d'autres espèces de *Plistophora* peuvent également en être à l'origine. Le cycle de développement de *Plistophora hyphessobryconis* n'est pas encore connu avec certitude. Le parasite a été découvert sur le Néon commun (*Paracheirodon innesi*) et décrit en 1941 par SCHÄPERCLAUS. Comme la maladie fut découverte chez le Néon, elle reçut le nom, partiellement incorrect, de maladie du Néon. Actuellement on sait que d'autres poissons peuvent être infestés, notamment d'autres Characidés et des cypriniformes dont les Cichlidés. La musculature abdominale est surtout atteinte. Elle contient les vésicules de spores déjà mentionnées. Il s'agit de vésicules sphériques qui contiennent 16 à 32 spores. Souvent plusieurs vésicules sont regroupées dans un kyste développé par l'hôte. L'ouverture des oocystes libère des spores mesurant de 3 à 6 μm. Chaque spore donne naissance à un élément amoeboide qui sera à l'origine d'une nouvelle sporogenèse. Ce phénomène est à l'origine d'une surinfection permanente et ainsi de l'extension de la maladie. Comme les reins peuvent également être atteints, les spores sont éliminés avec l'urine. Les spores peuvent alors être absorbés avec les aliments par des poissons sains et provoquer l'infection.
Pathogénicité: La maladie est très dangereuse car elle détermine des lésions importantes au niveau de la musculature. Les oocystes écartent les fibres musculaires qui sont en partie détruites. Une lyse des muscles intervient et parfois les poissons sont atteints d'une courbure latérale (scoliose). Avec le sang, les spores pénètrent également dans le foie, les reins et le derme et forment dans ces organes de nouveaux foyers d'infection. Une surinfection est toujours possible.
Traitement: Il n'existe pas de thérapeutique contre cette maladie. Pour cette raison, des mesures préventives sont de grande importance. Dès la découverte d'un cas de plistophorose les poissons malades sont éliminés et l'aquarium est désinfecté, ainsi que le sol et le matériel, de préférence avec de l'acide chlorhydrique ou du Chloramin. D'après SCHUBERT, un tamis déposé sur le sol peut empêcher les poissons de ramasser des spores mais l'efficacité de cette méthode semble discutable.

Enteriticoccidose des Cyprinidés

Symptômatologie: Les poissons malades présentent des yeux enfoncés et sont souvent amaigris. Ils peuvent se tenir la tête tournée vers le bas. Ils montrent une inflammation de l'intestin et une pression sur le ventre provoque un écoulement par l'anus du contenu intestinal jaune.

Technique d'étude: L'intestin prélevé sur un poisson venant d'être tué est ouvert. Avec une spatule, on prélève un peu de son contenu et on racle superficiellement la muqueuse intestinale. Les deux sont observés au microscope, dans une goutte d'eau entre lame et lamelle sous un grossissement de 150 à 600. Le plus souvent on observe des schizogonies de 8 à 14 µm dans lesquelles on reconnait de nombreuses cellules ovales (schizozoites) de 5 à 8 µm de long.

Parasite: L'enteriticoccidose est provoquée par la Coccidie *Eimeria cyprini.* L'infection débute par l'absorption de parasites contenus dans la vase au fond de l'aquarium ou l'absorption d'excréments de poissons déjà infestés.

Pathogénicité: La maladie est passablement contagieuse. C'est la muqueuse intestinale (mucosa) qui est atteinte. C'est en elle mais également dans les parties contigues de la sous-muqueuse que se déroulent les phases intracellulaires de schizogonie, de la formation des gamontes et de la sporogenèse du Sporozoaire. La maladie détermine une inflammation importante de l'intestin. La partie malade de l'intestin se reconnait à sa coloration jaunâtre.

Traitement: Il n'existe pas de thérapeutique contre l'enteriticoccidose. Par contre, les poissons peuvent être protégés par des mesures préventives. Les parasites peuvent être facilement introduits avec du *Tubifex* ou des larves de Chironomes récoltés dans des eaux poissonneuses. Pour cette raison, il vaut mieux reconcer à nourrir les poissons avec des proies récoltées dans de telles eaux. Les poissons malades doivent être éliminés et l'aquarium doit être soumis à une désinfection.

Hexamitose ou Maladie à *Hexamita (Octomitus)*

Symptômatologie: Les poissons malades se déplacent par des mouvements jaillissants. Les animaux maigrissent et tendent à adopter une coloration sombre. A la dissection des poissons, on observe des unicellulaires à déplacement rapide dans le rectum, la vésicule biliaire et le sang. L'intestin est surchargé en mucus et présente souvent une inflammation. Le contenu intestinal peut être infiltré de sang. La vésicule biliaire est hypertrophiée et durcie chez les animaux fortement atteints.

Technique d'étude: Seuls les poissons fraichement tués par décapitation sont utilisables pour une étude. Les animaux sont ouverts et des préparations sont confectionnées avec des fragments arrachés à la vésicule biliaire et au rectum. Les préparations sont observées au microscope à un grossissement de 120.

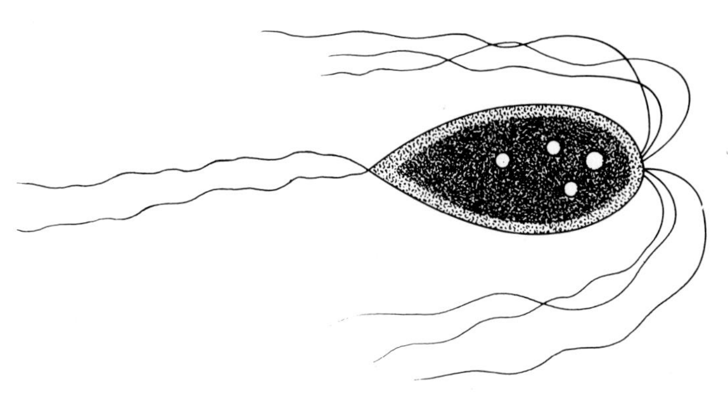

Flagellata = Zooflagellés: *Hexamita* spec.

Parasite: L'hexamitose est provoquée par un Zooflagellé du genre *Hexamita* (= *Octomitus*). *Hexamita salmonis, H. symphysodonis* et *H. intestinalis* sont les espèces les mieux connues. Un autre genre (*Spironucleus*) ressemble beaucoup à *Hexamita* et il est impossible de distinguer les deux dans l'aquarium. La forme de la cellule est ovale chez *Hexamita salmonis* qui possède deux noyaux. A l'avant de la cellule se trouvent 3 groupes de 3 flagelles, à l'arrière 3 flagelles directionnels. Cette espèce d'*Hexamita* mesure de 7 à 13 μm de long. Les espèces du genre *Hexamita* se caractérisent par une attitude de déplacement apparaissant saccadée et chancelante.

Pathogénicité: *Hexamita* est à l'origine d'inflammations de la vésicule biliaire et de l'hypertrophie de l'épithélium de celle ci. Un amaigrissement important en est la conséquence; l'issue peut être fatale pour les poissons. Ce parasite ne joue pas un rôle important dans l'aquarium bien que toutes les espèces de poissons puissent être atteintes. Par contre, *Hexamita* peut provoquer une mortalité élevée chez des poissons d'importation récente. Des parasites isolés, commensaux inoffensifs, sont présents dans l'intestin de chaque poisson. *Hexamita* ne viendra à pulluler qu'après une situation de faiblesse du poisson à la suite d'une autre maladie ou à un changement du milieu. L'infection par *Hexamita* accompagne souvent la tuberculose du poisson.

Traitement: Il faut éviter de nourrir les poissons d'aquarium avec des proies récoltées dans des étangs poissonneux puisque *Hexamita* et *Spironucleus* sont introduits avec de la nourriture vivante provenant de tels étangs. Des médicaments utilisables contre ces parasites sont encore au stade de l'expérimentation. Les auteurs américains recommandent l'addition à la nourriture de kalomel à 0,2% (chlorure [1] de mercure) pendant deux jours ou de Carcasone à 0,2% pendant quatre jours. Ces médicaments seraient efficaces (?) contre *Hexamita*.

2. *Métazoaires*

Sanguinocolose ou Parasitose à Digéniens de l'appareil circulatoire.

Symptômatologie: Cette maladie se manifeste par la mort des poissons. Leurs branchies sont pâles, partiellement décolorées et éclaircies. D'autre part, les poissons se font remarquer par une nage lente et indolente. Cette maladie atteint avant tout les poissons cyprinodontiformes.

Technique d'étude: Des prélèvements sont faits sur des poissons fraichement tués: des préparations sont réalisées par arrachement ou écrasement de fragments de foie, de rein et de branchies. Elles sont observées au microscope à un grossissement de 120 à 600. Sur un prélèvement de sang, on peut observer les œufs de forme caractéristique, en forme de mitre, du parasite.

Parasite: Cette parasitose de l'appareil circulatoire est provoquée par un ver Digénien du genre *Sanguinicola*. Les vers arrivés à maturité sexuelle mesurent de 1 à 1,5 mm de long et vivent dans le système vasculaire des poissons. *Sanguinicola* affectionne avant tout le bulbe arteriel des vaisseaux branchiaux et des reins. Les *Sanguinicola* adultes sont fusiformes. Un seul œuf à la fois peut être observé dans les voies génitales de la femelle. Les œufs se développent en été et en automne et doublent de volume après leur rejet dans le sang. Ils sont entraînés par le flux sanguin vers les branchies, la musculature cardiaque, le foie, le rein ou vers d'autres organes. Les œufs mesurent 40 à 70 μm de long et leur largeur est de 30 à 40 μm. Les œufs donnent naissance à des larves ciliées (miracidium) qui percent

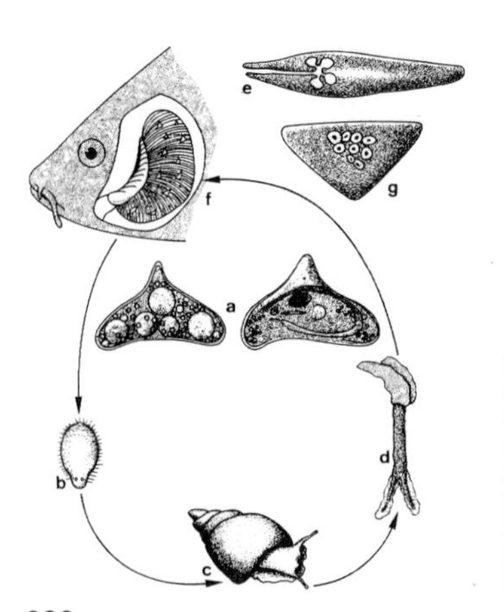

Digéniens = vers plats
Cycle parasitaire de Sanguinicola inermis: a) Œufs, b) Miracidium = larve ciliée, c) Gastéropode = hôte intermédiaire, d) Cercaire (*Cercaria cristata*), e) *Sanguinicola* à maturité sexuelle, f) Œufs de *Sanguinicola* dans les branchies, g) Œufs dégénérés et enkystés dans le rein.

un passage vers l'extérieur et vont parasiter un Gastéropode aquatique. Dans le Mollusque, chaque miracidium se transforme en un sporocyste contenant des rédies puis des cercaires. Le sporocyste libère les cercaires. Les cercaires deviennent libres et nagent à la rencontre d'un poisson. Après sa pénétration dans le poisson, le cercaire perd son appendice caudal fourchu et se transforme en un ver sexuellement mûr.

Pathogénicité: Les vers de la sanguinicolose, lorsqu'ils arrivent à pulluler, ou leurs œufs, peuvent obstruer les vaisseaux et les capillaires branchiaux et provoquer ainsi des thromboses à issue fatale. Les œufs sont charriés vers les reins où ils sont enkystés et dégénèrent. D'autre part, une partie du tissu branchial peut dépérir; il en résulte une diminution de la surface assurant les échanges respiratoires.

Traitement: Après le développement de cette parasitose, il n'existe plus de possibilité de guérison. Mais elle peut être vaincue au bout d'un certain temps si tous les Gastéropodes (= hôtes intermédiaires) de l'aquarium sont détruits. L'absence de Gastéropodes dans un aquarium est la mesure préventive la plus sûre contre la sanguinicolose.

Parasitoses à vers solitaires (Cestodes)

Symptômatologie: L'intestin des poissons atteints présente une inflammation et une présence abondante de mucus. Lorsque les parasites pullulent, la lumière de l'intestin peut être obstruée. Les poissons maigrissent et souffrent d'anémie (branchies claires). On trouve les larves des vers solitaires partout dans le corps du poisson sous forme de nodules blanchâtres ou également plus sombres.

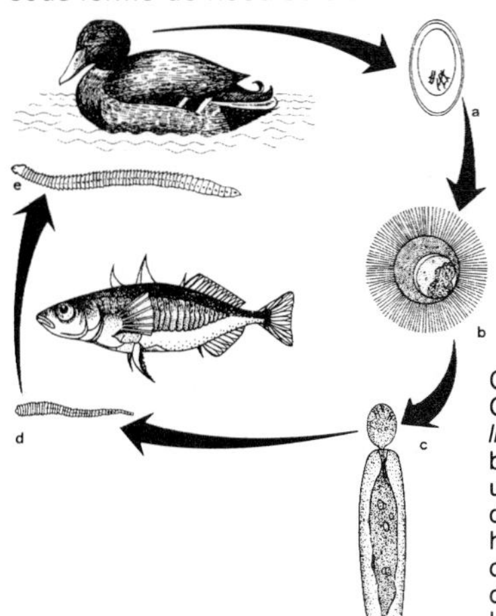

Cestodes = vers solitaires
Cycle parasitaire de *Schistocephalus solidas* parasitant une Epinoche: a) Œuf, b) Coracidium, c) larve procercoide dans un Copépode = ler hôte intermédiaire, d) Ptérocercoide dans l'Epinoche = 2e hôte intermédiaire, e) Ver adulte dans un oiseau aquatique = hôte définitif. Les différents stades ne sont pas dessinés à la même échelle.

Les yeux des poissons peuvent être globuleux et ternes.

Technique d'étude: La dissection d'un poisson fraichement tué laisse apparaitre dans l'intestin des vers de 8 à 15 mm de long. Les larves du ver solitaire peuvent être identifiées dans des préparations de matériel écrasé, prélevé sur la musculature ou sur les organes internes. Comme les vers solitaires adultes, les larves possèdent déjà une tête munie de ventouses.

Parasites: Deux genres de Pseudophyllidés peuvent intéresser l'aquariophile: *Caryophyllaeus* et *Khawia.* Accessoirement la ligulose peut intervenir, elle est provoquée par *Ligula intestinalis.* Les adultes de *Caryophyllaeus* et *Khawia* parasitent l'intestin des poissons tandis que la ligulose est provoquée par la larve de *Ligula intestinalis.*

Le cycle parasitaire des Cestodes est le plus souvent assez complexe avec un ou deux changement d'hôtes. *Khawia sinensis* mesure de 80 à 170 mm de long et 3,5 à 5 mm de large à l'état adulte tandis que l'adulte de *Caryophyllaeus fimbriceps* atteint seulement 15 à 25 mm de long et 1 à 1,5 mm de large et son corps n'est pas segmenté. Pour les deux vers, l'hôte intermédiaire est le *Tubifex* dans lequel se développe la larve (procercoîde). Lorsqu'un *Tubifex* infesté est consommé par un poisson, la larve procercoîde se libère et se développe en ver sexuellement mûr. Les Ligules adultes vivent dans l'intestin d'oiseaux aquatiques. Les œufs, de *Ligula,* lorsqu'ils tombent dans l'eau, libèrent une larve ciliée, le coracidium. Ce dernier est consommé par un Copépode (*Diaptomus, Cyclops*) dans la cavité générale duquel il se transforme en larve procercoide. Le Crustacé constitue le premier hôte intermédiaire. Lorsque celui-ci est absorbé par un poisson (= 2e hôte intermédiaire) la larve procercoide se transforme dans la cavité abdominale du poisson en une larve plerocercoide. Le ver adulte atteint la maturité sexuelle dans l'intestin de l'oiseau qui aura consommé un poisson infesté.

Pathogénicité: Lorsque les parasites pullulent, ils provoquent des lésions au niveau de la muqueuse intestinale. Il en résulte un amaigrissement et un ralentissement de la croissance des poissons. Chez les poissons d'aquariums, il suffit de quelques exemplaires de *Khawia* ou de *Caryophyllaeus* pour entrainer la mort. Au cours d'une infection par *Ligula,* l'étude histologique montre un rétrécissement des vaisseaux et on peut observer une atrophie d'organes internes dues à la pression et des nécroses locales.

Traitement: Il est plus facile de prévenir une parasitose à Cestodes que de la guérir. L'infection peut être évitée lorsqu'on ne distribue pas, comme nourriture, des Copépodes et du *Tubifex* (les deux sont des hôtes intermédiaires). La présence de larves de Cestodes ne peut être guérie. Un traitement chimique n'est guère utilisable chez les poissons d'aquarium car tous les produits helminthicides se sont révélés plus ou moins toxiques pour les poissons. Des conseils pour la lutte contre les Cestodes en aquaculture sont donnés par AMLACHER (1976).

Parasitoses à vers ronds (Nematodoses)

Symptômatologie: Une atteinte légère est supportée sans que les poissons ne montrent le moindre symptôme. En cas d'infection plus importante, les poissons deviennent ternes, mangent moins et maigrissent. Une inflammation peut atteindre le foie et l'intestin. Parfois des vers peuvent pendre hors de l'anus.

Technique d'étude: A la dissection de poissons fraichement tués, les vers se présentent comme de fins fils de 1 à 2 mm de long et vivants dans l'intestin. Les animaux sont exceptionnellement plus longs. Leurs œufs peuvent être facilement mis en évidence dans les excréments observés au microscope. Un prélèvement d'un peu du contenu intestinal est observé dans une goutte d'eau au microscope à un grossissement de 50 à 120. La présence de deux nodules aux extrémités est une caractéristique constante des œufs. La présence de larves de Nématodes est mise en évidence par prélèvement sur différents organes de fragments qui servent à réaliser par écrasement des préparations qui sont observées au microscope.

Parasites: Les nematodoses sont provoquées par des vers de la classe des Nématodes (vers ronds) de couleur blanchâtre à brunâtre et dont la forme de corps est ronde en coupe. Les animaux sont éffilés à l'avant. Chez les Nématodes, les sexes sont séparés. Il existe chez eux des espèces ovipares et vivipares. Les mâles sont en général plus petits que les femelles et ils possèdent deux épines dévaginables (spicules) à l'extrémité postérieure du corps. Les poissons peuvent jouer le rôle aussi bien d'hôte définitif que d'hôtes intermédiaires. Les larves des Nématodes se trouvent dans le tégument, la musculature et dans les organes internes lorsque les poissons jouent le rôle d'hôte intermédiaire. Les larves des Nématodes sont encapsulées par le tissu conjonctif du poisson et se présentent alors sous forme de nodules mesurant de 0,5 à 1 mm. Par contre, lorsque les poissons jouent le rôle d'hôte définitif, les Nématodes adultes vivent dans le tube digestif. Les vers ronds peuvent parasiter pratiquement tous les poissons d'aquarium bien que certains groupes soient particulièrement exposés. Les Trichiures du genre *Capillaria* sont les Nématodes les plus dangereux pour les poissons d'aquarium. Les *Capillaria* ne comportent pas d'hôte intermédiaire dans leur cycle et sont donc directement transmissibles. Les *Capillaria* se rencontrent fréquemment chez les Silures et les Cichlidés, le Scalaire étant l'hôte le plus fréquent de ces parasites.

Pathogénicité: Les Nématodes peuvent constituer une atteinte particulièrement grave pour la santé des poissons en raison de leur localisation, ainsi que de celle de leurs larves, dans les organes internes. D'autre part, des lésions de la muqueuse intestinale peuvent apparaitre, avec comme conséquence une inflammation. Les poissons maigrissent et meurent.

Traitement: La lutte contre les Nématodes est difficile car les médicaments contre ces vers (Neguvon par exemple) doivent être utilisés chez les poissons avec d'extrême précautions car les poissons sont très sensibles à ces produits. Les poissons atteints sont retirés de l'aquarium et tués ou isolés pour éviter une infection directe des animaux encore indemnes par *Capillaria.* Dans la littérature, il est recommandé de distribuer de la nourriture sèche mise à tremper dans du parachlorometaxylenol. Des bains avec ce produit peuvent également se montrer éfficaces. Des larves enkystées (encapsulées) de Nématodes ne peuvent pas être éliminées.

Parasitose à Acanthocéphales

Symptômatologie: Quelques Acanthocéphales sont supportés par les poissons et sans que ceux ci ne montrent de réaction extérieure. Mais lors d'une atteinte plus importante, les poissons maigrissent et peuvent mourir. Dans certains cas, l'anus montre une inflammation. A la dissection du poisson, on trouve les œufs d'Acanthocéphale dans le contenu intestinal. L'intestin est souvent obstrué et atteint d'inflammation.
Technique d'étude: Sur un poisson tué, la cavité abdominale est ouverte avec des ciseaux, puis l'intestin est prélevé. Après l'ouverture de l'intestin, les Acanthocéphales sont nettement visibles à la loupe. Le caractère permettant la détermination infaillible de l'Ancanthocéphale adulte est la présence d'une trompe caractéristique. Les larves d'Acanthocéphales se rencontrent le plus souvent dans la cavité abdominale.
Parasites: Les Acanthocéphales sont des vers parasites du tube digestif; leur taille varie de quelques millimètres à un centimètre. Ils sont de coloration blanchâtre ou jaunâtre à orange et de corps cylindrique. Le rostre (partie antérieure de la trompe ou présoma) est garni de crochets et représente la caractéristique la plus remarquable. La morphologie de la trompe est le caractère servant à la détermination des espèces. Les Acanthocéphales sont dépourvus de bouche, de tube digestif et d'anus. La nutrition s'effectue à travers le tégument de l'ensemble du corps. Les organes génitaux sont bien développés. Les Acanthocéphales possèdent un cycle de développement compliqué et comportant différents stades larvaires et un ou deux changements d'hôtes; les Gammares d'eau douce, les Aselles, des larves d'insectes (larves de Mégaloptères du genre *Sialis*) et des poissons jouent le rôle d'hôte intermédiaire. L'hôte définitif est également un poisson ou un homéotherme (Oiseaux et Mammifères).
Pathogénicité: La présence de quelques Acanthocéphales ne semble pas incommoder les poissons. Mais une atteinte plus importante (300 parasites ou plus) influence défavorablement l'état de santé et peut entraîner la mort, en particulier chez les petits poissons. Le rostre muni de crochets occasionne des blessures de la paroi intestinale et des hémorragies internes qui affaiblissent le poisson. Mais les Acanthocéphales affaiblissent également leur hôte par le détournement de la nourriture. Si le nombre de vers est très élevé l'intestin se retrouve souvent obstrué par les parasites qui peuvent même déterminer une occlusion complète de l'intestin.
Traitement: Il est impossible de traiter une parasitose à Acanthocéphales car il n'existe à ce jour aucun médicament qui puisse tuer ces parasites dans l'intestin du poisson. Il n'existe pas non plus de possibilité de guérison d'une parasitose par larves d'Acanthocéphales. Heureusement cette parasitose est

rare en aquarium. Elle est observée surtout chez des poissons d'importation. Les poissons parasités doivent être retirés de l'aquarium et tués. La mesure préventive la plus efficace pour éviter une parasitose à Acanthocéphales constitue à renoncer à l'utilisation comme nourriture de Gammares d'eau douce, d'Aselles et de larves d'Insectes aquatiques puisqu'ils jouent le rôle d'hôtes intermédiaires des Acanthocéphales.

3. Mycoses ou champignons

Ichthyosporidiose ou Parasitose à *Ichthyosporidium*. «Maladie des trous»
Symptômatologie: Le symptôme visible le plus fréquent de cette maladie est l'aspect hérissé des écailles des poissons malades; cet aspect est qualifié de ‹papier émeri›. C'est la présence de nombreux petits nodules, mesurant moins de 0,1 mm, qui provoque cette rudesse du tégument. Les nodules ont une coloration noire typique. La destruction de l'epiderme provoque une exfoliation et l'apparition de surfaces nécrotiques. Les poissons peuvent en plus présenter des bosses, des ulcères ensanglantés et des blessures en forme de cratère («Maladie des trous»). La formation de nodules blancs sur les organes internes (cœur, foie, rein) constituent d'autres symptômes. Les poissons atteints se déplacent souvent grâce à des mouvements incontrolés ou chancelants et montrent un gonflement de l'abdomen.
Technique d'étude: Des animaux malades sont tués par section nuchale et des prélèvements de tissus sont effectués sur les organes suivants: Cœur, foie, rein, rate et cerveau. Les fragments arrachés à ces organes sont utilisés pour la confection de préparations qui sont observées au microscope à un grossissement de 50 à 120. Le parasite peut également être observé au microscope sur des préparations réalisées à partir d'un matériel que l'on obtient en raclant les ulcérations.
Parasite: L'ichthyosporidiose est provoqué par un champignon Phycornycète *Ichthyosporidium (Ichthyophonus) hoferi.* Le cycle de développement de ce champignon est relativement complexe et se déroule de la façon suivante: à la suite d'une infection buccale, un stade unicellulaire de petite taille, l'ameoboblaste, se développe dans le tube digestif après un

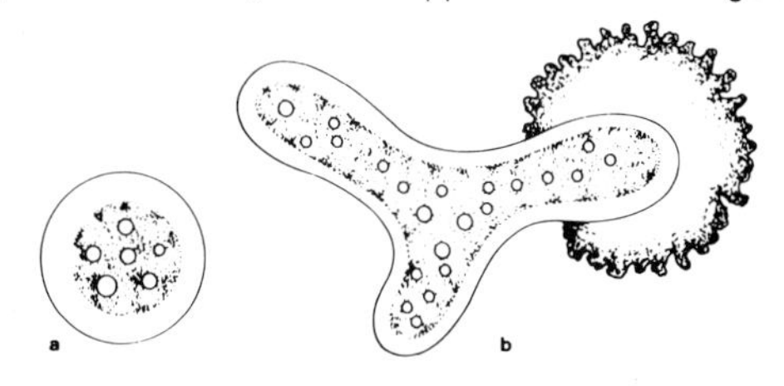

Ichthyosporidium hoferi: a) kyste d'attente, b) Plasmodium en germination.

temps de latence. La digestion de l'enveloppe de l'amœboblaste libère les germes amœboides. Ceux ci traversent la muqueuse intestinale et rejoignent la circulation sanguine. Le sang transporte les germes dans différents organes où les germes amœboides s'arrondissent et s'entourent d'une enveloppe. A partir de ce moment, une série de divisions nucléaires qui se succèdent rapidement assurent une croissance rapide du champignon. Lorsqu'il a atteint une certaine taille, il différencie une enveloppe plus solide. En même temps les divisions et la croissance s'arrêtent. L'hôte, de son côté, développe une enveloppe autour des parasites. Ces kystes, après une période de repos de quelques jours, libèrent des plasmodiums plurinuclées (= masses plasmiques à plusieurs noyaux) qui se divisent pour former des plasmodiums fils qui de leur côté développent de nouveaux kystes. Cette multiplication secondaire est à l'origine d'une surinfection de l'organe parasité. Les kystes vieillissants peuvent isoler des spores de durée. Des hyphes bourgeonnent à partir du kyste après la mort de l'hôte. A leur extrémité, les hyphes s'épaississent en forme de massue et isolent des plasmodiums infectieux. Lorsque ces derniers sont absorbés par un nouvel hôte, ils libèrent des amœboblastes infectieux sous l'influence des sécrétions stomacale et intestinale, et le cycle recommence.

Pathogénicité: L'ichthyosporidiose est très pathogène dans certains cas et entraine rapidement la mort des poissons. Cette maladie provoque une inflammation chronique et la formation de granulomes dans les tissus atteints. La musculature montre une tendance à la lyse. Les organes internes atteints sont parsemés de petits kystes. Ceux ci détruisent en partie les tissus vivants et les rendent ainsi inaptes à remplir leurs fonctions. Il apparait également des déformations du squelette.

Traitement: A l'heure actuelle, un traitement médicamenteux de l'ichthyosporidiose n'est pas possible. Seules la destruction de la totalité des poissons et la désinfection poussée de l'aquarium sont pratiquées en cas d'infection par *Ichthyosporidium.* Aux premiers stades de l'infection, seule la muqueuse intestinale est atteinte, la maladie peut parfois être guérie par addition de tetracycline à la nourriture (1 mg de tetracycline pour 50 à 100 g de poids de corps de poisson).

4. Virus

Inflammation de la vessie gazeuse (Aerocystitis)

Symptômatologie: La maladie débute par un refus des poissons. Au cours de l'évolution de la maladie, des kystes contenant des gaz ou des liquides apparaissent dans la partie postérieure de la cavité abdominale qui est distendue et provoquent une position tête-en-bas des poissons.

En même temps le pourtour du corps augmente à la suite de la croissance, des kystes. L'étude histologique permet d'observer une inflammation et un épaississement de la paroi de la vessie gazeuse. On observe des manifestations dégénératives. La vessie gazeuse contient du pus. Au stade final de la maladie, d'autres organes (rein, rate, foie) sont également atteints.

Technique d'étude: Il n'est pas possible au profane d'établir le diagnostic de l'inflammation de la vessie gazeuse car il est nécéssaire de faire appel à des méthodes histologiques, bactériologiques et également virologiques.

Etiologie: L'inflammation de la vessie gazeuse est une maladie à étiologie virale. L'infection et la multiplication du virus peuvent s'effectuer à des températures allant de 4 à 33° C, la température optimale pour la multiplication virale allant de 15 à 28° C.

Pathogénicité: L'aerocystitis est contagieuse. Elle provoque la tuméfaction du canal pneumatique (canal reliant la vessie gazeuse à l'intestin), l'œdème du rein et des modifications au niveau de la rate et du foie. De plus, l'inflammation de la vessie gazeuse détermine une anémie et des anomalies des mouvements des poissons.

Traitement: Les poissons malades doivent être retirés de l'aquarium et tués. Une lutte médicamenteuse à l'aide d'antibiotiques, de sulfamides et de bleu de méthylène ajoutés à la nourriture peut légèrement retarder l'évolution de la maladie.

5. Maladies non parasitaires

Tumeurs

Symptômatologie: Les épithéliomas (cancers du tégument) se manifestent comme des tumeurs de l'épiderme. La localisation de la tumeur et l'origine des types tissulaires participant à son développement permettent de distinguer plusieurs types de cancers malins: cancers du cartilage, de l'os, des muscles, du système nerveux et du cœur.

Etiologie: Les tumeurs bénignes sont des réponses à certains stimuli et peuvent régresser lorsque ces derniers cessent. Les tumeurs malignes ont souvent une origine génétique et se développent à la suite de la présence dans les aliments de substances cancérigènes (provoquent un cancer).

Traitement: Souvent les tumeurs bénignes régressent à la suite de la disparition de la cause de leur développement; un cancer malin par contre ne guérit qu'exceptionnellement.

Carences

Dans la majorité des cas, les maladies carencielles peuvent être rapportées à deux causes. 1. L'absence totale de vitamines (avitaminose). 2. La distribution insuffisante de vitamines (hypovitaminose). Voir le chapitre «Vitamines», page 874.

Index

Index

Index

Index

Bibliographie

Aldinger, H. (1965): Der Hecht. Verlag Paul Parey, Hamburg.

Amlacher, E. (1976): Taschenbuch der Fischkrankheiten für Veterinärmediziner und Biologen. VEB Gustav Fischer Verlag, Jena.

Arnold, J. P. (ohne Jahr): Alphabetisches Verzeichnis der bisher eingeführten fremdländischen Süßwasserfische. Verlag Gustav Wenzel & Sohn, Braunschweig.

Arnold, J. P. und E. Ahl (1936): Fremdländische Süßwasserfische, Verlag Gustav Wenzel & Sohn, Braunschweig.

Autorenkollektiv (1978): Kosmos-Handbuch Aquarienkunde – Das Süßwasseraquarium. Franckh'sche Verlagshandlung, Stuttgart.

Axelrod, H. & L. Schultz (1971): Handbook of Tropical Aquarium Fishes. T.F.H. Publications, Neptune City, N. J., USA.

Bade, E. (1909): Das Süßwasser-Aquarium. Verlag für Sport und Naturliebhaberei Fritz Pfenningstorff, Berlin; 3. Auflage.

Baensch, U. (1980): Bunte Zierfischkunde. Tetra Verlag, Melle.

Banarescu, P. & T. T. Nalbant (1973): Das Tierreich, Lieferung 93: Subfamilia Gobioninae. Verlag Walter de Gruyter, Berlin.

Bailey, R. M. (1970): A list of common and scientific names of fishes from the United States and Canada, American Fish. Soc., Spec. Publ. No. 6, Washington D. C., USA.

Bauch, G. (1954): Die einheimischen Süßwasserfische. Verlag J. Neumann, Radebeul und Berlin.

Bell-Cross, G. (1976): The fishes of Rhodesia. Trust.Nat.Mus.Monum. Rhodesia, Salisbury.

Berg, L. S. (1958): System der rezenten und fossilen Fischartigen und Fische. VEB Deutscher Verlag der Wissenschaften, Berlin.

Blache, J. (1964): Les poissons du bassin du Tchad et du bassin du Mayo Kebbi. Off. Rech. Scient. Tech. Outre-Mer, Paris.

Blätter für Aquarien- und Terrarienkunde. Illustrierte Zeitschrift für die Interessen der Vivarienkunde. Herausgegeben von Dr. W. Wolterstorff. Stuttgart 1920. Verlag von Julius E. G. Wegner.

Boulenger, G. A. (1901): Les Poissons du Bassin du Congo. Publication de l'Etat Indépendant du Congo.

Brittan, M. R. (1954): A revision of the Indo-Malayan fresh-water fish genus Rasbora. Bureau of Printing, Manila.

Daget, J. (1962): Les poissons du Fouta Dialon et de la basse Guinée. Mem.IFAN, Dakar.

Daget, J. & A. Iltis (1965): Poissons de Côte d'Ivoire. Mem.IFAN, Dakar.

Dathe, H. (1975): Wirbeltiere I: Pisces, Amphibia, Reptilia. VEB Gustav Fischer Verlag, Jena.

De Wit, H. C. D. (1970): Aquarienpflanzen, Verlag Eugen Ulmer, Stuttgart.

Düringen, B. (um 1896): Fremdländische Zierfische. Zweite Auflage. Creutz'sche Verlagsbuchhandlung (R. & M. Kretschmann). Magdeburg.

Duncker, (G. &. W. Ladiges (1960): Die Fische der Nordmark. Kommissionsverlag Cramm de Gruyter & Co., Hamburg.

Eigenmann, C. H. (1918): The American Characidae. Mem.Mus.Comp. Zool. Harvard Coll., Cambridge, USA.

Fowler, H. W. (1941): Contributions to the biology of the Philippine Archipelago and adjacent regions. Smithonian Inst. U. S. Nat. Mus. Bull. 100, Washington, USA.

Fowler, H. W. (1948–1954): Os peixes de agua doce do Brasil, vol. I. + II. Arq. Zool. Est. Sao Paulo, Sao Paulo.

Flauaus, G. (1975): Der Goldfisch. Franckh'sche Verlagshandlung, Stuttgart.

Frey, H. (1971): Zierfisch-Monographien, Band 1: Salmler, Verlag J. Neumann, Radebeul.

Frey, H. (1974): Zierfisch-Monographien, Band 2: Karpfenfische. Verlag J. Neumann, Radebeul.

Frey, H. (1974): Zierfisch-Monographien, Band 3: Welse und andere Sonderlinge. Verlag J. Neumann, Radebeul.

Frey, H. (1978): Zierfisch-Monographien, Band 4: Buntbarsche – Cichliden. Verlag J. Neumann, Melsungen.

Gärtner, G. (1981): Zahnkarpfen – Die Lebendgebärenden im Aquarium. Verlag Eugen Ulmer, Stuttgart.

Géry, J. (1977): Characoids of the world. T. F. H. Publications, Inc. Ltd. Neptune City, N. J., USA.

Gilchrist, J. D. F. & W. W. Thompson (1917): The freshwater fishes of South Africa. Ann. S. Afr. Mus. 11, Kapstadt.

Goldstein, R. J. (1971): Anabantoids, Gouramis and related fishes. T. F. H. Publications, Neptune City, N. J., USA.
Goldstein, R. J. (1973): Cichlids of the world. T. F. H. Publications, Neptune City, N. J., USA.
Gosse, J.-P. (1975): Revision du genre Geophagus. Acad. Roy. Scien. Outre-Mer, Brüssel.
Greenwood, P. H. (1979): Towards a phyletic classification of the genus Haplochromis (Pisces, Cichlidae) and related taxa, part 1. Bull. Br. Mus. nat. Hist. (Zool.) **35**, London.
Greenwood, P. H. (1980): Towards a phyletic classification of the genus „Haplochromis" (Pisces, Cichlidae) and related taxa, part II. Bull. Br. Mus. nat. Hist. (Zool.) **39**, London.
Heilborn, A. (1949): Der Stichling. A. Ziemsen Verlag, Wittenberg Lutherstadt.
Holly, M., H. Meinken & A. Rachow (o. J.): Die Aquarienfische in Wort und Bild. Alfred Kernen Verlag, Stuttgart.
Inger, R. F. & Ch. P. Kong (1962): The fresh-water fishes of North Borneo. Fieldiana Zool. **45**, Chicago, USA.
Jackson, P. B. N. (1961): Checklist of the fishes of Nyassaland. Nat. Mus. S. Rhodesia, Samfya.
Jackson, P. B. N. & T. Ribbink (1975): Mbuna-rock-dwelling cichlids of lake Malawi. T. F. H. Publications, Neptune City, N. J., USA.
Jacobs, K. (1969): Die lebendgebärenden Fische der Süßgewässer. Edition Leipzig, Leipzig.
Jacobs, K. (1976/1977): Vom Guppy dem Millionenfisch, Band 1 + 2, Landbuch Verlag, Hannover.
Jordan, D. S. & B. W. Evermann (1896): The fishes of North and Middle America. Smithonian Institution, Washington.
Jubb, R. A. (1967): Freshwater fishes of Southern Africa. Gothic Printing Comp., Cape Town–Amsterdam.
Knaack, K. (1970): Killifische im Aquarium. Franckh'sche Verlagshandlung, Stuttgart.
Kramer, K. (1943): Aquarienkunde. Bearbeitet von Hugo Weise. Gustav Wenzel & Sohn, Braunschweig.
Kraus, O. (1970): Internationale Regeln für die zoologische Nomenklatur. Verlag Waldemar Kramer, Frankfurt/M.
Krause, H.-J. (1981): Einführung in die Aquarientechnik. Franckh'sche Verlagshandlung, Stuttgart.
Kuhn, O. (1967): Die vorzeitlichen Fischartigen und Fische. A. Ziemsen Verlag, Wittenberg Lutherstadt.
Kuhnt. M. (ca. 1922): Exotische Zierfische, Illustriertes Handbuch für Aquarianer. Verlag Vereinigte Zierfischzüchtereien Berlin-Rahnsdorf.
Kullander, S. O. (1973): Amerikas Cichlider: Gullänget, Schweden.
Kullander, S. O. (1980): A taxonomic study of the genus Apistogramma Regan, with a revision of Brazilian and Peruvian species (Teleostei; Percoidei; Cichlidae). Bonner Zool. Monograph., Nr. 14; 1–152.
Ladiges, W. (1976): Kaltwasserfische in Haus und Garten. Tetra Verlag, Melle.
Ladiges, W. & D. Vogt (1979): Die Süßwasserfische Europas. Verlag Paul Parey, Hamburg, 2. Auflage.
Lagler, K. F., J. E. Bardach &. R. R. Miller (1962): Ichthyology. John Wiley & Sons, New York, N. Y., USA.
Linke, H. &. W. Staeck (1981): Afrikanische Cichliden, I. West-Afrika, Tetra-Verlag, Melle.
Lowe-McConnell, R. H. (1977): Ecology of fishes in tropical waters. Edward Arnold, London.
Lüling, K. H. (1977): Die Knochenzüngler-Fische. A. Ziemsen Verlag, Wittenberg Lutherstadt.
Matthes, H. (1964): Les poissons du lac Tumba et de la région d'Ikela. Ann. Mus. Roy. Afr. Centrale, Tervuren.
Mayland, H. J. (1978): Große Aquarienpraxis – Band 1–3. Landbuch Verlag, Hannover.
Mayland, H. J. (1981): Diskusfische – Könige Amazoniens. Landbuch Verlag, Hannover.
Müller, A. H. (1966): Lehrbuch der Paläozoologie, Band 3: Vertebraten, Teil 1: Fische im weiteren Sinne und Amphibien. VEB Gustav Fischer Verlag, Jena.
Munro, I. S. R. (1955): The marine and freshwater fishes of Ceylon. Dept. Extern. Affairs. Canberra, Australien.
Munro, I. S. R. (1967): The fishes of New Guinea. Dept. Agriculture, Stock and Fishereis. Port Moresby, New Guinea.
Myers, G. S. (1972): The Piranha book. T. F. H. Publications, Neptune City, N. J., USA.
Nikolski, G. W. (1957): Spezielle Fischkunde. VEB Deutscher Verlag der Wissenschaften, Berlin.
Osetrova, W. S. (1978): Handbuch der Fischkrankheiten. Verlag Kolos, Moskau, USSR.
Paffrath, K. (1978): Bestimmung und Pflege von Aquarienpflanzen. Landbuch-Verlag GmbH, Hannover.
Paepke, H.-J. (1979): Segelflosser – die Gattung Pterophyllum. A. Ziemsen Verlag, Wittenberg Lutherstadt.
Paysan, K. (1970): Welcher Zierfisch ist das? Franckh'sche Verlagshandlung, Stuttgart.

Bibliographie

Pellegrin, J. (1903): Contribution à l'étude anatomique, biologique et taxonomique des poissons de la famille Cichlidés. Mem. Soc. Zool. France **16**, Paris.
Petzold, H.-G. (1968): Der Guppy. A. Ziemsen Verlag, Wittenberg Lutherstadt.
Piechocki, R. (1973): Der Goldfisch. A. Ziemsen Verlag, Wittenberg Lutherstadt.
Pinter, H. (o. J.): Handbuch der Aquarienfischzucht. Alfred Kernen Verlag, Stuttgart.
Pinter, H. (1981): Cichliden – Buntbarsche im Aquarium. Verlag Eugen Ulmer, Stuttgart.
Poll, M. (1957): Les genres des poissons d'eau douce de l'Afrique. Ann. Mus. Roy. Congo Belge **54**, Tervuren.
Poll, M. (1953): Poissons non Cichlidae. Explor, Hydrobiol. Lac Tanganika, vol. III, Brüssel.
Poll, M. (1956): Poissons Cichlidae. Explor. Hydrobiol. Lac Tanganika, vol. III. Brüssel.
Poll, M. (1957): Les genres des poissons d'eau douce de l'Afrique. Ann. Mus. Roya. Congo Belge **54**, Tervuren.
Poll, M. (1967): Contribution à la faune ichthyologique de l'Angola. Diamang, Publ. Cultur. no. 75, Lissabon.
Puyo, J. (1949): Poissons de la Guyane Francaise. Libraire Larose, Paris.
Reichenbach-Klinke, H. H. (1980): Krankheiten und Schädigungen der Fische. Gustav Fischer Verlag, Stuttgart, 2. Auflage.
Reichenbach-Klinke, H. H. (1968): Krankheiten der Aquarienfische. Kernen Verlag, Stuttgart.
Reichenbach-Klinke, H. H. (1970): Grundzüge der Fischkunde. Gustav Fischer Verlag, Stuttgart.
Reichenbach-Klinke, H. H. (1975): Bestimmungsschlüssel zur Diagnose von Fischkrankheiten. Gustav Fischer Verlag, Stuttgart.
Ringuelet, R. A., R. H. Aramburu & A. A. Aramburu (1967): Los Peces Argentinos de agua dulce. Comm. Invest. Cientifica, La Plata.
Roman, B. (1966): Les poissons des hautes-bassins de la Volta. Ann. Mus. R. Afr. Centrale, Tervuren.
Rosen, D. E. (1979): Fishes from the uplands and intermontane basis of Guatemala: revisionary studies and comparative geography. Bull. Amer. Mus. nat. Hist. **162**.
Schäperclaus, W. (1979): Fischkrankheiten, Band 1 + 2. Akademie Verlag, Berlin (4. Auflage).
Scheel, J. J. (1972): Rivulins of the world. T. F. H. Publications, Neptune City, N. J., USA.
Scheel, J. J. (1974): Rivuline studies – taxonomic studies of Rivuline Cyprinodonts from tropical atlantic Africa. Ann. Mus. R. Afr. Centrale no. 211, Tervuren.
Schubert, G. (1971): Krankheiten der Fische. Franckh'sche Verlagshandlung, Stuttgart.
Smith, H. M. (1945): The fresh-water fishes of Siam or Thailand. U. S. Govern. Print. Office, Washington, USA.
Staeck, W. (1974/1977): Cichliden: Verbreitung–Verhalten–Arten, Band 1 + 2. Engelbert Pfriem Verlag, Wuppertal-Elberfeld.
Staeck, W. & H. Linke (1982): Afrikanische Cichliden. II. Ost-Afrika. Tetra-Verlag, Melle.
Stansch, K. (1914): Die exotischen Zierfische in Wort und Bild. Kommissionsverlag: Gustav Wenzel & Sohn, Braunschweig.
Sterba, G. (1968): Süßwasserfische aus aller Welt. Urania Verlag, Leipzig–Jena–Berlin.
Sterba, G. (1975): Aquarienkunde, Band 1+2. Verlag J. Neumann, Melsungen–Berlin–Basel–Wien.
Sterba, G. (1978): Lexikon der Aquaristik und Ichthyologie. Edition Leipzig, Leipzig.
Suworow, J. K. (1959): Allgemeine Fischkunde. VEB Deutscher Verlag der Wissenschaften.
Thorson, T. R. (1976): Investigations to the ichthyofauna of Nicaraguan lakes. University of Nebraska, Lincoln, USA.
Thys van den Audenaerde, D. F. E. (1968): An annotated bibliography of Tilapia. Mus. R. Afr. Centrale no. 14, Tervuren.
Tortonese, E. (1970): Osteichthyes – Pesci Ossei, parte prima. Edizione Calderini, Bologna, Italien.
Trewavas, E. (1935): A synopsis of the cichlid fishes of lake Nyassa. Ann. Mag. nat. Hist. **16**, London.
Vierke, J. (1977): Zwergbuntbarsche im Aquarium. Franckh'sche Verlagshandlung, Stuttgart.
Vierke, J. (1978): Labyrinthfische und verwandte Arten. Engelbert Pfriem Verlag, Wuppertal-Elberfeld.
Vogt, C. & B. Hofer (1909): Die Süßwasserfische von Mitteleuropa. Verlag Wilhelm Engelmann, Leipzig.
Weatherly, A. H. (1972): Growth and ecology of fish populations. Academic Press, London + New York.
Whitley, G. P. (1960): Native freshwater fishes of Australia. Jarracanda Press, Brisbane, Australien.
Zukal, R. & S. Frank (1979): Geschlechtsunterschiede der Aquarienfische. Landbuch Verlag, Hannover.

Dr. Gerald R. Allen: 813 o, 851 u.
Aqua Medic: 19.
Hans A.Baensch: S.18, 41, 80, 85,183 o, 187 (2), 191 (2), 193, 195, 291 u.r, 319, 351 o, 461o.l., 463 m.l., 465 u.r., 467 o.l.+o.r., 471o., r.+u.r., 603 o, 660 u, 699 u, 707 u, 719 u, 763 o, 765, 895 o.l., 897 (2), 899 (4), 929 (2), 946 u.l., 967 (2), 971 (2), 974, 998, 999.
Dr. Ulrich Baensch: 87.
Heiko Bleher: 279 o, 293 o.
Dieter Bork: 669 u.
Gerhard Brünner: 119 u.l.
Ingo Carstensen: 535 o, 547 o, 569 m, 577 o.
Horst Dieckhoff: 683 u, 986.
Hans-Georg Evers: 221 o.
Dr. Walter Foersch: 481, 489 u, 525 u, 527 u, 533 o, 555 (2), 607 o, 650, 807o, 820, 851 o.
Dr. Stanislav Frank: 297 u, 303 o, 387 u.
K.A. Frickhinger: 946 o.l.
S. Gehmann: 995 u.
Hilmar Hansen: 209, 231 o, 429 u, 461 u, 673 u, 687 o, 737 u, 813 u, 841, 844, 849 m, 867 o.
Klaus Hansen: 946 m.o.l., 993 o, 995 o.
Andreas Hartl: 442.
Dr. Hans-J. Herrmann: 946 m.u.l., 950 (2), 951 (2), 952, 953 o, 955 (2), 956, 957 o, 959 o, 961, 963 (2).
Peter Hoffmann: 247 u, 517 u.
Kurt Huwald: 539 o, 545 u, 561 u, 581 u, 583 o.
Heinrich Jung: 333 o, 675 u, 677 u.
Juwel Aquarium: 12, 13.
Burkhard Kahl: 219 o, 223 u, 227 u, 235 o + m, 243 u, 257 o, 259 u, 261 o, 263 (2), 265 u, 269 (2), 271 (2), 273 (2), 281 (2), 283 (2), 285 (2), 287 (2), 289 (2), 291 o, 293 u, 295 o, 303 u, 305 u, 306, 309 u, 313 o, 325 o, 327 o, 341 (2), 343 o, 345 o, 347 u, 353 u, 355 o, 357 (2), 359 u, 365 m, 367o, 369 u, 371 u, 373 u, 381o, 383 u, 385 u, 393 u, 394, 395 o, 399 o+ u, 401 o, 407 u, 409 (2), 423 o, 427 o, 431, 433 (2), 437 (2), 439 u, 447 o, 451, 463 o, 467 m.r. 471 m + u.l., 472, 475 m.r. + u.l., 477 u, 484, 487 o, 489 o, 499 (2), 505 u, 513, 525 o, 537 u, 541 u, 567 o, 569 u, 571 u, 575 o, 581 o, 585 o, 593 (2), 595 u, 597 o, 601 o. r., 603 u, 607 u, 608 (2), 610, 611 o + u.r., 614, 633 u, 635 o, 637 (2), 639 u, 645 u, 649 o, 653 o, 691 o, 693 u, 701 o, 715 u, 719 m, 729 (3), 739 (2), 743 u, 745 o, 755 o, 757 u,761 o, 762, 764, 766 (2), 767 (2), 769 u, 771 (2), 772, 779 o, 783 u, 787, 790, 793 u, 823 o, 837 u, 845, 847 u, 853 o, 855 o, 857 o, 869 o, 880, 885, 893 o.r., 895 o.r. + u, 908, 926.
Horst Kipper, Dupla Aquaristik: 47, 49, 183 u.
Karl Knaack: 557 o.
Alexander M. Kochetov: 811 u, 979 u, 989 u, 990, 991, 995 o, 997 u.
Ingo Koslowski: 679 u.
Maurice Kottelat: 422.
Axel Kulbe: 770.
Horst Linke: 425 o, 631 u, 633 o, 643 u, 685 u, 695 u, 747 o, 751 (2), 946 u.l. + o.r., 949 (2), 975.
Anton Lamboj: 723 o, 749 u
Peter Lucas: 957 u, 962.
K. H. Lübeck: 421 o.
Hans-Jörg Mayland: 711 o.
Meinken-Archiv: 663 o, 781 u, 782.
Manfred K. Meyer: 591 u, 597 u, 602 o, 605 o, 613 o, 759 u.
Arend van den Nieuwenhuizen: 11, 14, 15, 74/75, 198/199, 213, 221 u, 253 o,309 o, 335 o + m, 343 u, 349 (2), 379, 385 o, 389 u, 399 m, 403 o, 407 o, 441 u, 471 o.l., 480, 512, 519, 522, 523 (2) 525 m, 527 o + m, 531 (2), 533 u, 536, 537 o, 539 u, 543 o, 545 o, 547u, 549 (2), 551 o, 553 o, 559 u, 565 o, 573 (2), 579 u, 583 u, 587, 618, 631 o, 697 u, 833 o, 835 o, 847 o, 863 o, 871 u, 947, 960 (2)
Aaron Norman: 211 o, 215, 217 u, 219 u, 225 o, 229 o, 233, 235 u, 239 o, 241(3), 243 o, 245 (3), 249 o, 253 m, 261 u, 265 o, 267 (5), 275 u, 280, 282, 291 m.l. + m.r. + u.l., 299 o, 301 u, 305 o, 311 (2), 313 u, 315 (2), 321 (2), 323 o, 327 u, 329 o, 331 (2), 335 u, 336, 351 u, 355 u, 387

o, 389 o, 391 (2), 393 o, 395 u, 397 (2), 403 u, 413 (2), 419 o, 427 u, 429 o, 435 u, 439 o, 446, 448, 455, 457 (2), 461 o.r. + 2 m.l + 2. m.r., 463 m.r. + 2 u, 465 o.r. + u.l., 467 m.l. + u, 469 m.l. + m.r. + u.l., 475 m.l. + u.r., 477 o, 478, 479, 483 u, 485 (2), 493 u, 495 u, 497 o, 501 u, 507 u, 508 u, 514, 517, 521, 577u, 620 o, 627 o, 647 u, 665 (2), 671 o, 683 o, 689 u, 694, 695 o, 703 o, 705 u, 709 (2), 713 o, 715 o, 724, 727 u, 731 (2), 733 u, 740, 757 o, 763 u (2), 773, 778, 785 u, 793 o, 795 u, 797 (2), 799 u, 801 o, 803 o, 805, 810, 827 u, 833 u, 836, 839 o, 843 u, 849 u, 853 u, 855 u, 859 u, 869 u, 871 o.

Gerhard Ott: 365 u, 449 (2)

Kurt Paffrath: 89 -147, 893 o.l. + u.

Klaus Paysan: 232, 325 u, 345 u, 359 o, 367 u, 375 o, 383 o, 441 o, 465 m, 543 u, 801 u, 864, 865.

Eduard Pürzl: 411 u, 445 u, 557 u, 595 o.

Hans Reinhard: 205 (2), 207, 208, 211 u, 227 o, 239 u, 251 u, 254, 255, 257 u, 316, 323 u, 361, 365 o, 373 o, 375 u, 381 u, 411 o, 415 (2), 421 u, 423 u, 425 u 430, 443 (2), 445 o, 459 o, 465 o. l ., 469 o + u.r., 473 o, 475 o, 491 (2), 500, 501 o, 503 (2) 505 o, 508 o, 509, 511 (2), 51 6, 551 u, 598, 617, 625 (2), 627 u, 635 u, 645 o, 647 o, 649 u, 655, 671 u, 681 u, 713 u, 716, 730, 733 o, 735 u, 741 u 756, 779 u, 783 o, 785 o, 791, 795 o, 799 o, 803 u, 804, 809 o, 821, 825, 826 (2), 827 o, 829 o, 831, 835 u, 839 u, 840, 849 o, 857 u, 859 o, 860, 863 u, 901, 913, 973 (2).

Günter Reitz: 185 u, 189.

Hans Joachim Richter: 217 o, 229 u, 231 u, 237 (2) 247 o, 249 u, 253 u, 259 o, 295 u, 297 o, 299 u, 301 o, 307, 317, 329 u, 333 u, 347 o, 353 o, 363, 369 o, 371 o, 401 u, 405 u, 408, 417 (2), 419 u, 435 o, 447 u, 454, 459 u, 469 u.l., 473 u, 474, 483 o, 487 u, 493 o, 507o, 515, 541 o, 553 u, 559 o, 561 o, 563 u, 565 u, 567u, 569 o, 575 u, 579 o, 585 u, 591 o, 599 (2), 601 alle 7 außer o.r., 605 u, 609, 611 m.l + m.r. + u.l, 620 u, 622, 623 (2), 639 o, 641 (2) 643 o, 651 o, 653 u, 660 o, 675 o, 677 o, 679 o, 681 o, 691 u, 697 o, 703 u, 705 o, 717 u, 723 u, 725 u, 727 o, 735 o, 737 o 741 o, 745 u, 753 o, 755 u, 769 o, 775 (2), 781 o, 807 u, 811 o, 824, 837 o, 843 o, 867 m + u.

Uwe Römer: 959 u.

Hans Jürgen Rösler: 651 u, 749 o

Lucas Rüber: 777 o.

Mike Sandford: 497 u.

Gunther Schmida: 823 u.

Dr. Jürgen Schmidt: 621, 624, 629 (2), 829 u, 946 m.u.l., 965 o, 969 o.

Erwin Schraml: 689 o.

Dr. Gottfried Schubert: 921 (4), 924, 934.

Lothar Seegers: 495 o, 529 (2), 535 u, 557 o, 563 o, 571 o, 761 u, 777u, 861.

Ernst Sosna: 275 o.

Dr. Andreas Spreinat: 693 o, 711 u, 717 o, 719 o, 721 (2), 743 o.

Dr. Wolfgang Staeck: 701 u, 747 u, 753 u, 759 o.

Rainer Stawikowski: 667 (2), 669 o, 673 o, 682, 685 o, 687 u.

Tetra Archiv: 10, 181, 185 o, 306.

Dr. Jörg Vierke: 830.

Vogelsänger-Studios: 16/17.

Uwe Werner: 663 u, 699 o, 707 o, 725 o, 946 m.o.r., 977 o, 979 o, 981 o, 985 o, 996.

G. Westdörp: 993 u.

Ruud Wildekamp: 3, 223 o, 225 u, 251 o, 405 o., 951, 953 u, 977 u, 981 u, 982, 983 (2), 985 u, 987, 989 o, 995 u, 997 o.

Lothar Wischnath: 375 m, 613 u, 615, 809 u, 815, 965 u, 969 u.

o = haut
u = bas
m = milieu
l = gauche
r = droit

Rüdiger Riehl est né en 1949 à Gombeth (près de Kassel en R.F.A.). La proximité de la petite rivière du nom de Schwalm imprégna dès son jeune âge son attachement pour les poissons. Déjà à l'âge de six ans il maintenait des poissons indigènes dans des bocaux à conserves et les observait. La transition aux poissons exotiques s'effectua avec l'arrivée de son premier aquarium.
Après son baccalauréat en 1967 il fit des études de biologie à l'Université de Giessen. La zoologie fut son thème principal avec toujours un intérêt prédominant pour les poissons. En 1976 il soutint sa thèse avec des études faites en microscopie électronique sur l'oogenèse (formation de l'œuf) chez les poissons indigènes d'eau douce et obtint son diplôme de Dr. rer. nat.
De 1974 à 1979 le Dr. Riehl travaillait comme collaborateur scientifique à l'Institut de Zoologie générale et appliquée de Giessen. A partir du 1. 8. 1979 il était occupé à l'Université de Heidelberg au sein d'un groupe de recherches en Dermatologie sur le cancer de la peau chez l'homme.
En octobre 1982 le Dr. Riehl entra à l'Université de Düsseldorf comme conseiller académique responsable pour les installations en microscopie électronique dans les Instituts de Biologie.
Parallèlement à ses activités scientifiques, le Dr. Riehl trouva encore toujours le temps nécessaire pour se consacrer à l'aquariologie. Ses nombreuses publications aquariophiles, notamment la rubrique Ichthyologie dans «Tetra-Information» en témoignent. En outre le Dr. Riehl œuvra comme rédacteur de la «Deutsche Cichliden-Gesellschaft». Les Cichlidés et les Loches sont ses poissons préférés.

Les Auteurs

Hans A. Baensch, né en 1941, passa son enfance dans les environs de Hannovre. Le fait que son père était biologiste a contribué à ce que le fils se familiarisa très tôt avec la faune et la flore aquatiques locales.
Après avoir terminé ses études en commerce zoologique, il entra en 1961 dans la fabrique d'aliments pour poissons de son père, visita pratiquement tous les centres de piscicultures exotiques du monde, participa à deux expéditions en Amazonie en contribuant à la découverte de trois espèces de poissons. Plonger et photographier dans les eaux tropicales est sa passion. En 1974 il publia son premier livre «Kleine Seewasser Praxis» dont la 4e édition (41–50000) est en préparation. En 1977 il a pu acquérir la renommée Bibliothèque-Meinken, une des plus grandes bibliothèques privées avec plus de 3000 titres et revues. Dans cette même année il fonda sa propre maison d'éditions.
Il vit actuellement dans une petite ferme près de Melle, entouré de forêt et d'eau, où il s'emploie activement à la protection des Amphibiens, Reptiles et Poissons de cette région. Il écrit et édite des livres qui enchantent et instruisent les amis de la nature.